P9-CQR-476

WITHDRAWN

WITHDRAWN

WITHDRAWN

Mo YAN

Grandes pechos
amplias caderas

KAILAS
EDITORIAL

Título original: *Feng ru fei tun*

© 1996, Mo Yan
© 2013 de esta edición: Kailas Editorial, S.L.
Calle Tutor, 51, 7. 28008 Madrid
kailas@kailas.es
Derechos de traducción: Sandra Dijkstra y Sandra Bruna
Agencia Literaria, S.L. Todos los derechos reservados.

Diseño de cubiertas: Marcos Arévalo
Diseño de colección: Manuel Estrada
Realización: Carlos Gutiérrez y Olga Canals

Primera edición: junio de 2007
Segunda edición: septiembre de 2007
Tercera edición: octubre de 2012
Cuarta edición: octubre de 2012
Quinta edición: febrero de 2013

ISBN: 978-84-89624-26-9
Depósito Legal: M.24.814-2007

Impreso en Artes Gráficas Cofás, S.A.

www.kailas.es

Impreso en España — *Printed in Spain*

3 3090 01564 6260

Mo **YAN**

Grandes pechos
amplias caderas

Traducción de Mariano Peyrou

Al alma de mi madre

Lista de personajes principales

En chino, el apellido va delante del nombre. Entre familiares, los nombres propios se emplean mucho menos que los términos que designan relaciones (Primera Hermana, Hermano Menor, Viejo Tres, etc.). A lo largo de esta novela, varios de los personajes cambian de nombre, y algunos de ellos lo hacen, por distintas razones, en más de una ocasión. Los apodos, que pueden incluir números, son corrientes.

Madre: Shangguan Lu. Nombre durante la infancia: Xuan'er. Huérfana desde niña, fue criada por su tía y su tío, Gran Zarpa. Casada con el herrero Shangguan Shouxi. Se convirtió al cristianismo al final de su vida.

Hermana Mayor: Laidi, hija de Madre y de Gran Zarpa. Casada con Sha Yueliang y madre de Sha Zaohua. Después de la fundación de la República Popular, la obligaron a casarse con Sol Callado, un soldado tullido y mudo. Después tuvo un hijo con Hombrepájaro Han, llamado Papagayo Han.

Segunda Hermana: Zhaodi, hija de Madre y de Gran Zarpa. Casada con Sima Ku, el comandante de las fuerzas antijaponesas. Madre de las mellizas Sima Feng y Sima Huang.

Tercera Hermana: Lingdi, también conocida como el hada-pájaro, hija de Madre y de un buhonero que comerciaba con crías de pato. Primera esposa de Sol Callado, madre de Gran Mudo y de Pequeño Mudo.

Cuarta Hermana: Xiangdi, hija de Madre y de un curandero ambulante.

Quinta Hermana: Pandi, hija de Madre y de un carnicero de perros. Casada con Lu Liren, comisario político del Batallón de Demolición. Madre de Lu Shengli. Desempeñó diversos puestos oficiales. Se cambió el nombre a Ma Ruilian tras la fundación de la República Popular.

Sexta Hermana: Niandi, hija de Madre y del monje superior del Monasterio de Tianqi. Casada con el americano Babbitt, piloto de un bombardero.

Séptima Hermana: Qiudi, fruto de una violación a Madre por parte de cuatro desertores. Vendida a una mujer rusa como huérfana, se cambió el nombre a Qiao Qisha.

Octava Hermana: Yunü, una melliza engendrada por Madre y por el misionero sueco Malory. Nació ciega.

Yo (narrador): Jintong, el único hijo varón de Madre, nacido a la vez que Octava Hermana.

Shangguan Shouxi: Herrero, el marido impotente de Madre.

Shangguan Fulu: Herrero, padre de Shangguan Shouxi.

Shangguan Lü: Esposa de Shangguan Fulu, madre de Madre.

Sima Ting: Administrador de la Casa Solariega de la Felicidad, en la población de Dalan. Después ejerció funciones de alcalde.

Sima Ku: Hermano menor de Sima Ting, esposo de Zhaodi (Segunda Hermana). Un patriota, unido a los nacionalistas durante la Guerra de Resistencia (1937-1945).

Sima Liang: Hijo de Sima Ku y de Zhaodi (Segunda Hermana).

Sha Yueliang: Esposo de Laidi (Hermana Mayor), comandante de la Banda de Mosqueteros del Burro Negro durante la Guerra de Resistencia (1937-1945). Desertó y se pasó al lado japonés.

Sha Zaohua: Hija de Sha Yueliang y Laidi (Hermana Mayor). Creció junto a Jintong y Sima Liang.

Hombre-pájaro Han: Amante de Lingdi (Tercera Hermana).

Pastor Malory: Misionero sueco. Tuvo una aventura ilícita con Shangguan Lu y engendró a los mellizos Jintong y Yunü.

Papagayo Han: Hijo de Hombre-pájaro Han y Laidi.

Lu Liren: También conocido como Jiang Liren y, más adelante, como Li Du. Ejerció varios cargos oficiales para los comunistas.

Lu Shengli: Hija de Lu Liren y Shangguan Pandi (Quinta Hermana). Llegó a ser alcaldesa de Dalan.

Sol Callado: Hijo mayor de la Tía Sol. Vecino de la familia Shangguan. Nació mudo. Se comprometió con Laidi (Hermana Mayor), quedó tullido en combate y regresó para casarse con ella.

Ji Qiongzhi: Profesora de Jintong, para quien resulta un gran estímulo.

Capítulo 1

I

Desde su *kang* —la plataforma de ladrillo y tierra prensada en la que solía dormir—, donde estaba acostado tranquilamente, el Pastor Malory vio un haz de luz roja y brillante que iluminaba el pecho rosado de la Virgen María y la cara regordeta del Niño Bendito, que ella sostenía entre sus brazos, y que estaba con el trasero desnudo. El agua de las lluvias del último verano había dejado unas manchas amarillas sobre el óleo del retablo, dando a la Virgen María y al Niño Bendito una expresión ausente. Una araña de patas largas colgaba de un hilo plateado junto a la luminosa ventana, meciéndose en una ligera brisa. «Por la mañana, las arañas traen felicidad, y por la tarde prometen riqueza». Eso era lo que la pálida pero hermosa mujer había dicho, un día, al ver a una de estas criaturas de ocho patas. Pero ¿a qué felicidad puedo aspirar yo? Todos los pechos y culos celestiales de sus sueños fulguraron en su mente. Oyó, provenientes del exterior, el ruido de los carros y los graznidos de las grullas en la ciénaga lejana, además de los balidos enfadados de su cabra lechera. Los gorriones golpeaban ruidosamente contra el papel que tapaba la ventana. Las urracas, los llamados pájaros de la felicidad, cotorreaban en los álamos cercanos. Por la apariencia que tenía todo, bien podría ser que la felicidad estuviera hoy en el aire.

Entonces, de repente, su mente se aclaró, y la hermosa mujer con una tripa increíblemente grande apareció de forma violenta, rodeada por un halo de luz cegadora. Sus labios temblaron nerviosamente, como si estuviera a punto de decir algo. Estaba en el undécimo mes de embarazo, así que hoy debía de ser el día. En un instante, el Pastor Malory comprendió el significado de la araña y de las urracas. Se incorporó y bajó de su *kang*.

Después de coger un cántaro de barro negro, caminó hasta la calle que había detrás de la iglesia, donde vio a Shangguan Lü, la esposa de Shangguan Fulu, el herrero, que estaba inclinada, barriendo la calle frente a la tienda. Su corazón se detuvo por un instante y sus labios temblaron. «Dios de mi vida —murmuró—. Señor Todopoderoso...». Se santiguó con un dedo y retrocedió lentamente hasta una esquina para observar, en silencio, a la alta y decidida Shangguan Lü que, callada y concentrada, barría el polvo que se había humedecido con el rocío y lo dirigía hacia su recogedor, separando cuidadosamente los trozos de basura y dejándolos a un lado. Sus movimientos eran torpes pero vigorosos; su escoba, trenzada con campanillas de mijo dorado, era como un juguete en sus manos. Tras llenar el recogedor y apisonar el polvo que quedaba en el suelo, se irguió.

Justo cuando Shangguan Lü había empezado a irse, oyó un fuerte ruido a su espalda y se dio la vuelta para ver de qué se trataba. Algunas mujeres venían corriendo a través de la puerta negra de la Casa Solariega de la Felicidad, donde tenían su hogar las familias acomodadas de la ciudad. Iban vestidas con harapos y sus caras estaban manchadas de hollín. ¿Por qué estas mujeres, que normalmente se visten con sedas y satenes, y que nunca se dejan ver sin antes haberse pintado los labios, van vestidas así? En ese momento, un carretero conocido por todos como Viejo Paro surgió del conjunto montado en su nuevo carro, con su dosel verde oscuro y sus ruedas de goma. Las mujeres subieron a bordo incluso antes de que se detuviera del todo. El carretero bajó y se sentó en uno de los húmedos leones de piedra a fumarse una pipa en silencio. Sima Ting, el administrador de la Casa Solariega de la Felicidad, emergió del conjunto con un ave de cetrería, moviéndose tan rápida y grácilmente como un jovencito. Bajando de un salto, el carretero le echó una rápida mirada al administrador, que le quitó la pipa de las manos, dio unas cuantas pitadas bien ruidosas y dirigió la vista hacia el cielo rosáceo de la primera hora de la mañana, bostezando con fuerza.

—Hora de irse —dijo—. Espérame en el Puente del Río del Agua Negra. Tardaré un momento.

Con las riendas en una mano y el látigo en la otra, el carretero hizo girar el carro. Las mujeres que iban en la parte de atrás gritaban y charloteaban. El látigo restalló en el aire y los caballos empezaron a trotar. Las campanas de cobre que llevaban los caballos alrededor del cuello empezaron a cantar vigorosamente, las ruedas del carro crepitaban en el camino de tierra y unas nubes de polvo se levantaban al paso del vehículo.

Después de echar una meada en medio de la calle, Sima Ting le gritó al carro, que ya estaba lejos; después, aferró su ave de cetrería y se subió a la torre, que consistía en una plataforma de unos cien metros de altura apoyada sobre noventa y nueve gruesos troncos y coronada por una bandera roja que se mecía plácidamente en el limpio aire de la mañana. Shangguan Lü lo estuvo observando mientras él escudriñaba el noroeste. Con su cuello largo y su boca puntiaguda, se parecía un poco a un ganso que se hubiera metido en un canal de irrigación.

Una nube de niebla que parecía de pluma llegó rodando por el cielo y se tragó a Sima Ting para regurgitarlo después. Los matices sangrientos de la salida del sol tiñeron su cara de rojo. A Shangguan Lü le pareció que la cara se le cubría de una deslumbrante capa de jarabe pegajoso. Cuando levantó el ave de cetrería por encima de su cabeza, tenía la cara tan roja como la cresta de un gallo. Shangguan Lü escuchó un débil sonido metálico. Era el gatillo que accionaba el disparador. Con el trasero del ave apoyado en su hombro, se quedó quieto, esperando solemnemente. Lo mismo hizo Shangguan Lü, mientras el peso del recogedor le entumecía las manos y hacía que le doliera el cuello por sujetarlo en una posición tan forzada. Sima Ting bajó el ave de cetrería y se enfadó como un niño pequeño en pleno berrinche. Ella lo escuchó maldecir a la pistola: «¡Tú, pequeño bastardo! ¿Cómo te atreves a no disparar?». Lo volvió a levantar y apretó el gatillo. *¡Pam!* Una llamarada siguió al penetrante sonido, y simultáneamente oscureció los rayos del sol e iluminó su cara enrojecida. Entonces, una explosión interrumpió el silencio que se cernía sobre el pueblo; la luz llenó el cielo de brillantes colores, como si un hada, de pie sobre la punta de una nube, estuviera regando la tierra con radiantes pétalos de flores. El corazón de Shangguan Lü se aceleró, excitado. Aunque no era más que la esposa del herrero, manejaba el martillo y el yunque mucho mejor de lo que nunca lo haría su marido. La mera visión del metal y el fuego le calentaba la sangre en las venas. Los músculos de sus brazos se agitaron como látigos. Acero negro que golpeaba contra el rojo, chispas volando por el aire, la camisa empapada de sudor, arroyuelos de agua salada descendiendo por el valle entre los pechos bamboleantes, el penetrante olor del metal y de la sangre llenando todo el espacio que hay entre el cielo y la tierra. Observó a Sima Ting retroceder en su percha; el límpido aire de la mañana, a su alrededor, se había cargado con el olor de la pólvora. Dando vueltas por la pequeña plataforma, anunció a toda la ciudadanía de Gaomi del Noreste:

—Atención, compañeros y conciudadanos adultos: se acercan los japoneses.

II

Shangguan Lü vació el recogedor sobre la superficie del *kang*, cuyas esterilla de hierba, sábanas y manta habían sido enrolladas y apartadas a un lado, y después miró con preocupación a la mujer de su hijo, Shangguan Lu, que gemía mientras cogía el borde del *kang*. Cuando hubo terminado de apelmazar la tierra con las dos manos, le dijo suavemente a su nuera:

—Ya puedes volver a subir.

Shangguan Lu se estremeció bajo la dulce mirada de su suegra. Fijó la vista tristemente en el amable rostro de su suegra y entonces temblaron sus labios cenicientos, como si quisiera decir algo.

—El diablo se ha vuelto a apoderar del viejo bastardo de Sima, haciendo que disparara su pistola a primera hora de la mañana —exclamó Shangguan Lü.

—Madre... —dijo Shangguan Lu.

Frotándose las manos para quitarse la tierra, Shangguan Lü murmuró casi en silencio:

—Mi buena nuera, haz lo que puedas. Si éste es también una niña, habré sido una tonta por seguir defendiéndote.

Unas lágrimas brotaron en los ojos de Shangguan Lu, que se mordió el labio para no decir nada; sosteniéndose el abultado vientre, volvió a subir al *kang*, que estaba cubierto de tierra.

—Tú ya has pasado por esto —dijo Shangguan Lü mientras tendía un rollo de algodón blanco y unas tijeras sobre el *kang*—. Sigue adelante y ten ese bebé. —Después, con un gesto de impaciencia, añadió—: Tu suegro y el padre de Laidi están en el establo atendiendo a la burra negra. Éste va a ser su primer potrillo, así que yo también debería ir a echarles una mano.

Shangguan Lu asintió. Se oyó el sonido de otra explosión, traído por el viento; los perros, atemorizados, se pusieron a ladrar. Entonces pudieron escuchar la voz de Sima Ting, que decía: «Compañeros y conciudadanos, tenéis que escapar si queréis conservar la vida, no esperéis ni un minuto más...». Sintió que el bebé que llevaba en su interior dio una patada, como en respuesta a los gritos de Sima Ting; el penetrante dolor la hacía sudar por cada uno de los poros de su cuerpo. Apretó los dientes para evitar que se le escapara el alarido que surgía de su interior. A través de la niebla causada por las lágrimas, vio el exuberante pelo negro de su suegra, que se arrodilló frente al altar y colocó tres varillas de incienso en el quemador de Guanyin. Un humo fragante, con olor a sándalo, comenzó a ascender, dibujando volutas, hasta que llenó la habitación.

—Compasivo Bodhisattva Guanyin, el que socorre a los caídos en desgracia y a los desprotegidos, protégeme y ten piedad de mí, entrega un hijo varón a esta familia...

Apretando su panza curvada e hinchada con las dos manos, Shangguan Lu clavó la vista en el enigmático y brillante rostro de cerámica de Guanyin, que estaba en su altar, y dijo unas oraciones para su interior mientras unas nuevas lágrimas empezaban a rodar por su cara. Quitándose los pantalones humedecidos y subiéndose la camisa para que la tripa y los pechos quedaran al descubierto, cogió el *kang* por el borde. Entre contracciones, se pasó los dedos por el pelo intentando desenredárselo y se apoyó contra la esterilla de hierba y mijo, que estaba enrollada contra la pared.

Vio su perfil reflejado en la superficie de un espejo que colgaba en la celosía de la ventana: el pelo empapado de sudor, los ojos grandes, rasgados y sin brillo, la nariz pálida y con el puente alto y los labios gruesos pero agrietados sin dejar de temblar ni por un momento. Un rayo de sol cargado de humedad atravesó la ventana y cayó sobre su vientre. Sus venas azules e hinchadas y su piel blanca y marcada por la viruela le parecieron espantosas. Se sintió presa de sentimientos encontrados, oscuros y luminosos, como el azul claro del cielo de verano de Gaomi del Noreste que se cubría de nubes tenebrosas y llenas de lluvia. Apenas podía soportar mirar esa tripa enorme, increíblemente tirante.

Una vez había soñado que su feto, en realidad, era un trozo de acero frío. En otra ocasión, soñó que era un sapo enorme y lleno de verrugas. Era capaz de soportar la idea del pedazo de acero, pero la imagen del sapo la hizo estremecerse. «Señor del Cielo, protégeme... Ancestros Venerables, protegedme... Padre del Cielo, Madre de la Tierra, espíritus amarillos, hadas astutas, ayudadme, por favor...». Y así estuvo rezando y suplicando, presa de terribles contracciones. Se aferró al colchón, con los músculos tensos y doloridos y los ojos a punto de salírsele de sus órbitas. Sobre el fondo líquido de la luz roja, unos hilos de color blanco incandescente giraban y se enroscaban y brillaban enfrente de ella como la plata cuando se derrite en un horno. Finalmente, su fuerza de voluntad no pudo evitar que el alarido se abriera paso a través de sus labios; voló por la celosía y se desplazó calle arriba y calle abajo, y por los alrededores, donde se encontró con el grito de Sima Ting y ambos se entrelazaron, formando una trenza sonora que culebreó hasta llegar a las orejas peludas del corpulento pastor sueco Malory, un hombre de cabeza voluminosa y pelo rojizo y áspero. Malory iba subiendo por los peldaños de madera podrida del campanario, y detuvo el paso. Sus ojos bovinos, de un azul profundo, siempre húmedos, llorosos y capaces de conmoverlo a uno hasta lo más profundo de su alma, emitieron súbitamente unas chispas danzantes de sobrecogimiento y júbilo. Santiguándose con sus gruesos y enrojecidos dedos, exclamó, con un fuerte acento de Gaomi: «Dios Todopoderoso...». Comenzó a subir de nuevo por la escalera, y cuando llegó a lo alto, hizo tañer una oxidada campana de bronce. Su desolado sonido se expandió a través del amanecer neblinoso y rosáceo.

En el preciso momento en el que la campana empezó a sonar, cuando el grito que anunciaba el ataque de los japoneses se cernía en el aire, un flujo de líquido amniótico brotó de entre las piernas de Shangguan Lu. El olor característico de una cabra lechera ascendió por el aire, así como el aroma, a veces penetrante y a veces sutil, de los brotes de algarrobo. La escena en la que había hecho el amor con el Pastor Malory debajo del algarrobo, el año anterior, se le apareció ante los ojos con una claridad notable, pero antes de poder disfrutar del recuerdo su suegra entró corriendo en la habitación con las manos manchadas de sangre, llenándola de miedo, ya que vio unas centellas verdes surgiendo de esas manos.

—¿Ya ha llegado el bebé? —le preguntó su suegra, casi a gritos.

Ella asintió con la cabeza, avergonzada.

La cabeza de su suegra temblaba, brillando, a la luz del sol, y entonces se dio cuenta con asombro de que el pelo de la anciana se había vuelto canoso.

—Pensaba que ya lo habrías tenido.

Shangguan Lü se acercó a tocarle la tripa. El contacto con aquellas manos —con los nudillos grandes, las uñas duras, las piel áspera, todas cubiertas de sangre— le dio ganas de retroceder, pero carecía de la fuerza necesaria para alejarse de ellas, por lo que se instalaron sin ninguna ceremonia en su hinchada panza, haciendo que se le parase el corazón por un instante y enviando una corriente helada que recorrió sus entrañas. Tenía ganas de gritar, y eran gritos de terror, no de dolor. Las manos de Shangguan Lü indagaron la zona, presionaron un poco y finalmente apretaron con violencia, como si estuvieran comprobando si un melón está suficientemente maduro. Al final se apartaron y quedaron colgando al sol, pesadas, sin esperanzas, tras haber constatado que el melón aún tiene que madurar un poco más. Su suegra flotaba etéreamente ante sus ojos, salvo por aquellas manos, que eran sólidas, extrañas, independientes, libres para dirigirse adonde quisieran. La voz de su suegra parecía venir desde muy lejos, desde las profundidades de un estanque, transportando el hedor del fango y los borborigmos que producen los cangrejos:

—... un melón cae al suelo cuando llega su momento, y nada lo puede parar... tienes que ser más dura, *za-za hu-hu*... ¿o quieres que la gente se burle de ti? ¿No te molesta que tus siete preciosas hijas se burlen de ti? —Observó cómo una de esas manos descendía débilmente hasta que, con gran desagrado, la sintió apretándole la tripa otra vez, produciendo unos suaves sonidos huecos, como los que hace un tamborcito húmedo de piel de cabra—. Todas las jóvenes sois unas mimadas. Cuando tu marido vino al mundo, yo estuve cosiendo suelas de zapatos todo el tiempo...

Finalmente, el golpeteo se detuvo y la mano se retiró hacia la sombra, donde su perfil se parecía a la zarpa de una bestia salvaje. La voz de su suegra centelleó en la oscuridad; la fragancia de las flores de algarrobo se mecía a su alrededor.

—Mira esa panza. Es enorme y está cubierta por unas marcas muy raras. Debe ser un niño. Buena suerte para ti, y para mí, y para toda la familia Shangguan, desde luego. Bodhisattva, acompáñala, Señor del Cielo, ven a su lado. Si no tienes un hijo varón no estarás mejor que una esclava durante el resto de tu vida, pero si tienes uno, serás una señora. Créeme o no me creas, eso es cosa tuya. En realidad, no es...

—¡Te creo, Madre, te creo! —dijo Shangguan Lu reverentemente. Su mirada se posó en las oscuras manchas de la pared, y su corazón se llenó de tristeza cuando afloraron los recuerdos de lo que había pasado tres años antes. Acababa de parir a su séptima hija, Shangguan Qiudi, y su marido, Shangguan Shouxi, estaba tan cegado por la rabia que había cogido un martillo y la había golpeado en la cabeza, manchando la pared con su sangre.

Su suegra colocó un cesto dado la vuelta junto a ella. Su voz ardía a través de la oscuridad como las llamas de un incendio:

—Di esto: «El bebé que tengo en la panza es niño, es un pequeño príncipe». ¡Dilo!

El cesto estaba lleno de cacahuetes. El rostro de la mujer estaba cargado de una sombría amabilidad; era en parte una deidad, y en parte una madre cariñosa, y Shangguan Lu se conmovió hasta las lágrimas.

—El bebé que hay dentro de mí es niño, un pequeño príncipe. Tengo dentro de mí un príncipe... es mi hijo...

Su suegra le puso unos cacahuetes en la mano y le dijo que exclamara: «Cacahuetes, cacahuetes, cacahuetes, niños y niñas, el equilibrio entre el yin y el yang».

Cerrando el puño con los cacahuetes dentro, llena de gratitud, repitió el mantra: «Cacahuetes, cacahuetes, cacahuetes, niños y niñas, el equilibrio entre el yin y el yang».

Shangguan Lü se agachó; las lágrimas que caían de sus ojos pasaron desapercibidas.

—Bodhisattva, acompáñala, Señor del Cielo, ven a su lado. ¡Una gran alegría colmará pronto a la familia Shangguan! Madre de Laidi, acuéstate aquí y pela cacahuetes hasta que llegue el momento. Nuestra burra está a punto de parir, y es su primera cría, así que no puedo quedarme aquí contigo.

—Ve, Madre —dijo Shangguan Lu, emocionada—. Señor del Cielo, protege a la burra negra de la familia Shangguan, haz que alumbre sin problemas...

Dejando escapar un suspiro, Shangguan Lü cruzó la puerta.

III

La luz tenue de una inmunda lámpara de aceite de haba que descansaba sobre una piedra de molino, en el establo, parpadeaba nerviosamente, dejando escapar desde la punta de su llama ráfagas de un humo negro que ascendían dibujando tirabuzones. El olor de la lámpara de aceite se combinaba con el hedor de las deposiciones y los orines de la burra. El aire estaba totalmente viciado. El negro animal yacía en el suelo, entre la piedra de molino y una artesa de piedra de color verde. Lo único que vio Shangguan Lü al entrar fue la temblorosa luz de la lámpara, pero escuchó la voz ansiosa de Shangguan Fulu preguntando:

—¿Qué ha sido?

Se giró hacia ese sonido y frunció los labios, y después atravesó la habitación pasando junto a la burra y a Shangguan Shouxi, que estaba dándole un masaje en el vientre al animal; caminó hasta la ventana y arrancó la cortina de papel. Una docena de dorados rayos de sol iluminaron la pared opuesta. Entonces fue hasta la piedra de molino y apagó la lámpara de un soplido, liberando al olor del aceite quemado de tener que competir con los demás olores rancios. La cara oscura y aceitosa de Shangguan Shouxi adquirió un brillo dorado; sus minúsculos ojillos negros brillaron como dos pedazos de carbón ardiendo.

—Madre —dijo con temor—, vámonos. Todo el mundo de la Casa Solariega de la Felicidad ya se ha ido, y los japoneses llegarán en cualquier momento...

Shangguan Lü miró fijamente a su hijo con una expresión que significaba: ¿Por qué no puedes ser un hombre? Evitando los ojos de ella, él agachó la cabeza, empapada de sudor.

—¿Quién te ha dicho que se dirigen hacia aquí? —preguntó enfadada Shangguan Lü.

—El administrador de la Casa Solariega de la Felicidad ha disparado su pistola y ha dado la voz de alarma —murmuró Shangguan Shouxi, secándose el sudor del rostro con el brazo, que estaba cubierto de pelos de burro. Era diminuto, comparado con el musculoso brazo de su madre. Sus labios, que habían estado temblando como los de un bebé sobre una teta, se quedaron quietos cuando enderezó la cabeza. Levantando sus pequeñas orejas para identificar mejor los sonidos, dijo—: Madre, Padre, ¿escucháis eso?

La voz áspera de Sima Ting entró perezosamente en el establo. «Ancianos, madres, tíos, tías... hermanos, cuñadas... hermanos y hermanas... corred, poneos a salvo, escapad mientras podáis, escondeos en los campos hasta que haya pasado el peligro. Los japoneses se acercan. Esto no es una falsa alarma, es de verdad. Conciudadanos, no perdáis ni un minuto más, corred, no arriesguéis vuestras vidas por unas pocas cabañas destartaladas. Mientras estáis vivos, las montañas siguen siendo verdes, mientras estáis vivos, el mundo sigue girando... Conciudadanos, corred mientras podáis, no esperéis hasta que sea demasiado tarde...».

Shangguan Shouxi pegó un respingo.

—¿Has oído eso, Madre? ¡Vámonos!

—¿Irnos? ¿Irnos dónde? —dijo Shangguan Lü tristemente—. Claro que la gente de la Casa Solariega de la Felicidad ha salido huyendo. Pero ¿por qué íbamos a unirnos a ellos? Nosotros somos herreros y granjeros. No le debemos ningún arancel al emperador, no tenemos impuestos pendientes con la nación. Somos ciudadanos leales, esté quien esté en el poder. Los japoneses también son humanos, ¿no es cierto? Han ocupado el noreste, pero ¿dónde estarían si no tuvieran un pueblo para labrar los campos y pagar por sus casas? Tú eres su padre, el cabeza de familia. Dime, ¿no tengo razón?

Los labios de Shangguan Fulu se abrieron para mostrar dos filas de dientes fuertes y amarillentos. Era difícil saber si se trataba de un gesto risueño o de enojo.

—¡Te he hecho una pregunta! —gritó ella, enfadada—. ¿Qué ganas con enseñarme esos dientes amarillos? ¡No sirves ni para tirarte un pedo!

Con cara de mal humor, Shangguan Fulu dijo:

—¿Por qué me lo preguntas a mí? Si tú dices que nos vayamos, nos vamos, y si dices que nos quedemos, nos quedamos.

Shangguan Lü suspiró.

—Si vemos buenas señales es que estaremos bien. Si no, no podremos hacer nada para evitarlo. Así que ponte a trabajar y apriétale la panza.

Abriendo y cerrando la boca para darse valor, Shangguan Shouxi preguntó en voz alta, pero sin mucha confianza:

—¿Ya ha llegado el bebé?

—Cualquier hombre que merezca ese nombre sabe concentrarse en lo que está haciendo —dijo Shangguan Lü—. Tú ocúpate de la burra y déjame a mí los asuntos de mujeres.

—Es mi esposa —murmuró Shangguan Shouxi.

—Nadie ha dicho que no lo sea.

—Apuesto a que esta vez será un niño —dijo Shangguan Shouxi mientras presionaba con fuerza sobre el vientre de la burra—. Nunca antes la había visto tan gorda.

—Eres un inútil... —Shangguan Lü estaba empezando a perder la confianza—. Protégenos, Bodhisattva.

Shangguan Shouxi quería decir algo más, pero la cara de tristeza de su madre selló sus labios.

—Vosotros dos seguid con lo vuestro aquí —dijo Shangguan Fulu—, y yo mientras iré a ver qué está pasando ahí fuera.

—¿Dónde te crees que vas? —preguntó Shangguan Lü, cogiendo a su marido por los hombros y arrastrándolo de vuelta a donde yacía la burra—. ¡Lo que pasa ahí fuera no es asunto tuyo! Tú sigue masajeando la panza de la burra. Cuanto antes dé a luz, mejor. Querido Bodhisattva, Señor del Cielo. Los antepasados de la familia Shangguan eran hombres de hierro y acero; ¿cómo pueden haberme tocado dos ejemplares tan inútiles?

Shangguan Fulu se agachó, y con sus manos, que eran tan delicadas como las de su hijo, apretó el vientre de la burra, que sufría contracciones. El animal yacía entre él y su hijo; apretando por turnos, uno tras otro, parecían estar a ambos lados de un columpio. Subían y bajaban, masajeando la piel de la burra. El padre era débil, el hijo era débil, y apenas conseguían nada con sus suaves manos, torpes y mullidas como el algodón. De pie, detrás de ellos, Shangguan Lü no podía hacer nada más que mover la cabeza de un lado al otro, desesperada, hasta que se acercó a su marido, lo cogió por el cuello y lo sacó de en medio.

—Venga —ordenó—, fuera de aquí.

Mandó a su marido, un herrero que no era digno de ese oficio, rodando hasta la esquina, donde se quedó, trepado sobre un saco de heno.

—Y tú, levántate —le exigió a su hijo—. Siempre estás por el suelo. Nunca dejas tu ración de comida sin terminar, pero no hay forma de encontrarte cuando hace falta que eches una mano. Señor del Cielo, ¿qué he hecho yo para merecer esto?

Shangguan Shouxi dio un respingo como si le acabaran de perdonar la vida y salió corriendo junto a su padre, en un rincón. Los pequeños ojillos oscuros de ambos giraban en sus órbitas, y los dos tenían una expresión en la que se combinaban la astucia y la estupidez. El silencio que reinaba en el establo volvió a romperse con los gritos de Sima Ting, provocando un estremecimiento en el padre y en el hijo; parecía como si sus intestinos o sus vejigas estuvieran a punto de traicionarlos.

Shangguan Lü se arrodilló en el suelo frente a la panza de la burra, sin preocuparse por la suciedad, con cara de solemne concentración. Después de arremangarse, se frotó las manos, haciendo un ruido penetrante como si estuviera restregando las suelas de dos zapatos. Apoyando la mejilla en la panza del animal, escuchó atentamente, con los ojos entrecerrados. Entonces acarició la cara de la burra. «Burra —le dijo—, venga, termina de una vez con esto. Es la maldición de todas las hembras». Después apartó un poco el cuello del animal, se inclinó sobre él y apoyó las manos en su vientre. Como si estuviera aplanando una superficie, empujó hacia abajo y hacia afuera. Un gemido lastimero surgió de la boca de la burra y sus piernas se separaron con una cierta rigidez y los cuatro cascos golpearon con violencia, como si se estuviera tocando a retreta en cuatro tambores simultáneamente. Su irregular ritmo hacía que se tambalearan las paredes. La burra levantó la cabeza, la dejó un momento suspendida en el aire y después la dejó caer de nuevo al suelo. El golpe produjo un sonido húmedo y pegajoso. «Burra, aguanta un poco más —murmuró—. ¿Quién nos puso a las hembras en primer lugar? Aprieta los dientes, empuja... empuja más fuerte...». Colocó las manos junto a su pecho para transferirles un poco más de fuerza, inspiró profundamente, contuvo la respiración y apretó hacia abajo lenta y firmemente.

La burra se estaba esforzando; un líquido amarillo brotó de los orificios de su nariz mientras movía la cabeza en todas las direcciones y la golpeaba contra el suelo. Al otro extremo de su cuerpo, el líquido amniótico y las heces húmedas y pegajosas se diseminaban a su alrededor. Horrorizados, padre e hijo se cubrieron los ojos.

«Compañeros, convecinos, la caballería japonesa ya ha partido del cuartel del condado. He oído a testigos presenciales decir que no se trata de una falsa alarma. Corred, poneos a salvo antes de que sea demasiado tarde...». Los gritos de Sima Ting llegaban a sus oídos con total claridad.

Shangguan Fulu y su hijo abrieron los ojos y vieron a Shangguan Lü sentada junto a la cabeza de la burra, con su propia cabeza inclinada, intentando recobrar el aliento. Su camisa blanca estaba empapada de sudor, con lo que las duras y sólidas paletillas de sus hombros adquirían un relieve prominente. La sangre fresca se acumulaba entre las patas de la burra mientras la espigada pata de su cría asomaba desde el canal del parto; parecía algo irreal, como si alguien la hubiera introducido ahí para hacer una broma.

Una vez más, Shangguan Lü apoyó, entre espasmos, la mejilla sobre la panza de la burra, y escuchó. A Shangguan Shouxi el rostro de su madre le pareció un albaricoque demasiado maduro, de un color dorado y sereno. Los persistentes alaridos de Sima Ting flotaban en el aire, como una mosca que busca un pedazo de carne podrida, pegándose primero a las paredes y después zumbando hasta la piel de la burra. Shangguan Shouxi sentía punzadas de miedo en el corazón, y su piel temblaba; sentía que iba a suceder una catástrofe inminentemente. No tenía suficiente valor como para salir corriendo del establo, ya que tenía una vaga sensación, un pálpito, que le decía que en cuanto atravesara la puerta caería en manos de los soldados japoneses, esos hombrecillos rechonchos, cuyas extremidades también eran cortas y regordetas, de narices semejantes a dientes de ajo y ojos saltones, que comían corazones e hígados humanos y se bebían la sangre de sus víctimas. Lo matarían y se lo comerían, y no dejarían nada de él, ni siquiera los huesos. Y en ese mismo momento, lo sabía, avanzaban en grupo por las calles de los alrededores intentando atrapar a las mujeres y a los niños mientras galopaban y arrasaban y resoplaban como caballos salvajes. Se giró para mirar a su padre, con la esperanza de sentirse un poco más seguro. Lo que vio fue a un Shangguan Fulu con la cara pálida como la ceniza, a un herrero que era la vergüenza de su oficio, sentado sobre un saco de heno, con los brazos alrededor de las rodillas, balanceándose hacia adelante y hacia atrás y golpeando la pared con la espalda y la cabeza. A Shangguan Shouxi le empezó a doler la nariz, sin que él supiera por qué, y las lágrimas empezaron a nublarle la vista.

Tosiendo, Shangguan Lü levantó lentamente la cabeza. Acariciando la cara de la burra, suspiró. «Burra, oh, burra —dijo—, ¿qué has hecho? ¿Cómo has podido expulsar su pata de esa manera? ¿Es que no sabes que lo primero que tiene que salir es la cabeza?». De los ojos sin brillo del animal salían chorros de agua. Se los secó con la mano, se sonó ruidosamente la nariz y se dirigió a su hijo.

—Ve a buscar al Tercer Maestro Fan. Tenía la esperanza de que no necesitaríamos comprarle dos botellas de licor y una cabeza de cerdo, pero tendremos que gastarnos ese dinero. ¡Ve a buscarlo!

Shangguan Shouxi retrocedió hasta la pared, aterrorizado, sin poder apartar la mirada de la puerta por la que se salía a la calles, al exterior.

—Las ca-calles están lle-llenas de ja-japoneses —tartamudeó—, todos esos ja-japoneses...

Rabiosa, Shangguan Lü se levantó, se acercó violentamente a la puerta y la abrió de un golpe, dejando entrar al viento pre-estival del Sudeste, que estaba cargado con un penetrante olor a trigo maduro. La calle estaba en calma, absolutamente silenciosa. Un grupo de mariposas que parecía ligeramente irreal pasó volando, trazando un dibujo de alas multicolores en el corazón de Shangguan Shouxi; él tuvo lo certeza de que se trataba de un mal presagio.

IV

El veterinario y maestro arquero
de la población, Tercer Maestro
Fan, vivía en el extremo este de
la ciudad, junto a unos pastos que se extendían hasta el Río del Agua
Negra. La ribera del Río de los Dragones llegaba directamente a la
parte de atrás de su casa. Obligado por su madre, Shangguan Shouxi
salió caminando de la casa, pero con las piernas temblando. Vio que
el Sol, una bola blanca de fuego, estaba sobre la cima de los árboles, y
que la docena —más o menos— de ventanas de cristales tintados de
la aguja de la iglesia resplandecía brillantemente. El administrador
de la Casa Solariega de la Felicidad, Sima Ting, estaba dando saltitos
en lo alto de la torre de vigilancia, que era aproximadamente de la
misma altura que la aguja. Todavía estaba dando, a voces, la alarma,
advirtiendo de que los japoneses estaban en camino, pero ahora con
la voz ronca, afónico. Unos cuantos holgazanes lo miraban con los
brazos cruzados. Shangguan Shouxi se quedó quieto en medio de la
calle, tratando de decidir cuál era el mejor camino para ir a la casa de
Tercer Maestro Fan.

Podía elegir entre dos rutas distintas: una iba directamente,
atravesando la ciudad, y la otra pasaba junto a la orilla del río. El
inconveniente de la ruta de la ribera era la posibilidad de encontrarse

con los grandes perros negros de la familia Sol. Los Sol vivían en unas casas destartaladas, todas dentro de un recinto situado al final del camino, en dirección norte. La pared que las rodeaba, baja y mal construida, era la percha favorita de todos los pollos. La cabeza de familia, la Tía Sol, se ocupaba de cinco nietos, todos ellos mudos, cuyos padres parecían no haber existido nunca. Los cinco llevaban toda la vida jugando en esa pared, en la que habían hecho unas grietas creando unas formas de monturas, de manera que podían cabalgar a lomos de caballos imaginarios. Empuñando garrotes, tirachinas o rifles tallados en palos, miraban desafiantes a quien pasara cerca, fueran personas o animales, con una expresión verdaderamente amenazadora en los ojos. La gente salía del paso con relativa facilidad, pero los animales no; sin importarles si se trataba de un ternero extraviado o de un mapache, de un ganso, un pato, un pollo o un perro, en cuanto se daban cuenta de su presencia se lanzaban detrás de él junto a sus grandes perros negros, convirtiendo la aldea en su coto privado de caza.

El año anterior habían capturado un burro que se había escapado de la Casa Solariega de la Felicidad; después de matarlo, lo habían desollado y descuartizado al aire libre. La gente se paraba a mirar, esperando ver la reacción de la gente de la Casa Solariega de la Felicidad, que era una familia rica y poderosa. El tío era comandante de regimiento, y tenía una compañía de guardaespaldas armados. Todo el mundo quería ver qué harían con alguien que mataba abiertamente a uno de sus burros. Cuando el administrador llegó al lugar de los hechos, la mitad del condado sufrió un estremecimiento. Ahí estaban esos chicos salvajes, descuartizando un burro de la Casa Solariega de la Felicidad a plena luz del día, cosa que casi equivalía a pedir que los descuartizaran a ellos. Imaginad la sorpresa de la gente cuando el ayudante del administrador, Sima Ku, un tirador que tenía una enorme mancha roja de nacimiento en el rostro, le dio un dólar de plata a cada uno de los mudos en lugar de desenfundar su pistola. Desde aquel día, fueron unos tiranos incorregibles, y todos los animales con los que se encontraban maldecían a sus propios padres por no haberlos dotado de alas.

Cuando los chicos estaban en sus monturas, sus cinco perros negros, que parecían recién salidos de un estanque de tinta, se estiraban perezosamente junto a la base de la pared, con los ojos cerrados casi por completo, aparentemente disfrutando de un sueño plácido. Los cinco mudos y sus perros sentían un rechazo particular por Shangguan Shouxi, que vivía en la misma calle que ellos, aunque él no era capaz de recordar dónde ni cómo había podido ofender a esos diez temibles demonios. Pero cada vez que se cruzaba con ellos, pasaba un mal rato. Les sonreía ligeramente, pero nunca pudo evitar que los perros salieran volando hacia él como cinco flechas negras, e incluso aunque en sus ataques nunca llegaban hasta el contacto físico, y nunca lo mordieron, se ponía tan nervioso, tan crispado, que le parecía que el corazón se le iba a parar. La mera idea de encontrárselos lo hacía estremecerse.

También podía dirigirse hacia el sur, por la calle principal de la ciudad, y llegar igualmente a la casa de Tercer Maestro Fan por ese camino. Pero eso significaba que tendría que pasar junto a la iglesia, y a esa hora, el hombre alto, robusto, rubicundo y de ojos azules que era el Pastor Malory estaría instalado bajo el espinoso fresno, con su penetrante aroma, ordeñando a su vieja cabra, la de las barbas ásperas e irregulares, exprimiendo las ubres infladas y rojas del animal con sus manos grandes, suaves y peludas, y echando una leche tan blanca que parecía casi azul en un oxidado cuenco de esmalte. Siempre había un enjambre de moscas pelirrojas zumbando alrededor del Pastor Malory y de su cabra. El penetrante aroma del fresno, el olor a viejo carnero de la cabra y el rancio olor corporal del hombre se mezclaban formando una pestilencia repulsiva que se expandía por el aire al contacto con el sol y contaminaba los alrededores. Nada le molestaba más a Shangguan Shouxi que la posibilidad de encontrarse con el Pastor Malory observándolo desde abajo, desde detrás de su cabra, ambos desprendiendo un hedor indescriptible, para lanzarle una de esas miradas ambiguas, tan típicas de él, a pesar de que el esbozo de una sonrisa compasiva mostraba que se trataba de una mirada amistosa. Al sonreír, el Pastor Malory enseñaba unos dientes tan blancos como los de un caballo. Siempre estaba pasándose un dedo mugriento por el pecho, hacia adelante y hacia atrás. ¡Amén! Y cada vez que esto sucedía, el estómago de Shangguan Shouxi se retorcía con una corriente de sentimientos variados y ambivalentes, hasta que se daba la vuelta y salía corriendo como un perro azotado con un látigo. Evitaba a los malvados perros de la casa de los mudos por miedo; evitaba al Pastor Malory y a su cabra lechera por asco. Lo que más lo irritaba era que su esposa, Shangguan Lu, sentía algo especial por este diablo pelirrojo. Ella era su seguidora más devota; para ella, él era como un dios.

Después de debatir consigo mismo durante un buen rato, Shangguan Shouxi decidió tomar el camino del Noreste a pesar de que lo perturbaba la torre de vigilancia, con Sima Ting subido en su percha y todo lo que ocurría abajo. Todo parecía normal por allí, excepto, por supuesto, el administrador, que seguía comportándose como un mono. Ya no estaba petrificado ante la posibilidad de encontrarse con los diablos japoneses, y tuvo que admirar la capacidad de su madre para evaluar correctamente una situación. Pero para sentirse más seguro se agachó y cogió un par de ladrillos. Oyó el rebuzno de un pequeño burro, en algún lugar, y a una madre que llamaba a sus hijos.

Cuando pasó junto al recinto de los Sol, se sintió aliviado al ver que no había nadie en la pared: no estaban los mudos subidos en sus monturas, ni tampoco ningún pollo trepado en lo alto ni, lo más importante, los perros echados perezosamente junto a la base. En realidad se trataba de un muro bastante bajo, y sus grietas lo acercaban aún más al suelo, por lo que pudo contemplar el terreno sin que nada le obstruyera la mirada. Una matanza estaba en marcha. Las víctimas eran los orgullosos pero solitarios pollos de la familia; la asesina era la Tía Sol, una mujer que tenía múltiples talentos marciales. La gente solía decir que, cuando era joven, había sido una célebre bandida que saltaba hasta el suelo desde los aleros de los tejados y que era capaz de trepar por las paredes. Pero cuando tuvo problemas con la justicia no le quedó más remedio que casarse con un hombre que se dedicaba a reparar estufas llamado Sol.

Shangguan Shouxi contó los cadáveres de siete pollos, de un color blanco brillante y salpicados con unas manchas de sangre que eran la única señal de su lucha con la muerte. Un octavo pollo, con la garganta cortada, escapó volando de las manos de la Tía Sol y cayó al suelo, donde se apoyó sobre el cuello, aleteó un poco y comenzó a correr en círculos por los alrededores. Los cinco mudos, desnudos hasta la cintura, se habían refugiado bajo el alero del tejado de la casa, y desde ahí observaban alternativamente a los pollos y el afilado cuchillo que se movía en la mano de su abuela. Sus expresiones y movimientos eran alarmantemente idénticos; incluso el recorrido que seguían sus ojos parecía que había sido cuidadosamente orquestado. Con toda la fama que tenía en la aldea, la Tía Sol había quedado reducida a una esquelética anciana llena de arrugas, a pesar de que su rostro y su expresión, su porte y sus gestos todavía evocaban un resto de lo que había sido. Los cinco perros estaban sentados en grupo, muy juntos, con la cabeza levantada y una mirada fija y misteriosa que desafiaba cualquier intento de saber qué podía significar.

Shangguan Shouxi estaba tan hipnotizado por la escena en el terreno de los Sol que se detuvo a mirar con la mente limpia de ansiedad y, lo cual era aún más significativo, sin acordarse de las órdenes de su madre. Era un pequeño hombrecillo de cuarenta y dos años de edad asomándose por encima de un muro, un público cautivado consistente en una sola persona. Sintió la mirada gélida de la Tía Sol que lo atravesó como un cuchillo, rápida como un torrente, afilada como el viento, y se sintió desnudo. Los mudos y sus perros también se giraron para mirarlo. Unas miradas malvadas y desapacibles surgieron de los ojos de los mudos; los perros echaron la cabeza hacia atrás, preparándose para el ataque, enseñaron los colmillos y gruñeron mientras se les erizaba el pelo de la parte posterior del cuello. Cinco perros como cinco flechas en una cuerda tensa, preparados para volar. Es el momento de irse, pensó, cuando oyó que la Tía Sol tosía de manera amenazante. Los mudos agacharon la cabeza abruptamente, henchidos de excitación, y los cinco perros se echaron al suelo obedientemente, con las patas extendidas hacia adelante.

—¡El sobrino Shangguan, tan digno de respeto! ¿A qué se dedica tu madre? —preguntó con calma la Tía Sol.

Intentó darle una buena respuesta; había tanto que quería decir, pero no le salía ni una palabra. Poniéndose rojo, empezó a tartamudear, como un ladrón al que pillan con las manos en la masa. La Tía Sol sonrió. Agachándose, cogió a un gallo negro y rojo por el cuello y le acarició las sedosas plumas. El gallo cacareó nerviosamente mientras ella le iba arrancando las plumas de la cola y las metía en un saco hecho de juncos entretejidos. El gallo se defendía como un demonio, clavando locamente sus espolones en el fangoso suelo.

—¿Tus hijas saben jugar al bádminton? Los mejores volantes se hacen con las plumas de la cola de un gallo vivo. Ay, cuando me pongo a recordar...

Se detuvo en la mitad de la frase y lo miró fijamente mientras su mente se extraviaba en ensoñaciones. Esa mirada parecía que golpeaba contra el muro hasta atravesarlo. Shangguan Shouxi no parpadeó y mantuvo el aliento, lleno de miedo. Al fin, la Tía Sol pareció desinflarse delante de sus ojos, como una pelota pinchada; su mirada pasó de tener efectos abrasadores a ser suavemente lastimera. Cogió al gallo por las patas, deslizó la mano izquierda hasta la base de sus alas y lo atenazó fuertemente por el cuello. Incapaz de moverse, el animal abandonó la lucha. Entonces, con la mano derecha, comenzó a arrancar las finas plumas de la garganta hasta que se pudo ver la piel de color violeta y rojizo del gallo. Por último, tras darle unos leves golpecitos en la garganta con el dedo índice, cogió el resplandeciente cuchillo, que tenía la forma de una hoja de sauce, y de uno solo tajo le abrió la garganta, dejando salir un torrente de sangre roja como la tinta. Las gotas más grandes empujaban a las más pequeñas, que salieron primero. La Tía Sol recuperó la posición inicial lentamente, con el gallo sangrante todavía entre las manos, y lanzó a su alrededor una mirada llena de melancolía, con los ojos entrecerrados por la brillante luz del sol. Shangguan Shouxi se sintió alegre. El aire estaba cargado con el aroma de los álamos. ¡Mierda! Oyó la voz de la Tía Sol y vio cómo el gallo negro volaba por el aire hasta caer pesadamente en el suelo, en medio del patio. Exhalando un suspiro, dejó caer sus manos del muro.

De pronto se acordó de que se suponía que había ido a buscar a Tercer Maestro Fan para que ayudara con el parto de la burra. Pero cuando se estaba girando para marcharse, el gallo, que estaba cubierto de sangre pero todavía luchaba por su vida, logró milagrosamente llegar a sus pies impulsándose con las alas. Como le faltaban bastantes plumas, la cola destacaba, elevándose en una extraña y repulsiva desnudez, asustando a Shangguan Shouxi. La sangre todavía le brotaba de la garganta abierta, pero la cabeza y la cresta, por todo lo que había sangrado, se le estaban poniendo de un color blanco mortecino. Y pese a todo, seguía intentando mantener la cabeza erguida. ¡Lucha! Logró mantenerla alta hasta que se le dobló y quedó colgando flácidamente. Volvió a levantarla en el aire, y volvió a caer, y la levantó una vez más; parecía que ya iba a quedarse así. El gallo se sentó, moviendo la cabeza de un lado a otro; la sangre y unas burbujas de espuma goteaban de su boca y un poco después, del corte que tenía en el cuello. Los ojos le brillaban como pepitas de oro. Molesta por esta visión, la Tía Sol se limpió las manos con unas pajas; parecía como si estuviera masticando algo, aunque tenía la boca vacía. Escupió en el suelo y le gritó a los cinco perros: «¡Vamos!».

Shangguan Shouxi se cayó de espaldas.

Cuando se puso de nuevo de pie, vio que las plumas negras volaban por todo el patio. Los perros estaban despiezando al arrogante gallo, llenando el suelo de carne cruda y sangre fresca. Como una manada de lobos, los perros se disputaban sus entrañas. Los mudos aplaudían y reían, haciendo *gu-gu*. La Tía Sol se sentó en el umbral de su casa con una larga pipa entre los dedos, fumando como una mujer que está sumida en profundos pensamientos.

V

Las siete hijas de la familia Shangguan —Laidi (Hermano Venidero), Zhaodi (Hermano Aclamado), Lingdi (Hermano Acomodado), Xiangdi (Hermano Deseado), Pandi (Hermano Anticipado), Niandi (Hermano Querido) y Qiudi (Hermano Buscado)—, guiadas por una fragancia sutil, salieron desde la habitación lateral que daba al Este y se agruparon bajo la ventana de Shangguan Lu. Siete pequeñas cabezas, con trozos de paja colocados en el pelo, se reunieron para ver qué estaba pasando dentro. Vieron a su madre sentada en el *kang*, pelando cacahuetes ociosamente, como si no pasara nada fuera de lo normal. Pero la fragancia seguía saliendo por la ventana de su madre. Laidi, que tenía dieciocho años y que fue la primera en comprender lo que estaba haciendo Madre, pudo verle el pelo sudoroso y los labios ensangrentados y percibió los atemorizadores espasmos de su vientre hinchado y las moscas que volaban por toda la habitación. Los cacahuetes quedaban hechos migajas.

La voz de Laidi sonó cascada cuando gritó: «¡Madre!». Sus seis hermanas pequeñas la siguieron. Las lágrimas lavaban las mejillas de las siete chicas. La menor, Qiudi, lloraba lastimeramente; sus pequeñas piernas, llenas de picaduras de chinches y mosquitos, empezaron a temblar y salió disparada hacia la puerta. Pero Laidi llegó más rápido y la cogió en brazos. Sin dejar de sollozar, la pequeña daba puñetazos en la cara de su hermana.

—Quiero ir con mamá, quiero ir con mi mamá...

A Laidi le empezó a doler la nariz y se le nubló la garganta. Cálidas lágrimas rodaban por su rostro.

—No llores, Qiudi —le decía a su hermana pequeña intentando consolarla y dándole palmaditas en la espalda—. No llores. Mamá nos va a dar un hermanito, un hermanito monísimo, con la piel clarita.

Desde fuera de la habitación se escuchaban los lamentos de Shangguan Lu.

—Laidi —dijo débilmente—, llévate a tus hermanas de aquí. Son demasiado pequeñas para comprender lo que está pasando. Ya deberías saberlo.

En ese momento, un gemido de dolor brotó de su boca, y las otras cinco chicas volvieron a arremolinarse en torno a la ventana.

—Mami —gritó Lingdi, que tenía catorce años—. Mami...

Laidi dejó a su hermanita en el suelo y corrió hasta la puerta. Tropezó con la madera podrida del marco de la puerta y cayó sobre un fuelle, rompiendo un gran cuenco de cerámica verde oscura que estaba lleno de pienso para los pollos. Cuando logró volver a ponerse de pie, vio a su abuela, que estaba arrodillada ante el altar de Guanyin, donde el humo del incienso dibujaba círculos en el aire.

Temblando de la cabeza a los pies, colocó el fuelle en su sitio y se agachó para recoger los pedazos del cuenco roto, como si juntándolos pudiera reducir la gravedad de su metedura de pata. Su abuela se levantó rápidamente, como un caballo sobrealimentado, balanceándose de un lado al otro, y moviendo la cabeza como una loca, mientras una serie de extraños sonidos brotaba de su boca. Encogiéndose, con la cabeza entre las manos, Laidi se preparó para el golpe que pensaba recibir. Pero en lugar de pegarle, su abuela la cogió por el lóbulo de la oreja, pálido y delgado, y tiró hacia arriba y la impulsó hacia la puerta. Con un chirrido, salió tambaleándose al patio y cayó en el camino de ladrillos. Desde ahí vio cómo su abuela se agachaba para comprobar el estado del cuenco roto; su postura ahora se asemejaba a la de una vaca que está bebiendo en un río. Después de lo que pareció un rato muy largo, se enderezó, llevando en la mano algunos de los trozos y dándoles golpecitos con el dedo, haciendo sonar un agradable crujido. Su arrugado rostro tenía un aspecto cansado; las comisuras de los labios apuntaban hacia abajo y se confundían con dos profundas arrugas que corrían directamente hasta su barbilla, como si se las hubieran añadido a la cara después de pensárselo mejor.

Arrodillándose en el camino, Laidi sollozaba:

—Abuela, ven y pégame hasta matarme.

—¿Pegarte hasta matarte? —dijo, llena de pena, Shangguan Lü—. ¿Y con eso este cuenco volverá a estar entero? Procede del reinado de Yongle, de la dinastía Ming, y fue parte de la dote de tu bisabuela. ¡Valía tanto como un burro nuevo!

Totalmente pálida, Laidi le suplicaba a su abuela que la perdonara.

—¡Ya va siendo hora de que te cases! —suspiró Shangguan Lü—. En lugar de levantarte temprano para dedicarte a tus labores, estás aquí haciendo una escena. ¡Y tu madre ni siquiera tiene la suerte de morirse!

Laidi tenía la cabeza metida entre las manos y no dejaba de lamentarse.

—¿Qué esperabas, que te diera las gracias por destrozar uno de nuestros mejores utensilios? —se quejó Shangguan Lü—. Ahora deja de agobiarme y llévate a tus hermanas, que no sirven para nada más que para ponerse hasta arriba de comida, al Río de los Dragones a pescar gambas. ¡Y no volváis a casa hasta que no tengáis un cesto lleno!

Laidi se puso de pie, cogió en brazos a su hermanita Qiudi y se fue corriendo afuera.

Shangguan Lü hizo salir a Niandi y a las demás chicas haciendo *sh*, como quien quiere espantar a los pollos, y después cogió un cesto de hojas de sauce para depositar las gambas y se lo pasó a Lingdi.

Sosteniendo a Qiudi con un brazo, Laidi estiró su mano libre y cogió la de Niandi, quien cogió la de Xiangdi, quien cogió la de Pandi. Lingdi, con el cesto para gambas en una mano, cogió la mano libre de Pandi con la suya y las siete hermanas, tironeando y recibiendo tirones, lloriqueando y sorbiéndose los mocos, salieron a la calle mojada por el sol y barrida por el viento en dirección al Río de los Dragones.

Cuando pasaron junto al patio de la Tía Sol, notaron un fuerte olor flotando en el aire y vieron un humo blanco que salía de la chimenea. Los cinco mudos estaban llevando leña al interior de la casa, como una hilera de hormigas. Los perros negros, con las lenguas afuera, hacían guardia en la puerta, expectantes.

Cuando las chicas subieron a la ribera del Río de los Dragones, tuvieron una vista completa de toda la zona. Los cinco mudos se fijaron en ellas. El más mayor de ellos frunció el labio superior, cubierto por un bigote grasiento, y le sonrió a Laidi, a quien le empezaron a arder las mejillas instantáneamente. Se acordó de cuando había ido al río a buscar agua y el mudo había introducido un pepino en su cubo, sonriéndole, como un zorro astuto, pero sin intenciones malignas, y a ella le había dado un vuelco al corazón por primera vez en su vida. Se había puesto roja como un tomate y había agachado la cabeza, clavando la mirada en la brillante superficie del agua y contemplando el reflejo de su rostro sonrojado. Más tarde, se había comido el pepino, y su sabor se le había quedado grabado durante mucho tiempo. Miró hacia arriba, a la colorida aguja de la iglesia y a la torre de vigilancia. Un hombre, en lo alto, bailaba como un mono dorado mientras gritaba: «¡Compañeros, convecinos, la caballería japonesa ya ha partido de la ciudad!».

La gente se reunía a los pies de la torre y observaba la plataforma, donde el hombre se agarraba, de vez en cuando, a la balaustrada y se asomaba para mirar hacia abajo, como si fuera a contestar las preguntas que nadie había planteado. Después se enderezaba de nuevo, daba otra vuelta a la plataforma y juntaba las manos formando un megáfono para lanzar la advertencia de que los japoneses pronto llegarían a la aldea.

De repente, el ruido de un carromato llegó desde la calle principal. De dónde había venido era un misterio; parecía como si, sencillamente, hubiera caído del cielo o surgido de la tierra. Tres hermosos caballos tiraban de ese gran carro de ruedas de goma, y el sonido de sus doce cascos lo acompañaba, levantando nubes de polvo amarillo al avanzar. Uno de los caballos era de color amarillo melocotón, otro era rojo dátil y el tercero era verde como un puerro fresco. Robustos, suaves y fascinantes, parecían hechos de cera. Un pequeño hombrecillo de piel oscura estaba despatarrado en la vara que había detrás del caballo delantero y, desde una cierta distancia, parecía como si estuviera montado sobre el mismo caballo. Su látigo, adornado con borlas rojas, danzaba en el aire haciendo *pa pa pa*, y él cantaba algo como *jau jau jau*. Sin advertencia previa, tiró fuertemente de las riendas y los caballos relincharon, dejaron las patas rígidas y el carromato se detuvo. Las nubes de polvo que los habían ido siguiendo envolvieron rápidamente al carro, a los caballos y al conductor. Cuando el polvo volvió al suelo, Laidi vio a los sirvientes de la Casa Solariega de la Felicidad corriendo, transportando cestas llenas de licores y de atados de paja y cargándolas en el carromato. Un tipo fornido se colocó en los escalones que conducían a la puerta de entrada de la Casa Solariega de la Felicidad, gritando a todo volumen. Una de las cestas cayó al suelo con un sonido sordo, un hígado de cerdo se salió y el licor empezó a desparramarse por el suelo. Cuando dos sirvientes se apresuraron a recoger la cesta, el hombre que estaba en la puerta bajó la escalinata de un salto, hizo restallar su brillante látigo en el aire y los golpeó con la punta en la espalda. Los sirvientes se cubrieron la cabeza con las manos y se echaron al suelo para recibir los latigazos que se merecían. El látigo bailaba como una serpiente que repta por el suelo. El olor a licor se elevó por el aire. El yermo era inmenso y estaba en silencio, y el trigo de los campos se doblaba por la fuerza del viento como oleadas de oro. En la torre de vigilancia, el hombre gritaba: «Corred, corred, poneos a salvo...».

La gente salía de sus casas, como hormigas que correteaban por todas partes sin ninguna dirección. Algunos iban andando, otros corriendo y otros se quedaban quietos, congelados en algún sitio; algunos iban hacia el Este, otros hacia el Oeste y otros se desplazaban en círculos, mirando alternativamente en todas direcciones. El olor que permeaba el recinto de los Sol era más fuerte que nunca, mientras una nube de vapor opaco salía al exterior por la puerta principal. Los mudos estaban en alguna parte donde no se los veía y el silencio reinaba en el patio, roto sólo ocasionalmente por algún hueso de pollo que salía volando a través de la puerta para que se lo disputaran los cinco perros negros. El vencedor se llevaba su premio hasta la pared, para acurrucarse en un rincón a roerlo, mientras los perdedores miraban con los ojos enrojecidos hacia el interior de la casa y gruñían suavemente.

Lingdi tironeó de su hermana.

—Vamos a casa, ¿vale?

Laidi negó con la cabeza.

—No, vamos a bajar al río a coger gambas. A mamá le vendrá bien una sopa de gambas cuando nuestro hermanito haya nacido.

Así que se fueron caminando en fila de a una hasta la orilla del río, donde la plácida superficie del agua reflejaba los delicados rostros de las chicas Shangguan. Todas ellas habían heredado la nariz elevada de su madre y los bonitos y voluminosos lóbulos de sus orejas. Laidi sacó del bolsillo un peine de caoba y peinó, una por una, a todas sus hermanas; varios trozos de paja y bastante polvo cayeron al suelo. Hacían muecas y se quejaban cuando el peine les tiraba de las raíces. Cuando terminó con sus hermanas, Laidi se pasó el peine por su propio pelo y le dio la forma de una trenza, que se echó para atrás. La punta le llegaba a la redondeada cadera. Después de guardar el peine, se arremangó las perneras del pantalón, mostrando un par de pantorrillas bonitas y bien formadas. Después se quitó los zapatos de satén azul, adornados con flores rojas. Todas sus hermanas se quedaron mirándole los pies fijamente; los tenía heridos por las ataduras de los zapatos.

—¿Qué estáis mirando? —les preguntó enfadada—. Si no llevamos un montón de gambas a casa, la vieja bruja nunca nos perdonará.

Sus hermanas se pusieron rápidamente a quitarse los zapatos y a arremangarse los pantalones. Qiudi, la más pequeña, se quedó desnuda. Laidi estaba de pie sobre el lodo, cerca de la orilla del lento río, mirando cómo las algas se movían suavemente en el fondo de su cauce. Los peces nadaban alegremente por ahí y las golondrinas volaban a ras de la superficie del agua. Entró en el río y gritó:

—Qiudi, tú quédate ahí para recoger las gambas. Todas las demás, al agua.

Entre risas y grititos, las chicas se metieron en el río.

A medida que sus talones, acentuados por las ataduras que le habían puesto cuando era pequeña, se hundían en el fango, y las algas que había bajo el agua le acariciaban dulcemente las pantorrillas, Laidi experimentó una sensación indescriptible. Doblada por la cintura, metió los dedos en el lodo con mucho cuidado, alrededor de las raíces de las plantas, que era el mejor lugar para encontrar gambas. De repente, algo se movió entre sus dedos, produciéndole un escalofrío delicioso. Una gamba de agua dulce, casi transparente, del grosor de sus dedos, yacía en la palma de su mano; cada una de sus antenas era una obra de arte. La lanzó a la ribera. Con un arrebato de alegría, Qiudi corrió hacia ella y la capturó.

—¡Primera Hermana, yo también he cogido una!

—¡Yo he cogido una, Primera Hermana!

—¡Y yo también!

La tarea de recoger todas las gambas era demasiado para una niña de dos años como Qiudi, que se tropezó y se cayó, y después se sentó en el dique y se puso a llorar. Muchas de las gambas lograban saltar de vuelta al río y desaparecían en el agua. Así que Laidi se levantó y llevó a su hermana hasta el borde del río, donde le lavó la espalda, que estaba llena de barro. Cada contacto del agua con la piel desnuda le producía un espasmo y un grito combinados con un torrente de palabras sin sentido. Dándole una palmada en el trasero, Laidi dejó ir a la más pequeña, que casi volando se fue hasta lo alto del dique, donde cogió un palo de entre unos matojos y apuntó con él a su hermana mayor, maldiciéndola como una vieja gruñona. Laidi se rió.

Para entonces, sus hermanas ya habían avanzado bastante río arriba. Docenas de gambas saltaban y se agitaban en la soleada ribera del río.

—¡Atrápalas, Primera Hermana! —gritaba Qiudi.

Empezó a meterlas en la cesta.

—Ya te cogeré cuando lleguemos a casa, pequeña diablesa.

Después se agachó de nuevo, con una sonrisa en la cara, y siguió capturando las gambas, actividad que fue suficiente para que se olvidara de sus preocupaciones. Abrió la boca y brotó una cancioncilla, sin que ella supiera de dónde procedía: «Mamá, mamá, qué mala eres, me has casado con un vendedor de aceite al que nadie quiere...».

Alcanzó rápidamente a sus hermanas, que estaban, hombro con hombro, en la zona menos profunda del río, con los traseros levantados en el aire y las barbillas casi rozando la superficie del agua. Avanzaban con lentitud, con las manos hundidas en el agua, abriendo y cerrando, abriendo y cerrando. Unas hojas amarillentas que habían arrancado flotaban en las aguas, entre el barro que producían al remover el fondo. Cada vez que una de ellas se erguía significaba que habían cogido otra gamba. Lingdi, después Pandi, después Xiangdi, una tras otra se enderezaban y lanzaban gambas en dirección a su hermana mayor, que corría de un lado a otro capturándolas, mientras Qiudi trataba de colaborar.

Antes de que se dieran cuenta ya casi habían llegado al arqueado puente peatonal que cruzaba el río.

—Salid de ahí —gritó Laidi—. Todas fuera de ahí. La cesta ya está llena, podemos volver a casa.

De mala gana, las chicas salieron del agua y se quedaron de pie en el dique, con las manos descoloridas por el prolongado contacto con el agua y las pantorrillas cubiertas con una capa de barro violáceo.

—¿Cómo puede ser que hoy haya tantas gambas en el río, hermanita?

—¿Mamá ya nos ha dado un hermano varón, hermanita?

—¿Cómo son los japoneses, hermanita?

—¿Es verdad que se comen a los niños, hermanita?

—¿Por qué los mudos han matado a todos sus pollos, hermanita?

—¿Por qué la abuela siempre nos está chillando, hermanita?

—Una vez soñé que en la tripa de mamá había un barbo gigante, hermanita.

Una pregunta tras otra y ni una sola respuesta por parte de Laidi, cuyos ojos estaban fijos en el puente, cuyas piedras brillaban a la luz del sol. El carromato de ruedas de goma, con sus tres caballos, había llegado hasta allí y se había detenido al comienzo del puente. Cuando el rechoncho conductor tiró de las riendas, los caballos se pararon, ansiosos, sobre el suelo del puente. De las piedras se alzaron algunas chispas y un fuerte traqueteo. Algunos hombres estaban de pie, por ahí cerca; iban desnudos de cintura para arriba, con unos cinturones de cuero que ceñían sus pantalones y unas hebillas de latón que fulguraban al sol. Laidi conocía a esos hombres: eran los sirvientes de la Casa Solariega de la Felicidad. Algunos de ellos se subieron al carromato y empezaron a bajar los contenedores de paja de arroz, después descargaron las cestas de los licores, veinte, en total. El conductor tiró con fuerza de las riendas para guiar a los caballos hacia una zona del terreno que estaba vacía, al lado de la entrada del puente, en el mismo momento en el que el ayudante del mayordomo, Sima Ku, salía de la aldea montando en una bicicleta negra construida en Alemania, la primera que se había visto en Gaomi del Noreste. El abuelo de Laidi, Shangguan Fulu, que nunca había podido tener las manos quietas, una vez había intentado, cuando pensaba que nadie lo veía, acariciar el manillar, pero eso había sucedido en primavera. Los ojos de enfadado de Sima Ku casi disparaban llamaradas azules. Llevaba una larga túnica de seda sobre unos pantalones de algodón blancos e importados, atados por los tobillos con unas cintas azules con borlas negras, y unos zapatos de suelas de goma blancas. Las perneras de sus pantalones se agitaban, como si las hubieran llenado de aire; el dobladillo de su túnica iba metido en un cinturón tejido con seda blanca y anudado por delante, dejando un extremo largo y otro corto. Una estrecha banda de cuero que venía desde su hombro izquierdo le cruzaba el pecho como a los militares, y se conectaba con un pequeño morral de cuero a través de un trozo de seda de color rojo fuego. Sonaba el timbre de la bicicleta alemana, anunciando su llegada como si cabalgara en el viento. Bajó de la bicicleta de un salto y se quitó el sombrero de paja de ala ancha para abanicarse; el lunar rojo que tenía en la cara parecía una brasa caliente.

—¡A trabajar! —les ordenó a los sirvientes—. Apilad la paja en el puente y humedecedla con el licor. Vamos a incinerar a estos perros de mierda.

Los sirvientes se pusieron a llevar la paja al puente hasta que la pila llegaba a la altura de la cintura. Unas polillas blancas que habían venido entre la paja revoloteaban por los alrededores; algunas se caían al agua y terminaban en el estómago de los peces, y a otras se las comían las golondrinas.

—¡Empapad la paja con el licor! —ordenó Sima Ku.

Los sirvientes cogieron las cestas y, haciendo un esfuerzo tremendo, las subieron hasta el puente. Después de quitarles los tapones, echaron el licor sobre la paja, un licor magnífico, de alta graduación, cuya fragancia intoxicaba toda esa zona del río. La paja empezó a crujir. Chorros de licor iban de un lado a otro, atravesando el puente y bajando por su fachada de piedra, deslizándose hasta llegar al río, convirtiéndose en una cascada cuando las doce cestas estuvieron vacías y dejando la pared de piedra totalmente limpia. La paja cambió de color y una sábana transparente de licor caía en el agua, más abajo; no pasó mucho tiempo hasta que unos pequeños pececillos blancos aparecieron en la superficie. Las hermanas de Laidi querían vadear el río y capturar los peces alcoholizados, pero ella los detuvo:

—¡No os acerquéis ahí! ¡Nos vamos a casa!

Pero estaban hipnotizadas por las actividades que tenían lugar en el puente. En realidad, Laidi sentía tanta curiosidad como ellas, y mientras intentaba llevarse a sus hermanas de allí, seguía mirando una y otra vez al puente, donde estaba Sima Ku, dando palmas con aire de superioridad. Tenía los ojos encendidos y una sonrisa se dibujaba en su rostro.

—¿A quién se le podría haber ocurrido una estrategia tan brillante? —les graznó a los sirvientes—. ¡A nadie más que a mí, maldita sea! ¡Venga, pequeños nipones, venid a comprobar cuánto es mi poder!

Los sirvientes rugieron a modo de respuesta. Uno de ellos le preguntó:

—Segundo Mayordomo, ¿lo encendemos ya?

—No, no hasta que hayan llegado.

Los sirvientes escoltaron a Sima Ku hasta el principio del puente y el carromato de la Casa Solariega de la Felicidad se dirigió de vuelta a la ciudad. Lo único que se oía era el ruido del licor goteando sobre el río.

Con la cesta de gambas en la mano, Laidi llevó a sus hermanas hasta lo más alto del dique, apartando los arbustos que crecían en el repecho que había que subir. De pronto, una cara delgada y negra apareció ante ella. Con un estremecimiento, dejó caer la cesta, que rebotó en un arbusto y rodó cuesta abajo hasta el borde del agua; se salieron todas las gambas, formando una masa brillante que se movía en todas las direcciones. Lingdi salió corriendo por la pendiente para recuperar la cesta, mientras sus hermanas recogían las gambas. Retrocediendo hacia el río, Laidi mantuvo la mirada fija en aquella cara negra en la que se esbozaba una sonrisa como pidiendo perdón, que dejaba al descubierto dos hileras de dientes que brillaban como perlas.

—No tengas miedo, hermanita —le oyó decir—. Somos guerrilleros. No grites. Vete de aquí lo más rápido que puedas.

Miró alrededor y vio docenas de hombres vestidos de verde, escondidos entre los matorrales, con una mirada de dureza en los ojos. Algunos iban armados con rifles, otros llevaban granadas y otros unas espadas oxidadas. El hombre del rostro sucio y sonriente tenía una pistola de color azul en la mano derecha y un objeto resplandeciente que hacía un ruidito en la izquierda. No fue hasta mucho más tarde cuando ella se dio cuenta de que ese objeto era un temporizador de bolsillo; para entonces, ya estaba compartiendo su cama con aquel hombre de rostro oscuro.

VI

Tercer Maestro Fan, borracho como un caballero, entró mascullando en la casa de los Shangguan.

—Los japoneses se acercan. Qué mala sincronización con vuestra burra. Pero ¿qué puedo decir yo, ya que fue mi caballo el que la preñó? El que le pone el cascabel al gato debe ser el que se lo quite. Shangguan Shouxi, veo que tienes suficientes agallas como para sacar esto adelante. ¡Ay, mierda, qué agallas tienes! Si estoy aquí es sólo por tu madre. Ella y yo... *ja, ja*... ella hizo un rascador de cascos para mis caballos...

Shangguan Shouxi, con el rostro cubierto de sudor, siguió a Tercer Maestro Fan hasta la puerta.

—¡Fan Tres! —gritó Shangguan Lü—. ¡Cabrón, el dios local aparece muy pocas veces!

Fingiendo estar sobrio, Tercer Maestro Fan anunció: «Fan Tres ha llegado». Pero la visión de la burra echada en el suelo hizo que pasara de estar completamente borracho a medio sobrio.

—¡Dios mío, mirad eso! ¿Por qué no me habéis mandado llamar antes?

Tiró al suelo las alforjas de cuero que llevaba, se agachó para acariciar las orejas de la burra y le dio unos golpecitos en la tripa.

Después dio una vuelta alrededor de la parte trasera del animal y tiró con fuerza de la pata que salía del canal del parto. Levantándose, movió la cabeza tristemente y dijo:

—He llegado demasiado tarde, es una causa perdida. El año pasado, cuando tu hijo me trajo la burra para que se apareara, le dije que era demasiado flaca y débil y que deberíais cruzarla con uno de su especie. Pero él insistió en que la cubriera un caballo. Ese caballo mío es un semental japonés de pura raza. Uno de sus cascos es más grande que la cabeza de vuestra burra, y cuando la montó, casi se parte bajo su peso. Como un gallo y un gorrión. Pero es un buen semental, así que cerró los ojos y se la folló. ¡Si hubiera sido otro caballo, joder! Mirad, la cría no va a salir. Vuestra burra no está hecha para tener mulas. Sólo sirve para producir burros, esta burra esmirriada...

—¿Ya has terminado, Fan Tres? —Shangguan Lü interrumpió su monólogo, enfadada.

—He terminado, sí, he dicho lo que quería decir. —Cogió su bolsa de cuero, se la echó al hombro y, volviendo a pasar de medio sobrio a completamente borracho, avanzó tambaleándose hacia la puerta.

Shangguan Lü lo cogió del brazo.

—¿Te vas? —le dijo.

Fan Tres sonrió de una manera desagradable.

—Vieja cuñada —le dijo—, ¿es que no has oído al mayordomo de la Casa Solariega de la Felicidad? La aldea está casi desierta. ¿Quién es más importante, la burra o yo?

—Tres, tienes miedo de que no te dé lo que te mereces, ¿verdad? Bueno, tendrás dos botellas de buen licor y una enorme cabeza de cerdo. Y no te olvides de que, en esta familia, lo que yo prometo se cumple.

Fan Tres echó un rápido vistazo al padre y al hijo.

—Soy muy consciente de eso —dijo sonriendo—. Eres probablemente la única mujer mayor de todo el país que trabaja de verdad como herrero. La fuerza de esa espalda que tienes...

Una extraña sonrisa hizo que se le contrajera la cara.

—¡Por el culo de tu madre! —Shangguan Lü maldijo dándole un golpe en la espalda—. No te vayas, Tres. No estamos hablando de una, sino de dos vidas. Ese semental es tu hijo, por lo que esta burra es tu nuera y la mula que hay en su tripa es tu nieta. Haz lo que puedas. Si la mula vive, te lo agradeceré y te recompensaré. Si se muere, maldeciré mi propio destino miserable, no a ti.

—Has convertido a estos cuadrúpedos en mi familia —dijo Fan Tres tristemente—, así que ¿qué puedo decir? Veré si puedo traer a esta burra moribunda de vuelta a la tierra de los vivos.

—Muy bien. ¿Por qué hacer caso a los delirios de ese loco de Sima? ¿Qué podrían querer los japoneses de una aldea pacífica y aislada como la nuestra? Además, al hacer esto, estás acumulando virtudes, y los espíritus siempre se mantienen alejados de los virtuosos.

Fan Tres abrió su bolsa y sacó una botella llena de un líquido verde y viscoso.

—Éste es un tónico secreto, que ha ido pasando, en mi familia, de generación en generación. Funciona de una forma milagrosa en los partos de nalgas y en otras irregularidades obstétricas en los animales. Si esto no lo consigue, ni siquiera el Mono mágico podría traer a ese animal al mundo. Señor —instó a Shangguan Shouxi—, venga aquí y écheme una mano.

—Lo haré yo —dijo Shangguan Lü—. Él es un bobo inútil.

Fan Tres dijo:

—La gallina Shangguan acusa al gallo de no poner huevos.

—Si tienes que insultar a alguien, Tercer Hermano Menor —dijo Shangguan Fulu—, hazlo en mi cara, y no te escondas por ahí.

—¿Estás enfadado? —preguntó Fan Tres.

—Éste no es momento para discutir —dijo Shangguan Lü—. ¿Qué tengo que hacer?

—Levanta la cabeza de la burra —dijo él—. Voy a darle el tónico.

Shangguan Lü separó las piernas, reunió fuerzas y cogió la cabeza de la burra. El animal se agitó; por los agujeros de su nariz salía aire espasmódicamente.

—¡Más arriba! —dijo Fan Tres.

Ella hizo un esfuerzo para levantarla aún más; de su nariz ahora también salía el aire en espasmos.

—Vosotros dos, ¿estáis muertos o vivos? —protestó Fan Tres.

Los dos hombres Shangguan se apresuraron a ayudar y casi tropiezan con las patas de la burra. Shangguan Lü hizo girar los ojos; Fan Tres sacudió la cabeza. Al final consiguieron levantar lo suficiente la cabeza de la burra, que echó hacia atrás los labios y enseñó los dientes. Fan Tres introdujo en la boca del animal un embudo hecho con un cuerno de buey y vació en su interior el contenido de la botella.

—Esto funcionará —dijo Fan—. Ya podéis bajarle la cabeza.

Mientras Shangguan Lü intentaba recobrar el aliento, Fan Tres sacó su pipa, la llenó y se puso a fumar en cuclillas. Dos columnas de humo blanco salieron rápidamente por su nariz.

—Los japoneses han tomado la capital del condado y han asesinado al gobernador, Zhang Weihan, y han violado a todas las mujeres de su familia.

—¿Eso te lo han dicho los Simas? —le preguntó Shangguan Lü.

—No, me lo dijo mi hermano de sangre. Vive cerca de la Puerta Este, en la capital.

—La verdad nunca llega a más de diez *li*[1] de distancia —dijo Shangguan Lü.

—Sima Ku se ha llevado a los sirvientes de la familia para prenderle fuego al puente —dijo Shangguan Shouxi—. Eso es más que un rumor.

Shangguan Lü miró enfadada a su hijo.

—Nunca te he oído decir una frase optimista ni adecuada, pero no te cansas de propagar las tonterías y los rumores. Mírate, eres un hombre, has tenido un montón de hijos y no se puede saber

---

[1] Un *li* es una medida china de distancia que equivale, aproximadamente, a medio kilómetro [*N. del T.*].

si eso que llevas sobre los hombros es una cabeza o una calabaza vacía. ¿A ninguno de vosotros se os ha ocurrido pensar que los japoneses tienen madres y padres, como todo el mundo? No tienen nada en contra de nosotros, así que ¿qué deberíamos hacer? ¿Salir huyendo? ¿Creéis que se puede correr más rápido que una bala? ¿Escondernos? ¿Hasta cuándo?

Como respuesta a sus reproches, los hombres Shangguan no podían hacer nada más que agachar la cabeza y morderse la lengua. Pero Fan Tres sacudió la ceniza de su pipa e intentó salvar la situación.

—A largo plazo, nuestra hermana ve las cosas con más claridad que nosotros. Me siento mucho mejor después de lo que nos ha dicho. Tiene razón. ¿Dónde podríamos ir? ¿Dónde nos esconderíamos? Yo quizá sea capaz de correr y de esconderme, pero ¿qué hago con mi burro y mi semental? Son como un par de montañas. ¿Dónde se puede esconder una montaña? Uno puede esconderse un día, pero nunca logrará que no lo descubran al cabo de medio mes. Por el culo de su madre, digo yo. Saquemos a ese bebé de mula de ahí y luego ya pensaremos en lo que vamos a hacer.

—¡Esa es una buena actitud! —dijo Shangguan Lü, contenta.

Fan se quitó la chaqueta, se ciñó el cinturón y se aclaró la garganta, como un maestro de artes marciales que está a punto de enfrentarse a su oponente. Shangguan Lü asintió con aprobación.

—Eso es lo que a mí me gusta ver, Tres. Un hombre deja como legado su buen nombre, un ganso salvaje deja como legado su graznido. Si traes a esa mula al mundo, te daré una botella extra de licor y tocaré el tambor para cantarte alabanzas.

—Eso es una estupidez —dijo Fan—. De todos modos, ¿a quién se le ocurrió cubrir a vuestra burra con mi semental? Eso se llama sembrar y cosechar. —Dio la vuelta alrededor de la burra, tiró de la pata de la mula y murmuró—: Burra, mi pequeña nuera, estás ante la puerta del infierno y vas a tener que esforzarte para escapar. Mi reputación está a tu servicio. Caballeros —dijo, dándole unos golpecitos a la burra en la cabeza—, traed una cuerda y un buen palo. No puede hacerlo ahí tirada. Tenemos que conseguir que se ponga de pie.

Los hombres Shangguan miraron a Shangguan Lü, quien les dijo:

—Haced lo que os ha dicho.

Cuando el padre y el hijo lo hubieron hecho, Fan pasó la cuerda bajo la burra, justo por donde estaban sus patas delanteras, después hizo un nudo y le pidió a Shangguan Fulu que pasara el palo a través del agujero que formaba la cuerda.

—Ponte ahí —le ordenó a Shangguan Shouxi—. Agáchate y levanta el palo y apóyatelo en los hombros.

Los hombres Shangguan empezaron a levantar el palo, que se les clavaba duramente en los hombros.

—Eso es —dijo Fan—. Vale, no hay prisa. Levantaos cuando os lo diga, y más vale que tengáis buenos hombros. Sólo tenéis una oportunidad. Este animal no puede aguantar muchos más sufrimientos. Cuñada, tu sitio es detrás de la burra. Lo que tienes que hacer es evitar que la cría se caiga al suelo.

Dio la vuelta hasta colocarse en la parte trasera del animal, y allí se frotó las manos, cogió la lámpara de la piedra de molino, se roció las palmas de las manos con aceite y volvió a frotárselas y después les sopló encima. Cuando intentó meter una de las manos por el canal del parto, la pequeña pata se agitó salvajemente. Para entonces, ya tenía todo el brazo dentro de la burra, hasta el hombro, y su mejilla estaba en contacto con el casco violeta de la mula. Shangguan Lü no podía apartar los ojos de él, y le temblaban los labios.

—Vale, caballeros —dijo Fan con voz apagada—. Cuando cuente hasta tres, levantadla con toda vuestra fuerza. Es cuestión de vida o muerte, así que no dejéis que se me caiga encima, ¿de acuerdo?

Tenía la barbilla apoyada en el trasero del animal; parecía que intentaba atrapar algo con la mano en sus profundidades.

—¡Uno... dos... y tres!

Con un fuerte gruñido, los hombres Shangguan hicieron una demostración de valor poco habitual en ellos, y se tambalearon bajo su carga. Imitando el esfuerzo que se hacía a su alrededor, la burra se dio la vuelta, estiró las patas delanteras y levantó la cabeza. Sus patas traseras se movieron y se doblaron debajo de ella. Fan Tres rodó con la burra, hasta que estuvo casi boca abajo en el suelo. Su cabeza desapareció de la vista de los demás, pero sus gritos continuaban: «¡Levantadla! ¡Seguid levantándola!». Los dos hombres estaban empleando todas sus fuerzas y Shangguan Lü se deslizó bajo la burra y con la espalda empezó a presionarle la tripa. Con un fuerte rebuzno, se apoyó sobre sus patas y se puso de pie, y en ese momento algo grande y viscoso resbaló por el canal del parto y salió al exterior junto a una gran cantidad de sangre y un líquido pegajoso, que cayó directamente sobre los brazos de Fan Tres y de ahí se fue al suelo.

Fan limpió rápidamente el líquido de la boca de la pequeña mula, cortó el cordón umbilical con su cuchillo y anudó el trocito restante, y después llevó al animal a un lugar de la estancia en el que el suelo no estaba sucio, y ahí le limpió todo el cuerpo con unos harapos. Con los ojos llenos de lágrimas, Shangguan Lü murmuraba una y otra vez:

—Gracias al Cielo y la Tierra, y a Fan Tres.

La cría de mula logró ponerse de pie un momento, pero no mantuvo el equilibrio y pronto cayó de nuevo al suelo. Su piel era suave como el satén, y su boca tenía el color rojo violáceo de un pétalo de rosa. Fan Tres la ayudó a levantarse de nuevo.

—Buena chica —le dijo—. De tal palo tal astilla. El caballo es mi hijo y tú, pequeña, tú eres mi nieta. Cuñada, tráeme un poco de arroz aguado para mi hija burra, que ha vuelto de entre los muertos.

VII

Shangguan Laidi no había guiado a sus hermanas más que una docena de pasos cuando escuchó una serie de sonidos agudos que parecían los graznidos de algún pájaro extraño. Miró al cielo para ver de qué se trataba y justo en ese momento oyó el ruido de una explosión en medio del río. Le pitaron los oídos y se le nubló la mente. Un barbo destrozado voló por el aire y aterrizó a sus pies. Hilillos de sangre brotaban de su cabeza naranja, que se había partido en dos; las aletas se le movían frenéticamente y las tripas se le habían salido del vientre. Cuando tocó tierra, un poco de barro caliente procedente del río alcanzó a Laidi y a sus hermanas. Perpleja y un tanto somnolienta, se dio la vuelta para ver cómo estaban sus hermanas, que le devolvieron la mirada. Vio un trozo de algo pegajoso en el pelo de Niandi, como si fuera hierba masticada; y siete u ocho escamas plateadas de algún pez se le habían quedado pegadas a Xiangdi en la mejilla. Unas olas oscuras se agitaban en el río a unos pocos pasos de donde estaban ellas, formando un remolino. El agua, caliente, se elevaba por el aire y después volvía a caer al centro del remolino. Una fina lámina de niebla flotaba por encima de la superficie, y Laidi pudo distinguir el agradable olor de la pólvora. Intentó pensar qué había podido ocurrir, atenazada por el presentimiento de que era algo muy malo. Tenía ganas de gritar, pero lo único que hizo fue soltar un torrente de lágrimas que cayeron ruidosamente al suelo. ¿Por qué estoy llorando? No, en realidad no estoy llorando, pensó. ¿Por qué iba a llorar? A lo mejor son gotas de agua del río, no son lágrimas. El caos se apoderó de su cabeza. La escena que había ante ella —el sol que pasaba entre los travesaños del puente, el río agitándose, con el agua totalmente embarrada, los densos matorrales que había a sus pies, un montón de golondrinas atolondradas y sus hermanas anonadadas— la envolvía con una caótica combinación de imágenes, como si fuera un ovillo enmarañado. Sus ojos se fijaron en su hermana menor, Qiudi, que tenía la boca abierta y los ojos cerrados; le caían lágrimas por las mejillas. A su alrededor se extendió un sonido crepitante, como de alubias friéndose al sol. Los secretos que había ocultos entre los arbustos hacían unos extraños crujidos, como de pequeñas criaturas que se arrastran serpenteando, pero no se oía nada a los hombres que había visto hacía unos pocos minutos. Las espinosas ramas apuntaban silenciosamente hacia arriba y sus hojas, semejantes a monedas de oro, brillaban débilmente. ¿Todavía estarían ahí? Y si era así, ¿qué estaban haciendo? Entonces escuchó un grito seco y distante:

—Hermanitas, al suelo... hermanitas... al suelo, boca abajo...

Escudriñó el paisaje buscando el lugar del que venían los gritos. En lo más profundo de su mente, un cangrejo caminaba en círculos y le generaba un dolor terrible. Vio algo negro y brillante que caía del cielo. Una columna de agua gruesa como un buey se alzó lentamente desde el río, del lado este del puente de piedra, y se difuminó en todas direcciones cuando alcanzó la altura del dique, como las ramas de un sauce llorón. En unos segundos, los olores de la pólvora, de los lodazales del río y de los peces y gambas destrozados se juntaron en su nariz, tratando de apoderarse de ella. Los oídos le pitaban con tal fuerza que no podía oír nada, pero se le ocurrió que veía las ondas sonoras viajando por el aire.

Otro objeto negro cayó en el río, enviando una segunda columna de agua hacia el cielo. Algo azul golpeó contra la ribera del río, con los bordes curvados hacia afuera como el diente de un perro.

Cuando se agachó para recogerlo, una chispita de humo amarillo surgió de la punta de uno de sus dedos, y un dolor agudo recorrió todo su cuerpo. Instantáneamente, los ruidos estremecedores del mundo volvieron a apoderarse de ella, como si el penetrante dolor que sentía en el dedo procediera de sus oídos y acabara con el bloqueo en el que se encontraban. El agua formaba ruidosas olas y el humo se expandía hacia arriba. Unas explosiones retumbaron en el aire. Tres de sus hermanas estaban aullando y las otras tres estaban echadas en el suelo con las manos protegiéndose los oídos y con el culo en pompa, como esos pájaros estúpidos y extraños que, cuando los persiguen, esconden la cabeza debajo de la tierra pero se olvidan de sus cuartos traseros.

—¡Hermanitas! —Otra vez oyó una voz entre los arbustos—. Al suelo, boca abajo y venid arrastrándoos hasta aquí.

Se echó al suelo, boca abajo, y buscó al hombre que había entre los arbustos. Por fin lo encontró entre las flexibles ramas de un sauce rojo. El extraño de la cara oscura y los dientes blancos le hacía gestos con una mano.

—¡Date prisa! —le gritó—. Arrástrate hasta aquí.

En su mente confusa se abrió un hueco por el que entraron unos rayos de luz. Oyendo el relincho de un caballo, se giró para mirar a su espalda y vio un potro dorado, que al galope se subió en el puente de piedra por el extremo que daba al Sur, con las orgullosas crines al viento. Iba sin embridar y era hermoso, libre, vivaz, disfrutando de su juventud. Pertenecía a la Casa Solariega de la Felicidad y era hijo del semental japonés de Tercer Maestro Fan; en otras palabras, era uno de sus nietos. Ella conocía a ese maravilloso potro, y le gustaba mucho. A menudo lo había visto galopando arriba y abajo por los caminos, volviendo locos a los perros de la Tía Sol. Cuando llegó a la mitad del puente, se detuvo como si no pudiera atravesar la pared de paja, o como si se hubiera mareado por el licor con el que la habían empapado. Levantó la cabeza y escrutó la paja. ¿Qué estaría pensando?, se preguntó Laidi. Otro chillido desgarró el aire mientras un trozo de metal brillante y cegador, que parecía venir desde muy lejos, se estrellaba contra el puente con un rugido atronador. El potro desapareció ante sus ojos; una de sus patas, chamuscada, aterrizó junto a unos arbustos cercanos. Tuvo náuseas y un líquido ácido y amargo le llegó a la garganta desde el estómago, y en ese momento lo comprendió todo. La pata destrozada del potro le enseñó en qué consistía la muerte, y una sensación de horror la hizo temblar, con un castañeteo de dientes. Se puso de pie de un salto y arrastró a sus hermanas a los arbustos.

Sus seis hermanas pequeñas se acurrucaron a su alrededor, aferrándose unas a otras como dientes de ajo que envuelven el tallo.

Laidi escuchó esa voz áspera, que ya le resultaba familiar, dirigiéndose a ella, pero las agitadas aguas del río impidieron que entendiera lo que decía.

Protegiendo a su hermanita pequeña entre sus brazos, sintió el calor ardiente de la carita de la niña. La calma había vuelto al río por el momento, dándole a la capa de humo la oportunidad de disiparse. Más objetos negros y sibilantes volaban por encima del Río de los Dragones, dejando atrás unas largas colas antes de impactar sobre la aldea produciendo un sonido sordo al explotar, al que seguían unos débiles gritos femeninos y el estruendo que los edificios hacían al derrumbarse. En el dique de enfrente no se veía ni un alma; lo único que había era una acacia solitaria. En la orilla del río, un poco más arriba, había una hilera de sauces llorones cuyas ramas acariciaban la superficie del agua. ¿De dónde venían esos extraños y aterradores objetos volantes?, se preguntaba Laidi una y otra vez. Un grito —*Ai ya ya*— acabó con su concentración. La imagen del ayudante del mayordomo de la Casa Solariega de la Felicidad, Sima Ku, montando en su bicicleta por el puente, apareció a través de las ramas. ¿Qué estará haciendo?, se preguntó. Debe ser por lo del caballo. Pero llevaba una antorcha encendida, así que no se trataba del caballo, cuyo cuerpo estaba diseminado por todo el puente y cuya sangre teñía el agua del río que pasaba por debajo.

Sima Ku frenó, bajó de su vehículo y lanzó la antorcha sobre las pajas empapadas de licor. Unas llamas azules ascendieron hacia el cielo. Cogiendo su bicicleta, pero demasiado azorado como para montarse de nuevo, la llevó corriendo por el puente, con las llamas azules lamiéndole los talones. De su boca seguía brotando ese grito extraño y aterrador, *Ai ya ya*. Cuando un crujido fuerte y repentino hizo volar su sombrero de paja de ala ancha, que cayó en el río, soltó la bicicleta, se dobló por la cintura, se tropezó y cayó de bruces contra el suelo del puente. *Crac, crac, crac*, una cadena de ruidos parecidos a una ristra de petardos. Sima Ku se aferró al suelo del puente y empezó a reptar como un lagarto. De pronto, ya no estaba, y los crujidos dejaron de oírse. El puente casi desapareció, engullido por unas llamas azules que no producían ningún humo; las del centro se elevaban más arriba que las otras, y tiñeron de azul el agua que había debajo. El pecho de Laidi se encogió en el aire asfixiante, que transportaba oleadas de calor. Tenía la nariz caliente y humedecida. Las olas de calor se transformaron en ráfagas de viento sibilante. Los arbustos estaban húmedos, como sudorosos; las hojas de los árboles se habían rizado y secado. Entonces, escuchó la voz aguda de Sima Ku que surgía desde atrás del dique:

—Que les den a vuestras hermanas, pequeños japos. Habréis cruzado el Puente de Marco Polo, pero nunca cruzaréis el Puente del Dragón Ardiente.

Y entonces rompió a reír:

—*Ah ja ja ja, ah ja ja ja, ah ja ja ja...*

La risa de Sima Ku parecía interminable. En la orilla de enfrente, sobre el dique, apareció una fila de gorras amarillas, seguidas por una hilera de cabezas de caballos y los uniformes amarillos de los jinetes. Docenas de soldados a caballo habían llegado al dique, y a pesar de que todavía estaban a cientos de metros de distancia, Laidi vio que sus caballos eran exactamente iguales que el semental de Tercer Maestro Fan. ¡Los japoneses! ¡Los japoneses ya están aquí! Han llegado los japoneses...

Evitando el puente de piedra, que estaba envuelto en llamaradas azules, los soldados japoneses dejaron descansar a sus caballos a los lados del dique; había docenas de ellos, chocándose torpemente uno contra otro, amontonados, ocupando todo el terreno hasta el lecho del río. Podía oír los gritos y los gruñidos de los hombres y los relinchos que daban los caballos mientras entraban en el río. El agua pronto les cubrió las patas hasta que sus vientres parecían estar apoyándose sobre la superficie. Los jinetes se acomodaron en sus monturas, sentándose erguidos, manteniendo la cabeza alta, con los rostros blancos a la brillante luz del sol, que no permitía distinguir sus rasgos con claridad. Con la cabeza levantada, los caballos parecían estar galopando, cosa que, de hecho, era imposible. El agua, como un denso jarabe, tenía un olor dulce y pegajoso. Haciendo un esfuerzo por avanzar, los enormes caballos generaban unas ondas azules en la superficie del agua. A Laidi le parecían pequeñas lenguas de fuego que quemaban la piel de los animales, lo cual era el motivo por el que tenían las cabezas tan levantadas, y por el que se desplazaban sin parar hacia adelante, con la cola flotando detrás. Los jinetes japoneses, sujetando las riendas con ambas manos, subían y bajaban en sus monturas, con las piernas formando una rígida V invertida. Vio un caballo de color castaño detenerse en el medio del río, levantar la cola y soltar una serie de excrementos. El jinete que lo montaba, ansioso, clavó sus tacones en los flancos del caballo para que volviera a ponerse en marcha. Pero el caballo, negándose a seguir, sacudió la cabeza y mordisqueó ruidosamente la brida.

«¡Al ataque, camaradas!». El grito le llegó desde los arbustos que había a su izquierda, seguido por un sonido apagado, como de seda rasgada. Y después, el traqueteo de los disparos, decidido y monótono, grueso y delgado. Un objeto negro, del que salía un humo blanco, golpeó la superficie del río con un sonido sordo y formó una columna de agua que se elevó en el aire. El soldado japonés que montaba al caballo castaño fue impulsado hacia adelante de una forma extraña, y después hacia atrás, mientras sus brazos se agitaban salvajemente por el aire. La sangre fresca y negra que brotó de su pecho empapó la cabeza de su caballo y tiñó el agua. El caballo se encabritó, exponiendo sus patas delanteras, que estaban cubiertas de barro, y su brillante pecho. En el momento en que sus cascos delanteros atravesaron de nuevo la superficie del agua, el soldado japonés fue lanzado hacia atrás, boca arriba, por encima de los cuartos traseros del animal. Otro soldado japonés, éste montado en un caballo negro, voló hasta caer de cabeza en el río. Un tercero, que iba en un caballo azulado, también fue impulsado fuera de su montura pero logró abrazarse al cuello del animal y ahí quedó colgando, sin su gorra, con un hilillo de sangre que salía de su oído e iba a parar al río.

En el río reinaba el caos; los caballos que habían perdido a su jinete relinchaban y saltaban por todas partes, tratando de volver a la orilla. Los soldados japoneses estaban echados hacia adelante sobre sus monturas, sujetándose con las piernas y apuntando con sus relucientes rifles a los arbustos. Abrieron fuego. Docenas de caballos, dando bufidos, llegaron como pudieron a un banco del río. Con el agua chorreándoles desde la panza y los violáceos cascos cubiertos de fango, arrastraban unos largos hilos brillantes en su camino hacia el centro del río.

Un alazán con la frente blanca, que llevaba a un japonés pálido en el lomo, fue dando brincos hacia el dique; sus cascos golpeaban torpe y nerviosamente sobre el banco del río. El soldado que lo montaba, con los ojos entrecerrados y los labios apretados, le dio unas palmadas con la mano izquierda y desenvainó una espada plateada con la derecha, cargando contra los arbustos. Laidi distinguió unas gotas de sudor rodando hasta la punta de su nariz y cayendo sobre las gruesas crines de su montura, y pudo oír el ruido que hacía el caballo al exhalar el aire por la nariz; también notó el hedor ácido del sudor del caballo. Súbitamente, un humo rojo empezó a salir de la frente del alazán y sus cuatro ágiles patas se quedaron rígidas. Su piel fue surcada por más arrugas de las que Laidi habría podido contar, las patas se le convirtieron en goma y, antes de que el jinete supiera qué estaba sucediendo, ambos cayeron sobre los arbustos.

La caballería japonesa se dirigió al sur a lo largo de la ribera del río, subiendo hasta el lugar donde Laidi y sus hermanas habían dejado los zapatos. Allí los soldados apaciguaron a los caballos y atravesaron los arbustos en dirección al dique. Laidi siguió mirando, pero habían desaparecido. Entonces se volvió para mirar al alazán muerto, que estaba tirado con la cabeza ensangrentada y con sus grandes ojos azules, sin vida, mirando fija y tristemente al profundo azul del cielo. El jinete japonés yacía boca abajo en el barro, atrapado bajo su caballo, con la cabeza doblada en un ángulo extraño, con una mano sin sangre estirada hacia la ribera, como si estuviera tratando de coger algo. Los cascos del caballo habían amasado el suave y soleado lodo del banco del río. El cuerpo de un caballo blanco yacía junto al banco, en el río, meciéndose lentamente en el agua hasta que se dio la vuelta y sus patas, que acababan en unos cascos del tamaño de jarros de arcilla, se levantaron por el aire de forma terrorífica. Un momento más tarde las aguas se agitaron y las patas del caballo se deslizaron de nuevo bajo su superficie, esperando una nueva oportunidad para apuntar al cielo. El caballo castaño que tanto había impresionado a Laidi ya estaba lejos, río abajo, arrastrando consigo a su jinete muerto, y Laidi se preguntó si no estaría buscando a su compañero, pues se le ocurrió que podría ser la esposa del semental de Tercer Maestro Fan, que había estado separada de su pareja durante mucho tiempo.

El fuego continuaba quemando el puente; las llamas, ahora amarillas, hacían que salieran espesas columnas de humo de las pilas de paja. El suelo verde del puente se arqueaba en el aire, hacia arriba, gruñendo y jadeando y gimoteando. En la cabeza de Laidi, el puente en llamas se había transformado en una gigantesca serpiente que sufría estertores en su agonía, intentando con desesperación volar hacia el cielo, y que tenía la cabeza y la cola clavadas a la tierra. Pobre puente, pensó con tristeza. Y esa pobre bicicleta alemana, la única máquina moderna de todo Gaoni, ya no era nada más que un trozo de metal chamuscado y deforme. Sentía en la nariz la invasión de los olores de la pólvora, la goma, la sangre y el barro, que cargaban al aire y lo volvían denso y pegajoso; y tenía el pecho sofocado por los hedores repulsivos, y le parecía que estaba a punto de explotar. Peor aún, una capa gelatinosa se había formado en los arbustos quemados que estaban frente a ellas, y una ola de calor centelleante se dirigió hacia ella, encendiendo unas pequeñas llamitas en la maleza. Protegiendo a Qiudi entre sus brazos, le gritó al resto de sus hermanas que se alejaran de los arbustos. Después, de pie sobre el dique, las contó hasta comprobar que estaban todas a su lado, descalzas y con extrañas muecas en las caritas, con la mirada perdida y los lóbulos de las orejas enrojecidos. Salieron corriendo dique abajo y llegaron hasta un pedazo de terreno abandonado, que todo el mundo decía que había sido el emplazamiento fundacional de la casa de una mujer musulmana, donde estaban sus irregulares paredes, y que desde hacía mucho tiempo estaba cubierto de plantas de marihuana y otras hierbas silvestres. Mientras corría sobre esta mezcla de plantas, le pareció que sus piernas estaban hechas de pasta. Las ortigas se le clavaban dolorosamente en los pies. Sus hermanas, llorando y quejándose, llegaron torpemente detrás de ella. Se sentaron todas entre la marihuana y se abrazaron. Las más pequeñas escondieron la cabeza entre las ropas de Laidi; sólo ella la mantuvo levantada, observando, llena de temor, el avance furioso del fuego por el dique.

Los hombres de uniforme verde que había visto antes de que empezara todo el lío surgieron corriendo de entre el mar de llamas, chillando como demonios, con la ropa ardiendo. Escuchó la voz que ya le resultaba familiar gritar: «¡Tiraos al suelo y poneos a rodar!». Fue el primero en lanzarse al suelo, y empezó a rodar dique abajo, como una bola de fuego. Una docena de bolas de fuego, o más, lo siguieron. Las llamas se apagaron, pero un humo verde salía de la ropa y el pelo de los hombres. Sus uniformes, que tan sólo unos momentos antes eran del mismo atractivo verde que el de la maleza entre la que se escondían, ahora eran poco más que harapos ennegrecidos que colgaban de sus cuerpos.

Uno de los hombres no siguió a los demás cuando llegó su turno de rodar por el suelo; aullaba en su agonía mientras corría como el viento, cubierto de llamas, cuesta arriba, hacia las plantas de marihuana silvestre donde las chicas estaban escondidas, dirigiéndose directamente a un pozo de agua sucia, lleno de diferentes hierbas y plantas acuáticas de anchos tallos rojos, hojas gruesas y tiernas del color de la pluma de ganso y flores con capullos rosas y suaves como el algodón. El hombre cubierto de llamas se lanzó al pozo, salpicando agua en todas las direcciones y haciendo salir de su escondrijo a una camada de crías de rana. Unas mariposas blancas, que estaban poniendo sus huevos, revolotearon por el aire y desaparecieron bajo la luz del sol, como si las hubiera consumido el calor. Ahora que las llamas se habían apagado, el hombre se quedó ahí tirado, negro como el carbón, con la cabeza y el rostro manchados de barro y un minúsculo gusano serpenteando por su mejilla. Laidi no podía verle ni los ojos ni la nariz, solamente la boca, que se abría para dejar salir unos gritos torturados: «Madre, madre querida, voy a morir...». Un pequeño barbo dorado, acompañando a los lamentos, también salió de su boca. Sus lastimeros movimientos removieron un fango que se había ido acumulando ahí durante años y soltaba un olor repugnante.

Sus camaradas yacían en el suelo, quejándose y maldiciendo, con sus rifles y sus machetes tirados alrededor, excepto el hombre delgado de la cara oscura, que todavía tenía su pistola en la mano.

—Camaradas —dijo—, vámonos de aquí. Los japoneses van a volver.

Como si no lo hubieran oído, los chamuscados soldados se quedaron en el suelo, donde estaban. Dos de ellos se pusieron de pie, temblando, y dieron unos cuantos pasos torpemente hasta que les cedieron las piernas.

—¡Camaradas, vámonos de aquí! —gritó de nuevo, dándole un golpe al hombre que tenía más cerca.

El hombre reptó un poco hacia adelante y, haciendo un esfuerzo, logró ponerse de rodillas.

—Comandante —gritó lastimosamente—, mis ojos, no veo nada...

Ahora ella sabía que el hombre de la cara oscura se llamaba Comandante.

—Camaradas —dijo ansiosamente—, los japoneses van a volver. Debemos estar preparados...

Por el Este, Laidi vio a veinte o más soldados japoneses a caballo, formando dos columnas, en lo alto del dique, y dirigiéndose hacia abajo como una marea, en estricta formación a pesar de las llamas que había en torno a ellos. Los caballos iban al trote por la colina, con las cabezas altas, cada uno pisándole los talones al que tenía delante. Cuando llegaron al Camino de la Familia Chen, el caballo que iba primero se giró para tomar oblicuamente la pendiente, y los demás hicieron lo mismo. Atravesaron una amplia zona de campo abierto (una tierra que servía para secar el grano de la familia Sima y que era plana y suave, y estaba cubierta por una arena dorada), y después fueron cogiendo velocidad, galopando en línea recta. Todos los jinetes japoneses blandían unas espadas largas y estrechas que brillaban al sol y caían sobre el enemigo como el viento, mientras sus gritos de guerra rompían el silencio.

El comandante levantó la pistola y disparó hacia las tropas de caballería que avanzaban cada vez más velozmente; una línea de humo blanco ascendió por el aire, procedente de la boca del cañón. Después tiró la pistola y avanzó cojeando, lo más rápido que pudo, hacia el lugar en el que se escondían Laidi y sus hermanas. Un caballo de color albaricoque lo rozó al pasar a su lado a toda velocidad; su jinete se inclinaba hacia adelante en la montura mientras peinaba el aire con su espada. El comandante se tiró al suelo justo a tiempo para evitar que la espada lo alcanzara en la cabeza, pero no lo suficiente como para impedir que le rebanara un trozo del hombro derecho, que voló por el aire y aterrizó en los alrededores. Laidi vio el trozo de carne, grande como la palma de una mano, que se encogía como una rana desollada. Con un aullido de dolor, el comandante rodó por el suelo y empezó a arrastrarse hasta una enorme bardana y se quedó ahí quieto. El soldado japonés hizo que su montura diera la vuelta y se lanzó directamente contra un hombre bastante grande que estaba en pie, con una espada en la mano. Con el miedo pintado en el rostro, el hombre alzó su espada débilmente, como si quisiera darle al caballo en la cabeza, pero cayó al suelo, golpeado por los cascos del animal, y antes de que pudiera darse cuenta el jinete se inclinó sobre él y le abrió la cabeza con su espada. Los sesos salpicaron los pantalones del soldado japonés. En apenas un instante, una docena de hombres, que habían escapado de los arbustos en llamas, yacían en el suelo para descansar eternamente. Los jinetes japoneses, todavía enloquecidos de excitación, aplastaban los cuerpos bajo los cascos de sus caballos.

Justo en ese momento otra unidad de caballería, seguida por un enorme contingente de soldados de infantería con uniformes de color caqui, apareció desde el pinar que había al oeste de la aldea y se unió a la primera unidad. Al ver llegar a los refuerzos, la caballería se dirigió hacia la aldea por la entrada norte-sur. Los soldados de a pie, con sus cascos en la cabeza y sus rifles en la mano, siguieron a sus camaradas de a caballo y cayeron sobre la población como langostas. En el dique, el fuego se había extinguido. Un humo negro y espeso se elevaba hacia el cielo. Donde había estado el dique, Laidi sólo podía ver negrura, y los arbustos consumidos emanaban un agradable olor a quemado. Enjambres de moscas que parecían haber caído del cielo se lanzaron sobre los cadáveres destrozados y sobre los charcos de sangre que se habían formado junto a ellos, y sobre las ramas y las hojas chamuscadas y sobre el cuerpo del comandante. Las moscas parecían cubrir todo lo que se veía.

Le pesaban los ojos y tenía los párpados pegajosos ante esa constelación de extrañas imágenes que nunca antes había visto: estaban las patas heridas de los caballos, caballos con cuchillos clavados en la cabeza, hombres desnudos con unos miembros enormes colgándoles entre las piernas, cabezas humanas rodando por el suelo cloqueando como gallinas y pequeños peces con patitas esqueléticas saltando sobre las plantas de marihuana que había a su alrededor. Pero lo que más la aterrorizó fue el comandante, que ella pensaba que había muerto hacía ya mucho rato; poniéndose lentamente de rodillas, se arrastró hasta el pedazo de carne que le habían cortado del hombro, lo alisó un poco y lo colocó en el sitio del que había sido arrancado. Pero el trozo de carne dio un saltito inmediatamente y se escondió entre unas hierbas, así que lo recogió y lo golpeó contra el suelo hasta que estuvo dentro. Entonces arrancó un trozo de tela de su ropa y envolvió la carne en ella.

VIII

Un tumulto en el patio despertó a Shangguan Lu. Tuvo un bajón cuando se dio cuenta de que tenía la tripa más hinchada que nunca, incluso ahora que la mitad del *kang* estaba manchado con su sangre. La tierra fresca que su suegra había diseminado por el *kang* se había convertido en un barro pegajoso y empapado de sangre, y lo que hasta entonces sólo había sido un vago presentimiento se volvió claro como el agua. Miró cómo un murciélago con unas membranas de color rosa entre las alas bajaba volando de una de las vigas del techo, y una cara morada se le apareció sobre la pared negra que tenía enfrente; era la cara de un bebé varón muerto. Sintió como si le estuvieran retorciendo las entrañas, y un pinchazo en el corazón que se convirtió en puro dolor. Después, la visión de un pequeño pie con unas brillantes uñas asomando por entre sus piernas logró toda su atención. Todo ha terminado, pensó, mi vida ha terminado. La idea de la muerte le produjo un sentimiento de profunda tristeza, y se vio a sí misma metida en un ataúd barato, con su suegra mirándola con un gesto de enfado y su marido de pie a su lado, compungido pero en silencio. Las únicas que lloraban eran sus siete hijas, que formaban un círculo alrededor del ataúd...

La voz estentórea de su suegra sonó imponiéndose a los lamentos de las niñas. Abrió los ojos y la alucinación desapareció. La luz del sol entraba vigorosamente por la ventana, así como el fuerte aroma de las acacias en flor. Una abeja repiqueteaba contra la cortina de papel.

—Fan Tres, no te preocupes por lavarte las manos —oyó decir a su suegra—. Mi preciosa nuera todavía no ha tenido a su hijo. Lo único que ha podido conseguir es parir una pierna. ¿Puedes venir a ayudarla?

—Cuñada mayor, no seas tonta. Piensa un poco en lo que estás diciendo. Soy un médico de caballos, no puedo atender un parto humano.

—La gente y los animales no son tan diferentes.

—Eso es una tontería, cuñada mayor. Ahora tráeme un poco de agua para que me lave. Y olvídate de mis honorarios y vete a buscar a la Tía Sol.

La voz de su suegra explotó como un trueno:

—¡Deja de fingir que no sabes que no puedo soportar a esa vieja bruja! El año pasado me robó una de mis gallinitas.

—Bueno, eso es cosa tuya —dijo Fan Tres—. A fin de cuentas, es tu nuera la que está de parto, no mi esposa. De acuerdo, lo haré, pero que no se te olviden el licor y la cabeza de cerdo, porque voy a salvar dos vidas de tu familia.

Su suegra cambió el tono de su voz, de enfado a melancolía:

—Fan Tres, muéstrate un poco más amable. Además, con lo que están luchando ahí afuera, si salieras y te encontraras con los japoneses...

—¡Ya basta! —dijo Fan—. En todos los años que hemos sido amigos y vecinos, ésta es la primera vez que hago algo así. Pero primero aclaremos una cosa: la gente y los animales tal vez no sean tan diferentes, pero una vida humana importa más...

El ruido de unos pasos, mezclado con el sonido de alguien que se sonaba la nariz, venía hacia ella. No me digas que mi suegro y mi marido y ese personaje astuto que es Fan Tres van a entrar cuando yo estoy aquí tirada, desnuda. Pensar eso hizo que se enfadara y se avergonzara. Unas nubes blancas flotaban delante de sus ojos.

Cuando hizo un esfuerzo por incorporarse y encontrar algo con lo que cubrir su desnudez, el charco de sangre sobre el que estaba acostada se lo impidió. El ruido intermitente de las explosiones que llegaba desde el extremo de la aldea se acercó por el aire, matizado por un clamor misterioso pero en cierto modo familiar, como el ruido amplificado de una horda de minúsculas criaturas reptantes o el crujir de innumerables dientes... He oído esto antes, pero ¿qué es? Pensó y pensó. Entonces, el esbozo de un recuerdo se transformó rápidamente en una luz brillante que iluminó la plaga de langostas que había presenciado hacía una década o más. Los enjambres rojizos habían tapado el sol; era un flujo rabioso de insectos que habían dejado todos los árboles pelados, incluso los sauces. El irritante sonido penetraba hasta el tuétano de sus huesos. ¡Han vuelto las langostas!. Lo pensó con horror, hundiéndose en una ciénaga de desesperación. «Señor del Cielo, déjame morir, no lo soporto más... ¡Dios del Cielo, Virgen Santa! Concededme vuestra gracia, apiadaos de mí y salvad mi alma...». Rezó esperanzada, pese a hallarse presa de la desesperación, dedicando sus plegarias tanto a la deidad suprema china como a la de Occidente. Cuando terminó de hacerlo, su angustia mental y sus sufrimientos físicos se habían reducido un poco, y recordó aquel día, hacia el final de la primavera, en que se había acostado en el césped con el Pastor Malory, el pelirrojo de ojos azules, y él le había dicho que el Señor del Cielo chino y el Dios occidental eran uno y el mismo, como los dos lados de su mano, de la misma manera que la *lianhua* y la *hehua* son, las dos, flores de loto. O, pensó ella tímidamente, como una polla y un pito son la misma cosa. Él se había puesto en pie entre las acacias, cuando la primavera daba paso al verano, con esa cosa orgullosamente empinada... Los árboles de los alrededores estaban en flor, y había flores blancas y flores amarillas, un arco iris de colores que bailaba en el aire, con sus poderosos aromas intoxicándola por completo. Se sintió elevarse por el aire, como una nube, como una pluma. Con el pecho henchido de gratitud, observó la sonrisa en el rostro del Pastor Malory, una sonrisa sombría y sagrada, amistosa y amable, y los ojos se le llenaron de lágrimas.

Cuando cerró los ojos, las lágrimas rodaron por sus arrugas hasta llegarle a las orejas. Alguien empujó la puerta y la abrió; su suegra dijo suavemente:

—Madre de Laidi, ¿qué te pasa? Debes aguantar, niña. Nuestra burra ha tenido una pequeña mulita. Ahora, si tú tienes este hijo, la familia Shangguan podrá al fin estar satisfecha. Puedes ocultarles la verdad a tus padres, pero no a un médico. Como no tiene ninguna importancia si una matrona es hombre o mujer, le he pedido a Tercer Maestro Fan que venga...

Ese extraño toque de ternura la conmovió. Abriendo los ojos, miró el aura dorada del rostro de la anciana y asintió débilmente. Su suegra se dio la vuelta y le ordenó a Fan Tres:

—Ahora ya puedes entrar.

Entró muy serio, haciendo un esfuerzo por parecer digno. Pero en cuanto entró, desvió la mirada, como si hubiera visto algo terrible, y se puso pálido.

—Cuñada mayor —digo suavemente mientras retrocedía hacia la puerta, con los ojos llenos de miedo y clavados en el cuerpo de Shangguan Lu—, levanta tu mano piadosa y déjame que me vaya. Amenázame con matarme, si quieres, pero no puedo hacer lo que me pides.

Se volvió y salió corriendo por la puerta. Entonces chocó contra Shangguan Shouxi, que estaba estirando el cuello para ver qué sucedía dentro. Disgustada, Shangguan Lu percibió el rostro calavérico y puntiagudo de su marido, que se parecía a una rata más que nunca, mientras su suegra salía corriendo tras los pasos de Fan Tres.

—¡Fan Tres, perro de mierda!

Cuando su marido asomó la cabeza por la puerta por segunda vez, reunió las fuerzas suficientes para levantar un brazo y, señalándolo, decirle fríamente —no podía estar segura de si las palabras realmente salieron por su boca—: «¡Ven aquí, hijo de perra!». En ese momento a ella se le había olvidado el odio que sentía hacia su marido, la enemistad que tenía con él. ¿Por qué tomármela con él? Quizá fuera un hijo de perra, pero es mi suegra la que es una perra, una vieja perra...

—¿Me estás hablando a mí? —preguntó Shangguan Shouxi desde donde estaba, detrás del *kang*, mirando por la ventana avergonzado—. ¿Qué quieres?

Ella contempló con simpatía a este hombre con quien había vivido durante veintiún años y sintió unas punzadas de remordimiento. Un mar de capullos de acacia ondeaba en el aire. Con una voz tan fina como un pelo, le dijo:

—Este hijo... no es tuyo...

Rompiendo a llorar, Shangguan Shouxi le dijo:

—Madre de mis hijos... no te me mueras ahora... iré a buscar a la Tía Sol...

—No... —Miró a su marido a los ojos y le imploró—: Vete a suplicarle al Pastor Malory que venga...

Fuera, en el patio, Shangguan Lü, sintiendo un dolor peor que si le estuvieran arrancando la piel a tiras, se sacó una pequeña bolsita de papel de parafina del bolsillo, la abrió y apareció un brillante dólar de plata. Lo apretó fuertemente mientras las comisuras de los labios se le tensaban en una mueca y los ojos le brillaban como ascuas. El sol caía sobre su cabeza canosa. Un humo negro se elevaba en el aire caliente. Oyó unos ruidos por el norte, cerca del Río de los Dragones. Las balas silbaban por el aire.

—Fan Tres —sollozó—, ¿puedes quedarte ahí de pie mirando como se muere una persona? «No hay nada más venenoso que el aguijón de un avispón, y nada más despiadado que el corazón de un médico». Dicen que «el dinero puede convertir al diablo en una piedra de molino». Bueno, este dólar de plata ha estado apoyado contra mi piel durante veinte años, pero será tuyo a cambio de la vida de mi nuera.

Puso la moneda en la mano de Fan Tres, pero éste lo dejó caer al suelo como si fuera un trozo de metal incandescente. Una película de sudor cubría su cara grasienta, y las mejillas le temblaban con tanta violencia que le distorsionaban los rasgos. Echándose su bolsa por detrás del hombro, le gritó:

—Cuñada mayor, por favor, déjame que me vaya... Me pondré de rodillas y me golpearé la cabeza contra el suelo...

Casi había llegado a la puerta cuando Shangguan Fulu, desnudo de cintura para arriba, llegó trastabillando. Sólo tenía un zapato puesto, y llevaba el pecho desnudo y esquelético untado con algo verde, parecido al aceite de motor, como una herida abierta y supurante.

—¿Dónde has estado, cadáver viviente? —lo insultó Shangguan Lü, enfadada.

—Hermano mayor, ¿qué está pasando ahí fuera? —le preguntó Fan Tres, lleno de ansiedad.

Ignorando tanto el insulto como la pregunta, Shangguan Fulu se quedó ahí de pie, con una sonrisa idiota en la cara, tartamudeando unas sílabas que parecían el ruido que hacen los pollos cuando pican en el fondo de un plato de barro.

Shangguan Lü cogió a su marido por la barbilla y lo sacudió con fuerza, moviéndole la boca hacia arriba y hacia abajo, estirándosela en dirección horizontal y después vertical. Unas gotas de saliva brotaron de una de las comisuras de sus labios. Él tosió, después escupió y al final se tranquilizó un poco.

—¿Qué está pasando ahí fuera?

Miró a su esposa con una profunda tristeza. Todavía se le agitaba la boca cuando solloz.:

—Los jinetes japoneses han llegado hasta el río...

Los secos golpes de los cascos de los caballos al acercarse los dejaron a todos helados. Una bandada de urracas con plumas blancas en la cola pasó volando por encima de sus cabezas, y sus graznidos llegaron a todos los rincones. Después, los cristales coloreados de la aguja de la iglesia se rompieron en silencio, miles de trocitos de cristal se desperdigaron brillando bajo la luz del sol. Pero inmediatamente después de que el cristal saliera volando, el sonido crujiente de una explosión engulló la aguja, enviando unas secas ondas sonoras, como el traqueteo de unas ruedas de hierro, que se expandieron en todas direcciones. Una poderosa ola de calor tumbó a Fan Tres y a Shangguan Fulu como si fueran espigas de trigo. A Shangguan Lü, la envió, tambaleándose, contra la pared. La chimenea, de arcilla negra con adornos tallados, rodó por el tejado y aterrizó en el camino de ladrillos que había frente a ella, haciendo un fuerte ruido y rompiéndose en pedazos.

Shangguan Shouxi salió de la casa corriendo.

—Madre —sollozó—, se está muriendo, se va a morir. Ve a buscar a la Tía Sol...

Ella miró a su hijo.

—Si te llega el momento de morir, te mueres. Si no, no te mueres. Nada puede cambiar eso.

Escuchándola pero sin acabar de entender el significado de lo que decía, los tres hombres la miraban con lágrimas en los ojos.

—Fan Tres —dijo—, ¿tienes un poco más de esa poción secreta que acelera el proceso del parto? Si tienes, dale una botella a mi nuera. Si no, al infierno con todo, y contigo también.

Sin esperar respuesta, enfiló la puerta, con la cabeza bien alta y sacando pecho, sin mirar a nadie.

IX

La mañana del quinto día del quinto mes lunar de 1939, en la aldea más grande del concejo de Gaomi del Noreste, Shangguan Lü condujo a su enemiga mortal, la Tía Sol, al interior de su casa, ignorando las balas que silbaban por encima de sus cabezas, para que ayudara a su nuera a parir a su bebé. En el mismo momento en que cruzaron la puerta, en el campo abierto que había cerca del puente, los jinetes japoneses estaban pisoteando los cadáveres de los guerrilleros.

Shangguan Fulu y su hijo estaban en el patio, confusos y sin hacer nada, junto a Fan Tres, el médico de los caballos, que tenía entre las manos, orgullosamente, una botella llena de un líquido verde y viscoso. Los tres hombres estaban en el mismo lugar cuando Shangguan Lü se había ido a buscar a la Tía Sol, pero ahora se les había sumado el pelirrojo Pastor Malory. Vestido con una amplia túnica china, con un pesado crucifijo de bronce colgado del cuello, estaba de pie entre la ventana de Shangguan Lu, con la cabeza alta, dándole la cara al sol de la mañana, entonando una plegaria en el dialecto local:

—Jesús Amado, Señor del Cielo, Dios piadoso, acércate a tocar la cabeza mía, la de tu devoto servidor, y las de los amigos aquí reunidos. Danos la fuerza y el valor que nos hace falta para enfrentarnos a este desafío. Haz que la mujer que hay dentro traiga a su hijo sano, dale a la cabra mucha leche y a las gallinas ponedoras muchos huevos, pon un velo oscuro ante los ojos de los invasores malvados, haz que sus balas se atasquen en sus armas y que sus caballos se extravíen y perezcan en ciénagas y pantanos. Señor Amado, envía todos tus castigos sobre mi cabeza, déjame que yo sufra el dolor de todas las criaturas.

Los otros hombres guardaban silencio mientras escuchaban su plegaria. El aspecto de sus rostros revelaba lo profundamente conmovidos que se hallaban.

Con una sonrisa burlona, la Tía Sol empujó al Pastor Malory a un lado y cruzó la puerta. El Pastor dijo «amén» mientras trastabillaba, con los ojos como platos, intentando no perder el equilibrio, persignándose apresuradamente para dejar terminada su plegaria.

El pelo plateado de la Tía Sol estaba recogido con un moño que un adorno de plata brillante mantenía en su sitio; las dos trenzas, a los lados, iban junto a unas espigas de ajenjo. Llevaba una chaqueta de algodón blanca y almidonada con una solapa diagonal que se abotonaba en uno de los costados, y tenía un pañuelo blanco metido entre dos botones. Sus pantalones negros de algodón iban anudados alrededor de los tobillos por encima de un par de zapatillas verdes, también de algodón, con unos adornos negros y suelas blancas. Un fresco aroma a jabón emanaba de su cuerpo. Tenía unos pómulos prominentes, la nariz alta y unos labios que formaban una línea recta sobre su barbilla. Sus ojos, penetrantes y llenos de brillo, estaban profundamente hundidos en sus hermosas cuencas. Su postura y su actitud, que denotaban su confianza en sí misma, contrastaban radicalmente con la próspera y bien alimentada Shangguan Lü. Quitándole a Fan Tres la botella con el líquido verde, Shangguan Lü se acercó a la Tía Sol y le dijo con suavidad:

—Tía, ésta es la poción de Fan Tres para acelerar el parto. ¿La va a usar?

—Mi querida señora Shangguan —dijo la Tía Sol con un desagrado evidente, echándole a Shangguan Lü una mirada de una belleza gélida y que después dirigió hacia los hombres que estaban en el patio—, ¿a quién le ha pedido que atienda este parto, a mí o a Fan Tres?

—No se enfade, Tía. Como se suele decir: «Cuando un paciente se está muriendo, hay que encontrar médicos donde se pueda», y «cualquiera que tenga pechos es una madre». —Haciendo un esfuerzo para resultar amable, mantuvo la voz baja y controlada—. Se lo estoy pidiendo a usted, por supuesto. No habría molestado a alguien tan eminente si no estuviera al borde de la desesperación.

—¿No me acusó usted una vez de robarle unos pollos? —preguntó la Tía Sol—. Si quiere que haga de partera, dígale a todo el mundo que se mantenga alejado.

—Si eso es lo que desea, así se hará —dijo Shangguan Lü.

La Tía Sol se quitó un delgado trozo de tela roja que llevaba atado a la cintura y lo colocó tapando la celosía de la ventana. Después entró en la casa y, cuando llegó a la puerta del dormitorio interior, se detuvo, se volvió y le dijo a Shangguan Lü:

—Señora Shangguan, venga conmigo.

Fan Tres se acercó apresuradamente a la ventana para recuperar la botella con el líquido verde que Shangguan Lü había dejado allí. La metió en su bolso y se dirigió con rapidez hacia la puerta del patio, sin apenas mirar atrás a los Shangguan padre e hijo.

—¡Amén! —repitió el Pastor Malory, haciendo una vez más el signo de la cruz. Después saludó con la cabeza a los Shangguan padre e hijo en señal de amistad.

Un chillido de la Tía Sol llegó del interior de la habitación, seguido de los horribles lamentos de Shangguan Lu.

Shangguan Shouxi se puso de cuclillas y se tapó los oídos con las manos. Su padre empezó a dar vueltas por el patio, con las manos apretadas detrás de la espalda, cabizbajo, como si estuviera buscando algo que se le hubiera perdido.

El Pastor Malory repitió su plegaria en voz baja, con los ojos apuntando al cielo azul y neblinoso.

Justo en ese momento, la mula recién nacida salió del establo con las piernas temblorosas. Su piel, ligeramente húmeda, brillaba como el satén. Su madre, muy débil, salió tras ella, acompañada por los lamentos agonizantes de Shangguan Lu. Con las orejas levantadas y la cola metida entre las piernas, la burra se encaminó torpemente hacia el agua, pasando bajo un granado, mirando con temor a los hombres que había en el patio. Ellos la ignoraron. Shangguan Shouxi, con las orejas tapadas, estaba llorando con fuerza. Shangguan Fulu todavía estaba paseando por el patio. El Pastor Malory estaba rezando con los ojos cerrados. La burra metió el hocico en el agua y bebió ruidosamente. Cuando se hubo saciado, caminó con lentitud hasta las plantas de cacahuete sostenidas por tallos de sorgo, y empezó a mordisquear estos tallos.

Mientras tanto, en el interior de la casa, la Tía Sol introdujo la mano por el canal del parto para sacar la otra pierna del bebé. La madre embarazada lanzó un aullido antes de desmayarse. Después, tras insertar un talco amarillo en los agujeros de la nariz de Shangguan Lu, la Tía Sol agarró las piernas del bebé y esperó con calma. Shangguan Lu se quejó al recobrar la conciencia, y después estornudó, generando una serie de violentos espasmos. La espalda se le arqueó y después volvió pesadamente a su posición. Eso era lo que la Tía Sol había estado esperando: tiró del bebé, que descendió por el canal del parto, y en el momento en el que su cabeza larga y plana salió del cuerpo de su madre hizo un fuerte sonido, como si lo hubieran disparado con un cañón. La chaqueta blanca de la Tía Sol quedó toda salpicada de sangre.

Shangguan Lü empezó a aporrearse el pecho y a sollozar.

—¡Deja de llorar! Hay otro ahí dentro —le pidió la Tía Sol, enfadada.

La tripa de Shangguan Lu se agitaba y sacudía horriblemente; la sangre que fluía entre sus piernas arrastró a otro bebé cubierto de pelusilla.

Al ver el pequeño objeto con forma de gusano que tenía el bebé entre las piernas, Shangguan Lü cayó de rodillas junto al *kang*.

—Qué lástima —dijo, pensativa, la Tía Sol—. Otro que nace muerto.

Sintiéndose repentinamente mareada, Shangguan Lü cayó hacia delante y se golpeó la cabeza contra el *kang*. Se puso en pie con dificultad, apoyándose en el *kang*, y miró a su nieta, cuyo rostro se había vuelto gris como una piedra. Entonces, con un quejido de desesperación, salió a toda prisa de la habitación.

La sombra de la muerte se cernía sobre el patio. Su hijo estaba de rodillas, y el muñón sangriento que había sido su cuello descansaba en el suelo, junto a un arroyo de sangre fresca que serpenteaba por ahí. Su cabeza, que tenía una mirada de terror congelada, estaba apoyada perfectamente en el torso. Su marido estaba mordiendo un ladrillo de los del sendero. Tenía uno de los brazos metido bajo el abdomen y el otro estirado hacia el frente. Una mezcla de materia gris y sangre roja y brillante, procedente de una herida que tenía abierta en la parte de atrás de la cabeza, dejaba un reguero en el camino, a su alrededor. El Pastor Malory estaba de rodillas, haciendo la señal de la cruz y murmurando algo en una lengua extranjera. Dos enormes caballos, con las riendas apoyadas en la espalda, se estaban comiendo los tallos de sorgo que sujetaban las plantas de cacahuetes, mientras la burra y su mula recién nacida se hallaban en una esquina del muro; el animal joven había metido la cabeza bajo una de las patas de su madre, y su cola se agitaba como si fuera una serpiente. Dos japoneses vestidos de caqui estaban ahí de pie; uno de ellos limpiaba su espada con un pañuelo y el otro se dedicaba a cortar los tallos de sorgo con la suya, haciendo caer los cacahuetes al suelo, donde se los comían los dos caballos, cuyas colas se movían alegremente.

Shangguan Lü sintió de pronto que la tierra se salía de su eje, y tuvo un único pensamiento: recuperar a su hijo y a su marido. Pero lo que hizo fue caer pesadamente al suelo, como una pared que se desploma.

La Tía Sol pasó dando un rápido rodeo para evitar el cuerpo de Shangguan Lü y se dirigió a paso firme hacia la puerta del patio. Pero uno de los soldados japoneses, que tenía unos ojos notablemente abiertos y unas pestañas cortísimas, tiró al suelo su pañuelo y avanzó para cortarle el paso, poniéndose de pie rígidamente entre ella y la puerta. Apuntando al corazón de ella con la punta de su espada, dijo algo que ella no pudo comprender, con una expresión de estupidez en el rostro. Lo miró tranquilamente, con el esbozo de una mueca burlona en los labios. Dio un paso atrás. El soldado japonés dio un paso adelante. Ella retrocedió dos pasos más, y él avanzó otros dos, con la punta de su espada todavía apoyada en el pecho de ella. Él empezó a apretar un poco más, y en ese momento la Tía Sol dio un manotazo y le apartó la espada a un lado. Después, uno de sus pies voló como un relámpago por el aire y aterrizó precisamente en la muñeca de él, haciendo que la espada se le cayera de la mano. Rápidamente le dio un golpe en pleno rostro. Con un alarido de dolor, el soldado japonés se cubrió la cara. Su camarada se acercó corriendo, espada en mano, y trató de rebanarle la cabeza a la Tía Sol, pero ella la esquivó y lo cogió de la cintura, sacudiéndolo hasta que él también soltó su espada. Después le dio un puñetazo en el oído, y aunque no pareció ser un golpe muy fuerte, la cara se le empezó a hinchar inmediatamente.

Sin mirar atrás, la Tía Sol salió del patio; uno de los soldados levantó su rifle y disparó. Su cuerpo se quedó rígido durante un momento y después se desplomó hacia delante en el camino de entrada de la casa de los Shangguan.

En ese momento, los dos mudos más jóvenes, que habían ido a buscarla, fueron abatidos por la misma bala en la escalinata que conducía a la puerta de los Shangguan. Los tres mudos mayores estaban, en ese momento, ocupados haciendo filetes del lomo de un caballo muerto en la ribera del río, donde el olor de la pólvora espesaba el aire.

Alrededor del mediodía, un enjambre de soldados japoneses llenó el terreno de los Shangguan. Los jinetes encontraron una cesta en el establo, y en ella metieron los cacahuetes sueltos y los llevaron hasta el camino para darles de comer a sus agotados caballos. Dos de los soldados capturaron al Pastor Malory. Después, un médico militar, con unas lentes apoyadas sobre el pálido puente de la nariz, siguió a su comandante al interior de la habitación en la que yacía Shangguan Lu. Con un escalofrío, abrió su botiquín, se puso un par de guantes quirúrgicos y cortó el cordón umbilical de los bebés con un cuchillo de acero inoxidable. Cogiendo al bebé varón por los pies, le dio unas palmaditas en la espalda hasta que empezó a oír un llanto áspero. Después cogió a la bebé chica y repitió el procedimiento hasta que percibió señales de vida. Después de limpiarles con iodo los cortes del ombligo, los envolvió en unas gasas de algodón blancas y le puso unas inyecciones a Shangguan Lu para detener la hemorragia. Mientras el médico llevaba a cabo estas actividades para salvarles la vida a la madre y a los niños, un periodista estuvo tomando fotografías desde diversos ángulos. Un mes más tarde, esas fotografías aparecerían en una revista japonesa, como testimonio de las amistosas relaciones entre China y Japón.

Capítulo 2

I

Corría el vigésimo sexto año del reinado Guangxu del Gran Qing, de la dinastía Manchú, el año 1900 del calendario occidental.

Mi abuelo materno, Lu Wuluan, se dedicaba a las artes marciales; apenas dejaba huellas cuando caminaba. Como líder de los Lanzas Rojas, su trabajo era entrenar y armar a las tropas y construir búnkeres y trincheras para resguardarse de los ataques de las tropas enemigas. Pero tras varios meses de vana espera, la vigilancia de las fuerzas locales se había relajado, y durante la brumosa séptima mañana del octavo mes lunar, las fuerzas alemanas, bajo el liderazgo del Magistrado del Condado Ji Guifen, rodearon la aldea de Nido Arenoso, en el concejo de Gaomi del Noreste. Cuando ese día de lucha hubo concluido, cerca de cuatrocientos soldados de la resistencia de Nido Arenoso yacían muertos. Ahí estaba incluido mi abuelo, que fue asesinado por los soldados alemanes después de que clavara su lanza en el vientre de uno de los enemigos, y su esposa, que había escondido a su hija, Xuan'er, en un gran contenedor de harina antes de colgarse de una viga para conservar su castidad. Mi madre, que ahora era huérfana, cumplía ese día sus primeros seis meses de vida.

Al día siguiente, mi tía y mi tío encontraron a mi madre en el contenedor de harina, casi sin vida, con el cuerpo cubierto de harina. Tras limpiarle la boca y la nariz y darle unas palmadas en la espalda, mi tía, aliviada, escuchó a su pequeña sobrina toser y empezar a llorar.

II

Cuando Lu Xuan'er cumplió cinco años, su tía se hizo con unas cintas de bambú, un mazo de madera y un trozo de tela blanca y gruesa.

—Xuan'er —le dijo a su sobrina—, ya tienes cinco años. Ha llegado el momento de que te vendemos los pies.

—¿Por qué me tienen que hacer eso?

—Una mujer sin los pies vendados nunca podrá encontrar marido.

—¿Y por qué tengo que encontrar marido?

—No piensas que yo voy a estar cuidándote toda la vida, ¿verdad? —le respondió su tía.

El tío de Madre, Gran Zarpa Yu, era un hombre relajado y jugador. En su vida social era temerario y arrogante, pero en casa era dócil como un gatito. Estaba sentado frente al fuego, asando unos pequeños pececillos para acompañar la bebida. Sus inmensas manos no eran ni mucho menos tan torpes como parecían. El aroma hipnotizador de los pescados a la brasa llegó hasta las narices de Xuan'er. Ella quería particularmente a su perezoso tío porque cada vez que su tía se iba a trabajar, él se quedaba en casa para comerse lo que no debía comerse, y en el momento en que no debía hacerlo. Algunas veces se hacía unos huevos fritos, otras se preparaba una carne en salazón, pero en cualquier caso siempre había algo para Xuan'er, con la condición de que no le dijera ni una palabra a su tía.

Después de quitarle con las manos las espinas a uno de los pececillos, peló un trozo, se lo colocó sobre la lengua y lo enjuagó con un trago.

—Tu tía tiene razón —dijo—. Las niñas que no se vendan los pies, cuando crecen, se convierten en unas solteronas de pies enormes que nadie quiere.

—¿Has oído lo que ha dicho?

—Xuan'er, ¿sabes por qué me casé con tu tía?

—Porque es una buena persona.

—No —dijo Gran Zarpa Yu—, fue porque tiene unos pies diminutos.

Xuan'er miró hacia abajo, a los pies de su tía, y después a los suyos.

—¿Mis pies serán como los tuyos?

—Eso depende de ti. Si haces lo que yo te diga, los tuyos serán incluso más pequeños.

Cada vez que Madre hablaba de cuando le habían vendado los pies, lo hacía con un sentimiento en el que se mezclaban la acusación a quienes le habían causado tanto sufrimiento y el orgullo por su gloria personal.

Nos dijo que la voluntad de hierro de su tía, y su destreza, eran conocidas en todo el concejo de Gaomi del Noreste. Todo el mundo sabía que ella era la cabeza de familia, y que Gran Zarpa Yu solamente servía para jugar y para cazar pájaros. Los cincuenta acres de terreno, los dos burros que lo araban, las tareas domésticas y la contratación de los empleados, todo era cosa de la tía de Madre, que apenas medía un metro cincuenta y que nunca pesó más de cuarenta kilos. El hecho de que una persona tan pequeña pudiera hacer tantas cosas le resultaba un misterio a todo el mundo. Había prometido criar a su sobrina y convertirla en una joven dama, y desde luego no estaba dispuesta a escatimar esfuerzos con respecto al vendaje de los pies. Primero le vendó los dedos con las cintas de bambú y los envolvió apretándolos con fuerza, provocando fuertes alaridos de protesta por parte de su sobrina. Después envolvió los pies con la tela blanca, que había sido tratada con alumbre, poniendo una capa tras otra. Una vez hecho eso, golpeó sobre los dedos con su mazo de madera. Madre decía que el dolor era como si le estuvieran golpeando la cabeza contra la pared.

—Por favor, no tan apretado —Madre le suplicó a su tía.

—Te lo pongo apretado porque te quiero —le dijo su tía con una mirada penetrante—. Si no te quisiera, no me importaría que te quedara más suelto. Llegará un día en el que tendrás un par de perfectos lotos dorados y me lo agradecerás.

—Bueno, pues no me casaré, ¿de acuerdo? Me ocuparé de cuidaros a ti y al tío durante toda la vida.

Al oír esto, el tío se ablandó:

—A lo mejor los puedes dejar un poco más sueltos, ¿no crees?

—¡Sal de aquí, perro holgazán! —dijo la tía, cogiendo una escoba y lanzándosela.

Él se puso en pie de un salto, cogió unas monedas y salió de la casa corriendo.

En lo que pareció un abrir y cerrar de ojos, el Gran Qing cayó y fue reemplazado por una república. Xuan'er, entonces, tenía dieciséis años y unos pies de loto perfectos.

Su tío, que estaba muy orgulloso de los pequeños pies vendados de Xuan'er y veía a su extraordinariamente bella sobrina como a un tesoro con un alto valor en el mercado, colgó un cartel sobre la puerta de entrada, en el que se podían leer las siguientes palabras: «Salón del Loto Fragante».

—Nuestra Xuan'er se casará con un *zhuangyuan*, con un académico con las mejores calificaciones en el Examen Imperial —solía decir.

—Gran Zarpa —le contestaban—, la dinastía Manchú ha caído. Ya no hay más *zhuangyuan*.

—Entonces se casará con el gobernador militar de alguna provincia, y si no puede ser, con un magistrado de algún condado.

Corría el verano de 1917. Al llegar a su cargo, el recientemente nombrado magistrado de Gaomi, Niu Tengxiao, prohibió el consumo y la venta de opio, ilegalizó el juego, intentó eliminar a todos los ladrones y prohibió los vendajes de los pies. La venta de opio pasó al mercado negro, el juego continuó como si nada y se demostró que era imposible acabar con el robo. Sólo quedaba la prohibición de los vendajes de los pies, a la que casi nadie se oponía, por lo que el Magistrado del Condado Niu recorrió personalmente las aldeas para promover su orden, cosa que le supuso un prestigio considerable.

Ocurrió durante el séptimo mes, uno de esos días claros, tan extraños. Un sedán descapotable entró en la ciudad de Dalan. El magistrado del condado hizo llamar al alcalde, que hizo llamar a los líderes de la comunidad, que hicieron llamar a los líderes vecinales, que hicieron llamar a los residentes; todos ellos se reunieron en el descampado donde se hacía la trilla, hombres y mujeres, jóvenes y ancianos. Los que no asistieran serían condenados a pagar un saco de grano.

A medida que la multitud se iba congregando, el Magistrado Niu se fijó en el cartel que había sobre la puerta del Tío Gran Zarpa.

—Me sorprende encontrar esta clase de emociones en el hogar de un campesino —dijo.

—Hay un par de perfectos lotos dorados en esa casa, Magistrado —le explicó servilmente el alcalde—. La depravación en el gusto se ha convertido en una enfermedad nacional. Eso que ahora llaman lotos fragantes antes no eran nada más que pies hediondos.

La multitud se instaló para escuchar lo que el Magistrado Niu había ido a decirles. Madre nos dijo que iba vestido con una túnica negra de cuello alto y un sombrero de copa marrón. Tenía un bigote oscuro y llevaba unas gafas con montura de oro. La cadena de su reloj de bolsillo colgaba frente a su túnica, y llevaba un bastón. Tenía una voz rasposa, casi como la de un pato, pero a pesar de que no tenía ni idea de lo que decía, estaba segura de que hablaba con gran elocuencia.

Madre, que era una chica muy tímida, se aferraba a la ropa de su tía. Cuando empezó el proceso de vendaje de sus pies, dejó de salir a la calle y empleaba casi todo su tiempo tejiendo redes o haciendo adornos. Nunca antes había visto a tanta gente, y estaba demasiado asustada como para fijarse en lo que sucedía. Le parecía que los ojos de todo el mundo estaban fijos en sus minúsculos pies atados. Madre nos contó que ese día iba vestida con una chaqueta de satén de color verde puerro, de anchas mangas y costuras de seda de alta calidad. Su brillante trenza negra le llegaba casi hasta las rodillas. Llevaba unos pantalones color granate, también con las costuras hechas a mano. En los pies, un par de zapatos de tacón alto, con adornos rojos y suelas de madera le asomaban de vez en cuando desde debajo de los pantalones y tamborileaban sobre el suelo cuando caminaba. Como le costaba mantenerse de pie, tenía que agarrarse a su tía.

Durante su discurso, el magistrado mencionó concretamente el Salón del Loto Fragante cuando hablaba de los males de la tradición del vendaje de los pies. «Es una venenosa herencia de un sistema feudal —dijo—, un manifestación enfermiza de una forma de vida». Todo el mundo se giró a observar los pies de Madre, que no se atrevía a levantar la mirada. Entonces, el magistrado leyó la proclamación que iba en contra del vendaje de los pies, y después dio paso a las mujeres que había traído para que interpretaran el *Popurrí de los pies naturales*. Seis mujeres jóvenes salieron ágilmente del descapotable, parloteando entre ellas mientras enseñaban con orgullo sus bellas figuras. «¡Compañeros, vecinos, ancianos, niños y niñas, abrid bien los ojos y fijaos en esto!», dijo el magistrado. Todo el mundo miraba fijamente a las mujeres, que llevaban el pelo corto, con un flequillo cubriéndoles la frente, e iban vestidas con unas blusas color azul celeste de manga larga cuyos cuellos apuntaban hacia abajo y con unas cortas faldas blancas que dejaban ver una gran parte de sus piernas. Unos cortos calcetines blancos y unas zapatillas del mismo color completaban su atuendo.

Un soplo de aire fresco había llegado al corazón del concejo de Gaomi del Noreste.

Tras formar una línea y saludar al público, las jóvenes alzaron las cejas y comenzaron a recitar al unísono: «Tenemos unos pies naturales, no unas anormalidades resultado de una moda pasajera. Nuestros cuerpos son tesoros que recibimos de nuestras madres y nuestros padres». Saltaron un poco, levantando muy alto los pies en el aire para mostrar su belleza natural. «Podemos correr y saltar y jugar bajo la lluvia, porque no tenemos esos pies mutilados que causan tanto dolor». Saltaron y corretearon un poco más. «El sistema feudal es malo para las mujeres, que son sólo juguetes. Nosotras, en cambio, tenemos unos pies naturales, así que quitaos vuestras vendas, chicas, y uníos a nosotras y empezad a disfrutar».

Las chicas de los «pies naturales» se alejaron saltando y botando, y ocupó su lugar un cirujano ortopédico que traía consigo un pie gigante para demostrar cómo los huesos rotos de los pies vendados alteran su forma para siempre.

Justo antes de que concluyera la reunión, el Magistrado Niu tuvo una idea repentinamente. Ordenó que la chica con los principales lotos dorados de Gaomi del Noreste subiera al estrado y mostrara lo desagradables que pueden llegar a ser los pies vendados.

Madre estuvo a punto de desmayarse de miedo, y se escondió detrás de su tía.

—No se pueden ignorar las órdenes del magistrado del condado —dijo el alcalde. Pero Madre se abrazó con fuerza a la cintura de su tía y le suplicó que no la obligara a subir ahí arriba.

—Adelante, Xuan'er —intentó convencerla su tía—. Enséñales tus pies. Ellos saben lo que están buscando, lo harás bien. No me digas que esos lotos dorados que yo creé personalmente no pueden competir con los cascos de esas seis burras y derrotarlos.

Así que su tía la acompañó hasta el estrado y después se hizo a un lado. Xuan'er se tambaleaba al caminar, como un sauce en el viento; para los hombres educados en la tradición de Gaomi del Noreste, ése era el signo de la verdadera belleza. La miraban fijamente, deseando con desesperación ser capaces, sólo con abrir bien los ojos, de levantarle una de las perneras del pantalón para disfrutar de una vista mejor de uno de esos minúsculos pies. Como una polilla atraída por una llama, la mirada del magistrado voló hacia un punto debajo del dobladillo de su pantalón, y ahí la mantuvo durante un instante, boquiabierto, antes de recuperar la compostura.

—Mirad, ahí lo tenéis —dijo—. Una chica tan encantadora convertida en un monstruo incapaz de hacer ningún trabajo manual.

Sin detenerse a valorar las consecuencias, la tía de Madre se opuso a lo que había comentado el magistrado:

—Las chicas de lotos dorados son para adorarlas. ¡Para los trabajos manuales están los sirvientes!

Con la mirada de la tía clavada en él, el magistrado preguntó:

—¿Es usted la madre de esa niña?

—¿Qué pasa si lo soy?

—¿Y esos pies son cosa suya?

—¿Qué pasa si lo son?

—Poned a esta salvaje a buen recaudo —ordenó—, y no la liberéis mientras los pies de su hija sigan vendados.

—¡Me gustaría ver cómo lo intentáis! —la voz de Gran Zarpa Yu sonó atronadora y él surgió de entre la multitud, con los puños apretados, para proteger a su esposa.

—¿Quién es usted? —le preguntó el magistrado.

—Alguien mayor que tú —dijo Gran Zarpa, desafiante.

—¡Prendedlo! —ordenó el magistrado, lleno de rabia.

Algunos de sus subordinados se acercaron con prudencia e intentaron reducir a Gran Zarpa, que los apartó de un manotazo.

La multitud tomó partido en el incidente, y algunos aprovecharon la confusión provocada por el intercambio de opiniones para coger puñados de tierra y lanzarlos hacia donde estaban las seis chicas de los pies naturales.

La población de Gaomi del Noreste siempre ha sido conocida por su valentía, y eso es algo que el magistrado debería haber tenido en cuenta.

—Hoy tengo cosas muy importantes de las que ocuparme, así que lo dejaré correr por esta vez, pero eliminar los vendajes de los pies de las mujeres es un asunto de política nacional, y cualquiera que se oponga a esa política será severamente castigado.

El magistrado se abrió paso entre la multitud y se montó en su coche.

—Vámonos —le dijo al chófer.

Éste se dirigió a la parte de delante y giró la manivela hasta que el motor se encendió haciendo un fuerte bramido. Las chicas de los pies naturales y otros acompañantes se apiñaron en el interior del vehículo mientras el chófer se acomodaba en el asiento del conductor y cogía el volante. El coche se alejó, dejando atrás un rastro de humo.

Un jovenzuelo que estaba entre la gente empezó a aplaudir.

—¡Nuestro Gran Zarpa ha hecho huir al magistrado del condado!

Aquella noche, Shangguan Lü, la mujer del herrero del pueblo, Shangguan Fulu, entregó un rollo de tela blanca a una casamentera llamada Gran Boca Yuan y le pidió que se presentara ante la familia Yu con una propuesta de matrimonio en nombre de su único hijo, Shangguan Shouxi.

—Cuñada mayor —le dijo Gran Boca a la tía de Madre mientras se daba unos golpecitos en los pies con un abanico de juncos—, si la dinastía Manchú no hubiera caído, no me atrevería a cruzar el umbral de tu casa aunque me pusieran un taladro en la espalda. Pero ahora vivimos en la República China, y las chicas con los pies vendados ya no despiertan ningún interés. Los hijos de las familias pudientes han cambiado su forma de pensar. Llevan uniformes, fuman cigarrillos y van detrás de las chicas que han estudiado en el extranjero, chicas con los pies grandes, chicas que pueden correr y saltar y conversar y pasárselo bien y sonreír cuando un chico les pasa el brazo por encima del hombro. Me temo que tu sobrina es un fénix caído, lo cual es peor que un ave común. La familia Shangguan pasará eso por alto, por lo que creo que es el momento de quemar el incienso. Shangguan Shouxi es un chico guapo y tiene buenos modales, y la familia posee un burro y una mula. Con la herrería no se han hecho ricos, pero tampoco les va nada mal. Xuan'er difícilmente encontrará una familia mejor.

—¿He criado a una dama perfecta para que se case con el hijo de un herrero?

—¿No has oído que la esposa el emperador Xuantong tuvo que irse a la ciudad de Harbin a lustrar zapatos? La vida es imprevisible, cuñada mayor.

—Dile a los Shangguans que vengan a verme personalmente.

A la mañana siguiente, Madre espió, a través de una ranura que había en la puerta, para tener una primera impresión de la robusta mujer que sería su suegra, Shangguan Lü. También vio cómo su tía y Shangguan Lü discutían sobre la dote hasta que ambas se acaloraron y se pusieron rojas.

—Vuelve a tu casa y plantea el tema —dijo la tía de Madre—. O la mula o dos acres de tierra cultivable. Criar a la niña durante diecisiete años tiene que valer algo.

—De acuerdo —dijo Shangguan Lü—. Tú ganas. La mula es tuya, y nosotros nos quedaremos con vuestro carro de ruedas de madera.

Con una palmada, el trato entre las dos mujeres quedó cerrado. Su tía la llamó:

—Xuan'er, sal a conocer a tu suegra.

III

A los tres años de haberse casado con Shangguan Shouxi, Xuan'er seguía sin tener hijos.

—Lo único que haces es comer, y todavía no has puesto ni un huevo —protestó su suegra, dirigiéndose a la gallina que tenía la familia. Su mensaje estaba claro.

El tiempo, esa primavera, no podría haber sido mejor, y el negocio de la herrería producía abundantes beneficios. Hacían guadañas nuevas y reparaban guadañas rotas; tenían una buena cantidad de clientes fijos entre los labradores. La fragua estaba emplazada en mitad del patio, bajo una sábana de hule que la mantenía protegida del sol. El agradable olor del carbón ardiendo se cernía sobre todo el patio, y unas lenguas de fuego de color rojo oscuro centelleaban a la luz del día. Shangguan Fulu manejaba las tenazas y su hijo, Shouxi, se ocupaba del fuelle. Shangguan Lü iba vestida con una harapienta túnica que se ceñía a la cintura con un delantal de hule lleno de manchas negras producidas por las chispas, y llevaba un viejo sombrero de paja en la cabeza; ella era la que se encargaba de manejar el martillo. Con la cara cubierta de sudor y de hollín, sólo se habría podido saber que era una mujer por las dos protuberancias que tenía en el pecho. Los golpes del martillo sobre el acero incandescente resonaban de la mañana a la noche. Por regla general, la familia sólo comía dos veces por día: Xuan'er era la responsable de cocinar y de hacerse cargo de los animales domésticos de la familia, incluidos los cerdos. Estas labores la tenían ocupada todo el día. Y a pesar de todo, su suegra no estaba satisfecha con ella, y la vigilaba incluso mientras martilleaba el acero al rojo vivo, sin dejar de murmurar. Cuando se le acababan las quejas con respecto al comportamiento de su nuera, dirigía su atención a su hijo, y de él pasaba a su marido. Todos estaban acostumbrados a las reprimendas de la cabeza de familia, que también era la mejor herrera del grupo. Xuan'er odiaba y temía a partes iguales a su suegra, pero también la admiraba. Al final del día, se quedaba de pie cerca de ella mirándola trabajar, y eso era como unas pequeñas vacaciones. El lugar solía estar lleno de gente que iba y venía.

Su hijo, Shouxi, era pequeño todo él —nariz, ojos, cabeza, brazos, manos— y resultaba casi imposible encontrar alguna semejanza con su fornida madre, que muy a menudo suspiraba y decía: «Si la semilla no es buena, es un desperdicio de tierra fértil». Él trabajaba con el fuelle mientras ella golpeaba el acero y le daba forma.

Un día, después de haber terminado de templar la última guadaña, se la acercó a la nariz, como si por el olor pudiera determinar su calidad. Después se encogió de hombros y, con una voz que mostraba todo su cansancio, le dijo:

—Sirve la cena.

Como un soldado de infantería que ha recibido una orden de un general, Shangguan Lu se puso a corretear de un lado a otro con sus pequeños pies vendados y puso la mesa bajo el peral, donde una única lámpara colgante daba una luz tristona y amarillenta y atraía a hordas de polillas que volaban ruidosamente a su alrededor. Shangguan Lu había preparado una fuente de panecillos rellenos de tuétano de cerdo salvaje y rábanos, un cuenco de sopa de judías de soja para cada uno y un montón de puerros con una salsa para mojarlos. Echó una mirada incómoda a su suegra para ver cómo reaccionaba. Si había mucha comida, pondría cara de enfado y se quejaría por el despilfarro; si era una comida sencilla, dejaría sobre la mesa su cuenco y sus palillos dando un golpe y protestando, de mal humor, porque estaba sosa. Ser su nuera no era nada fácil. El vapor de los panecillos y de las gachas de arroz envolvía el aire. A esta hora, la familia, agotada de oír el ruido del metal golpeando contra el metal, solía quedarse en silencio. La suegra de Xuan'er se sentó en el centro, su hijo a uno de los lados y su marido al otro, mientras que Xuan'er se quedó de pie, junto a la mesa, aguardando las instrucciones de su suegra.

—¿Has dado de comer a los animales?

—Sí, Madre.

—¿Has cerrado el corral de los pollos?

—Sí, Madre.

Shangguan Lü se reclinó para sorber un poco de sopa.

Shangguan Shouxi escupió un trozo de hueso y gruñó:

—Hay gente que come panecillos rellenos de cerdo, pero nosotros nos tenemos que comer los huesos, como los perros...

Su madre golpeó la mesa con los palillos.

—Tú —le dijo—, ¿de dónde has sacado el derecho a ser exigente con lo que comes?

—Pero si tenemos un montón de trigo en el granero y un montón de dinero en el armario —dijo Shouxi—. ¿Para qué lo estamos guardando?

—Tiene razón. —Su padre se sumó a la conversación—. Nos merecemos una recompensa. Nuestro trabajo es muy duro.

—El trigo del granero y el dinero en el armario, ¿de quién son? —preguntó la suegra de Xuan'er—. Cuando estire la pata y emprenda mi viaje final hacia el Cielo del Oeste, ¿creéis que me lo voy a llevar conmigo? No, lo voy a dejar para vosotros.

Xuan'er inclinó la cabeza y contuvo el aliento.

Shangguan Lü se puso en pie violentamente y se desató la tormenta.

—Escuchadme —gritó desde el interior de la casa—. ¡Mañana vamos a freír unos buñuelos, vamos a cocer a fuego lento unas tiras de cerdo, vamos a hacer unos huevos duros, vamos a matar un pollo y vamos a hacer varios postres y tartas! ¿Por qué no? Uno de nuestros ancestros debe haber hecho algo para hacernos sufrir. Traemos una mujer estéril a la familia y lo único que sabe hacer es comer. Bueno, ya que nuestro árbol genealógico se va a terminar aquí, ¿para qué estamos ahorrando? ¡Terminémonoslo todo y ya está!

Xuan'er se cubrió la cara con las manos y rompió a llorar.

—¡Debería darte vergüenza llorar así! —le gritó Shangguan Lü—. ¡Llevas tres años comiéndote nuestra comida y ni siquiera nos has aportado una niña, por no hablar de un niño! ¡Te estás comiendo nuestra casa y nuestro hogar! Mañana volverás al lugar del que viniste. No voy a dejar que esta familia se quede sin descendencia y se extinga sólo por tu culpa.

Esa noche, Xuan'er no pasó ni un solo minuto sin llorar. Cuando Shouxi intentó acercarse a ella, ella lo rechazó débilmente.

—A mí no me pasa nada —dijo entre lágrimas—. A lo mejor eres tú.

Sin apartarse de ella, Shouxi gruñó:

—Cuando una gallina no puede poner un huevo, le echa la culpa al gallo.

IV

La cosecha ya se había terminado e iba a comenzar la estación de las lluvias. La tradición local exigía que las mujeres casadas recientemente volvieran a la casa de sus padres para pasar los días más calurosos del año. La mayoría de las que llevaban casadas tres años regresaban orgullosamente, dándole la mano a un niño, amamantando a otro y llevando a un tercero en su interior. También solían llevar un paquete lleno de patrones para hacer zapatos. Pobre Xuan'er. Lo único que llevó en su vuelta a casa, además de tristeza, fueron las cicatrices y los cardenales que le había hecho su marido, los recuerdos de los insultos y las maldiciones de su suegra, un paquete minúsculo y patético y los ojos rojos e hinchados de tanto llorar. Hay que decir que por muy cariñosa que sea una tía, no se puede comparar con una madre, por lo que, aunque regresó con un montón de amargas quejas, tuvo que guardárselas para sí y poner la mejor cara posible.

En cuanto entró por la puerta, su tía se dio cuenta de todo.

—Aún nada, ya lo veo.

Ese sencillo comentario hizo que de los ojos de Xuan'er brotaran lágrimas de dolor.

—Qué raro —murmuró su tía—. Se diría que tres años tienen que ser suficiente para engendrar algo.

Durante la cena, esa noche, Gran Zarpa Yu se fijó en los cardenales que Xuan'er tenía en los brazos.

—Esto de pegar a la esposa no es aceptable en una república moderna —dijo, enfadado—. ¡Me gustaría quemar ese nido de tortugas que tienen!

—Ya veo que ni siquiera con arroz se te puede cerrar esa bocaza que tienes —dijo la tía, echándole una mirada a su marido.

Por una vez, había un montón de comida frente a Xuan'er, pero se obligó a sí misma a no comer demasiado. Su tío le puso un gran trozo de pescado en su cuenco.

—Ya se sabe, no se le puede echar nada en cara a tu familia política —dijo la tía—. ¿Por qué la gente toma a una mujer por esposa? Para continuar el árbol genealógico.

—Tú no has continuado mi árbol genealógico —le dijo su marido—, y yo he sido bueno contigo, ¿no?

—¿Y a ti quién te ha preguntado? Prepara el burro, que voy a llevar a Xuan'er a la ciudad para que la vea un médico de mujeres.

Montada sobre el burro, Xuan'er atravesó los campos del concejo de Gaomi del Noreste, donde por todas partes había ríos y arroyos. El sol lanzaba rayos de un calor intenso, que hacían salir vapor del suelo y arrancaban crujidos del follaje que había a su alrededor. Un par de libélulas, conectadas por su parte posterior, pasaron zumbando a su lado; un par de golondrinas volaban juntas por el cielo. Unas pequeñas ranitas que acababan de perder la cola cruzaron el camino dando saltos; unas langostas que acababan de salir de sus huevos se columpiaban sobre el césped que había en la cuneta. Una camada de conejos recién nacidos seguía a su madre en busca de alimento. Unos patitos chapoteaban detrás de su madre, con sus pequeños pies rosados haciendo ondas en la superficie del agua, en un estanque... Los conejos y las langostas tienen crías; ¿por qué yo no puedo tenerlas? Sintió un vacío en su interior, y se acordó de la leyenda que hablaba de la existencia de una bolsa para criar niños que hay dentro de la tripa de las mujeres, de todas las mujeres menos ella, por lo que parecía. Por favor, Matrona de los Hijos, te lo ruego, dame un hijo...

A pesar de que su tío tenía casi cuarenta años, no había perdido las ganas de jugar. En lugar de coger las riendas del burro, dejó que el animal trotara por su cuenta mientras él salía del camino, una y otra vez, para coger flores silvestres, con las que hizo un ramo para Xuan'er, para que se protegiera del sol, según le dijo. Después de perseguir a los pájaros hasta quedarse sin aliento, se metió en lo profundo del bosque, donde encontró un melón silvestre del tamaño de un puño cerrado, y se lo dio a Xuan'er.

—Es dulce —le dijo, pero cuando ella lo mordió resultó ser tan amargo que le dejó la lengua casi paralizada.

Después se arremangó los pantalones y saltó dentro de un estanque, donde capturó rápidamente un par de insectos del tamaño de una pepita de melón y se puso a agitarlos en su mano.

—¡Cambio! —le gritó.

Acercando la mano cerrada a la nariz de Xuan'er, le preguntó:

—¿A qué huelen?

Ella sacudió la cabeza y dijo que no lo sabía.

—Huelen como las sandías —dijo él—. Son bichos de la sandía. Provienen de las semillas de sandía.

Xuan'er no pudo evitar pensar que su tío realmente era un niño grande y juguetón.

¿Cuál fue el resultado del examen médico? Xuan'er no tenía ningún problema.

—¡La familia Shangguan pagará por esto! —dijo la tía de Xuan'er, indignada—. Su hijo es estéril como una mula y no tienen ningún derecho a pagar sus frustraciones con Xuan'er.

Pero nada de esto salió de la casa.

Diez días más tarde, durante una tormenta, la tía preparó una cena suntuosa, regada con el licor más fuerte de su marido. Su sobrina estaba sentada frente a ella, y colocó una copa verde ante cada una. La luz de una vela proyectaba su sombra contra la pared de atrás mientras ella llenaba ambas copas con licor. Xuan'er vio que a su tía le temblaba la mano.

—¿Por qué estamos bebiendo licor, Tía? —preguntó Xuan'er. Tenía la inquietante sensación de que algo estaba a punto de ocurrir.

—Por ninguna razón en particular. Hoy llueve, el tiempo está bochornoso, y se me había ocurrido que nos podríamos quedar en casa charlando, tú y yo, a solas. —La tía levantó su copa—. Bebe.

Xuan'er cogió su copa y miró a su tía con miedo. La mujer brindó con ella antes de echar la cabeza hacia atrás y vaciar su copa.

Xuan'er también vació la suya.

—¿Qué tienes planeado hacer? —le preguntó la tía a Xuan'er.

Con cara de tristeza, Xuan'er se limitó a sacudir la cabeza.

Su tía volvió a llenar las dos copas.

—Me temo que vamos a tener que aceptar las cosas como son —dijo—. El hecho de que su hijo sea estéril es algo que debemos tener siempre presente. Ellos están en deuda con nosotros, no nosotros con ellos. Niña, quiero que comprendas que en este mundo algunas de las cosas más bellas se consiguen en la oscuridad, sin que nadie lo vea. ¿Entiendes lo que quiero decir?

Xuan'er sacudió la cabeza, completamente confundida. La cabeza ya le daba vueltas por las dos copas del fuerte licor que se había tomado.

Esa noche, Gran Zarpa Yu se metió en la cama de Xuan'er.

Cuando se despertó, a la mañana siguiente, con un terrible dolor de cabeza, quedó sorprendida al oír a alguien que roncaba a su lado. Abrió los ojos con dificultad y ahí, desnudo, tumbado a su lado, estaba su tío, con una de sus grandes zarpas apoyada en su pecho. Con un chillido, tiró de la manta para taparse y rompió a llorar, despertando a Gran Zarpa. Como un niño que se ha metido en problemas, salió de la cama de un salto, recogió su ropa del suelo y le dijo, tartamudeando:

—Tu tía... me dijo que lo hiciera...

La primavera siguiente, poco después del Festival del Barrido de las Tumbas, Xuan'er dio a luz a una niña raquítica de ojos negros.

Su suegra se arrodilló ante el icono de cerámica del Bodhisattva y tocó el suelo con la frente tres veces.

—Gracias al Cielo y la Tierra —dijo respetuosamente—. La niebla por fin se ha disipado. Ahora le suplico al Bodhisattva que nos proteja y que nos envíe un nieto el año que viene.

Entró en la cocina a preparar unos huevos fritos y se los llevó a su nuera a su habitación.

—Toma —le dijo—. Cómetelos.

Xuan'er miró a la cara a su suegra y los ojos se le llenaron de lágrimas de agradecimiento.

Su madre miró a la niña que yacía envuelta en un harapiento pedazo de tela y dijo:

—La llamaremos Laidi: Hermano Venidero.

V

Mi segunda hermana, Zhaodi —Hermano Aclamado—, también fue fruto de la semilla de Gran Zarpa Yu. Cuando Xuan'er alumbró una segunda niña, la disconformidad de la abuela se manifestó con una claridad absoluta. A Madre no le llevó mucho tiempo darse cuenta de la cruel realidad de que, para una mujer, no casarse no era una opción, no tener hijos no era aceptable y tener sólo hijas no era algo para sentirse orgullosa. El único camino hacia el estatus dentro de una familia pasaba por tener hijos varones.

El tercer hijo de Madre fue concebido en un cañaveral pantanoso. Ocurrió al mediodía, poco después de que naciera Zhaodi. La abuela había mandado a Madre al cañaveral que había al sudoeste de la aldea para que cogiera caracoles para dárselos a los patos. Esa primavera, un hombre que vendía patitos había llegado a la población. Era un extraño alto y robusto que llevaba un trozo de tela azul sobre los hombros y unas sandalias de cáñamo en los pies, y siempre iba cargado con dos cestas llenas de patitos amarillos cubiertos de pelusilla. Rápidamente se congregó una multitud para admirar a los pequeños animales y escucharlos hacer *cuac* con sus minúsculos picos de color rosa, mientras se arremolinaban unos junto a otros en el interior de las cestas. Shangguan Lü dio un paso al frente y compró una docena; otros la siguieron, y muy pronto los patitos se agotaron. El buhonero dio una vuelta por el pueblo y se marchó. Esa tarde, unos bandidos raptaron a Sima Ting y se lo llevaron de la Casa Solariega de la Felicidad, y no lo soltaron hasta que la familia pagó un rescate de varios miles de dólares de plata. La gente comentaba que el buhonero de los patitos en realidad era un espía que trabajaba para los bandidos y les había informado detalladamente de la disposición de la Casa Solariega de la Felicidad.

En cualquier caso, los patos que había vendido eran excelentes. A los cinco meses, habían crecido hasta alcanzar el tamaño de diminutos botes. Shangguan Lü, que adoraba a esos patos, envió a su nuera a buscar caracoles, pensando con antelación en el día en el que los patos empezaran a poner huevos.

Madre cogió una jarra de arcilla y un colador de metal y los llevó, en una pértiga, donde le dijo su suegra. En los canales y estanques que había cerca de la aldea ya no quedaba ni un caracol, pues los habían cogido los aldeanos que criaban patos, pero el día anterior, de camino hacia el mercado de una localidad llamada Liaolan, Shangguan Lü había visto que las aguas de un estanque muy próximo estaban llenas de caracoles.

Sin embargo, cuando Madre llegó, la superficie del estanque estaba cubierta de unos patos de plumaje verdoso que se habían comido todos los caracoles. Sabiendo que su suegra le gritaría si regresaba con las manos vacías, decidió ponerse a caminar por un sendero que bordeaba el estanque, para ver si podía encontrar alguna franja de agua que no hubiera sido visitada por los patos en la que todavía quedaran algunos caracoles para llevarse a casa. Sintiendo una pesadez en los pechos, se acordó de sus dos hijas pequeñas, que la esperaban en su hogar. Laidi acababa de aprender a caminar, y Zhaodi apenas tenía un mes. Pero su suegra concedía más valor a los patos que a sus nietas, a las que se negaba a coger en brazos ni siquiera cuando lloraban. En cuanto a Shangguan Shouxi, en fin, decir que era un hombre era una exageración terrible. Fuera de la casa, era tan inútil como un moco, y cuando estaba ante su madre se comportaba de una manera totalmente servil, pero su forma de tratar a su esposa era de una crueldad abyecta. Tampoco tenía buena mano con las niñas, y cuando abusaba de Madre, ella le decía, enfadada:

—Vamos, burro, pégame. Ninguna de las niñas es tuya y si llego a tener mil hijos no habrá ni uno de ellos que lleve una gota de sangre de la familia Shangguan en sus venas.

Debido a su relación con Gran Zarpa Yu, no sabía cómo tratar a su tía, así que aquel año no regresó a su casa.

—Se han muerto todos —dijo cuando su suegra la presionó para que volviera de visita—, así que no tengo dónde ir.

Gran Zarpa, evidentemente, sólo podía engendrarle niñas, así que se puso a buscar un donante mejor. Vamos, suegra, marido, pegadme e insultadme todo lo que queráis. Pero ya veréis, cualquier día de estos voy a tener un niño y no será un Shangguan y os iréis todos al infierno.

Sumida en estos pensamientos, siguió andando, separando las cañas que casi sellaban el sendero. Los crujidos que se oían y el olor del añublo de las plantas acuáticas le despertaron un pálido temor. Los pájaros graznaban en el follaje de los alrededores y las ráfagas de brisa hacían que las plantas se bambolearan. Justo delante de ella, apenas a unos pasos, un jabalí se interpuso en su camino. Tenía unos colmillos con aspecto malvado que le salían a ambos lados del alargado hocico. La miró fijamente con sus pequeños ojillos, cuyas cejas estaban hechas de gruesas cerdas, y le dedicó unos gruñidos para intimidarla. Madre se estremeció y se dio cuenta de que estaba en un lugar desconocido. ¿Cómo he llegado hasta aquí?, se preguntó. Todo el mundo, en Gaomi del Noreste, sabe que los escondrijos de los bandidos están por aquí, en las profundidades de los cañaverales. Nadie, ni siquiera las tropas del ejército, se atreve a internarse por aquí.

Madre miró atrás con ansiedad, pero se dio cuenta al instante de que el paso de personas y animales en distintas direcciones había formado un cúmulo inextricable de huellas, por lo que no podía distinguir las que había dejado ella. Con un ataque de pánico, avanzó un poco por varios de los senderos, pero no llegó a ninguna parte, así que empezó a llorar y a lamentarse por sus problemas. Algunos rayos de sol, aislados, lograban filtrarse entre la vegetación hasta el suelo, donde se pudrían las hojas que habían estado cayendo durante años. Madre piso un enorme excremento, cosa que, aunque olía horriblemente, le subió la moral; sólo podía significar que había, o había habido, gente por los alrededores. «¡Hola! —gritó—. ¿Hay alguien ahí?». Se quedó a la escucha mientras sus gritos se perdían entre las cañas. Cuando miró al suelo vio que, en medio del excremento había grandes trozos de vegetales, lo cual significaba que no era una deposición humana sino de un jabalí o de algún otro animal salvaje. Intentó una vez más seguir una de las sendas, pero rápidamente se desanimó, se sentó en el suelo y empezó a llorar con desesperación.

De pronto, sintió algo frío en la espalda, como si unos ojos siniestros la estuvieran observando desde un escondite situado detrás de ella. Se giró para mirar, pero no vio nada más que las hojas entrelazadas de unos tallos de caña; los más altos apuntaban hacia el cielo. Una ligera brisa corría entre las cañas, produciendo un suave susurro. Los sonidos de los pájaros, procedentes de lo más profundo del bosque, tenían algo de voces humanas. El peligro acechaba por todas partes. Había un montón de ojos verdes escondidos entre las cañas, sobre las que parecían moverse fuegos fatuos. Se puso muy nerviosa, se le erizó el vello de los brazos y se le endurecieron los pechos. En el momento en el que la abandonó el pensamiento racional, cerró los ojos y salió corriendo hasta que pisó las aguas poco profundas de una ciénaga, haciendo que una nube de mosquitos se elevara por el aire y se dirigiera hacia ella. La aguijonearon sin piedad. Un sudor pegajoso supuraba por todos los poros de su piel, atrayendo aún más mosquitos. En algún momento había perdido la jarra de arcilla y el colador metálico; ahora corría para huir del ataque de los mosquitos, chillando lastimeramente. Cuando estaba a punto de abandonar toda esperanza, su Dios le envió, para salvarla, al buhonero que vendía patos.

Llevaba un chubasquero de palma sobre los hombros y un sombrero impermeable de forma cónica en la cabeza. Cogió a Madre y la condujo a un lugar elevado del terreno, donde las cañas no crecían con tanta densidad. Allí esperaba una pequeña tienda. Entraron.

Afuera, sobre una hoguera, colgaba una cazuela de metal; en su interior se estaba cociendo mijo.

—Por favor, amable hermano —dijo Madre, cayendo de rodillas en la tienda—, ayúdame a salir de aquí. Soy la esposa del herrero Shangguan.

—¿Qué prisa tienes? —le dijo el hombre, con una sonrisa—. No suelo recibir muchas visitas por aquí, así que al menos déjame hacer un poco de anfitrión.

Una piel de perro impermeable cubría la cama, que estaba situada en una plataforma un tanto elevada.

—Tienes picaduras de mosquitos por todas partes —dijo el hombre, soplando una mecha humeante de una sustancia repelente hecha de artemisia—. Los mosquitos que hay por aquí pueden tumbar un buey, así que no es de extrañar que hayan hecho tan buen trabajo en tu delicada piel.

Un humo serpenteante con aromas de artemisia llenó la tienda mientras él buscaba en una cesta que colgaba de uno de los soportes y sacaba una pequeña caja metálica de color rojo que contenía un bálsamo naranja. Se lo extendió a Madre en las picaduras hinchadas que tenía en los brazos y en la cara; su frescor le penetró profundamente en la piel. Después cogió un pedazo de cristal de azúcar y se lo metió en la boca. Lo que estaba a punto de suceder, dado el remoto emplazamiento en el que un hombre y una mujer se encontraban solos, era inevitable. Madre estaba segura de ello. Con lágrimas en los ojos, le dijo:

—Amable hermano, haz conmigo lo que desees, pero por favor, sácame de este lugar lo antes que puedas. Tengo hijos lactantes que me están esperando en casa.

Madre se entregó a ese hombre sin oponer ninguna resistencia, y no sintió ni dolor ni placer. Su única esperanza era que le proporcionara un hijo varón.

VI

Después de Lingdi, mi tercera hermana, llegó Xiangdi, la hija de un curandero. Se trataba de un joven muy delgado, con la nariz aguileña y los ojos de buitre, que deambulaba por las calles y los alrededores tocando una campana de bronce y repitiendo: «Mi abuelo era médico en la corte y mi padre tenía una farmacia, pero yo no tengo ni un centavo y sufro una profunda pena, por lo que debo ir de un lado para otro con mi campana».

Un día, volviendo de los campos con un saco de césped cargado a la espalda, Madre lo vio. Estaba empleando unas pinzas para extraer unos pequeños «gusanos dentales» de color blanco de la boca de un hombre. Cuando llegó a casa le contó a su suegra, que tenía un fuerte dolor de muelas, lo que había visto.

Después de llevar al médico a la casa, Madre le sostuvo la lámpara mientras él hurgaba con el dedo, buscando la muela dolorida de Shangguan Lü.

—Señora —le dijo—. Su problema es lo que llamamos «diente de fuego», no «gusanos dentales».

Entonces le clavó a Shangguan Lü unas agujas de plata en la mano y en la mejilla, y después buscó a su espalda y sacó unos talcos medicinales de un bolso que traía y se los introdujo a Shangguan Lü en la boca. En cuanto lo hizo, el dolor desapareció.

Habiendo concluido el tratamiento, solicitó que lo instalaran, para pasar la noche, en la habitación del lado este de la casa familiar. A la mañana siguiente les ofreció un dólar de plata a cambio de que le dejaran usar la habitación para recibir y atender pacientes. Ya que le había curado su dolor de muelas, y como además les estaba ofreciendo un brillante dólar de plata, la abuela le dio acomodo muy contenta.

El hombre vivió en el hogar de los Shangguan durante tres meses, pagando por el alquiler de la habitación y la comida el primero de cada mes. Era como un miembro más de la familia.

Un día, Shangguan Lü le preguntó si tenía alguna clase de droga para la fertilidad. Él dijo que sí, y le escribió una receta a Madre que consistía en comerse diez huevos de gallina fritos en aceite de sésamo y miel.

—A mí también me gustaría probar un poco —dijo Shangguan Shouxi.

Un día, Madre, que sentía una cierta atracción por el misterioso médico, se deslizó en su dormitorio y le confesó que su marido era estéril.

—Esos gusanos dentales —le confesó él a ella—, estaban en mi pequeña caja metálica desde el principio.

En cuanto estuvo seguro de que Madre estaba embarazada, le pareció que había llegado el momento de ponerse en camino. Pero antes de irse no sólo le dio a Shangguan Lü todo el dinero que había ganado curando a los pacientes en su casa, sino que además la nombró formalmente su madre adoptiva.

VII

Durante la cena, a Madre se le cayó un cuenco y se le rompió. Dentro de su cabeza se produjo una explosión, y supo que aún le quedaba mucho por sufrir. Después del nacimiento de mi cuarta hermana, un manto negro cubrió el hogar de los Shangguan. En la cara de mi abuela había una permanente expresión de desagrado; su aspecto se había endurecido, y se parecía a una guadaña que estuviera dispuesta a rebanar la cabeza de Madre a la mínima provocación.

La antigua tradición que señala que la mujer, después de parir, se queda en la cama durante un mes fue abolida en la casa. Antes de que tuviera tiempo de limpiar lo que había quedado entre sus piernas tras el nacimiento del bebé, Madre oyó el ruido de unas tenazas golpeando contra el marco de su ventana y la voz de su suegra que le decía:

—Te creerás que has hecho otra aportación, ¿no? Una mierda de hija tras otra, y te creerás que te has ganado el derecho de que tu suegra te atienda como si fuera tu sirvienta. ¿Así te educaron en la casa de Gran Zarpa Yu? Se supone que eres la nuera, en esta familia, pero actúas como si fueras la suegra. A lo mejor he perturbado el orden celestial, en una reencarnación anterior, matando un viejo buey, y éste es mi castigo. ¡Debía estar loca, ciega como un murciélago, para aceptar que una mujer como tú se casara con mi hijo! —Entonces volvió a golpear la ventana con las tenazas—. ¡Te estoy hablando a ti! ¿Te estás haciendo la sorda, o la tonta, o qué? ¡No has escuchado nada de lo que te he dicho!

—Te he oído —sollozó Madre.

—Entonces, ¿qué es lo que estás esperando? Tu suegro y tu marido están fuera, trillando el grano, y yo he confundido la escoba con un azadón, de tan ocupada que estoy intentando hacer cuatro cosas a la vez. Pero tú, como una princesa malcriada, estás ahí tirada, disfrutando del lujo. Si de una vez aportaras un hijo a esta familia, yo misma te lavaría los pies en una tina de oro.

Madre se levantó de la cama, se puso unos pantalones y se cubrió la cabeza con una bufanda mugrienta. Echándole a su hija recién nacida, que todavía estaba sucia y cubierta de sangre, una mirada cargada de ganas de ir a atenderla, se secó los ojos con una de sus mangas y salió al patio con las piernas temblando, aguantando los terribles dolores que sentía lo mejor que pudo. El sol de pleno verano casi la cegó mientras llenaba un cucharón con agua de la cuba y se lo bebía de un trago. ¿Por qué no me puedo morir?, pensó. Vivir así es una tortura insoportable. ¡Podría acabar con esto yo misma! Pero entonces vio que su suegra estaba pellizcando a Laidi en la pierna con sus tenazas mientras Zhaodi y Lingdi se abrazaban atemorizadas sobre una pila de paja, sin hacer ni un ruido y deseando poder esconder sus pequeños cuerpos para que no las vieran. Laidi aulló como un cerdo cuando lo están degollando y rodó por el suelo.

—¡Yo te voy a dar motivos para que llores! —gruñó Shangguan Lü pellizcando las piernas de la niña una y otra vez con la destreza y la fuerza que le habían proporcionado sus años de trabajo como herrera.

Madre salió corriendo y cogió a su suegra por el brazo.

—Madre —le suplicó—, déjela. Sólo es una niña, no sabe nada. —Se arrodilló temblando ante su suegra—. Si tiene que pellizcar a alguien, pellízqueme a mí...

Su suegra explotó; tiró las tenazas al suelo, muy enfadada, y se quedó quieta un momento antes de empezar a golpearse el pecho mientras gritaba:

—¡Dios mío, esta mujer me va a llevar a la tumba!

En cuanto Madre logró salir al campo, Shangguan Shouxi la golpeó con un rastrillo.

—¿Por qué has tardado tanto, inútil perezosa? Por tu culpa estoy a punto de morirme de cansancio de todo lo que he tenido que trabajar.

Ella cayó al suelo y se quedó sentada, escuchando a su marido, que se había quemado con el sol y parecía un pajarillo asado a la barbacoa, gritarle ásperamente: «Deja de hacer teatro. ¡Levántate y ponte a trillar el grano!». Le tiró el rastrillo al suelo, frente a donde estaba ella, y se retiró a refrescarse un poco bajo una acacia.

Apoyándose en las dos manos, Madre logró ponerse de nuevo en pie, pero cuando se agachó para coger el rastrillo estuvo a punto de desmayarse. Se incorporó ayudándose con el rastrillo; el cielo azul y la tierra amarilla giraban como gigantescas ruedas, tratando de marearla y de hacer que se volviera a caer al suelo. Sin embargo, logró quedarse erguida a pesar de los dolores desgarradores que sentía en el vientre y de las atroces contracciones que tenía en el útero. Unos fluidos frescos y nauseabundos seguían goteando de entre sus piernas, empapándole los muslos.

Los diabólicos rayos del sol quemaban la tierra como llamas blancas incandescentes. Los tallos de grano y los estambres felizmente situados sobre ellos ofrecían la última humedad que les quedaba, que tomaba la forma de vapor. Soportando lo mejor que podía el dolor que le atravesaba todo el cuerpo, Madre les dio vuelta a los estambres que estaban en la era, secándose al sol, para acelerar el proceso antes de llevarlos a la trilladora. Entonces se acordó de lo que su suegra le había dicho: en el azadón hay agua, pero en el rastrillo hay fuego.

Una langosta de color verde esmeralda que había viajado hasta la era montada en un estambre desplegó sus alas rosáceas y voló hasta la mano de Madre, que se fijó en los delicados ojos compuestos, como de jade, del pequeño insecto, y después se dio cuenta de que le faltaba la mitad del abdomen, que había sido segado por la hoz. Y a pesar de todo, continuaba viviendo, y todavía podía volar. A Madre le pareció que ese indomable deseo de vivir era extremadamente conmovedor. Sacudió la muñeca para que la langosta se fuera volando, pero se quedó donde estaba, y madre suspiró mientras notaba la sensación en la piel que le producían los pies del diminuto insecto. Entonces se acordó de cuando concibió a Zhaodi, su segunda hija, en la tienda de su tía en el campo de melones, donde las brisas que llegaban del Río del Agua Negra enfriaban los melones de color púrpura que crecían entre las plateadas hojas de las vides. Laidi todavía tomaba el pecho en esa época. Hordas de langostas, con las alas de color rosa, como la que ahora tenía en la mano, provocaban un zumbido que rodeaba todo el melonar. Su tío, Gran Zarpa Yu, se arrodilló frente a ella.

—Tu tía me ha liado para que hiciera esto —le dijo—, y desde la primera vez no he podido sentirme tranquilo ni una sola vez. He renunciado al derecho a considerarme un hombre. Xuan'er, coge ese cuchillo y líbrame de mi miseria.

Señaló a un puntiagudo cuchillo de cortar melones que había en un estante mientras las lágrimas le rodaban por las mejillas. Madre sintió una confusa mezcla de emociones. Se acercó a él y le acarició la cabeza calva.

—Tío —le dijo—, no te culpo de nada. Son ellos, ellos son los que me han empujado a esto. —En ese momento, cuando señalaba los melones que había en el exterior de la tienda, su voz se volvió más aguda—. ¡Escúchame! ¡Vamos, ríete! Tío, la vida da muchas vueltas. Yo hice todo lo que pude para mantenerme casta, para cumplir con mi deber, y ¿cuál fue mi recompensa? Me gritaron, me pegaron y me enviaron de vuelta al hogar de mi infancia. ¿Qué tengo que hacer, entonces, para que me respeten? ¡Quedarme embarazada de otros hombres! Antes o después, tío, mi barco va a naufragar, y si no es aquí será en cualquier otra parte. —Una sonrisa sardónica se dibujó en su boca—. ¿Qué es eso que dicen, tío? ¿No abones los campos de los demás?

Su tío se levantó, lleno de ansiedad. Ella se abalanzó sobre él, de un modo muy poco adecuado para una dama, y le bajó los pantalones.

Padre e hijo descansaban en una fresca sombra, cerca de la era de la familia Shangguan. El perro estaba espatarrado junto a la base de un ruinoso muro, con la lengua rosa colgándole indolentemente hacia un lado; el animal jadeaba debido al opresivo calor. El cuerpo de Madre estaba cubierto de un sudor pegajoso que desprendía un olor rancio. La garganta le ardía, le dolía la cabeza, tenía náuseas y las venas de la frente tan hinchadas que parecía que estaban a punto de estallarle. Sentía la mitad inferior de su cuerpo como si fuera algodón embutido en un tubo. Estaba totalmente lista para morir, ahí en la era, pero logró reunir fuerzas para seguir trabajando. Unas ráfagas de luz dorada en el suelo hacían que los estambres que había en el suelo parecieran cobrar vida, como cardúmenes de pequeños pececillos de colores o millones de serpientes haciendo eses. A medida que daba vueltas al grano, Madre tuvo una sensación de tristeza trágica. ¡Cielo, abre los ojos y mira! Vecinos, abrid los ojos y mirad. Que vuestros ojos disfruten con este miembro de la familia Shangguan, que está trabajando en una era mientras el sol golpea sobre su cabeza, justo después de dar a luz, con la sangre todavía húmeda en las piernas. ¿Y qué me decís de mi marido y de mi suegro? Esos dos hombrecillos que están descansando a la sombra. Analizad tres mil años de historia imperial y no encontraréis un sufrimiento más amargo. Al final, mientras las lágrimas le caían por las mejillas, se desmayó, superada por el calor y por sus propias emociones.

Cuando volvió en sí, estaba acostada sobre la delgada sombra del muro en ruinas, cubierta con un lodo que atraía a enjambres enteros de moscas, tirada ahí como un perro muerto. La mula de la familia se hallaba junto al borde de la era, cerca de Shangguan Lü, que en ese momento les estaba dando latigazos a los vagos de su marido y su hijo. Cubriéndose la cabeza con los brazos, los dos hombrecillos llenaban el aire de chillidos mientras intentaban, sin ningún éxito, evitar los golpes.

—Deja de pegarme, deja... —suplicaba el suegro de Madre—. Venerable esposa, estamos trabajando. ¿Qué más quieres?

—¡Y tú, tú, pequeño bastardo! —gritó, dirigiendo el látigo hacia Shangguan Shouxi—. ¡Cada vez que hacéis alguna de las vuestras, sé que es idea tuya!

—No me pegues, Madre —dijo Shangguan Shouxi, escondiendo la cabeza entre los hombros—. ¿Quién te cuidaría en tu vejez, quién se ocuparía de todos los trámites de tu funeral si, por error, me mataras?

—¿De verdad crees que dependo de ti para eso? —dijo ella con tristeza—. Espero que usen mis huesos como leña antes de que nadie venga a enterrarme.

El padre y el hijo, con un gran esfuerzo, lograron ponerle el arnés a la mula; una vez lo lograron, recogieron sus herramientas y salieron al campo.

Con el látigo en la mano, Shangguan Lü se acercó caminando hasta el muro.

—Levántate y vete dentro, mi guapa y pequeña nuera —dijo acusadoramente—. ¿Por qué te quedas ahí tirada, sólo para hacer que yo parezca mala? ¿Para que los vecinos me maldigan cuando no esté delante, diciendo que no sé cómo tratar a mi nuera? ¡He dicho que te levantes! ¿O es que estás esperando a que alquile un palanquín con ocho hombres que te lleven dentro? No sé qué tiempos son éstos que me han tocado vivir, en que una nuera se cree que es superior a su suegra. Espero que tengas un hijo un día de estos, así tendrás la oportunidad de ver cómo es ser la suegra de alguien.

Cuando Madre se puso de pie, manteniendo el equilibrio a duras penas, su suegra se quitó el sombrero con forma de cono que llevaba y se lo puso en la cabeza a ella.

—Vamos, vamos. Coge unos pepinos del huerto, y esta noche los puedes hacer con huevos para los dos hombres. Y si te parece que tienes fuerzas, vete a buscar un poco de agua para lavar las verduras. No sé cómo hago para aguantar hasta el final del día. Supongo que es verdad lo que dicen, os llevo a todos los demás montados en la espalda.

Se dio la vuelta y se dirigió a la era, mascullando algo para sí.

Esa noche hubo rayos y truenos. Era un peligro para el grano que estaba en la era, que era el resultado de un año de sangre y sudor. Por eso, con el cuerpo todavía aguijoneado por el dolor, Madre se arrastró afuera con el resto de la familia, para poner el grano a cubierto. Cuando terminaron, parecía un pollito empapado, y cuando por fin pudo ir reptando hasta su cama, estaba convencida de que se había presentado ante las puertas de Yama, el rey del infierno, y de que sus pequeños demonios le habían puesto una cadena alrededor del cuello para arrastrarla al interior.

Instintivamente, Madre se agachó para recoger los pedazos del cuenco que había roto. En ese momento, escuchó un bramido terrible; sonó como si un buey estuviera sacando la cabeza del agua. Después recibió un golpe en la cabeza que la tiró al suelo.

—¡Vamos, rómpelo! —gritó su suegra. Las palabras explotaron en su boca mientras tiraba por ahí la mano del mortero para triturar el ajo, que ahora estaba manchada de sangre—. ¡Rómpelo todo, no importa, esta familia se está destruyendo de todos modos!

Madre hizo un esfuerzo para ponerse en pie; el golpe había sido en la nuca. La sangre caliente le caía por el cuello.

—Madre —sollozó—, fue un accidente.

—¿Cómo te atreves a contestarme?

—No te estoy contestando.

Mirando de reojo a su hijo, la anciana dijo:

—No puedo manejarla, pedazo de mierda inútil. ¿Por qué no la pones en un pedestal y le rindes adoración?

Shouxi comprendió perfectamente lo que le estaba pidiendo. Cogió un palo que había tirado en una esquina y golpeó a Madre por la cintura. Madre cayó redonda al suelo. Entonces empezó a pegarle, una y otra vez, mientras su madre miraba con aprobación.

—Shouxi —intervino su padre—, déjalo ya. Si la matas, tendremos problemas con la ley.

—Las mujeres son unas criaturas inútiles —dijo Shangguan Lü—, y es necesario pegarles. A una mujer se le pega hasta que se vuelve sumisa del mismo modo que se convierte la pasta en tallarines.

—¿Y entonces por qué siempre me estás pegando? —preguntó Shangguan Fulu.

Agotado de usar el palo, Shouxi lo dejó caer al suelo y se quedó ahí de pie, jadeando.

La cintura y las caderas de Madre estaban húmedas y pegajosas.

—¡Maldita sea, eso apesta! —dijo su suegra, olfateando el aire—. ¡Un par de bofetadas y se caga en los pantalones!

Apoyándose sobre los codos, Madre levantó la cabeza y dijo, con un tono de malicia en la voz que no tenía precedentes:

—Vamos, Shangguan Shouxi, mátame ahora que ya te has puesto. Eres un hijo de perra si no...

En cuanto las palabras salieron de su boca, perdió la conciencia.

Se despertó en mitad de la noche y vio que el cielo estaba lleno de estrellas. Y ahí, en la brillante Vía Láctea, aquella noche del año 1924, un cometa atravesó los cielos volando, inaugurando una era de trastornos y agitación.

Tres criaturas indefensas yacían a su lado: Laidi, Zhaodi y Lingdi. Xiangdi estaba echada en la cabecera del *kang* llorando ásperamente. Unos gusanos reptaban por encima y hacia el interior de los ojos y las orejas de la bebita recién nacida; eran larvas de moscas que habían desovado ahí ese mismo día.

VIII

Rebosante de asco por la familia Shangguan, Madre se entregó durante tres días seguidos a un soltero llamado Gao Dabiao, que era carnicero de perros. Gao era un hombre con los ojos bovinos y los labios torcidos hacia arriba; nunca se lo vio, fuera cual fuera la estación, sin su chaqueta almohadillada, tan rígida por toda la grasa de perro que le había caído encima que parecía una armadura. Todos los perros, por muy malvados que fueran, salían huyendo en cuanto él aparecía, y después se volvían y le ladraban desde una distancia segura. Madre fue a verlo un día en que estaba en la ribera norte del Río de los Dragones, donde había ido en busca de hierbas silvestres. En ese momento, él estaba cociendo un guiso de carne de perro.

—¿Has venido a comprar carne de perro? —le preguntó cuando ella irrumpió a través de su puerta—. Todavía no está lista.

—No, Dabiao. Esta vez te he traído la carne yo a ti. ¿Te acuerdas de aquella vez, en la ópera al aire libre, cuando me tocaste en un momento en que nadie nos miraba? —Gao Dabiao se sonrojó—. Bueno, hoy no tienes que preocuparte por si hay alguien mirando o no.

Una vez se aseguró de que estaba embarazada, Madre se fue al santuario de las matronas, en la tienda de la familia Tan, y allí quemó

129

un poco de incienso, se arrodilló y tocó el suelo con la frente, hizo sus votos y donó el poco dinero que se había llevado consigo cuando se casó. Pero nada cambió: tuvo otra hija, a la que llamó Pandi.

Madre no pudo determinar, hasta mucho tiempo después, si el padre de su sexta hija era Gao Dabiao o el pequeño y delgado monje del Templo de Tianqi. Cuando Niandi tenía siete u ocho años, Madre se dio cuenta gracias a la forma de su cara, a su larga nariz y a sus largas pestañas.

En la primavera de aquel año, Shangguan Lü contrajo una extraña enfermedad. Tuvo unas erupciones, en forma de escamas plateadas que le picaban muchísimo, por todo el cuerpo, desde el cuello para abajo. Para evitar que se rascara hasta desollarse, a su marido y a su hijo los obligaron a atarle las manos por detrás de la espalda. La enfermedad tenía a esta mujer de hierro aullando día y noche; fuera, en el patio, el muro y la áspera corteza del ciruelo estaban manchados de sangre por donde ella se había estado frotando la espalda para aliviar los terribles picores.

—No lo soporto más, este picor me está matando... He ofendido a los cielos, ayudadme, por favor, ayudadme...

Los dos hombres Shangguan eran tan incompetentes que ni con una piedra rodillo se podía conseguir que se tiraran un pedo, ni con un punzón se podía sacarles sangre, por lo que la responsabilidad de encontrar ayuda para su suegra, naturalmente, recayó en Madre. Finalmente, tras montar en la mula de la familia de un extremo al otro de Gaomi del Noreste, pidió ayuda a una docena de médicos por lo menos, de los que empleaban métodos terapéuticos tanto chinos como occidentales; algunos se iban tras escribir una receta, y otros se iban directamente. Así que Madre llevó a un chamán, y después a un hechicero, pero sus pociones mágicas y sus aguas espirituales también fracasaron. De hecho, el estado de Shangguan Lü empeoraba día a día.

Un día, llamó a Madre junto a su cama.

—Esposa de Shouxi —le dijo—, ya lo dice el refrán: los padres y los hijos están unidos por la amabilidad y las madres y las suegras, por la enemistad. Cuando yo me muera, la supervivencia de esta familia dependerá de ti, porque esos dos son un par de asnos que nunca van a crecer.

—No hables así, Madre —le dijo mi madre—. He oído decir a Tercer Maestro Fan que hay un monje muy sabio en el Templo de Tianqi, en el concejo de Madian, que tiene unos poderes médicos impresionantes. Le traeré para que te vea.

—Es un desperdicio de dinero —le dijo su suegra—. Yo conozco el origen de mi enfermedad. Hace mucho tiempo, cuando me casé, maté un gato maldito echándole agua hirviendo encima. Ese animal odioso nos robaba los pollos todo el tiempo, y yo sólo quería darle una lección. Nunca pensé que moriría, y ahora se está tomando la venganza.

Pese a todo, Madre hizo el viaje de treinta *li* montada en la mula.

El monje tenía la cara pálida, era guapo de una manera lánguida y olía muy bien. Mientras escuchaba lo que le decía Madre, contaba las cuentas de su rosario.

—Señora patrona —le dijo al fin—, este monje indigno ve a sus pacientes aquí, en el templo. Nunca hago visitas a domicilio, así que vuelva a su casa y traiga a su suegra para que la vea.

Y eso fue precisamente lo que hizo Madre. Enganchó la mula a un carro y llevó a su suegra al Templo de Tianqi, donde el monje le anotó dos recetas, un líquido para que se tomara y otro para que se lavara la piel.

—Si esto no funciona —les dijo—, no hace falta que vuelvan a verme. Si funciona, vuelvan y les daré otra receta.

Madre fue directamente a la farmacia, compró las medicinas y volvió a casa para prepararlas y administrárselas a su suegra que, después de tres tomas de una de las pociones y de bañarse dos veces con la otra, casi milagrosamente, dejó de sentir los picores.

Feliz hasta el delirio, la paciente cogió algo de dinero del cofre de la familia y envió a Madre de vuelta para que le diera las gracias al monje y recogiera la nueva receta.

Mientras esperaba a que le hiciera la nueva receta, Madre le preguntó al monje si había alguna manera en que él la podría ayudar a tener hijos en lugar de hijas. Su conversación se fue volviendo cada vez más íntima —un monje apasionado y una mujer deseosa de tener un hijo varón— y se hicieron amantes.

En cuanto a Gao Dabiao, el carnicero de perros de la Aldea de la Boca Arenosa, su breve romance con Madre le había abierto el apetito. Por eso, la tarde en que Madre volvía a casa con su mula desde el Templo de Tianqi, pasando junto al Río del Agua Negra cuando la Luna estaba sustituyendo al Sol en el cielo, Gao Dabiao apareció de entre los tallos de sorgo y se interpuso en su camino.

—¡Lu Xuan'er, eres una mujer muy voluble!

—Dabiao —le dijo Madre—, sentí lástima por ti, por eso cerré los ojos y te dejé salirte con la tuya una vez o dos. Pero eso es todo.

—¡No puedes dejarme tirado sólo porque hayas conseguido a ese pequeño monje!

—¡Eso es una tontería!

—A mí no me puedes engañar. Haz lo que te digo o haré que todo el concejo de Gaomi del Noreste se entere de que has tenido una aventura con el monjecito con la excusa de curar a tu suegra.

Madre dejó que Gao Dabiao la llevara al interior del sorgo.

La enfermedad de su suegra se curó del todo, pero de todos modos el rumor de la relación ilícita de Madre con el monje llegó a los oídos de la anciana.

Por eso, cuando nació Niandi y su suegra vio que era otra niña, la cogió por las piernas y se dispuso a sumergirla en el orinal que había en el dormitorio.

Madre salió de la cama de un salto, se abrazó a las piernas de su suegra y le suplicó:

—Madre, ten piedad, por favor. Hazlo por mí, que te he estado cuidando todos estos meses, perdónale la vida a esta pequeña...

—Me parece justo —dijo su suegra, bajando la voz—. Pero ese asunto con el monje, ¿es cierto?

Madre no dijo nada.

—¡Dímelo! ¿Esta niña que tengo entre los brazos es una bastarda?

Madre negó con la cabeza sin dudarlo.

Su suegra tiró al bebé sobre la cama.

IX

En otoño de 1935, un día que estaba en la ribera del Río de los Dragones cortando el césped, Madre fue violada por un grupo de cuatro soldados armados que huían tras sufrir una derrota militar. Cuando todo acabó, Madre miró el río y decidió tirarse y ahogarse. Pero cuando estaba a punto de ponerse a caminar al encuentro con la muerte, vio el reflejo del hermoso cielo azul de Gaomi del Noreste sobre el agua clara. Una brisa fresca alivió la sensación de humillación que le había nacido en el pecho, así que metió las manos en el río y se echó agua en la cara para lavarse el sudor y las lágrimas, se acomodó un poco la ropa y volvió caminando hasta su casa.

A comienzos del verano del año siguiente, ocho años después del nacimiento de su hija anterior, Madre dio a luz a la séptima, Qiudi. El nacimiento de otra niña más hizo que su suegra se desesperara. Caminando a tropezones, cogió una botella de uno de los aparadores de su dormitorio y dio unos tragos gigantescos de un fuerte licor antes de sumirse en terribles lamentos. Madre también estaba muy decepcionada y en el momento en que miraba con disgusto la cara arrugada de su hija recién nacida, su único pensamiento fue: Señor del Cielo, ¿por qué eres tan miserable? Lo único que tenías que hacer era añadir un poquito más de arcilla a esta criatura y habría salido varón.

Entonces su marido entró en la habitación hecho una furia, apartó la manta a un lado y retrocedió, tambaleándose. Lo primero que hizo cuando se recuperó de la impresión fue buscar, detrás de la puerta, el palo que se usaba para golpear la ropa después de lavarla, y darle a su mujer en la cabeza. La sangre salpicó la pared y el hombrecillo, enloquecido, se dio la vuelta y salió de la casa corriendo. Cogió de la fragua un par de tenazas al rojo vivo, volvió corriendo a la habitación de su esposa y le hizo una marca en la zona interior de uno de los muslos.

Un humor amarillo que olía a carne quemada llenó la habitación al instante. Con un estremecimiento de dolor, Madre se cayó de la cama y se hizo una bola en el suelo, con todo el cuerpo crispado.

Cuando Gran Zarpa Yu se enteró de que habían marcado a Lu Xuan'er como al ganado, fue a toda prisa hasta la casa de la familia Shangguan con un rifle de caza y, sin decir ni una palabra, lo apuntó al pecho de Shangguan Lü y apretó el gatillo. El rifle falló. Mientras preparaba el arma para efectuar un segundo disparo, Shangguan Lü había corrido al interior de la casa, cerrando tras ella con un portazo. Con rabia creciente, disparó contra la puerta cerrada, haciendo un agujero en ella y provocándole un chillido de miedo a Shangguan Lü, al otro lado.

Entonces, Gran Zarpa Yu empezó a aporrear la puerta con la culata de su rifle, respirando fuertemente pero sin decir nada. Su cuerpo fornido se movía hacia adelante y hacia atrás. Parecía un oso. Las hijas de Madre se arremolinaron atemorizadas en la habitación de al lado mirando lo que pasaba en el patio.

El marido y el suegro de Madre, uno con un martillo de acero y el otro con las tenazas, se acercaron a Gran Zarpa prudentemente. Shouxi fue el primero que actuó, atacando a Gran Zarpa por la espalda con sus tenazas. Gran Zarpa se dio la vuelta y le soltó un rugido a su contrincante. A Shouxi se le cayeron las tenazas de las manos, y él habría salido corriendo si no fuera porque las piernas le temblaban como si fueran de goma. Intentó, forzadamente, sonreír.

—¡Te voy a matar, hijo de perra! —tronó Gran Zarpa dándole a Shouxi un golpe con su rifle que lo tiró al suelo. Le dio tan fuerte que el arma se partió en dos. El padre de Shouxi se acercó rápidamente a Gran Zarpa con su martillo, pero falló completamente el golpe y casi pierde el equilibrio con el impulso. Gran Zarpa le ayudó dándole un golpe en el hombro y lo envió al suelo, donde quedó, despatarrado, junto a su hijo. Gran Zarpa se puso a golpear a los dos hombres alternativamente y después cogió el martillo, lo levantó por encima de su cabeza y dijo: «¡Ahora voy a abrirte esa cabeza de melón, hijo de perra!» en el mismo momento en que Madre salía cojeando al patio.

—Tío —le gritó—, esto es un asunto familiar. No necesito tu ayuda.

Dejando caer el martillo, Gran Zarpa, con una expresión de dolor en el rostro, miró a su sobrina, que estaba ahí de pie como un árbol que se ha secado.

—Xuan'er —le dijo—, todo lo que tú has sufrido...

—Cuando dejé el hogar de los Yu —dijo Madre—, me convertí en miembro de la familia Shangguan, y si eso me mata o me mantiene viva no es problema tuyo.

La incursión de Gran Zarpa Yu sirvió para rebajar la arrogancia de la familia Shangguan. Al darse cuenta de cómo había maltratado a su nuera, Shangguan Lü empezó a darle un trato más humano. Shangguan Shouxi, que se había librado de morir por muy poco, también empezó a mirar a su esposa de otra manera, y a someterla a menos abusos.

Mientras tanto, la carne quemada de Madre comenzó a pudrirse y a oler. Esta vez, pensó, no voy a sobrevivir, por lo que se mudó a la habitación lateral.

Una mañana, temprano, la campana de la iglesia la sacó de su duermevela. A pesar de que la campana tañía todos los días, en aquel momento parecía estar hablándole a ella, con ese hipnótico sonido de bronce que excitaba su alma y la elevaba y hacía que se estremeciera su corazón. ¿Por qué no he oído este sonido antes? ¿Qué era lo que me tapaba las orejas? Cuando meditaba sobre este cambio, el dolor que sufría en todo el cuerpo empezó a abandonarla lentamente.

Nada interrumpió su pensamiento hasta que unas ratas se le subieron encima y empezaron a mordisquearle la carne putrefacta. La vieja mula que la había traído desde la casa de su tía le echó una mirada melancólica, consolándola, inspirándola y dándole valor. Madre se levantó con la ayuda de un bastón y arrastró su cuerpo putrefacto hasta el camino, avanzando de manera vacilante, paso a paso, y logró subir hasta la puerta de la iglesia.

Era domingo. El Pastor Malory estaba de pie en el púlpito polvoriento, con la *Biblia* en la mano, entonando un fragmento de San Mateo para un puñado de ancianas con el pelo canoso.

«Estando María, su madre, desposada con José, y antes de que vivieran juntos, sucedió que ella, por obra del Espíritu Santo, estaba esperando un hijo. José, su esposo, que era hombre justo, no queriendo ponerla en evidencia, pensó en abandonarla en secreto. Pero mientras pensaba en estas cosas, un ángel del Señor se le apareció en sueños y le dijo: "José, hijo de David, no temas recibir a María, tu esposa, porque lo que en ella ha sido concebido es obra del Espíritu Santo. Ella dará a luz un hijo y tú le pondrás el nombre de Jesús, porque él salvará a su pueblo de sus pecados"».

Este fragmento hizo brotar las lágrimas de los ojos de Madre, y esas lágrimas cayeron sobre el cuello de su camisa. Tiró el bastón a un lado y se hincó de rodillas. Mirando a la cara del estropeado Cristo de madera que había sobre una cruz de hierro, le dijo sollozando:

—Señor, he llegado muy tarde a Ti...

Las ancianas se quedaron mirando a Shangguan Lu sin entender nada. El hedor de su carne putrefacta las atufaba.

El Pastor Malory dejó su *Biblia* y se bajó de la plataforma en la que estaba para levantar a Xuan'er, que se había quedado arrodillada. Unas lágrimas cristalinas asomaron a sus ojos azules y amables.

—Pequeña hermana —le dijo—, he estado esperándote mucho tiempo.

A comienzos del verano de 1938, en una arboleda poblada de acacias, en algún remoto rincón de la Aldea de la Loma Arenosa, el

Pastor Malory se arrodilló con reverencia ante Madre, cuyas heridas ya se habían empezado a curar, y le acarició el cuerpo delicadamente con sus manos temblorosas y enrojecidas. Le temblaban los labios, que estaban ligeramente húmedos, y sus ojos de un azul límpido se podían confundir con pedazos del profundo cielo azul del concejo de Gaomi del Noreste, que se filtraba por los huecos que dejaban las acacias en flor.

—Pequeña hermana —le dijo, tartamudeando—, mi amada compañera... mi pequeña paloma... mi mujer ideal, tus muslos brillan tanto como el jade más hermoso, esculpidos por un artista magistral, tu ombligo es como una copa perfectamente redonda y llena de un combinado embriagador... tu cintura es como un haz de trigo atado con una cinta de lilas... tus pechos son como dos cervatillos mellizos, como el fruto flexible de las palmeras. Tu nariz es fragante como una manzana, tu boca huele como el mejor de los licores. Mi amor, eres hermosa, eres una pura delicia. ¡Me haces feliz hasta el delirio!

Disfrutando de las palabras de aprobación y del amable aprecio del Pastor Malory, Madre se sentía ligera como una pluma de ganso flotando en los cielos azules de Gaomi del Noreste y en los ojos azules del Pastor Malory mientras el sutil aroma de los capullos rojos y blancos de las acacias pasaba sobre ella como si fuera una ola.

Capítulo 3

I

Después de que le pusieran una
inyección para detener la hemorragia, Madre empezó a volver
en sí lentamente. Yo fui lo primero que vio —más específicamente, lo
que vio fue un pequeño pene levantado como la crisálida de un gusano de seda entre mis piernas—, y la luz reemplazó a la falta de interés
de su mirada. Me cogió entre sus brazos y me besó, como una gallina
que picotea unos granos de arroz. Llorando ásperamente, busqué su
pezón y ella me lo puso en la boca. Empecé a mamar, pero en lugar
de encontrar leche, lo que saqué tenía el sabor de la sangre. Yo lloraba
con fuerza, y Octava Hermana —que había nacido justo antes que
yo— sollozaba de forma intermitente. Madre me acostó al lado de
mi hermana y, haciendo un esfuerzo, logró bajar del *kang*. Caminó,
a punto de perder el equilibrio, hasta la tina del agua, se agachó y se
bebió un cucharón lleno. Miró con apatía los cadáveres que habían
quedado en el patio. La burra adulta y su pequeña mula estaban en
pie, temblando junto a un lecho de cacahuetes. Mis hermanas mayores entraron en el patio, con un aspecto lamentable, y corrieron hacia
Madre llorando débilmente antes de desmoronarse en el suelo.

El humo blanco salía de nuestra chimenea por primera vez desde la catástrofe. Madre abrió la despensa de la abuela y sacó unos

huevos conservados en escabeche, dátiles, cristal de azúcar y un viejo pedazo de ginseng que llevaba años ahí metido. Lo echó todo al *wok* y, cuando el agua comenzó a hervir, los huevos se movieron velozmente, de un lado para otro. Finalmente, Madre llamó a todas las chicas e hizo que se sentaran alrededor de una gran fuente.

—Vamos, niñas —les dijo—, a comer.

Mis hermanas cogieron la comida caliente de la fuente y se pusieron a comer con ansiedad. Madre se tomó solamente el caldo, tres cuencos llenos, hasta que se lo acabó todo. Se quedaron en silencio durante un rato, y después se abrazaron y se pusieron a llorar. Madre las dejó llorar hasta que quedaron agotadas antes de anunciarles:

—Niñas, tenéis un hermanito y una hermanita más.

Madre me amamantó. Su leche sabía a dátiles, a cristal de azúcar y huevos en escabeche; era un líquido magnífico. Abrí los ojos. Mis hermanas me estaban mirando, muy excitadas. Les devolví la mirada con los ojos nublados. Después de vaciar los pechos de Madre, rodeado por los gritos de mi hermanita, cerré los ojos. Entonces oí que Madre cogía a Hermana Octava y suspiraba: «Tú no me hacías ninguna falta».

Al día siguiente, temprano, el sonido de un gong rompió el silencio de la zona. Sima Ting, el administrador de la Casa Solariega de la Felicidad, gritó ásperamente:

—Conciudadanos, sacad a vuestros muertos, llevadlos a todos fuera.

Madre se quedó de pie en el patio, cogiéndonos a mí y a Hermana Octava en sus brazos y llorando en voz alta. En sus mejillas no había ni una lágrima. La rodeaban sus hijas; algunas estaban llorando y otras no, pero tampoco había lágrimas en ninguna de sus mejillas.

Sima Ting entró en el patio con su gong de bronce. Parecía una calabaza seca. Era un hombre de una edad incalculable con la cara llena de profundas arrugas. Tenía una nariz semejante a una fresa y unos ojos negros y profundos que no dejaban de girar en sus cuencas; eran los ojos de un niño pequeño. Los hombros, caídos por el paso de los años, le daban el aspecto de una vela agitándose en el viento, pero sus manos eran hermosas y bien redondeadas, con hoyuelos en las palmas. Se acercó andando hasta donde estaba Madre e hizo sonar el gong con toda su fuerza. Un sonido mineral emergió del instrumento: *clong-ua-ua-ua-ua*. Madre dejó de sollozar, estiró el cuello y contuvo el aliento durante al menos un minuto.

—¡Qué tragedia! —dijo Sima Ting con un suspiro exagerado.

Tenía una tristeza desesperada escrita en los labios, en las comisuras de la boca, en las mejillas e incluso en los lóbulos de las orejas. Y sin embargo, y a pesar de la evidente sensación de justificada indignación, había un deje de burla escondida en el espacio que hay entre la nariz y los ojos, una mirada de furtiva satisfacción. Anduvo hasta el cuerpo rígido de Shangguan Fulu y se quedó sin moverse, a su lado, durante un momento. Después se acercó al cuerpo decapitado de Shangguan Shouxi, y se agachó junto a su cabeza para mirarle los ojos muertos, como si quisiera establecer un contacto emocional. De las comisuras de los labios le caían unas gotas de saliva. En contraste con la expresión de paz de la cara de Shangguan Shouxi, Sima parecía un tanto estúpido y salvaje. «Vosotros, la gente, no me habéis hecho caso, ¿por qué no me habéis hecho caso?», les recriminaba a los muertos en voz baja, hablando para sí. Volvió donde estaba Madre.

—Esposa de Shouxi, voy a ir a buscar a alguien para que se los lleve. Con este tiempo... bueno, ya sabes.

Tenía un aspecto celestial, y Madre también. El cielo estaba de un color gris plomizo y opresivo, y hacia el Este, el amanecer, de un rojo sangre, estaba siendo derrotado por unas oscuras nubes. Nuestros leones de piedra estaban húmedos.

—La lluvia, viene la lluvia. Si no nos los llevamos, cuando se ponga a llover y después salga el sol, ya puedes imaginarte lo que les pasará.

Madre nos cogió a mi hermana y a mí entre sus brazos y se arrodilló enfrente de Sima Ting.

—Administrador —le dijo—, soy una viuda con un montón de niños huérfanos, así que a partir de ahora tendremos que depender de ti. Niñas, venid a hacerle una reverencia a vuestro tío.

143

Todas mis hermanas mayores se arrodillaron frente a Sima Ting, que hizo restallar el gong —*bong bong*— con todas sus fuerzas.

—¡Que les den a sus ancestros! —maldijo, mientras las lágrimas le surcaban la cara—. Todo esto es culpa de ese bastardo de Sha Yueliang. La emboscada que preparó hizo enfurecer a los japoneses, que se lanzaron como locos a asesinarnos a nosotros, la gente del pueblo. Levantaos, niñas, levantaos todas y dejad de llorar. La vuestra no es la única familia que está sufriendo. Por mi habitual mala suerte, el jefe del condado me ha dejado a cargo de este pueblo. Ha huido para salvar la vida, pero yo sigo aquí. ¡Qué le den a sus ancestros! A ver, vosotros, Gou San, Yao Si, dejad de perder el tiempo. ¿Estáis esperando a que os mande un palanquín para que vaya a buscaros?

Gou San y Yao Si entraron corriendo en el patio, doblados por la cintura y seguidos por algunos de los holgazanes del pueblo. Eran los chicos de los recados de Sima Ting, su guardia de honor, sus seguidores, su prestigio y su autoridad, los medios que él empleaba para cumplir con su deber. Yao Si tenía un cuaderno de notas, con una cubierta de papel de estraza, bajo el brazo, y un lápiz apoyado detrás de la oreja. Gou San se agachó a darle la vuelta a Shangguan Fulu, para que pudiera mirar hacia arriba, a las nubes rojas de la mañana. Entonces recitó: «Shangguan Fulu, con la cabeza aplastada, era el cabeza de familia». Yao Si se humedeció un dedo, abrió el cuaderno de registro de hogares y fue pasando páginas hasta que encontró la que correspondía a la familia Shangguan. Entonces cogió el lápiz que tenía detrás de la oreja, se arrodilló sobre una sola pierna y apoyó el cuaderno en la otra. Tras tocar la punta del lápiz con la lengua, escribió el nombre de Shangguan Fulu.

—Shangguan Shouxi —la voz de Gou San, de repente, ya no sonaba tan decidida— con la cabeza separada del cuerpo.

Un lamento se abrió paso desde la garganta de Madre. Sima Ting se volvió hacia Yao Si:

—Vamos, anótalo, ¿me has oído?

Yao Si dibujó un círculo alrededor del nombre de Shangguan Shouxi pero no escribió la causa de su muerte. Sima Ting levantó el mazo que tenía en la mano y golpeó a Yao Si en la cabeza.

—¡Por tu madre! ¿Cómo te atreves a meterte por atajos con los muertos? ¿Te crees que puedes aprovecharte de que no sé leer? ¿Es eso?

Con una mirada de cansancio y dolor, Yao Si le suplicó:

—No me pegue, anciano maestro. Lo tengo todo aquí. —Se señaló la cabeza—. No se me va a olvidar nada, ni en mil años.

Sima Ting lo miró fijamente.

—¿Y por qué se te ocurre que vas a vivir tanto? Mil años, ni que hubieras nacido de una tortuga.

—Anciano maestro, no era más que una figura retórica. No nos vamos a pelear por esto.

—¿Y quién se está peleando? —dijo Sima Ting, y volvió a darle con el mazo en la cabeza.

—Shangguan —dijo Gou San, que estaba enfrente de Shangguan Lü, girándose hacia Madre para preguntarle—: ¿Cuál era el nombre de soltera de tu suegra?

Madre sacudió la cabeza. Yao Si dio unos golpecitos en el cuaderno con la punta de su lápiz y dijo:

—Se llamaba Lü.

—Shangguan, nacida Lü —gritó Gou San, agachándose para mirar al cadáver—. Qué cosa tan rara, no tiene ninguna herida —murmuró, girando la cabeza de Shangguan Lü de un lado para el otro. Entonces, un suave quejido surgió de entre los labios de ella, haciendo que Gou San se enderezara de golpe y empezara a retroceder, sin poder salir de su asombro y tartamudeando—: Ha vuelto... ha vuelto a la vida.

Shangguan Lü abrió lentamente los ojos, como un bebé recién nacido, tratando de ver pero sin ser capaz de enfocar bien. Madre dio un grito: «¡Ma!». Nos dejó a mí y a mi hermana al cuidado de dos de las chicas mayores y salió corriendo hacia donde estaba su suegra, deteniéndose abruptamente cuando se dio cuenta de que los ojos de la anciana se habían posado sobre mí, que estaba en los brazos de Primera Hermana.

—Atención, todos —dijo Sima Ting—, la anciana ha regresado brevemente de la muerte para ver al bebé. ¿Es un niño?

La mirada de Shangguan Lü me hizo sentirme incómodo y me puse a llorar.

—Dejadla que vea a su nieto —dijo Sima Ting—, para que pueda irse en paz.

Madre me cogió de los brazos de Primera Hermana, se hincó de rodillas y me sostuvo muy cerca de la anciana.

—Ma —le dijo, con lágrimas en los ojos—, no tenía otra opción... Una luz brilló en la mirada de Shangguan Lü cuando se fijó en lo que había entre mis piernas. Algo sonó en su abdomen, y después siguió un olor rancio.

—Ya está —dijo Sima Ting—, esta vez sí que se ha ido.

Madre se levantó, conmigo en brazos y, enfrente de un montón de hombres, se abrió la blusa y me metió uno de sus pezones en la boca. Con la cara protegida contra sus pesados pechos, dejé de llorar. Sima Ting anunció:

—Shangguan, nacida Lü, esposa de Shangguan Fulu, madre de Shangguan Shouxi, ha muerto; se le ha roto el corazón por las muertes de su marido y su hijo. Muy bien, ¡lleváosla!

Los encargados de retirar los cadáveres se acercaron a Shangguan Lü con unos ganchos de metal, pero antes de que pudieran colocárselos debajo, ella se incorporó lentamente, como una viejísima tortuga. El sol brillaba y su cara hinchada parecía un limón, o una tarta de Nochevieja. Con una mueca burlona en la cara, se sentó con la espalda apoyada contra el muro, como una montaña en miniatura.

—Cuñada mayor —le dijo Sima Ting—, estás fuertemente aferrada a la vida.

Cubriéndose la boca con toallas rociadas con licor de sorgo para protegerse del olor de los cuerpos en proceso de putrefacción, los seguidores del máximo responsable del pueblo llevaban a hombros una puerta de madera en la que todavía se podían detectar los restos de un pareado de año nuevo[2]. Después de dejar la puerta en el suelo, cuatro

---

[2] El día del año nuevo chino, se escriben pareados celebratorios sobre unos cartones rojos que se cuelgan a ambos lados de las puertas [*N. del T.*].

de los holgazanes del pueblo —que ahora habían sido designados oficialmente como encargados de retirar los cadáveres— cogieron con rapidez a Shangguan Fulu por los brazos y las piernas y lo depositaron sobre la puerta. Entonces, dos de ellos se llevaron la puerta fuera del patio. Uno de los rígidos brazos de Shangguan Fulu colgaba a uno de los lados de la puerta, y se balanceaba como un péndulo.

—Llevaros a esa anciana que está junto al portón —gritó uno de los holgazanes.

Dos hombres se acercaron a toda velocidad.

—Es la vieja Tía Sol. ¿Cómo puede ser que haya muerto ahí? —se preguntó en voz alta alguien que pasaba por el sendero—. Ponedla en el carro. —No dejaban de oírse comentarios.

Depositaron la puerta al lado de Shangguan Shouxi, que yacía en la misma posición en la que había muerto. Unas burbujas transparentes le salían de la boca y se alejaban flotando hacia el cielo hasta que explotaban, cuando Shouxi trataba de entrar dando gritos en el Paraíso, como si hubiera un cangrejo escondido en su interior. Los encargados de la recogida de cadáveres no estaban seguros de lo que debían hacer.

—Oh, diablos —dijo uno de ellos—, vamos allá.

Empezó a preparar su gancho de metal pero Madre lo detuvo de un grito:

—¡A él no le pongáis ganchos!

Me volvió a entregar a Shangguan Laidi y después, con un fuerte lamento, se lanzó sobre el cuerpo descabezado de su marido. Estiró el brazo para alcanzar la cabeza pero retiró la mano al contacto con la carne.

—¡Déjalo, cuñada! —le dijo uno de los holgazanes, con una voz amortiguada por la toalla que le cubría la boca—. Esa cabeza no se puede volver a unir al cuerpo. Vete a mirar lo que hay en el carro que está ahí afuera. Lo único que queda de algunos de esos cuerpos es una pierna, después de que los perros se encarguen de ellos. Podría estar mucho peor. Apartaos, niñas. Daos la vuelta y no miréis.

Abrazó a Madre y la llevó, medio empujándola, a un lado, junto a mis hermanas.

—¡Cerrad los ojos, todos! —nos advirtió una vez más.

Cuando Madre y mis hermanas abrieron los ojos de nuevo, ya se habían llevado todos los cuerpos del patio.

Salimos tras el carro, que iba lleno de cadáveres apilados y levantaba un montón de polvo a su paso. Tiraban de él tres caballos como los que mi hermana Laidi había visto esa otra mañana: uno era amarillo melocotón, otro rojo dátil y otro verde puerro. Pero ahora avanzaban con lentitud, sin energía, con las cabezas gachas y el color de sus pelajes apagado, opaco. El caballo que iba delante, el amarillo melocotón, cojeaba de una de las patas y tenía que hacer un esfuerzo terrible para dar cada paso. El conductor había dejado el látigo arrastrando por el suelo y la mano que tenía libre descansaba sobre la vara. Tenía el pelo negro por los lados pero completamente blanco por el centro, como un pájaro carbonero. Al menos una docena de perros, a ambos lados del camino, miraba con hambre los cadáveres que llevaba el carro. Una procesión de supervivientes iba detrás, siguiéndolo, casi ocultos entre el polvo. A su vez, nos seguía el nuevo responsable del pueblo, Sima Ting, y sus subordinados, con Gou San y Yao Si al frente. Algunos llevaban azadas sobre los hombros, otros los ganchos de metal. Un hombre cargaba con una pértiga de bambú con tiras de tela roja atadas al extremo. Sima Ting todavía llevaba su gong, y lo golpeaba cada cierto número de pasos. A cada tañido, los familiares de los fallecidos se lamentaban, pero no parecían dispuestos a llorar, y en cuanto se extinguía el sonido del gong abandonaban sus lamentos. En lugar de sufrir por los miembros muertos de sus familias, daba la sensación de que estaban llevando a cabo una tarea que les había encargado el nuevo alcalde.

Así seguimos nosotros detrás del carro de caballos, llorando de vez en cuando. Pasamos junto a la iglesia, con su campanario derruido, y junto al molino de harina donde Sima Ting y su hermano menor, Sima Ku, le habían puesto un arnés al viento hacía cinco años. Como una docena de raquíticos molinos de viento seguían de pie por encima del molino, temblando en el viento, y siempre parecía que estaban a punto de caerse. A la derecha, pasamos junto al emplazamiento de una empresa que había creado, veinte años atrás, un hombre de negocios japonés que se dedicaba a la producción de algodón americano. Después pasamos junto al escenario que había en la era de la familia Sima, donde Niu Tengxiao, el magistrado del condado de Gaomi, había promulgado que las mujeres se quitaran los vendajes de los pies. Finalmente, el carro giró a la izquierda, siguiendo el Río del Agua Negra, y se dirigió hacia un campo que se extendía hasta la región de los pantanos. Ráfagas de aire húmedo procedentes del Sur traían el hedor de la podredumbre. Los sapos que había en los charcos a los lados del camino y en las partes menos profundas del río croaban débilmente. Una multitud de gordos renacuajos modificaba el color del agua.

El carro aceleró cuando entró en el campo. El conductor, Viejo Carbonero, hizo restallar su látigo sobre el caballo que iba delante, sin importarle nada que cojeara de una pierna. El carro rebotaba salvajemente sobre el camino, lleno de baches, y los cadáveres desprendían una terrible pestilencia. Algo húmedo se filtraba hacia el suelo a través de las grietas de la base del carro. Para entonces, el llanto había desaparecido por completo y los familiares de los muertos se tapaban la boca y la nariz con las mangas. Sima Ting y sus seguidores pasaron a nuestro lado, rozándonos, y alcanzaron el carro; corrían doblados por la cintura y dejaron atrás el carro y el hedor. Una docena de perros enloquecidos llegaron desde ambos lados del camino, procedentes de los campos de trigo, desatando el infierno con sus terribles ladridos. Aparecían y desaparecían entre los tallos de trigo, como las focas cuando nadan contra las olas. Era un día perfecto para los cuervos y los halcones. Todos los cuervos de Gaomi del Noreste descendieron al depósito de agua del pueblo, como una nube negra que se cerniera sobre el carro de caballos. Rodearon toda la zona, y sus graznidos de excitación llenaban el aire mientras ellos dibujaban multitud de formas en su vuelo antes de caer en picado. Los cuervos más ancianos se lanzaban directamente sobre los ojos de los cadáveres, picoteándolos con sus picos duros y afilados. Los más jóvenes, que tenían menos experiencia, atacaban las calaveras, creando un estruendoso tamborileo. Viejo Carbonero los azotaba con el látigo, y con cada golpe acababa al menos con una de las aves, que se convertía en papilla bajo las ruedas del carro. Siete u ocho halcones dibujaron unos círculos en el cielo, a gran altura, un tanto obligados por las corrientes de aire que se oponían más abajo, donde estaban los cuervos. Estaban igualmente interesados por los cadáveres, pero se negaban a unir sus fuerzas a las de los cuervos; se sentían claramente superiores a ellos. El sol asomó desde detrás de una nube, arrojando sobre las florecientes plantas de trigo un brillo resplandeciente y obligando al viento a cambiar de dirección, lo cual generó una quietud momentánea que hizo que las olas de trigo se quedaran dormidas, o se murieran. Un enorme plato dorado, que parecía que se extendía hasta el horizonte, apareció debajo del sol. Las espigas de trigo maduro eran como minúsculas agujas doradas que hacían brillar al mundo. El carro de caballos se metió por un estrecho sendero que había en mitad del campo, obligando al conductor a emplear toda su pericia para pasar entre dos filas de tallos de trigo. Los caballos que iban delante, el de color amarillo melocotón y el verde puerro, no podían avanzar por el sendero uno al lado del otro, por lo que o el amarillo trotaba entre los tallos de trigo o sería el verde el que se viera forzado a atravesar la capa dorada. Como dos niños pequeños y caprichosos, se empujaban mutuamente y se hacían salir del sendero. El carro, por ese motivo, redujo su velocidad, cosa que hizo que los cuervos se pusieran frenéticos. Docenas de ellos se posaron sobre las cabezas de los cadáveres y empezaron a picotearlas, aleteando sin parar. Viejo Carbonero estaba demasiado ocupado como para preocuparse por los cuervos. Seguro que la cosecha de ese año iba a ser buena, ya que los tallos estaban bastante gruesos, los estambres muy llenos y los granos bien redondeados. Las espigas de trigo que cepillaban los vientres de los caballos y se frotaban contra el carro y contra sus ruedas producían un crujido que ponía la piel de gallina. Los perros asomaban la cabeza entre los tallos, con los ojos cerrados para protegerse de las espigas. Les resultaba muy fácil seguir al carro; sólo tenían que guiarse por el olfato.

La procesión en la que íbamos se hizo más delgada y más larga cuando entramos en el campo de trigo. Ya nadie lloraba, ni siquiera se oía un débil sollozo. Cada cierto tiempo, un niño se tropezaba y se caía, y alguien, casi siempre de su familia, le echaba una mano y lo ayudaba a ponerse de pie. En esta solemne unidad, los niños se negaban a llorar aunque fuera en voz baja. Reinaba el silencio, pero era un silencio tenso e incómodo. El carro, al pasar, y los perros enloquecidos asustaban a las perdices del campo, que salían aleteando por el aire antes de volver a instalarse en un mar de oro. Las serpientes del trigo, unas víboras rojas y venenosas que sólo viven en Gaomi del Noreste, reptaban entre el trigo como relámpagos, haciendo estremecerse a los caballos; los perros se arrastraban siguiendo los surcos a lo largo, sin atreverse a mirar hacia arriba. El sol se hallaba parcialmente escondido tras unas oscuras nubes, y la mitad que se veía lanzaba unos ardientes rayos de luz sobre la tierra. Las sombras de las nubes parecían sobrevolar el trigal, apagando momentáneamente las llamas doradas que consumían a los tallos cuando los iluminaba la luz. Cada vez que el viento cambiaba de dirección, millones de espigas obedecían a las corrientes; los granos de trigo, en voz muy baja, se iban contando las atemorizadoras noticias.

Al principio, unas cálidas ráfagas de viento del Noreste acariciaron las puntas de los tallos, y los estambres les dieron forma cuando pasaron a través de ellos, y abrieron unas diminutas y gorgoteantes corrientes que cruzaron el plácido mar de trigo. Después el viento ganó en intensidad, y se abrió paso con violencia entre los tallos. La bandera roja que portaba un hombre que iba al frente comenzó a agitarse, y rugieron las nubes que había en lo alto. Una serpiente dorada se retorcía en el cielo del Noreste, que estaba teñido de un rojo sangre. Un trueno llegó rodando hasta la tierra. Hubo otro instante de silencio, durante el cual los halcones que volaban en círculos en las alturas se dirigieron hacia el campo y desaparecieron entre los tallos de trigo. Los cuervos, por su parte, salieron en estampida en dirección al cielo, graznando con fuerza. La tormenta estalló y puso el trigo a moverse con fuerza; algunos de los tallos se balanceaban del Norte al Oeste y otros del Este al Sur. Las olas más largas y ondulantes empujaban y eran empujadas por otras, más cortas e irregulares, formando un remolino amarillo. Parecía como si el mar de trigo estuviera hirviendo en un inmenso caldero. Los cuervos se dispersaron. Cayeron unas gotas de lluvia pálidas y débiles, acompañadas por piedras de granizo del tamaño de huesos de albaricoque. El aire, de repente, estaba helado. Las piedras de granizo bombardeaban las espigas de trigo, la piel y las orejas de los caballos, los vientres descubiertos de los muertos y las cabezas desnudas de los vivos. De vez en cuando, un cuervo, con la cabeza rota por una piedra de granizo, caía muerto ante nosotros.

Madre me cogió con fuerza, protegiendo mi frágil cabeza escondiéndola en el cálido valle que se extendía entre sus grandes pechos. Había dejado a Octava Hermana, que era un ser humano superfluo desde el mismo momento de su nacimiento, en el *kang*, acompañando a Shangguan Lü, que había perdido la cabeza y se arrastraba por la habitación del lado occidental de la casa engullendo trozos de mierda de burro.

Mis hermanas se quitaron las camisas y se cubrieron la cabeza con ellas, todas menos Laidi, porque las pequeñas manzanas verdes que eran sus pechos de niña ya se le notaban bajo la camisa; ella se cubrió la cabeza con las manos, pero se empapó de todos modos. El viento le ceñía fuertemente la camisa al cuerpo.

Al fin, nuestra agotadora caminata nos condujo al cementerio público, que consistía en diez acres de terreno abierto rodeado de campos de trigo. Sobre muchos de los montones de tierra que cubrían las tumbas había unos carteles de madera en estado de descomposición.

El aguacero pasó y las nubes se alejaron, en diversas direcciones, hasta perderse de vista, cediendo su lugar a un impresionante cielo azul y a una luz cegadora. De las piedras de granizo, que se estaban derritiendo, subían pequeñas columnas de vapor. Algunos de los tallos de trigo que habían sido dañados se irguieron; otros nunca volverían a hacerlo. Las ráfagas de viento helado, abruptamente, se volvieron cálidas, y calentaron los maduros granos de trigo, que ya estaban adquiriendo un color amarillo brillante.

Mientras nos amontonábamos al borde del cementerio, vimos cómo nuestro alcalde, Sima Ting, recorría la zona, haciendo saltar con cada uno de sus pasos a varias langostas, cuyas alas externas, de un verde suave, al agitarse dejaban ver las de debajo, que eran de color rosa. Se detuvo frente a un arbusto de crisantemo salvaje, que estaba cubierto de pequeños capullos amarillos. Dando una patada en el suelo, gritó:

—Aquí, aquí es donde quiero que empecéis a cavar.

Siete hombres morenos que llevaban espadas sobre los hombros avanzaron lánguidamente, mirando hacia adelante y hacia atrás, como si quisieran memorizar todos los rostros que había alrededor. Finalmente, se giraron para mirar a Sima Ting.

—¿Qué estáis mirando? —gritó Sima—. ¡Cavad!

Entonces, tiró su gong y su mazo. El gong aterrizó en un matojo de hierbas con los estambres blancos, donde se escondía un lagarto que se dio un buen susto; el mazo, por su parte, aterrizó sobre unas dalias. Cogió una de las espadas, clavó la punta en el suelo y empujó con un pie, llevándola un poco hacia uno de los lados a medida que iba penetrando en la tierra. Haciendo un gran esfuerzo, levantó la espada cargada con tierra y hierba y dio un giro de noventa grados, sujetando la espada frente a sí. Entonces dio otro giro de ciento ochenta grados y, con un fuerte gruñido, lanzó volando el trozo de tierra, que se agitó en el aire como un gallo muerto y aterrizó sobre unos dientes de león. Devolviéndole la espada a su propietario, dijo, un tanto falto de aliento:

—Ahora cavad. Estoy seguro de que ya podéis oler esta peste.

Los hombres comenzaron a cavar, lanzando la tierra por el aire. Poco a poco, fue tomando forma una zanja, cada vez más profunda.

Para entonces ya era mediodía. El sol hacía que la tierra se volviera de un blanco resplandeciente. El hedor que emanaba del carro era cada vez más fuerte, e incluso aunque estábamos a favor del viento, un olor que revolvía las entrañas nos seguía. Entonces volvieron los cuervos. Sus alas brillaban con un color entre el azul y el negro. Sima Ting recuperó su gong y su mazo y, desafiando valientemente al hedor, subió al carro. «Bastardos alados, a ver si alguno de vosotros tiene agallas para venir aquí. ¡Os voy a descuartizar!». Golpeó el gong y empezó a dar saltos, gritando maldiciones al aire. Los cuervos volaban en círculos a unos quince metros por encima del carro, y sus graznidos caían hacia la tierra junto a sus deposiciones y a algunas plumas viejas. El Viejo Carbonero cogió el palo de la bandera roja y lo agitó hacia donde estaban los cuervos, que se dividieron en grupos y se lanzaron en picado emitiendo unos agudos chillidos y empezaron a girar alrededor de las cabezas de Sima Ting y del Viejo Carbonero; tenían unos ojos diminutos y ovalados, unas poderosas y rígidas alas y unas garras repulsivamente sucias. Los hombres les plantaron cara e intentaron ahuyentarlos, pero las aves no se rendían y sus picos siempre daban en el blanco. Entonces, los hombres emplearon el gong y el mazo y el palo de la bandera como armas, haciendo que se incrementaran los ruidos de la batalla. Los cuervos heridos cerraban las alas y caían pesadamente sobre el césped de terciopelo, entre las flores blancas, y después se desplazaban cojeantes hasta el campo, arrastrando las alas tras ellos. Los perros enloquecidos que se escondían entre los tallos les caían encima como un tiro, y los despedazaban en un abrir y cerrar de ojos. En un instante, sobre el suelo habían quedado los restos, unas plumas pegajosas, y los perros se retiraban hasta el comienzo del campo y se echaban al suelo indolentemente, jadeando con fuerza, con sus lenguas de color escarlata colgando a un lado de la boca. Algunos de los cuervos que no habían sufrido heridas continuaban su ataque a Sima Ting y el Viejo Carbonero, pero el grueso de su ejército atacaba al carro de una manera ruidosa, excitada, repulsiva; sus cuellos eran como resortes, sus picos como leznas, y celebraban un banquete de deliciosa carroña humana, un banquete diabólico. Sima Ting y el Viejo Carbonero cayeron al suelo, exhaustos, con ríos de sudor embarrando sus rostros polvorientos.

La zanja, para entonces, tenía una profundidad tal que cubría hasta los hombros, por lo que lo único que podíamos ver, de vez en cuando, era la parte superior de la cabeza de alguno de los que estaban cavando dentro y los pedazos de barro, blanco y húmedo, que lanzaban hacia afuera. El aire estaba cargado con el fresco olor de la tierra.

Uno de esos hombres salió de la zanja y se acercó a Sima Ting.

—Alcalde —le dijo—, hemos encontrado agua.

Sima lo miró con los ojos petrificados y levantó lentamente el brazo.

—Ven a mirar —le dijo el hombre.

—Ya es suficientemente profunda.

Sima le mostró un dedo doblado al hombre, que se quedó muy sorprendido por esa señal.

—¡Idiota! —gruñó Sima—. Ayúdame a levantarme.

El hombre se agachó y ayudó a Sima a ponerse en pie. Quejándose, Sima se golpeó la cintura con los puños y, con la ayuda del otro hombre, se acercó al borde de la zanja.

—Maldita sea —juró Sima Ting—. Salid de ahí, bastardos. Seguiríais cavando hasta llegar al infierno y no os daríais cuenta. —Los hombres salieron de la zanja y sintieron el golpe del hedor que procedía de los muertos. Sima le dio un golpe al carretero—. Ponte en pie —ordenó—, y trae ese carro aquí. —El carretero no se movió—. Gou San, Yao Si —tronó Sima—, meted a ese hijo de perra en la zanja el primero.

Gou San, que estaba de pie junto a los demás hombres, dio un gruñido como respuesta.

—¿Dónde está Yao Si? —preguntó Sima.

—Ese culo inquieto gilipollas ya se ha escabullido —dijo Gou San, enfadado.

—Aplástale el cuenco de arroz a ese bastardo cuando volvamos —le dijo Sima, dándole otro golpe al carretero—. Vamos a ver si éste está muerto.

El carretero se puso de pie, con una expresión de resignación en el rostro, y le echó una mirada temerosa a su carro, que estaba donde empezaba el cementerio. Algunos cuervos se apiñaban en el fondo de la zanja, dando saltitos arriba y abajo y emitiendo unos fuertes y penetrantes graznidos. Los caballos se habían echado en el suelo y tenían los hocicos enterrados en la hierba; unos cuervos se les habían instalado en la grupa. El resto de los cuervos estaban sobre el césped, dándose un banquete. Dos de ellos se disputaban un enorme trozo, uno se echaba atrás, el otro tenía que avanzar un poco y obligaba al primero a seguir retrocediendo. En algunos momentos los dos se quedaban quietos, clavados sobre sus garras, y agitaban las alas frenéticamente, y estiraban la cabeza, con las plumas del cuello erizadas, mostrando la piel violácea de debajo, y entonces sus cuellos parecían a punto de separarse del resto del cuerpo. Un perro surgió de la nada y se apoderó del pedazo de entrañas, arrastrando a los dos pájaros por el césped.

—Libérame, alcalde —imploró el carretero cayendo de rodillas enfrente de Sima Ting, que cogió un trozo de tierra y se lo lanzó a los cuervos.

Éstos apenas se dieron cuenta. Después, se dirigió a las familias de los fallecidos y murmuró:

—Eso es todo, ya está. Podéis iros a casa.

Madre fue la primera de la multitud alucinada que se hincó de rodillas, seguida por los demás, y un aullido lastimero brotó de su garganta.

—Sabio Sima, ponlos a descansar —le suplicó Madre.

El resto de la multitud también se lo suplicó. «Por favor, por favor, ponlos a descansar. Padre, Madre, nuestros hijos...».

De la cabeza agachada de Sima brotaba un sudor que le corría cuello abajo. Con un gesto de exasperación, volvió caminando al lugar en el que se encontraban sus hombres y les dijo suavemente:

—Hermanos, he tolerado vuestras estrategias de matones, vuestros robos, vuestras peleas, vuestra forma de aprovecharos de las viudas, vuestros saqueos de las tumbas, y muchos otros pecados contra el Cielo y la Tierra. Uno entrena soldados durante mil días para una única batalla. Y ahora, hoy, tenemos un trabajo por hacer, aunque los cuervos nos arranquen los ojos y nos picoteen el cerebro. Yo, el alcalde, voy a ser el primero, y me follaré a dieciocho generaciones de mujeres de la familia de cualquiera que intente escaquearse. Cuando hayamos terminado, os llevaré de vuelta y os emborracharé a todos. Ahora, ¡ponte en pie! —le dijo al carretero, tirándole de la oreja—. ¡Y trae aquí ese carro! Hombres, coged vuestras armas. ¡Comienza la batalla!

En ese momento, tres jovenzuelos de piel oscura surgieron entre las olas de trigo. Eran los nietos mudos de la Tía Sol. Todos llevaban los mismos pantalones cortos de colores, y nada más. El más alto de los tres blandía una espada que giraba por el aire, haciendo un sonido sibilante. El segundo llevaba una daga con un mango de madera, y el tercero cerraba la comitiva arrastrando por el suelo una espada de larga empuñadura. Con los ojos como platos, gruñeron e hicieron una serie de gestos que describían su angustia. A Sima Ting se le iluminaron los ojos cuando les dio unas palmaditas en la cabeza.

—Jovenzuelos —les dijo—, vuestra abuela y vuestros hermanos están ahí, en el carro. Vamos a enterrarlos. Esos malditos cuervos han ido demasiado lejos. Son los japoneses, así que luchemos contra ellos. ¿Entendéis lo que os digo?

Yao Si, que había reaparecido de algún lugar, les hizo unos signos a los chicos. Lágrimas y llamaradas de rabia brotaron de los ojos de los mudos, que cargaron contra los cuervos con sus cuchillos y espadas brillando en el aire.

—Y tú, diablo escurridizo, ¿dónde te habías metido? —le preguntó Sima a Yao Si, cogiéndolo por los hombros y sacudiéndolo con violencia.

—Fui a buscar a esos tres.

Los mudos subieron de un salto a la parte trasera del carro, y llenaron de sangre con mucha rapidez sus brillantes cuchillos y espadas, enviando a unos cuantos cuervos desmembrados contra el suelo. «¡Cargad!», gritó Sima Ting. Los hombres se amontonaron sobre el carro para luchar contra los cuervos. Las maldiciones, los sonidos del combate, los chillidos de los cuervos y el agitar de sus alas creaban un conjunto de ruidos que convergía con los fétidos olores, a muerte, a sudor, a sangre, a barro, a trigo y a flores silvestres.

Los cuerpos destrozados fueron echados de cualquier manera en la zanja. El Pastor Malory se quedó de pie sobre el montón de tierra removida, junto a la zanja, y se puso a recitar: «Señor, acoge las almas de estas víctimas desgraciadas...». Las lágrimas brotaron de sus ojos azules y bajaron atravesando las cicatrices moradas, resultado del látigo; desde ahí fueron goteando sobre su túnica negra, que estaba abierta, y sobre el crucifijo de bronce que descansaba en su pecho.

Sima Ting lo apartó del borde de la zanja.

—Malory —le dijo—, vete hacia allá y relájate un poco. No te olvides de que has escapado por muy poco de las garras de la muerte.

Mientras los hombres echaban tierra al interior de la zanja, el Pastor Malory producía una larga sombra bajo el sol poniente. Madre se quedó ahí, mirándolo y sintiendo cómo su corazón se aceleraba bajo su pesado pecho izquierdo. Para el momento en que los rayos del sol habían adquirido un color rojizo, en el centro del cementerio se había erigido una inmensa protuberancia de tierra que señalaba el lugar bajo el que estaba la tumba. Sima Ting se arrodilló y tocó el suelo con la frente en ese lugar, y lo mismo hicieron los demás supervivientes, soltando unos lamentos obligatorios pero débiles. Madre instó a los familiares de las víctimas a que también se prosternaran ante Sima Ting y sus ayudantes en señal de gratitud.

—Eso no hace ninguna falta —dijo Sima.

Los miembros del equipo funerario se encaminaron hacia el poniente para regresar a casa. Madre y mis hermanas estaban bastante al final de la multitud, que se estiraba durante cerca de quinientos metros. El Pastor Malory cerraba el grupo, avanzando con piernas temblorosas. Unas gruesas sombras humanas se proyectaban sobre los campos de trigo. Bajo los rayos de color rojo sangre del sol, la aparentemente infinita expansión del silencio se quebraba con el ruido de los pasos, el silbido que producía el viento al pasar entre los tallos de trigo, el áspero sonido de mi llanto y el primer ulular melancólico de un gordo búho que se despertaba de su sueño diurno en su refugio, sobre una morera, en el cementerio. Tuvo un efecto terrible: a todos los que lo oyeron se les paró el corazón. Madre se detuvo para mirar atrás, al cementerio, donde una niebla violeta se elevaba desde el suelo. El Pastor Malory se agachó para coger en brazos a mi séptima hermana, Qiudi.

—Pobrecilla —le dijo.

Sus palabras se quedaron resonando en el aire mientras un millón de insectos lo rodeaba, zumbando.

II

Fue la mañana del Festival del Medio Otoño, unos cien días después de que naciéramos mi hermana y yo, cuando Madre nos llevó a ver al Pastor Malory. La puerta de la iglesia que daba a la calle estaba cerrada a cal y canto y estropeada con unos blasfemos *graffiti* de contenido antirreligioso. Cogimos el camino que llevaba a la parte de atrás de la iglesia y allí oímos el eco de los golpes que dimos en la puerta, que reverberaron en el bosque. La cabra, desnutrida, estaba atada a una estaca que había junto a la puerta. Tenía una cara tan larga que se parecía más a un burro o a un camello o a una anciana que a una cabra. Levantó la cabeza para echarle una mirada llena de melancolía a Madre, que le dio un toquecito en la barbilla con la punta del zapato. Tras una larga queja, volvió a bajar la cabeza y siguió pastando. Un ruido estruendoso llegó acompañando al sonido de las toses del Pastor Malory. Madre llamó al timbre.

—¿Quién es? —preguntó el Pastor Malory.

—Yo —contestó Madre con suavidad.

La chirriante puerta se abrió lo suficiente para que Madre pudiera deslizarse hacia dentro llevándonos a nosotros en brazos. El Pastor Malory cerró la puerta tras ella, y después se volvió hacia nosotros y nos abrazó con sus largos brazos.

—Mis adorables pequeños, sangre de mi sangre...

Sha Yueliang y su recientemente formada banda de hombres, la Banda de Mosqueteros del Burro Negro, subieron, rebosantes de ánimo, el camino que nosotros acabábamos de recorrer en nuestra procesión funeraria, y se dirigieron hacia la aldea. En uno de los lados del sendero, el sorgo crecía muy alto entre el trigo. Al otro lado, las cañas se extendían hasta el borde del Río del Agua Negra. El verano, muy soleado y con abundantes lluvias dulces, había resultado ser muy fructífero para todo tipo de plantas. Las hojas eran gordas y los tallos gruesos, incluso desde antes de que hubiera sedas arriba de las altas cabezas de los sorgos. Las cañas que crecían en el río eran exuberantes y negras, y sus tallos y sus hojas estaban cubiertos por un fino vello blanco. A pesar de que ya estábamos a la mitad del otoño, no había ninguna sensación otoñal en el ambiente. Y sin embargo el cielo tenía el profundo color azul del otoño, y el sol era otoñalmente hermoso.

Sha Yueliang lideraba una banda de veintiocho hombres. Todos ellos montaban unos burros negros idénticos, procedentes de la zona sur del país, del montañoso Condado de Wulian. Sus cuerpos eran gruesos y musculosos y sus piernas cortas, por lo que los caballos siempre los superaban en velocidad, pero tenían una fuerza asombrosa y eran capaces de recorrer distancias muy largas. Sha había elegido estos veintiocho burros de entre más de ochocientos. Jóvenes, negros y llenos de energía, no estaban castrados y habían recibido la bendición de tener unas voces fuertes y estridentes. Así eran sus monturas. Los veintiocho animales formaron una línea negra que parecía un arroyo en movimiento. Una niebla blanca y lechosa flotaba por encima del sendero, y los rayos de sol se reflejaban en el lomo de los burros. Cuando divisó la castigada torre del reloj y de vigilancia, Sha tiró de las riendas de su burro, que avanzaba en primer lugar. Los que iban detrás siguieron avanzando testarudamente. Se dio la vuelta y, mirando a sus hombres a la cara, les ordenó que desmontaran y que se lavaran y limpiaran a sus burros. Una expresión sobria y seria adornó su rostro oscuro y huesudo y les echó una reprimenda a sus hombres, que estaban holgazaneando por los alrededores tras haberse bajado de sus monturas. Él consideraba que lavarse y limpiar a los animales eran actividades gloriosas y muy elevadas. Les dijo a sus hombres que habían surgido un montón de guerrillas antijaponeses, por todas partes, como hongos, pero que la Banda de Mosqueteros del Burro Negro iba a ser la más importante de todas debido a su estilo único, y que se convertiría en la única fuerza de ocupación del Concejo de Gaomi del Noreste. Para impresionar a los aldeanos, debían tener un cuidado especial con lo que hacían y con lo que decían. Bajo los efectos de su arenga, la moral de la banda subió; tras quitarse las camisas y tenderlas en el suelo, se metieron en el río, en la zona menos profunda, y se pusieron a lavarse, salpicando agua en todas las direcciones. Sus cabezas recientemente afeitadas resplandecían bajo la luz del sol. Sha Yueliang sacó una pastilla de jabón de su mochila y la cortó en tiras; después repartió estas tiras entre sus hombres, diciéndoles que no se dejaran ni una mota de polvo en el cuerpo. Se metió en el río para unirse a ellos y se agachó hasta que su hombro herido casi tocó el agua, de manera que llegaba a frotarse el cuello, que estaba bien sucio. Mientras los jinetes se lavaban, los burros pastaban entre las abundantes hojas de las cañas acuáticas o mascaban los tallos de sorgo o se mordisqueaban las nalgas unos a otros. Algunos, simplemente se quedaban de pie, enfrascados en profundos pensamientos, o extraían los tallos más carnosos de sus vainas y se los restregaban contra el vientre. Mientras los burros se dedicaban a hacer lo que les apeteciera más, Madre lograba liberarse del abrazo del Pastor Malory, diciéndole:

—¡Estás aplastando a los bebés, burro tontorrón!

El Pastor Malory sonrió disculpándose, dejando ver dos bonitas filas de dientes blancos; acercó a nosotros una de sus grandes manos rojizas, se detuvo un segundo, y entonces acercó la otra. Cogiéndole uno de los dedos, comencé a gorjear, pero Octava Hermana siguió durmiendo como un tronco, sin llorar ni chillar ni hacer ningún ruido. Había nacido ciega. Levantándome con un brazo, Madre dijo: «Míralo, se está riendo». Después me depositó sobre esas manos grandes y sudorosas que me estaban esperando. El Pastor Malory bajó la cabeza y la colocó junto a la mía, tan cerca que yo veía cada uno de los mechones pelirrojos de su cabeza, los pelos marrones de la barba que tenía en la barbilla, su nariz aguileña y el brillo de benevolencia de sus ojos. De repente, sentí unos dolores agudos que me recorrían la espalda de arriba a abajo. Sacándome el pulgar de la boca, solté un aullido y las lágrimas me empezaron a brotar a borbotones; el dolor parecía penetrarme hasta los huesos. Sentí que apoyaba sus labios barbudos sobre mi frente —parecía que le temblaban— y olí una poderosa vaharada de su aliento a leche de cabra y cebollas.

Me devolvió a los brazos de Madre.

—Lo he asustado —dijo avergonzado.

Madre le pasó a Octava Hermana después de cogerme a mí. Me dio unas palmaditas y me acunó entre sus brazos.

—No grites —me susurró—. ¿Sabes quién es ése? ¿Le tienes miedo? No le tengas miedo, es un hombre bueno, es tu... tu padrino.

Mis dolores de espalda continuaban y mi llanto se volvió más áspero, así que Madre se abrió la blusa y me metió uno de sus pezones en la boca. Lo atrapé como un hombre que se está ahogando atrapa un madero, y succioné con desesperación. Su leche tenía un cierto sabor a hierba, que sentía cuando me bajaba por la garganta. Pero los terribles dolores que tenía en la espalda me obligaron a soltar su pecho para llorar un poco más. Cerrando los puños ansiosamente, el Pastor Malory fue corriendo hasta la base del muro, de donde arrancó unas plantas y empezó a agitarlas de un lado a otro frente a mí para que dejara de llorar. No funcionó, por lo que volvió a toda prisa y arrancó un girasol grande como la luna y rodeado de unos pétalos dorados, y me lo trajo y lo sacudió en el aire para que yo lo viera. A mí me atraía el aroma de la flor. Mientras el Pastor Malory iba y volvía corriendo con frenesí, Octava Hermana dormía plácidamente entre sus brazos.

—Mira eso, cariño —me dijo Madre—. Tu padrino te ha traído la luna del cielo.

Yo estiré los brazos para coger la luna, pero los penetrantes dolores que sentía me detuvieron.

—¿Qué le pasa? —preguntó Madre, con los labios pálidos y la cara bañada en sudor.

El Pastor Malory le contestó:

—Quizá tenga alguna molestia.

Con la ayuda del Pastor Malory, Madre me quitó el traje rojo que me había hecho para celebrar el centésimo día de mi llegada a este mundo y descubrió un alfiler que se había quedado atrapado en uno de los dobladillos. Me había hecho docenas de heridas en la espalda, que estaba cubierta de puntitos sanguinolentos. Madre lanzó el alfiler por encima del muro.

—Mi pobre bebé —dijo entre lágrimas—, ¡es todo culpa mía! ¡Culpa mía!

Se golpeó su propia cara con dureza. Y después volvió a hacerlo una segunda vez. Fueron dos golpes secos. Entonces el Pastor Malory le cogió la mano, y después la rodeó y nos abrazó a los dos, dándole a Madre besos en las mejillas, las orejas y el pelo con sus labios húmedos.

—No es culpa tuya —le dijo—. La culpa es mía. Échame la culpa a mí.

Su ternura tuvo un efecto calmante en Madre, que se sentó en el camino, ante la puerta de la casa, y volvió a meterme uno de sus pezones en la boca. Su dulce leche me humedeció la garganta mientras el dolor que sentía en la espalda iba desapareciendo gradualmente. Tenía los labios rodeando el pezón y las manos sobre un pecho, y con un pie le protegía el otro, haciendo un movimiento como si le estuviera dando un masaje. Madre apartó ese pie, pero en cuanto lo soltó, volvió a su posición anterior.

—Yo revisé la ropa cuando se la puse —dijo con incertidumbre—. ¿De dónde habrá salido ese alfiler? ¡Seguro que ha sido la vieja bruja la que lo ha puesto ahí! ¡Odia a todas las mujeres de esta familia!

—¿Lo sabe? Lo nuestro, quiero decir —preguntó el Pastor Malory.

—Se lo he dicho —le contestó Madre—. No dejaba de presionarme y ya no podía soportar más sus abusos. Es una bruja vieja y terrible.

El Pastor Malory entregó a Octava Hermana de vuelta a Madre.

—Aliméntala —le dijo—. Los dos son regalos de Dios, y ninguno debería ser tu favorito.

La cara de Madre se sonrojó mientras cogió al bebé que él le daba. Pero cuando intentó darle el pezón, le di un golpe en el estómago a mi hermana, que empezó a chillar.

—¿Has visto eso? —preguntó Madre—. ¡Qué pequeño tirano! Vete a buscar un poco de leche de cabra para dársela a la niña.

El Pastor Malory le dio de comer a Octava Hermana y después la acostó en el *kang*. Ella no gritó ni lloró. Después, él se puso a estudiar la pelusilla rizada que yo tenía en la cabeza. Madre se dio cuenta de que me miraba extrañado.

—¿Qué estás mirando? ¿Es que te parecemos desconocidos?

—No —dijo él, sacudiendo la cabeza y con una sonrisa tonta en el rostro—. Ese pequeño desgraciado chupa como un lobo.

—Como alguien que yo sé —contestó Madre, juguetonamente.

Él sonrió de una manera aún más tonta.

—No te referirás a mí, ¿verdad? ¿Qué clase de niño era yo?

Se le nublaron los ojos al acordarse de su juventud, que había transcurrido en un lugar que estaba a miles de kilómetros de allí. Dos lágrimas cayeron de sus ojos.

—¿Qué te pasa? —le preguntó Madre.

Él soltó una risa seca, intentando ocultar que estaba avergonzado, mientras se secaba los ojos con sus dedos gruesos y nudosos.

—No es nada —dijo—. Llevo en China... ¿cuánto tiempo hace ya?

En la voz de Madre sonó un matiz de disgusto:

—No puedo acordarme de una época en la que no estuvieras. Eres de aquí, exactamente igual que yo.

—No —dijo él—. Tengo mis raíces en otro país. Me envió el arzobispo en calidad de mensajero de Dios; hubo un tiempo en el que tenía un documento que lo acreditaba.

Madre rió.

—Pero viejo —le dijo—, mi tío dice que eres un diablo extranjero farsante, y que eso que tú llamas tu documento era una falsificación obra de un artesano del Condado de Pingdu.

—¡Qué tontería! —el Pastor Malory se irguió rápidamente, como si estuviera profundamente ofendido—. ¡Ese Gran Zarpa Yu es un idiota!

—No hables así de mi tío —dijo Madre con tristeza—. Siempre estaré en deuda con él.

—Si no fuera tu tío —le dijo el Pastor Malory—, lo liberaría de su virilidad.

Madre se rió.

—Puede obligar a una mula a sentarse con la fuerza de sus manos.

—Si tú no crees que yo sea sueco —dijo él, descorazonado—, entonces no lo creerá nadie.

Sacó su pipa, la rellenó de tabaco y se puso a fumar en silencio. Madre suspiró.

—¿No te basta con que yo admita que eres un verdadero extranjero? ¿Por qué te enfadas conmigo? ¿Has visto alguna vez a un chino que sea tan peludo como tú?

En la cara del Pastor Malory apareció una sonrisa infantil.

—Algún día volveré a mi hogar —dijo. Y después, tras una pensativa pausa, añadió—: Aunque si realmente tuviera la posibilidad de hacerlo, quizá no me iría. No, a no ser que tú vinieras conmigo.

—Tú nunca te irás de aquí —dijo ella—, y yo tampoco, así que deberíamos adaptarnos lo mejor que podamos. Además, ¿no dices tú siempre que no tiene importancia de qué color tiene el pelo una persona, que sea rubia, morena o pelirroja, porque todos somos corderos del rebaño de Dios? También dices que lo único que necesita un cordero es un pastizal verde. ¿Es que un pastizal del tamaño de Gaomi del Noreste no es suficiente para ti?

—Sí, es suficiente —contestó emocionado el Pastor Malory—. ¿Por qué me iba a ir a ninguna otra parte si tú, mi pasto de los milagros, estás aquí?

Viendo que Madre y el Pastor Malory estaban ocupados con sus cosas, la burra que estaba en la piedra del molino comenzó a mordisquear la harina. El Pastor Malory se acercó a ella y le dio un sonoro golpe, poniéndola a trabajar de nuevo a toda velocidad.

—Los bebés están durmiendo —dijo Madre—, así que te ayudaré a cribar la harina. Vete a coger una esterilla de paja y yo la tenderé a la sombra. —El Pastor Malory volvió con una esterilla y la tendió bajo un frondoso árbol; a pesar de que Madre me había acostado sobre esa fresca esterilla, mi boca estaba prendida desafiantemente a su pezón—. Este niño es como un pozo sin fondo —dijo—. Me devorará hasta el tuétano antes de que me dé cuenta.

El Pastor Malory mantenía a la burra en movimiento; la burra hacía girar la piedra del molino y la piedra machacaba los granos de trigo que se convertían en un grueso polvo que salía al exterior por la parte superior de la piedra. Madre se sentó bajo el árbol, puso una canasta de sauce sobre la esterilla y colocó un estante sobre ella. Después echó el polvo en un tamiz, para cribarlo, y empezó a agitarlo hacia adelante y hacia atrás, rítmicamente, manteniendo siempre el mismo pulso. La harina, blanca como la nieve, caía a la canasta, y las cáscaras rotas quedaban en el fondo del tamiz. La brillante luz del sol se filtraba a través de las hojas y caía sobre su cara y sus hombros. Una sensación hogareña flotaba en el ambiente del patio. El Pastor Malory iba detrás de la burra, dando vueltas alrededor de la piedra del molino, para evitar que se detuviera. Era nuestra burra; el Pastor Malory la había pedido prestada esa mañana para que lo ayudara a moler el trigo. El sudor que tenía en la espalda oscurecía el pelaje del animal, que iba al trote para evitar el aguijón del látigo. El balido de una cabra, al otro lado del muro, anunció la llegada a la puerta de la mula que había venido al mundo el mismo día que yo. La burra soltó una coz con sus cascos traseros.

—Deja entrar a la mula —dijo Madre—, y date prisa.

Malory fue corriendo hasta la puerta y empujó la encantadora cabeza del animal hacia atrás, para destensar un poco la correa que lo ataba a un poste. Después la soltó del poste y saltó hacia atrás mientras la mula irrumpía a través de la puerta, llegaba corriendo junto a su madre y cogía uno de sus pezones con la boca. Eso calmó a la burra.

—Los humanos y los animales somos muy parecidos —dijo Madre, soltando un suspiro. Malory asintió mostrando que estaba de acuerdo.

Mientras nuestra burra amamantaba a su cría bastarda por los alrededores de la piedra del molino, al aire libre, en el terreno de Malory, Sha Yueliang y su banda de hombres estaban cepillando a sus monturas, y después de hacerlo en las crines y en el ralo pelo que tenían en las colas, les secaron el pelaje con unas delicadas telas de algodón y los enceraron. Después de la limpieza, los veintiocho burros parecían otros. Veintiocho jinetes estaban junto a ellos, orgullosos y llenos de energía, y sus veintiocho mosquetes brillaban de una manera deslumbrante. Cada uno de los hombres llevaba dos calabazas atadas al cinturón, una grande y una pequeña. La grande contenía pólvora y la pequeña perdigones. Las calabazas habían sido tratadas con tres capas de aceite de árbol de tung. Las cincuenta y seis calabazas, bien pulidas, relucían al sol. Los hombres llevaban pantalones de color caqui y chaquetas negras, y se cubrían la cabeza con unos sombreros cónicos tejidos con tallos de sorgo. Por ser el jefe del escuadrón, Sha Yueliang llevaba una borla roja en su sombrero. Miró satisfecho a sus hombres y a sus monturas y dijo: «Id bien erguidos, hermanos. Le vamos a enseñar a esa gente de qué es capaz una banda de hombres con unos mosquetes y unos burros negros relucientes». Se montó en su burro, le dio una palmada en el lomo y se puso en marcha. Sí, puede que los caballos sean ágiles, pero los burros son animales modélicos para desfilar. Los hombres que montan a caballo tienen un aire de majestad, pero los que montan en burro tienen una sensación de completud. Poco después, el escuadrón aparecía en las calles de Dalan. Después de haber quedado empapadas por un verano lluvioso, las calles estaban firmes y brillantes, no como durante la estación de las cosechas, cuando estaban tan secas y polvorientas que un caballo, al galope, podía levantar una gran nube de polvo. La banda de Sha dejaba un rastro de blancas huellas de cascos y, por supuesto, de los sonidos que hacían los animales cuando las formaban al pisar. Todos los burros de Sha tenían herraduras, como si fueran caballos. Un golpe de genio que había tenido Sha. Los crujientes ruidos primero atrajeron a los niños del vecindario, y después a Yao Si, el contable del ayuntamiento, que salió a la calle con una túnica de mandarín que pertenecía a otra época y con un lápiz colocado tras la oreja, y se plantó frente al burro de Sha Yueliang. Inclinándose profundamente y sonriendo con amplitud, le preguntó:

—¿Qué tropas comandas? ¿Vas a intentar resistir aquí o solamente estás de paso? Estoy a tu servicio.

Sha bajó de su burro de un salto y le contestó:

—Somos la Banda de Mosqueteros del Burro Negro, un comando antijaponés. Tenemos órdenes de organizar la resistencia en Dalan. Para eso, necesitaremos un lugar donde acuartelarnos, alimento para nuestras monturas y una cocina. Si nos proporcionáis comida sencilla, como huevos y pan de pita, será suficiente para nosotros. Pero nuestros burros son animales de resistencia, y tienen que alimentarse bien. El heno debe ser bueno y estar limpio de impurezas, el forraje debe estar hecho con pasteles de judías desmigajados y agua del pozo. Ni una gota de agua embarrada del Río de los Dragones.

—Señor —dijo Yao Si—, las tareas de tanta importancia no pueden confiarse a alguien de mi posición. Debo pedir instrucciones al venerable alcalde de la ciudad, que acaba de ser nombrado jefe de los Cuerpos para el Mantenimiento de la Paz por la Armada Imperial.

—¡Ese gilipollas! —juró oscuramente Sha Yueliang—. Cualquiera que sirva a los japoneses es un perro traicionero.

—Señor —le explicó Yao Si—, él no aceptó ese cargo gustosamente. Como propietario de vastos acres de terreno y de muchos animales de tiro, él no necesita nada. Esa tarea le fue impuesta. Por otra parte, alguien tiene que hacerlo, y quién mejor que nuestro administrador...

—¡Llévame ante él! —exigió Sha.

Sus hombres se bajaron de sus monturas para descansar un poco en el ayuntamiento mientras Yao Si llevaba a Sha a la puerta de la residencia del alcalde, que consistía en siete filas de quince habitaciones, conectadas por un jardín, y con una puerta que daba a la habitación contigua, como si fuera un laberinto. La primera imagen que Sha Yueliang tuvo de Sima Ting fue en medio de una discusión con Sima Ku, que yacía en la cama, recuperándose de las quemaduras que había sufrido el quinto día del quinto mes. Había incendiado un puente, pero en lugar de acabar con los japoneses, lo único que había conseguido era chamuscarse la piel de la espalda. Sus heridas estaban tardando muchísimo en cicatrizar, y ahora consistían en úlceras de decúbito que lo obligaban a estar acostado boca abajo para que la espalda no entrara en contacto con nada.

—Hermano mayor —dijo Sima Ku, apoyándose en los codos y levantando la cabeza—, eres un bastardo, un bastardo estúpido. —Sus ojos echaban ascuas—. El jefe de los Cuerpos para el Mantenimiento de la Paz es un perro al servicio de los japoneses, un burro que pertenece a las guerrillas, una rata que se esconde en su madriguera, una persona odiada por las dos partes. ¿Por qué has aceptado ese trabajo?

—¡Eso es una estupidez! ¡Eso que estás diciendo es una estupidez! —se defendió Sima Ting—. Sólo un maldito imbécil podría aceptar ese trabajo gustosamente. Los japoneses me pusieron una bayoneta en el vientre. Por medio de Ma Jinlong, su jefe, me dijo: «Tu hermano menor, Sima Ku, se ha unido a Sha Yueliang, el bandido, para quemar un puente y tendernos una emboscada. Han causado bajas importantes en la Armada Imperial. Al principio, pensamos en quemar tu residencia, la Casa Solariega de la Felicidad, pero ya que pareces ser un hombre razonable hemos decidido perdonarte». Así que tú eres uno de los motivos por los que ahora yo soy el jefe de los Cuerpos para el Mantenimiento de la Paz.

Sima Ku, sin tener ningún otro argumento que oponer, juró enfadado:

—Y mi maldito culo, no sé si se curará alguna vez.

—A mí me haría feliz que no se te curara nunca —dijo Sima Ting vehementemente—. Así me darías muchos menos problemas.

Se volvió para marcharse, y entonces vio a Sha Yueliang, que estaba apoyado en la puerta, sonriendo. Yao Si dio un paso adelante, pero antes de que pudiera hacer las presentaciones, Sha anunció:

—Sima, Jefe de los Cuerpos, yo soy Sha Yueliang.

Sima Ku se dio la vuelta en la cama antes de que su hermano pudiera reaccionar.

—Que me lleven los demonios, así que tú eres Sha Yueliang, apodado Sha el Monje.

—Actualmente soy el comandante de la Banda de Mosqueteros del Burro Negro —le contestó Sha—. Todo mi agradecimiento a los hermanos Sima por incendiar el puente. Vosotros y yo, somos cómplices en cooperación.

—Así que todavía estás vivo, ¿eh? ¿Y qué clase de batallitas de mierda estás librando estos días?

—¡Emboscadas! —dijo Sha.

—Conque emboscadas... Si no hubiera sido por mí y por mi antorcha, te habrías quedado para siempre en ese fango —dijo Sima Ku.

—Tengo un bálsamo para curar las quemaduras —dijo Sha con una amplia sonrisa—. Le diré a uno de mis hombres que te lo traiga.

Sima Ting le dio instrucciones a Yao Si:

—Saca algo de comida para darle la bienvenida al comandante Sha.

Yao Si contestó tímidamente:

—Todo nuestro dinero fue destinado a organizar los Cuerpos para el Mantenimiento de la Paz.

—¿Cómo puedes ser tan estúpido? —dijo Sima Ting—. La Armada Imperial no sirve sólo a nuestra familia, sirve a ochocientos hogares. Y la banda de los mosqueteros no se organizó en beneficio de nuestra familia, sino para el de todos los ciudadanos del concejo. Haz que cada familia aporte algo de comida y de dinero, ya que estos hombres son los invitados de toda la población. Nosotros pondremos el vino y los licores.

—Sima, el Jefe de los Cuerpos, sirve bien a dos amos, y obtiene beneficios de ambos.

—¿Y qué puedo hacer? —se lamentó Sima Ting—. Como decía el viejo Pastor Malory: «¿Quién va a ir al Infierno, sino yo?».

El Pastor Malory destapó su olla y echó en el agua hirviendo unos fideos hechos con la nueva harina y los removió con unos palillos antes de volver a poner la tapa. «El fuego tiene que estar más fuerte», le gritó a Madre, que asintió y lo avivó echando unos tallos de trigo, dorados y fragantes, en el interior de la cocina de leña. Sin soltar el pezón, miré las llamas y escuché cómo los tallos crepitaban al arder mientras recordaba lo que acababa de suceder: me habían acostado en la canasta, al principio de espalda, pero yo me había dado la vuelta y me había colocado panza abajo para poder mirar a Madre mientras ella hacía los fideos. Su cuerpo se movía hacia arriba y hacia abajo, y esas dos calabazas llenas que tenía en el pecho se balanceaban, invocándome, transmitiéndome una señal secreta. A veces, sus puntas, que parecían dátiles, se encontraban, como si se estuvieran besando o susurrando algo al oído, pero la mayor parte del tiempo se movían rebotando hacia arriba y hacia abajo, rebotando y gritando como una pareja de palomas felices. Me estiré, tratando de tocarlas, mientras se me caía la baba. Entonces, de repente, se volvieron tímidos e irritables, y se sonrojaron sus rostros y delicadas perlas de sudor comenzaron a deslizarse hacia abajo por el valle que había entre ellos. Vi un par de luces azules bailando sobre ellos. Eran puntos de luz que provenían de los ojos del Pastor Malory. En ese momento, dos manos cubiertas por un vello rubio aparecieron desde donde se encontraban los ojos azules y me quitaron mi comida, haciendo que mi corazón estallara en una llamarada amarilla. Abrí la boca para llorar, pero eso no hizo más que empeorar las cosas. Las pequeñas manos se retiraron hacia los ojos de Malory, pero las manos grandes que había al final de sus brazos alcanzaron el pecho de Madre. Él estaba ahí, de pie, alto y grande, detrás de ella. Aquellas manos tan feas giraron alrededor de las dos palomas blancas y las cubrieron. Acarició sus plumas con sus toscos dedos, que después pellizcaron y se movieron como unas tijeras sobre sus cabezas. ¡Mis pobres calabazas! ¡Mis preciosas palomas! Lucharon para liberarse y abrir sus alas, y después las pegaron mucho a sus cuerpos, dejándolas muy cerca, muy apretadas, hasta que se volvieron todo lo pequeñas que podían volverse, antes de impulsarse hacia arriba y desplegar las alas, como si quisieran salir volando lejos de allí, hasta los confines de la selva, hasta el borde del cielo, flotando suavemente en lo alto, junto a las nubes, bañadas por los vientos y acariciadas por el sol, para después ponerse a lamentarse con el viento y a cantar con el sol, y finalmente hundirse silenciosamente en dirección a la tierra y desaparecer en las profundidades de un lago. De mi garganta surgieron unos fuertes sollozos, y un río de lágrimas me nubló la vista. Los cuerpos de Madre y Malory se agitaban al unísono. Madre se quejó suavemente:

—Déjame, pedazo de burro. El bebé está llorando.

—Pequeño bastardo —dijo Malory, lleno de resentimiento.

Madre me cogió y me meció nerviosamente.

—Precioso —me dijo, avergonzada—, hijo mío, ¿qué le he hecho a mi propia carne, a mi propia sangre?

Me colocó las palomas blancas bajo la nariz y yo agarré urgentemente, cruelmente, una de sus cabezas con los labios. Mi boca era bien grande, pero deseaba que aún lo fuera más. Era como la boca de una serpiente, y lo único que yo podía pensar era cómo cerrarla en torno a la paloma que me pertenecía para mantenerla fuera del alcance de los demás. «Más despacio, bebé mío». Madre me dio unas suaves palmadas en el trasero. Tenía una en la boca y había aferrado a la otra con las manos. Era un conejito blanco con los ojos rojos, y cuando le pellizqué la oreja, sentí el frenético pulso de su corazón.

—Pequeño bastardo —dijo Malory, soltando un suspiro.

—Deja de llamarlo bastardo —dijo Madre.

—Eso es lo que es —dijo Malory.

—Me gustaría que lo bautizaras y le pusieras un nombre. Hoy cumple cien días.

Mientras preparaba la masa con sus expertas manos, Malory dijo:

—¿Bautizarlo? Ya me he olvidado de cómo se hace eso. Estoy haciéndote unos fideos como aprendí de esa mujer musulmana.

—¿Estabais muy unidos? —le preguntó Madre.

—Sólo éramos amigos.

—No te creo —dijo Madre.

Malory soltó una estentórea risotada mientras estiraba y aplastaba la suave masa, y después la golpeó contra la tabla de cortar.

—¡Cuéntamelo! —insistió Madre.

Él volvió a golpear la masa y la estiró y aplastó un poco más. En algunos momentos la manipulaba como si fuera el arco de un instrumento de cuerda, y en otros parecía como si estuviera tirando de una serpiente para sacarla de su agujero. Incluso Madre se sorprendió de que un occidental con unas manos tan bastas pudiera llevar a cabo esta actividad típicamente china con tanta habilidad.

—A lo mejor —dijo—, no soy sueco en absoluto, y lo que llamamos mi pasado no ha sido más que un sueño. ¿Tú qué opinas?

Madre sonrió con frialdad.

—Te he preguntado por aquella mujer de los ojos negros. No cambies de tema.

El Pastor Malory aplanó la masa, como si se tratara de un juego de niños, y después empezó a hacer ondas con ella, tensándola y destensándola rápidamente. La masa, que tenía un aspecto pajizo, empezó a dar vueltas en espiral, adoptando diversas formas hasta que, con un rápido golpe de muñeca, el Pastor Malory hizo que se expandiera como la cola de un caballo. Madre alabó esa muestra de destreza.

—Hace falta una buena mujer para hacer fideos así.

—De acuerdo —dijo Malory—, joven madre, deja ya de darle vueltas a esas ideas locas. En cuanto enciendas el fuego, voy a cocinar esto para ti.

—¿Y después de comer?

—Después de comer, bautizaré al pequeño bastardo y le pondré un nombre.

Mostrando un enfado fingido, Madre dijo:

—En realidad, los bastardos son los hijos que tuviste con esa mujer musulmana.

Las palabras de Madre quedaron resonando en el aire en el momento en que, en otra parte, Sha Yueliang y Sima Ting estaban brindando. Durante el banquete, habían llegado al siguiente acuerdo: los burros de la banda de mosqueteros emplearían la iglesia como establo, los hombres se alojarían en las casas de las familias de la localidad, y Sha Yueliang escogería personalmente el emplazamiento para su cuartel general cuando terminaran de comer.

Sha y cuatro guardaespaldas entraron en nuestro recinto siguiendo a Yao Si. Mi hermana mayor, Laidi, llamó su atención inmediatamente cuando estaba junto al depósito de agua peinándose tranquilamente y contemplando su reflejo sobre la superficie del agua, con las blancas nubes en el cielo azul a su espalda. Acababa de terminar un plácido verano en el que había comido abundantemente y tenía algunas bonitas prendas de ropa que ponerse, así que se la veía radicalmente más madura. Sus pechos apuntaban hacia afuera con orgullo; su pelo, que solía estar seco y fosco, ahora tenía un brillo oscuro; su cadera se había estrechado y se había vuelto suave y redondeada, y sus nalgas se habían curvado hacia arriba. En una centena de días había mudado de piel, dejando de ser una adolescente esquelética para convertirse en una hermosa joven, como una mariposa que surge de un capullo. Tenía la nariz bonita y alta, igual que Madre, así como sus pechos grandes y sus nalgas llenas de vitalidad. Los ojos de la encantadora y tímida virgen lanzaban unos rayos de melancolía mientras se contemplaba en el depósito de agua y se acariciaba los rizos sedosos con un peine de madera. Su grácil reflejo emitía una intensa nostalgia. Sha Yueliang quedó conmovido hasta lo más profundo del alma.

—Aquí instalaremos el cuartel general de la Banda de Mosqueteros del Burro Negro —le dijo con decisión a Yao Si.

—Shangguan Laidi —gritó Yao Si—, ¿dónde está tu madre?

Sha apartó a Yao con un movimiento de su mano antes de que la chica pudiera contestar. Se acercó caminando al depósito de agua y miró larga y profundamente a Laidi, que le devolvió la mirada.

—¿Te acuerdas de mí, chica? —le preguntó.

Ella asintió, y sus mejillas se sonrojaron.

Entonces mi hermana se dio la vuelta y salió corriendo hacia la casa. Después del quinto día del quinto mes, mis siete hermanas se habían trasladado a la habitación que en otro tiempo ocuparon Shangguan Lü y Shangguan Fulu. Su antigua habitación ahora se usaba para almacenar unos mil quinientos kilos de mijo. Sha Yueliang siguió a Laidi al interior de la casa, donde vio a las otras seis chicas dormidas sobre el *kang*. Con una sonrisa amistosa, dijo:

—No tengas miedo, somos combatientes antijaponeses y no queremos hacer ningún daño a la población local. Tú ya has visto cómo luchamos. Ésa fue una batalla heroica, heroica y trágica, peleada fieramente por la gloria de los siglos, y llegará el día en que la gente reviva nuestras hazañas y nos cante alabanzas.

Hermana Mayor bajó la cabeza y se retorció la punta de la trenza mientras se acordaba de los extraordinarios acontecimientos del quinto día del quinto mes. El hombre que ahora estaba frente a ella había despegado de su piel, tira a tira, los restos destrozados de su uniforme.

—Pequeña niña, o mejor dicho, joven dama, el destino nos ha unido —le dijo, antes de volver a salir al exterior.

Mi hermana lo siguió hasta la puerta y observó cómo entraba en la habitación lateral que daba al Este, después a la que daba al Oeste. En la habitación del Oeste, quedó maravillado por la luz verde que había en los ojos de Shangguan Lü. Tapándose la nariz, salió rápidamente de la habitación y ordenó a sus tropas:

—Apilad el grano para hacer un poco de sitio y buscadme un lugar para dormir.

Mi hermana se asomó a la puerta mirando a este hombre esquelético, encorvado y de piel oscura que se parecía a una acacia japonesa que hubiera sido partida por un rayo.

—¿Dónde está tu padre? —le preguntó.

Yao Si, que estaba sentado en el suelo con la espalda contra el muro, le contestó, solícito:

—Su padre fue asesinado el quinto día del quinto mes por los diablos japoneses, no, quiero decir... por la Armada Imperial. Su abuelo, Shangguan Fulu, también murió ese mismo día.

—¿La Armada Imperial, has dicho? ¡Los japos! ¡Los pequeños diablos japos! —rugió Sha Yueliang, dando una patada al suelo como expresión de su repulsa—. Joven dama —le dijo—, tu deuda de venganza, profunda como un mar de sangre, es nuestra deuda, y nos la cobraremos algún día, te lo prometo. ¿Y ahora quién es el jefe de tu familia?

—Shangguan Lu —dijo Yao Si, contestando por ella.

Mientras tanto, a Octava Hermana y a mí nos estaban bautizando.

La puerta de la residencia del Pastor Malory daba directamente a la iglesia, donde unas descoloridas pinturas al óleo colgaban de las paredes. La mayoría representaba a niños desnudos y alados, llenos de redondeces, como boniatos de los gordos. Hasta mucho más tarde no me enteré de que se llamaban ángeles. Al final de la iglesia había un púlpito de ladrillo y una talla en un trozo de madera de azufaifo de un hombre con el torso desnudo colgaba de frente. Debido tal vez a la escasa habilidad del tallador, o a la dureza de la madera, el hombre que colgaba apenas parecía un hombre. Mucho más tarde me enteré de que se trataba de Nuestro Señor Jesús, un héroe asombroso, un verdadero santo. Aproximadamente una docena de filas de bancos polvorientos, llenos de excrementos de pájaro, se diseminaban de aquí para allá frente al púlpito. Madre entró cogiéndome a mí con un brazo y a Octava Hermana con el otro, asustando a los gorriones que vivían ahí dentro, que salieron volando y comenzaron a golpear las ventanas. La puerta principal de la iglesia daba a la calle. A través de sus grietas, Madre pudo ver que fuera había una serie de burros negros moviéndose de un lado para otro.

El Pastor Malory había cogido una gran palangana de madera y la había medio llenado de agua caliente; en el agua, flotaba una esponja de lufa. Entre el vapor que salía de la palangana se veían sus ojos entrecerrados. El peso de la palangana hacía que se tuviera que inclinar, por lo que caminaba torpemente, con el cuello echado hacia afuera. Cada vez que tropezaba, el agua le salpicaba la cara, pero lograba recuperar el equilibrio y continuaba avanzando hasta que consiguió llegar junto al púlpito y colocó la palangana sobre él, a modo de pila bautismal.

Madre se le acercó y nos entregó a él, que me colocó en la palangana. Los pies se me curvaron hacia adentro en cuanto entraron en contacto con el agua caliente. Mis gritos lacrimosos reverberaban en el melancólico vacío de la iglesia. Unas crías de golondrina que estaban en un nido blanco, sobre una de las vigas, estiraron el cuello para observarme con sus ojos negros y somnolientos. Justo en ese momento, sus padres entraron volando a través de una de las ventanas rotas trayendo unos gusanos en los grandes picos. Después de devolverme a los brazos de Madre, Malory revolvió el agua con una de sus grandes manos. El Cristo de madera de azufaifo nos observaba cálidamente desde donde estaba colgado. Los ángeles de la pared perseguían a los gorriones desde las vigas hasta las contravigas, desde el muro que daba al Este hasta el que daba al Oeste, desde la escalera de madera en espiral hasta el delgado campanario, y desde el campanario de nuevo hasta los muros, donde por fin descansaban. Sus nalgas brillantes rezumaban unas perlas cristalinas de sudor. El agua giraba en la palangana, creando un pequeño remolino en el centro. Malory comprobó la temperatura del agua con la mano.

—Muy bien —dijo—, se ha enfriado un poco. Mételo.

Me habían quitado la ropa. La leche rica y nutritiva de Madre me había vuelto gordito y me había aclarado la piel. Si hubiera cambiado mi mirada de tristeza por una mirada de enfado, o si hubiera sonreído con solemnidad, y además hubiera tenido un par de alas en la espalda, habría sido un ángel, y esos pequeños niños rechonchos que había en la pared habrían sido mis hermanos. Dejé de llorar en cuanto Madre me acostó en la palangana porque el agua estaba caliente y transmitía una sensación muy confortable. Me senté y jugué con el agua, chillando de alegría mientras salpicaba por todas partes. Malory sacó su crucifijo de bronce del agua y lo apoyó sobre mi cabeza.

—Desde este mismo momento —dijo—, eres uno de los hijos amados de Dios. ¡Aleluya!

Entonces cogió la esponja de lufa, que estaba bien cargada de agua, y la exprimió sobre mi cabeza. «¡Aleluya!». Madre copió a Malory: «¡Aleluya!», dijo, y yo reí, lleno de felicidad, mientras el agua bendita me bañaba la cabeza.

Madre estaba radiante cuando metió a Octava Hermana en la palangana junto a mí; después cogió la esponja y nos lavó con suavidad mientras el Pastor Malory nos echaba agua en la cabeza con un cucharón. Yo chillaba de alegría a cada cucharada, pero Octava Hermana sollozaba ásperamente. Yo agarraba todo el tiempo a mi oscura y esquelética hermana melliza.

—Todavía no tienen nombre —dijo Madre—. Eso es cosa tuya.

El Pastor Malory dejó el cucharón.

—Eso no es algo que se pueda tomar a la ligera. Necesito un poco de tiempo para pensármelo.

—Mi suegra decía que si tenía un hijo varón, debía llamarlo Pequeño Perro Shangguan —dijo Madre—, porque crecería mejor con un nombre humilde.

El Pastor Malory negó vigorosamente con la cabeza.

—No, no me parece bien. Los nombres como perro o gato son una ofensa a Dios. También van contra las enseñanzas de Confucio, que dijo: «Sin nombres apropiados, el lenguaje no puede decir la verdad».

—Tengo uno —dijo Madre—. A ver qué te parece. Podemos llamarlo Shangguan Amen.

Malory se rió.

—Ése es todavía peor. No lo intentes más y déjame que lo piense.

El Pastor Malory se levantó, juntó las manos detrás de la espalda y se puso a caminar febrilmente en la atmósfera rancia de la deteriorada iglesia. Sus veloces pasos eran la manifestación exterior de la batidora que había en su cabeza, en la cual se mezclaban diversas clases de nombres y símbolos, antiguos y modernos, chinos y occidentales, celestiales y mundanos. Fijándose en su forma de caminar, Madre sonrió y me dijo:

—Mira a tu padrino. Ésa no es forma de elegir un nombre. Parece como si estuviera a punto de anunciar un fallecimiento.

Tarareando en voz baja, Madre cogió el cucharón de Malory, lo llenó de agua y nos la echó por encima de la cabeza.

—¡Ya lo tengo! —dijo en voz alta, y se detuvo en medio de su vigésimo noveno viaje hacia la puerta principal de la iglesia, que estaba cerrada.

—¿Cómo se va a llamar? —preguntó Madre, muy excitada.

Pero antes de que él pudiera decírselo, se oyó un clamor en la puerta. Eran ruidos que indicaban que había una multitud ahí afuera, y hacían temblar la puerta. Alguien estaba gritando y armando bronca. Madre se levantó y miró aterrorizada, todavía con el cucharón en la mano. Malory pegó un ojo a la grieta que había en la puerta. En ese momento, no sabíamos lo que estaba pasando fuera, pero vimos cómo su rostro enrojecía, y no podíamos saber si era porque se había enfadado o porque se estaba poniendo nervioso. Se volvió hacia Madre, y le dijo:

—Salid de aquí, rápido. Al patio de delante.

Madre se agachó para cogerme. Antes, por supuesto, tiró el cucharón, que rebotó ruidosamente en el suelo, como un sapo en época de celo. Abandonada en la palangana, Octava Hermana se puso a llorar. El cerrojo se partió en dos y cayó al suelo mientras la doble puerta se abría súbitamente y un joven con la cabeza rapada y un mosquete irrumpía en la iglesia. Le dio un empujón a Malory en el pecho y lo mandó tambaleándose hasta el muro posterior. Un ángel con el trasero desnudo estaba suspendido por encima de su cabeza. Cuando el cerrojo de la puerta cayó al suelo, me solté de los brazos de Madre y caí de nuevo en la palangana, salpicando un montón de agua hacia arriba y casi aplastando a Octava Hermana.

Inmediatamente entraron a toda prisa cinco mosqueteros, pero su brutal arrogancia se esfumó en cuanto echaron un vistazo a la iglesia. El que había estado a punto de enviar al Pastor Malory al otro mundo de un empujón, se rascó la cabeza.

—Aquí dentro hay gente. ¿Por qué? —miró a sus cuatro camaradas.

—¿No nos habían dicho que la iglesia estaba abandonada desde hace años? ¿Cómo es que hay gente aquí dentro?

Protegiéndose el pecho con ambas manos, Malory se acercó a los soldados, que sintieron temor y vergüenza ante su digna apariencia.

Si hubiera soltado una parrafada en un idioma extranjero combinada con una serie de gestos con las manos, los soldados posiblemente se habrían dado la vuelta para salir corriendo. Incluso si hubiera hablado chino con un fuerte acento extranjero, eso habría bastado para evitar que se pusieran violentos. Pero el desgraciado Pastor Malory les habló en un perfecto chino de Gaomi del Noreste.

—¿Qué es lo que queréis, hermanos? —les dijo, y les hizo una profunda reverencia.

Yo seguía ahí tumbado, llorando —Octava Hermana había dejado de llorar para entonces— y los soldados estallaron en una sonora carcajada y empezaron a tratar al Pastor Malory como si fuera un mono de feria. Uno de los soldados, que tenía la boca torcida, se le acercó y le hizo cosquillas a Malory en los pelos de la oreja con un dedo.

—Un mono, *ja, ja, ja*, es un mono.

Sus camaradas se unieron a la burla.

—¡Mirad, este mono tiene una mujer escondida aquí!

—¡No estoy de acuerdo! —gritó Malory—. ¡No estoy de acuerdo! ¡Soy extranjero!

—Extranjero. ¿Habéis oído eso? —dijo el soldado de la boca torcida—. ¿Me estás diciendo que un extranjero puede hablar un perfecto chino de Gaomi del Noreste? Creo que eres un hijo bastardo de un mono y un ser humano. Traed aquí dentro uno de los burros, tíos.

Sujetándonos a Octava Hermana y a mí entre sus brazos, Madre se acercó y agarró a Malory por el codo.

—Vámonos, es mejor que no se enfaden.

Malory se liberó y salió corriendo para sacar al burro fuera de la iglesia a empujones. El animal enseñó los dientes, como un perro furioso, y rebuznó fuertemente.

—¡Apártate! —le ordenó uno de los soldados, empujando a Malory.

—La iglesia es un lugar sagrado, que pertenece a Dios. No podéis meter un burro aquí. Esto no es un establo —dijo el Pastor Malory, desafiante.

—¡Diablo extranjero y estúpido! —lo insultó uno de los soldados, un hombre con la cara pálida y los labios morados—. Mi anciana madre me contó que ese hombre —dijo, señalando al Cristo de madera de azufaifo que colgaba frente a ellos—, nació en un establo para caballos. Los burros son primos de los caballos, así que si tu dios tiene una deuda con los caballos, también la tiene con los burros. Si un establo para caballos puede servir como sala de partos, ¿por qué no puede servir una iglesia como redil para burros?

El soldado, evidentemente satisfecho con la fuerza de su razonamiento, se quedó mirando fijamente a Malory con una sonrisa de autosuficiencia.

Malory hizo el signo de la cruz y comenzó a llorar.

—Castiga a estos malos hombres, Señor. Golpéalos con tu rayo, haz que los muerda la serpiente venenosa, déjalos morir a manos de los japoneses...

—¡Perro traidor! —aulló el soldado de la boca torcida, dándole a Malory una sonora bofetada.

Su golpe iba dirigido a la boca, pero falló ligeramente y donde le alcanzó fue en la nariz ganchuda, de la que brotó un chorro de sangre fresca. Con un grito de dolor, Malory alzó las manos hacia el Cristo de azufaifo.

—Señor —empezó a decir— Dios Todopoderoso...

Los soldados primero miraron al Cristo de azufaifo, que estaba cubierto de polvo y de excrementos de pájaro, y después a la cara ensangrentada del Pastor Malory. Finalmente, posaron la mirada sobre el cuerpo de Madre, que estaba cubierto de manchas viscosas que se parecían al rastro que dejan los caracoles. El soldado que sabía dónde había nacido Jesús sacó la lengua, como una almeja con pies, y se lamió sus labios de color violeta. Para entonces, veintiocho burros negros habían abarrotado la iglesia. Algunos se desplazaban sin ningún rumbo, dando vueltas por ahí, y otros se rascaban la espalda contra la pared o se aliviaban o se portaban mal, y algunos otros mordisqueaban las paredes de adobe.

—¡Señor! —imploró Malory. Pero su señor no se conmovió.

En su ataque de furia, nos arrancaron a Octava Hermana y a mí de los brazos de Madre y nos tiraron entre los burros. Madre corrió hacia nosotros como una loba, pero los soldados la detuvieron antes de que pudiera rescatarnos. En ese momento fue cuando la tomaron con Madre, empezando por boca torcida, que se acercó a ella y le cogió uno de los pechos. Labios morados llegó a toda prisa y, empujando a boca torcida para quitarlo de en medio, cubrió con sus manos mis palomas, mis preciosas calabazas. Con un fuerte chillido, Madre le pegó un zarpazo en la cara, pero él no se desanimó y, con una mueca maligna, le arrancó la ropa.

Lo que pasó después quedará en secreto, angustiosamente, durante toda mi vida. Fuera, en el patio, Sha Yueliang estaba intentando seducir a mi hermana mayor, mientras en la habitación que daba al lado este, Gou San y su hatajo de perros callejeros colocaban un montón de paja en una esquina para preparar las camas. Los cinco mosqueteros —el grupo al que le habían asignado la tarea de cuidar a los burros— lanzó a Madre sobre la paja. En el suelo, entre los burros, Octava Hermana y yo ya nos habíamos quedado afónicos de tanto llorar. Malory dio un salto, cogió una de las mitades del cerrojo roto y golpeó la cabeza de uno de los soldados con él. Uno de sus camaradas apuntó a las piernas de Malory y disparó. El sonido del disparo retumbó en la habitación mientras un puñado de perdigones impactaba contra las piernas de Malory, haciendo que saltaran perlas de sangre por el aire. El cerrojo roto se le cayó de las manos y él impactó contra el suelo. Miró fijamente al Cristo de azufaifo manchado por los pájaros y comenzó a murmurar algo en su sueco natal, olvidado hacía ya tantos años; las palabras se le arremolinaban en la boca y salían volando como si fueran mariposas. Los soldados se iban turnando para atacar a Madre; los burros se turnaban para olisquearnos a Octava Hermana y a mí. Sus fuertes rebuznos atravesaban el techo de la iglesia y se perdían en un cielo frío y desolado. El sudor bañaba el rostro del Cristo de azufaifo. Cuando estuvieron satisfechos, los soldados nos echaron a Madre, a Octava Hermana y a mí a la calle. Los burros nos siguieron al exterior, pero salieron corriendo al percibir el olor de unas burras. Mientras los soldados intentaban controlar a sus monturas, el Pastor Malory se arrastró, con las piernas arqueadas y tambaleantes por los perdigones, hasta la escalera, desgastada por el uso a lo largo de los años, que ascendía al campanario. Se las apañó para impulsarse hacia arriba apoyándose en el alféizar de la ventana, y a través de las vidrieras rotas tuvo una visión panorámica de Dalan, el núcleo municipal de Gaomi del Noreste, donde había vivido y dejado sus huellas durante décadas: una ordenada serie de filas de casitas con el techo de paja; las calles amplias y de color gris; las copas de los árboles, verdes y envueltas en la neblina; los ríos y arroyuelos brillantes que rodeaban las minúsculas aldeas; la superficie del lago, semejante a un espejo; la espesura de las cañas, que se bamboleaban con el viento; los estanques, llenos de agua y rodeados de hierbas silvestres; el lodazal rojo, que era una zona de juegos para las aves migratorias; el campo abierto, que se expandía y desplegaba hasta donde empezaba el cielo; la cadena de montañas del Buey Acostado, de color amarillo dorado; las arenosas colinas, con sus acacias en flor... Cuando su mirada se dirigió hacia la calle, donde Madre yacía como un pescado muerto, con el vientre desnudo expuesto bajo el cielo, su corazón se llenó de una profunda tristeza y las lágrimas le nublaron la vista. Mojó el dedo en la sangre que rezumaban sus piernas y escribió unas palabras en la pared gris del campanario: Niño Dorado Niña de Jade.

Después gritó con todas sus fuerzas:

—¡Perdóname, Señor Amado!

El Pastor Malory se arrojó desde lo alto del campanario y cayó como un pájaro gigantesco con las alas rotas. Sus sesos salpicaron en todas direcciones, como tantas veces hace la mierda de los pájaros, al golpearse contra la calle.

III

Se acercaba el invierno, y Madre empezó a usar la chaqueta de satén azul que había sido de su suegra. Cuatro ancianas de la aldea, que habían sido bendecidas con muchos hijos y nietos varones, habían ido a la casa el día del sexagésimo cumpleaños de la abuela para hacerle esta chaqueta, que supuestamente le pondrían para meterla en el ataúd. Pero ahora era la chaqueta invernal de Madre. Madre le cortó dos agujeros en la parte más alta, de modo que pudiera sacar los pechos cuando yo tuviera hambre. Habían sido atacados durante ese otoño terrible, cuando el Pastor Malory saltó al encuentro con la muerte, pero esas desgracias pasaron y sus magníficos pechos demostraron que eran indestructibles. Eran como esa gente que se conserva siempre joven, o como los pinos perennes. Para mantenerlos a salvo de las miradas indiscretas y, lo que era más importante, para protegerlos de los vientos helados e impedir que su leche perdiera el calor, Madre cosió unas solapitas rojas sobre los agujeros. Su capacidad inventiva fundó una tradición, y todavía hoy en día se usan en Dalan unas chaquetas de lino con solapitas, aunque ahora los agujeros son más redondos, las solapitas están hechas de un material más suave y van adornadas con brillantes flores que les bordan encima.

Mi abrigo de invierno era un grueso morral, que estaba hecho con una buena lona y tenía un cordón, en la parte de arriba, para ajustarlo, y dos correas de las que se lo colgaba Madre justo debajo de sus senos. Cuando llegaba la hora de darme de comer, bajaba las manos al vientre y manipulaba el morral hasta que yo estaba perfectamente colocado: quieto, en posición de rodillas y con la cabeza apoyada en sus pechos. Entonces, girando la cabeza a la derecha, podía poner la boca sobre su pezón izquierdo, y si la giraba a la izquierda, podía mamar del derecho. Era un sistema que, por servir igualmente para dar de comer de ambos pechos, resultaba muy cómodo. Pero el morral no era perfecto, ya que me inmovilizaba las manos y me impedía sujetar un pecho mientras mamaba del otro, como tenía la costumbre de hacer. Para entonces ya había despojado definitivamente a Octava Hermana de su derecho a mamar, y cada vez que se acercaba a uno de los pechos de Madre, yo le daba zarpazos y patadas hasta que la pobre ciega se quedaba seca de tanto llorar. Sobrevivía a base de gachas, cosa que entristecía mucho al resto de mis hermanas.

El proceso de alimentarme durante los largos meses de invierno estuvo marcado por la ansiedad, ya que cuando mis labios estaban envolviendo el pezón izquierdo, yo sólo podía pensar en el derecho. Me parecía que una mano peluda aparecería de pronto en la cavernosa apertura y se llevaría con ella al pecho que en ese momento estaba ocioso. Totalmente dominado por ese sentimiento, solía alternar los pezones con rapidez, abandonando el izquierdo, del que acababa de empezar a salir la leche, por el derecho; pero en cuanto había comenzado a mamar de éste, volvía a cambiarme al izquierdo. Madre me miraba intrigada, dándose cuenta de que yo mamaba del izquierdo pero no apartaba los ojos del derecho, y se percataba con rapidez de lo que me pasaba. Dándome en la cara una ducha de besos con sus labios helados, me decía suavemente: Jintong, Niño Dorado, mi pequeño tesoro, toda la leche de mamá es para ti y nadie va a quitártela. Sus palabras hacían que disminuyera mi ansiedad, pero no la eliminaban por completo, puesto que yo podía sentir que esas manos peludas estaban siempre rodeándola, esperando su oportunidad.

Una mañana en que caía una ligera nevada, Madre se puso su blusa de dar el pecho y me colocó sobre su espalda, donde yo podía estar caliente envuelto en algodón. Les dijo a mis hermanas que se llevaran unos nabos rojos al sótano. Yo no sabía ni me importaba de dónde habían salido esos nabos, pero me atraían sus formas: puntiagudos en uno de los extremos, se iban ensanchando hasta la base y despertaban mi hambre, mi deseo de teta. Así que esos nabos rojos y grandes se sumaron a las aceitosas calabazas con sus pieles brillantes y sus lustrosas pequeñas palomas blancas. Cada cual tenía su propio y exclusivo color, su aura y su temperatura, y cada cual se parecía al pecho de una mujer de una manera o de otra. Ambos acabaron simbolizando los pechos, cada uno en una estación del año diferente y con un estado de ánimo distinto.

El cielo pasaba, en cuestión de minutos, de estar despejado a estar nublado; caían unos copos de nieve y unos segundos después habían desaparecido. Mis hermanas, todas vestidas con ropas finas, encogían el cuello para protegerlo entre los hombros cuando soplaban los helados vientos del Norte. Mi hermana mayor era la encargada de meter los nabos en unas canastas; Segunda y Tercera Hermanas eran las encargadas de llevar las canastas; Cuarta y Quinta Hermanas eran las encargadas de almacenarlas en el sótano; Sexta y Séptima Hermanas tenían libertad para ayudar aquí y allá; y Octava Hermana, que todavía no tenía la edad suficiente como para poder realizar ninguna tarea, estaba sentada en el *kang*, sola, enfrascada en profundos pensamientos. Sexta Hermana cargaba los nabos de a cuatro y los llevaba hasta la entrada del sótano; Séptima Hermana hacía lo mismo, pero de a dos. Entretanto, Madre, con su pequeño Niño Dorado, daba vueltas por la zona entre los montones de nabos, dando órdenes a las chicas, criticándolas cuando el trabajo que llevaban a cabo no era totalmente perfecto y soltando suspiros de emoción. Las órdenes de Madre tenían el objeto de elevar la calidad del trabajo, de conservar a los nabos en buen estado y lograr que pasaran saludablemente el invierno. Sus suspiros representaban el principal pensamiento que había en su cabeza: la vida es dura, y la única manera de sobrevivir es trabajando duramente. Mis hermanas reaccionaban con pasividad ante las órdenes de Madre, con tristeza ante sus críticas y con apatía ante sus suspiros. Todavía hoy no estoy seguro de por qué aparecieron tantos nabos en nuestra parcela como por arte de magia, pero lo que sí he podido entender es por qué Madre hizo un esfuerzo tan grande para tener la despensa llena ese invierno.

Cuando el trabajo de almacenamiento estuvo concluido, en el suelo quedó alrededor de una docena de nabos de varias formas, todos ellos semejantes a pechos humanos. Madre se arrodilló frente a la abertura de entrada al sótano y estiró los brazos hacia abajo para tirar de Xiangdi y Pandi y sacarlas por el agujero, una tras otra. Durante todo el proceso yo me quedé cabeza abajo dos veces; cada una de ellas, dirigí la mirada bajo la axila de Madre y vi fugazmente unos copos de nieve que flotaban bajo una luz neblinosa y gris. Lo último que hizo Madre fue mover una palangana rota —que estaba llena de algodón para rellenar almohadones y cáscaras de grano— para tapar el agujero por el que se entraba al sótano. Mis hermanas se pusieron en fila contra la pared, bajo una viga, como si estuvieran esperando la siguiente orden de Madre. Pero ella lo único que hizo fue suspirar:

—¿Cómo voy a poder haceros ropa para el invierno, chicas?

Mi tercera hermana, Lingdi, dijo:

—Puedes hacernos chalecos de algodón rellenos de algodón para almohadones.

—¿Qué te crees, que no se me ha ocurrido eso? Lo que me hace falta es dinero. ¿De dónde voy a sacar el dinero para comprar los materiales?

Mi segunda hermana, Zhaodi, dijo, con una cierta luminosidad en la voz:

—Vende la burra negra y la pequeña mula.

—Si hacemos eso —dijo Madre con un tono de reproche—, ¿cómo vamos a labrar la tierra el año que viene?

Mi hermana mayor, Laidi, estuvo mordiéndose la lengua todo el tiempo, y cuando al fin Madre le echó un vistazo, bajó la cabeza.

—Mañana —le dijo Madre con ansiedad—, tú y Zhaodi podéis llevar la pequeña mula a la ciudad y venderla.

Mi quinta hermana, Pandi, dijo, haciendo pucheros:

—Pero si todavía está mamando. ¿Por qué no vendemos mejor un poco de grano? Tenemos mucho.

Madre echó un vistazo por la puerta abierta de la habitación del lado este de la casa. En la cuerda de tender había un par de medias de algodón pertenecientes a Sha Yueliang, el jefe de la banda de soldados.

La pequeña mula estaba íntimamente ligada al patio de nuestra casa. Había nacido el mismo día que yo, y también era de sexo masculino. La diferencia era que yo sólo podía ponerme de pie en la pieza de tela en que mi madre me llevaba a la espalda, mientras que la mula ya era casi tan alta como su madre.

—Esto es lo que vamos a hacer —dijo Madre, antes de darse la vuelta y entrar de nuevo en casa—. La venderemos mañana.

Pero desde detrás de nosotros nos llegó un penetrante grito:

—¡Madre adoptiva!

Sha Yueliang, que había desaparecido durante tres días, entró al patio caminando, guiando a su burro negro. Sobre el lomo del burro había un par de alforjas moradas bien llenas, de las que asomaba algo muy colorido.

—¡Madre adoptiva! —gritó otra vez, con un tono de intimidad en la voz.

Madre se dio la vuelta y vio una extraña sonrisa en el oscuro y huesudo rostro de ese hombre encorvado.

—Comandante Sha —dijo Madre con insistencia—, ¿cuántas veces te he dicho que no soy tu madre adoptiva?

Manteniendo inexorablemente la sonrisa que le dibujaba arrugas en la cara, Sha le contestó:

—No, no lo eres, tú eres mucho más que eso. Quizá tú no me tengas en muy alta estima, pero las obligaciones filiales que tengo contigo no conocen límite.

Se dio la vuelta y les ordenó a dos de sus soldados que llevaran el burro al patio de la iglesia y que lo descargaran de sus alforjas y le dieran de comer. Madre le echó al burro negro una mirada llena de veneno, y yo hice lo mismo. Él abrió las ventanas de sus narices para olisquear a nuestra burra, cuyo aroma surgía de la habitación que daba al Oeste.

Sha abrió una de las alforjas y sacó una chaqueta de piel de zorro, que brilló cuando la sacudió bajo la nieve, que se derretía, debido al calor de la prenda, en cuanto se acercaba a un metro de distancia.

—Madre adoptiva —le dijo, acercándose a ella con el abrigo—. Por favor, acepta este regalo de tu hijo adoptivo.

Madre trató de dar un paso atrás, nerviosa, pero no consiguió evitar verse envuelta en la chaqueta de piel de zorro. A mi alrededor se hizo la oscuridad. El hedor de la piel del animal y el penetrante olor de las bolas de naftalina estuvieron a punto de asfixiarme.

Cuando al fin pude ver algo de nuevo, el patio se había convertido en una especie de zoológico. Un abrigo de color púrpura, hecho con piel de marta, colgaba desde los hombros de mi hermana mayor, Laidi, que también llevaba un zorro de ojos brillantes anudado en torno al cuello. Mi segunda hermana, Zhaodi, estaba envuelta en una chaqueta de piel de comadreja. Un abrigo de piel de oso pardo colgaba desde los hombros de mi tercera hermana, Lingdi; un abrigo de color amarillo oscuro, de piel de corzo, colgaba desde los hombros de mi cuarta hermana, Xiangdi; un abrigo de piel de perro colgaba desde los hombros de mi quinta hermana, Pandi; un abrigo de piel de oveja colgaba desde los hombros de mi sexta hermana, Niandi; y un abrigo de piel de conejo colgaba desde los hombros de mi séptima hermana, Qiudi. El abrigo de piel de zorro de Madre estaba tirado en el suelo.

—¡Quitaros esos abrigos de una vez, todas! —gritó—. ¡Quitároslos!

Mis hermanas hicieron como si no la hubieran oído. Movían de un lado a otro la cabeza, que disfrutaba del calor de los cuellos de sus abrigos, y se dedicaban a acariciar las pieles de los abrigos de las demás. La expresión de sus rostros mostraba que estaban deleitándose en estar inmersas en ese calor, y que también las calentaba esa sensación de deleite. Madre, que estaba ahí de pie, tiritando, dijo débilmente:

—¿Os habéis vuelto todas sordas?

Sha Yuenliang sacó los dos últimos abrigos de una de las alforjas y acarició suavemente la piel negra que cubría la satinada prenda marrón.

—Madre adoptiva —dijo, con un tono emocionado—, éstas son pieles de lince. Sólo había un par de linces en un radio de cien *li* desde Gaomi del Noreste. Al viejo Geng y a su hijo les llevó tres años capturarlos. Éste es el macho y ésta es la hembra. ¿Habéis visto un lince alguna vez? —Sus ojos se clavaron en las chicas, que estaban todas tapadas con sus pieles. Como no le contestaron, se puso a explicarles cosas sobre los linces, como si fuera un maestro de escuela dando una clase—. Un lince es un gato, pero más grande, y se parece al leopardo pero en más pequeño. Puede subir a los árboles y nadar. Es capaz de dar saltos de varios metros y de capturar pájaros en las ramas de los árboles. Es un animal muy inteligente. Esta pareja de linces, en concreto, vivía entre los montes donde se entierran los muertos de Gaomi del Noreste, lo cual hizo que fuera más difícil capturarlos que subir al cielo trepando. Pero al final los cogieron. Madre adoptiva, estas dos chaquetas son mi regalo para el joven hermano Jintong y su hermana melliza.

Diciendo esto, desplegó las dos pequeñas chaquetas de piel de lince, animales que cuando estaban vivos podían trepar a los árboles, nadar y dar saltos de varios metros. Después se agachó, recogió el abrigo de color rojo fuego de piel de zorro, lo sacudió y lo depositó en los brazos de Madre.

—Madre adoptiva —le dijo con voz suplicante—, por favor, no hagas que me pierdan el respeto.

Cuando cayó la noche, Madre echó el cerrojo en la puerta y le dijo a Laidi que viniera a nuestra habitación. Me acostó a la cabecera del *kang*, junto a mi hermana melliza, y yo estiré un brazo y le arañé la cara. Ella chilló y se acurrucó en la esquina, todo lo lejos de mí que pudo. Madre estaba demasiado ocupada cerrando con pestillo la puerta del dormitorio como para preocuparse por nosotros. Mi hermana mayor estaba de pie junto a la cabecera del *kang*, envuelta en su abrigo púrpura de marta, con la estola de zorro alrededor del cuello, con pinta de avergonzada y orgullosa al mismo tiempo. Madre se subió al *kang*. Se quitó una horquilla del moño que tenía en la parte posterior de la cabeza y tiró un poco de la mecha de la lámpara de aceite para que alumbrara con un poco más de fuerza. Después se sentó con la espalda muy recta y dijo con tono de reproche y condescendencia: «Siéntate, jovencita. No tengas miedo de que se manche tu nuevo abrigo». Laidi se ruborizó y se sentó en un taburete junto al *kang*, haciendo pucheros para mostrarle que se sentía herida. Su estola de piel hacía que su astuta barbilla se elevara un poco; una luz verde y oleosa brillaba en sus ojos.

El patio se había convertido en el territorio de Sha Yueliang. Desde que montó su campamento en la habitación del lado este de nuestra casa, la puerta de entrada nunca estuvo del todo cerrada. En esta noche en concreto, en la habitación del lado este estaban pasando muchas más cosas que de costumbre. La brillante luz de una lámpara de gas se veía a través de la persiana de papel de la ventana, iluminando todo el patio y añadiéndoles un cierto resplandor a los copos de nieve que se movían en el aire. La gente corría de un lado para el otro, la puerta no dejaba de abrirse y de cerrarse, chirriando cada vez, y el crujiente sonido de los cascos de los burros subía y bajaba por la calle. Dentro de la habitación, una risa profunda y masculina tronaba en la noche entre las apuestas: ¡Tres jardines de melocotones! ¡Cinco burros de carga! ¡Siete ciruelos en flor y ocho caballos! El olor de la carne y el pescado atrajo a mis seis hermanas hasta la ventana de la habitación del lado este, donde se instalaron apoyadas en el alféizar, hambrientas, mientras se les hacía agua la boca. Madre observó a mi hermana mayor como un halcón, con los ojos en llamas. Laidi le devolvió la mirada desafiante, sin someterse. Unas chispas azules surgieron del encuentro de sus ojos.

—¿Qué estás pensando? —preguntó Madre.

—¿A qué te refieres? —preguntó Laidi, acariciando la exuberante cola del zorro.

—No te hagas la tonta conmigo —le dijo Madre.

—Madre —dijo Laidi—. No sé adónde quieres llegar.

Cambiando el tono de su voz para adoptar uno más triste, Madre dijo:

—Laidi, eres la mayor de nueve hijos, así que si te metes en líos, ¿en quién voy a confiar?

Mi hermana se puso de pie de un salto y, con un tono de indignación en la voz que yo nunca le había oído antes, le dijo:

—¿Y qué es lo que esperas de mí, Madre? Tú sólo te preocupas por Jintong. ¡Para ti, las chicas no valemos más que un montón de cagadas de perro!

—Laidi —dijo Madre—, no cambies de tema. Puede que Jintong sea oro, pero vosotras, las chicas, sois plata. Así que no me vuelvas a decir nada de cagadas de perro. Ya es hora de que madre e hija tengan una conversación sincera. Ese tipo, Sha, es como una comadreja que se acerca a los pollos para felicitarles el año nuevo. No tiene buenas intenciones, y estoy segura de que te ha echado el ojo.

Laidi bajó la cabeza y volvió a acariciar la cola de zorro mientras las lágrimas asomaban a sus ojos.

—Madre —le dijo—, me haría muy feliz casarme con un hombre como él.

Madre reaccionó como si le hubiera caído encima un rayo.

—Laidi —le dijo—, tendrás mi bendición para casarte con quien tú quieras con tal de que no sea ese Sha.

—¿Por qué?

—Tú no te preocupes por eso.

Con un matiz de odio en la voz, que pareció fuera de lugar en una chica de su edad, Laidi dijo:

—La familia Shangguan ya me ha tratado como a una bestia de carga durante suficiente tiempo.

La dureza de su comentario dejó a Madre asombrada. Escrutó el rostro de su hija, que estaba rojo de rabia, y después dirigió la mirada más abajo, a la mano que acariciaba la cola de zorro. Sentí cómo cogía algo que estaba por ahí cerca; era el cepillo para limpiar el *kang*. Levantándolo por encima de su cabeza, gritó histéricamente:

—¿Cómo te atreves a hablarme así? ¡A ver si te voy a dar una paliza de muerte!

Madre saltó del *kang*, blandiendo el cepillo en el aire. Pero Laidi, en lugar de prepararse para encajar el golpe que le iba a caer, levantó la cabeza, desafiante, y la mano se le congeló a Madre a media altura. Cuando al fin impactó, lo hizo sin ninguna fuerza. Dejando caer el cepillo al suelo, Madre le echó los brazos al cuello a mi hermana y sollozó:

—Laidi, nosotros y ese Sha vivimos en dos mundos distintos. No puedo resignarme a mirar cómo mi propia hija se lanza sobre una pira en llamas...

Para entonces, Laidi también estaba sollozando.

Cuando quedaron agotadas de llorar, Madre le secó a mi hermana la cara con el dorso de su mano y le imploró:

—Laidi, dame tu palabra de que no tendrás nada con ese Sha.

Pero Laidi se mantuvo en su sitio.

—Madre —le dijo—, esto es algo que de verdad quiero, y no sólo por mí, sino por el bien de toda la familia.

Por el rabillo del ojo, Laidi miró el abrigo de piel de zorro y las dos chaquetas de lince que había sobre el *kang*.

Madre también se mantuvo en su sitio.

—Quiero que todas devolváis estos abrigos mañana.

—¿Es que no te importa si nos morimos congeladas? —dijo mi hermana.

—Un maldito vendedor ambulante de abrigos de piel, eso es lo que es —protestó Madre.

Mi hermana quitó el pestillo de la puerta y se marchó a su habitación sin mirar atrás.

Madre se sentó, exhausta, en el borde del *kang*; yo oía los roncos suspiros que brotaban de su pecho.

Después oí, a través de la ventana, el sonido de los pasos dubitativos de Sha Yueliang. No sabía qué decir, tenía la lengua de trapo y la boca medio paralizada. Yo sabía que tenía ganas de golpear contra la ventana y, con un tono de ternura, sacar el tema del matrimonio. Pero el alcohol había aplanado sus percepciones sensoriales y había imposibilitado que sus actos se correspondieran con sus deseos. Dio un golpe tan fuerte en el cristal de la ventana que atravesó con la mano la persiana de papel, con lo que el aire frío del exterior entró en la casa junto al hedor a alcohol que desprendía su aliento. Con el tono de voz típico de los borrachos, desagradable y, sin embargo, inspirador de un cierto cariño, bramó:

—Madre...

Madre bajó del *kang* de un salto y se quedó un tanto aturdida durante un instante, y después volvió a subir al *kang* y me sacó de debajo de la ventana, donde estaba acostado.

—Madre —dijo Sha—, Laidi y yo, ¿cuándo podemos casarnos? No soy un hombre con mucha paciencia...

Madre apretó los dientes.

—Oye, tú, Sha —le dijo—. Es como si el sapo quisiera gozar del cisne. ¡Sigue soñando!

—¿Qué has dicho? —le preguntó Sha Yueliang.

—He dicho: ¡Sigue soñando!

Como si de repente hubiera dejado de estar borracho, Sha dijo, pronunciando perfectamente:

—Madre adoptiva, nunca en la vida le he suplicado nada a nadie.

—Y yo no te he pedido que me supliques nada.

Soltando una carcajada burlona, él le contestó:

—Madre adoptiva, te estoy diciendo que Sha Yueliang consigue y hace exactamente lo que le da la gana...

—Primero tendrás que matarme.

—Dado que quiero casarme con tu hija —dijo Sha riéndose—, ¿cómo iba a matarte, a ti, a mi futura suegra?

—Entonces ya puedes ir olvidándote de lo de casarte con mi hija.

Otra carcajada.

—Tu hija ha crecido, ahora es una mujer, y tú ya no puedes decidir su destino. Ya veremos lo que ocurre, mi querida suegra.

Sha fue caminando hasta la ventana de la habitación del lado este, abrió un hueco en la persiana de papel y metió un puñado de caramelos en el cuarto.

—Pequeñas cuñadas —gritó—, tomad unos caramelos. Mientras Sha Yueliang esté por aquí, comeréis dulces y tomaréis bebidas picantes conmigo...

Esa noche, Sha Yueliang no durmió. Estuvo dando vueltas por el patio y, salvo alguna tos de vez en cuando, o cuando se lanzaba a silbar, cosa que hacía realmente bien, puesto que era capaz de imitar las voces de una docena de pájaros diferentes, estuvo cantando a pleno pulmón arias de óperas antiguas o canciones antijaponesas contemporáneas. En un momento dado cantaba sobre Chen Shimei, el malvado marido que fue decapitado por orden del magistrado de Kaifeng cuando éste se enfadó, y al momento siguiente cantaba sobre seccionar, con su espada, el cuello de un soldado japonés. Para evitar que este héroe de la resistencia, que estaba ebrio de alcohol y de amor, irrumpiera en la habitación, Madre añadió un segundo cerrojo en la parte más alta de la puerta y, por si eso no fuera suficiente, amontonó contra ella todas las cosas que fue capaz de mover, desde un fuelle hasta un armario, pasando por una pila de ladrillos rotos. Después, tras colocarme a salvo en su espalda, cogió un enorme cuchillo de carnicero y se puso a caminar por la habitación de un lado a otro. Ninguna de mis hermanas se quitó su nuevo abrigo de piel; se acurrucaron todas juntas, con una gota de sudor en la punta de la nariz, durmiendo a pesar de todo el ruido que hacía Sha. La baba que salía de la boca de Qiudi mojó el abrigo de piel de marta de Zhaodi; Niandi se durmió junto al abrigo de piel de oso, como un corderito. Ahora que lo recuerdo, Madre nunca tuvo ninguna oportunidad de vencer en su enfrentamiento con Sha Yueliang, que se había ganado a mis hermanas con sus abrigos de pieles, por lo que formaron un frente único con él; tras perder el apoyo de las masas, Madre se convirtió en una luchadora solitaria.

Al día siguiente, llevándome a la espalda, Madre fue corriendo a contarle a Tercer Maestro Fan que había decidido que la mejor forma de devolverle lo que le debía a la Tía Sol por sus servicios de matrona era casando a Laidi con uno de los chicos mudos de la familia Sol, el héroe de la batalla contra los cuervos. El mismo día que se anunciara la decisión quedaría establecido el compromiso, la dote se entregaría al día siguiente y la boda se celebraría un día más tarde. Tercer Maestro Fan clavó los ojos en Madre con una expresión de confusión en la mirada.

—Tío —dijo Madre—, no te preocupes por los detalles. Yo me encargaré de hablar con el Casamentero Xie.

—Pero esto es hacer las cosas al revés.

—Sí, así es —contestó Madre.

—¿Y por qué lo haces así?

—Por favor, tío, no me hagas preguntas. Simplemente ocúpate de que el mudo llegue a nuestra casa a mediodía con sus regalos de compromiso.

—¿Y qué puede ofreceros él como regalo? —preguntó Tercer Maestro Fan.

—Dile que traiga lo que pueda —le contestó Madre.

De camino a casa, noté el miedo y la profunda ansiedad de Madre. Tenía motivos para estar preocupada. En cuanto entramos en el patio, nos encontramos con un montón de animales, bailando y cantando: una comadreja, un oso pardo, un corzo, un perro, una oveja y un conejo. El único que faltaba era la marta. La marta de color púrpura, con un zorro envolviéndole el cuello, estaba sentada sobre unos sacos de grano en la habitación que daba al lado este, mirando fijamente al comandante, que estaba limpiando la bolsita en la que llevaba la pólvora y el mosquete.

Madre arrastró a Laidi de los sacos de grano y expuso, fría como el hielo:

—Comandante Sha, está prometida a otro. Supongo que los soldados de la resistencia que combaten bajo sus órdenes no son del tipo de hombres que se van con las mujeres de otros. ¿Estoy en lo cierto?

—Por supuesto —le contestó Sha, sin ninguna emoción.

Madre sacó a mi hermana mayor de la habitación del lado este.

A mediodía, el chico mudo de la familia Sol se presentó ante nuestra puerta con un conejo salvaje. Llevaba una pequeña chaqueta acolchada, y por debajo de ella se le veía la tripa, y por arriba el cuello. Las mangas apenas cubrían sus gruesos brazos hasta la mitad. Todos los botones se le habían perdido, por lo que usaba una cuerda de cáñamo para sujetarse los pantalones. Gesticuló y se inclinó ante

Madre, con una sonrisa idiota surcándole el rostro. Le ofreció el conejo a Madre sujetándolo con las dos manos. Tercer Maestro Fan, que había venido con el mudo, dijo:

—Viuda de Shangguan Shouxi, he hecho lo que me pediste.

Madre le echó un vistazo al conejo salvaje, que tenía una burbuja de sangre en una de las esquinas de la boca, y se quedó petrificada donde estaba. Entonces, señaló al chico mudo de la familia Sol y dijo:

—Tío, me gustaría que los dos os quedarais un rato. No os vayáis a casa todavía. Cocinaremos el conejo con unas zanahorias como cena de compromiso.

Los sollozos de Laidi irrumpieron desde la habitación del lado este. Al principio, sonaba como el llanto de una niña pequeña, agudo e infantil. Eso se mantuvo así durante unos minutos, y después fue reemplazado por unos gemidos profundos y entrecortados, acompañados por una sucesión de insultos terriblemente sucios. Después de unos diez minutos, cuando las lágrimas se acabaron, dieron paso a unos gritos áridos y quebradizos.

Laidi estaba sentada en el suelo de tierra de la habitación que daba al lado este, enfrente del *kang*, ensuciándose el precioso abrigo sin preocuparse por ello en absoluto. Miraba fijamente, de frente, sin lágrimas en el rostro, con la boca abierta, semejante a un pozo seco. Unos gritos áridos y quebradizos brotaban de ese pozo seco interminablemente. Mis otras seis hermanas estaban sollozando con suavidad, y sus lágrimas caían rodando sobre una piel de oso, bailaban sobre una piel de corzo, brillaban sobre una piel de comadreja, humedecían una piel de oveja y manchaban una piel de conejo.

Tercer Maestro Fan asomó la cabeza por la puerta. Los ojos estuvieron a punto de salírsele de sus órbitas y los labios le temblaron, como si hubiera visto un fantasma. Retrocedió hasta salir de la habitación, se dio la vuelta y se largó de allí lo más rápido que pudo.

El chico mudo de la familia Sol estaba en el salón de nuestra casa, observando con curiosidad todo lo que estaba al alcance de su vista. Además de su sonrisa idiota, la expresión de su rostro revelaba una maraña de pensamientos inextricables, una desolación fosilizada, una tristeza indiferente. Incluso en un momento determinado distinguí en su cara una temerosa expresión de rabia.

Madre le metió un cable por la boca al conejo y lo colgó de una viga. Los alaridos de terror que soltaba mi hermana mayor no le hicieron ninguna mella. Madre tampoco hizo caso a la extraña expresión del mudo y siguió dedicándose al conejo con su viejo y oxidado cuchillo de carnicero. Sha Yueliang salió de la habitación del lado este con su mosquete colgado a la espalda. Sin ni siquiera levantar la mirada, Madre le dijo fríamente:

—Comandante Sha, hoy es el compromiso de boda de mi hija mayor y este conejo es el regalo de compromiso.

—Qué regalo tan extravagante —dijo Sha Yueliang con una carcajada.

Madre le rebanó la cabeza al conejo.

—Hoy se ha comprometido, mañana se entregará la dote y pasado mañana se celebrará la boda. —Madre se volvió y miró fijamente a Sha Yueliang—. ¡No te olvides de asistir al banquete de bodas!

—¿Cómo iba a olvidarme? —contestó Sha—. Seguro que no me olvidaré.

Entonces se dio la vuelta y salió por la puerta con su mosquete, silbando fuertemente una melodía.

Madre siguió desollando al conejo, aunque estaba claro que no podía concentrarse del todo en la tarea. Cuando terminó, lo colgó sobre la puerta de entrada y volvió a meterse en casa, llevándome a mí a la espalda y al cuchillo en la mano. «¡Laidi! —gritó—. Los lazos entre los padres y los hijos están hechos de hostilidad y amabilidad. ¡Vamos, ódiame!». En cuanto este exabrupto salió de su boca, se puso a llorar en silencio. Mientras las lágrimas le humedecían el rostro y le temblaban los hombros, ella cortaba los nabos en rodajas. *¡Chac!* El primer nabo se separó en dos mitades de color blanco verdoso. *¡Chac!* Cuatro mitades. *¡Chac! ¡Chac! ¡Chac!* Madre hacía rodajas cada vez más rápido, y sus movimientos eran cada vez más exagerados. Los nabos, ahora troceados, yacían en la tabla de cortar. Madre levantó su cuchillo una vez más; casi cayó flotando por el aire al escapársele de la mano, y aterrizó sobre el montón de nabos troceados. La habitación estaba totalmente cargada con su olor acre.

El chico mudo de la familia Sol miró a Madre y le hizo un respetuoso gesto levantando el pulgar, y también soltó una serie de gruñidos. Madre se secó los ojos con la manga y le dijo: «Ya puedes irte». Él agitó los brazos y dio una patada al suelo. Levantando la voz, Madre señaló en dirección a su casa. «Ya puedes irte. ¡Quiero que te vayas!».

Cuando por fin comprendió lo que quería decir Madre, me hizo un gesto con la cara; el bigote que le crecía sobre el hinchado labio superior parecía como una pincelada de pintura verde. Primero hizo como si fuera a trepar a un árbol, después pareció que se iba a echar a volar como un pájaro, y al fin hizo como si tuviera en la mano un pequeño pájaro luchando por escaparse. Sonriendo, me señaló a mí y después se señaló su propio pecho, justo encima del corazón.

Una vez más, Madre señaló en dirección a su casa. Él se quedó petrificado durante un momento y después asintió, demostrando que había comprendido. Cayendo de rodillas ante Madre —quien retrocedió rápidamente, de modo que ahora él se encontraba frente a la tabla de cortar con las rodajas de nabo—, golpeó la frente contra el suelo al prosternarse. Después se puso de pie y se fue, caminando orgullosamente.

Agotada por todas las actividades del día, Madre durmió un montón aquella noche. Cuando se despertó, a la mañana siguiente, vio varios conejos salvajes colgando de un árbol de parasol, de un cedro y del albaricoque, que parecían cargados con frutas exóticas.

Apoyándose en el marco de la puerta, se sentó lentamente en el umbral.

Con su abrigo de piel de marta puesto, y con la piel de zorro rojo envuelta alrededor del cuello, la joven Shangguan Laidi, de dieciocho años, se había escapado con el jefe de la Banda de Mosqueteros del Burro Negro, Sha Yueliang. Se habían llevado la mula negra con ellos. Todos esos conejos salvajes eran el regalo de compromiso que Sha Yueliang le había hecho a mi madre, y eran también una exhibición de su arrogancia. Mis hermanas segunda, tercera y cuarta fueron cómplices del plan de huida de Primera Hermana, que se llevó a cabo en mitad de la noche, cuando Madre estaba sumida en un profundo sueño y roncaba fuertemente, y mis hermanas quinta, sexta y séptima también dormían a pierna suelta. Segunda Hermana salió de la cama y, caminando descalza para no hacer ruido, se acercó a la puerta y apartó todas las cosas que Madre había apilado tras ella. Después, mis hermanas tercera y cuarta abrieron la doble puerta. Antes, aquella noche, Sha Yueliang había engrasado los goznes para escopetas, por lo que las puertas se abrieron sin hacer ni un ruido. Bajo los fríos rayos de luna de la alta noche, las chicas se abrazaron y se despidieron. Sha Yueliang sonrió furtivamente ante los conejos que colgaban de los árboles.

Al día siguiente tendría que haber sido la boda del mudo y mi hermana mayor. Madre estuvo sentada al borde del *kang*, cosiendo en silencio telas con aguja e hilo. Justo antes del mediodía, el mudo, incapaz de contener la impaciencia, se presentó en la casa. Empleando gestos con las manos y expresiones faciales, le indicó a Madre que había venido en busca de su mujer. Madre bajó del *kang* y señaló a la habitación del lado que daba al Este, y después a los árboles del patio donde todavía colgaban los conejos, ahora tiesos por la congelación. No fue necesario que dijera ni una palabra; el mudo comprendió exactamente lo que había sucedido.

Esa noche, todos nos sentamos alrededor del *kang* a comer rebanadas de nabo y a sorber *congee*[3] de trigo. De repente oímos a alguien que golpeaba a la puerta de la calle. Segunda Hermana, que había ido un momento a la habitación que daba al Oeste a llevarle algo de comida a Shangguan Lü, entró corriendo y dijo, casi sin aliento: «Madre, hay problemas. El mudo y sus hermanos están en la puerta, y han traído un montón de perros». Mis hermanas entraron en pánico, pero Madre se quedó sentada donde estaba, dándole

---

[3] Una sopa china que casi siempre se hace con arroz y que se suele tomar de desayuno [*N. del T.*].

de comer tranquilamente a mi hermana melliza Yunü —Niña de Jade— y sin dejar de prestarles atención a las rebanadas de nabo, que masticaba ruidosamente. Parecía tan tranquila como una coneja embarazada. El escándalo que se había armado en la puerta se acabó tan repentinamente como había comenzado. En el tiempo que se tarda en fumarse una pipa pequeña, tres figuras oscuras y con el rostro enrojecido saltaron el muro de la parte sur del patio. Eran tres hermanos mudos de la familia Sol. Tres perros negros, con la piel reluciente como si se la hubieran embadurnado con manteca de cerdo, entraron al patio junto a ellos. Pasaron por encima del muro como arco iris negros y aterrizaron en el suelo sin hacer ni un ruido. Los mudos y sus perros se quedaron quietos, como congelados, durante un instante, bajo la profunda luz roja de la puesta de sol, como si fueran estatuas. El mayor aferraba una brillante espada de Burma, el segundo tenía un cuchillo de caza de acero inoxidable colgado a la cintura y el tercero llevaba una gran espada oxidada de mango corto. Los tres portaban sobre los hombros unas mochilas de algodón, de color azul y decoradas con flores blancas, como quien está a punto de emprender un largo viaje. Mis hermanas, aterrorizadas, contuvieron el aliento, pero Madre siguió sentada, sorbiendo su *congee* tranquilamente. Sin previo aviso, el mayor de los mudos soltó un rugido, y lo siguieron sus dos hermanos y después los perros. Las gotas de saliva procedente de bocas humanas y caninas bailaban bajo los últimos rayos del sol como brillantes insectos. Entonces, los mudos hicieron una demostración de su habilidad con sus espadas y cuchillos, como una repetición de la batalla que habían librado contra los cuervos durante el funeral en los campos de trigo. Aquella noche de invierno, los cuchillos y las espadas centellearon mientras tres hombres fornidos y de poca estatura, vagamente semejantes a perros de caza, saltaban por el aire, estirándose todo lo que podían, y cortaban en pedazos los conejos muertos que colgaban de los árboles de nuestro patio. Sus perros aullaban frenéticamente y sacudían la cabeza de un lado para el otro, sacudiendo a izquierda y derecha los destrozados cadáveres de los conejos. Cuando los hombres terminaron, todo nuestro patio estaba cubierto de pedazos de conejo. Unas pocas y solitarias cabezas de conejo quedaron colgando de las ramas, como frutas que nadie ha recogido y que el viento se ha encargado de secar. Guiando a sus perros, los mudos, satisfechos, dieron unas cuantas vueltas por el patio para mostrar su autoridad antes de volver a pasar por encima del muro, rozándolo, como golondrinas, y desaparecer en la penumbra de la noche al caer.

Sosteniendo su cuenco frente a ella, Madre sonrió ligeramente. Esa extraña sonrisa quedó grabada a fuego en nuestras mentes.

IV

Las primeras señales de que una mujer está envejeciendo le aparecen en los pechos y van avanzando desde los pezones hacia atrás. Después de que nuestra hermana se diera a la fuga, los rosados pezones de Madre, que siempre se habían mantenido juguetonamente erguidos, se inclinaron hacia abajo, como las espigas de grano cuando están maduras. Al mismo tiempo, el rosa se volvió rojo dátil. Durante esos días su producción de leche decayó, y ya no era ni de cerca tan fresca ni tan bien oliente ni tan dulce como siempre había sido. De hecho, esa leche, que ahora era anémica, sabía un poco a madera podrida. Afortunadamente el paso del tiempo fue haciendo que su estado de ánimo mejorara poco a poco, especialmente una vez que se comió una gran anguila, tras lo cual sus pezones decaídos resurgieron y se elevaron y su color se aclaró. Pero las profundas arrugas que habían aparecido en la base de cada pezón, como pliegues en las páginas de un libro, seguían siendo perturbadoras; desde luego, ahora se habían suavizado, pero a pesar de todo quedaba un trazo indeleble de su declive. Para mí, esto fue como una advertencia; gracias al instinto, o tal vez a la intervención divina, se produjo un cambio en mi actitud temeraria e indulgente con respecto a los pechos. Supe que debía considerarlos como algo precioso, y conservarlos y protegerlos, tratándolos con el cuidado que se merecían esos exquisitos contenedores.

El invierno de aquel año fue especialmente amargo, pero fuimos avanzando hasta la primavera sanos y salvos y llenos de confianza gracias a que teníamos media habitación llena de trigo y el sótano con pilas de nabos hasta el techo. Durante los días más fríos, las fuertes nevadas nos obligaban a quedarnos encerrados en casa, mientras afuera a algunos árboles se les quebraban las ramas bajo el peso de la nieve que se les acumulaba encima. Cubiertos con los abrigos de piel que nos había dado Sha Yueliang, nos acurrucábamos en torno a Madre y caíamos en una especie de hibernación. Pero un día salió el sol y comenzó a derretir la nieve. En los aleros del tejado se formaron carámbanos de hielo y los gorriones fueron reapareciendo poco a poco, y gorjeaban para nosotros desde las ramas de los árboles que había en el patio. Por nuestra parte, nos desperezamos y fuimos saliendo de nuestro sopor invernal. Mis hermanas experimentaron una profunda repulsión por la nieve derretida que nos había servido durante tanto tiempo, y la misma comida de nabos hervía en agua de nieve, una tras otra hasta cientos de veces. Mi segunda hermana, Zhaodi, fue la primera que mencionó que la nieve de aquel año traía un olor a sangre, y añadió que si no nos dábamos prisa en bajar al río para traer agua fresca, seguramente sufriríamos una extraña enfermedad y ni siquiera Jintong, que todavía se alimentaba de leche materna, podría sobrevivir. Para entonces, Zhaodi había asumido con mucha naturalidad el rol de liderazgo de Laidi. Tenía unos labios gruesos y carnosos y hablaba con una voz potente que la hacía muy atractiva. Se convirtió en la voz de la autoridad, puesto que había asumido toda la responsabilidad en la preparación de las comidas en cuanto el invierno se había cernido sobre nosotros, mientras Madre se sentaba en el *kang*, timorata como una vaca lechera que ha sufrido heridas, envolviéndose de vez en cuando en la preciosa piel de zorro, como debía hacer, para mantener el calor y garantizar la continuidad del flujo de leche de buena calidad hasta sus pechos. Mirando a Madre, mi segunda hermana dijo imperiosamente:

—Desde hoy, iremos a buscar agua al río.

Madre no puso ninguna objeción. Mi tercera hermana, Lingdi, puso mala cara y se quejó del sabor de los nabos hervidos en agua de nieve y repitió su propuesta de que vendiéramos la burra y usáramos el dinero para comprar algo de carne.

—Estamos rodeados de hielo y nieve —dijo Madre sarcásticamente—, así que ¿dónde sugieres que vayamos a venderla?

—Entonces vamos a cazar conejos salvajes —dijo Tercera Hermana—. Con todo este hielo y toda esta nieve tienen tanto frío que casi no se pueden mover.

Madre palideció de rabia.

—Chicas, recordad una cosa: no quiero volver a ver un conejo salvaje en lo que me queda de vida.

De hecho, hubo mucha gente en la aldea que se hartó de comer conejo salvaje durante aquel amargo invierno. Los conejos, pequeños y regordetes, se arrastraban por los campos nevados como gusanos, en un estado de letargo tal que incluso las mujeres con los pies vendados podían atraparlos con facilidad. Fue una época dorada para los zorros. Debido a las batallas, que no se acababan nunca, todos los rifles de caza habían sido confiscados por las guerrillas de uno u otro signo, privando a los aldeanos de sus armas más eficaces. Y las batallas también tenían un efecto debilitador en el estado de ánimo de dichos aldeanos, por lo que en el momento álgido de la temporada de caza los zorros, a diferencia de años anteriores, no tenían nada que temer. Durante las noches, tan largas que parecían interminables, los zorros campaban libremente en los pantanos y todas sus hembras quedaron preñadas. Sus lastimeros aullidos casi volvían loca a la gente.

Empleando una pértiga, mis hermanas tercera y cuarta llevaron un gran cubo de madera hasta el Río de los Dragones. Las siguió mi segunda hermana, que llevaba un martillo pilón. Cuando pasaron junto a la casa de la Tía Sol, sus ojos se dirigieron hacia el patio, que estaba más desolado de lo que se pueda imaginar, sin un solo signo de vida. Una bandada de cuervos formaba una línea junto al muro, como recordatorio de todo lo que había sucedido allí. La excitación de aquella época había desaparecido hacía mucho tiempo, así como los mudos, que se habían marchado con destino desconocido. Las chicas atravesaron la nieve, que les llegaba por las rodillas, hasta la orilla del río, observadas por varios perros-mapache desde los ásperos arbustos. El Sol estaba atravesando el cielo del Sudeste y sus rayos diagonales brillaban sobre el lecho del río. El hielo que había junto a la orilla estaba blanco, y caminar sobre él era como pisar tortitas crocantes; crujía bajo los pies de las chicas haciendo un ruido como *ge-ge-cha-cha*. En el centro, el hielo era azul pálido, duro, suave y brillante. Mis hermanas pasaron sobre él caminando con precaución, y cuando mi cuarta hermana resbaló y cayó, arrastró tras ella a mi segunda hermana, que la tenía cogida de la mano. El cubo y el martillo pilón dieron un golpe fuerte y sonoro contra el hielo, y las chicas rieron.

Segunda Hermana escogió un trozo de hielo limpio y lo atacó con el martillo pilón, que había pertenecido a la familia Shangguan durante generaciones, levantándolo bien alto por encima de su cabeza con sus delgados brazos e impulsándolo hacia abajo con fuerza. Los ruidos agudos y huecos que hacía el acero en contacto con el hielo volaban por el aire y hacían que la persiana de papel de nuestra ventana temblara. Madre me mimó la parte de arriba de la cabeza, sobre la pelusa amarilla, y después acarició la piel de mi abrigo. «Pequeño Jintong —me dijo—, pequeño Jintong, tu hermana está haciendo un gran agujero en el hielo. Volverá con un cubo lleno de agua y con medio cubo lleno de pescado». Mi octava hermana, envuelta en su abrigo de piel de lince, estaba tumbada acurrucada en una esquina del *kang*, con una extraña sonrisa dibujada en el rostro, como una pequeña y peluda Diosa de la Misericordia. El primer golpe que dio Segunda Hermana produjo una marca blanca del tamaño de una nuez. Varias astillas de hielo quedaron pegadas al martillo. Lo levantó otra vez, haciendo un esfuerzo para poder elevarlo por encima de su cabeza, y volvió a dejarlo caer, esta vez de una forma más titubeante. Sobre el hielo apareció otra marca blanca, ésta a varios centímetros de distancia de la primera. Para el momento en que unas veinte manchas cubrían el trozo de hielo, Zhaodi estaba casi sin aliento, y unas grandes y densas vaharadas de humo blanco salían de su boca. Levantó el martillo una vez más, pero al hacer un último esfuerzo para dar el golpe, perdió el equilibrio y cayó de cabeza sobre el

208

hielo. Tenía la cara pálida como la ceniza y sus gruesos labios habían adquirido un color rojo brillante. Además, se le nubló la vista y sobre la punta de la nariz tenía unas gotas cristalinas de sudor.

Para entonces, mis hermanas tercera y cuarta ya estaban murmurando, dando voz a su disgusto con su hermana mayor, mientras ráfagas de viento procedente del Norte barrían la superficie del lecho del río y les cortaban la cara como si fueran cuchillos. Segunda Hermana se levantó, se escupió en las manos, volvió a coger el martillo pilón y golpeó el hielo con él. Pero este nuevo golpe la envió despatarrada al suelo por segunda vez.

Justo cuando estaban recogiendo el cubo y la pértiga para transportarlo y estaban a punto de encaminarse hacia casa, frustradas, resignadas al hecho de que iban a tener que seguir empleando nieve derretida, o hielo, para cocinar, una docena de caballos que tiraban de trineos y dejaban un rastro de polvo de nieve apareció galopando por encima del río helado. Debido a los brillantes rayos del sol que rebotaban en el hielo y al hecho de que los caballos venían del Sudeste, al principio Segunda Hermana pensó que habían arribado a la Tierra viajando en esos mismos rayos solares. Brillaban como haces de luz dorada y centelleaban a gran velocidad. Los cascos de los caballos refulgían como la plata al repiquetear sobre el hielo, herraduras de hierro que llenaban el aire con sus fuertes impactos y enviaban esquirlas de hielo que llegaban volando hasta los rostros de mis hermanas, que se quedaron ahí mirando boquiabiertas, demasiado estupefactas como para ni siquiera pensar en salir corriendo. Los caballos pasaron a su lado al galope antes de detenerse, de forma impresionante, sobre el suave y brillante hielo. Mis hermanas se dieron cuenta de que los trineos estaban recubiertos con una gruesa y amarilla capa de aceite de tung, que relucía como el vidrio de colores. En cada uno de los trineos había cuatro hombres sentados; todos ellos llevaban gorros hechos con lustrosa piel de zorro. La escarcha blanca les cubría la barba, las cejas, las pestañas y la parte delantera de los gorros. Unas densas vaharadas de humeante niebla surgían de sus narices y sus bocas. Sus caballos eran pequeños y delicados, y tenían las piernas cubiertas de pelo bastante largo.

Por su tranquilo comportamiento, Segunda Hermana dedujo que se trataba de los legendarios ponis de Mongolia. Un tipo alto y fornido bajó del segundo de los trineos de un salto. Llevaba un grueso abrigo de piel de oveja, abierto por el frente, donde dejaba ver un chaleco de piel de leopardo. El chaleco iba ceñido con un cinturón de cuero, del cual colgaban un revólver metido en su cartuchera por un lado y un hacha por el otro. Él era el único que llevaba un sombrero de fieltro con alas en lugar de una gorra de cuero; las orejas quedaban así desprotegidas, por lo que se las tapaba con unas orejeras de piel de conejo.

—¿Vosotras sois las hijas de la familia Shangguan? —les preguntó.

El hombre que estaba ante ellas era Sima Ku, el ayudante del administrador de la Casa Solariega de la Felicidad.

—¿Qué estáis haciendo aquí fuera? —Él mismo dio la respuesta antes de que ellas pudieran contestarle—. Ah, intentando abrir un agujero en el hielo. ¡Ése no es un trabajo para chicas! —se dio la vuelta y les gritó a los hombres que iban en los trineos—: bajad aquí, vosotros, y ayudad a mis vecinas a hacer un agujero en el hielo. Mientras tanto, les daremos algo de agua a esos ponis de Mongolia.

Docenas de hombres bajaron de los trineos. Estaban hinchados y tosían y escupían sin parar. Varios de ellos se arrodillaron, empuñaron las hachas y comenzaron a golpear el hielo: *pa, pa, pa.* Las esquirlas de hielo volaban por el aire mientras el suelo se llenaba de las marcas de los golpes. Uno de los hombres, que lucía una barba en la cara, acarició el filo de su hacha y, después de sonarse la nariz, dijo:

—Hermano Sima, a este ritmo podemos seguir trabajando hasta que sea de noche y no lograremos atravesar el hielo.

Sima Ku se arrodilló, sacó su propia hacha y probó a dar unos cuantos golpes sobre el hielo.

—¡Maldita sea! —juró—. Es como una superficie de acero.

El hombre de la barba dijo:

—Hermano mayor, si todos vaciamos la vejiga en un mismo punto, quizá el hielo se derrita y se abra un agujero.

—¡Eres un gilipollas! —lo insultó Sima Ku, sufriendo un ataque de risa. Se dio una palmada en el trasero y entonces abrió la boca, ya que la herida que había sufrido en la espalda todavía no se le había cicatrizado del todo, y exclamó—: Ya lo tengo. El técnico Jiang, que venga aquí.

Un hombre pequeño y huesudo se le acercó y lo miró a la cara, sin decir ni una palabra. Pero la expresión de su rostro mostraba claramente que estaba a la espera de órdenes.

—¿Esa cosa que has traído puede atravesar el hielo?

Jiang sonrió con suficiencia y le contestó, con una voz frágil y femenina:

—Será como aplastar un huevo con un martillo de hierro.

—Entonces, date prisa —le dijo Sima Ku, muy excitado—, y hazme sesenta y cuatro, es decir, ocho veces ocho agujeros en este río de hielo. Hagamos que mis vecinos se beneficien de la presencia de Sima Ku. —Entonces se volvió hacia mis hermanas—: Y vosotras, chicas, quedaros ahí y no os mováis.

El técnico Jiang retiró el lienzo impermeable que cubría el tercer trineo; aparecieron dos objetos de hierro, pintados de verde, con forma de enormes piezas de artillería. Con una serie de movimientos bien ensayados, soltó un largo tubo de plástico y lo envolvió alrededor de la cabeza de uno de los objetos. Después miró el reloj; dos pequeñas manecillas rojas, finas como lápices, hacían tic-tac rítmicamente. Al final se puso un par de guantes de tela, apretó un objeto metálico que se parecía a una gran pipa de opio, que iba unido a dos tubos de goma, y lo hizo girar. La cosa se puso en marcha. El ayudante del técnico, un chico delgado que no podía tener más de quince años, encendió una cerilla y la acercó a los petardeantes extremos de los tubos. Unas llamas azules, gruesas como crisálidas de gusanos de seda, salieron de los tubos haciendo un fuerte *fsssh*. Le dio a gritos instrucciones al jovenzuelo, quien se subió al trineo y dio vuelta a las cabezas de los dos objetos, con lo que las llamas azules inmediatamente se volvieron de un blanco cegador, más brillante que la luz del sol. El técnico Jiang cogió uno de los intimidantes objetos y le echó una mirada a Sima Ku, quien le guiñó un ojo y levantó la mano bien alto para bajarla después, gritando: «¡Comienza a cortar!».

Jiang se agachó y acercó la llama blanca al suelo helado. Un vapor de color blanco lechoso se elevó como un chorro de unos treinta centímetros por el aire, acompañado por un fuerte chisporroteo. El brazo controlaba la acción de la muñeca, la muñeca controlaba la dirección de la enorme pipa de opio, y la pipa de opio escupía unas llamas blancas que hicieron un agujero en el hielo. Jiang levantó la vista.

—Ahí tienes tu agujero —dijo.

Con ciertas dudas, Sima Ku se agachó para mirar el hielo y vio que en la superficie se había arrancado un pedazo de hielo del tamaño de una piedra de molino, quemando su perímetro y dejando unas pequeñas astillas en los bordes. El agua del río se empezó a arremolinar alrededor de él. Entonces Jiang hizo una cruz sobre el trozo de hielo con la llama blanca, dividiéndolo en cuatro partes. Les puso el pie encima para hundirlas, una por una, y el río que fluía por debajo del hielo las arrastró. Un agua azul brotaba del agujero.

—Perfecto. —Sima Ku alabó el trabajo del hombre, que también recibió las miradas de admiración de los que lo rodeaban—. Ahora, haz unos pocos agujeros más, para nosotros —ordenó Sima.

Empleando todas sus habilidades, el técnico Jiang hizo docenas de agujeros más en el hielo de más de medio metro de grosor que cubría el Río de los Dragones. Resultaron tener contornos muy variados: círculos, cuadrados, rectángulos, triángulos, trapecios, octógonos, e incluso algunos con forma de pera, todos colocados como en una página de un libro de geometría.

—Técnico Jiang —dijo Sima Ku—, ¡has saboreado las mieles del éxito! Bueno, hombres, subamos otra vez a los trineos. Tenemos que llegar al puente antes de que se haga de noche. Pero primero les daremos de beber a los caballos un poco de agua del Río de los Dragones.

Los hombres llevaron a sus caballos hasta los agujeros para que bebieran del río, y Sima Ku se dirigió a Segunda Hermana.

—Tú eres la segunda hija, ¿verdad? Bueno, vete a casa y dile a tu madre que cualquier día de estos voy a machacar a ese bastardo de Sha Yueliang y a devolverle a tu hermana mayor al mudo.

—¿Sabes dónde está ella? —le preguntó mi hermana, sin andarse con rodeos.

—Sha Yueliang se la llevó con él a vender opio, con él y con esa mierda de banda de burros que tiene.

Sin atreverse a preguntar nada más, Segunda Hermana observó cómo Sima Ku se montaba en su trineo y partía en dirección oeste a toda velocidad, seguido por los otros once trineos. Giraron en el puente de piedra, por encima del Río de los Dragones, y desaparecieron de su vista.

Mis hermanas, todavía fascinadas por el espectáculo milagroso que acababan de presenciar, ya no sentían el frío. Se quedaron mirando fijamente todos los agujeros que había sobre el hielo, desde los triángulos a los óvalos, desde los óvalos a los cuadrados, desde los cuadrados a los rectángulos, y mientras tanto el agua del río les empapaba los zapatos antes de congelarse. El aire fresco que salía de los agujeros les llenaba los pulmones. Un sentimiento de reverencia por Sima Ku se apoderó de mis hermanas segunda, tercera y cuarta. Ahora que mi hermana mayor les había servido como un modelo glorioso, en la mente inmadura de Segunda Hermana un pensamiento empezó a tomar forma: ¡Se casaría con Sima Ku! Pero alguien, por lo visto, le había advertido fríamente que Sima Ku tenía tres esposas. De acuerdo, pensó ella. ¡Yo seré la cuarta! Justo en ese momento, Cuarta Hermana gritó: «¡Hermana, mira ese gran palo de carne!».

El llamado palo de carne era, en realidad, una anguila con la piel plateada que había emergido hasta la superficie y que estaba retorciéndose torpemente en el agua. Su cabeza, semejante a la de una serpiente, era del tamaño de un puño, y tenía unos ojos fríos y amenazadores, como los de una víbora agresiva. Cuando alcanzó la superficie con la cabeza, de su boca salieron unas burbujas que explotaron en el aire. «¡Es una anguila!», gritó Segunda Hermana, cogiendo la pértiga de bambú que usaba para llevar cosas y golpeando con ella sobre la cabeza del animal. El gancho que había en el extremo hizo que salpicara un montón de agua. La cabeza de la anguila se hundió y desapareció bajo la superficie, pero salió a flote inmediatamente después. Le había reventado los ojos. Segunda Hermana la golpeó de nuevo. Los movimientos de la anguila se volvieron cada vez más lentos hasta que se quedó rígida, toda estirada. Segunda Hermana soltó la pértiga y, cogiéndola por la cabeza, arrastró la anguila fuera del agua. Estaba rígida como si se hubiera congelado; de hecho, se había convertido en un palo de carne. Las chicas emprendieron el tortuoso regreso al hogar. Hermanas Tercera y Cuarta transportaban el agua, y Segunda Hermana llevaba el martillo en una mano y la anguila en la otra.

Madre le cortó la cola a la anguila y troceó el cuerpo en dieciocho partes. Cada pedazo que cortaba caía al suelo haciendo un ruido seco. Después hirvió la anguila del Río de los Dragones en el agua que le habían traído del Río de los Dragones e hizo una sopa deliciosa. A partir de aquel día, los pechos de Madre se volvieron nuevamente juveniles, a pesar de que las marcas de las arrugas que he mencionado antes permanecieron en las puntas, como páginas de un libro que se han plegado.

Esa noche, la exquisita sopa también sirvió para levantarle la moral a Madre y para devolverle la expresión de santidad a su rostro, parecida a la expresión piadosa del Guanyin Bodhisattva o a la de la Virgen María. Mis hermanas se sentaron alrededor de su asiento de loto. Sus queridas niñas la acompañaron durante esa noche de paz. Los vientos del Norte aullaban sobre el Río de los Dragones, convirtiendo nuestra chimenea en un silbato. Las ramas de los árboles del patio, cubiertas de hielo, se quebraban al agitarse con las ráfagas de viento. Un carámbano de hielo se separó del alero del tejado y se destrozó ruidosamente contra la piedra para hacer la colada que había justo debajo.

Durante aquella misma noche maravillosa, Sima Ku cruzó el puente metálico que había sobre el Río de los Dragones, a unos treinta *li* de la aldea, y estaba a punto de escribir un nuevo capítulo en la historia del Concejo de Gaomi del Noreste. La vía de tren que pasaba por ese puente formaba parte de la Línea Jiaoji, que había sido construida por los alemanes. Los guerreros de la Brigada del Lobo y los de la Brigada del Tigre habían combatido en una heroica y sangrienta batalla, empleando todas las tácticas imaginables para retrasar la construcción, pero finalmente habían sido incapaces de impedir que el camino de acero cortara el blando bajo vientre del Concejo de Gaomi del Noreste, dividiéndolo en dos. Tal como lo expresara su antepasado, Sima el Urna: «Maldita sea, es como abrirles el vientre a nuestras mujeres». El dragón metálico había vomitado un grueso humo negro al pasar rodando a través de Gaomi del Noreste, como si rodara por encima de nuestros pechos. Ahora la línea ferroviaria estaba en manos de los japoneses, quienes la empleaban para transportar carbón y algodón, que en última instancia servirían para limpiar las armas y para preparar la pólvora que usarían contra nosotros.

El Cinturón de Orión se dirigía al Oeste; una luna creciente se alzaba por encima de las copas de los árboles. El castigador viento del Oeste llegaba barriendo la superficie del río helado, arrancándole gemidos y gruñidos al puente de acero a su paso. Era una noche amargamente, casi diabólicamente fría, tan fría que el hielo se quebraba sobre la superficie del río, creando unos dibujos similares a los de una telaraña. Los crujidos que hacía al quebrarse eran más fuertes que el ruido de disparos. La brigada de trineos de Sima Ku alcanzó la base del puente y se detuvo al borde del río. Sima Ku bajó de su trineo de un salto, con un dolor en la espalda como si lo hubiera estado arañando un gato. La tenue luz de las estrellas hacía que el río brillara levemente, pero el cielo, entre las estrellas y el río, estaba tan oscuro que uno no podía verse los dedos de la mano. Dio una palmada, y a su alrededor otras palmadas le contestaron. La misteriosa oscuridad lo llenaba de energía y de excitación. Más tarde, cuando le preguntaron cómo se sentía antes de destruir el puente, había dicho: «Estupendo, como si fuera Nochevieja».

Sus tropas, a tientas, llegaron hasta el puente; Sima Ku se había subido a uno de sus postes, y se sacó un hacha del cinturón y la emprendió a golpes con un soporte. Saltaban chispas y se oía un estridente sonido metálico.

—¡Por las piernas de una puta! —maldijo—. Solamente acero.

Una estrella fugaz atravesó el cielo, dejando el rastro de su larga cola y parpadeando mientras llenaba el cielo de unas maravillosas chispas azules que iluminaron, momentáneamente, el espacio entre el cielo y la tierra. Gracias a la luz de esta estrella fugaz, pudo observar bien el poste de cemento y los soportes de acero.

—Técnico Jiang —gritó—, ven aquí arriba.

Apoyándose en sus camaradas, que lo levantaron, Jiang logró trepar al poste, seguido por su joven aprendiz. En el poste los trozos de hielo proliferaban como setas, y cuando Sima Ku se estiró para darle la mano al chico, resbaló en el hielo y se dio un golpe contra el suelo. El chico consiguió quedarse en lo alto del poste. Sima aterrizó con la espalda, de donde la sangre y el pus todavía no habían dejado de salir.

—Ay, madre —gritó—. ¡Madre querida, cómo duele esto!

Sus hombres, a toda prisa, lo ayudaron a levantarse del hielo, pero eso no hizo que se pararan los gritos de dolor, gritos tan fuertes que llegaban hasta los cielos.

—Hermano mayor —le dijo uno de sus hombres—, vas a tener que aguantarlo como puedas. No te arriesgues más.

Eso hizo que dejara de gritar. De pie, estremeciéndose de frío y de dolor, Sima ladró una orden:

—Vamos, ponte a ello, técnico Jiang. Corta unos cuantos y nos vamos. Los analgésicos que me dio ese maldito Sha Yueliang no hacen más que empeorar mi estado.

Uno de sus hombres le dijo:

—Hermano mayor, creo que eso es lo que él quería, y tú caíste en su trampa.

Sima le contestó, curioso:

—No me digas que nunca has oído ese refrán que dice: «Cuando uno está enfermo, cualquier remedio es bueno».

—Aguántalo como puedas, hermano mayor —repitió el hombre—. Yo me haré cargo de tu problema cuando lleguemos a casa. No hay nada mejor para las quemaduras que el aceite de tejón. Siempre funciona.

¡Brruuum! Una explosión de chispas azules, blancas por los bordes, surgió de entre los soportes del puente, con un brillo tan fuerte

que las lágrimas brotaron en los ojos de los hombres. Los espacios huecos del puente, sus postes, sus soportes de acero, los abrigos de piel de perro, los gorros de piel de zorro, los trineos amarillos, los ponis de Mongolia y todo lo que había alrededor del puente se hizo visible con absoluta claridad; incluso se vio un pelo que había caído sobre el hielo. Las dos personas que había sobre el puente, el técnico Jiang y su joven aprendiz, se habían resguardado bajo uno de los soportes de hierro como un par de monos, mientras su «inmensa pipa de opio» escupía llamas blancas incandescentes que cortaban el metal. Un humo blanco se elevaba dibujando volutas en el aire mientras el lecho del río emitía el olor, misteriosamente agradable, que desprende el metal mientras se quema. Sima Ku observó las chispas de todos los colores completamente fascinado, olvidándose del dolor de su espalda. Las centelleantes llamas devoraban el metal como los gusanos de seda consumen las hojas de las moreras. Casi de forma instantánea, un trozo de un soporte se desprendió del puente y se quedó clavado formando un ángulo con el hielo que había debajo. «¡Corta, corta, corta este puente de mierda en pedazos!», aullaba Sima Ku.

—Ya es casi la hora, hermano mayor —le dijo a Sima Ku el hombre que le estaba aplicando el aceite de tejón en la espalda herida—. Está previsto que el tren pase justo antes del amanecer.

Al menos una docena de soportes de acero, escogidos al azar, habían sido cortados con la gran antorcha, que seguía escupiendo llamas azules y blancas debajo del puente.

—Esos cabrones se caen con facilidad —dijo Sima Ku—. ¿Estás seguro de que el puente se caerá bajo el peso del tren?

—Si corto más, me temo que el puente se caerá por su propio peso antes de que llegue el tren.

—De acuerdo, entonces ya puedes bajar. En cuanto a vosotros —les dijo a los otros—, echadle una mano a ese par de tipos duros y dadles una botella de nuestro licor a cada uno, como recompensa.

Las chispas azules se extinguieron. Los miembros de la brigada ayudaron al técnico Jiang y a su aprendiz a bajarse del poste y a subir a uno de los trineos. En la oscuridad de antes del amanecer, los vientos dejaron de soplar, pero el aire seguía estando tan frío que helaba hasta los huesos. Los ponis de Mongolia tiraron de los trineos, a tientas, a través de la oscuridad, por el suelo helado. Antes de que hubieran recorrido un kilómetro, Sima Ku les ordenó detenerse. «Después del duro trabajo de toda una noche —dijo—, ha llegado el momento de sentarse a contemplar el espectáculo».

El sol apenas había empezado a teñir el límite inferior del cielo de rojo cuando sonó la máquina de vapor del tren de carga. El río brillaba, los árboles de ambas riberas estaban cubiertos de oro y plata, el puente de acero se extendía silenciosamente a través del río. Sima Ku se frotó las manos nerviosamente, mientras las maldiciones y los juramentos se le acumulaban en la boca. El tren y sus sonidos metálicos eran cada vez más amenazadores a medida que se acercaban a ellos; cuando se aproximó al puente, un fuerte silbido resonó entre el cielo y la tierra. La locomotora vomitaba un humo negro, de las ruedas salía una niebla blanca, y el chirrido del acero en contacto con el acero hizo que los hombres se estremecieran de miedo mientras la superficie helada del río temblaba. Los miembros de la brigada observaban el tren intermitentemente, y les tapaban los oídos a sus caballos apretándoles las orejas contra las crines del cuello. El tren, ordinario y vulgar, enfiló a toda velocidad el puente, que parecía que se iba a mantener en pie, sólido, inamovible. En una cuestión de segundos, los rostros de Sima Ku y sus hombres se volvieron pálidos como la ceniza, pero instantes después todos estaban saltando sobre el hielo y lanzándolo por el aire. Los gritos de alegría de Sima Ku eran los más fuertes de todos, y sus saltos los más grandes, a pesar de la gravedad de las heridas que tenía en la espalda. El puente se derrumbó en unos pocos segundos, y la locomotora y un montón de juntas de madera, vías de acero, arena y barro cayeron al vacío. La locomotora impactó contra uno de los pilares, que también se vino abajo. El ruido era ensordecedor: grandes pedazos de hielo bañados en la luz del amanecer, junto a enormes rocas, trozos de metales retorcidos y vigas de madera destrozadas volaban por el cielo. Con un rugido, docenas de vagones de carga adoptaron la forma de un acordeón detrás de la locomotora; algunos cayeron hacia abajo, sobre el río, y otros se desintegraron misteriosamente a lo largo de las vías. Se empezaron a oír diversas explosiones, comenzando por el vagón que transportaba explosivos, al que seguía el de las municiones de detonación. La superficie helada del río se abrió en dos, y el agua que había debajo saltó por el aire formando grandes chorros. Junto al agua brotaron peces, gambas, e incluso algunas tortugas de caparazones verdes. Una pierna humana, con una bota puesta, aterrizó sobre la cabeza de uno de los ponis de Mongolia; hizo que se le doblaran las patas delanteras y casi lo deja sin sentido. Una de las ruedas del tren, que pesaba cientos de kilos, impactó contra el hielo, formando un géiser de agua que volvió a caer sobre la superficie, llenándola de barro. Las fuertes ondas sonoras dejaron a Sima Ku sordo mientras él contemplaba a los ponis de Mongolia que corrían salvajemente por el hielo, arrastrando los trineos tras de sí. Los hombres de la brigada estaban estupefactos, algunos sentados y otros de pie. A algunos de ellos les salían oscuras gotas de sangre de los oídos. Sima Ku gritaba con todas sus fuerzas, pero no podía oírse; sus hombres tenían la boca abierta, como si también estuvieran dando gritos, pero él tampoco los podía oír a ellos...

Sin embargo, Sima Ku se las apañó para dirigir a sus tropas otra vez hasta el lugar del río en el que habían estado la mañana anterior abriendo agujeros en el hielo con su aparato de llamas azules y blancas. Mis hermanas segunda, tercera y cuarta habían salido para coger más agua e intentar capturar algún pez, pero los agujeros habían quedado tapados durante la noche por una capa de hielo del grosor de una mano. Segunda Hermana los había vuelto a abrir con su martillo. Cuando Sima Ku y sus hombres llegaron al lugar en cuestión, sus caballos corrieron a beber el agua del río. Al cabo de unos minutos, cuando ya estaban saciados, comenzaron a tener escalofríos, las patas les empezaron a temblar, y se desplomaron sobre el hielo; todos y cada uno de ellos murieron repentinamente. El agua helada les había desgarrado los pulmones, dilatados por el esfuerzo.

A primera hora de aquella mañana, todas las criaturas vivas del Concejo de Gaomi del Noreste —seres humanos, caballos, burros, vacas, pollos, perros, gansos, patos— sintieron las poderosas explosiones que hubo en el sudoeste. Las serpientes que estaban hibernando creyeron que se trataba de los truenos que anuncian la estación en la que se despiertan los insectos, por lo que salieron reptando de sus cuevas y en unos instantes murieron congeladas.

Sima Ku guió a sus tropas hasta la aldea, para descansar y reorganizarse, y como bienvenida recibió una sarta de los peores insultos por parte de Sima Ting. Pero como a todo el mundo las explosiones le habían alterado la capacidad auditiva, todos creyeron que le estaba dedicando las más elevadas alabanzas; Sima Ting siempre tenía una expresión de autosuficiencia y felicidad cuando insultaba. Las tres mujeres de Sima Ku habían empleado todos los remedios populares y todas las clases de medicamentos que había a su alcance para paliar los dolores de la espalda quemada y congelada del hombre que compartían. La primera esposa le había puesto una escayola, que la segunda esposa le había quitado para lavar la zona con una loción que había preparado mezclando una docena de extrañas hierbas medicinales, después de lo cual la tercera esposa la había cubierto con un polvo compuesto de hojas aplastadas de pino y de ciprés, raíces de encina, clara de huevo y bigotes de ratón chamuscados. Con tanta actividad, que hacía que su espalda estuviera húmeda en un momento determinado y seca un instante después, a las viejas heridas se les unieron otras nuevas. Llegó un momento en el que Sima Ku se envolvió en una chaqueta impermeable que se cerraba con dos cinturones de cuero, y en cuanto veía que alguna de sus tres esposas se acercaba a él, levantaba el hacha por el aire o cargaba el rifle. Pero aunque no se le curaron las heridas de la espalda, recuperó el oído.

Lo primero que oyó fueron los amargos juramentos de su hermano: «¡Tú, imbécil de mierda, vas a acabar con todo el mundo en esta aldea, ya verás!». Con una mano que era tan suave y tan sonrosada como la de su hermano, con los dedos carnosos y la piel muy fina, cogió a su hermano por la barbilla. Al ver el bigote irregular, amarillento y semejante al de una rata, que le había crecido sobre el agrietado labio superior, que siempre llevaba perfectamente afeitado, sacudió la cabeza tristemente y dijo: «Tú y yo venimos de la semilla del mismo padre, así que insultarme a mí es como insultarte a ti mismo. ¡Vamos, insúltame, insúltame todo lo que quieras!». Entonces dejó caer la mano.

Sima Ting se quedó boquiabierto, mirando fijamente la ancha espalda de su hermano. Lo único que pudo hacer fue sacudir la cabeza. Recogió su gong y salió a la calle, subió torpemente las escaleras de su torre de vigilancia y se puso a escudriñar el Noroeste.

Un tiempo después, Sima Ku volvió con sus hombres al puente, donde rebuscaron entre los escombros hasta encontrar cosas útiles como algunos pedazos retorcidos de vía, una rueda de tren, pintada de color rojo brillante, y un montón de trozos, de forma indescriptible, de bronce y de hierro; colocaron todo eso en exhibición a la puerta de la iglesia, como prueba de su gloriosa victoria militar. Con la saliva burbujeando en las comisuras de los labios, Sima alardeaba ante la multitud, una y otra vez, contándoles cómo había destruido el puente y hecho descarrilar el tren de carga de los japoneses. A medida que iba repitiendo su relato lo iba adornando con nuevos elementos; la historia se volvía más interesante y rica en detalles cada vez que la contaba, y al final era tan excitante y tenía un carácter tan aventurero como un romance popular. Mi segunda hermana, Zhaodi, era quien lo escuchaba más ardientemente. Al principio sólo era una más entre la multitud, pero antes de que pasara mucho tiempo ya pudo contemplar de cerca la nueva arma que habían empleado; en su imaginación, se convenció de que había participado en la destrucción del puente, como si hubiera servido a las órdenes de Sima Ku desde el principio, como si se hubiera trepado con él a los postes del puente y se hubiera caído tras él sobre la superficie helada del río. Cada vez que a él le volvía el dolor en la espalda, ella hacía una mueca, como si los dos compartieran las mismas heridas.

Madre siempre había dicho que los hombres de la familia Sima eran unos lunáticos. Para entonces, ya se había dado cuenta de lo que Zhaodi tenía en mente, y tenía la premonición de que el drama en el que se había involucrado Laidi se iba a representar otra vez, y muy pronto. Con ansiedad creciente, miraba a los oscuros ojos de su hija y veía la aterradora pasión que ardía en su interior. ¿Cómo podía ser que esos ojos y esos labios, gruesos, desvergonzados, de un rojo brillante, pertenecieran a una chica de diecisiete años? Era como una criatura bovina en celo.

—Zhaodi, hija mía —le dijo Madre—. ¿Te das cuenta de la edad que tienes?

Hermana Segunda miró fijamente a Madre.

—¿Tú no te habías casado con mi padre cuando tenías mi edad? ¡Y nos contaste que tu tía tuvo mellizos a los dieciséis años, los dos regordetes como cerditos! —Lo único que podía hacer Madre, llegado este punto, era suspirar. Pero Hermana Segunda todavía no había terminado—. Sé que vas a decirme que él ya tiene tres esposas; bueno, yo seré la cuarta. Y sé que vas a decirme que él es de la generación anterior a la mía; es verdad, pero no tenemos el mismo apellido ni estamos emparentados, así que no estoy infringiendo ninguna norma.

Madre desistió de intentar imponer su autoridad sobre Hermana Segunda y dejó que hiciera lo que quisiera. Parecía bastante tranquila, pero yo me daba cuenta de que por dentro estaba desgarrada debido al cambio de sabor de su leche. Durante esos días, cuando Segunda Hermana se dedicaba a perseguir a Sima Ku, Madre llevó a mis otras seis hermanas al sótano para que la ayudaran a cavar una salida por el muro que daba al Sur, entre los nabos y las pilas de tallos de sorgo que había almacenados. Echamos en la letrina parte de la tierra que sacamos, y llevamos otra parte al establo de la burra, pero la mayoría se fue por el pozo que había en aquel almacén.

El Año Nuevo transcurrió plácidamente. Durante la noche del Festival de las Faroles[4], Madre me cargó a su espalda y sacó a mis seis hermanas a disfrutar de la fiesta. Todas las familias de la aldea habían colgado faroles junto a las puertas de sus casas. Se trataba de faroles pequeños, excepto los dos faroles rojos del tamaño de depósitos de agua que colgaban en la entrada de la Casa Solariega de la Felicidad; cada uno de ellos estaba iluminado por una vela de tocino

---

[4] Ceremonia en la que los niños recorren las calles portando faroles, que marca el final de las celebraciones del Año Nuevo chino [*N. del T.*].

de cabra más gruesa que mi brazo. La luz que emitían parpadeaba brillantemente. ¿Dónde estaba Zhaodi? Madre ni siquiera se molestó en preguntarlo. Se había convertido en la guerrillera de la familia, en alguien que podía pasar tres días fuera de casa y luego presentarse sin avisar. Estábamos a punto de encender los petardos de la última noche del año para darle la bienvenida al dios de la riqueza cuando Zhaodi apareció vestida con un impermeable negro. Enseñó orgullosamente el cinturón de cuero que llevaba ceñido, muy ajustado, alrededor de su estrecha cintura, y el revólver de plata que colgaba pesadamente de él. Con un tono un tanto burlón, Madre le dijo:

—¿A quién se le hubiera ocurrido que en la familia Shangguan habría, un día, otro salteador de caminos?

Parecía estar al borde de las lágrimas, pero Hermana Segunda simplemente se rió con la risa de una chica enamorada, cosa que despertó en Madre la esperanza de que todavía no era demasiado tarde para hacerla entrar en razón.

—Zhaodi —le dijo—, no puedo permitir que te conviertas en otra de las concubinas de Sima Ku.

Pero Zhaodi hizo un gesto desdeñoso, y esta vez ese desdén revelaba a una mujer malvada, por lo que el rayo de esperanza que había brillado brevemente en el corazón de Madre se extinguió.

El primer día del año, Madre fue a felicitar a su tía y le contó lo que había pasado con Laidi y Zhaodi. Esta anciana tía suya, una mujer con una vasta experiencia, le dijo:

—En lo que se refiere a sus asuntos románticos, hay que dejar que los hijos y las hijas sigan su propio camino. Por otra parte, con yernos como Sha Yueliang y Sima Ku, se acabaron tus preocupaciones. Esos dos tipos son halcones que vuelan alto.

—Lo que a mí me preocupa es que no van a morir en la cama —dijo Madre.

Su tía le contestó:

—En general, los que mueren en la cama son los inútiles.

Madre intentó seguir discutiendo del tema, pero su tía la apartó con un gesto de impaciencia, acabando con las quejas de Madre como quien espanta una mosca.

—Deja que le eche un vistazo a tu hijo —le dijo.

Madre me levantó de la bolsita de tela y me acostó sobre la cama. A mí me daba miedo la pequeña cara de su tía, profundamente arrugada, y especialmente sus radiantes ojos verdes, muy hundidos en sus cuencas. Su protuberante frente estaba completamente desprovista de pelo, no tenía cejas, pero alrededor de los ojos tenía la piel cubierta por unos finos pelos amarillos. Me acarició el cabello con su mano huesuda, y después me retorció la oreja, me pellizcó la nariz e incluso me palpó entre las piernas en busca de mi pequeño pito. Disgustado por su humillante manoseo, me esforcé por escapar reptando hacia una de las esquinas de la cama, pero ella me atrapó y gritó:

—¡Ponte de pie, pequeño bastardo!

Madre le dijo:

—Tía, ¿cómo puedes esperar que se ponga de pie? Sólo tiene siete meses.

—Cuando yo tenía siete meses, ya era capaz de salir hasta el corral de los pollos a buscar huevos para traérselos a tu abuela —dijo la anciana.

—Pero él no es como tú, tía. Tú eres una persona muy especial.

—¡Creo que este pequeño diablo también es especial! Qué pena lo de ese Malory —dijo la anciana.

Madre se puso roja, y después palideció. Yo fui reptando hasta la parte de atrás de la cama, me apoyé con las manos en el alféizar de la ventana y me impulsé hasta quedar de pie.

—¿Has visto? —dijo la anciana, aplaudiendo—. ¡Te dije que podía ponerse de pie, y lo ha hecho! ¡Mírame, pequeño bastardo!

—Se llama Jintong, tía. ¿Por qué no dejas de llamarlo pequeño bastardo?

—Si es o no es un bastardo, sólo su madre lo sabe. ¿Acaso lo es, mi querida sobrina? En cualquier caso, para mí sólo es un apodo: pequeño bastardo. Igual que pequeño huevo de tortuga, pequeño conejito, pequeña bestezuela. ¡Camina hacia mí, pequeño bastardo!

Yo me di la vuelta, con las piernas temblando, y miré a los ojos de Madre, que estaban llenos de lágrimas.

—¡Jintong, mi pequeño niño bueno! —dijo Madre, acercándose a mí. Yo me lancé entre sus brazos abiertos. Realmente estaba caminando—. Mi hijo ya camina —murmuró Madre, abrazándome con fuerza—. Mi hijo ya camina.

—Los hijos y las hijas son como los pájaros —le dijo su tía—. Cuando les llega el momento de echarse a volar, no puedes retenerlos. ¿Y qué hay de ti? Quiero decir: ¿Qué harías tú si todos ellos murieran?

—Me las apañaría bien —contestó Madre.

—Eso es lo que quería oír —dijo la anciana—. Debes dejar siempre que tus pensamientos se eleven hasta el cielo, o se sumerjan en el océano, y si todo lo demás falla, que escalen una montaña, pero evita echarte la culpa por las cosas que pasen. ¿Entiendes lo que te estoy diciendo?

—Sí, entiendo —dijo Madre.

Cuando se estaban despidiendo, la anciana le preguntó:

—¿Tu suegra todavía vive?

—Sí —dijo Madre—. Está revolcándose en mierda de burro.

—Esa vieja bruja fue una fortaleza durante toda su vida —dijo la anciana—. ¡Nunca pensé que alguna vez caería tan bajo!

Si no hubiera sido por ese encuentro en privado, el primer día del nuevo año, yo no habría sido capaz de caminar a los siete meses, y Madre no se habría interesado por sacarnos a mirar los faroles; habría sido un Festival de los Faroles muy aburrido para nosotros, y la historia de la familia, muy probablemente, habría sido distinta. Las calles estaban atestadas de gente, pero nadie nos resultaba familiar. Los habitantes de la aldea tenían un aire de estabilidad y unidad. Los niños agitaban las luces de bengala, que nosotros llamábamos cagadas doradas de ratón y que susurraban y restallaban mientras los pequeños se iban abriendo paso a través de la multitud. Nos detuvimos frente a la Casa Solariega de la Felicidad para echar un vistazo a los gigantescos faroles rojos que había a ambos lados de la entrada; su ambigua luz amarilla iluminaba las palabras «Casa Solariega de la Felicidad», que estaban talladas en un cartel y pintadas de color oro. Se escuchaban diversos ruidos provenientes del patio interior, que estaba brillantemente iluminado. Una multitud se había congregado a la puerta del recinto. Estaban ahí de pie, en silencio, con las manos metidas dentro de las mangas, como si esperaran algo. La bocona de mi tercera hermana, Lingdi, le preguntó a la persona que estaba a su lado:

—¿Van a darnos un poco de gachas, tío?

El hombre se limitó a negar con la cabeza, pero alguien que había tras ella le contestó:

—Eso no lo hacen hasta el octavo día del duodécimo mes, jovencita.

—Entonces, ¿por qué están todos aquí de pie, alrededor de la puerta? —preguntó ella, dándose la vuelta.

—Porque van a representar una obra moderna —le dijo él—. Nos han dicho que un actor famoso, de Jinan, ha venido a la aldea.

Madre le dio un pellizco en la cara antes de que ella pudiera continuar con la conversación.

Al fin, cuatro hombres salieron del recinto de los Sima; cada uno de ellos llevaba un objeto metálico de color negro sobre una alta pértiga de bambú. De dondequiera que estuvieran surgían llamas, con lo que la zona de alrededor de la puerta parecía pasar de la noche al día. Pero no, era más brillante que la luz del día. Las palomas que habían hecho su nido en la deteriorada torre del campanario de la iglesia, no demasiado lejos del recinto, se asustaron y salieron volando; zureaban ruidosamente mientras pasaban a nuestro lado en la oscuridad de la noche. Alguien, entre la multitud, gritó: «¡Lámparas de gas!». A partir de ese momento, supimos que en el mundo, además de los faroles de aceite de soja, las lámparas de keroseno y las lámparas de luciérnagas, existían las lámparas de gas, y que daban una luz cegadora. Los fornidos portadores de las lámparas formaron un cuadrado frente a la puerta del recinto de la Casa Solariega de la Felicidad, como cuatro columnas negras. Unos cuantos hombres más atravesaron ruidosamente la puerta llevando una estera de paja enrollada. Cuando llegaron al espacio que habían formado los cuatro hombres con sus lámparas de gas, echaron al suelo la estera, deshicieron los nudos de los cordeles que la ataban y dejaron que se extendiera sola. Después se agacharon, cogieron la manta desenrollada por las esquinas y empezaron a mover las oscuras y peludas piernas. Debido a la gran rapidez de sus movimientos, y a que estaban a la luz de las lámparas de gas, veíamos unos borrones oscuros que parecían tener al menos cuatro piernas, aparentemente conectadas por unos hilos finos y translúcidos. Y nos daba la impresión de ver, en esa imagen, a unos escarabajos atrapados en una tela de araña, luchando esforzadamente por escapar. Cuando la estera estuvo extendida como ellos querían, se levantaron, de cara a la multitud, y adoptaron una pose. Todos tenían la cara pintada, como brillantes máscaras hechas con la piel de un animal: una pantera, un ciervo moteado, un lince y uno de esos mapaches que se alimentan de las ofrendas en los templos. Después volvieron al interior del recinto ejecutando un baile que consistía en alternar dos pasos hacia adelante con uno hacia atrás.

Esperamos en silencio entre los susurros que emitían las cuatro lámparas de gas, igual que la nueva estera de paja. Los cuatro hombres que sujetaban las lámparas con pértigas se transformaron en piedras negras. Pero entonces el penetrante sonido de un gong nos llenó de energía y nos dimos la vuelta para mirar hacia la puerta de entrada, a pesar de que la vista que teníamos del interior estaba bloqueada por una pared toda pintada de blanco sobre la que se podía leer, tallada y en letras doradas, la palabra «fortuna». Continuamos esperando durante un tiempo que se nos hizo una eternidad hasta que el jefe de la Casa Solariega de la Felicidad, que había sido alcalde de Dalan y que actualmente era el jefe de los Cuerpos para el Mantenimiento de la Paz, Sima Ting, apareció, con aspecto decaído. Llevaba un gong en bastante mal estado, que él golpeaba sin ningún interés mientras rodeaba toda la zona dibujando un círculo con sus pasos. Después se situó en el centro de la estera y anunció: «Compañeros y conciudadanos, abuelos y abuelas, tíos y tías, hermanos y hermanas, niños y niñas: mi hermano ha conseguido una victoria gloriosa al destruir el puente de hierro. La noticia ha llegado muy lejos, y hemos recibido visitas de amigos y parientes que nos han traído de regalo más de veinte pinturas para felicitarnos. Para celebrar esta gloriosa victoria, mi hermano ha invitado a una compañía de actores para que actúen hoy. Él mismo se subirá al escenario totalmente disfrazado y actuará en una nueva obra concebida con fines educativos y dirigida a todos los habitantes de la aldea. Mientras celebramos el Festival de los Faroles, no debemos olvidar nuestra heroica Guerra de Resistencia ni permitir que los japoneses ocupen nuestra población. Yo, Sima Ting, soy un hijo de China, y ya no serviré más como jefe de las marionetas que son los Cuerpos para el Mantenimiento de la Paz. Compañeros y conciudadanos, como chinos que somos no podemos obedecer a esos japoneses hijos de perra». Cuando terminó de soltar su rítmica arenga, se inclinó ante la multitud ceremoniosamente y corrió a unirse a los músicos —un violinista, un flautista y un guitarrista— que en ese momento estaban saliendo a la calle, arrastrando sus taburetes.

Los músicos se sentaron cerca de la estera de paja y comenzaron a afinar sus instrumentos bajo la dirección del flautista. Las notas altas caían, las notas agudas se elevaban en espiral hacia el cielo. Los sonidos coordinados del violín, la flauta y la guitarra formaban un único tejido de tres partes; cuando estuvieron todos afinados, dejaron de tocar y se quedaron esperando. Entonces salieron los percusionistas: llevaban bajo un brazo sus instrumentos, tambores, gongs y platillos, y el taburete bajo el otro. Se sentaron enfrente de los otros músicos. El tambor empezó a marcar el pulso furiosamente, seguido por el penetrante sonido del gong y por los agudos golpes de un pequeño tamborcillo. Se unieron a ellos el violín, la guitarra y la flauta, con una serie de notas que nos encantó las piernas de tal manera que no éramos capaces de movernos, y el alma de tal otra que tampoco éramos capaces de pensar. La melodía era suave y pegadiza, triste y melancólica, y a veces se parecía a un lamento y otras a un murmullo. ¿Qué clase de obra de teatro era ésta? Nuestra forma de cantar de Gaomi del Noreste, el «maullido de gato», era a veces llamada «atarle las piernas a la parienta». Cuando se cantaba un «maullido de gato», los tres valores principales de las relaciones sociales se invertían; cuando uno oía un «maullido de gato», se olvidaba hasta de su padre y de su madre. Entonces, a medida que el pulso se iba acelerando, el público empezó a dar golpes con los pies; nos empezaron a temblar los labios y se nos aceleró el corazón. La espera fue como la de una flecha colocada sobre el arco en tensión, a punto de disparar: cinco, cuatro, tres, dos, uno... La voz llegó a su punto más alto y después quedó en silencio, para volver a subir ásperamente, más y más alto, hasta que atravesó los cielos. *Yo era entonces una niña, dulce y graciosa, encantadora y tímida...* *¡Na!* Con el sonido de la voz flotando en el aire, mi segunda hermana, Zhaodi, salió del recinto de la familia Sima cuidadosamente, como si estuviera caminando sobre el agua, con una flor de algodón rojo prendida en el pelo y vestida con una chaqueta azul, de mangas muy anchas, sobre unos pantalones de barrer que casi le tapaban del todo las pantuflas, llenas de adornos. Llevaba una canasta sobre el brazo izquierdo y un palo de madera en la mano derecha. Entró flotando en la luz de las lámparas de gas y se detuvo en el centro de la estera de paja, donde adoptó una pose dramática. Sus cejas ya no eran cejas; eran lunas crecientes en el borde del cielo. Su mirada limpia caía sobre nuestras cabezas. Su nariz era delgada y angulosa, y sus gruesos labios estaban pintados de un rojo más exuberante que los brotes de los cerezos en mayo. La rodeaban un silencio absoluto, diez mil ojos que no pestañeaban, diez mil corazones latiendo con fuerza. Una energía constreñida se abrió paso en un sonoro rugido de aprobación. Entonces mi segunda hermana abrió las piernas, se agachó por la cintura y salió corriendo hasta completar un círculo. Sus extremidades eran flexibles como ramas de sauce, y sus pasos silenciosos como una serpiente que repta sobre una tela. Esa noche no había nada de viento, pero hacía un frío terrible, y mi hermana llevaba ropas muy finas. Madre observaba sorprendida; la figura de mi hermana había madurado rápidamente después de que se comieran la anguila: sus pechos eran del tamaño de peras y estaban hermosamente formados, y quedaba claro que ella estaba destinada a conservar la gloriosa tradición de las mujeres de la familia Shangguan, que tenían grandes pechos y amplias caderas. Ni siquiera respiraba con dificultad después de trazar un círculo con sus pasos; nada había cambiado en su porte ni en su actitud. Entonó la segunda frase de la canción: *Me casaré con un hombre valiente, Sima Ku.* Esta frase era suave y simétrica, no subía al final, como la primera, pero tuvo un fuerte efecto sobre el público. La gente empezó a murmurar. ¿Ésta de quién es hija? Es una chica de la familia Shangguan. ¿Pero la hija de los Shangguan no había huido con el jefe de la banda de mosqueteros? Es su segunda hija. ¿Desde cuándo es la concubina de Sima Ku? ¿Qué dices, gilipollas? ¡Esto es una ópera! ¡Callaros de una puta vez los dos! Mi tercera hermana, Lingdi, y las demás, gritaron desde el público para proteger la reputación de Segunda Hermana. Volvió la calma. *Mi marido, que es un experto destruyendo puentes, lanzó unos cócteles molotov al Puente del Río de los Dragones. En el quinto mes, durante el Festival del Barco del Dragón, unas llamas azules ascendieron por el aire, incinerando a los diablos japoneses, que aullaron llamando a sus madres y a sus padres. Mi marido sufrió heridas graves en la espalda. Anoche, cuando una tormenta cegó el cielo y la tierra llenándolos de nieve, mi marido, al frente de sus tropas, destruyó el puente de hierro...* Entonces mi hermana cantó lo de sus intentos por abrir un agujero en el hielo con un hacha, y después hizo como si estuviera lavando ropa en el agua. Temblaba de la cabeza a los pies, como una hoja muerta en la punta de una rama en lo más crudo del invierno. La gente estaba cautivada por su representación. Algunos lanzaban gritos de aprobación, otros se secaban los ojos con las mangas. Mientras una explosión de tambores y platillos hizo que se desgarrara el aire, Segunda Hermana se puso de pie y miró hacia lo lejos. *Oigo una explosión en el sudoeste y veo llamas alzándose hasta el cielo. Debe ser mi marido, que ha destruido el puente, y el tren de los diablos japoneses se ha ido para siempre al infierno con el que lo construyó. Debo volver a casa corriendo para calentarle un cuenco de vino y matar un par de gallinas para hacer un estofado...* Entonces mi hermana reunió su ropa a su alrededor e hizo como si se estuviera subiendo a una embarcación, mientras continuaba cantando su canción: *Levanto la vista y veo que estoy cara a cara con cuatro lobos feroces...* Los cuatro hombres de las caras pintadas y de los pies ágiles que habían extendido las esteras aparecieron dando un salto mortal a través de la puerta del recinto. Rodearon a mi hermana y le tiraron unos cuantos zarpazos; parecían gatos acorralando un ratón. El hombre cuya cara estaba pintada como la de un mapache cantó, con una voz misteriosa: *Soy Tatsuda, jefe de un pelotón japonés, y voy en busca de una chica joven y guapa. Me han dicho que hay algunas auténticas bellezas en Gaomi del*

Noreste. Levanto la vista y veo una hermosa cara justo delante de mí. Oye, tú, jovencita, ven conmigo, ven con un soldado imperial y disfrutarás de una buena vida. El hombre capturó a mi hermana, que se puso rígida como una tabla. Sujetándola en lo alto, por encima de sus cabezas, los cuatro «diablos japoneses» dieron una vuelta alrededor de las esteras. Los tambores y los platillos empezaron a tocar un ritmo frenético que sugería una tormenta que se aproxima. El público se amontonó ansiosamente sobre el escenario. «¡Dejad a mi hija en el suelo!», gritó Madre, subiéndose al escenario a toda prisa. Yo iba en posición de pie en la mochila en la que me llevaba; la sensación que me dieron sus actos en ese momento retornaría más tarde, montando a caballo. Madre, como un águila que se lanza sobre un conejo, le clavó sus garras en los ojos a «Tatsuda, jefe del pelotón». Con un grito de alarma, él soltó a mi hermana, y lo mismo hicieron los otros tres hombres, dejándola caer sobre la estera. Los tres actores salieron del escenario en estampida, abandonando a «Tatsuda, el jefe del pelotón» en las garras de Madre, que le rodeó la cintura con las piernas mientras le arañaba la cara y la cabeza con las uñas. Segunda Hermana se levantó y agarró a Madre entre sus brazos. «¡Madre, Madre! —le gritó—. ¡Estamos actuando, esto no es real!».

Algunas personas del público subieron corriendo al escenario y arrancaron a «Tatsuda, el jefe del pelotón» de las garras de Madre. Su rostro era un conglomerado de arañazos sangrientos. Se dio la vuelta y entró corriendo por la puerta del recinto como si le fuera la vida en ello. Jadeando, intentando recuperar el aliento, todavía furiosa, Madre dijo:

—¿Quién se atreve a aprovecharse de mi hija? ¿Quién de entre todos vosotros se atreve?

—Madre —le espetó Segunda Hermana muy enfadada—, has estropeado una obra estupenda.

—Escucha lo que te digo, Zhaodi —le dijo Madre—. Vámonos a casa. No podemos participar en esta clase de obras.

Trató de coger a Segunda Hermana del brazo, pero ésta se soltó.

—Madre —le dijo en voz baja—, no me hagas quedar en ridículo delante de toda esta gente.

—Eres tú la que me hace quedar en ridículo a mí —le contestó Madre—. ¡Ven a casa conmigo ahora mismo!

—No pienso hacerlo —le dijo Segunda Hermana, en el mismo momento en que Sima Ku se subía al escenario cantando en voz alta: *Me voy cabalgando a casa después de volar un puente...*

Llevaba puestas unas botas de montar y una gorra del ejército, y en la mano un látigo de cuero. A lomos de un caballo imaginario, daba patadas en el suelo y avanzaba, subiendo y bajando en sincronía con el movimiento de las riendas imaginarias que tenía agarradas. Los golpes de los tambores y los chasquidos de los platillos hacían estremecerse a los cielos; los instrumentos de cuerda y de bambú sonaban en armonía. Por encima de todo ello, las melodías de una flauta desgarraban las nubes y el firmamento, sacándole el alma del cuerpo a cualquiera que pudiera oírlo, no de miedo sino inspirándolos. El rostro de Sima Ku parecía tan frío y duro como el hierro fundido; estaba sombrío como la muerte, y no mostraba ni rastro de la más mínima timidez: *De pronto oigo un barullo en la orilla del río, y azoto a mi caballo con el látigo para que vaya más rápido.* Un *huqin*[5] de dos cuerdas imita el sonido del relincho de un caballo: *Hui-er, hui-er, hui-er... Tengo el corazón ardiendo, mi caballo corre como el viento, ahora avanza un paso, ahora avanza tres pasos...* Los tambores y los platillos iban cada vez más rápido, *bong-bong*, siempre hacia adelante, un halcón girando, cortando en dos el aire; un viejo buey jadea, falto de oxígeno, y el león baila sobre una pelota llena de adornos. Sima Ku hizo sobre la estera de paja todos los trucos acrobáticos que conocía. No se podía creer que todavía tuviera una pesada escayola en la espalda. Segunda Hermana empujó ansiosamente a Madre, que seguía gruñendo, para meterla de nuevo entre el público, donde tenía que estar. Tres hombres que representaban a soldados japoneses se dirigieron con rapidez al centro del escenario y se agacharon, con la intención de levantar de nuevo a Segunda Hermana. A «Tatsuda, el jefe del pelotón» no se le veía por ninguna parte, por lo que tenían que hacerlo entre los otros

---

[5] Una especie de violín chino [*N. del T.*].

tres; dos de ellos la levantaron por la cabeza y los hombros y el tercero la cogió de los pies, metiendo su cara pintada entre las piernas de ella. La imagen era tan cómica que el público no pudo evitar reírse un poco, y llegaron las carcajadas cuando él hizo un gesto gracioso con la cara. Entonces empezó a sobreactuar, y el público se partía de risa estruendosamente, cosa que hizo fruncir el ceño a Sima Ku. De todas maneras, él continuó cantando: *De repente oigo gritos y alaridos. Son los soldados japoneses en otra de sus incursiones asesinas, y yo sigo avanzando sin pensar en mí mismo. Llego y cojo al perro japonés por los hombros. ¡Suéltala!* Sima Ku llegó y cogió por la cabeza al «soldado japonés» que estaba metido entre las piernas de Segunda Hermana. Entonces fue cuando empezó la pelea. Ahora ya no eran cuatro contra uno sino tres contra uno. Los «japoneses» fueron derrotados con rapidez; Sima había rescatado a su «esposa». Cogiendo a mi hermana en brazos, junto a los «japoneses», que estaban a cuatro patas sobre la estera, Sima Ku atravesó la puerta del recinto entre los alegres sones de la música. Los cuatro hombres que sostenían las lámparas de keroseno volvieron a la vida súbitamente y cruzaron la puerta tras los pasos de Sima, llevándose la luz y dejándonos a los demás en la oscuridad.

A la mañana siguiente, los japoneses de verdad rodearon la aldea. El sonido de los disparos de rifle, los cañonazos de la artillería y los estridentes relinchos de los ponis guerreros hicieron que nos despertáramos sobresaltados. Cogiéndome en brazos, Madre se llevó a mis siete hermanas al sótano de los nabos, avanzando a tientas en la oscuridad del húmedo y lóbrego túnel hasta que salimos a un espacio un poco más amplio, donde Madre encendió una lámpara de aceite. Bajo su tenue luz, nos sentamos sobre una estera de paja, abrimos bien las orejas y tratamos de escuchar los diversos sonidos que venían del piso de arriba.

No sé cuánto tiempo estuvimos ahí sentados hasta que escuchamos una fuerte respiración en el túnel oscuro. Madre cogió un par de tenazas de herrero y apagó rápidamente la lámpara, con lo que la habitación volvió a quedar sumida en la oscuridad. Yo empecé a llorar. Madre me metió uno de los pezones en la boca. Estaba frío, duro y rígido, y tenía un sabor salado y amargo.

El sonido de la respiración se acercó; Madre levantó las tenazas sobre su cabeza con ambas manos en el preciso instante en el que oí a mi segunda hermana, Zhaodi, decir, con una voz un poco rara:

—Madre, soy yo, no me pegues...

Con un suspiro de alivio, Madre dejó caer las manos frente a ella.

—Zhaodi —le dijo—, casi me matas del susto.

—Enciende la lámpara —dijo Zhaodi—. Hay alguien conmigo.

Madre logró encender la lámpara. Su pálida luz brilló en la cueva una vez más. Segunda Hermana estaba cubierta de barro y tenía un arañazo en la mejilla. Llevaba un bulto entre los brazos.

—¿Qué es eso? —le preguntó Madre, muy sorprendida.

Segunda Hermana hizo una mueca con la boca mientras unas lágrimas translúcidas dibujaban surcos a través de la suciedad de su cara.

—Madre —le dijo, con voz temblorosa—, éste es el hijo de su tercera esposa.

Madre se quedó de piedra.

—¡Llévatelo adonde lo hayas encontrado! —dijo enfadada.

Segunda Hermana se acercó a Madre, se hincó de rodillas, la miró desde abajo y le dijo:

—Madre, ¿no puedes tener algo de piedad? Acaban de eliminar a toda su familia. Éste es el único que queda para continuar con el linaje de los Sima...

Madre levantó una esquina del bulto, mostrando la cara delgada, morena y alargada del único hijo superviviente de la familia Sima. El pequeñín estaba profundamente dormido y respiraba con regularidad. Fruncía ligeramente la boca, como si estuviera soñando que mamaba. Mi corazón se llenó de odio por él. Escupí el pezón y aullé. Madre volvió a introducirme el pezón en la boca, más frío e incluso más amargo que antes.

—Dime que te lo quedarás, Madre, por favor.

Madre se frotó los ojos y no dijo nada.

Segunda Hermana se levantó, depositó el bebé envuelto en los brazos de Tercera Hermana, Lingdi, cayó nuevamente de rodillas y golpeó el suelo con la cabeza, prosternándose.

—Madre —dijo, entre lágrimas—. Soy su mujer mientras viva, y seré su fantasma cuando me muera. Por favor, salva a este niño y no lo olvidaré en toda mi vida.

Segunda Hermana se levantó y se dio la vuelta para marcharse de nuevo por el túnel. Madre la cogió por un brazo y la detuvo.

—¿Dónde vas ahora? —dijo sollozando.

Segunda Hermana le contestó:

—Madre, le han herido en la pierna y está escondido bajo la piedra del molino. Debo ir con él.

La calma del exterior se vio interrumpida por el sonido de los cascos de los caballos y por el martilleo de las armas de fuego. Madre se situó bloqueando la salida del sótano de los nabos.

—Haré lo que me pides, pero no voy a dejar que arriesgues tu vida ahí afuera.

—La pierna no deja de sangrarle, Madre —dijo Segunda Hermana—. Si no me reúno con él, se desangrará hasta la muerte. Y sí él muere, ¿para qué quiero yo seguir viviendo? Deja que me vaya, Madre, por favor...

Madre dejó escapar un aullido pero inmediatamente hizo un esfuerzo por callarse.

—Madre —le dijo Segunda Hermana—, me arrodillaré y prosternaré ante ti de nuevo.

Cayó de rodillas y tocó el suelo con la frente, y después enterró la cara entre las piernas de Madre. Pero después apartó las piernas de Madre y salió a toda prisa de la habitación.

V

Las diecinueve cabezas de los miembros de la familia Sima colgaban de una especie de perchero, del lado de afuera de la puerta de la Casa Solariega de la Felicidad; era el día de la adoración de los ancestros, nos acercábamos a Qingming[6], en medio de la cálida primavera, y las flores estaban en su apogeo. El perchero estaba construido con cinco gruesos tablones de madera de abeto chino, muy duros, y se parecía en cierto modo a un columpio. Las cabezas habían quedado sujetas con cable de acero. A pesar de que los cuervos y los gorriones las habían picoteado hasta arrancarles la mayor parte de la carne, todavía no hacía falta demasiada imaginación para distinguir las cabezas de la esposa de Sima Ting, de los dos tontorrones de sus hijos, de las esposas primera, segunda y tercera de Sima Ku, de los nueve hijos e hijas que había tenido con estas tres mujeres, y del padre, la madre y los dos hermanos menores de la tercera mujer de Sima Ku, que estaban de visita en aquel momento. El aire estaba pesado en la aldea después de la masacre. Los supervivientes parecían fantasmas en vida; durante el

---

[6] Festividad que celebra la llegada de la primavera [*N. del T.*].

día se encerraban en la oscuridad de sus habitaciones y sólo se atrevían a salir cuando ya había caído la noche. Después de que se fuera aquel día, no tuvimos absolutamente ninguna noticia de Segunda Hermana. El bebé varón que nos confió no dejó de causarnos problemas. Madre tuvo que amamantarlo para evitar que se muriera de hambre durante los días que pasamos metidos en nuestro escondrijo del sótano. Con la boca y los ojos completamente abiertos, mamaba ansiosamente una leche que tendría que haber sido mía. Tenía una capacidad sorprendente: mamaba hasta secar los pechos y después lloraba pidiendo más. Cuando gritaba, sonaba como un cuervo, o como un sapo, o tal vez como un búho. Y su mirada se parecía a la de un lobo, o a la de un perro, o tal vez a la de un conejo. Éramos enemigos a muerte. El mundo no era suficientemente grande para los dos. Aullé protestando cuando se hizo con los pechos de Madre como si fueran suyos; él gritó con la misma fuerza cuando yo intenté recuperar lo que era mío. Cuando lloraba, sus ojos seguían abiertos. Eran los ojos de un lagarto. ¡Maldita sea Zhaodi por traer a casa un demonio nacido de un lagarto!

El rostro de Madre se hinchó y empalideció por este régimen de doble lactancia, y yo noté tenuemente que unos bultitos amarillos empezaron a salirle por todo el cuerpo, parecidos a los nabos que habíamos tenido en el sótano durante ese largo invierno. El primero le salió en uno de los pechos, y tuvo como consecuencia una disminución en su producción de leche; ésta, además, adoptó un sabor más dulce, que recordaba al de los nabos. ¿Y tú qué, pequeño bastardo Sima, es que ese sabor te ha dado miedo y vas a dejar de mamar? Se supone que la gente valora y protege lo que es suyo, pero eso era cada vez más difícil. Si yo no mamaba, él seguro que lo haría. Preciosas calabazas, pequeñas palomas, cuencos de esmalte, vuestra piel se ha arrugado, os habéis secado, vuestros canales sanguíneos se han puesto morados, vuestros pezones están casi negros; estáis cayendo sin remedio.

Para que el pequeño bastardo y yo pudiéramos sobrevivir, Madre sacó valientemente a mis hermanas del sótano a pleno día. El grano que habíamos almacenado en el granero familiar ya se había consumido, nos habíamos quedado sin la mula y sin la burra, los cuencos y las sartenes y todos los platos se nos habían roto, y el Bodhisattva Guanyin de la ermita era un cadáver decapitado. Madre se había olvidado de llevarse su abrigo de piel de zorro al sótano, y el abrigo de piel de lince que nos pertenecía a mí y a mi octava hermana había desaparecido. La piel de los otros abrigos, que mis hermanas no se quitaban nunca, se había ido deteriorando, y para entonces tenía el aspecto de un animal salvaje y sarnoso. Shangguan Lü estaba tumbada bajo la piedra del molino, en el almacén. Se había comido los alrededor de veinte nabos que Madre le había dejado antes de bajar a esconderse al sótano, y había cagado una pila de zurullos que parecían adoquines. Cuando Madre entró a verla, cogió un puñado de los zurullos petrificados y se los lanzó. La piel de su rostro parecía la piel de un nabo que se hubiera congelado y colgara. Su cabello blanco se parecía al nailon cuando se llena de nudos; algunos pelos se erguían rígidamente hacia arriba, y otros le colgaban por la espalda. Una luz verde brillaba en sus ojos. Sacudiendo la cabeza, Madre colocó varios nabos en el suelo, frente a ella. Lo único que nos habían dejado los japoneses —o quizá hubieran sido los chinos— era medio granero lleno de remolachas que ya habían comenzado a echar brotes. Sobrepasada por el disgusto, Madre encontró una jarra de arcilla que no estaba rota en la que Shangguan Lü había escondido su precioso arsénico, y echó el polvo rojo en la sopa de nabos. Cuando el polvo se hubo disuelto, un aceite coloreado se extendió por la superficie de la sopa y un olor asqueroso se expandió por la habitación. Madre revolvió la mezcla con un cucharón de madera hasta que quedó bien homogénea y después la echó lentamente en un *wok*. Las comisuras de los labios se le fruncieron en un gesto extraño. Después de verter un poco de la sopa de nabos en un viejo cuenco, Madre dijo:

—Lingdi, dale esta sopa a tu abuela.

—Madre —le dijo Lingdi—, le has echado veneno, ¿verdad?

Madre asintió.

—¿Vas a envenenar a la abuela?

—Moriremos todos juntos —dijo Madre, a lo cual mis hermanas respondieron poniéndose a llorar, incluida mi octava hermana, la ciega, cuyos débiles sollozos no sonaban mucho más fuertes que el zumbido de un avispón. Sus ojos, grandes y negros pero incapaces de ver, se llenaron de lágrimas. Octava Hermana era la más desgraciada de los desgraciados, la más triste de los tristes.

—Pero nosotras no queremos morir, Madre —suplicaron, llorosas, mis hermanas.

Incluso yo me sumé al coro:

—Madre... Madre...

—Mis pobres niñitos queridos... —dijo Madre.

Para entonces, ella también estaba llorando. Lloró durante muchísimo tiempo, siempre acompañada por sus hijos sollozantes. Finalmente, se sonó con fuerza la nariz, volvió a coger el viejo cuenco y lo lanzó, con todo su contenido, al patio.

—¡No vamos a morir! ¡Si la muerte no nos da miedo, nada nos lo dará!

Tras hacer ese comentario, se levantó y nos hizo salir a la calle en busca de comida. Éramos los primeros vecinos que nos atrevíamos a salir a la calle. Cuando vieron las cabezas de los miembros de la familia Sima, mis hermanas sintieron miedo. Pero al cabo de unos pocos días, la aldea presentaba un aspecto totalmente distinto. Madre cogió al pequeño bastardo Sima entre sus brazos de manera que estaba justo enfrente de mí. Señalando las cabezas, le dijo con suavidad:

—Quiero que no te olvides nunca de eso, desgraciado.

Madre y mis hermanas caminaron hasta salir de la aldea y llegaron a un campo donde empezaron a sacar unas raíces para cocerlas después de enjuagarlas y pasarlas por el mortero. Tercera Hermana, la más lista, encontró una madriguera de ratones de campo. Lo que hizo que esto fuera un excelente descubrimiento no fue sólo que suponía añadir carne a nuestra dieta, sino que también la comida que ellos habían almacenado pasaba a ser nuestra. Después, mis hermanas hicieron una red de pesca con un poco de hilo de cáñamo, y con ella capturaron algunos peces oscuros y delgados y algunas gambas que habían sobrevivido al invierno en el estanque de la localidad. Un día, Madre me metió en la boca una cucharada de sopa de pescado; la escupí inmediatamente y comencé a quejarme con todas mis fuerzas.

Después le metió otra cucharada en la boca al mocoso de Sima; el muy imbécil se la tragó toda al instante, así que Madre le ofreció otra cucharada. Él también se la tragó.

—¡Qué bien! —exclamó Madre, muy excitada—. Después de tanto mal karma, al menos este niño sabe comer. —Entonces se volvió hacia mí—. Bueno, ¿y tú qué? Ya es hora de destetarte a ti también.

Presa del pánico, me aferré fuertemente a su pecho.

La aldea, poco a poco, empezó a volver a la vida después de que nosotros tomáramos la iniciativa. Fue una época terrible para los ratones de campo de la zona. Después de ellos, le tocó el turno a las liebres, a los peces, a las tortugas, a las gambas, a los cangrejos, a las serpientes y a las ranas. En toda la zona, las únicas criaturas que sobrevivieron fueron los sapos, debido a su veneno, y los pájaros, gracias a sus alas. Y a pesar de todo, si no hubiera sido por el crecimiento, muy oportuno, de un montón de hierbas silvestres comestibles, la mayor parte de los habitantes de la aldea se hubieran muerto de hambre. Después de que pasara Qingming, los capullos de melocotón empezaron a caerse y comenzó a salir un vapor de los campos que estaban en barbecho y que pedían a gritos que los cultivaran de nuevo. Pero no teníamos ni animales de granja ni semillas. Para el momento en que unos renacuajos pequeños y regordetes aparecieron nadando en los pantanos, y en el agua del ovalado estanque de la localidad, y en las zonas menos profundas del río, los habitantes de la aldea ya se habían puesto en ruta. En el cuarto mes, la mayoría se había ido; en el quinto, la mayoría ya había vuelto a su hogar. Tercer Maestro Fan dijo: «Aquí al menos hay suficientes hierbas silvestres y plantas comestibles para no morir de hambre. Eso no pasa en todas partes». Para el sexto mes, mucha gente de otros lugares había empezado a aparecer en nuestra aldea. Dormían en la iglesia, y sobre el suelo del recinto de los Sima, y en los molinos abandonados. Como perros enloquecidos por el hambre, nos robaban la comida de las manos. Finalmente, Tercer Maestro Fan organizó a los hombres de la aldea para expulsar a los forasteros. Era nuestro líder. Los forasteros tenían su propio líder, un hombre joven con las cejas muy pobladas y los ojos grandes. Era un maestro capturando pájaros; siempre iba con un par de tirachinas colgando del cinturón y, sobre el hombro, llevaba una bolsa de arpillera llena de proyectiles hechos con barro seco. Un día, Tercera Hermana lo vio en acción. En el aire había una pareja de perdices, que estaba en medio de sus rituales de apareamiento. Sacó uno de sus tirachinas y disparó un proyectil de barro hacia el cielo, aparentemente sin ni siquiera apuntar. Una de las perdices cayó al suelo como una piedra, aterrizando justo a los pies de Tercera Hermana. El ave tenía la cabeza destrozada. Su pareja graznaba mientras daba vueltas en círculo por encima de sus cabezas. El hombre sacó otro proyectil, lo disparó al aire y la segunda ave también cayó al suelo. Él se agachó, la recogió y se acercó a mi hermana. La miró directamente a los ojos; ella no bajó la vista, devolviéndole una mirada llena de odio. Para entonces, Tercer Maestro Fan ya había pasado por nuestra casa para hablarnos del movimiento que encabezaba para expulsar a los forasteros, cosa que había hecho que aumentara el odio que sentíamos por ellos. Pero en lugar de recoger el pájaro que había a los pies de Tercera Hermana, tiró junto a ella el que tenía en la mano y se dio la vuelta y se marchó sin decirle ni una palabra.

Tercera Hermana volvió a casa con las perdices. La carne fue para Madre, la sopa que se hizo con ellas se la comieron mis hermanas y el pequeño bastardo Sima, y los huesos fueron para mi abuela, que los hizo crujir fuertemente. Tercera Hermana no le contó a nadie que el forastero le había dado las perdices, que se transformaron rápidamente en sabrosos jugos que terminaron en mi estómago. Unas cuantas veces Madre esperó a que yo me durmiera para meterle uno de sus pezones en la boca al pequeño bebé Sima, pero él lo rechazó. Prefería alimentarse de hierbas y cortezas. Dotado de un apetito sorprendente, se tragaba cualquier cosa que le metieran en la boca. «Es como un burro —comentó Madre un día—. Nació para comer hierba». Incluso las cagadas que hacía eran como las deposiciones equinas. Y aún más: Madre creía que tenía un par de estómagos para rumiar la comida. A menudo veíamos cómo trozos de hierba le subían desde el estómago hasta la boca, y después observábamos cómo él cerraba los ojos y los mascaba lleno de satisfacción, mientras en las comisuras de sus labios se le formaban unas blancas y espumeantes burbujas. Después de pasar un rato mascando la hierba, estiraba el cuello y se la tragaba, haciendo un sonido gorgoteante.

Los combates entre los aldeanos y los forasteros estallaron después de que Tercer Maestro Fan les pidiera amablemente que se fueran. El representante de los forasteros, el joven que le había dado las perdices a Tercera Hermana, se llamaba Hombre-pájaro Han; era el especialista en cazar pájaros. Con las manos apoyadas en los tirachinas que llevaba en la cintura, discutió con mucho vigor, sin ceder ni un centímetro. Dijo que Gaomi del Noreste, en un determinado momento, había sido una tierra baldía y despoblada, y que en aquel momento todo el mundo era forastero. Así que, si vosotros podéis vivir aquí, ¿por qué no vamos a poder nosotros? Pero esas palabras eran agresivas y anticipaban una pelea; muy pronto comenzaron los manotazos y los empujones. Un joven aldeano, un tipo impetuoso que todos conocían como Tísico Seis, apareció como un rayo desde detrás de Tercer Maestro Fan, cogió un palo de hierro y le golpeó con él en la cabeza a la anciana madre de Hombre-pájaro Han, abriéndole el cráneo. Empezó a brotar un líquido gris y la anciana murió al instante. Hombre-pájaro dejó escapar un lamento que más bien pareció el aullido de un lobo herido. Se sacó un tirachinas del cinturón y disparó dos proyectiles que dejaron ciego a Tísico Seis ahí mismo. Entonces se desató el infierno, y poco a poco los forasteros empezaron a llevarse la peor parte. Llevando al hombro el cuerpo de su madre, Hombre-pájaro Han se empezó a retirar, combatiendo a cada paso durante todo el camino hasta las colinas arenosas que había al oeste de la ciudad. Allí dejó a su madre en el suelo, cargó su tirachinas y apuntó a Tercer Maestro Fan.

—No deberías haber tratado de matarnos, jefe. ¡Hasta los conejos muerden cuando se los acorrala! —Antes de que terminara la frase, uno de sus proyectiles cortó el aire con un zumbido e impactó sobre la oreja izquierda de Tercer Maestro Fan—. Ya que somos todos chinos —dijo Hombre-pájaro Han—, por esta vez te perdono.

Con una mano tapándose la oreja partida, Tercer Maestro Fan se retiró sin decir ni una palabra.

Los forasteros levantaron docenas de tiendas en esa colina arenosa y la hicieron suya. Hombre-pájaro Han enterró a su madre entre la arena, y después cogió sus tirachinas y empezó a recorrer la calle arriba y abajo, jurando con su extraño acento. Lo que les decía a los aldeanos era lo siguiente: Yo soy un solo hombre, así que si mato a uno de vosotros, estaremos empatados, y si mato a dos, iré ganando por uno. Mi esperanza es que todo el mundo pueda vivir en paz. Después de ver los ejemplos de Tísico Seis, cuyos ojos habían quedado ciegos y de Tercer Maestro Fan, que tenía la oreja destrozada, ninguno de los aldeanos quería enfrentarse a él.

—Pensad solamente que acaba de perder a su madre —dijo Tercera Hermana—, así que ¿qué más puede temer?

A partir de aquel momento, los forasteros y los aldeanos convivieron pacíficamente a pesar del resentimiento que todo el mundo sentía. Mi tercera hermana y Hombre-pájaro Han se veían casi todos los días en el lugar en que él había dejado las perdices a los pies de ella. Al principio, estos encuentros se daban sin haberse planeado, pero antes de que pasara mucho tiempo se convirtió en el lugar convenido para su cita; allí se quedaban esperando a que llegara el otro, tardara lo que tardara. Los pies de Tercera Hermana pisaban tanto ese lugar que aplastaron el césped que allí había hasta que dejó de crecer. En cuanto a Hombre-pájaro Han, se limitaba a presentarse, lanzarle unos pájaros a los pies y marcharse sin decir ni una palabra. A veces se trataba de una pareja de tórtolas y otras de una gallina joven, y en una ocasión trajo un pájaro enorme que debía pesar cerca de quince kilos. Tercera Hermana casi no fue capaz de llevárselo a casa sobre la espalda. Ni siquiera Tercer Maestro Fan, el hombre más sabio que había por allí, tenía la menor idea de qué clase de pájaro se trataba. Lo único que puedo decir es que nunca he comido nada tan delicioso en mi vida. Naturalmente, el sabor me llegó de forma indirecta, a través de la leche de mi madre.

Aprovechándose de que tenía una relación muy cercana con nuestra familia, Tercer Maestro Fan alertó a Madre y le advirtió de que prestara una especial atención a lo que estaba pasando entre mi tercera hermana y Hombre-pájaro Han, y lo hizo en unos términos un tanto humillantes y ofensivos. «Joven sobrina, tu tercera hija y ese cazador de pájaros... ah, es un ataque a la moral pública, y es mucho más que lo que los aldeanos están dispuestos a soportar». Madre dijo: «Sólo es una niña», a lo que Tercer Maestro Fan contestó: «Tus hijas son distintas de las otras chicas de su edad». Madre despachó a Tercer Maestro Fan diciéndole: «¡Vuelve por donde has venido y dile a esos cotillas que se vayan al infierno!».

Pero una cosa era reprocharle a Tercer Maestro Fan lo que había dicho y otra muy distinta era controlar a Tercera Hermana. Cuando volvió a casa con una grulla de cresta roja que estaba medio muerta, Madre se la llevó aparte para tener una charla en serio.

—Lingdi —le dijo—, no podemos seguir alimentándonos con pájaros ajenos.

—¿Por qué no? —le preguntó Lingdi—. Para él, cazar un pájaro es más fácil que atrapar una pulga.

—De todas maneras, son sus pájaros, por muy fácil que le resulte cazarlos. ¿No sabes que la gente espera que le devuelvan los favores?

—Algún día se lo pagaré todo —dijo Tercera Hermana.

—¿Se lo pagarás con qué? —le preguntó Madre.

—Me casaré con él —dijo Tercera Hermana alegremente.

—Lingdi —le contestó Madre con un tono sombrío—. Tus dos hermanas mayores ya han avergonzado a esta familia mucho más de lo que nadie se habría podido imaginar. Esta vez no voy a ceder, y no me importará lo que digas.

—Madre —le dijo Lingdi, con indignación creciente—, para ti es muy fácil decir eso. Si no fuera por Hombre-pájaro Han, ¿te crees que él tendría el aspecto que tiene ahora? —me señaló, y después señaló al niño de la familia Sima—. ¿O él?

Madre miró mi rostro rubicundo y después al bebé Sima, de mejillas sonrosadas, y se quedó sin saber qué decir. Tras un momento, dijo:

—Lingdi, a partir de hoy ya no comeremos más pájaros de los que caza él, y no importa lo que tú digas.

Al día siguiente, Tercera Hermana volvió a casa con un montón de palomas silvestres y, con un gesto de enfado, las arrojó a los pies de Madre.

El octavo mes llegó sin previo aviso. Bandadas de gansos salvajes atravesaron el cielo de camino hacia el sur, y se instalaron en los pantanos al sudoeste de la aldea. Tanto los aldeanos como los forasteros se lanzaron a por ellos con garfios y redes y otros métodos que, con el paso de los años, habían demostrado ser eficaces para atrapar gansos salvajes. Al principio, las capturas eran exuberantes, y las plumas flotaban por encima de las calles y las callejuelas de la población. Pero los gansos salvajes no iban a aceptar eternamente el papel de víctimas con tanta facilidad, por lo que empezaron a anidar en los rincones más profundos e inalcanzables de los pantanos, en lugares que incluso los zorros consideraban inhabitables. Así se acabaron las partidas de caza de los aldeanos. Y a pesar de todo, Tercera Hermana seguía viniendo a casa día tras día con un ganso salvaje, a veces muerto, a veces vivo, y nadie podía imaginar cómo se las apañaba Hombre-pájaro Han para capturarlos.

Enfrentada a una realidad cruel, Madre tuvo que ceder y llegar a un acuerdo. Si nos negábamos a comernos las aves que Hombre-pájaro Han capturaba para entregarnos, a todos nos aparecerían síntomas de desnutrición, como tenía la mayoría de los aldeanos: edema, respiración asmática, luces parpadeantes en los ojos, como fuegos fatuos. Y lo único que significaría comerse los pájaros de Han era que a la lista de sus yernos, en la que figuraban el jefe de una banda de mosqueteros y un especialista en destruir puentes, se añadiría ahora un experto cazador de pájaros.

La mañana del decimosexto día del octavo mes, Tercera Hermana acudió al lugar habitual de sus citas. En casa nos quedamos esperando que volviera. Ya estábamos un poco hartos de comer ganso cocido, de su sabor grasiento, y teníamos la esperanza de que Hombre-pájaro Han nos ofreciera un cambio de dieta. No nos atrevíamos a esperar que Tercera Hermana trajera a casa otro de esos deliciosos pájaros inmensos, pero unas cuantas palomas o tórtolas o patos salvajes no nos parecía demasiado pedir. Tercera Hermana volvió a casa con las manos vacías y los ojos rojos por haber llorado. Madre le preguntó qué le pasaba.

—Hombre-pájaro Han ha sido capturado por unos hombres armados, que llevaban uniformes negros e iban en bicicleta —dijo ella.

Alrededor de una docena de hombres jóvenes habían sido capturados con él; los habían atado a todos juntos, como a un puñado de langostas. Hombre-pájaro Han había opuesto una poderosa resistencia; los fuertes músculos de sus brazos se habían hinchado mientras él se esforzaba por romper las cuerdas que lo inmovilizaban. Los soldados le habían pegado en las nalgas y en la cintura con la culata de sus rifles y le habían golpeado las piernas para que siguiera andando. Los ojos se le habían llenado de furia, y estaban tan rojos que parecían a punto de empezar a derramar sangre o fuego. «¿Quién ha dicho que me podíais arrestar?», gritaba Hombre-pájaro Han. El jefe del escuadrón cogió un puñado de barro y se lo puso en la cara a Hombre-pájaro Han, cegándolo temporalmente. Él aulló como un animal atrapado. Tercera Hermana corrió tras ellos, y cuando estaba a punto de alcanzarlos se detuvo y gritó: «Hombre-pájaro Han...». Ellos continuaron su marcha, bajaron por el camino, y ella volvió a alcanzarlos corriendo, se detuvo y gritó: «Hombre-pájaro Han...». Los soldados se dieron la vuelta y miraron a Tercera Hermana, riéndose de ella con malicia. Finalmente, Tercera Hermana gritó:

—Hombre-pájaro Han, te esperaré.

—¿Quién coño te ha pedido que me esperes? —le contestó él a gritos.

Ese mediodía, mientras mirábamos un cuenco de sopa de hierbas silvestres tan ligera que nos veíamos reflejados en ella, todos, incluida Madre, nos dimos cuenta de lo importante que Hombre-pájaro Han se había vuelto en nuestras vidas.

Durante dos días y dos noches, Tercera Hermana estuvo tirada en el *kang*, despatarrada, llorando sin parar. Nada de lo que Madre intentó para calmarla funcionó.

El tercer día después de que se llevaran a Hombre-pájaro Han, Tercera Hermana se levantó descalza del *kang*, se abrió la blusa desvergonzadamente, salió al patio y trepó sobre el granado, haciendo que sus flexibles ramas se doblaran, describiendo una curva muy cerrada. Madre salió corriendo para hacerla bajar, pero ella saltó acrobáticamente del granado al árbol de parasol, y desde ahí a una altísima catalpa. Desde lo más alto de la catalpa saltó al suelo y cayó sobre la parte superior del tejado de la casa, que estaba hecho de paja y hojas de palma. Sus movimientos eran increíblemente ágiles, como si le hubiera brotado un par de alas. Se sentó a horcajadas sobre el tejado, mirando al frente, con una sonrisa radiante pintada en el rostro. Madre estaba en el suelo, mirando hacia arriba y suplicándole tristemente: «Lingdi, pequeña niña buena de mamá, baja, por favor. Nunca volveré a inmiscuirme en tu vida, podrás hacer siempre lo que te apetezca...». Tercera Hermana no reaccionaba. Era como si se hubiera convertido en un pájaro y ya no comprendiera el lenguaje humano. Madre llamó a Cuarta Hermana, Quinta Hermana, Sexta Hermana, Séptima Hermana, Octava Hermana y al pequeño mocoso Sima; les dijo que salieran al patio y que se pusieran a gritarle a Tercera Hermana. Mis hermanas la llamaron con los ojos llenos de lágrimas, pero Tercera Hermana las ignoró. Lo que hizo fue empezar a picotear su propio hombro, como si se estuviera limpiando las plumas. No dejaba de mover la cabeza de un lado para otro, como si estuviera en una silla giratoria. Y no sólo era capaz de picotearse el hombro; también alcanzaba a mordisquearse los pequeños pezones. Yo estaba convencido de que podría llegar hasta las nalgas e incluso a los talones, si quisiera. No había ni un sólo lugar al que su boca no pudiera llegar si ella quería. De hecho, por lo que a mí respectaba, cuando Tercera Hermana estaba ahí sentada a horcajadas en lo alto del tejado, ya había ingresado en el reino de las aves: pensaba como un pájaro, se comportaba como un pájaro y tenía la expresión de un pájaro. Y por lo que a mí respectaba, si Madre no les hubiera pedido a Tercer Maestro Fan y a un grupo de hombres jóvenes y fuertes que la bajaran con la ayuda de un poco de sangre de perro negro, a Tercera Hermana le habrían salido alas y se habría convertido en un hermoso pájaro, si no un fénix, un pavo real, y si no un pavo real, al menos un faisán dorado. Pero fuera cual fuera el pájaro en el que ella se convertiría, habría desplegado sus alas y volado en busca de Hombre-pájaro Han. En cualquier caso, lo que finalmente ocurrió, un desenlace de lo más vergonzoso, fue lo siguiente: Tercer Maestro Fan le ordenó a Zhang Maolin, un tipo bajito y ágil a quien todo el mundo apodaba El Mono, que se subiera al techo con un cubo lleno de sangre de perro negro. El Mono se le acercó por detrás y la empapó con la sangre. Ella se puso en pie de un salto y desplegó sus brazos para salir volando hacia el cielo, pero sólo logró trastabillar, caerse del tejado y aterrizar en el camino de ladrillo que había debajo con un ruido sordo. La sangre empezó a brotarle de una profunda brecha del tamaño de un albaricoque que se le hizo en la cabeza y se desmayó.

Llorando de una manera incontrolable, Madre cogió un puñado de césped y lo presionó contra la cabeza de Tercera Hermana para detener el flujo de sangre. Después, con la ayuda de Cuarta Hermana y Quinta Hermana, le limpió la sangre de perro y la llevó dentro de la casa para acostarla sobre el *kang*.

Cuando estaba anocheciendo, Tercera Hermana volvió en sí. Con los ojos llenos de lágrimas, Madre le preguntó:

—¿Estás bien, Lingdi? —Tercera Hermana levantó la vista para mirar a Madre y pareció que asentía con la cabeza, aunque tal vez no lo hubiera hecho. Las lágrimas caían de sus ojos—. Mi pobre niña maltratada —dijo Madre.

—Se lo van a llevar a Japón —dijo Lingdi fríamente—, y no volverá hasta dentro de dieciocho años. Madre, quiero que me hagas un altar. Ahora soy un hada-pájaro.

Esas palabras cayeron sobre Madre como un rayo. Un torbellino de sentimientos encontrados le sacudió el corazón. Miró a la cara de Tercera Hermana, una cara que parecía endemoniada, y sintió que tenía mucho que decir, pero no pudo articular ni una sola palabra.

En la breve historia del Concejo de Gaomi del Noreste, seis mujeres habían sido transformadas en zorro, puercoespín, comadreja, serpiente blanca, tejón y hada-murciélago, siempre como resultado de amores no correspondidos o de malos matrimonios. Todas ellas llevaron una vida llena de misterio y se ganaron el temeroso respeto de los demás. Ahora en mi casa había aparecido un hada-pájaro, que aterrorizaba a Madre y la ponía de mal humor. Ella, en cualquier caso, no se atrevió a decir nada que fuera contra los deseos de Tercera Hermana, puesto que en el pasado había habido un precedente sangriento: hacía alrededor de una docena de años, Fang Jinzhi, la mujer de un comerciante de burros, Yuan Jinbiao, fue descubierta en brazos de un joven en el cementerio. Algunos miembros de la familia Yuan le dieron una paliza al joven hasta matarlo, y después le pegaron a Fang Jinzhi hasta que la dejaron casi sin vida. Sobrepasada por la vergüenza y la rabia, tomó arsénico, pero se salvó gracias a que alguien le metió excrementos humanos por la garganta. Cuando se despertó, dijo que estaba poseída por un hada-zorro y pidió que le hicieran un altar. La familia Yuan se negó. A partir de aquel día, la leña que la familia tenía almacenada se incendiaba a menudo, y los cazos y las sartenes y los demás cacharros se les rompían sin motivo aparente. Cuando el abuelo de la familia cogió su jarra para el vino, un lagarto salió de su interior. Cuando la abuela estornudó, sus dos dientes frontales salieron volando a través de las narices. Y cuando estaban cociendo unos ravioles *jiaozi* rellenos de carne, lo que encontraron en la olla fueron sapos. Los Yuans al final se rindieron y le construyeron un altar al hada-zorro e instalaron a Fang Jinzhi en una habitación aislada para que pudiera meditar.

El lugar para que meditara el hada-pájaro se preparó en una de las habitaciones laterales. Con la ayuda de mis hermanas cuarta y quinta, Madre limpió los restos y las cosas que había dejado Sha Yueliang, quitó todas las telarañas de las paredes y el polvo del techo y después puso unas nuevas cortinas de papel en la ventana. Colocaron una mesa de incienso contra la pared que daba al Norte y encendieron tres palitos de incienso de sándalo que habían sobrado de cuando, a principios de año, Shangguan Lü había estado adorando al Guanyin Bodhisattva. Deberían haber puesto una imagen de un hada-pájaro sobre la mesa de incienso, pero no tenían ni idea de qué aspecto tenía. Por eso, Madre le pidió instrucciones a Tercera Hermana:

—Hada —le dijo piadosamente arrodillándose en el suelo—, ¿dónde puedo encontrar la imagen de un ídolo para la mesa de incienso?

Tercera Hermana se sentó formalmente en una silla, con los ojos cerrados, y las mejillas se le sonrojaron, como si estuviera disfrutando de un maravilloso sueño erótico. Sin atreverse a meterle prisa ni a hacerla enfadar, Madre se lo volvió a preguntar, todavía más piadosamente. Mi tercera hermana abrió la boca en un enorme bostezo, con los ojos aún cerrados, y contestó con una voz gorjeante, que estaba entre el lenguaje de los humanos y el de los pájaros, con lo que sus palabras eran prácticamente imposibles de entender: «Habrá una imagen mañana».

A la mañana siguiente, un pordiosero con nariz de halcón y ojos de águila llamó a nuestra puerta. En la mano izquierda llevaba un palo para atizar a los perros hecho con un tronco hueco de bambú, y en la derecha tenía un cuenco de cerámica con dos profundos desconchados en el borde. Estaba mugriento, como si se hubiera estado revolcando por el barro o hubiera hecho un viaje de mil kilómetros a pie. Tenía las orejas llenas de tierra, y barro seco alrededor de los ojos. Sin decir una palabra, entró en el salón de nuestra casa, libre y espontáneo, como si estuviera en la suya. Le quitó la tapa a la olla que había en la cocina, metió un cucharón en la sopa de hierbas y empezó a sorberlo. Cuando hubo terminado, se sentó en la encimera, todavía sin decir nada, y clavó su mirada afilada en el rostro de Madre. A pesar de que se sentía incómoda, ella hizo un esfuerzo para aparentar que estaba tranquila.

—Distinguido huésped —le dijo—, somos pobres y no tenemos nada para ti. Por favor, no te ofendas si te ofrezco esto.

Le alcanzó un puñado de hierbas silvestres y él rechazó su ofrecimiento. Lamiéndose los agrietados y sanguinolentos labios, él dijo:

—Tu yerno me ha pedido que te traiga un par de cosas —pero no sacó nada para nosotros y, mientras observábamos sus ropas escasas y hechas jirones y su piel mugrienta y ajada, que se veía a través de los múltiples rotos, no éramos capaces de imaginarnos dónde podría haber escondido lo que nos traía.

—¿De cuál de mis yernos estamos hablando? —le preguntó Madre, visiblemente intrigada.

El hombre con nariz de halcón y ojos de águila le contestó:

—No me preguntes. Lo único que sé es que es mudo, que sabe escribir, que es un extraordinario espadachín, que en una ocasión me salvó la vida y que yo le devolví el favor. Ninguno de nosotros dos está en deuda con el otro. Y es por eso que no hace más de dos minutos yo me estaba preguntando si debería darte estos dos tesoros o no. Si cuando me serví un poco de vuestra sopa tú, la señora de la casa, hubieras hecho un solo comentario grosero o impertinente, me los habría quedado yo. Pero no solamente no dijiste nada grosero ni impertinente sino que además me ofreciste un puñado de hierbas silvestres, así que he decidido entregártelos. —Dicho esto, se puso de pie, apoyó su cuenco desconchado en la encimera y añadió—: Ésta es una pieza hecha con una magnífica cerámica, tan rara como los unicornios y las aves fénix. Quizá sea la única en el mundo de su clase. Ese mudo yerno tuyo no era consciente de su valor. Lo único que sabía es que era parte del botín que obtuvo en uno de sus saqueos, y quería que lo tuvieras tú, tal vez por lo grande que es. Bueno, aquí está. —Entonces golpeó el suelo con su bastón de bambú, que emitió un sonido hueco—. ¿Tienes un cuchillo?

Madre le pasó su cuchillo de carnicero. Él lo usó para cortar unos hilos invisibles que había a cada extremo y el bambú se dividió en trozos que, al separarse, dejaron caer un rollo de pergamino pintado. Él lo desenrolló; nos llegó un olor a moho y putrefacción. Ahí, en el medio de la seda amarillenta, había un dibujo de un enorme pájaro. Nos quedamos asombrados. La imagen era una réplica exacta del inmenso, incomparablemente delicioso pájaro que Tercera Hermana había traído a casa una vez. En la pintura estaba de pie, erguido, con la cabeza levantada, contemplándonos despectivamente con sus ojos inexpresivos. El hombre de la nariz de halcón y los ojos de águila no nos contó nada sobre el rollo de pergamino ni sobre el pájaro que estaba pintado en él. Lo que hizo fue volver a enrollarlo, dejarlo sobre el cuenco de cerámica, darse la vuelta y salir por la puerta sin mirar atrás. Los brazos, liberados ahora de su carga, le colgaban a los lados del cuerpo y se movían rígidamente al ritmo de sus largas zancadas.

Madre quedó quieta donde estaba, rígida como un pino, y yo era un nudo en el tronco de ese pino. Cinco de mis hermanas parecían sauces, y el niño Sima un roble joven. Todos estábamos ahí de pie, como un pequeño bosque frente al misterioso cuenco de cerámica y el rollo del pergamino con el dibujo del pájaro. Si Tercera Hermana no hubiera roto el silencio con una risa burlona, podríamos habernos convertido en árboles de verdad.

Su predicción se había cumplido. Con una reverencia extraordinaria, llevamos el rollo de pergamino a la habitación acondicionada para que Tercera Hermana meditara y lo colgamos frente a la mesa de incienso. Además, y ya que el cuenco de cerámica desconchado tenía una historia tan extraordinaria, ¿qué mortal era digno de usarlo? Por ello, Madre, sintiéndose muy afortunada, lo colocó sobre la mesa de incienso y lo llenó de agua fresca para el hada-pájaro.

La noticia de que en nuestra familia había aparecido un hada-pájaro se extendió rápidamente por todo Gaomi del Noreste y aún más allá. Un flujo constante de peregrinos empezó a llegar a la puerta de nuestro hogar en busca de filtros mágicos y predicciones de futuro, pero el hada-pájaro no recibía a más de diez por día. Se arrodillaban en el suelo, del lado de afuera de la ventana de su habitación de meditación; ahí había un minúsculo agujero que permitía que se escaparan, como pájaros, sus predicciones para los curiosos y sus prescripciones para los enfermos. Las prescripciones que Tercera Hermana —quiero decir, el hada-pájaro— dispensaba eran realmente únicas y estaban envueltas en un aura de travesura. Esto es lo que le prescribió a una persona que sufría problemas de estómago: un polvo confeccionado con siete abejas, un par de bolas hechas con excrementos por un escarabajo pelotero, una onza de hojas de melocotón y un cuarto de kilo de cáscara de huevo machacada; esta mezcla debía tomarse disuelta en agua. Y para otra persona, que llevaba una gorra hecha con piel de conejo y que tenía una enfermedad en los ojos: una pasta hecha con siete langostas, un par de grillos, cinco mantis religiosas y cuatro gusanos de tierra, que debía extenderse sobre la palma de las manos.

Cuando el paciente cogió el papel con la prescripción que le habían hecho a través del agujerito de la ventana y lo leyó, una mirada irreverente apareció en su rostro, y lo oímos mascullar: «Es un hada-pájaro, no te digo... Lo único que hay en esta prescripción es alimento para pájaros». Cuando se alejó de la ventana, todavía mascullando algo, no pudimos evitar sentirnos avergonzados de Tercera Hermana. Las langostas y los grillos son exquisiteces para los pájaros, pero ¿por qué iban a servir para curar las enfermedades en los ojos de los seres humanos? Sin embargo, mientras yo estaba todo confundido, el hombre con problemas en la vista volvió casi volando, pasó a nuestro lado, cayó de rodillas ante la ventana, golpeó el suelo con la cabeza como si estuviera machacando dientes de ajo y dijo repetidamente: «Gran Hada, perdóname, Gran Hada, perdóname...». Sus súplicas de perdón le provocaron una carcajada burlona a Tercera Hermana. Al final nos enteramos de que cuando ese hombre tan parlanchín había tomado el camino hacia su casa, un halcón cayó del cielo y le clavó las garras en la cabeza antes de remontar el vuelo llevándose su gorra. También un hombre malintencionado se arrodilló junto a la ventana fingiendo que estaba aquejado de uretritis. El hada-pájaro le preguntó a través de la ventana:

—¿Qué te duele?

El hombre le dijo:

—Cuando orino, es como si tuviera que expulsar cubitos de hielo.

La habitación quedó repentinamente en silencio, como si el hada-pájaro se hubiera marchado avergonzada. El hombre, obsceno y audaz, acercó un ojo al agujero de la ventana, pero antes de que pudiera ver nada se estremeció de dolor: un monstruoso escorpión había caído de la ventana sobre su cuello y lo había picado. El cuello se le hinchó inmediatamente, y después la cara, hasta que sus ojos no eran más que hendiduras, como los de una salamandra.

El hada-pájaro había usado sus poderes místicos para castigar a aquel hombre terrible, para el deleite bullicioso de la buena gente y el incremento de su propia reputación. En los días que siguieron, entre los peregrinos que venían para que les curaran sus dolores o para que les hablaran de su futuro se empezaron a oír acentos de lugares lejanos. Cuando Madre les preguntó, se enteró de que algunos habían venido desde zonas tan alejadas como el Mar del Este y otros desde el Mar del Norte. Cuando les preguntó cómo habían llegado a enterarse de los poderes místicos del hada-pájaro, se quedaron con los ojos como platos, sin saber qué decir. Tenían un olor salado que, nos informó Madre, era el olor del océano. Los peregrinos se quedaban esperando pacientemente y, durante unos días, dormían en el suelo de nuestro patio. El hada-pájaro seguía una agenda que ella misma había programado: cuando había visto a diez peregrinos, se retiraba para el resto del día, y un silencio mortal se apoderaba de la habitación del lado este. Madre enviaba a Cuarta Hermana a llevarle agua fresca. Cuando ella entraba, Tercera Hermana salía. Después entraba Quinta Hermana con algo de comer, y Cuarta Hermana salía. El flujo de chicas entrando y saliendo dejaba atónitos a los peregrinos, que no sabían cuál de las chicas era realmente el hada-pájaro.

Cuando Tercera Hermana se separaba del hada-pájaro, era sólo una chica más, aunque con una serie de expresiones y movimientos muy poco frecuentes. Hablaba pocas veces, miraba casi siempre con el rabillo del ojo, prefería estar de cuclillas a sentarse, bebía solamente agua y estiraba mucho el cuello a cada trago, exactamente igual que un pájaro. No comía ningún tipo de grano, pero claro, tampoco lo hacíamos nosotros, puesto que no había. Los peregrinos traían ofrendas adecuadas para las costumbres de un pájaro: langostas, crisálidas de gusano de seda, afidios, escarabajos y luciérnagas. Algunos también llegaban con alimentos para una dieta vegetariana, como semillas de sésamo, piñones y pipas de girasol. Por supuesto, todo se lo dábamos a Tercera Hermana, y lo que ella no se comía lo dividíamos entre Madre, mis otras hermanas y el pequeño heredero de los Sima. Mis hermanas, que eran todas unas hijas maravillosas, se ofrecían unas a otras sus respectivas crisálidas de gusano de seda. La cantidad de leche que producía Madre era cada vez menor, aunque la calidad seguía siendo alta. Fue durante esos extraños días cuando Madre intentó desacostumbrarme a la alimentación al pecho, pero tuvo que abandonar la idea cuando se hizo evidente que yo estaba dispuesto a llorar hasta la muerte antes de ceder.

Para demostrar su gratitud por el agua hervida y por el resto de servicios que les ofrecíamos y, mucho más importante, por los éxitos del hada-pájaro, que los libraba de sus molestias y preocupaciones, los peregrinos que habían venido atravesando los océanos nos dejaron, al partir, un saco de arpillera lleno de pescado seco. Estábamos más conmovidos de lo que se puede expresar con palabras, y acompañamos a nuestros visitantes hasta el río. Fue entonces cuando vimos docenas de barcos de pesca de anchos mástiles anclados en el Río de los Dragones, que fluía con lentitud. En la larga historia del Río de los Dragones nunca se había visto nada más que unas pocas balsas de madera; se empleaban para cruzarlo cuando se desbordaba. Pero, gracias al hada-pájaro, el Río de los Dragones se había convertido en una rama de los vastos océanos. Eran los primeros días del décimo mes, y los fuertes vientos del Noroeste peinaban la superficie del río. Los que se dirigían hacia el mar subían a bordo de sus embarcaciones, izaban sus velas grises y llenas de remiendos y navegaban hacia el centro del río. Sus timones agitaban tanto las aguas que las enturbiaban al pasar. Las bandadas de gaviotas de color gris plateado, que habían venido siguiendo los barcos de pesca, ahora los acompañaban en su camino de vuelta. Sus chillidos se cernían sobre el río mientras ellas pasaban volando a ras del agua y se elevaban inmediatamente muy por encima de ella. Algunas incluso se dedicaron a entretenernos volando cabeza abajo, o quedándose quietas, suspendidas, en el aire. Los aldeanos se habían reunido en la orilla del río, en principio sólo para mirar, pero empezaron a sumar sus voces a la espectacular despedida que se organizó para los peregrinos que habían venido desde tan lejos. Las velas de los barcos ondearon, agitadas por el viento, sus timones comenzaron a moverse hacia adelante y hacia atrás, y lentamente se alejaron río abajo. Tenían que viajar por el Río de los Dragones hasta el Gran Canal, y desde ahí hasta el Río del Caballo Blanco, que los llevaría al Mar de Bohai. El viaje les llevaría veintiún días. Esta información me la dio Hombre-Pájaro Han, en una clase de geografía, unos dieciocho años más tarde. La visita de estos peregrinos al Concejo de Gaomi del Noreste fue una puesta en acción virtual de los viajes marítimos que Zheng He y de Xu Fu habían hecho unos siglos antes, y constituyeron uno de los capítulos más gloriosos en la historia del Concejo de Gaomi del Noreste. Y todo gracias a un hada-pájaro de la familia Shangguan. Esta gloria disipó las nubes de tristeza que había en el pecho de Madre; quizá ella esperara que otra hada-animal haría su aparición en la casa, un hada-pez, por ejemplo. Pero en realidad, nunca se sabe, quizá no esperaba nada de eso.

Después de que los pescadores se marcharan en sus barcos, recibimos la visita de un personaje eminente. Llegó en un elegante Chevrolet de color negro, rodeado por unos fornidos guardaespaldas armados con Mausers que iban de pie, del lado de afuera, junto a cada una de las puertas. También le escoltaban las nubes de polvo que levantaba el coche al pasar por las carreteras llenas de tierra de la aldea. Los pobres guardaespaldas parecían burros que se hubieran estado revolcando por el suelo. El automóvil llegó hasta la puerta de entrada de nuestro patio y se detuvo allí. Uno de los guardaespaldas abrió la puerta de atrás. Lo primero que apareció fue una diadema de perlas y jade, seguida por un cuello, y al final un gran torso. Tanto por su figura como por su expresión, la mujer parecía un ganso exageradamente grande.

En términos más estrictos, un ganso también es un ave. Pero por muy alto que fuera su estatus, cuando llegó preguntando por el hada-pájaro se esperaba que tuviera una actitud cortés y reverente. Nada se le escapaba al hada-pájaro, que sabía todo lo que iba a suceder, por lo que no se toleraban ni la hipocresía ni la arrogancia. La mujer se arrodilló ante la ventana, cerró los ojos y se puso a rezar en voz baja. Tenía la cara del color de los pétalos de rosa, de donde se podía deducir que no había venido para que le curaran ninguna enfermedad. Las joyas la cubrían de la cabeza a los pies, así que no estaba buscando ricos. ¿Qué podía necesitar una mujer como ésa del hada-pájaro? Un trozo de papel blanco apareció por el agujerito de la ventana. Cuando la mujer lo abrió y lo leyó, el rostro se le puso del color de la cresta de un gallo. Arrojó unos cuantos dólares de plata al suelo, se levantó y se alejó de allí. ¿Qué había escrito en ese trozo de papel? Sólo el hada-pájaro y la mujer lo sabían.

Los visitantes siguieron acercándose a nuestro hogar durante días, y después dejaron de venir. Para cuando llegaron los fríos del invierno, ya nos habíamos comido todo el pescado seco que había en el saco de arpillera, y nuevamente la leche de Madre sabía a césped y a corteza de árbol. El séptimo día del duodécimo mes, nos enteramos de que la secta cristiana más grande de la zona iba a abrir un comedor en la Catedral de la Puerta del Norte. Madre y todos los niños, con nuestros cuencos y palillos en la mano, caminamos toda la noche junto a diversos grupos de aldeanos hambrientos en dirección a la capital del condado. Dejamos a Tercera Hermana y a Shangguan Lü a cargo de la casa. Debido a que una de ellas era más hada que humana, y la otra menos humana que demonio, estaban más capacitadas para lidiar con el hambre. Madre le lanzó un puñado de césped a Shangguan Lü.

—Madre —le dijo—, si eres capaz de morir, hazlo cuanto antes. ¿Por qué sufres con nosotros de este modo?

Era la primera vez que uno de nosotros cogía la carretera que iba a la capital del condado. Cuando digo «carretera», me refiero al pequeño sendero gris, formado por las pisadas de los hombres y las bestias, por el que avanzábamos. No podría decir cómo el coche de aquella mujer rica había logrado llegar hasta nuestra aldea. Avanzábamos bajo la fría luz de las estrellas. Yo iba en la espalda de Madre, el pequeño heredero de los Sima en la de Cuarta Hermana, Octava Hermana en la de Quinta Hermana, y mis hermanas sexta y séptima andaban por su cuenta. La medianoche llegó y pasó, y mientras tanto escuchamos los gritos intermitentes de los niños en las selvas que nos rodeaban. Séptima Hermana, Octava Hermana y el pequeño heredero de los Sima también empezaron a llorar. Madre expresó su disconformidad, pero incluso ella estaba llorando, así como Cuarta Hermana y Quinta Hermana. Estas dos, de pronto, tropezaron y cayeron al suelo. Pero tan pronto como Madre levantaba a una y la dejaba para coger a la otra, la primera se volvía a caer. Esto ocurrió durante un rato, hasta que Madre, al fin, se sentó en el frío suelo, junto a todos los demás, acurrucándose para calentarse mutuamente. Me cambió de lado y me puso al frente y colocó su fría mano bajo mi nariz para comprobar si todavía respiraba. Seguramente pensó que el frío o el hambre me podían haber apartado de ella. Yo respiré débilmente para que supiera que seguía vivo. Entonces, ella corrió las cortinas que cubrían sus pechos y me metió un pezón helado en la boca. Parecía un cubito de hielo que se estuviera derritiendo lentamente en mi boca y me la estuviera dejando dormida por el frío. El pecho de Madre no tenía nada que ofrecer. Por muy fuerte que yo succionara, lo único que lograba sacar fueron unos pocas gotitas de sangre. ¡Hacía frío, hacía tantísimo frío! Y en medio de aquel frío, los espejismos flotaban ante los ojos de la gente muerta de hambre que nos rodeaba: una cocina encendida, una olla humeante y llena de pollo y pato, platos y platos de empanadillas de carne, todo eso y hierba verde y hermosas flores. Frente a mis ojos había dos pechos del tamaño de calabazas, rebosantes de rica leche, vivos como un par de palomas y perfectos como cuencos de porcelana. Olían maravillosamente y tenían un aspecto bellísimo. Un líquido ligeramente azulado, dulce como la miel, brotaba de ellos, llenando mi tripa y empapándome de la cabeza a los pies. Yo envolvía aquellos pechos con los brazos y nadaba en esas fuentes de líquido... y por encima de mi cabeza, millones y billones de estrellas giraban en el cielo, en círculos, formando gigantescos pechos: pechos en Sirio, la estrella Perro; pechos en la Osa Mayor; pechos en Orión, el Cazador; pechos en Vega, la chica que teje; pechos en Altair, el Vaquero; pechos en Chang'e, la bella en la Luna; los pechos de Madre... Escupí el pezón de Madre y miré hacia la carretera. Un hombre que llevaba por encima de la cabeza una lámpara medio rota hecha con piel de cabra se acercó a nosotros. Era Tercer Maestro Fan. Estaba desnudo de cintura para arriba, y entre el ácido hedor a piel de animal quemada y bajo el brillo de su lámpara, aullaba: «Compañeros, convecinos: no os sentéis, bajo ninguna circunstancia. Si os sentáis, os congelaréis hasta morir. Vamos, compañeros, convecinos, seguid avanzando. Seguir avanzando es seguir vivos, sentarse es morir».

La sentida exhortación de Tercer Maestro Fan hizo que mucha gente se levantara, abandonando el ilusorio calor que sentían quedándose acurrucados y que era, sin ninguna duda, el camino hacia la muerte. Se pusieron en pie y empezaron a desplazarse atravesando el frío, lo cual era su única posibilidad de sobrevivir. Madre se levantó, me volvió a cambiar a la posición de la espalda, cogió al pequeño y desgraciado heredero de los Sima y lo acomodó entre sus brazos, y después cogió el brazo de Octava Hermana y empezó a darles paladitas a Cuarta Hermana, Quinta Hermana, Sexta Hermana y Séptima Hermana para que se pusieran de pie. Fuimos tras los pasos de Tercer Maestro Fan, que había usado su chaqueta de piel de cabra como antorcha para iluminar el camino. Lo que nos hacía avanzar no eran nuestros pies sino nuestra fuerza de voluntad, nuestro deseo de llegar a la capital del condado, de llegar hasta la Catedral de la Puerta del Norte, de aceptar la misericordia de Dios, de aceptar un cuenco de gachas del duodécimo mes.

Docenas de cadáveres se acumulaban a los lados de la carretera en esta solemne y trágica procesión. Algunos yacían con la camisa abierta y una expresión beatífica en el rostro, como si quisieran calentarse el pecho con las llamas de las antorchas que iban pasando a su lado.

Tercer Maestro Fan murió con los primeros brillos del amanecer.

Todos comimos las gachas del duodécimo mes que Dios nos brindó; mi ración me llegó a través de los pechos de mi madre. Nunca olvidaré la escena que rodeó la comida. Unas urracas se instalaron en la cruz, bajo el alto techo de la catedral. Fuera, un tren jadeaba mientras avanzaba por sus raíles. Dos enormes calderos, llenos de carne de ternera estofada, humeaban sobre el fuego. Un sacerdote, vestido con una sotana negra, estaba de pie junto a los calderos y rezaba mientras cientos de campesinos hambrientos hacían cola delante de él. Los feligreses servían las gachas, con unos grandes cucharones, en cuencos; un cucharón a cada uno, fuera cual fuera el tamaño del cuenco. Los fuertes ruidos que hacía la gente al sorber dejaban constancia de que las gachas, diluidas en innumerables lágrimas, se consumían rápidamente. Cientos de lenguas rosadas lamían los cuencos hasta dejarlos limpios, y entonces la cola volvía a formarse. En los calderos se echaban montones de sacos de arpillera llenos de arroz y montones de cubos de agua; en esta ocasión, según deduje yo por el sabor de la leche, las gachas estaban hechas con arroz, sorgo mohoso, soja medio podrida y granos de cebada con sus cáscaras.

VI

Cuando volvíamos a casa, tras haber comido las gachas del duodécimo mes, nuestra sensación de hambre era más fuerte que nunca. Nadie había tenido suficiente energía como para enterrar a los cadáveres que se alineaban junto al sendero que atravesaba la selva; nadie podía reunir ni siquiera la energía necesaria para acercarse a echarles un vistazo. La única excepción era el cuerpo de Tercer Maestro Fan. En el momento álgido de la crisis, un hombre del que la gente normalmente se mantenía a distancia se había quitado la chaqueta de piel de cabra, la había convertido en una antorcha y, con su luz y sus gritos, nos había devuelto el sentido común. Esa clase de amabilidad, el don de la vida, nunca se puede olvidar. Por eso, siguiendo a Madre, la gente arrastró el cuerpo del anciano, que parecía un palo, a un lado de la carretera para cubrirlo de tierra.

Cuando llegamos a casa, lo primero que vimos fue al hada-pájaro dando vueltas por el jardín, de un lado para otro, sujetando algo envuelto en un abrigo de marta violeta entre los brazos. Madre tuvo que apoyarse en el quicio de la puerta para evitar caer al suelo. Tercera Hermana se le acercó y le entregó el bulto.

—¿Qué es esto? —preguntó Madre.

Con una voz casi totalmente humana, Tercera Hermana dijo:

—Un bebé.

—¿De quién es? —le preguntó Madre, aunque a mí me parece que ya lo sabía.

—¿De quién crees? —le dijo Tercera Hermana. Evidentemente, el abrigo de piel de marta violeta de Laidi sólo podía emplearse para envolver al bebé de Laidi. Era una niña, tan morena como un trozo de carbón, con los ojos negros como los de un gallo de pelea, labios finos y unas orejas grandes y pálidas que, en su rostro, parecían fuera de lugar. Estas características demostraban con suficiente contundencia cuáles eran sus orígenes: era la primera sobrina de la familia Shangguan, y nos la habían brindado Hermana Mayor y Sha Yueliang.

El disgusto de Madre estaba escrito claramente en su cara; ante eso, el bebé respondió con una sonrisa de gatita. A punto de desmayarse de rabia, Madre se olvidó por completo de todo el asunto de los poderes místicos del hada-pájaro y le dio a Tercera Hermana una patada en la pierna.

Dando un alarido de dolor, Tercera Hermana pegó unos saltitos, a punto de perder el equilibrio, y cuando volvió la cabeza fue evidente que en su rostro había una mirada de pájaro enfurecido. La boca se le había endurecido y apuntaba hacia arriba, lista para picar a alguien. Levantó los brazos, como si estuviera a punto de echarse a volar. Sin preocuparse por si era un pájaro o un ser humano, Madre juró:

—Maldita seas, ¿quién te dijo que aceptaras su bebé? —La cabeza de Tercera Hermana se movía con rapidez de un lado a otro, como si estuviera comiendo insectos subida en un árbol—. ¡Laidi, eres una guarrilla sin ninguna vergüenza! —juró Madre—. ¡Sha Yueliang, eres un rufián sin corazón y un bandido! Lo único que sabes es hacer un bebé, pero no eres capaz de cuidarlo. Te crees que me lo puedes mandar a mí y que todo saldrá bien, ¿verdad? ¡Bueno, pues despierta de una vez! Voy a sumergir a tu pequeña bastarda en el río para que sirva de alimento para las tortugas, o la tiraré en medio de la calle para que se la coman los perros, o al pantano para que se la coman los cuervos. ¡Espera y ya verás!

Madre cogió al bebé y se lanzó a recorrer todas las calles, arriba y abajo, repitiendo sus amenazas de usarlo de alimento para las tortugas, los perros y los cuervos. Cuando llegó a la orilla del río, se dio la vuelta y volvió corriendo a la calle, y después se dio la vuelta otra vez y volvió corriendo al río. Poco a poco, el ritmo de sus pasos se fue haciendo más lento y el tono de su voz más suave, como un tractor al que se le está acabando el combustible. Finalmente, se dejó caer en el mismo lugar donde había muerto el Pastor Malory, miró hacia arriba, a la ruinosa torre del campanario, y murmuró:

—Algunos han muerto y otros han huido, dejándome sola. ¿Cómo voy a sobrevivir y darles de comer a tantos pollitos hambrientos? Dios Amado, Señor del Cielo, ¿por qué no me dices algo? ¿Cómo voy a sobrevivir?

Yo empecé a llorar, derramando mis lágrimas sobre el cuello de Madre. Después, la bebita empezó a llorar, y sus lágrimas se le metieron hasta dentro de las orejas.

—Jintong —dijo Madre tiernamente—, mi orgullo y mi alegría, por favor, no llores. —Después dedicó su ternura a la bebita—: Y tú, pobre niña, tú no deberías haber venido. La abuela no tiene suficiente leche ni siquiera para tu pequeño tío. Si tratara de darte de comer a ti también, los dos os moriríais de hambre. No es que no tenga corazón, es que no puedo hacer nada...

Madre acostó a la bebita, que seguía envuelta en el abrigo de marta violeta, en las escaleras que había frente a la puerta de la iglesia, y después se dio media vuelta y empezó a correr hacia casa como si su vida estuviera en juego, pero no había dado más de diez pasos cuando sus piernas dejaron de moverse. La bebita estaba chillando como un cerdo en el matadero, y esos gritos eran una cuerda invisible que había hecho que Madre se detuviera.

Tres días más tarde, siendo ya una familia de nueve miembros, estábamos en el mercado de la capital del condado, en la sección de comercio con seres humanos. Madre me llevaba en la espalda, y el pequeño bastardo de Sha Yueliang iba en sus brazos. Cuarta Hermana llevaba al pequeño mocoso de Sima. De Octava Hermana se encargaba Quinta Hermana, y Sexta Hermana y Séptima Hermana iban caminando solas.

Tras rebuscar un rato en el basurero de la ciudad, encontramos unas verduras podridas para comer, y después, armados de valor, nos dirigimos a la sección de comercio con seres humanos, donde Madre les colgó unas etiquetas de paja a mis hermanas quinta, sexta y séptima del cuello, y después esperó a que llegara un comprador.

Una fila de sencillas cabañas de madera con paredes blancas y feas se desplegaba ante nosotros. Las chimeneas de hojalata que se levantaban por encima de las paredes vomitaban un humo negro en el aire, que las corrientes de viento traían hasta donde estábamos nosotros, cambiando de forma por el camino. De vez en cuando unas prostitutas, con el pelo revuelto y caído en línea recta hacia abajo, con unos amplios escotes, los labios pintados de un rojo brillante y los ojos somnolientos, salían de las cabañas, algunas llevando palanganas y otras cubos. Se dirigían a un pozo cercano en busca de agua. De la boca del pozo salía vapor. Cuando tiraban de la polea con sus manos blancas y poco habituadas a trabajar, la cuerda hacía un sonido vibrante y nasal. En el momento en el que el cubo, demasiado grande, aparecía en la boca del pozo, empujaban con un pie para poder fijar un anillo en su gancho, inmovilizar el cubo y arrastrarlo delicadamente hasta el borde, donde se había formado una fina capa de hielo, con unas burbujitas redondas que parecían rollitos hechos al vapor, o pezones. Las chicas volvían corriendo a sus cabañas con el agua, volvían corriendo a buscar más, y sus zuecos de madera golpeaban ruidosamente el suelo mientras sus pechos helados y parcialmente expuestos emanaban un olor semejante al del azufre. Intenté mirar por encima del hombro de Madre, pero lo único que conseguí ver fueron sus pechos en danza, como flores de opio o valles de mariposas.

Estábamos en una calle ancha, frente a una pared muy alta que lograba detener el viento del Noroeste y nos proporcionaba un poco de calor. A ambos lados había más gente como nosotros protegiéndose, gente raquítica y con aspecto de tener ictericia, temblando, pasando hambre y frío. Hombres y mujeres. Madres e hijos. Los hombres estaban bien entrados en años y tenían tantas arrugas como la madera cuando se pudre. Aquellos que no estaban ciegos —y muchos de ellos lo estaban— tenían los ojos rojos, hinchados y supurantes. En el suelo, a su lado, había un niño de pie o acurrucado. Chicos y chicas. En realidad, era imposible distinguir los chicos de las chicas, ya que todos tenían pinta de haber salido de una de las chimeneas que había al otro lado de la calle. Hollín humano. Todos tenían etiquetas pegadas al cuello, la mayoría de ellas hechas con cañas de arroz; aún se veían las hojas secas y amarillentas. No se podía evitar pensar en el otoño, en caballos y en la reconfortante fragancia y en los alegres sonidos que emitían al mascar caña de arroz en medio de la noche. Algunos, menos exigentes, empleaban unas pajas que habían arrancado en cualquier parte. La mayor parte de las mujeres estaban rodeadas de un montón de niños, como Madre, aunque ninguna tenía tantos como ella. En algunos casos, todos los niños tenían etiquetas pegadas en el cuello; en otros, sólo algunos. Lo diré otra vez: se trataba casi siempre de etiquetas hechas con caña de arroz, con hojas secas y amarillentas que emanaban la fragancia de la hierba recién cortada y el espíritu del otoño. Por encima de los niños con sus etiquetas se veían las pesadas y somnolientas cabezas de los caballos, los burros y las mulas, con los ojos tan grandes como platillos de bronce, los dientes rectos y blancos y los labios gruesos, sensuales y rodeados de duros pelos, moviéndose de un lado para otro.

Alrededor del mediodía, un carro tirado por un caballo llegó desde el Sudeste por la carretera oficial. El caballo, grande y blanco, avanzaba con la cabeza bien alta y la frente cubierta por sus crines de hilos de plata. Tenía los ojos bondadosos, una mancha rosa que le recorría la nariz y los labios morados. Un lazo de terciopelo rojo le colgaba del cuello, y ahí tenía atada una campana de bronce. La campana iba tañendo con un sonido penetrante mientras el caballo traía el carro hacia nosotros, balanceándose de un lado a otro. Vimos que sobre el caballo había una gran montura, y que las varas del carro tenían unos remaches de cobre. Las ruedas estaban decoradas con unos radios blancos. El dosel estaba hecho de un material blanco que había sido tratado con muchas manos de aceite de árbol de tung para protegerlo de los elementos. Nunca antes habíamos visto un carro tan lujoso, y estábamos seguros de que el pasajero que iba montado en él sería mucho más noble que la mujer que había ido a ver al hada-pájaro en su Chevrolet, así como no teníamos ninguna duda de que el hombre que iba sentado en la parte delantera, con un sombrero de copa y un bigote con las puntas hacia arriba, no era un conductor común y corriente. Su rostro estaba aseado y dos luces brillantes surgían de sus ojos. Era más reservado que Sha Yueliang, más sombrío que Sima Ku, y tal vez solamente Hombre-Pájaro Han podría haberlo igualado, en el caso de que dispusiera de su vestuario y de su sombrero.

El carro se detuvo lentamente y el hermoso caballo blanco empezó a golpear el suelo con sus cascos, acompañando rítmicamente a la campana de bronce. El conductor corrió una cortina y apareció la persona que iba dentro. Era una mujer con un abrigo de piel de marta violeta y una estola de zorro rojo alrededor del cuello. Deseé con todas mis fuerzas que fuera mi hermana mayor, Laidi, pero no era. Era una extranjera. Tenía la nariz alta, los ojos azules y una cabellera dorada. ¿Qué edad tendría? Me temo que sólo sus padres lo sabían. Después de que se bajara del carro, la siguió un niño pequeño de pelo negro, espectacularmente guapo, que llevaba un uniforme escolar azul y un abrigo de lana del mismo color. Todo en él decía que era el hijo de la extranjera, todo salvo su aspecto, que no se parecía en nada al de ella.

La gente que estaba en la zona se arremolinó a su alrededor, como una banda de ladrones, pero se detuvieron tímidamente antes de llegar a ella. «Señora, honorable dama, por favor, cómpreme a mi nieta». «Señora, elegante dama, mire a este hijo mío. Es más sufrido que un perro, no hay ningún trabajo que no sea capaz de hacer...». Hombres y mujeres intentaban, con humildad, venderle sus hijos e hijas a la extranjera. Solamente Madre se quedó donde estaba, hipnotizada por la visión del abrigo de marta violeta y la estola de zorro rojo. No había ninguna duda de que echaba de menos a Laidi. Tenía a la hija de Laidi en brazos, y su corazón se aceleró y los ojos se le llenaron de lágrimas.

La aristócrata extranjera se tapó la boca con un pañuelo y dio una vuelta por el mercado de seres humanos. Su fuerte perfume nos hizo estornudar al pequeño bastardo de Sima y a mí. Se arrodilló frente a un anciano ciego y le echó un vistazo a su nieta. Asustada por la estola de zorro rojo que envolvía el cuello de la extranjera, la niña abrazó las piernas de su abuelo y se escondió detrás de él, mirándome fijamente con los ojos llenos de terror. El anciano ciego olfateó el aire y, al darse cuenta de que se le había acercado una aristócrata, estiró la mano.

—Señora —le dijo—, por favor, salve a esta criatura. Si se queda conmigo, morirá de hambre. Señora, no tengo ni un céntimo...

La mujer se levantó y le dijo algo casi susurrando al chico del uniforme escolar, que se volvió hacia el anciano ciego y le preguntó en voz alta:

—¿Qué relación tiene con esta niña?

—Soy su abuelo, un abuelo inútil, un abuelo que merece la muerte...

—¿Y sus padres? —preguntó el chico.

—Han muerto de hambre, todos han muerto de hambre. Los que debían morir no lo hicieron, y murieron los que no tenían que morir. Señor, tenga piedad y llévesela con usted. No quiero que me den ni un céntimo, con tal de que le den a la niña la oportunidad de vivir...

El chico se volvió y le murmuró algo a la extranjera, que asintió con la cabeza. El chico se agachó e intentó apartar a la niña de su abuelo, pero cuando le tocó el hombro con la mano, ella lo mordió en la muñeca. El chico chilló y dio un salto hacia atrás. Encogiéndose de hombros exageradamente, la mujer se quitó el pañuelo de la boca y lo usó para envolverle la muñeca al chico.

Con una sensación que tal vez fuera de terror o tal vez de deleite, esperamos durante un tiempo que se nos hizo eterno. Al fin, la mujer de las ricas joyas y el fuerte perfume y el jovenzuelo con la muñeca herida vinieron y se detuvieron justo delante de nosotros. Mientras tanto, a nuestra derecha, el anciano ciego sacudía de un lado al otro su bastón de bambú, intentando pegarle a la niña que había mordido al chico, pero ella se apartaba siempre, como si estuvieran jugando al escondite, por lo que él sólo lograba golpear el suelo y la pared. «¡Pequeña malcriada del infierno!», suspiró el anciano. Yo aspiré ávidamente el perfume de la extranjera. Entre el aroma a acacia blanca, detecté un rastro de pétalos de rosa, y entre ese otro aroma, detecté el perfume sutil de capullos de crisantemo. Pero lo que me embriagó completamente fue el olor de sus pechos, incluso a pesar del ligero pero desagradable olor a cordero que emanaban. Desplegué al máximo las aletas de mi nariz y aspiré profundamente. Ahora que el pañuelo con el que se había cubierto la boca se estaba usando para otra cosa, en otro lugar, su boca había quedado expuesta a la vista. Era una boca grande, una boca como la de Shangguan Laidi, con unos labios gruesos como los de Shangguan Laidi. Esos gruesos labios estaban cubiertos con una pintura roja y brillante. Debido a lo elevado que estaba su puente, su nariz se parecía de alguna manera a las narices de las chicas Shangguan, pero también había diferencias entre ellas: las puntas de las narices de las chicas Shangguan eran como pequeños dientes de ajo, cosa que hacía que parecieran un poco alocadas y monas al mismo tiempo, pero la nariz de la extranjera era ligeramente ganchuda, lo cual le daba a su aspecto un toque de depredadora. Su corta frente se arrugaba profundamente cada vez que ella miraba algo con disgusto. Yo sabía que los ojos de todo el mundo estaban clavados en ella, pero puedo decir con orgullo que nadie la observó tan meticulosamente como la observé yo. Y nadie podía imaginarse lo grande que fue mi recompensa. Mi mirada atravesó su grueso corpiño de cuero y pude contemplar sus pechos, que eran más o menos del mismo tamaño que los de Madre. Eran tan encantadores que estuve a punto de olvidarme del frío y del hambre que tenía.

—¿Por qué quieres vender a tus hijos? —preguntó el jovenzuelo, levantando su mano vendada para señalar a mis hermanas.

Madre no le contestó. ¿Es que una pregunta tan estúpida como ésa merecía una respuesta? El jovenzuelo se dio la vuelta y le murmuró algo a la mujer extranjera, que se había fijado en el abrigo de piel de marta violeta en el que estaba envuelta la hija de Laidi, que dormía en brazos de Madre. Estiró el brazo y acarició la tela. Entonces vio la mirada de la bebita, una mirada parecida a la de una pantera, perezosamente siniestra, y tuvo que darse la vuelta.

Yo tenía la esperanza de que Madre le daría la hija de Laidi a la extranjera. No hacía falta que nos pagara nada, e incluso le regalaríamos el abrigo de piel de marta violeta. Esa bebita me daba asco. Se tomaba una ración de leche que me correspondía a mí, a pesar de que no se la merecía. Ni siquiera mi hermana gemela, Shangguan Yunü, se la merecía. ¿Quién le había concedido ese derecho? ¿Qué pasaba con Laidi, qué problema había con sus pechos?

La mujer extranjera miró a todas mis hermanas, una tras otra, por turnos, comenzando por Quinta Hermana y Sexta Hermana, que tenían unas etiquetas pegadas en el cuello de sus camisas. Después se fijó en Cuarta Hermana, Séptima Hermana y Octava Hermana, que no tenían etiquetas. Casi ni vieron al pequeño bastardo de Sima, pero ciertamente se interesaron por mí. Yo me imaginé que mi principal atractivo era la mata de pelusa amarilla que me cubría la cabeza. La forma en que examinaron a mis hermanas fue muy llamativa. Aquí está la serie de órdenes que el jovenzuelo les dio a mis hermanas: Baja la cabeza. Agáchate. Da una patada hacia adelante. Levanta los brazos. Ahora muévelos hacia adelante y hacia atrás. Ábrelos mucho, y ahora di: «Ah, ah». A ver cómo suena tu risa. Da unos cuantos pasos. Ahora corre. Mis hermanas hicieron todo lo que él les dijo que hicieran, y mientras tanto la extranjera las miraba, asintiendo y negando alternativamente con la cabeza. Al final, señaló a Séptima Hermana y le dijo algo en voz baja al jovenzuelo.

El jovenzuelo le dijo a Madre, mientras señalaba a la mujer extranjera, que era la Condesa Rostov, una filántropa que deseaba adoptar y criar a una guapa niña china. Se ha decidido por esta hija suya. La suya es una familia muy afortunada.

Madre estuvo a punto de ponerse a llorar. Le pasó la hija de Laidi a Cuarta Hermana para poder, con los brazos libres, abrazar a Séptima Hermana.

—Qiudi, hija mía, la suerte te sonríe...

Sus lágrimas cayeron sobre la cabeza de Séptima Hermana, que dijo, entre sollozos:

—No quiero ir, Madre. Tiene un olor muy raro...

—Pero pequeña tontita —le dijo Madre—, ése es un olor maravilloso.

—Bueno, valiosa hermana —interrumpió el jovenzuelo con impaciencia—, ahora tenemos que fijar una cifra.

—Señor —le dijo Madre—, ya que se la vamos a dar a esta dama para que la críe, es como si mi hija hubiera sido bendecida por el destino. No quiero nada de dinero... solamente espero que se ocupen bien de ella.

El jovenzuelo le tradujo esto a la mujer extranjera. Entonces, en un chino torpe, ella dijo:

—No, tengo que pagarle.

—Señor, ¿puede preguntarle a la dama si podría llevarse a otra, así tendrá una hermana a su lado? —dijo Madre.

Nuevamente, él tradujo para la extranjera. Pero la Condesa Rostov negó firmemente con la cabeza.

El jovenzuelo le puso como una docena de billetes rosas a Madre en la mano y le hizo una señal al conductor, que esperaba de pie, junto al carro. El hombre llegó corriendo y le hizo una reverencia al jovenzuelo.

El conductor cogió a Séptima Hermana y la llevó al carro. Fue entonces cuando ella empezó a llorar, estirando hacia nosotros sus brazos delgados como lápices. Sus hermanas se unieron a ella en el llanto, e incluso el pequeño y desgraciado niño de Sima abrió la boca y chilló, haciendo *uaaa*, y después guardó silencio brevemente antes de hacer otra vez *uaaa* y volver a quedarse callado. El conductor depositó a Séptima Hermana en el interior del carro. La mujer extranjera los siguió. Cuando el jovenzuelo estaba a punto de montar, Madre corrió hacia él, lo agarró del brazo y le preguntó con ansiedad:

—Señor, ¿dónde vive la dama?

—En Harbin —contestó él fríamente.

El carro se incorporó a la calle y desapareció rápidamente detrás de los bosques. Pero los gritos de Séptima Hermana, el *ding-dong* de la campana del caballo y los fragantes pechos de la mujer se me quedaron muy vivos en la memoria.

Con aquellos pocos billetes rosas en la mano, Madre se quedó de pie, quieta como una estatua, una estatua de la que yo formaba parte.

Esa noche, en lugar de dormir a la intemperie, cogimos una habitación en una posada. Madre le dijo a Cuarta Hermana que saliera y comprara diez pasteles de sésamo, pero en su lugar volvió con cuarenta rollitos hervidos, todavía humeantes, y un gran paquete de cerdo estofado.

—Pequeña Cuatro —le dijo Madre muy enfadada—, habíamos ganado ese dinero vendiendo a tu hermana.

—Madre —le contestó Cuarta Hermana a través de las lágrimas—, mis hermanas se merecen al menos una comida decente, y tú también.

—Xiangdi —dijo Madre, también llorosa—, ¿cómo voy a comerme esos rollos y esa carne?

—Si no lo haces —le dijo Cuarta Hermana—, piensa en las consecuencias que eso tendrá para Jintong.

Este comentario produjo el efecto deseado; aunque no dejó de llorar, Madre se comió los rollitos y un poco de la carne para seguir produciendo leche para mí y para la bebita de Shangguan Laidi y Sha Yueliang.

Madre cayó enferma.

Tenía el cuerpo tan caliente como un trozo de metal arrancado de un cubo para enfriar los metales candentes, y emanaba el mismo desagradable olor a vapor. Nos sentamos a su alrededor a mirarla, con los ojos como platos. Los de Madre estaban cerrados y tenía los labios llenos de ampollas; de su boca surgían todo tipo de palabras atemorizadoras. Iba de los gritos más fuertes a los susurros más suaves, y pasaba de un tono alegre a uno trágico. Dios, la Sagrada Madre, ángeles, demonios, Shangguan Shouxi, el Pastor Malory, Tercer Maestro Fan, Yu el Cuarto, la Tía Abuela, el Tío Segundo, el Abuelo, la Abuela... duendecillos chinos y deidades extranjeras, gente viva y gente muerta, relatos que conocíamos y relatos que no, todo brotaba sin cesar de la boca de Madre, todo se agitaba, se reunía, actuaba y se transformaba ante nuestros ojos. Para comprender los afligidos discursos de Madre hacía falta comprender todo el universo; para poder memorizar los afligidos discursos de Madre hacía falta conocer toda la historia del Concejo de Gaomi del Noreste.

El posadero, que tenía una grave enfermedad en la piel y el rostro lleno de lunares, se alarmó por los gritos de Madre y, presa del pánico, arrastró su cuerpo flácido hasta nuestra habitación. Le puso la mano en la frente a Madre y la apartó rápidamente, diciendo con ansiedad:

—¡Pedid que venga un médico ahora mismo o se os muere!

Le preguntó a Cuarta Hermana:

—¿Tú eres la mayor?

Ella asintió.

—¿Por qué no has llamado a un médico? ¿Por qué no dices nada, niña?

Cuarta Hermana rompió a llorar. Postrándose de rodillas frente al posadero, dijo:

—Te lo ruego, tío, salva a nuestra madre.

—Niña —dijo el posadero—, deja que te pregunte cuánto dinero os queda.

Cuarta Hermana sacó los billetes que le quedaban a Madre en el bolsillo y se los ofreció al posadero.

—Aquí tienes, tío, éste es el dinero que conseguimos vendiendo a nuestra séptima hermana.

Cuando el dinero obtenido por Séptima Hermana hubo desaparecido, Madre abrió los ojos.

—¡Madre ha abierto los ojos, Madre ha abierto los ojos! —gritamos alegremente con los ojos llenos de lágrimas.

Madre levantó una mano y nos acarició las mejillas, uno por uno.

«Madre... Madre... Madre... Madre... Madre...» dijimos.

—Abuelita, abuelita —dijo tartamudeando el desgraciado heredero de los Sima.

—¿Y ella? —dijo Madre, señalándola.

Cuarta Hermana la cogió, envuelta en su abrigo de piel de marta violeta, y la sujetó en el aire para que Madre la acariciara. En cuanto la tocó, Madre cerró los ojos, mientras dos lágrimas rodaban por su cara.

Al oír los ruidos de la habitación, el posadero entró poniendo mala cara y le dijo a Cuarta Hermana:

—No quiero parecer cruel, niña, pero yo también tengo mis cargas familiares, y lo que me debéis por el alquiler de la habitación durante estas dos semanas, y por la comida, y por las velas y el aceite...

—Tío —le dijo Cuarta Hermana—, tú eres el gran benefactor de esta familia. Te pagaremos todo lo que te debemos, pero por favor, no nos eches ahora. Nuestra madre está enferma...

La mañana del 18 de febrero de 1941, Xiangdi le dio un paquete lleno de dinero a Madre, que se acababa de recuperar de su enfermedad.

—Madre —le dijo—, ya le he pagado al posadero. Esto es para ti.

—Xiangdi —le preguntó Madre nerviosamente—, ¿de dónde has sacado este dinero?

Cuarta Hermana se rió tristemente.

—Madre, llévate a mi hermano y a mis hermanas de aquí. Éste no es nuestro hogar...

Madre palideció y agarró a Cuarta Hermana de la mano.

—Xiangdi, dímelo...

—Madre —dijo Xiangdi—, me he vendido... Conseguí un buen precio, gracias al posadero, que me ayudó a regatear...

La mujer que regentaba el prostíbulo le había hecho a Cuarta Hermana un examen como el que se le haría a una cabeza de ganado.

—Demasiado delgada —había dicho.

—Señora dueña —le había dicho el posadero—, con un saco de arroz solucionará eso.

La mujer entonces le había mostrado dos dedos.

—Doscientos, y que quede claro que estoy siendo muy generosa.

—Señora dueña, la madre de esta niña está enferma, y tiene muchas hermanas. Por favor, déle un poco más...

—Ah —había dicho la señora—, es difícil hacer el bien en estos tiempos. —Pero el posadero había insistido, y Cuarta Hermana se había puesto de rodillas—. De acuerdo —había dicho la señora—. Tengo el corazón demasiado blando. Les daré otros veinte. Ésa es mi máxima oferta.

La noticia afectó de una forma terrible a Madre, que cayó lentamente al suelo.

Entonces oímos la áspera voz de una mujer fuera de la habitación.

—Vámonos, niña. No tengo todo el tiempo del mundo.

Cuarta Hermana se arrodilló y se prosternó ante Madre. Tras ponerse nuevamente de pie, le acarició la cabeza a Quinta Hermana, le dio unas palmaditas en la cara a Sexta Hermana, le hizo un mimo en la oreja a Octava Hermana y me dio a toda prisa un beso en la mejilla. Después me agarró por los hombros y me sacudió. Su rostro emocionado parecía un capullo de cerezo en medio de una tormenta de nieve.

—Jintong, mi Jintong —dijo—. Crece rápido y crece bien. ¡Ahora la familia Shangguan está en tus manos!

Entonces miró a su alrededor, por toda la habitación, y unos sollozos brotaron de su garganta. Se tapó la boca, como si tuviera la necesidad de salir corriendo a vomitar, y desapareció de nuestra vista.

VII

Llegamos a casa pensando que nos encontraríamos a Lingdi y a Shangguan Lü muertas, pero nos habíamos equivocado completamente. En el patio estaba sucediendo toda clase de cosas. Dos hombres con la cabeza recién afeitada estaban sentados contra la pared de la casa, dedicados a la tarea de coser unas telas. Eran unos magos de la aguja y el hilo. Otros dos hombres, que estaban sentados muy cerca de ellos y que también se habían afeitado la cabeza hacía poco, estaban tan enfrascados en sus actividades como los dos primeros, limpiando los rifles negros que tenían en la mano. Había otros dos hombres bajo el árbol de parasol. Uno estaba de pie y sujetaba una brillante bayoneta, y el otro estaba sentado en un banco, con la cabeza gacha y una tela blanca alrededor de su cuello; se veían unas burbujas blancas de jabón sobre su cabeza empapada en agua. El hombre que estaba de pie flexionaba de vez en cuando las rodillas y le sacaba brillo a la bayoneta frotándola contra sus pantalones. Después cogió la cabeza húmeda y enjabonada del otro hombre con la mano que le quedaba libre y apuntó hacia ella con la bayoneta, como si estuviera buscando el punto más apropiado para clavársela. Apoyó la cuchilla contra el cráneo, cosa que hizo que unas burbujas de jabón saltaran a derecha y a izquierda, se colocó con la espalda en posición casi horizontal y movió la cuchilla de un lado para otro, afeitando el pelo enjabonado y dejando a su paso superficies de piel pálida. Había otro hombre más, de pie en el lugar en el que una vez habíamos almacenado cacahuetes. Tenía en la mano un hacha con un mango larguísimo y las piernas completamente abiertas, y estaba frente a las nudosas raíces de un viejo olmo. Había un montón de leña a su espalda. Levantó el hacha por encima de su cabeza, dejándola quieta en el aire durante un momento, en que la luz del sol refulgió en la hoja, y después la dejó caer con fuerza, soltando un gruñido mientras la hoja entraba en las nudosas raíces del árbol. Después, con un pie apoyado contra las raíces, agitó el mango hacia adelante y hacia atrás para liberar la hoja. Dio un par de pasos hacia atrás, recuperó su posición inicial, se escupió en las manos y volvió a levantar el hacha por encima de su cabeza. Las nudosas raíces del olmo crujieron y se abrieron en dos con un fuerte ruido; uno de los trozos salió volando por el aire, como si hubiera habido una explosión, y golpeó en el pecho a Quinta Hermana, Shangguan Pandi, que soltó un chillido. Todos los hombres, los que estaban cosiendo y los que estaban limpiando los rifles, levantaron la mirada. El hombre que estaba afeitando a otro y el que estaba cortando leña se dieron la vuelta para mirar. El que estaba siendo afeitado intentó levantar la cabeza, pero el que tenía la bayoneta lo empujó inmediatamente hacia abajo de nuevo.

—No te muevas —le dijo.

—Han venido unos mendigos —exclamó el hombre que estaba cortando leña—. Viejo Zhang, han venido unos mendigos.

Un hombre vestido con un delantal blanco y una gorra gris, que tenía la cara completamente surcada por profundas arrugas, salió por la puerta de nuestra casa, casi haciendo una reverencia. Se había arremangado, y se veían sus dos brazos totalmente cubiertos de harina.

—Hermana mayor —dijo el hombre con un tono de voz amistoso—, ve a probar en otra parte. Somos soldados y tenemos la comida racionada, por lo que no nos sobra nada para daros.

—¡Ésta es mi casa! —le contestó Madre con frialdad.

Todos los que estaban en el patio dejaron inmediatamente de hacer lo que estaban haciendo. El hombre con la cabeza enjabonada se puso de pie de un salto, se limpió la suciedad de la cara con la manga y nos dio la bienvenida con unos fuertes gruñidos. Era el mudo de la familia Sol. Corrió hacia nosotros, gruñendo y agitando los brazos para explicarnos todas esas cosas que no podíamos entender. Lo miramos a la cara, que era más bien basta, y en las nuestras se dibujó una expresión de sorpresa mientras un montón de pensamientos confusos comenzaban a tomar forma en nuestras mentes. Los ojos apagados y amarillentos del mudo empezaron a girar en sus órbitas mientras le temblaban las mejillas regordetas. Dándose media vuelta, corrió a la habitación lateral de la casa y volvió a salir con el gran cuenco de cerámica desconchado y el rollo de pergamino con el dibujo de un pájaro, sujetándolos frente a nosotros mientras se le acercaba el hombre de la bayoneta. Le dio unas palmaditas en el hombro y le preguntó:

—¿Conoces a esta gente, Sol Callado?

El mudo dejó el cuenco en el suelo, cogió un trozo de leña, se puso de cuclillas y escribió en la arena una frase con unas letras enormes y deformadas: ES MI SUEGRA.

—Así que la señora de la casa ha regresado —dijo cálidamente el hombre que afeitaba al mudo.

—Somos el Quinto Escuadrón del Batallón para la Destrucción del Ferrocarril. Yo soy el jefe del escuadrón. Mi nombre es Wang. Por favor, acepte mis disculpas por ocupar su casa. Nuestro comisario político le ha puesto a su yerno un nuevo nombre: Sol Callado. Es un buen soldado, bravo, valiente, un modelo para todos nosotros. Nos iremos de su casa ahora mismo, señora. Viejo Lu, Pequeño Du, Gran Buey Zhao, Sol Callado, Pequeño Qin Séptimo, entrad y quitad vuestras cosas del *kang* para que la señora se pueda instalar en su casa.

Los soldados dejaron lo que estaban haciendo y se dirigieron al interior. Volvieron al cabo de unos minutos con sus colchones y sábanas. Tenían las piernas cubiertas por polainas, y llevaban zapatos de algodón con la suela almohadillada. Se habían colgado sus rifles de los hombros y las granadas se arracimaban alrededor de sus cuellos. Se alinearon en formación en el patio.

—Señora —le dijo a Madre el jefe del escuadrón—, ahora ya puede entrar. Mis hombres se quedarán aquí fuera mientras informo al comisario político.

El escuadrón de soldados, incluido el hombre que ahora se llamaba Sol Callado, se quedó quieto y de pie, prestando atención, como una hilera de pinos.

El jefe del escuadrón salió corriendo con el rifle en la mano y nosotros entramos en la casa, donde dos ollas de bambú y cañas estaban colocadas sobre la cocina, donde ardían unos troncos de madera que las calentaban lentamente. Sentimos el olor de los rollitos hervidos. El anciano cocinero le sonrió a Madre, como pidiéndole disculpas, mientras echaba más leña a la cocina.

—Le pido perdón por haber hecho cambios en su cocina sin haberle pedido permiso antes. —Entonces señaló a una profunda ranura que había bajo la cocina y le dijo—: Esa ranura es mejor que diez fuelles.

Las llamas estaban tan calientes que parecía que la base de la olla estaba casi a punto de derretirse. Lingdi, con las mejillas encendidas y sonrojadas, estaba sentada en el umbral de la puerta, con los ojos entrecerrados, mirando el vapor que salía de las fisuras de las ollas que formaba espirales, volando por encima de la cocina, hasta formar capas en el aire.

—¡Lingdi! —gritó Madre, por probar.

—¡Hermana, Tercera Hermana! —gritaron Quinta Hermana y Sexta Hermana.

Lingdi nos echó una mirada indiferente, como si fuéramos desconocidos o como si nunca nos hubiéramos marchado.

Madre nos llevó por todas las habitaciones, que estaban limpias y ordenadas, sintiéndose cada vez más rara. Iba como pisando huevos. Decidió volver a salir.

El mudo nos hizo un gesto desde donde estaba, en formación. El pequeño heredero de los Sima, demasiado pequeño para tener miedo, se acercó a tocar las prietas polainas de los soldados.

El jefe del escuadrón volvió con un hombre de mediana edad que llevaba gafas.

—Señora, éste es el Comisario Jiang.

El Comisario Jiang era un hombre con la cara pálida y el bigote bien afeitado. Llevaba un ancho cinturón de cuero y guardaba una pluma estilográfica en el bolsillo de su camisa. Después de saludarnos educadamente, sacó un puñado de objetos de todos los colores de una pequeña bolsa de cuero que le colgaba de la cadera.

—Aquí tengo unas golosinas para sus pequeños —dijo, y se puso a repartir los caramelos equitativamente entre todos nosotros; incluso la bebita envuelta en el abrigo de piel de marta violeta recibió dos caramelos, que Madre aceptó en su nombre. Aquella fue la primera vez que saboreé un caramelo—. Señora —dijo el Comisario Jiang—, espero que usted acepte alojar a este escuadrón en las habitaciones laterales de su casa.

Madre asintió, medio paralizada.

Él tiró del puño de su camisa para mirar el reloj.

—Viejo Zhang —gritó—, ¿ya están listos esos rollitos hervidos?

—Casi a punto —contestó Viejo Zhang, asomándose al exterior rápidamente.

—Dales de comer a los niños primero —dijo el comisario—. Le diré al intendente que mande más raciones para los soldados.

Viejo Zhang prometió que lo haría.

Entonces el comisario le dijo a Madre:

—Señora, a nuestro comandante le gustaría conocerla. ¿Me acompaña?

Madre estaba a punto de darle la bebita a Quinta Hermana cuando el comisario le dijo:

—No, tráigala a ella también.

Seguimos al comisario —en realidad, Madre fue quien lo siguió; yo iba sobre su espalda y la bebita en sus brazos— hasta la calle, y fuimos tras él todo el camino hasta la puerta de la Casa Solariega de la Felicidad, donde dos centinelas armados nos saludaron juntando los talones, manteniendo el rifle en posición vertical en la mano izquierda y cruzando la mano derecha hasta tocar las brillantes bayonetas. Recorrimos pasillo tras pasillo hasta que llegamos a una gran sala, donde dos cuencos llenos de comida humeante esperaban sobre una mesa rectangular de color morado. En uno había faisán cocido y en el otro conejo cocido. También había una cesta con rollitos hervidos, tan blancos que eran casi azules. Un hombre con barba se acercó sonriendo.

—Bienvenidos —dijo—, bienvenidos.

—Señora —dijo el comisario—, éste es el Comandante Lu.

—Por lo visto, tenemos el mismo apellido —dijo el comandante—. Fuimos miembros de una misma familia, hace mucho tiempo.

—¿De qué nos acusan, Comandante? —preguntó Madre.

El comandante se quedó momentáneamente sorprendido, pero después soltó una carcajada y dijo:

—¿De dónde ha sacado esa idea, señora? No le he pedido que venga porque haya hecho nada malo. Hace diez años, su yerno, Sha Yueliang, y yo éramos amigos íntimos, así que cuando me enteré de que usted había vuelto, ordené que trajeran comida y vino para darle la bienvenida.

—Ése no es mi yerno —dijo Madre.

—No hay ninguna necesidad de ocultarlo, señora —dijo el comisario—. ¿No es acaso la hija de Sha Yueliang ésa que usted lleva en brazos?

—Ésta es mi nieta.

—Primero comamos —dijo el Comandante Lu—. Usted debe estar muriéndose de hambre.

—Comandante —le dijo Madre—. Nos vamos a casa.

—No se apresure —dijo el Comandante Lu—. Sha Yueliang me envió una carta pidiéndome que cuidara a su hija. Él sabe lo dura que está siendo la vida para usted. ¡Pequeña Tang!

Una soldado espectacularmente guapa entró corriendo en la habitación.

—Coge al bebé de la señora para que ella pueda sentarse a comer.

La soldado se acercó a Madre, le sonrió y cogió a la bebita.

—Ésta no es la hija de Sha Yueliang —insistió Madre—. Es mi nieta.

Volvimos a recorrer los mismos pasillos, cruzamos la misma calle y caminamos por los mismos callejones en el camino de vuelta a casa.

Durante los siguientes días, la joven y guapa soldado llamada Pequeña Tang se encargó de proporcionarnos comida y ropa. La comida incluía latas de galletas con forma de animales, leche en polvo en botellas de cristal y jarritas de miel. La ropa consistía en piezas de tela de seda y de satén, chaquetas almohadilladas y pantalones con bonitos adornos, e incluso una gorra con orejeras de piel de conejo.

—Todo esto —nos dijo—, son regalos para ella, de parte del Comandante Lu y del Comisario Jiang. —Señaló a la bebita, que estaba en brazos de Madre—. Por supuesto, el Pequeño Hermano también puede comerse la comida —añadió, señalándome a mí.

Madre le echó una mirada sin interés a la soldado, la Señorita Tang, que tenía unas mejillas rojas como manzanas y los ojos de color albaricoque.

—Llévese esas cosas, Señorita Tang. Son demasiado buenas para niños de familia pobre.

Entonces Madre me metió un pezón en la boca y metió el otro en la boca de la bebita Sha. Ella succionó llena de felicidad; yo succioné lleno de rabia. Me tocó la cabeza con la mano; yo le di una patada en el trasero, cosa que la hizo llorar. También escuché los suaves y ligeros sollozos de mi octava hermana, Shangguan Yunü, que tenía esa clase de llanto que hasta al Sol y a la Luna les gusta oír.

La Señorita Tang dijo que el Comisario Jiang le había puesto un nombre a la bebita.

—Es un intelectual, se ha graduado en la Universidad Chaoyang de Beiping, es escritor y pintor y habla inglés con fluidez. Zahoua, Flor del Dátil. ¿Qué le parece el nombre? Por favor, señora, mantenga en secreto sus sospechas. El Comandante Lu hace esto solamente porque es bueno de corazón. Si lo que quisiéramos fuera llevarnos a esta niña, sería tan fácil como chasquear los dedos.

La Señorita Tang se sacó del bolsillo un biberón de cristal y le colocó una tetina de goma. Después puso un poco de miel y la leche en polvo en un cazo —entonces detecté el olor de la mujer extranjera que se había llevado a Xiangdi, y supe que la leche en polvo provenía de una mujer extranjera—, añadió agua caliente, lo removió todo y lo vertió en la botella.

—No deje que su hijo y ella se peleen por su leche. La van a dejar seca, antes o después. Permítame que le dé un biberón —dijo, y cogió a Sha Zaohua.

Zaohua siguió con la boca aferrada al pezón de Madre, estirándolo como si fuera uno de los tirachinas de Hombre-Pájaro Han. Cuando al fin lo soltó, el pezón se retrajo lentamente, como una sanguijuela sobre la que se ha echado agua hirviendo, que tarda un cierto tiempo en volver a la normalidad. El dolor que yo sentí era por el pezón; el asco que sentí fue por Sha Zaohua. Pero para entonces esa pequeña y asquerosa diablesa estaba en brazos de la Señorita Tang, chupando frenética y alegremente esa imitación de leche que había en esa imitación de un pecho. Yo no la envidiaba en absoluto, ya que una vez más, los pechos de Madre eran solamente para mí. Había pasado mucho tiempo desde que yo había podido dormir tan bien. En mis sueños, yo succionaba hasta la embriaguez y el éxtasis. ¡El sueño estaba lleno del aroma de la leche!

Tenía una deuda de gratitud con la Señorita Tang. Cuando terminó de darle de comer a Zaohua, dejó el biberón en el suelo y abrió el abrigo de piel de marta violeta, haciendo que se expandiera el rancio olor a zorro que rodeaba a la bebita. Entonces me di cuenta de lo blanca que era la piel de Zaohua. Nunca se me habría ocurrido que alguien con la cara morena pudiera tener la piel del resto del cuerpo tan blanca. La Señorita Tang vistió a Zaohua con el abrigo almohadillado de satén y le puso la gorra de piel de conejo, transformándola en una bebita hermosa. Tiró a un lado el abrigo de piel de marta violeta, cogió a Zaohua en brazos y la levantó por el aire. Zaohua se reía, feliz, mientras la Señorita Tang la tenía agarrada.

Sentí que Madre se ponía tensa mientras se preparaba para quitarle a Zaohua. Pero la Señorita Tang se le acercó y se la devolvió.

—Esta bebita haría muy feliz al Comandante Sha, tía —le dijo.

—¿Al Comandante Sha?

—¿Es que no lo sabe? Su yerno es el comandante de la guarnición de la Ciudad de Bohai —le dijo la Señorita Tang—, donde tiene una dotación de más de trescientos hombres, y su propio Jeep americano.

La Señorita Tang sacó un peine de plástico rojo y peinó a Quinta Hermana y Sexta Hermana. Mientras le peinaba el pelo a Sexta Hermana, Quinta Hermana se quedó a su lado, mirándola, y su mirada era como un peine que iba desde la cabeza de la Señorita Tang hasta sus pies, y después volvía a subir a la cabeza. Más tarde, cuando la Señorita Tang la estaba peinando a ella, a Quinta Hermana se le puso la piel de gallina en la cara y en el cuello. Cuando terminó de peinar a las dos chicas, la Señorita Tang se marchó.

—Madre —dijo Quinta Hermana—. Yo quiero ser soldado.

Dos días después, Pandi llevaba un uniforme gris del ejército. Su principal ocupación era ayudar a la Señorita Tang a cambiar a Sha Zaohua y a darle de comer.

Nuestras vidas dieron entonces un giro a mejor. Como decía una canción de esa época:

Pequeña niña, pequeña niña, se acabaron tus preocupaciones,
si no puedes encontrar a un jovenzuelo, prueba con un viejo.
Mientras sigues a tus camaradas en el camino,
calabazas y cerdo estofado te esperan al sol,
y, todavía en el cazo, un rollito caliente y humeante...

Hubo bastantes calabacitas deliciosas y cerdo estofado y, desde luego, rollitos calientes y humeantes. Pero los nabos y el pescado en salazón mantuvieron su frecuente presencia en nuestra mesa, así como el pan de maíz.

—El ajo nunca se estropea, aunque haya sequía, y los soldados nunca mueren de hambre —dijo Madre soltando un suspiro—. El ejército se ha convertido en nuestro benefactor. Si hubiera sabido que iba a suceder esto, no habría vendido a mis hijas. Xiangdi, Qiudi, mis pobrecitas niñas... Durante esa época, la calidad y la cantidad de la leche de Madre fueron tan altas como en su mejor momento. Yo al fin salí de la pequeña bolsa que había sido mi hogar y pude dar unos veinte pasos, y después cincuenta, y después cien. Y, finalmente, ya no tuve que gatear más. Mi lengua, también, empezó una nueva vida: aprendí a decir tacos como el que más. Cuando el mudo de la familia Sol me apretó el pito, lo insulté muy enfadado:

—¡Que te jodan!

Sexta Hermana se apuntó a unas clases de literatura que daban en la iglesia. Cuando barrieron las deposiciones de los burros que una vez habían estado alojados ahí, arreglaron los bancos y los volvieron a colocar en su lugar. Los ángeles alados habían desaparecido; tal vez se hubieran ido volando. El Cristo de madera de azufaifo también había desaparecido; tal vez se hubiera ido al Cielo, o tal vez alguien lo hubiera robado y llevado a casa para convertirlo en leña. En una pared había colgada una pizarra con una fila de grandes caracteres blancos. La angelical Señorita Tang dio unos golpecitos en la pizarra con su puntero.

Combatid a Japón. Combatid a Japón. Las mujeres daban el pecho a los niños o remendaban la ropa, y el hilo de cáñamo silbaba mientras ellas repetían lo que decía la Camarada Tang: Combatid a Japón. Combatid a Japón.

Yo deambulaba entre las mujeres, y me quedaba ensimismado en presencia de todos aquellos pechos. Quinta Hermana subió al escenario de un salto y se dirigió a las mujeres que estaban sentadas por debajo de ella:

—Las masas son el agua, nuestros soldados hermanos son los peces, ¿de acuerdo? ¡De acuerdo! ¿Qué es lo que más temen los peces? ¿Qué es lo que temen? ¿Temen a los anzuelos? ¿Temen a las águilas pescadoras? ¿A las serpientes de agua? ¡No, lo que más temen son las redes! ¡Sí, eso es lo que más temen, las redes! ¿Qué es lo que tenéis en la parte de atrás de la cabeza? Eso es, rodetes. ¿Y qué es lo que hay cubriendo esos rodetes? Redes. —De pronto, las mujeres comprendieron, y empezaron a cuchichear, a susurrar, sonrojándose un instante, empalideciendo al instante siguiente—. Cortad vuestros rodetes y quitaos esas redes. Proteged al Comandante Lu y al Comisario Jiang, y proteged a su batallón de demoliciones. ¿Quién será la primera en hacerlo?

Pandi levantó unas tijeras por encima de su cabeza y se puso a abrirlas y cerrarlas, como si cortara el aire, convirtiéndolas en un cocodrilo hambriento. La Señorita Tang dijo:

—Pensad, todas las mujeres que estáis sufriendo, tías, abuelas y hermanas, que nosotras, las mujeres, hemos estado oprimidas durante tres mil años. Pero ahora podemos ir con la cabeza bien alta. Hu Qinlian, cuéntanos: ¿el borracho de tu marido, Nie Media Botella, todavía se atreve a pegarte?

La joven interpelada, asustada, se levantó con un bebé entre los brazos, paseó su mirada por las heroicas figuras de las soldados Tang y Shangguan, y agachó la cabeza rápidamente.

—No —dijo.

La soldado Tang dio una palmada.

—¿Habéis oído? Mujeres, ni siquiera Nie Media Botella se atreve ya a pegar a su esposa. Nuestra Sociedad para Proteger a las Mujeres es un hogar para las mujeres, un lugar dedicado a arreglar los males cometidos contra las mujeres. Mujeres, ¿de dónde ha salido esta nueva vida de igualdad y felicidad? ¿Ha caído del cielo? ¿Ha surgido de la tierra? No. En realidad procede de una única fuente: la llegada del batallón de demoliciones. En la ciudad de Dalan, en el Concejo de Gaomi del Noreste, hemos construido una base, sólida como una roca, en una zona que está fuera del alcance de las tropas enemigas. Somos autosuficientes, estamos preparados para luchar, y vamos a mejorar la vida de la gente, especialmente la de las mujeres. No más feudalismo, no más supersticiones; tenemos que cortar las redes, y hacerlo no sólo por el batallón de demoliciones sino por nosotras mismas. ¡Mujeres, cortad vuestros rodetes, quitaos las redes y hagámonos todas peinados tipo paje!

—¡Madre, tú primero! —dijo Pandi, y se acercó a Madre abriendo y cerrando las tijeras.

—Sí, la cabeza de la familia Shangguan debería cortarse el pelo a lo paje —dijeron al unísono unas cuantas mujeres—. Nosotras la seguiremos.

—Madre, si lo haces tú primero, harás que tu hija se sienta muy orgullosa —dijo Quinta Hermana.

Madre se sonrojó de inmediato. Se inclinó y dijo:

—Adelante, Pandi, córtalo. Si pudiera ayudar al batallón de demoliciones, me cortaría dos dedos sin pensarlo ni un segundo.

La soldado Tang empezó a aplaudir y todas las mujeres la siguieron.

Quinta Hermana le soltó a Madre su negro cabello, que cayó cuello abajo como si fuera una catarata o una glicina. La expresión en la cara de Madre reflejó la que tenía en la suya la figura casi desnuda de la Madre Sagrada, María, en la pared. Sombría, preocupada, tranquila y sumisa, pero en cualquier caso anhelando sacrificarse. La iglesia donde me habían bautizado todavía olía a antiguas deposiciones de burro pisoteadas. Los recuerdos del Pastor Malory haciendo el ritual para mí y para Octava Hermana flotaban por encima de la gran pila de madera. La Madre Sagrada nunca se tapaba los pechos, pero los de mi madre estaban muy ocultos tras una cortina.

—Adelante, Pandi, córtalo. ¿Qué es lo que estás esperando? —dijo Madre.

Así que las tijeras de Pandi se abrieron ampliamente y empezaron a morder. *Clic, clic.* El pelo de Madre cayó al suelo. Ella levantó la cabeza. Ahora tenía un peinado tipo paje; el pelo apenas le llegaba a los lóbulos de las orejas y dejaba a la vista su gracioso cuello. Liberada de su pesada carga, su cabeza ahora parecía joven y vivaz. Ya no tenía ese aspecto como si estuviera sedada, sino una pinta un tanto traviesa. Sus movimientos eran ágiles, como los del hada-pájaro. Tenía la cara de color rojo brillante. La soldado Tang se sacó un pequeño espejo ovalado del bolsillo y lo sostuvo en el aire para que Madre pudiera mirarse. Avergonzada, trató de esconder la cabeza echándola a un lado. Lo mismo hizo la imagen del espejo. Observando tímidamente al paje que la contemplaba, con la cabeza varias tallas más pequeña que antes, miró rápidamente en otra dirección.

—¿No estás guapa? —le preguntó la Soldado Tang.

—Estoy espantosa... —dijo Madre, en voz muy baja.

—Ahora que la Tía Shangguan tiene un corte de pelo estilo paje, ¿a qué estáis esperando todas las demás? —preguntó la Soldado Tang en voz alta. «Córtalo. Vamos, córtamelo. Cada vez que cambian las dinastías, los cortes de pelo cambian. Córtamelo a mí. Es mi turno». *Clic, clic.* Grititos de sorpresa, suspiros de arrepentimiento. Yo me agaché para recoger un rizo. El pelo estaba tirado por todo el suelo: negro, marrón oscuro, grueso, fino. El pelo más grueso era negro y áspero. El más fino era suave y marrón oscuro. El de mi madre era el mejor. De él se podía sacar aceite retorciéndolo por las puntas.

Ésa fue una época feliz, mucho más llena de vida que aquella otra en la que Sima Ku hizo añicos el puente. Los miembros del batallón de demoliciones tenían un amplio abanico de talentos: algunos cantaban, otros bailaban, y otros incluso tocaban instrumentos de música, desde la flauta hasta el laúd, pasando por el arpa. Los frágiles muros de la ciudad estaban cubiertos de pintadas escritas con cal. Cada amanecer, cuando salía el sol, cuatro jóvenes soldados se subían a lo alto de la torre de vigilancia donde solía estar Sima y ensayaban con el bugle. Al principio, sonaba como si estuvieran llamando al ganado, pero antes de que pasara mucho tiempo ya se parecía más a los chillidos de los cachorritos de perro. Al final, en cualquier caso, las notas subían y bajaban, retorciéndose hacia aquí y hacia allá, altas y bajas, y el resultado era una música que agradaba al oído. Los jóvenes soldados sacaban pecho, estaban ahí de pie manteniendo la cabeza bien alta y el cuello un tanto rígido, con los mofletes inflados tras los bugles de color oro adornados con borlas rojas. De los cuatro instrumentistas, el más guapo se llamaba Ma Tong. Tenía una boca muy delicada, hoyuelos en las mejillas y unas orejas grandes y protuberantes. Era alegre, estaba lleno de energía y siempre andaba haciendo algo. Su boca era dulce como la miel. Tenía una gran influencia sobre más de veinte mujeres de la aldea, sus madres adoptivas. Cada vez que lo veían, sus pechos temblaban, y sentían un fuerte deseo de meterle un pezón en la boca. En una ocasión, Ma Tong vino a nuestra casa para transmitirle alguna orden al jefe del escuadrón. Cuando llegó, yo estaba sentado en cuclillas debajo del granado, dedicado a mirar cómo las hormigas subían por el tronco. Sintiendo curiosidad por lo que yo estaba haciendo, se puso de cuclillas él también y empezó a mirar conmigo. Lo que se veía lo atrapó aún más que a mí, y demostró ser mucho más habilidoso que yo a la hora de matar hormigas. Incluso me enseñó a mearlas encima. Unas orgullosas flores de granado formaban un toldito por encima de nuestras cabezas. Estábamos en el cuarto mes lunar. Hacía bastante calor, el cielo estaba azul y las nubes eran blancas. Bandadas de golondrinas se mecían en las perezosas corrientes del viento del Sur.

Madre hizo una predicción: un hombre que en su juventud es tan guapo y vital como Ma Tong no está destinado a llegar a la madurez. Dios ya le ha concedido demasiado, ya ha bebido todo lo que ha querido del pozo de la vida, y no puede esperar llegar a viejo y tener muchos hijos y nietos. Su predicción se cumplió: una noche estrellada, los gritos de un joven rompieron el silencio. Comandante Lu, Comisario Jiang, perdónenme, se lo ruego, sólo por esta vez... Soy el único heredero de mi familia, el único nieto de mis abuelos, el único hijo de mis padres. Si me matan, será el final de nuestro linaje. Madre Sol, Madre Li, Madre Cui, todas vosotras, madres adoptivas, venid a rescatarme... Madre Cui, tú que tienes una relación especial con el Comandante Lu, sálvame, por favor... Los lastimeros gritos de Ma Tong se fueron alejando de la aldea, hasta que un único y seco disparo trajo un silencio mortal. El joven buglista con aspecto angelical ya no existía. Ninguna de sus madres adoptivas pudo salvarlo. Su delito había sido robar balas para venderlas.

Al día siguiente, en la calle apareció un ataúd rojo. Un escuadrón de soldados lo colocó sobre un carro tirado por caballos. Estaba hecho de madera de ciprés de diez centímetros de grosor, sobre la que se habían dado nueve manos de barniz, y cubierto con nueve capas de tela. Podría estar diez años sumergido en agua sin que le entrara ni una gota. Las balas tampoco hubieran podido atravesar este ataúd, destinado a conservarse bajo tierra durante mil años. Era tan pesado que hicieron falta más de doce soldados para levantarlo cuando el jefe del escuadrón dio la orden.

Una vez el ataúd estuvo montado en el carro, la tensión que reinaba entre las tropas se hizo palpable. Los soldados se movían de un lado para otro, dando vueltas, con una expresión de nerviosismo en el rostro. Entonces apareció un anciano con una barba blanca montado en un burro, que se acercó y desmontó al lado del carro. Dio unos golpes en el ataúd y comenzó a lamentarse. Tenía la cara bañada en lágrimas, y algunas de ellas goteaban desde la punta de su barba. Era el abuelo de Ma Tong, un hombre muy culto que en otro tiempo había sido oficial de la dinastía Manchú. El Comandante Lu y el Comisario Jiang aparecieron y se quedaron junto al anciano sin saber muy bien qué hacer. Cuando hubo llorado todo lo que podía llorar, se dio la vuelta y observó a Lu y a Jiang.

—Anciano Señor Ma —dijo Jiang—, usted ha leído muchos libros y tiene un buen criterio sobre lo que es el bien y sobre lo que es el mal. Hemos castigado a Ma Tong con la más profunda pesadumbre.

—Con la más profunda pesadumbre —repitió Lu.

El anciano le escupió a Lu en la cara.

—Aquel que roba anzuelos es un ladrón. Pero el que roba una nación es un noble. Combatid contra Japón, decís, combatid contra Japón, ¡pero sólo os dedicáis al libertinaje y a la corrupción!

Con una voz sombría, el Comisario Jiang le dijo:

—Señor, nosotros somos una unidad antijaponesa que de verdad siente orgullo por su estricta disciplina militar. Puede que haya soldados que se dediquen al libertinaje y a la corrupción, pero nosotros no.

El anciano dio unos pasos alrededor del Comisario Jiang y del Comandante Lu, soltó una fuerte risotada y se alejó, seguido por su burro, que iba con la cabeza gacha. El carro que transportaba el ataúd se fue tras el burro. Los gritos que el carretero le daba a su caballo eran como el apagado canto de las cigarras.

El incidente de Ma Tong sacudió las bases del batallón de demoliciones, e hizo que desapareciera la falsa sensación de seguridad y alegría que había generado. El tiro que acabó con la vida de Ma Tong nos vino a decir que en tiempos de guerra, la vida humana no vale más que la vida de una hormiga. El incidente de Ma Tong, que, superficialmente, pareció ser una victoria de la disciplina y la justicia militares, tuvo un efecto particularmente negativo sobre algunos miembros del batallón de demoliciones. Durante los siguientes días hubo una racha de borracheras y peleas. Los del escuadrón que se habían instalado en nuestra casa empezaron a mostrar diversos signos de satisfacción. El jefe del escuadrón, Wang, dijo públicamente:

—¡Ma Tong fue un chivo expiatorio! ¿Qué cantidad de munición puede haber vendido un chico como él? Su abuelo era un alto oficial, y su familia posee miles de acres de ricas tierras de cultivo, y un montón de burros y caballos. Él no necesitaba ese dinerillo. Tal como yo lo veo, ese joven murió en manos de esas disolutas madres adoptivas que tenía. No es de extrañar que el anciano dijera: «Combatid contra Japón, decís, combatid a Japón, ¡pero sólo os dedicáis al libertinaje y a la corrupción!».

El jefe del escuadrón aireó sus protestas por la mañana. Esa misma tarde, el Comisario Jiang se presentó en nuestra casa con dos guardias militares.

—Wang Mugen —dijo Jiang, muy serio—, acompáñame al cuartel general del batallón.

Wang escrutó a sus tropas.

—¿Quién de vosotros, hijos de perra, ha sido el que me ha traicionado?

Los hombres intercambiaron miradas nerviosas, y sus rostros se volvieron de un color gris pálido. Todos salvo el mudo, Sol Callado, que dejó salir una risa gutural de las profundidades de su garganta, se acercó caminando hasta donde estaba el comisario y, haciendo un amplio abanico de gestos con ambas manos, contó cómo Sha Yueliang le había robado la esposa. El comisario dijo:

—Sol Callado, eres el nuevo jefe del escuadrón.

Sol Callado levantó la cabeza y miró fijamente al comisario, quien le cogió la mano, se sacó una pluma estilográfica del bolsillo y le escribió algo en la palma a Sol. Sol dio la vuelta a la mano y estudió lo que decía. Después, agitó los brazos muy excitado, mientras en sus ojos marrones relampagueaba la luz. Con una despectiva carcajada, Wang Mugen dijo:

—A este ritmo, el mudo no tardará mucho en empezar a hablar.

—El comisario les hizo una señal a los guardias, que se situaron a ambos lados de Wang Mugen—. Cuando has acabado con la piedra del molino —gritó Wang—, matas al burro y te lo comes. Ya se te ha olvidado que yo hice volar el tren blindado.

Ignorando sus gritos, el comisario se acercó al mudo y le dio unas palmaditas en el hombro. Encantado al recibir este trato, Sol sacó pecho y saludó, mientras llegaba el sonido de los gritos de Wang Mugen, que se alejaba por el camino:

—¡Hacerme enfadar es lo mismo que poner una mina debajo de tu cama!

Lo primero que hizo el mudo tras ser ascendido a jefe del escuadrón fue exigir que mi madre le entregara a su mujer. En ese momento, ella se encontraba junto a la piedra del molino tras la cual se había escondido Sima Ku cuando lo hirieron, moliendo azufre para el batallón de demoliciones. A unos cien metros de allí, Pandi estaba enseñándoles a las mujeres cómo golpear la chatarra con los martillos. Y unos cien metros más allá de Pandi, un ingeniero del batallón de demoliciones estaba trabajando con unos aprendices en un gran fuelle que tenía que ser manejado entre cuatro hombres, enviando ráfagas de aire hacia el interior del horno. Enterrados en la arena, bajo sus pies, había moldes para hacer minas. Madre tenía la boca cubierta con un pañuelo y se dedicaba a hacer que el burro girara alrededor de la piedra del molino. El olor a azufre hacía que se le llenaran los ojos de lágrimas y que el burro no parara de estornudar. El hijo de Sima Ku y yo estábamos protegidos detrás de unos árboles, bajo la atenta vigilancia de Niandi, por órdenes de Madre, que no quería que estuviéramos cerca de la piedra del molino. El mudo, con un rifle Hanyang colgándole cruzándole la espalda, andaba pavoneándose por los alrededores de la piedra del molino, haciendo molinetes con una espada de Burma que había pasado de mano en mano en su familia durante generaciones. Vimos cómo se interponía en el camino del burro, levantaba la espada hacia donde estaba Madre y la giraba por encima de su cabeza, haciéndola cantar en el aire. Madre estaba detrás del burro, con una escoba casi sin cerdas en la mano. Tenía los ojos totalmente clavados en él. Él le enseñó la palma de la mano y se rió. Ella asintió, como dándole la enhorabuena. Entonces se dibujaron un montón de expresiones diversas en la cara del mudo. Madre sacudió la cabeza, una y otra y otra vez, como para negarle lo que fuera que él quería. Al final, el mudo levantó el brazo en el aire y dejó caer el puño con fuerza sobre la cabeza del burro. Las piernas delanteras del animal se doblaron y cayó contra la piedra del molino.

—¡Serás bastardo! —gritó Madre—. ¡Eres un bastardo dejado de la mano de Dios!

Una sonrisa maligna cruzó el rostro del mudo, que se dio media vuelta y se fue pavoneándose, del mismo modo que había llegado.

Al otro lado, la puerta del horno de fundir se abrió con un largo gancho y un metal fundido de color blanco incandescente se vertió desde el crisol, produciendo unas hermosas chispas mientras una parte se derramaba al suelo. Madre logró que el burro volviera a ponerse en pie tirándole de las orejas, y después se acercó caminando lentamente hasta donde yo estaba jugando. Entonces se quitó el pañuelo amarillento que le cubría la boca, se levantó la blusa y me metió en la boca un pezón ahumado con sabor a azufre. Yo estaba considerando muy en serio la posibilidad de escupir esa cosa maloliente y picante cuando Madre me empujó súbitamente, casi arrancándome mis dos dientes de leche. Seguramente tenía los pezones irritados, pero supongo que no tuvo tiempo para preocuparse por eso. Salió corriendo hacia la casa, con el pañuelo ondeando al viento. Yo me imaginaba vívidamente esos pezones que hedían a azufre frotándose contra la áspera tela de su blusa, y el líquido venenoso empapándole la ropa. Parecía irradiar electricidad cuando corría. Estaba experimentando una emoción muy peculiar; si se trataba de alegría, era, sin ninguna clase de duda, una alegría muy dolorosa. ¿Por qué había salido corriendo de esa manera? No tuvimos que esperar mucho tiempo antes de obtener respuesta.

—¡Lingdi! ¡Mi Lingdi! ¿Dónde estás? —gritó Madre, yendo desde las dependencias principales hasta la habitación lateral.

Shangguan Lü se arrastró desde la habitación del frente de la casa, apoyando el vientre en el sendero que comenzaba en la puerta, y levantó la cabeza como si fuera una gigantesca rana. Los soldados habían ocupado su habitación, la del ala Oeste, donde cinco de ellos yacían sobre la piedra del molino, con la cabeza orientada hacia el centro, mientras estudiaban un libro atado con hilos. Levantaron la vista y se alarmaron al darse cuenta de nuestra llegada. Sus rifles estaban alineados contra la pared y había minas colgando de las vigas, negras, redondas y aceitosas, como huevos de araña pero muchísimo más grandes.

—¿Dónde está el mudo? —preguntó Madre.

Los soldados sacudieron la cabeza. Madre se dio la vuelta y se dirigió a toda prisa al ala oeste. El rollo de pergamino del hada-pájaro estaba tirado de cualquier manera sobre una mesa a la que le faltaban las patas, sobre la que descansaban un trozo mordisqueado de pan de maíz y una cebolla verde. El cuenco de cerámica desconchado, que también estaba sobre la mesa, estaba lleno de unos huesos blancos, que quizá eran de un pájaro o quizá de algún otro pequeño animal. El rifle del mudo estaba apoyado contra la pared, y sus granadas colgaban de una viga.

Nos quedamos en el patio, de pie, llenando el aire de gritos desesperanzados. Los soldados salieron de la casa corriendo, con ganas de saber qué había pasado. Justo en ese momento el mudo salió arrastrándose del sótano de los nabos. Tenía la ropa cubierta de tierra amarilla y manchas blancas de moho. Su mirada denotaba cansancio y satisfacción.

—¡Qué tonta he sido! —rugió Madre, golpeando el suelo con un pie.

Al final del sendero, en el extremo del patio, bajo una pila de hierba seca, el mudo había violado a mi tercera hermana, Lingdi.

La llevamos arrastrándola desde donde yacía hasta el interior de la casa, y la acostamos sobre el *kang*. Madre lloró todo el tiempo mientras empapaba su pañuelo sulfuroso en agua y limpiaba a Lingdi meticulosamente, de la cabeza a los pies. Sus lágrimas caían sobre el cuerpo de Lingdi y sobre su propio pecho, donde todavía se podían apreciar marcas de dientes. Curiosamente, Lingdi sonreía. Una luz embrujadora refulgía en su mirada.

En cuanto se enteró de la noticia, Quinta Hermana volvió a casa corriendo y se puso a observar a Tercera Hermana. Sin decir ni una palabra, salió afuera corriendo, se sacó una granada del cinturón, tiró de la anilla y la lanzó al ala este. Pero no hubo ninguna explosión; era defectuosa.

El mudo debía ser ejecutado exactamente en el mismo sitio donde le habían disparado a Ma Tong: un terreno cenagoso y maloliente en el extremo sur de la localidad, lleno de maleza podrida por el centro y rodeado de montones de basura. El mudo, atado de pies y manos, fue llevado a rastras hasta el límite de la ciénaga. Le pusieron frente a un pelotón de fusilamiento de una docena de hombres, más o menos. Después de soltar un emocionante discurso destinado a la edificación de los civiles que se habían congregado para mirar, el Comisario Jiang ordenó a los soldados que montaran sus armas. Preparados, dijo el comisario, apunten… Shangguan Lingdi, toda de blanco, apareció flotando por encima de ellos antes de que las balas pudieran salir de los cargadores. Parecía que caminaba por el aire, como una verdadera hada. ¡Es el hada-pájaro!, gritó alguien. Los recuerdos de la legendaria historia y de los milagros del hada-pájaro acudieron a la mente de todos los presentes. Todo el mundo se olvidó de inmediato del mudo. El hada-pájaro nunca había estado tan bella. Bailaba enfrente de la multitud, como una cigüeña que desfilara a través de los pantanos. Su rostro era una paleta de brillantes colores: lotos rojos, lotos blancos. Su figura estaba en perfecta armonía, y sus labios entreabiertos eran absolutamente encantadores. Se acercó bailando hasta donde estaba el mudo, se detuvo frente a él y levantó la cabeza para mirarlo a la cara. Él respondió con una sonrisa tonta. Ella estiró un brazo y le acarició la pelusilla que tenía en la cabeza y le dio un pellizco en la nariz, que se parecía a un ajo. Al final, para sorpresa de todo el mundo, bajó la mano y agarró la cosa que tenía entre las piernas, que era lo que había originado todo aquel lío. Entonces se giró hasta quedar frente a los que la estaban mirando y soltó unas risitas. Las mujeres miraron hacia otro lado. Los hombres se quedaron mirando fija y estúpidamente, con una mueca de lascivia en el rostro.

El comisario tosió y dijo, de un modo tenso y antinatural:

—Quitadla de en medio y continuad con la ejecución.

El mudo levantó la cabeza y dejó escapar una serie de extraños gruñidos, tal vez para dejar claro que se oponía.

La mano del hada-pájaro seguía acariciando esa cosa ahí abajo, y sus labios carnosos habían adoptado una expresión codiciosa pero al mismo tiempo natural y saludable de puro deseo. Nadie había hecho caso a la orden del comisario.

—Jovencita —preguntó el comisario en voz alta—, ¿fue una violación o fue algo consentido?

El hada-pájaro no le contestó.

—¿Te gusta? —le preguntó el comisario.

Nuevamente el hada-pájaro no le contestó.

El comisario se metió entre la multitud y se puso a buscar a Madre.

—Tía —le dijo, y era evidente que se sentía avergonzado—, en tu opinión... tal como yo lo veo, quizá deberíamos permitir que se conviertan en marido y mujer... Sol Callado hizo algo malo... pero no tan malo como para tener que pagarlo con su vida...

Sin decir ni una palabra, Madre se dio la vuelta y emprendió el regreso atravesando la multitud. Caminaba como si llevara una tabla de piedra sobre sus espaldas. La gente la siguió con la mirada hasta que oyeron unos lamentos brotar de su garganta. Entonces no pudieron seguir mirándola.

—Desatadlo —ordenó el comisario sin convencimiento antes de dar media vuelta y abandonar el lugar.

VIII

Era el séptimo día del séptimo
mes lunar, el día en que el Niño
Pastor y la Doncella Hilandera
se encuentran en la Vía Láctea. Hacía calor, el ambiente estaba pegajoso, el aire tan poblado de mosquitos que se iban estrellando unos
contra otros. Madre extendió una esterilla de paja y todos nos acostamos a escuchar sus débiles murmullos. En el crepúsculo, empezó
a lloviznar. Madre dijo que se trataba de las lágrimas de la Doncella
Hilandera. Había mucha humedad, y sólo de vez en cuando soplaba un poco de viento. Por encima de nuestras cabezas se agitaban
las hojas del granado. Los soldados que estaban alojados en las alas
este y oeste encendieron sus velas hechas en casa. Los mosquitos
se estaban cebando en nosotros, pese a los intentos de Madre de
mantenerlos alejados con la ayuda de su abanico. Todas las urracas
del mundo habían elegido aquel día para volar hacia lo alto del cielo
azul y despejado; había montones de ellas, el pico de cada una limitaba con la cola de otra, sin dejar ningún espacio vacío, y formaban
un puente que atravesaba la Vía Láctea para que el Niño Pastor y la
Doncella Hilandera se encontraran otro año. Las gotas de la lluvia y
las del rocío eran las lágrimas que dejaban caer de tantas ganas que
tenían de estar juntos. Entre los murmullos de Madre, Niandi y yo,

además del pequeño heredero de la familia Sima, mirábamos hacia arriba, al cielo repleto de estrellas, intentando encontrar esas estrellas en concreto. A pesar de que Octava Hermana, Yunü, era ciega, ella también levantaba la cara en dirección al cielo, mostrando unos ojos más brillantes que las estrellas que no era capaz de ver. Los pesados pasos de los centinelas que regresaban de hacer guardia resonaron en el sendero. Afuera, en los campos, los sapos croaban formando un potente coro. En el enrejado de alubias, un grillo cantaba su canción: *Yiya yiya dululu, yiya yiya dululu*. Cuando la noche se fue haciendo más profunda, unos grandes pájaros se echaron a volar salvajemente por el aire. Nosotros observábamos sus siluetas blancas y suaves y escuchábamos el sonido que hacía el viento al acariciar sus plumosas alas. Los murciélagos revoloteaban muy excitados. De los árboles caían gotas de agua y percutían en el suelo, como si estuvieran tocando a retreta. Sha Zaohua estaba acurrucada en los brazos de Madre, respirando con un ritmo regular. En el ala este, Lingdi chillaba como una gata, y la torpe silueta del mudo parpadeaba bajo la luz de una bombilla. Se habían casado. El Comisario Jiang había oficiado la boda, y ahora la habitación de meditación del hada-pájaro se había convertido en una *suite* nupcial donde podían dar rienda suelta a sus pasiones. El hada-pájaro salía a menudo medio desnuda al patio, y una vez el mudo casi le rompe el cuello a un soldado que se distraía contemplando sus pechos desnudos.

—Es tarde, es hora de irse a la cama —dijo Madre.

—Dentro hace calor, y la habitación está tomada por un enjambre de mosquitos —dijo Sexta Hermana—. ¿No podemos quedarnos a dormir aquí fuera?

—No —le contestó Madre—, la humedad os puede sentar mal. Además, están ésos en el cielo, los que recogen flores... Creo que he oído cómo uno de ellos decía: «Ahí hay una hermosa florecilla, vamos a cogerla. Dentro de poco volveremos y entonces la podremos coger». ¿Sabéis quiénes eran? Los espíritus de las arañas, cuyo único objetivo es echar a perder a las jóvenes vírgenes.

Nos acostamos sobre el *kang* pero no pudimos dormir. La única excepción, curiosamente, fue Octava Hermana, que se quedó profundamente dormida con una hilera de babas colgando de la comisura de sus labios. Tosíamos a cada rato, porque nos tragábamos el humo del incienso que se usaba como repelente de mosquitos. La luz de las lámparas de las habitaciones de los soldados salía a través de sus ventanas y se colaba por la nuestra, posibilitando que viéramos algo de lo que había en el patio. Un pescado de agua salada que nos había hecho llegar Laidi superaba en hedor a la letrina de afuera con su rancio olor a podrido. Nos había mandado un montón de objetos valiosos, como telas de satén, muebles y objetos curiosos, todo confiscado por el batallón de demoliciones. El cerrojo de la puerta chirrió. «¿Quién anda ahí?», preguntó Madre, cogiendo el cuchillo de carnicero que guardaba junto a la cabecera del *kang*. No hubo respuesta. Quizá tuviéramos alucinaciones auditivas. Madre volvió a dejar el cuchillo de carnicero en su lugar. Desde el suelo, en la cabecera del *kang*, unos estallidos luminosos instantáneos parpadearon en el extremo del cabo de artemisa humeante que se suponía que mantenía alejados a los mosquitos.

De repente, una figura delgada se levantó en la cabecera del *kang*. Madre dejó escapar un chillido de terror. Lo mismo hizo Sexta Hermana. La oscura figura cayó sobre el *kang* y le puso una mano en la boca a Madre, que luchó para hacerse con el cuchillo. Pero justo cuando estaba a punto de usarlo, escuchó a la figura decir:

—Madre, soy yo, Laidi...

Madre soltó el cuchillo, que cayó sobre la esterilla de paja que había encima del *kang*. ¡Su hija mayor estaba en casa! Hermana Mayor estaba de rodillas en el *kang*, sollozando. Nos fijamos en su rostro sombrío y yo me di cuenta de que lo tenía cubierto de pequeños puntitos brillantes.

—Laidi... mi primera hijita... ¿eres realmente tú? No eres un fantasma, ¿verdad? Ni siquiera te tendría miedo si lo fueras. Deja que te mire... —Madre buscó una cerilla junto a la cabecera del *kang*.

Primera Hermana hizo un gesto con la mano y le dijo en voz muy baja:

—No enciendas la lámpara, Madre.

—Laidi, no tienes corazón. ¿Dónde os habéis metido el Sha ése y tú durante todos estos años? Has hecho que las cosas fueran muy difíciles para tu madre.

—Tengo mucho que contarte, Madre —dijo ella—. Pero antes que nada, ¿dónde está mi hija?

Madre levantó a la pequeña Sha Zaohua, que estaba profundamente dormida, y se la pasó a Hermana Mayor.

—¿Te consideras su madre? A lo mejor sabes cómo tener un bebé, pero no tienes ni idea de cómo criarlo. Los animales más tontos lo hacen mejor que tú... por culpa de ella, tu cuarta hermana y tu séptima hermana...

—Un día de estos, Madre, podré pagarte todo lo que has hecho por mí —dijo Primera Hermana—. Y también a Cuarta Hermana y a Séptima Hermana.

En ese preciso momento, Sexta Hermana se acercó a nosotros.

—¡Primera Hermana! —gritó.

Laidi levantó la mirada de Sha Zaohua y tocó la cara de Sexta Hermana.

—Sexta Hermana. ¿Dónde está Jintong? ¿Y Yunü? Ah, Jintong, Yunü, ¿todavía recordáis a vuestra hermana mayor?

—Si no hubiera sido por el batallón de demoliciones —dijo Madre—, toda la familia se habría muerto de hambre.

—Madre —dijo Primera Hermana—, esos hombres que se llaman Jiang y Lu no son buena gente.

—A nosotros nos tratan bien, así que no deberíamos decir nada malo de ellos.

—Eso es parte de su plan. Le han enviado a Sha Yueliang una carta exigiéndole que se rinda. Si no lo hace, dicen que tomarán a nuestra hija como rehén.

—¿Cómo pueden hacer eso? —preguntó Madre—. ¿Qué tiene que ver una bebita con la guerra?

—Madre, el motivo por el que he venido a casa es que tengo que rescatar a mi hija. He venido con una docena de soldados, más o menos, y tenemos que volver inmediatamente. Dejaremos que Jiang y Lu disfruten de su aparente victoria por el momento. Madre, la deuda que tenemos contigo es más grande que una montaña, y espero que algún día me dejes saldarla. La noche es larga, los sueños son muchos. Ahora me tengo que ir...

Pero antes de que pudiera irse, Madre le quitó a Sha Zaohua de los brazos.

—¡Laidi! —le dijo, muy enfadada—. No te creas que puedes convencerme tan fácilmente. Acuérdate de cómo la abandonaste entonces para que yo la cuidara. Bueno, pues no he escatimado esfuerzos para criarla hasta ahora, así que ni se te ocurra que puedes venir y llevártela sin más. Todo eso que dices del Comandante Lu y del Comisario Jiang son un montón de mentiras. Lo que pasa es que ahora quieres ser madre, ahora que tú y ese Monje Sha habéis consumido toda vuestra pasión, ¿no es eso?

—Madre, él es jefe de brigada de las Fuerzas Imperiales Japonesas, y tiene a su cargo más de mil hombres.

—No me importa cuántos hombres tiene a su cargo ni qué clase de jefe es —dijo Madre—. Que venga a buscar a esta niña en persona, y dile que le he guardado todos esos conejos que colgó de los árboles.

—Madre —dijo Primera Hermana—, esto afecta a miles de soldados con sus monturas, así que no te entrometas.

—Llevo entrometiéndome en cosas la mitad de mi vida. Miles de soldados con sus monturas o miles de caballos con sus jinetes, me da totalmente igual. Lo único que sé es que yo he criado a Zaohua y no estoy dispuesta a entregársela a otro.

Primera Hermana le quitó a la niña con un movimiento rápido y después bajó del *kang* de un salto.

—¡Maldita larva de tortuga! —la insultó Madre—. ¿Cómo te atreves?

Zaohua empezó a llorar.

Madre bajó del *kang* de un salto y salió corriendo tras ellas.

En el patio comenzó el crepitar de los disparos. Después oímos un montón de ruidos caóticos en el techo, encima de donde estábamos nosotros, y a alguien que gritaba y rodaba hasta caer al suelo. Un pie atravesó el techo, rompiéndolo y haciendo que entraran en la casa trozos de barro y el brillo de las estrellas. Del exterior llegaban ruidos fuertes y confusos y el sonido de los disparos y del choque metálico de las bayonetas. También se oyó a un soldado gritar:

—¡No dejéis que se escapen!

Una docena de soldados, más o menos, pertenecientes al batallón de demoliciones llegó corriendo con antorchas de keroseno; en el patio, la noche se convirtió en día. Alguien, desde detrás de la casa, gritó:

—¡Atadlo! Ahora a ver cómo te escapas, mi pequeño tío.

El Comandante Lu, del batallón de demoliciones, irrumpió en el patio y le dijo a Laidi, que estaba aterrorizada, agachada junto a la pared, sujetando con fuerza a Sha Zaohua:

—Ésta no es forma de comportarse, ¿no le parece, Señora Sha?

Zaohua estaba llorando.

Madre salió al patio.

Nosotros nos arremolinamos junto a la ventana para poder ver lo que pasaba.

Un hombre yacía sobre el sendero, con el cuerpo lleno de agujeros y rodeado de sangre, que formaba pequeños arroyos que serpenteaban en todas las direcciones. El desagradable olor de la sangre caliente. El nauseabundo olor del keroseno. La sangre que rezumaba de los agujeros de bala borboteaba en algunas zonas. Todavía no estaba muerto: una de sus piernas se agitaba espasmódicamente, mordía el suelo con la boca y giraba el cuello de un lado a otro. No podíamos distinguir su cara. Las hojas de los árboles se parecían al papel de plata, o al de oro. El mudo estaba frente al Comandante Lu, agitando su espada y gritando. El hada-pájaro salió al exterior, esta vez vestida, llevando algo que sólo podía ser una de las camisetas del uniforme del mudo, que le llegaba hasta las rodillas pero sólo le cubría los pechos y el vientre parcialmente. Sus tobillos, que quedaban al descubierto, eran largos y blancos como la nieve; sus pantorrillas, suaves y musculosas. Tenía los labios entreabiertos, y sus ojos estaban fijos en las antorchas. Un escuadrón de soldados entró en el patio con tres hombres atados; iban vestidos con uniformes de un color verde oliva apagado. Uno de ellos, que se había puesto muy pálido, había sido herido en el hombro, y todavía sangraba. Otro venía andando a la pata coja. El tercero hacía un esfuerzo por elevar la cabeza, pero no lo lograba, ya que los hombres que lo traían se la mantenían lo más abajo posible tirando de una cuerda que pasaba alrededor de su cuello. El Comisario Jiang entró en el patio, con una linterna en la mano; estaba tapada con un trozo de satén rojo, que hacía que la luz tuviera un tono rojizo apagado. Los pies desnudos de Madre resonaron en el suelo —*pa-da, pa-da*—, aplastando los pequeños montículos de tierra que habían hecho los gusanos. Sin mostrar ningún miedo, le preguntó al Comandante Lu:

—¿Qué está pasando aquí?

—Esto no tiene nada que ver contigo, tía —le dijo él.

El Comisario Jiang apuntó la luz rojo satén de su linterna al rostro de Laidi. Ella se quedó donde estaba, quieta como un álamo.

Madre se acercó a Primera Hermana y le arrancó a Zaohua de las manos. Acunando a la bebita entre sus brazos, le dijo, con un tono de voz tranquilizador:

—Buena chica. No tengas miedo, que la abuela está aquí.

Los gritos de Zaohua se fueron apagando hasta que sólo sollozaba suavemente.

Primera Hermana todavía tenía los brazos en una posición como si la bebita siguiera en ellos, como si se hubiera quedado petrificada. Era una visión desagradable. Tenía la cara de una palidez fantasmal, y la mirada se le había congelado. Llevaba un uniforme de hombre de color verde, bajo el cual sus grandes pechos apuntaban, turgentes, hacia afuera.

—Señora Sha, no es posible darles un trato más humano que el que les hemos dado nosotros. En ningún momento hemos intentado obligarlos a aceptar nuestra reorganización —dijo el Comandante Lu—. Pero nunca debieron pasarse al lado japonés.

—Eso es algo que decide la gente. Yo sólo soy su esposa.

El Comisario Jiang dijo:

—Hemos oído que la Señora Sha es la jefa de personal del Comandante Sha.

—Lo único que yo sé —dijo Primera Hermana—, es que he venido a buscar a mi hija. Si tenéis pelotas, id a luchar contra él. Coger a un bebé de rehén no es la manera de luchar de un hombre digno de ese nombre.

—Señora Sha, usted está muy equivocada —dijo el Comisario Jiang—. Sentimos mucho afecto por la Señorita Sha. Pregúntele a su madre. Pregúntele a sus hermanas. El Cielo y la Tierra son nuestros testigos. Le diré qué es lo que pensamos. Queremos a esa niña, y todo lo que hacemos es por su bien. No queremos que esa niñita encantadora tenga por padres a unos traidores.

—No tengo ni idea de qué está hablando —dijo Primera Hermana—. Usted está gastando saliva inútilmente. Pero haga lo que quiera conmigo, puesto que soy su prisionera.

El mudo entró en acción. Tenía un aspecto particularmente amenazador a la luz de todas esas antorchas. Su piel estaba casi negra, y brillaba como si se hubiera untado con grasa de tejón. *Ah-ao, ah-ao, ah-ao.* Ojos de lobo, nariz de jabalí, orejas de simio, cara de tigre. Rugió, alzó sus gruesos y poderosos brazos, apretó los puños y adoptó una postura marcial. Le dio una patada al cuerpo ya muerto del soldado que yacía sobre el sendero y después se volvió hacia los tres prisioneros y les dio un puñetazo en el rostro a todos, uno tras otro, acompañando cada golpe con un *ah-ao*. Después regresó al punto de partida y lo hizo todo otra vez. *Ah-ao, ah-ao, ah-ao.* Cada puñetazo era más terrible que el anterior. El último hizo que el hombre que recibió el golpe se cayera trastabillando al suelo. El Comisario le ordenó que se detuviera.

—¡Sol Callado, no debes pegar a los prisioneros!

El mudo se limitó a sonreír y señaló a Shangguan Laidi y después a sí mismo. Se acercó a Laidi y la cogió por el huesudo hombro con la mano izquierda, haciendo gestos a la gente que los observaba con la derecha. El hada-pájaro miraba las antorchas, absorta en la luz. Laidi levantó la mano izquierda y le dio al mudo una sonora bofetada en la mejilla derecha. El mudo soltó su hombro y se acarició la mejilla, con aspecto de sorpresa, como si no supiera de dónde le había venido el golpe. Entonces Primera Hermana levantó la mano derecha y le dio otra sonora bofetada en la mejilla izquierda, mucho más fuerte que la primera. El mudo se estremeció de la cabeza a los pies, y Primera Hermana dio un traspié hacia atrás por la fuerza del golpe. Sus hermosas cejas se arquearon, sus ojos de fénix se abrieron mucho y dijo, con los dientes apretados:

—¡Pedazo de bastardo, has destrozado a mi hermana pequeña!

—¡Lleváosla! —ordenó el Comandante Lu—. ¡No es sólo una chaquetera, también es una salvaje!

Los soldados cogieron rápidamente a Primera Hermana por los brazos.

—¿Cómo puedes ser tan estúpida, Madre? —gritó ella—. ¡Tercera Hermana es un ave fénix y tú la has casado con ese mudo!

Justo en ese momento, un soldado llegó a toda prisa y dijo, sin aliento:

—Comandante, Comisario, las tropas del Comandante Sha han llegado al concejo de Shalingzi.

—Tranquilizaos todos. Quiero que el comandante de cada compañía siga nuestro plan original y comience a colocar las minas en la tierra.

—Tía, es mejor que vengáis con nosotros al cuartel general del batallón, para que tú y tus niños estéis más protegidos —dijo el Comisario Jiang.

—No —dijo Madre, sacudiendo la cabeza—. Si vamos a morir, que sea en nuestro propio *kang*.

El Comisario Jiang envió un escuadrón de soldados junto a Madre y otro al interior de la casa.

—Señor Amado —gritó Madre—, abre los ojos y mira lo que está pasando.

Nuestra familia quedó encerrada en un ala de la casa de la familia Sima. Había unos centinelas que guardaban la puerta. En la habitación adyacente había encendidas unas lámparas de gas, y alguien que gritaba desde ahí. Más allá de la aldea, el crepitar de los disparos era interminable.

El Comisario Jiang vino, caminando tranquilamente, hasta nuestros aposentos; traía una lámpara con una pantalla de cristal.

El humo negro lo hacía toser, y a nosotros nos humedecía los ojos. Después de colocar la lámpara en la mesa, dijo:

—¿Por qué estáis todos de pie? Por favor, sentaos, tomad asiento. —Señaló unas sillas que había alineadas contra la pared—. Tía —dijo—, este lugar, propiedad de tu segundo yerno, es bastante extravagante.

Se sentó, apoyando las manos sobre las rodillas, y sonrió sardónicamente. Primera Hermana se sentó al otro lado de la mesa, enfrente del Comisario Jiang, y dijo, con una mueca de desagrado:

—Comisario Jiang, una cosa es invitar a una deidad, y otra cosa es deshacerse de ella.

Jiang se rió.

—Con todo el esfuerzo que nos ha costado conseguir que viniera la deidad, ¿por qué iba a querer deshacerme de ella?

—Madre —dijo Primera Hermana—, vamos, siéntate. A ti no te van a hacer nada.

—No tenemos pensado hacerle nada a ninguno de vosotros —dijo el Comisario Jiang, sonriendo—. Por favor, tía, toma asiento.

Todavía con Zaohua en brazos, Madre se sentó en una silla que había en la esquina de la mesa. Octava Hermana y yo, que estábamos aferrados a la ropa de Madre, nos quedamos de pie a su lado. El joven heredero de la familia Sima apoyó la cabeza sobre el hombro de Sexta Hermana, mientras un arroyuelo de baba corría por su barbilla. Sexta Hermana tenía tanto sueño que no dejaba de dar cabezadas hacia adelante y hacia atrás. Madre la cogió del brazo y le dijo que se sentara bien. Ella abrió los ojos, miró a su alrededor e inmediatamente comenzó a roncar. El Comisario Jiang sacó un cigarrillo y golpeó uno de sus extremos contra la uña de su dedo pulgar. Después se registró los bolsillos, en busca de una cerilla. No la encontró, y a Primera Hermana le pareció algo para celebrar. Él se levantó y se acercó a la lámpara, se colocó el cigarrillo en la boca, se inclinó sobre la llama, cerró los ojos y comenzó a aspirar. La llama comenzó a bailar, la punta del cigarrillo se puso roja y brilló. Él se irguió de nuevo, se sacó el cigarrillo encendido de la boca y apretó los labios; dos columnas de denso humo salieron serpenteando por los agujeros de su nariz. El sonido seco de las explosiones, proveniente de algún lugar de las afueras de la aldea, hizo que temblaran las ventanas. El destello de los diversos fuegos iluminaba el cielo de la noche. Cada pocos segundos oíamos los llantos o los gritos de hombres que estaban ahí afuera, a veces con la claridad del tañido de una campana. El Comisario Jiang sonreía a pesar de todo, y miraba fijamente a Laidi como si la estuviera desafiando.

Laidi se movía en su asiento como si estuviera sentada sobre alfileres, haciendo que las patas de su silla crujieran una y otra vez. La sangre se le había ido del rostro y le temblaban las manos, que aferraban las patas de la silla.

—Las tropas de caballería del Comandante Sha han entrado en nuestro campo de minas —dijo simpáticamente el Comisario Jiang—. Es una pena, todos esos caballos.

—Vosotros... todos vosotros estáis soñando... —Primera Hermana se levantó apoyando las manos en los brazos de la silla, pero cayó de nuevo sobre ella cuando una serie de explosiones todavía más densa que la anterior partió el aire.

El Comisario Jiang se levantó y dio unos golpecitos en la celosía de madera que separaba la habitación de las principales dependencias de la casa y dijo, como si hablara para sí mismo:

—Pino coreano, todo ello. Me pregunto cuántos árboles hizo falta cortar sólo para construir la casa solariega de la familia Sima. —Levantó la cabeza y miró a Primera Hermana—. ¿Cuántos cree usted? Las columnas, las vigas del techo, las puertas y las ventanas, el entarimado del suelo, las paredes, las mesas y las sillas y los bancos...

Ella se movió, incómoda, en la silla.

—¡Yo diría que un bosque entero, como mínimo! —dijo el Comisario Jiang, con un toque de angustia en la voz, como si el bosque estuviera ante su vista, reducido a tocones y ramas dispersas por todas partes—. Antes o después, alguien hará esta cuenta —dijo despectivamente, dejando atrás el bosque arrasado y acercándose a Primera Hermana. Se quedó frente a ella, con las piernas abiertas y la mano derecha apoyada en la cadera; su muñeca estaba doblada en un ángulo agudo—. Por supuesto —dijo—, tal como nosotros lo vemos,

Sha Yueliang no es alguien que haya decidido definitivamente ser un chaquetero. En su momento fue un glorioso luchador de la resistencia antijaponesa, y si dejara de lado su pasado más reciente, nosotros estaríamos más que encantados de considerarlo un camarada. Señora Sha, su marido pronto será nuestro prisionero, y será cosa suya conseguir que vea la luz.

Primera Hermana golpeó el respaldo de la silla con la espalda.

—¡Nunca lo cogeréis! —dijo con voz muy aguda—. ¡No os equivoquéis con ese tema! ¡Su Jeep corre más que cualquier caballo!

—Bueno, ya veremos —dijo el Comisario Jiang, dejando caer el brazo que tenía doblado y juntando las piernas.

Sacó un cigarrillo y se lo ofreció a Laidi, que hizo un gesto de rechazo, apartándose. Él se lo acercó un poco más. Laidi se fijó en la misteriosa sonrisa que había en la cara del Comisario Jiang y, con mano temblorosa, cogió el cigarrillo con dos dedos manchados de nicotina. El Comisario Jiang se acercó su propio cigarrillo a la boca y sopló, haciendo que la ceniza que había en la punta saliera volando y que el cigarrillo adquiriera un color rojo brillante. Entonces le acercó el extremo que estaba encendido a Laidi. Ella volvió a fijarse en su rostro. Todavía estaba sonriendo. Laidi parecía nerviosa cuando se puso el cigarrillo entre los labios y acercó la punta hasta tocar el extremo encendido del cigarrillo de Jiang. Nos pareció oír el ruido de sus labios. Madre miraba fijamente la pared, Sexta Hermana y el joven maestro Sima estaban medio dormidos, Sha Zaohua no hacía ni un solo ruido. Una nube de humo surgió del rostro de Primera Hermana. Levantó la cabeza y se inclinó hacia atrás, con el pecho temblando. Los dedos con los que sostenía el cigarrillo estaban húmedos, como barbos recién pescados del agua. La punta de su cigarrillo se iba consumiendo, orgullosa, en dirección a su boca. Estaba completamente despeinada, unas profundas líneas avanzaban desde las comisuras de sus labios y tenía unos círculos oscuros debajo de los ojos. Poco a poco, la sonrisa fue desapareciendo del rostro del Comisario Jiang, como agua sobre una plancha de metal caliente, encogiéndose hasta que fue un puntito brillante del tamaño de la cabeza de un alfiler antes de desaparecer con un breve susurro. Su sonrisa se retiró en dirección a la nariz y se extinguió con un breve chasquido. Tiró el cigarrillo, que casi se había consumido del todo, lo enterró con la punta del zapato y salió de la habitación.

Lo oímos bramar en la habitación de al lado: «Tenemos que atrapar a Sha Yueliang. Si se refugia en una ratonera, debemos entrar en ella y sacarlo como sea». Después oímos el ruido que hizo el teléfono cuando lo colgó violentamente.

Con tristeza en los ojos, Madre miró a Primera Hermana, que se despatarró en la silla como si le hubieran extirpado todos los huesos del cuerpo. Se acercó a ella, cogió la mano manchada de nicotina de su hija y la examinó. Sacudió la cabeza. Primera Hermana se dejó resbalar hasta el suelo, quedó arrodillada y se abrazó a las piernas de Madre. Cuando levantó la vista, los labios le temblaban como a un bebé mientras mama. Un extraño sonido brotó de entre sus labios. Al principio me pareció que se estaba riendo, pero rápidamente me di cuenta de que estaba llorando. Se secó las lágrimas y el moco en las piernas de Madre.

—Madre —le dijo—, si quieres saber la verdad, no ha pasado un solo día sin que pensara en ti y en mis hermanas y en mi hermano...

—¿Te arrepientes de lo que hiciste? —le preguntó Madre.

Primera Hermana no reaccionó de inmediato. Al cabo de un rato, negó con la cabeza.

—Eso está bien —dijo Madre—. El Señor te indica el camino que debes seguir; el arrepentimiento hace infeliz al Señor.

Madre cogió a Zaohua y se la pasó a Primera Hermana.

—Échale un vistazo.

Primera Hermana acarició la carita morena de Sha Zaohua.

—Madre —dijo—, si me ejecuta, tendrás que criarla tú.

—Incluso en el caso de que no te ejecuten —dijo Madre—, yo soy quien debería criarla.

Primera Hermana le acercó la niña otra vez a Madre, que le dijo:

—Sujétala un momento, que yo tengo que darle de comer a Jintong.

Madre vino hasta la silla y se levantó la blusa. Se agachó por la cintura, y yo me arrodillé en la silla y empecé a mamar.

—Por decir la verdad, ese Sha Yueliang no es ningún cobarde, y me veo obligada a aceptarlo como yerno, aunque sólo sea porque colgó todos esos conejos del árbol. Pero nunca llegará muy lejos. ¿Cómo puedo saberlo? Por el hecho de que colgara todos esos conejos del árbol. Vosotros dos juntos no tenéis nada que hacer contra ese Jiang. Ese Jiang es una aguja escondida en un trozo de algodón suave. Además de ese vientre tiene un buen par de colmillos.

En la oscuridad de justo antes del alba, llegó una bandada de urracas exhaustas que habían hecho de puente a través de la Vía Láctea; descendieron y se instalaron en el tejado de nuestra casa, donde se pusieron a gorjear interminablemente y me despertaron. Vi a Madre sentada en una silla, con Sha Zaohua en brazos, mientras yo estaba sentado sobre las rodillas de Laidi, que estaban frías como el hielo. Ella me envolvía fuertemente la cintura con sus larguísimos brazos. Sexta Hermana y el heredero de la familia Sima estaban durmiendo con las cabezas muy juntas, exactamente igual que antes. Octava Hermana descansaba apoyada en la pierna de Madre. En los ojos de Madre no había nada de luz, y las comisuras de sus labios estaban curvadas hacia abajo como consecuencia del agotamiento.

El Comisario Jiang entró en la habitación, nos miró y dijo:

—Señora Sha, ¿le gustaría ir a ver al Comandante Sha?

Primera Hermana me empujó y se levantó de un salto.

—¡Estás mintiendo! —gritó con voz ronca.

El Comisario Jiang levantó las cejas.

—¿Mintiendo? —preguntó—. ¿Y por qué iba a mentir?

Se acercó a la mesa, se agachó y apagó la lámpara de un soplido. Los rayos rojos del sol entraron inmediatamente a través de la ventana abierta. Haciendo un gesto cortés con la mano —aunque tal vez no fuera su intención ser cortés—, dijo:

—Detrás de usted, Señora Sha. Como ya le dije antes, no pretendemos cerrar todas las puertas. Si él admite sus errores y hace propósito de enmienda, estamos dispuestos a darle la bienvenida como subcomandante del batallón de demoliciones.

Primera Hermana se dirigió a la puerta caminando rígidamente, pero se dio la vuelta para mirar a Madre antes de salir al exterior.

—Tú también puedes venir, tía —dijo el Comisario Jiang—, y el resto de tus hijos también.

Cruzamos las múltiples puertas de la casa solariega de la familia Sima, así como varios patios idénticos. En el quinto de estos patios vimos a una docena de soldados heridos, más o menos, tumbados en el suelo. La soldado mujer, la Señorita Tang, estaba vendándole la pierna a uno de los hombres heridos, ayudada por mi quinta hermana, Pandi. Estaba tan concentrada en su tarea que ni siquiera nos vio. Madre le susurró a Primera Hermana:

—Ésa es tu quinta hermana.

Primera Hermana le echó una mirada.

—Hemos pagado un alto precio —dijo el Comisario Jiang. Una gran puerta de madera se había colocado sobre el suelo del sexto patio para que hiciera de improvisado féretro para diversos cadáveres, cuyos rostros estaban tapados con una tela blanca—. Nuestro Comandante Lu entregó su vida heroicamente. Ésa es una pérdida de un valor incalculable. —Se agachó y le quitó la tela a un rostro barbudo y manchado de sangre—. Los hombres nos han suplicado que les dejáramos desollar vivo al Comandante Sha, pero eso va en contra de nuestra política. Señora Sha, nuestra buena fe bastaría para conmover incluso a los fantasmas y a los espíritus, ¿no cree usted?

En el séptimo patio nos hizo rodear una pared enrejada y nos encontramos junto a los altos escalones de la puerta principal de la Casa Solariega de la Felicidad.

Los soldados del batallón de demoliciones estaban corriendo de un lado para otro por la calle, con el rostro cubierto de polvo. Algunos de ellos conducían una docena de caballos, más o menos, del Este al Oeste, mientras algunos otros estaban supervisando a varias docenas de civiles que tiraban de un Jeep atado a una cuerda que iba del Oeste al Este. Los dos grupos se detuvieron al encontrarse frente a la puerta, y dos hombres que parecían oficiales de bajo rango llegaron corriendo. Se detuvieron, saludaron y se pusieron a informarle al Comisario Jiang, con un tono de voz tal que parecía que se estaban peleando. Uno le informó de que habían capturado trece caballos de combate. El otro le informó de que habían capturado un Jeep americano. Desgraciadamente, el radiador había estallado, por lo que hacía falta arrastrarlo. El Comisario Jiang los felicitó por haber hecho un buen trabajo. Mientras escuchaban las alabanzas de su comandante, ambos estaban de pie, sacando pecho, con los ojos rebosantes de luz.

Después, el Comisario Jiang nos condujo a la iglesia, cuya puerta estaba protegida por dieciséis centinelas armados. Jiang levantó la mano y los centinelas dieron un golpe en el suelo con las culatas de sus rifles, juntaron sonoramente los talones e hicieron un saludo con el rifle. Ahí estábamos nosotros, un puñado de mujeres y niños, convertidos de repente en generales que realizan una inspección militar.

Por lo menos eran sesenta, y tal vez fueran más, los prisioneros que, vestidos con uniformes verde oliva, se apiñaban en el rincón sudeste del *hall* principal. Unos champiñones blancos habían brotado en el techo, que se estaba cayendo, empapado de lluvia y lleno de goteras. Un escuadrón de cuatro soldados armados con rifles de asalto vigilaba a los prisioneros. Sostenían los cartuchos de municiones en la mano izquierda, y tenían cuatro de los dedos de la derecha agarrando las culatas de los rifles, que eran tan suaves y brillantes como el muslo de una virgen; y el quinto dedo lo tenían apoyado sobre el curvo gatillo. Estaban de pie, de espaldas a nosotros. En el suelo, detrás de ellos, había una pila de cinturones de cuero, que parecían un nido de serpientes. La única manera que los prisioneros tenían de caminar era sujetándose los pantalones con las manos.

Las comisuras de los labios del Comisario Jiang se curvaron hacia arriba en una sonrisa apenas visible. Tosió ligeramente, quizá para hacer notar su presencia, no lo sé. Perezosamente, los prisioneros levantaron la cabeza y nos miraron. Instantáneamente, sus ojos brillaron, una vez los de algunos, dos los de otros, cinco, seis o siete veces, nueve como mucho, los de otros. Esos fulgores de reconocimiento, que brillaban como fuegos fatuos, seguramente iban dirigidos a Shangguan Laidi, si es que, como afirmaba el Comisario Jiang, ella era el brazo derecho del Comandante Sha. Las complejas emociones que atravesaron el corazón de Laidi, fueran las que fueran, hicieron que sus ojos enrojecieran y que empalideciera su rostro. Bajó la cabeza, como si quisiera esconderla en el pecho.

Los prisioneros me recordaron a los burros negros que pertenecían a la banda de los mosqueteros. Cuando estaban encerrados en el patio de la iglesia, también ellos se apiñaban en un rincón, veintiocho burros individuales que formaban catorce pares: tú me mordisqueas el recto mientras yo te muerdo con suavidad en el flanco. Preocupaciones mutuas, protección mutua, ayuda mutua. ¿Dónde había llegado a su fin este grupo íntimo de burros? ¿Qué fue lo que los eliminó? ¿La guerrilla de Sima Ku en la Montaña Ma'er? ¿O la policía secreta japonesa en la Montaña Biceps? El día sagrado en que yo fui bautizado, habían tratado a Madre cruelmente. Fueron los miembros de la banda de mosqueteros, mis enemigos mortales. Ahora tendréis que ser castigados por el Padre, el Hijo y el Espíritu Santo. Amén.

El Comisario Jiang se aclaró la garganta.

—Hombres de la brigada de Sha —les dijo—. ¿Tenéis hambre?

Los prisioneros volvieron a levantar la cabeza. Algunos obviamente quisieron contestar, pero no se atrevieron a hacerlo. Otros no tenían ninguna gana de contestar.

El guardaespaldas del Comisario Jiang dijo:

—¿Qué os pasa, tiítos, os ha comido la lengua el gato? El comisario político os ha hecho una pregunta.

—¡Trátalos con educación! —El Comisario Jiang abroncó a su guardaespaldas, que se sonrojó y bajó la cabeza—. Hermanos —continuó—, sé que tenéis hambre y sed, y si alguno de vosotros tiene problemas de estómago es probable que ahora esté sufriendo, que vea puntitos delante de sus ojos y tenga sudores fríos. Intentad aguantar, sólo un poquito más. La comida está en camino. Hay un montón de cosas necesarias que aquí no tenemos, por lo que la comida no es demasiado buena. Hemos preparado una cazuela de sopa de garbanzos verdes para calmaros la sed y refrescaros un poco. A mediodía habrá rollitos hervidos de harina blanca y carne de caballo frita con cebollino.

La felicidad se dibujó en el rostro de los prisioneros, algunos de los cuales lograron reunir el valor para hablar en voz baja entre ellos.

—Hay un montón de caballos muertos —dijo el Comisario Jiang—, todos ellos magníficos animales. Es una pena que os hayáis metido en nuestro campo de minas. Cuando comáis la carne de caballo, dentro de un ratito, quién sabe, tal vez os comáis vuestra propia montura, a pesar de que, como se suele decir, «las mulas y los caballos pueden comportarse como los señores, pero sólo son mulas y caballos». Adelante, pues, comed todo lo que podáis. Para eso el hombre está en la cima de la cadena alimentaria.

Todavía continuaba hablando de caballos cuando una pareja de soldados mayores entró cargando con un enorme caldero, jadeando por el esfuerzo. Dos soldados más jóvenes iban detrás. Cada uno de ellos llevaba una pila de cuencos que subía desde su ombligo hasta justo debajo de la barbilla. «¡Aquí está la sopa! ¡La sopa!», gritaban los soldados mayores, como si alguien les estuviera impidiendo el paso. Los soldados jóvenes hacían un esfuerzo para ver por encima de los cuencos apilados y encontrar un lugar apropiado para dejarlos. Los dos soldados mayores se pusieron de cuclillas y dejaron el caldero en el suelo, quedando casi sentados durante el proceso. Los soldados jóvenes mantuvieron el cuerpo estirado cuando doblaron las rodillas, colocaron las pilas de cuencos en el suelo y retiraron las manos de debajo de ellos. Las pilas se balancearon adelante y atrás. Liberados de su carga, los hombres se levantaron y se pasaron la manga por las frentes sudorosas.

El Comisario Jiang cogió un gran cucharón de madera y revolvió la sopa.

—¿Le habéis puesto azúcar morena? —les preguntó a los soldados mayores.

—Tenemos que informarle, señor, de que no pudimos encontrar azúcar morena, así que salimos a buscar un bote de azúcar granulada. Lo encontramos en la casa de Cao. La anciana señora Cao no quería compartirlo, y se aferraba al bote con todas sus fuerzas, como si le fuera la vida en ello...

—Ya es suficiente. ¡Repartidlo entre estos hombres! —dijo el Comisario Jiang, dejando el cucharón. Entonces, como si se hubiera acordado de repente de que nosotros también estábamos ahí, se dio la vuelta y nos preguntó—: ¿Y vosotros no querríais tomar un cuenco cada uno?

Con una mueca, Laidi dijo:

—El comisario no nos ha invitado a venir hasta aquí sólo para tomar una sopa de garbanzos verdes, ¿verdad?

—¿Y por qué no íbamos a tomarla? —dijo Madre—. Viejo Zhang, todas las chicas y yo tomaremos un cuenco.

—Madre —dijo Laidi—, ¿y si está envenenada?

Eso hizo soltar una gran carcajada al Comisario Jiang.

—Señora Sha, usted tiene mucha imaginación. —Recuperó el cucharón, cogió un poco de sopa, la mantuvo en alto y la dejó caer de nuevo en el caldero para mostrar su aspecto y su aroma. Después volvió a dejar el cucharón—. Hemos puesto un paquete de arsénico y dos paquetes de matarratas en esta sopa. Un trago y vuestro estómago explotará cuando contéis hasta cinco, caeréis al suelo a la de seis y de todos los orificios de vuestro cuerpo empezará a manar sangre. Bueno, ¿alguien se atreve a tomársela?

Madre dio un paso al frente, cogió un cuenco y le limpió el polvo con la manga. Después se hizo con el cucharón, con el cual llenó el cuenco de sopa antes de pasárselo a Primera Hermana, que lo rechazó. En ese momento, Madre dijo:

—Entonces este cuenco es para mí.

Sopló sobre el líquido y tomó un par de sorbos. Después de un par de sorbos más, llenó otros tres cuencos y se los pasó a Sexta Hermana, Octava Hermana y el pequeño Sima.

—Ahora nos toca a nosotros —gritaron algunos de los prisioneros—. Danos un poco. Nos beberemos tres cuencos de eso, esté envenenado o no.

Los dos soldados más mayores se hicieron cargo de los cucharones, y los dos más jóvenes se pusieron a distribuir los cuencos. Los guardias armados se desplazaron a los lados y se colocaron dándonos el perfil. Podíamos ver sus ojos, que estaban fijos en los prisioneros, que ahora se encontraban de pie, haciendo cola, sujetándose los pantalones con una mano y preparados para coger sus cuencos de sopa de garbanzos verdes con la otra. Cuando tenían los cuencos en la mano, miraban hacia abajo con precaución, temerosos de que el líquido caliente les quemara los dedos. Uno por uno iban volviendo lentamente hacia el fondo del *hall*, donde se sentaban de cuclillas, empleando ambas manos para sostener la sopa, y soplaban para enfriarla antes de comenzar a comer. Un soplo de aire seguido por unos cuantos sorbos ruidosos: la forma, tantas veces practicada, de comer sin quemarse el interior de la boca. El pequeño Sima, que no tenía tanta experiencia, se metió una cucharada llena en la boca y no podía ni escupirla ni tragarla, por lo que acabó con la boca quemada. Mientras cogía su cuenco de sopa, uno de los prisioneros dijo:

—Tío Segundo... —El viejo soldado a cargo del cucharón levantó la mirada y la fijó en el joven rostro que tenía delante—. ¿No me reconoces, Tío Segundo? Soy yo, Pequeño Chang...

El viejo soldado le dio a Pequeño Chang un sonoro golpe con el cucharón en el dorso de la mano.

—¿A quién estás llamando Tío Segundo? —dijo, burlonamente—. ¡Yo no tengo ningún sobrino que sea un chaquetero y lleve un uniforme verde!

Gritando *aya*, Pequeño Chang soltó el cuenco, dejándolo caer justo encima de su pie. Se quemó gravemente. Volviendo a gritar *aya*, dejó de sujetarse los pantalones para agacharse a acariciarse el pie. Los pantalones se le cayeron hasta las rodillas, dejando ver un par de calzoncillos sucios y harapientos. Un tercer *aya* se le escapó cuando intentaba subirse los pantalones y enderezarse de nuevo, mientras los ojos se le llenaban de lágrimas.

—¡Viejo Zhang, hay unas instrucciones! —dijo el Comisario Jiang, enfadado—. ¿Quién te ha dado permiso para pegarle a un prisionero? Preséntate ante el sargento de armas. ¡Tres días en el calabozo!

Viejo Zhang protestó:

—Pero es que me ha llamado Tío Segundo...

—Apuesto a que eres su segundo tío —dijo el Comisario Jiang—. ¿Por qué intentar ocultarlo? Si hace lo que se le dice, puede convertirse en miembro de nuestro batallón de demoliciones. ¿Cómo está esa quemadura, jovenzuelo? Haremos que el médico te ponga un bálsamo dentro de un rato. Entretanto, dadle otro cuenco, que se le ha caído la sopa, y ponedle unos cuantos brotes extra.

El desgraciado y joven sobrino arrastró los pies de vuelta al fondo del salón con su sopa, más cargada que las demás, mientras los prisioneros que había a su espalda, formando cola, avanzaban para conseguir sus cuencos.

Ahora todos los prisioneros estaban bebiendo la sopa, llenando la iglesia con los fuertes ruidos que hacían al sorber. De momento, ni los soldados viejos ni los jóvenes tenían nada que hacer. Uno de los jóvenes estaba ahí de pie, relamiéndose, y el otro tenía la mirada fija en mí. Uno de los mayores rascaba el fondo del caldero con su cucharón, y el otro había sacado una bolsita de tabaco y una pipa y se estaba preparando para tomarse un descanso y fumar un poco. Madre me puso su cuenco en los labios, pero yo lo rechacé; me desagradó lo basta que era la sopa. Mi boca estaba adaptada a una cosa y sólo a una cosa: sus pezones.

Primera Hermana gruñó desdeñosamente. El Comisario Jiang estaba mirándola, y ella se aseguró de dedicarle una expresión de desprecio.

—Supongo que yo también debería tomarme un cuenco de sopa de garbanzos verdes —dijo.

—Por supuesto que debería —dijo el Comisario Jiang—. Mírese la cara. Me recuerda a una berenjena seca. Viejo Zhang, un cuenco de sopa para la Señora Sha, y deprisa. Que esté bien cargada.

—Quiero que esté poco cargada —dijo Primera Hermana.

—Entonces prepárasela poco cargada —dijo el Comisario Jiang.

Acercándose el cuenco a la boca, Primera Hermana tomó un sorbo.

—Le habéis puesto azúcar —dijo—. Comisario Jiang, ¿por qué no se toma un cuenco? Debe tener la garganta seca después de tanto hablar.

El Comisario Jiang levantó la mano y se pellizcó la garganta.

—Desde luego. Prepárame un cuenco a mí también, Viejo Zhang. Poco cargado.

Con el cuenco entre las manos, el Comisario Jiang charló de la calidad de los garbanzos verdes con Primera Hermana. Le contó que en su ciudad natal había una variedad de garbanzos verdes más harinosos, que se ablandaban en cuanto el agua empezaba a hervir, mientras que los garbanzos verdes locales no comenzaban a ablandarse al menos hasta que pasaban un par de horas. Cuando agotaron el tema de los garbanzos verdes, pasaron a hablar de los brotes de soja. Parecía que fueran expertos en la materia. Cuando ya habían hablado casi de todas las variedades de garbanzos, frijoles y alubias, y el Comisario Jiang estaba empezando con los cacahuetes, Primera Hermana tiró su cuenco al suelo y escupió salvajemente.

—¿Qué clase de trampa me está tendiendo, Jiang?

—Señora Sha —dijo él—, no reaccione tan exageradamente. Vamos ya, ¿no le parece? Hemos hecho esperar al Comandante Sha demasiado tiempo.

—¿Dónde está? —preguntó burlonamente Primera Hermana.

—En un lugar que usted debe recordar muy bien, por supuesto —le contestó Jiang.

Había más centinelas ante nuestra puerta que en la iglesia.

Uno de los grupos estaba situado en la puerta del ala este, al mando del mudo, Sol Callado, que estaba sentado sobre un tronco que había junto a la pared, jugando con su espada. El hada-pájaro se había posado sobre el melocotonero, y picoteaba con sus dientes frontales un pepino que sujetaba con las manos.

—Entre —le dijo el Comisario Jiang a Primera Hermana—. Intente hacerlo entrar en razón. Tenemos la esperanza de que abandonará la oscuridad y empezará a caminar hacia la luz.

En cuanto Primera Hermana entró en el ala este, dejó escapar un chillido.

Entramos corriendo tras ella. Sha Yueliang estaba colgado de una de las vigas. Llevaba un uniforme verde y un par de botas de cuero brillantes que le llegaban hasta las rodillas. Yo lo recordaba de estatura media, pero al verlo colgado ahí me dio la impresión de ser excepcionalmente alto.

IX

Bajé del *kang* y me lancé sobre el regazo de Madre antes de haber abierto los ojos del todo. Salvajemente, le subí la blusa, cogí uno de sus pechos con las dos manos y atrapé el pezón entre los labios. La boca se me llenó de un sabor picante, y los ojos se me llenaron de lágrimas. Escupí el pezón y miré hacia arriba, sorprendido, confuso y un tanto malhumorado. Madre me acarició la cabeza y me sonrió como pidiéndome perdón.

—Jintong —me dijo—, ya tienes siete años, eres casi un hombre. Ya es hora de que dejes de tomar el pecho.

Antes de que se hubiera desvanecido el eco de sus palabras, escuché la risita, penetrante como el sonido de una campana, que había soltado Octava Hermana, Shangguan Yunü.

Una cortina cayó ante mis ojos, oscureciéndolo todo. Miré en dirección al cielo justo antes de caer al suelo. Súbitamente me sentía muy desgraciado. Me di cuenta de que los pechos de Madre, cuyos pezones estaban recubiertos de pimienta, parecían una pareja de palomas que surcaban el cielo con los ojos enrojecidos. Intentando destetarme, Madre se había rociado los pezones con zumo de jengibre crudo, con ajo licuado, con aceite de pescado maloliente, e incluso con un poco de rancias deposiciones de pollo. Esta vez se había puesto aceite de pimienta. Cada vez que, en el pasado, me había intentado destetar, se había desalentado y rendido cuando yo caía al suelo como si me hubiera muerto de repente. Y esta vez yo estaba en el suelo esperando que ella fuera a lavarse los pezones, como siempre había hecho en las ocasiones anteriores. Unas escenas del terrorífico sueño que había tenido aquella noche comenzaron a desplegarse ante mis ojos: Madre se había rebanado uno de los pechos y lo había tirado al suelo:

«¡Vamos, sigue mamando! —me había dicho—. ¡Sigue mamando!».

Un gato negro había llegado corriendo, lo había cogido con la boca y se lo había llevado a toda velocidad.

Madre me recogió del suelo y me sentó con fuerza cerca de la mesa del comedor. Tenía una expresión muy seria en la cara.

—¡Puedes decir lo que quieras, pero esta vez voy a destetarte! —me dijo con firmeza—. ¿O es que tienes pensado tomar el pecho hasta que me dejes hecha un trozo de leña seca? ¿Es ése tu plan, Jintong?

El pequeño Sima, Sha Zaohua y mi octava hermana, Yunü, estaban sentados alrededor de la mesa, comiendo fideos. Se volvieron hacia mí y me echaron unas miradas burlonas. Shangguan Lü estaba sentada sobre un saco de ceniza que había junto a la cocina, mirándome. Su piel, agitada por el viento, se parecía al papel higiénico rugoso y áspero. El pequeño Sima cogió un largo y ondulante fideo con sus palillos, lo sacó del cuenco y lo mantuvo en el aire, intentando impresionarme. Después, como si fuera un gusano, el fideo se metió, serpenteando, en su boca. ¡Qué asco!

Madre colocó en la mesa un cuenco lleno de fideos humeantes y me pasó un par de palillos.

—Aquí tienes. Come —me dijo—. Prueba estos fideos que ha hecho tu sexta hermana.

Sexta Hermana, que estaba dándole de comer a Shangguan Lü junto a la cocina, se dio la vuelta y me echó una mirada hostil.

—A tu edad —me dijo—, y todavía tomas el pecho. ¡No tienes remedio!

320

Yo le tiré el cuenco lleno de fideos.

Ella dio un salto. Estaba toda cubierta de fideos serpenteantes.

—Madre —gruñó—, ¡mira cómo lo has malcriado!

Madre me dio un golpe en la cabeza. Yo salí corriendo y me lancé sobre Sexta Hermana, clavándole mis garras en los pechos. Podía oírlos protestando, como pollitos mordidos por las ratas. Ella se retorcía de dolor, pero yo no la soltaba por nada del mundo. Su rostro alargado y delgado tomó un color amarillento.

—Madre —gritó—. ¡Mira lo que hace, Madre!

Madre me golpeó en la cabeza.

—¡Cerdo! —me insultó—. ¡Pequeño y sucio cerdo!

Perdí la conciencia.

Cuando me desperté, tenía un dolor de cabeza terrible. El pequeño Sima seguía jugando con los fideos, sin preocuparse lo más mínimo por lo que estaba sucediendo a su alrededor. Sha Zaohua levantó la vista desde detrás de su cuenco, con la cara llena de fideos, y me observó tímidamente. Yo no pude evitar sentir que me miraba con respeto. Sexta Hermana, con los pechos doloridos, estaba sentada lloriqueando en el umbral de la casa. Shangguan Lü me dirigía una mirada maligna. Mi madre, que parecía a punto de explotar de lo enfadada que estaba, contemplaba todos los fideos que yo había tirado por el suelo.

—¡Pequeño bastardo! ¿Crees que estos fideos nos caen del cielo? —Pescó un puñado de fideos, no, lo que pescó fue un nido de gusanos ondulantes, y me apretó la nariz, cerrándomela, para obligarme a abrir la boca y meterme los gusanos dentro—. ¡Cómetelos, cómetelos todos! ¡Has mamado hasta el tuétano de todos mis huesos, pequeño monstruo!

Yo vomité todo, me liberé de sus brazos y salí corriendo al patio.

Shangguan Laidi estaba fuera. Todavía tenía puesto el abrigo negro que no era de su talla y que no se había quitado en cuatro años. Estaba agachada por la cintura, afilando un cuchillo en una piedra. Me lanzó una sonrisa amistosa, pero poco después su expresión cambió.

—Esta vez lo mataré, seguro —dijo, apretando los dientes—. Ha llegado su hora. Este cuchillo está más afilado que el viento del Norte, y más frío, y voy a asegurarme de que comprenda que los asesinos pagan sus crímenes con la vida.

Yo no estaba de humor para hacerle ningún caso. Todo el mundo asumía que había perdido la cabeza, pero yo sabía que en realidad ella fingía su locura, aunque no sabía para qué lo hacía. Aquella vez en el ala oeste, donde ella se había instalado, se sentó en lo más alto de la piedra del molino con las piernas colgando, cubiertas con la túnica negra. Me contó cómo era formar parte de la banda de Sha Yueliang, siempre merodeando, siempre al acecho, y que había vivido como una reina, y todas las cosas extrañas y maravillosas que había visto. Había tenido una caja que cantaba y un cristal que le podía acercar los objetos más distantes hasta que los tenía delante de sus narices. En aquella época me parecía que todo eso era una locura, pero no pasó mucho tiempo hasta que yo también pude ver una de esas cajas que cantaban, cuando Shangguan Pandi trajo una a casa. Durante su estancia con el batallón de demoliciones, había vivido una vida de tranquilidad y confort y había engordado, como consecuencia de ello, hasta ponerse como una yegua preñada. Colocó con cuidado el objeto, adornado con unas flores de bronce, sobre el *kang*, y dijo llena de orgullo:

—Venid aquí, todos. ¡Os vais a quedar con la boca abierta! —Quitó la tela roja que la envolvía y mostró el secreto de la caja. Primero hizo girar varias veces una manecilla, y después dijo, con una sonrisa misteriosa—: Escuchad, así es como suenan los extranjeros cuando se ríen.

El sonido que salió de la caja en ese momento nos dejó casi aterrorizados. La risa del extranjero sonaba como los llantos de los fantasmas de los relatos que nos habían contado.

—¡Saca esa cosa de aquí! —exigió Madre—. ¡Ahora mismo! ¡No quiero tener una caja de fantasmas en esta casa!

—Madre —le dijo Shangguan Pandi—, tu cerebro está demasiado chapado a la antigua. Esto es un gramófono, no una caja de fantasmas.

Desde el patio llegó la voz de Laidi, diciendo:

—La aguja está gastada. Hay que ponerle una nueva.

—Señora Sha —dijo sarcásticamente Quinta Hermana—, no hace ninguna falta que vengas aquí a pavonearte. ¡Eres una maldita zorra! —añadió llena de odio—. Tendrían que haberte fusilado, y lo hubieran hecho si no llega a ser por mí.

—¡Yo podría haberlo matado, y es lo que habría hecho si no me hubieras dicho que me detuviera! —dijo Primera Hermana—. Quiero que todos la miréis. ¿Os parece que es una jovencita virginal? Ese tal Jiang le ha mordisqueado sus enormes pechos hasta que los dejó como un par de nabos secos.

—¡Chaquetera, mierda de perro, chaquetera! —Instintivamente, Quinta Hermana se protegió los pechos, que comenzaban a declinar, con los brazos, y siguió con los insultos—: ¡Hedionda esposa de un chaquetero mierda de perro!

—¡Fuera de aquí, las dos! —dijo Madre, enfurecida—. Salid de aquí, id a moriros a cualquier parte, no quiero veros nunca más!

Ese episodio me insufló un cierto respeto por Shangguan Laidi. Estaba relajándose junto al abrevadero del burro, donde habían crecido unas pajas, y me dijo, con un tono de voz muy amistoso:

—¡Pequeño idiota!

—¡No soy idiota! —me defendí.

—Bueno, yo creo que sí lo eres. —Se levantó súbitamente el abrigo negro, levantó las piernas muy arriba y me dijo, con un tono de voz suave—: ¡Mira esto! —Un rayo de sol iluminó sus muslos, su vientre y sus pechos, semejantes a las tetas de una cerda—. Ven aquí. —Vi que me sonreía desde el otro extremo del abrevadero—. Ven aquí y toma de mi pecho. Madre le dio el pecho a mi hija, así que yo te lo daré a ti, y así nadie estará en deuda con nadie.

Me dirigí nerviosamente hacia el abrevadero, donde ella se había arqueado como una carpa en el momento de saltar. Ella me agarró por los hombros y me cubrió la cabeza con la mitad inferior de su abrigo negro. El mundo se oscureció para mí. Y en esa oscuridad comencé a tantear con las manos, curioso y tenso, fascinado por el misterio.

—Aquí, más aquí. —Su voz sonó muy lejana—. Pequeño idiota. —Me metió uno de sus pezones en la boca—. Vamos, empieza a mamar, cachorrito. No eres un verdadero Shangguan. Eres un pequeño bastardo híbrido.

La amarga tierra que tenía en el pezón empezó a fundirse dentro de mi boca. El sudor de su axila casi me asfixia. Yo sentía que me estaba ahogando, pero ella me cogió la cabeza con las manos y apretó su cuerpo contra el mío, como si quisiera introducir hasta el final su pecho grande y duro en mi boca. Cuando ya no pude soportarlo más, le mordí el pezón. Poniéndose en pie de un salto, me empujó hacia abajo; yo me deslicé por su cuerpo hasta salir de debajo del abrigo, y me quedé acostado, acurrucado, a sus pies, esperando el golpe que sabía que tendría que llegar. Las lágrimas recorrieron sus mejillas morenas y huesudas. Sus pechos se alzaron bajo el abrigo negro, y desplegaron sus maravillosas plumas, hasta que parecían dos palomas que acabaran de emparejarse.

Arrepintiéndome de lo que había hecho, estiré un brazo para tocar el dorso de su mano con un dedo. Ella levantó la mano y me acarició el cuello.

—Hermanito bueno —me dijo suavemente—, no le cuentes a nadie lo que ha pasado hoy. —Yo asentí con convencimiento—. Voy a compartir un secreto contigo —me dijo—. Mi marido se me apareció en un sueño para decirme que no está muerto. Su alma se ha unido al cuerpo de un hombre rubio, de piel clara.

Este encuentro secreto con Laidi hizo que mi imaginación se disparara mientras me iba caminando calle abajo, donde un escuadrón de cinco soldados de demoliciones corría como si estuvieran enajenados. En sus rostros había una expresión de éxtasis. Uno de ellos, un hombre gordo, me hizo un gesto.

—¡Oye, pequeño amigo, los diablos japoneses se han rendido! Vete a casa y dile a tu madre que Japón se ha rendido. ¡La Guerra de Resistencia ha terminado!

Por la calle vi un montón de soldados aullando de alegría, y cantando, y saltando por todas partes, y entre ellos había también unos cuantos civiles. Era el año 1945. Los diablos japoneses se habían rendido y a mí me habían quitado el pecho. Laidi me había ofrecido el suyo, pero no había leche en él, y su pezón estaba cubierto por una capa de tierra fría y maloliente. Sólo pensar en ello me hacía sentir triste. Mi tercer cuñado, el mudo, salió corriendo a la calle por la puerta del norte llevando consigo al hada-pájaro. Madre lo había expulsado de nuestra casa, al igual que al resto de los soldados de su unidad, tras la muerte de Sha Yueliang, así que él los había instalado en su propia casa y el hada-pájaro se había ido con él. De todas maneras, a pesar de que se habían ido a vivir lejos, los desvergonzados chillidos que soltaba el hada-pájaro brotaban con mucha frecuencia de la casa del mudo, a altas horas de la noche, y conseguían llegar hasta nuestros oídos. Ahora la traía hacia donde estábamos nosotros. Ella yacía entre sus brazos con el vientre hinchado, vestida con un abrigo blanco que parecía haber sido cortado con el mismo patrón que el abrigo negro de Laidi; lo único que los diferenciaba era el color. Al ver el abrigo del hada-pájaro me acordé del abrigo de Laidi, que a su vez me recordó a los pechos de Laidi, y estos me recordaron a los pechos del hada-pájaro. Entre las mujeres de la familia Shangguan, los pechos del hada-pájaro merecían ser considerados de primera categoría. Eran delicados, encantadores, alegres, y acababan en unos pezones que se elevaban ligeramente hacia el cielo, vivaces como el hocico de un erizo. ¿Decir que los pechos del hada-pájaro eran de primera categoría significa, acaso, que los de Laidi no lo eran? Sólo puedo dar una respuesta vaga. Desde el momento en que tomé conciencia de lo que sucedía a mi alrededor, descubrí que hay una amplia variedad de formas de la belleza en lo que a pechos se refiere. Y a pesar de que uno no debería nunca decir muy a la ligera que un determinado par es feo, se puede decir con mucha facilidad que un par de pechos es hermoso. Los erizos, a veces, son hermosos, y lo mismo pasa con los cachorros de cerdo. El mudo dejó al hada-pájaro en el suelo justo delante de mí. ¡*Ah-ao, ah-ao!* Agitó su inmenso puño, que era del tamaño del casco de un caballo, frente a mi nariz, pero amistosamente. Yo lo entendí. Los ¡*ah-ao, ah-ao!* que soltaba significaban lo mismo que «¡los diablos japoneses se han rendido!». Se lanzó calle abajo como un toro.

El hada-pájaro estiró la cabeza y me miró. Su vientre era terriblemente grande, como el de una gigantesca araña. «¿Y tú qué eres, una tórtola o un ganso salvaje?», dijo gorjeando. Tal vez me lo estuviera preguntando, tal vez no. «Mi pájaro voló. ¡Mi pájaro se fue volando!». Había una expresión de pánico en su rostro. Yo señalé la calle. Ella desplegó los brazos, pisó fuerte el suelo con sus pies desnudos y, con un gorjeo, salió corriendo hacia la calle. Avanzaba a gran velocidad. ¿Cómo podía ser que fuera tan rápido con un vientre tan inmenso? Si no hubiera sido por aquel vientre, probablemente habría levantado el vuelo. Fue corriendo por la calle y se mezcló entre la multitud como un poderoso avestruz.

Quinta Hermana llegó a casa a todo correr. También estaba embarazada, y sus protuberantes pechos habían goteado en su uniforme gris. En contraste con el hada-pájaro, corría muy torpemente. El hada-pájaro desplegaba los brazos al correr; Quinta Hermana corría sujetándose la tripa. Quinta Hermana estaba jadeando, falta de aliento, como una yegua que ha tirado de una carreta colina arriba. Pandi era la más rolliza de todas las hijas de la familia Shangguan, y también era la más alta. Tenía unos pechos salvajes, furiosos e intimidatorios que, cuando se bamboleaban, hacían *peng-peng*, como si estuvieran llenos de gas. El rostro de Primera Hermana estaba cubierto con un velo negro, y ella llevaba puesto su negro abrigo. En la oscuridad de la noche, había entrado en el recinto de la familia Sima, trepando desde una acequia cercana, y había ido siguiendo el olor del sudor hasta una habitación brillantemente iluminada. Las losas que cubrían el suelo del patio estaban resbaladizas, llenas de musgo verde. Tenía el corazón en la garganta, a punto de salírsele por la boca. La mano en la que llevaba el cuchillo se le había anquilosado, y tenía una especie de regusto a pescado en la boca. Echó un vistazo a través del hueco que había en la celosía de una puerta, y lo que vio estuvo a punto de hacer que su alma saliera volando de su cuerpo y que su corazón se detuviera: una gran vela blanca, goteando cera por todas partes, brillaba con fuerza y proyectaba unas carnosas sombras que bailaban sobre las paredes. Desperdigada por el suelo de piedra estaba la ropa de Shangguan Pandi y del Comisario Jiang. Un áspero calcetín de lana se hallaba junto a una prenda de color amarillo albaricoque. Pandi, desnuda como vino al mundo, estaba despatarrada sobre el moreno y huesudo cuerpo de Jiang Liren. Primera Hermana irrumpió en la habitación, pero dudó cuando bajó la mirada y vio las nalgas levantadas de su hermana y la hendidura en la base de su espina dorsal, que brillaba por el sudor. Su enemigo, el hombre que ella quería matar, estaba protegido. Levantando el cuchillo, gritó:

—¡Voy a mataros a los dos, voy a mataros!

Pandi rodó sobre sí misma hasta caer de la cama, y Jiang Liren agarró la manta y se abalanzó sobre Primera Hermana, tirándola al suelo. Al quitarle el velo del rostro, soltó una carcajada:

—¡Pensaba que serías tú!

Quinta Hermana estaba de pie junto a la puerta de la casa, gritando:

—¡Los japoneses se han rendido!

Me arrastró de nuevo hacia afuera, a la calle. Tenía la mano sudorosa, era un sudor ácido y salado. Detecté, además del olor del sudor ácido, el olor del tabaco. Ese olor provenía de su marido, Lu Liren. Para conmemorar la victoria sobre la Banda de Sha, en la que el Comandante Lu había sacrificado su vida heroicamente, Jiang Liren se había cambiado el nombre por el de Lu Liren. El olor de Lu Liren se diseminaba por toda la calle pasando por la mano de Quinta Hermana.

Fuera, en la calle, el batallón de demoliciones estaba entregado a una ruidosa celebración. Muchos de los soldados gritaban a pleno pulmón y chocaban unos contra otros alegremente. Uno de ellos se subió a la torre ruinosa del campanario, mientras la multitud que se había congregado abajo iba creciendo. La gente llegaba con gongs, o con cabras lecheras, e incluso haciendo girar por el aire pedazos de carne envueltos en grandes hojas de loto. Una mujer con unas campanas atadas a sus pechos realmente me llamó la atención. Estaba haciendo un extraño baile que hacía que sus pechos se menearan, con lo que las campanas tañían y tañían y tañían. El gentío levantó una nube de polvo; todos gritaban hasta quedarse afónicos. El hada-pájaro, que estaba en medio de la multitud, lanzaba miradas hacia adelante y hacia atrás. El mudo levantó el puño y golpeó a un hombre que estaba a su lado. En un momento determinado, un grupo de soldados entró en el recinto de la familia Sima; al cabo de unos momentos, volvieron a salir llevando a Lu Liren sobre sus cabezas. Lo lanzaban al aire; llegaba tan alto como las copas de los árboles cercanos, y cuando caía lo atrapaban y lo volvían a lanzar hacia arriba... *¡Hai-ya! ¡Hai-ya! ¡Hai-ya!* Quinta Hermana, sujetándose la tripa y llorando, gritaba: «¡Liren! ¡Liren!». Intentó colarse entre los soldados, pero no lo consiguió.

El Sol cruzó rápidamente el cielo, aparentemente atemorizado por el alboroto que se había armado abajo, y se apoyó en el suelo y se puso a descansar sobre los árboles que crecían en una colina de arena. Ahora se le veía más relajado, y estaba de color rojo brillante, inflamado y sudoroso; echaba vapor y jadeaba como un anciano mientras observaba a la multitud en la calle.

Primero cayó un hombre sobre el polvo. Después cayeron otros. Lentamente, el polvo fue volviendo a posarse sobre la tierra, y cubrió los rostros y las manos de los hombres, y sus uniformes manchados de sudor. Había una serie de hombres, todos tirados, yaciendo rígidamente en el polvo bajo los rayos del sol. Cuando llegó el crepúsculo, soplaron unas brisas frescas procedentes de los pantanos y los cañaverales, que trajeron el penetrante silbido de un tren que atravesaba el puente. La gente levantó las orejas para escuchar. O tal vez yo fuera el único que lo hizo. Habíamos ganado la Guerra de Resistencia, pero a Shangguan Jintong lo habían desposeído de sus amados pechos. Pensé en la muerte. Tenía ganas de tirarme a un pozo, o al río.

Entre la multitud, una persona que tenía puesta una chaqueta de color caqui surgió lentamente del polvo. Estaba a cuatro patas y empezó a clavar las garras en la tierra, frente a ella, desenterrando algo del mismo color que su chaqueta, del mismo color que todas las demás cosas que había ahí, en la calle. Desenterró uno y luego otro. Hicieron unos ruidos como si fueran salamandras gigantes. En el medio de la celebración por haber obtenido la victoria en la Guerra de Resistencia, Tercera Hermana, el hada-pájaro, había traído una pareja de gemelos al mundo.

El hada-pájaro y sus bebés me hicieron olvidarme momentáneamente de mis problemas. Lentamente me fui acercando a ella para echarles un vistazo a mis nuevos sobrinos. No tuve más remedio que pisarles las piernas a algunos de los hombres que yacían en medio de la calle, y la cabeza a otros. Finalmente, me acerqué lo suficiente como para poder verles la piel, arrugada en la cara y en el cuerpo, a esos dos pequeños tipejos de color terroso. Eran calvos como un par de exuberantes calabazas verdes. Al llorar con la boca completamente abierta emitían unos suspiros terroríficos, y por alguna razón incomprensible me imaginé que sus cuerpos estaban cubiertos con una gruesa capa de escamas de pescado. Di un paso atrás y, al hacerlo, le pisé la mano a un soldado sin darme cuenta. Pero en lugar de darme un golpe, o de gritarme, se limitó a soltar un suave gruñido y a incorporarse con lentitud hasta quedar sentado. Después, se puso en pie muy despacio, y cuando se limpió el polvo de la cara vi que se trataba de Lu Liren, el marido de Quinta Hermana. Estaba buscando a su esposa, que se esforzaba por incorporarse y sentarse sobre el césped, junto al muro. Ella salió corriendo hacia él, le envolvió la cabeza entre sus brazos y se puso a frotársela frenéticamente.

—¡Hemos ganado, hemos ganado, la victoria es nuestra! Llamaremos a nuestro hijo Shengli: Victoria —dijo Quinta Hermana.

Para entonces, el Sol ya estaba agotado, como un hombre que está a punto de terminar su jornada de trabajo y de irse a dormir un poco. La luna escupía unos rayos de luz muy clara, que le daban el aspecto de una viuda anémica y sin embargo hermosa. Pasando un brazo alrededor de Quinta Hermana, Lu Liren comenzó a alejarse justo cuando Sima Ku entraba en la aldea a la cabeza de su batallón antijaponés.

Este batallón estaba formado por tres compañías. La primera compañía era la caballería, consistente en sesenta y seis caballos de raza cruzada, mitad de Xinjiang y mitad de Mongolia, y sus jinetes, todos ellos armados con ametralladoras de fabricación americana. A continuación venía la compañía de las bicicletas, consistente en sesenta y seis bicicletas marca Camel, cuyos conductores portaban armas alemanas. En tercer lugar estaba la compañía de las mulas, consistente en sesenta y seis mulas poderosas y veloces y sus jinetes, todos ellos armados con carabinas japonesas M-38. También había una pequeña unidad especial, consistente en trece camellos que llevaban el equipamiento necesario para reparar bicicletas, así como piezas sueltas, además de herramientas para reparar armas, piezas sueltas y municiones. También llevaban a Sima Ku y a Shangguan Zhaodi, así como a sus hijas, Sima Feng y Sima Huang. Montado sobre el lomo de otro camello más iba un americano llamado Babbitt. Sobre el último de los camellos iba Sima Ting, moreno de piel, vestido con unos pantalones militares y una camiseta de satén color lavanda y con cara de pocos amigos.

Babbitt, que tenía los ojos de un color azul suave, el pelo fino y rubio y los labios muy rojos, llevaba una chaqueta de cuero rojo sobre unos pantalones de algodón pesado, con múltiples bolsillos, y unas botas de piel de ciervo. Su aspecto era totalmente excepcional, e iba sentado en lo más alto del lomo de su camello, moviéndose hacia adelante y hacia atrás, cuando entró en la aldea con Sima Ku y Sima Ting.

El batallón de Sima Ku llegó a la aldea como un remolino. Los seis caballos de la primera línea eran negros, y los montaban guapos y jóvenes soldados vestidos con ropa de lana de color caqui. A sus botones de cobre les habían sacado tanto brillo que resplandecían, y lo mismo pasaba con sus botas de montar, las ametralladoras que llevaban en la mano y los cascos que tenían puestos en la cabeza. Incluso los negros flancos de sus caballos resplandecían. Los caballos fueron reduciendo la velocidad a medida que se aproximaban al lugar en el que los soldados yacían despatarrados sobre la tierra. Mantenían la cabeza alta y se encabritaron cuando sus jinetes empezaron a disparar sus armas contra el cielo cada vez más oscuro, una chispeante ristra de balas de fogueo que percutía en nuestros oídos y hacía que las hojas cayeran planeando lentamente hasta el suelo. Lu Liren y Shangguan Pandi se asustaron por el ruido de los disparos y se separaron un paso.

—¿A qué unidad pertenecéis? —preguntó Lu Liren, levantando la voz.

—A la unidad de tu abuelo —le respondió uno de los jinetes.

Sus palabras todavía resonaban en el aire cuando una lluvia de balas de fusil pasó casi rozando la cabeza de Lu Liren. Se lanzó al suelo y quedó despatarrado en una posición muy poco elegante, pero rápidamente se volvió a poner de pie y gritó:

—¡Soy el comandante y comisario político del batallón de demoliciones, y exijo ver al oficial que esté al mando!

Su grito fue sofocado por otra lluvia de balas que cayó sobre el espacio abierto que había alrededor de ellos. Los soldados del batallón de demoliciones se pusieron en pie tambaleándose. Los jinetes lanzaron a sus caballos hacia adelante, rompiendo filas para acabar con la confusión que reinaba entre la multitud que se encontraba en la calle. Los caballos eran pequeños y extremadamente ágiles. Cuando avanzaban, pisando a algunos de los hombres que todavía yacían en el suelo y embistiendo contra los que ya se habían levantado, parecían un grupo de gatos en busca de alguna presa, con sus flexibles cuerpos al acecho. En cuanto el primer contingente de caballería hubo pasado, los demás los siguieron, pisándoles los talones. A su paso, impactaban contra los soldados que estaban ahí de pie y los mandaban dando vueltas y chocándose entre ellos. Todo eso iba acompañado por un coro de gritos de pánico. Parecían árboles que, por estar enraizados en el suelo, no tuvieran más remedio que permanecer quietos y recibir los golpes. Incluso después de que hubieran pasado todos los caballos, la gente que seguía en la calle no estaba completamente segura de qué era lo que acababa de suceder. Entonces llegó la compañía de las mulas. Avanzaban al paso, en ordenadas filas, y también resplandecían; sus jinetes iban sentados orgullosamente, con las armas preparadas. Entretanto, la caballería había cerrado filas y volvía a la carga, aplastando a los maltrechos grupos de gente que había quedado en la calle entre las dos compañías. Algunos de los soldados más astutos intentaron escaparse por las pequeñas callejuelas perpendiculares a la calle, pero sus vías de escape fueron bloqueadas con rapidez por los miembros de la compañía de las bicicletas, todos vestidos con ropas de civil de color violeta y montados en sus bicicletas marca Camel. Dispararon sus armas alemanas a los pies de los que pretendían huir, levantando un montón de polvo que les llegó a la cara y los hizo volver a toda velocidad hasta el medio de la calle principal. Antes de que pasara mucho tiempo, todos los oficiales y soldados del batallón de demoliciones habían quedado encerrados, como un rebaño en su redil, enfrente de la puerta de la Casa Solariega de la Felicidad. Los soldados de la compañía de las mulas recibieron la orden de desmontar y colocarse a un lado, abriendo así un espacio para que aparecieran sus jefes. Los soldados del batallón de demoliciones miraban fijamente al lugar por donde debían llegar; lo mismo hacían los desgraciados ciudadanos que habían quedado atrapados con ellos. Yo tuve la premonición de que estos recién llegados tendrían alguna clase de conexión con la familia Shangguan.

El Sol casi había desaparecido bajo la colina de arena, dejando sólo un reborde rosáceo alrededor de las melancólicas copas de los árboles. Unos cuervos de un color entre dorado y rojizo volaban rápidamente hacia adelante y hacia atrás por encima de las cabañas de barro de los forasteros, y los murciélagos llevaban a cabo una exhibición de vuelo aprovechando los brillantes fulgores del crepúsculo. El silencio reinante era señal de que los jefes llegarían en cualquier momento.

«¡Victoria! ¡Victoria!». El poderoso grito anunció la llegada de los jefes. Vinieron desde el Oeste, montados en camellos adornados con guirnaldas de satén rojo.

Sima Ku llevaba un uniforme de lana color verde aceituna y, sobre la cabeza, una gorra militar ladeada, que él llamaba la gorra del burro. De su pecho colgaba un par de medallas del tamaño de cascos de caballo, un cinturón plateado donde llevaba las municiones colgaba de su cintura, y también llevaba una cartuchera con una pistola sobre el lado derecho de la cadera. Su camello levantó la cabeza, sacó hacia afuera sus lascivos labios, levantó sus orejas de perro de peluche y entrecerró los ojos, que estaban rodeados por larguísimas pestañas. Sacudiendo sus cascos ungulados, haciendo girar su cola serpenteante y apretando las nalgas, se abrió paso entre las mulas como un barco lo haría entre las olas, con Sima Ku de orgulloso timonel. Estiró las piernas, con sus magníficas botas de montar de cuero, sacó pecho, se reclinó levemente hacia atrás y levantó una mano, envuelta en un guante blanco, para colocarse mejor su gorra de burro. Su aseado rostro tenía una expresión de dureza que estaba más allá de toda descripción; los lunares rojos de su mejilla parecían hojas de arce después de una helada. Era un rostro que parecía haber sido tallado de un bloque de madera de sándalo rojo y después barnizado con tres capas de aceite de árbol de tung, anticorrosivo e impermeable. Los soldados de a caballo y los que iban montados en mulas dieron una palmada en las culatas de sus armas y gritaron al unísono.

Inmediatamente detrás del camello de Sima Ku apareció otro, el que llevaba a su esposa, Shangguan Zhaodi. No había cambiado mucho durante los años que habían pasado desde que la habíamos visto por última vez. Estaba igual de fresca y de hermosa, con un aspecto tan dulce como siempre. Sobre los hombros llevaba una túnica de seda blanca, y debajo una chaqueta de satén amarillo y unos pantalones de seda rosa muy amplios. En los pies llevaba unos minúsculos zapatos de cuero marrón. Unos brazaletes de jade de un intenso color verde decoraban cada una de sus muñecas, y ocho anillos adornaban sus dedos. De los lóbulos de sus orejas colgaban unas exuberantes uvas verdes; más adelante, yo me enteraría de que estaban hechas de jadeita.

No debo olvidarme de mis dos honorables sobrinas. Iban montadas en un tercer camello, detrás de Zhaodi. Dos gruesas cuerdas que pasaban entre las jorobas conectaban dos sillas de montar tejidas con ramas enceradas. La chica que iba en la silla de la izquierda, con el pelo lleno de flores, era Sima Feng. La que iba en la de la derecha, también con el pelo lleno de flores, era Sima Huang.

El siguiente en entrar en mi campo de visión fue el americano, Babbitt. Yo no tenía ni idea de qué edad tendría, pero la luz de la vida brillaba en sus ojos verdes y gatunos, que sólo podían ser los de un hombre joven, los de un gallo apenas suficientemente mayor como para montar una gallina. Llevaba una llamativa pluma en la gorra, y aunque se balanceaba acompasadamente con los movimientos de su camello, su posición nunca dejaba de ser erecta, como un niño tallado en madera, atado a un flotador y lanzado al río. Yo estaba impresionado, incluso desconcertado. Más adelante, cuando nos enteramos de quién era, me di cuenta de que montaba en camello como si estuviera en la cabina de un avión. Era piloto de las fuerzas aéreas norteamericanas, y había aterrizado con su camello bombardero en la calle principal del Gaomi del Noreste, a la hora del crepúsculo.

Sima Ting venía en último lugar. A pesar de que era miembro de la gloriosa familia Sima, llevaba la cabeza gacha y tenía un aspecto muy desanimado. Su camello, un animal con pinta polvorienta, cojeaba de una pata.

Lu Liren se recompuso y se acercó al camello de Sima Ku para dedicarle un arrogante saludo.

—Comandante Sima —le dijo—, permítame que le dé la bienvenida, a usted y a sus hombres, en calidad de huéspedes de nuestro cuartel general, en este día de júbilo nacional.

Sima se rió tan fuerte que se balanceó de derecha a izquierda hasta que estuvo a punto de caerse al suelo. Dio un golpe en la peluda joroba que tenía delante y dijo a las tropas que tenía a su lado, montadas en sus mulas, y a la multitud en general, que estaba enfrente de él y a su espalda:

—¿Habéis oído la gilipollez que me acaba de decir? ¿Cuartel general? ¿Invitados? ¡Tú, miserable camello de campo! Ésta es mi casa, la tierra de mi linaje. ¡Cuando yo nací, la sangre de mi madre empapó esta misma calle! Vosotros sois un puñado de garrapatas; habéis estado chupando la sangre de nuestro Concejo de Gaomi del Noreste hasta dejarlo seco. ¡Ya es hora de que os vayáis de aquí de una vez! Corred a esconderos en vuestras conejeras, que yo voy a recuperar mi casa.

Fue un discurso lleno de pasión. Los sonidos que empleó fueron ricos y variados. Enfatizaba cada una de las frases dándole un golpe a la joroba de su camello, y con cada uno de los golpes, el cuello del camello se retorcía y los soldados rugían. Además, con cada uno de los golpes, el rostro de Lu Liren empalidecía un poquito más. Finalmente, el camello, que ya no podía aguantar más provocaciones, se echó hacia atrás, enseñó los dientes y lanzó a través de la nariz algo repulsivo y pegajoso que fue a impactar sobre la cara pálida de Lu Liren.

—¡Protesto! —gritó Lu Liren, exasperado, mientras se limpiaba el moco de la cara—. ¡Protesto enérgicamente! ¡Voy a presentar una queja ante la máxima autoridad!

—En este lugar —dijo Sima Ku—, la máxima autoridad soy yo, y te comunico que tú y tus hombres tenéis media hora para iros de Dalan. Si después de ese tiempo seguís aquí, emplearé mis armas contra vosotros.

—Un día de estos —dijo fríamente Lu Liren—, recogerás con amargura lo que has sembrado.

Ignorando a Lu Liren, Sima Ku ordenó a sus tropas:

—Escoltad a nuestros amigos hasta que salgan de aquí.

Las compañías de caballos y mulas cerraron filas y se desplazaron de Este a Oeste. Los soldados del batallón de demoliciones fueron conducidos hacia el camino que llevaba a nuestra casa. Un centinela armado, vestido de civil, hacía guardia de pie, cada pocos metros, a ambos lados de la ruta. Otros habían tomado posiciones sobre los tejados de las casas.

Una media hora después, la mayor parte de los integrantes del batallón de demoliciones estaba trepando a la orilla del otro lado del Río de los Dragones. Estaban completamente empapados, y en sus rostros brillaba la fría luz de la luna. Las tropas que quedaban se aprovecharon de la confusión que reinaba en el río, bien para escaparse al bosque cercano, bien para dejarse arrastrar por la corriente río abajo hasta estar lo suficientemente lejos como para trepar a la orilla sin que nadie los viera, escurrir la ropa y partir hacia su hogar en la oscuridad de la noche.

Unos cien soldados, más o menos, del batallón de demoliciones, estaban de pie al otro lado del río como pollitos mojados. Se miraban unos a otros, algunos llorando, otros secretamente satisfechos. Después de observar a sus tropas desarmadas y abatidas, Lu Liren dio unas vueltas y salió corriendo hacia el río, con la intención de ahogarse. Pero sus tropas lo atraparon y no estaban dispuestas a permitirle que lo hiciera, por lo que se quedó de pie, en la ribera, sumido en profundos pensamientos durante unos cuantos minutos hasta que levantó la vista y gritó, a través del río, hacia la ruidosa multitud que había al otro lado:

—¡Sima Ku, Sima Ting, preparaos! ¡Algún día volveré para vengarme! ¡El Concejo de Gaomi del Noreste no es vuestro, nos pertenece a nosotros! ¡Hoy lo controláis vosotros, pero llegará el día, cuando ya todo haya sido dicho y hecho, en que sea nuestro de nuevo! Bueno, dejemos que Lu Liren y sus hombres se retiren a lamerse las heridas. Yo tenía mis propios problemas y me tenía que ocupar de ellos. Pensé si prefería ahogarme en el río o en un pozo, y me decidí por el río, porque había oído que los ríos desembocan en el océano. Aquel año en el que el hada-pájaro había mostrado sus poderes por primera vez, una docena de barcos de doble mástil, más o menos, había llegado navegando por el río.

Contemplé a los soldados del batallón de demoliciones esforzándose por cruzar el río bajo la fría luz de la luna. Salpicando, hundiéndose, arrastrándose, agitaban las aguas del río, enviando olas en todas las direcciones. Las tropas de Sima no eran tacañas con sus municiones. Dispararon sus armas sobre el río, batiendo el agua como si quisieran ponerla a punto de nieve. Si hubieran querido acabar con el batallón de demoliciones, habría sido tan fácil como dispararle a un pez en un barril. Pero lo que en realidad querían era asustarlos, por lo que solamente mataron o hirieron a una docena de hombres, más o menos. Unos años más tarde, cuando el batallón de demoliciones regresó luchando como una unidad independiente, todos los soldados y oficiales que tuvieron que enfrentarse a un pelotón de fusilamiento tuvieron la sensación de que el castigo no era proporcional al delito.

Vadeé el río lentamente hacia las aguas más profundas. La superficie, que estaba de nuevo en calma, reflejaba fragmentos de luz, cientos de ellos. Las algas se enredaban en mis pies. Los peces me mordisqueaban las rodillas con sus bocas pequeñas y calientes. Seguí avanzando hasta que el agua me llegaba por encima del ombligo. Sentí unos espasmos en las tripas: un hambre insoportable. Entonces, los pechos de Madre, íntimos, reverenciados e incomparablemente dotados de gracia, se me aparecieron en la mente. Pero ella se había puesto pimienta picante en los pezones, y me había insistido, una y otra vez: «Ya tienes siete años, ya es hora de que dejes de tomar el pecho». ¿Cómo es que había llegado a vivir hasta los siete años? ¿Por qué no me habría muerto antes de alcanzar esa edad? Las lágrimas resbalaron por mis mejillas y se me metieron en la boca. Realmente tenía que morir, no debía permitir que ninguna comida impura contaminara mi boca y mi tracto digestivo. Envalentonado por esa idea, di unos cuantos pasos más hacia adelante, y de repente el agua me engulló los hombros. Noté las oscuras corrientes que avanzaban a toda velocidad sobre el lecho del río. Fijé los pies en el suelo para resistir la fuerza del agua. Un remolino me atrajo hacia sí; estaba aterrorizado. Cuando la rápida corriente del río se llevó el fango que había bajo mis pies, sentí que caía a más y más profundidad, mientras era empujado hacia adelante, directamente hacia ese terrible remolino. Luché, tratando de resistirme a esa fuerza, y comencé a gritar.

Justo en ese momento escuché los gritos de Madre: «Jintong, Jintong, hijo mío... ¿dónde estás?».

Después sonó una serie de gritos de mi sexta hermana, Niandi, de Primera Hermana, Laidi, y de una voz aguda y familiar y al mismo tiempo extraña; supuse que era la voz de mi segunda hermana, la que tenía anillos en todos los dedos, Zhaodi.

Con un estremecimiento, caí hacia adelante y me tragó el remolino.

Cuando desperté, lo primero que vi fue uno de los pechos de Madre, maravillosamente erecto. El pezón me observaba con delicadeza, como un ojo lleno de amor. El otro pecho ya estaba dentro de mi boca, y yo lo recorría con la lengua y lo frotaba contra mis encías; un verdadero torrente de leche dulcísima me llenaba la boca. Sentí la fuerte fragancia del pecho de Madre. Más adelante me enteré de que Madre se había quitado el aceite de pimienta de sus pezones con el jabón de extractos de rosa que Segunda Hermana, Zhaodi, le había entregado en un acto de respeto filial, y de que también se había puesto un poco de perfume francés entre los pechos.

La habitación estaba en penumbra, apenas iluminada por la luz de una lámpara. Una docena de velas rojas, más o menos, se habían encendido en unos candelabros de plata que se colocaron sobre unos elevados altares. Me di cuenta de que había varias personas sentadas y de pie rodeando a Madre, incluyendo a Sima Ku, mi segundo cuñado, que estaba alardeando de su nuevo tesoro: un mechero que se encendía cada vez que él presionaba uno de sus extremos. El Joven Maestro Sima observaba a su padre desde una cierta distancia, indiferente, sin que se pudiera apreciar ninguna clase de intimidad entre ellos.

Madre suspiró.

—Debería devolvértelo. El pobre ni siquiera tiene nombre.

—Ya que mi nombre, Ku, significa *almacén*, llenémoslo de grano: *liang*. Lo llamaremos Sima Liang —dijo Sima Ku.

Madre dijo:

—¿Has oído? Desde ahora te llamas Sima Liang.

Sima Liang le echó una mirada de indiferencia a Sima Ku.

—Buen chico —dijo Sima Ku—. Me recuerdas a mí mismo cuando era joven. Suegra, te agradezco que hayas protegido la vida del heredero de la familia Sima. A partir de hoy, puedes dedicarte a disfrutar de la vida. El Concejo de Gaomi del Noreste está bajo nuestro control.

Madre respondió con un movimiento de cabeza que no la comprometía a nada.

—Si quieres demostrar tu amor filial —le dijo a Zhaodi—, almacena un poco de grano para mí. No quiero volver a pasar hambre en la vida.

La noche siguiente, Sima Ku organizó una gran celebración para festejar la victoria nacional en la Guerra de Resistencia y su propio regreso a su tierra natal. Se llenaron ocho árboles con un carro lleno de guirnaldas, de petardos y de fuegos artificiales, después los hombres aplastaron dos docenas de *woks* de hierro, de los que se usan para cocinar el cerdo, y desenterraron unos explosivos que habían enterrado los soldados del batallón de demoliciones. Con todo eso, construyeron un ingenio que explotaría con inmensa fuerza. Los fuegos artificiales estuvieron estallando sin interrupción a lo largo de la mitad de la noche, haciendo caer todas las hojas y las ramas más pequeñas de los ocho árboles. Los sorprendentes añicos de metal del gran ingenio iluminaron la mitad del cielo. Mataron una docena de cerdos y otra docena de vacas, y después sacaron una docena de cubas de vino de la última vendimia. Tras haber cocinado la carne, llenaron unas enormes fuentes con ella y las pusieron sobre unas mesas que habían instalado en medio de la calle. Todo el mundo podía coger todo lo que quisiera empleando unas bayonetas que había clavadas en los grandes trozos de carne. Si uno cortaba una oreja de cerdo y se la echaba a uno de los perros que merodeaban por alrededor de las mesas, nadie decía nada. Las cubas de vino estaban junto a las mesas, y al lado de cada una de ellas colgaba un cucharón. Cualquiera que quisiera un trago podía acercarse y servírselo. Y si a uno le apetecía darse un baño dentro de la cuba, a nadie le importaba. Ése fue el día de los glotones de la aldea. El hijo mayor de la familia Zhang, Zhang Qian'er, comió y bebió hasta caer muerto ahí mismo, en medio de la calle. Cuando se llevaban su cadáver, el vino y la comida se le salían por la boca y por la nariz.

Capítulo 4

I

Una tarde, un par de semanas después de que el batallón de demoliciones hubiera sido expulsado de la aldea, Quinta Hermana, Pandi, le entregó a Madre un bebé envuelto en un viejo uniforme militar.

—Madre —le dijo—, cógela.

Pandi estaba empapada; sus finas ropas se le habían pegado completamente a la piel. A mí me atraía la visión de sus pechos redondeados y altos. Su pelo emanaba el aroma cálido de la malta destilada. Sus pezones, semejantes a dátiles, se agitaban bajo su blusa, y yo apenas era capaz de contenerme para no ir a morderlos y acariciarlos. No me atrevía a hacerlo. Pandi, que siempre había tenido un temperamento muy fogoso, carecía de la delicadeza de Primera Hermana, y bastaba con muy poco para que se sintiera provocada y soltara una bofetada. Tal vez habría merecido la pena. Me alejé y me puse fuera de su vista, escondido tras un peral, mordiéndome la lengua y deseando ser un poco más valiente.

—¡Detente ahí mismo! —le gritó Madre—. ¡Y vuelve aquí!

—Madre —le dijo Pandi con un gesto de enfado—. Yo también soy hija tuya. Si puedes ocuparte de sus bebés, también podrías ocuparte del mío.

—¿Es que soy la canguro de esta familia? —le contestó Madre igualmente enfadada—. En cuanto tenéis un bebé, me lo venís a traer a mí. ¡Ni siquiera los perros hacen eso!

—Madre —dijo Pandi—. Cuando todo nos iba bien, tú disfrutaste compartiendo nuestra buena fortuna. Ahora que estamos en una racha de mala suerte, ni siquiera nuestros hijos se pueden librar. ¿Es eso? Hay que sujetar el cuenco bien, para que no se derrame el agua.

La carcajada de Primera Hermana surgió de la oscuridad, haciéndome sentir escalofríos en toda la espina dorsal.

—Quinta Hermana —dijo con una frialdad total—, puedes decirle a ese Jiang que algún día lo voy a matar.

—Primera Hermana —le contestó Pandi—. ¡Es demasiado pronto para esa clase de proclamas! Ni siquiera la muerte limpiará el nombre del chaquetero de tu marido, Sha Yueliang, así que es mejor que intentes no precipitarte, porque si lo haces, nadie va a poder salvarte.

—¡Dejad de pelearos! —gritó Madre antes de sentarse pesadamente en el suelo. Una luna grande y brillante trepó al alero de nuestro tejado e iluminó con su brillo los rostros de las chicas Shangguan, de forma que parecía que estaban cubiertas de sangre. Madre sacudió la cabeza, apenada, y se puso a sollozar—. He malgastado mi vida criando a un puñado de ingratas que me maldicen a cambio de mis esfuerzos. Salid de mi vista, todas. ¡No quiero volver a veros nunca más!

Como si fuera un fantasma, Laidi entró en el ala del lado oeste, donde comenzó a murmurar como si Sha Yueliang estuviera ahí con ella. Lingdi regresó de los pantanos como en un sueño, con un puñado de sapos croando en la mano. Entró en el recinto trepando al muro que daba al Sur.

—¿Veis? —gruñó Madre—. Unas se han vuelto locas, otras se han vuelto estúpidas. Con una vida así, ¿para qué seguir viviendo?

Madre dejó a la bebita de Quinta Hermana en el suelo y luego hizo un esfuerzo por ponerse en pie. Después dio media vuelta y se dirigió hacia la casa sin echarle ni una mirada al bebé lloroso. Sima

Liang estaba de pie, junto a la puerta, contemplando todo lo que pasaba. Madre le dio un golpe, y un coscorrón a Sha Zaohua en la cabeza al pasar a su lado.

—¿Por qué no os vais a moriros a otra parte?

Entró y cerró con un portazo. Oímos el ruido de cosas que se lanzaban y golpeaban en el interior de la casa. Lo último que escuchamos fue un golpe sordo y pesado, como si hubiera caído al suelo un saco de grano. A mí se me ocurrió que debía ser el ruido de Madre que se había dejado caer sobre el *kang* cuando se le pasó el enfado. No podía verla tumbada en el *kang*, pero me la imaginaba así: con los brazos totalmente abiertos y sus manos, hinchadas pero huesudas, apoyadas con las palmas hacia arriba; la izquierda sobre los dos hijos de Lingdi, que probablemente serían mudos, y la derecha sobre las dos caprichosas y bellísimas niñas de Zhaodi. La luz de la luna iluminaba sus pálidos labios. Sus pechos yacían, aplanados, sobre sus costillas, completamente exhaustos. Ese hueco entre ella y las hijas de Sima debería ser para mí, pero mi lugar había desaparecido al tener ella el cuerpo tan estirado.

Fuera, en el patio, la bebita que Pandi había envuelto en un raído uniforme militar gris yacía llorando en el camino que llevaba a la casa, que estaba un poco hundido en el suelo. Nadie le hacía ningún caso. Pandi dio unas vueltas alrededor de su hija y gritó salvajemente en dirección a la ventana de Madre:

—Espero que la cuides bien. ¡Llegará el día en que Lu Liren y yo regresemos en pie de guerra!

Golpeando la estera de paja que cubría el *kang*, Madre le contestó, también a gritos:

—¿Quieres que la cuide bien? Te diré lo que voy a hacer con ella: la voy a tirar al río para que se la coman las tortugas, o a un pozo para que se la coman los sapos, o a una letrina para que se la coman las moscas!

—¡Adelante, hazlo! —le dijo Pandi—. Es mi hija, y yo soy tu hija, así que es carne de tu carne y sangre de tu sangre.

Tras hacer ese comentario, Pandi se agachó para echarle un último vistazo a la bebita que seguía en mitad del camino y después se dio la vuelta y se dirigió a la calle. Cuando pasó junto al ala que daba al Oeste, se tropezó y cayó al suelo. Protestando y lamentándose, se puso en pie, se acarició los doloridos pechos e insultó hacia la puerta:

—¡Y tú, zorra, espera y verás!

Dentro de la habitación, Laidi se rió. Pandi me escupió antes de marcharse con la cabeza bien alta.

A la mañana siguiente, cuando nos despertamos, vimos a Madre que estaba ordeñando a la cabra lechera blanca para darle de comer a la bebita de Pandi, que estaba acostada en una canastilla.

En esas mañanas de primavera de 1946 sucedieron muchas cosas en la casa de la familia Shangguan. Antes de que el Sol hubiera aparecido por encima de las montañas, un resplandor delgado y casi transparente flotaba por el patio. En esos momentos, la aldea todavía estaba dormida, las golondrinas dormían en sus nidos, los grillos hacían su música en el suelo caliente de detrás de las cocinas y las vacas rumiaban junto a sus pesebres...

Madre se sentaba en el *kang* y, con un gemido lastimero, se frotaba los dedos doloridos. Con un gran esfuerzo, se echaba el abrigo por encima de los hombros e intentaba que entraran en calor sus rígidas articulaciones para poder abotonarse el vestido. Bostezaba, se frotaba la cara y abría mucho los ojos mientras los pies le colgaban al borde del *kang*. Después metía las puntas de los pies en los zapatos, bajaba al suelo, se tambaleaba un poco y se agachaba para calzárselos del todo. Entonces se sentaba en un banco que había al lado del *kang* para ver si todos los bebés dormidos estaban bien antes de salir al exterior con un cubo, a buscar agua. Llenaba el cubo echando cuatro o tal vez cinco cucharones y se iba al corral a darles de beber a las cabras.

Había cinco cabras lecheras, tres negras y dos blancas. Todas tenían la cara alargada y fina, los cuernos curvados y largas barbas. Sus cinco cabezas se juntaban cuando se ponían a beber del cubo. Madre cogía una escoba y barría sus deposiciones, haciendo con ellas un montoncito que después sacaba del corral. Luego salía a la calle en busca de tierra fresca y la esparcía por el suelo. Después de cepillar a los animales, volvía a buscar más agua para limpiarles los pezones, tras lo cual se los secaba con una toalla. Las cabras balaban satisfechas. Para entonces, el Sol ya había salido, y sus rayos, en los que se entremezclaban el rojo y el violeta, hacían que se retiraran los brillos de la neblina. Madre volvía a la habitación, cogía el *wok* y lo llenaba parcialmente de agua. «¡Niandi! —gritaba—. ¡Es hora de levantarse!». Después echaba un poco de mijo y de garbanzos verdes para que se ablandaran durante un tiempo, antes de añadir unos brotes de soja y de ponerle la tapa al *wok*. Se agachaba y avivaba el fuego de la cocina con unas pajas. *Fssss*, encendía una cerilla, dejando un rastro de humo sulfuroso a su alrededor. A su suegra, tumbada en una cama de paja, los ojos le daban vueltas en sus órbitas. «Vieja bruja, ¿todavía estás viva? ¿No va siendo hora de que te mueras?», suspiraba Madre. Las legumbres crepitaban en la cocina, llenando el aire de un agradable aroma. *¡Pop!* Un garbanzo suelto explotaba. «Niandi, ¿ya te has levantado?».

Sima Liang llegaba, con los ojos entrecerrados, del ala este, en dirección al baño. Unas volutas de humo verde salían de la chimenea. Los cubos de agua golpeaban uno contra otro; Niandi se dirigía al río, a por agua. *Baa*, hacían las cabras. *Uaa*, lloraba Lu Shengli. Sima Feng y Sima Huang sollozaban intermitentemente. Los dos niños del hada-pájaro gruñían: *Ao-ya-ya*. El hada-pájaro salía perezosamente por la puerta. Laidi estaba de pie, junto a la ventana, cepillándose el pelo. Los caballos, en la calle, relinchaban; se trataba de la compañía de caballería de Sima Ku, que se dirigía al río para que bebieran los animales. Un montón de mulas pasaba junto a la casa; se trataba de la compañía de mulas, que regresaba del río. Sonaban unos timbrazos; se trataba de la compañía de bicicletas, que realizaba sus entrenamientos. «Ven a hervir un poco de agua —le decía Madre a Sima Liang—. ¡Jintong, hora de levantarse! Baja al río a lavarte la cara». Madre llevaba fuera cinco canastillas hechas con madera de sauce, las ponía al sol y metía un bebé en cada una de ellas. «Suelta a las cabras», le decía a Sha Zaohua. La chica, muy delgada, con el pelo revuelto y los ojos todavía llenos de sueño, entraba en el corral, donde las cabras la saludaban haciendo unos amistosos movimientos con sus cabezas cornudas y le lamían la tierra que tenía adherida a las rodillas. Le hacían cosquillas con la lengua. Ella les daba unos golpecitos en la cabeza con sus minúsculas manos y las insultaba a su manera infantil: «Diablillas de rabo corto». Después de quitarles el ronzal del cuello, le daba a una de ellas un toque en la oreja. «Vamos —le decía—. Tú eres la cabra de Lu Shengli». La cabra movía la cola alegremente y de un salto se acercaba a Shengli, que estaba tumbada en su canastilla, con los brazos y las piernas levantados en el aire, llorando con desesperación. La cabra abría sus patas traseras, retrocedía hasta situarse junto a la canastilla y empujaba sus ubres contra la cara de Shengli. Sus pezones buscaban a Shengli, y Shengli buscaba los pezones de la cabra. Ambas sabían muy bien lo que tenían que hacer para satisfacerse mutuamente. Cada uno de los pezones era largo y estaba hinchado. Como una voraz barracuda, Shengli lo atrapaba con la boca y lo apretaba fuerte. Las cabras de Mudo Grande y de Mudo Pequeño, las cabras de Sima Feng y de Sima Huang, todas iban directamente hacia su dueño o su dueña y, de la misma manera, se acercaban a la boca de su bebé, sabiendo muy bien lo que tenían que hacer para que quedaran todos satisfechos. Las cabras se agachaban, con los ojos entrecerrados y las barbas temblando ligeramente.

«Ya está hirviendo el agua, abuela», le decía Sima Liang a Madre, que se encontraba fuera, lavándose la cara.

«Déjala hervir un poco más».

Las llamas envolvían la base del *wok* que estaba sobre la cocina que Viejo Zhang, el cocinero del batallón de demoliciones, había modificado. Sima Liang, que iba vestido solamente con unos pantalones, era delgado como un raíl y tenía una expresión melancólica en la mirada. Lingdi regresaba con el agua; los dos cubos de agua se balanceaban en los extremos de la pértiga que traía apoyada sobre sus hombros. Los rizos le caían hasta la cintura, en una trenza que iba atada con un bonito lazo de plástico. Las cabras iban alternando los pezones que les ofrecían a los bebés. «Comamos», decía Madre. Sha Zaohua era la encargada de poner la mesa, y Sima Liang, el de colocar los cuencos y los palillos. Madre servía las gachas: uno, dos, tres, cuatro, cinco, seis y siete cuencos. Zaohua y Yunü ponían los bancos en su lugar mientras Niandi le daba de comer a su abuela. *Slurp, slurp.* Laidi y Lingdi entraban con sus propios cuencos y se servían la comida. Sin mirarlas, Madre murmuraba: «No estáis nada locas a la hora de comer». Sus dos hijas salían a comerse las gachas en el patio.

«He oído que el decimosexto regimiento independiente va a reconquistar la aldea», decía Niandi.

«Come», le contestaba Madre.

Yo estaba de rodillas ante ella, mamando.

«Madre, lo has malcriado. ¿Piensas darle el pecho hasta que se case?».

«No sería la primera vez que pasa algo así», contestaba Madre. Yo iba pasando de un pezón al otro. «Jintong —me decía ella—. Voy a seguir hasta que te hartes». Después se volvía a Niandi. «Después del desayuno, llévate a las cabras a pastar y trae unos ajos silvestres para la comida».

Con las órdenes de Madre, la mañana llegaba a su fin.

Shengli cruzó a través del césped andando como un pato, y el suave verdor le acarició la espalda. Su cabra estaba pastando, y solamente mordisqueaba las puntas más tiernas de la hierba. Su cara, humedecida por el rocío, tenía el aspecto arrogante y desdeñoso de una joven aristócrata. Era una época caótica y ruidosa, pero en los pastos reinaban la paz y el silencio. Había flores por todas partes, y su fragancia era embriagadora. Estábamos tirados en el suelo alrededor de Niandi. Sima Liang estaba mascando un tallo de hierba, que le dejaba las comisuras de los labios llenas de un jugo verde. Sus ojos eran de color amarillo brillante, pero no había en ellos ninguna alegría. La expresión de su rostro y el movimiento que hacía al mascar le daban el aspecto de una gigantesca langosta. Sha Zaohua estaba contemplando una hormiga que, subida sobre un tallo de hierba, se rascaba la cabeza como si estuviera buscando una forma de escapar. Con la punta de la nariz, toqué unas flores doradas; su aroma me hizo cosquillas y estornudé con fuerza, cosa que asustó a Sexta Hermana, Niandi, que estaba tumbada boca arriba. Abrió los ojos de repente y me echó una mirada desagradable, frunciendo un poco los labios y arrugando ligeramente la nariz antes de volver a cerrar los ojos. Parecía que estaba cómoda, tumbada ahí, al sol. Su protuberante frente estaba brillante y despejada, sin una sola arruga a la vista. Tenía las pestañas largas y un poquito de vello sobre el labio superior, y su barbilla se lanzaba un poco hacia arriba, como si fuera en busca de algo. De todas las chicas de la familia Shangguan, sólo ella tenía unas orejas carnosas y a la vez llenas de gracia. Llevaba una blusa blanca de popelina que había heredado de Segunda Hermana, Zhaodi, una de esas que se abotonan por el frente. Su trenza se apoyaba sobre su pecho como si fuera una anguila. Ahora, por supuesto, tengo que hablar de sus pechos. Sin ser especialmente grandes, eran bien duros y todavía no se habían desarrollado por completo, por lo que conservaban su forma incluso cuando el cuerpo del que surgían estaba tumbado de espaldas. Su piel suave y clara asomaba por los huecos que quedaban entre los botones de la blusa, y yo tuve la tentación de hacerles cosquillas con un tallo de hierba, pero no me atreví. Niandi y yo nunca nos habíamos llevado bien. Ella no podía soportar que yo todavía tomara el pecho, y hacerle cosquillas en el pecho habría sido lo mismo que acariciarle el culo a un tigre. Habría sido la guerra. El que mascaba tallos seguía mascándolos, la que contemplaba hormigas seguía contemplándolas. Mientras comían, las cabras blancas tenían el aspecto de aristócratas, y las negras el de viudas. Cuando hay demasiada comida, la gente no sabe por dónde empezar; cuando hay demasiada hierba, las cabras tienen el mismo problema. *¡Achús!* ¡Así que las cabras también estornudan, y bien fuerte! Sus ubres colgaban pesadamente. Era casi mediodía. Cogí un tallo de hierba y decidí acariciarle el culo al tigre. Nadie notó mi presencia mientras me deslizaba furtivamente con el tallo de hierba, acercándome más y más a una abertura de su blusa, que estaba en tensión debido a sus protuberantes pechos. Notaba latir la sangre en los oídos y el corazón me daba saltos en el pecho como un conejo asustado. El tallo de hierba tocó su clara piel. No hubo ninguna reacción. ¿Estaría dormida?

Si era así, ¿por qué no se oía su respiración? Giré el extremo del tallo, haciendo que la otra punta se agitara. Ella movió una mano y se rascó el pecho, pero no llegó a abrir los ojos. Probablemente pensaría que se trataba de una hormiga. Yo empujé el tallo un poco más y le hice dar vueltas. Ella se dio una palmada en el pecho, cogió mi tallo de hierba y se hizo con él. Se incorporó y me clavó los ojos, sonrojándose. Yo me reí. «¡Pequeño bastardo! —me insultó—. ¡Madre te ha malcriado terriblemente!». Me echó sobre el césped y me pegó en el trasero un par de veces. «¡Pero yo no voy a seguir malcriándote!». Y echándome una mirada llena de furia, añadió: «¡Cualquier día de estos te vas a ahorcar colgándote de un pezón!».

Aterrorizados por este arrebato, Sima Liang escupió el tallo de hierba que estaba mascando y Zaohua dejó de contemplar la hormiga. Ambos me miraron, evidentemente sorprendidos, y después miraron a Niandi de la misma manera. Yo me las apañé para ponerme a llorar tímidamente, yendo hacia la galería, ya que tenía la sensación de que no me había salido tan mal la cosa. Niandi se puso de pie y sacudió la cabeza con orgullo, lanzando su trenza de un lado a otro, por detrás de la cabeza. Shengli, por aquel entonces, había logrado llegar hasta su cabra, pero ésta intentaba alejarse de ella, por lo que la agarró de un pezón. La cabra reaccionó enfadándose y dándole un golpe. No podría decir si los balidos posteriores significaban que estaba llorando o qué. Sima Liang se puso en pie de un salto y, dando una serie de fuertes gruñidos, comenzó a correr lo más rápido que pudo, asustando a una docena de langostas de alas rojas y a varios pajarillos de color terroso. Moviéndose velozmente con sus esqueléticas piernas, Zaohua fue corriendo hasta una zona donde unas flores de color violeta aterciopelado asomaban por encima de los tallos de hierba. Yo me levanté, avergonzado, di una vuelta alrededor de Niandi, me situé detrás de ella y empecé a darle golpes en la espalda.

—Pégame, ¿vale? —le grité con todas mis fuerzas—. ¿Cómo te atreves?

Sus nalgas eran tan duras y firmes que me hacía daño en las manos al golpearlas. Cuando se le agotó la paciencia, se dio la vuelta, se agachó y soltó un gruñido: abrió la boca, me enseñó los dientes, me clavó la mirada y dejó escapar un aterrorizador aullido de lobo. A mí se me ocurrió entonces que los rostros humano y canino pueden llegar a ser muy similares. Me empujó la cabeza hacia atrás, tirándome de espaldas al suelo, sobre el césped.

La cabra blanca se resistió débilmente cuando Niandi la agarró por los cuernos. Shengli se dio prisa, se deslizó debajo del animal y estiró esforzadamente la cabeza para poder llegar al pezón de la cabra y metérselo en la boca, mientras le pateaba el vientre con ambos pies. Niandi le acarició las orejas a la cabra; ésta movió dócilmente la cola. Me invadió un sentimiento de tristeza. Estaba claro que mi etapa de dependencia de la leche de Madre estaba tocando a su fin, así que tendría que encontrar algo para reemplazarla antes de que eso ocurriera definitivamente. Lo primero que me vino a la cabeza fueron esos largos y ondeantes fideos, pero ese pensamiento sólo me produjo desagrado. Y arcadas. Niandi levantó la vista y me miró con escepticismo.

—¿Qué te pasa? —me preguntó con un tono de voz que mostraba lo repugnante que yo le parecía. Yo hice un gesto con el brazo para indicarle que no podía contestar. Más arcadas. Ella soltó a la cabra—. Jintong —me dijo—, ¿cómo crees que vas a ser cuando seas mayor?

Yo no estaba seguro de adónde quería llegar.

—¿Por qué no pruebas la leche de cabra? —me preguntó. La visión de Shengli mamando ávidamente debajo de su cabra me causó una fuerte impresión—. ¿Estás decidido a ser el causante de la muerte de Madre? —Me sacudió por los hombros—. ¿Sabes de dónde viene la leche? Es la sangre de Madre lo que te estás bebiendo. Hazme caso y empieza a tomar leche de cabra.

Yo asentí sin muchas ganas.

Así que ella se acercó a la cabra negra del mudo y la atrapó.

—Ven aquí —me dijo, mientras tranquilizaba a la cabra acariciándole el lomo—. He dicho que vengas aquí. —Envalentonado gracias a la amabilidad de su mirada, probé a dar un paso hacia ella, y después otro—. Túmbate debajo de su tripa. ¿Ves cómo lo hace ella?

Entonces me acosté en el césped, echado sobre la espalda.

—Gran Mudo, échate un poco para atrás —dijo ella, empujando la cabra negra hacia atrás.

Yo miré el cielo increíblemente azul de Gaomi del Noreste. Unos pájaros dorados atravesaban volando el aire plateado, planeando en las corrientes de viento y emitiendo unos sonidos dulcísimos. En cualquier caso, mi visión quedó rápidamente tapada por las ubres de la cabra, que colgaban justo encima de mi cara. Dos grandes pezones, semejantes a insectos, temblaban al acercarse a mi boca. Se frotaron contra mis labios y, al hacerlo, el temblor aumentó, como si estuvieran intentando forzarme a abrir la boca. Me hacían cosquillas en los labios, como pequeñas descargas de electricidad, y yo me sentía inmerso en una corriente de algo que se parecía a la felicidad. Me había imaginado que las tetas de las cabras eran blandas, en absoluto elásticas, un tanto algodonosas, y que perderían su forma en cuanto me las metiera en la boca. Ahora sabía que en realidad eran flexibles y duras, muy elásticas y para nada inferiores a las de Madre. Mientras me acariciaban los labios empecé a notar algo caliente y líquido. Tenía un sabor ovejuno que pronto se volvió dulce, el sabor de los pastos y las margaritas. Mi voluntad cedió, dejé de apretar los dientes, mis labios se abrieron y la teta de la cabra se me metió rápidamente en la boca, donde empezó a vibrar llena de excitación y a soltar poderosos chorros de líquido; algunos de ellos chocaban contra los lados de mi boca, pero la mayoría se dirigía directamente a mi garganta. Estuve a punto de ahogarme. Escupí esa teta, pero otra, más rápida y decidida, ocupó su lugar.

Moviendo la cola, la cabra se alejó caminando como si nada. Los ojos se me llenaron de lágrimas. Tenía la boca llena de un sabor ovejuno y tenía ganas de vomitar, pero también me había quedado el sabor a pastos y margaritas, por lo que pronto se me pasaron las ganas de devolver. Sexta Hermana tiró de mí hasta que me puso de pie y me cogió en brazos y empezó a correr en círculos. Vi cómo por toda su cara brotaban las pecas. Sus ojos parecían piedras negras que hubieran sido extraídas del fondo de un río, limpias y brillantes. «Hermanito, mi hermanito loco —decía ella, muy excitada—, esto será tu salvación...».

—¡Madre! —gritó Sexta Hermana—. ¡Madre, Jintong ha bebido leche de cabra! ¡Ha bebido leche de cabra!

Desde el interior de la casa llegó el sonido de un aplauso.

Madre dejó caer el rodillo manchado de sangre al lado del *wok*, abrió enormemente la boca y trató de recuperar el aliento; su pecho subía y bajaba con violencia. Shangguan Lü estaba acostada junto a un montón de paja, con un agujero en la cabeza del tamaño de una nuez. Octava Hermana, Yunü, estaba acurrucada al lado de la cocina. Le faltaba un trozo de oreja, como si se la hubiera mordido una rata; la sangre todavía rezumaba, manchándole las mejillas y el cuello. Gritaba con todas sus fuerzas, y de sus ojos ciegos brotaba un flujo constante de lágrimas.

—¡Madre, has matado a la abuela! —Sexta Hermana se estremeció, horrorizada.

Madre se acercó y le tocó la herida a la abuela. Después, como si le hubieran dado una descarga eléctrica, cayó al suelo sentada.

II

Como invitados especiales que éramos, subimos a la Montaña del Buey Reclinado por la ladera llena de césped que daba al Sudeste. Íbamos a contemplar una demostración a cargo del Comandante Sima Ku y del joven americano Babbitt. El viento del Sudeste soplaba bajo un cielo soleado cuando Laidi y yo ascendíamos a la montaña montados en el mismo burro. Zhaodi y Sima Liang compartían otro animal. Yo iba sentado delante de Laidi, que me sujetaba desde atrás. Zhaodi iba sentada delante de Sima Liang, que simplemente se agarraba de sus ropas, ya que no le llegaban los brazos para abrazarse a su vientre, donde crecía un miembro de la siguiente generación de Simas. Nuestro contingente dio un rodeo para sortear la cola del buey y, poco a poco, fue subiendo a su lomo, en el que crecían unas hierbas agudas como agujas coronadas por dientes de león de color amarillo. A pesar de que nos llevaban sobre sus lomos, a los burros no les costaba ningún esfuerzo trepar.

Sima Ku y Babbitt nos adelantaron en sus caballos, con la excitación pintada en el rostro. Sima Ku nos hizo un gesto con el puño cuando nos pasó. En la cima de la montaña, un grupo de gente con la piel amarilla gritaba hacia abajo. Sima Ku levantó su fusta y la descargó sobre la grupa de su caballo. El caballo reaccionó y comenzó a subir aún más rápido; el caballo de Babbitt lo seguía de cerca. Montaba a caballo de la misma manera que montaba a camello, con la parte superior del cuerpo erecta independientemente de cuánto se balanceara de un lado para otro. Tenía las piernas tan largas que sus estribos casi tocaban el suelo, y su caballo daba al mismo tiempo pena y risa, pero pese a todo galopaba sin problemas.

—Vamos un poco más rápido —dijo Segunda Hermana clavando sus talones en el vientre del burro.

Era la jefa de nuestra delegación, la respetada esposa del comandante, y nadie se atrevía a desobedecer sus órdenes. Los representantes del pueblo y algunas celebridades locales la siguieron sin rechistar, a pesar de que estaban sin aliento debido a lo empinado de la cuesta. El burro que nos llevaba a Laidi y a mí iba pisándole los talones al que transportaba a Zhaodi y a Sima Liang. Los pezones de Laidi se frotaban contra mi espalda a través de la tela negra de su vestido, cosa que me transportó al episodio en el abrevadero y me llenó de un enorme placer.

En la cima de la montaña, el viento era mucho más fuerte que más abajo. De hecho, era tan fuerte que el cataviento golpeaba con fuerza; sus trozos de seda roja y amarilla bailaban salvajemente, como las plumas de la cola de un faisán. Había una docena de soldados, más o menos, descargando las cosas que llevaban los camellos encima. Estas bestias, que solían poner cara de pocos amigos, tenían la cola y las articulaciones de las patas traseras unidas con excrementos secos. Los ricos pastos de Gaomi del Noreste habían hecho engordar a los caballos y a los burros del Comandante Sima, así como a las vacas y a las cabras de los lugareños, pero habían tenido el efecto contrario en la docena, más o menos, de penosos camellos, a los que les estaba costando aclimatarse. Parecía que les hubieran perforado las grupas con punzones, y sus patas tenían el aspecto de la leña seca. Sus jorobas, que en circunstancias normales eran altas y angulosas, parecían sacos vacíos que colgaban hacia un lado, como si estuvieran a punto de caerse al suelo.

Los soldados desenrollaron una enorme alfombra y la pusieron sobre el césped. «¡Ayudad a la esposa del comandante a bajarse de su burro!», ordenó Sima Ku. Los soldados se apresuraron a bajar a la embarazada Zhaodi del burro, y después también ayudaron a Sima Liang a que descendiera. Después fueron la cuñada del comandante, Laidi, su cuñado, Jintong, y su joven cuñada, Yunü. Como huéspedes de honor que éramos, nos sentamos sobre la alfombra. Todo el resto de la gente se quedó de pie, detrás de nosotros. El hada-pájaro intentó esconderse entre la multitud, y cuando Segunda Hermana le hizo una señal para que viniera a reunirse con nosotros, ella primero escondió la cabeza detrás de Sima Ting y después se ocultó completamente tras él. Sima Ting, que tenía dolor de muelas, se quedó ahí de pie, tapándose la mejilla hinchada con la mano.

El lugar en el que estábamos sentados correspondía a la cabeza del buey; su cara estaba justo frente a nosotros. El buey parecía que se disponía a juntar la boca con el pecho. Su cara era una colina escarpada que superaba ampliamente los trescientos metros de altura sobre el nivel del mar. Los vientos nos barrían la cabeza en su viaje hacia la aldea, sobre la cual flotaba la neblina, semejante a bocanadas de humo. Intenté localizar nuestra casa, pero lo que pude distinguir fue la hermosa residencia de Sima Ku, perfectamente diseñada, con sus siete entradas. El campanario de la iglesia y la torre de vigilancia de madera parecían pequeños y frágiles. El llano, el río, el lago y los pastos estaban rodeados por una docena, más o menos, de estanques, y poblados por un rebaño de caballos del tamaño de cabras y burros pequeños como perros; se trataba de las monturas del Batallón de Sima. También se veían seis cabras lecheras del tamaño de conejos; ésas eran nuestras cabras, la grande blanca era la mía. Madre se la había pedido a Segunda Hermana, quien se la había pedido al ayudante de campo de su marido, quien había enviado a alguien al distrito de la montaña Yi Meng a comprarla. Al lado de mi cabra había una niña pequeña. Su cabeza parecía una pelotita, pero yo sabía que era una mujer joven, no una niña pequeña, y que su cabeza en realidad era mucho más grande que una pelotita, puesto que se trataba de Sexta Hermana, Niandi. Había sacado las cabras a pastar, no por su bien sino porque ella también quería contemplar la demostración.

Sima Ku y Babbitt habían desmontado. Sus caballos, pequeños y fuertes, estaban paseando por los alrededores de la cabeza del buey, en busca de alfalfa silvestre, reconocible por sus flores de color violeta. Babbitt se acercó a un saliente de la montaña y miró hacia abajo, como si estuviera calculando la altura. Después miró hacia arriba, al cielo; no se veía nada más que azul, así que por ese lado no habría ningún problema. Después de realizar esas observaciones, levantó una mano, aparentemente para comprobar la fuerza del viento, a pesar de que la bandera ondeaba con fuerza, nuestras ropas estaban henchidas y la corriente arrastraba un halcón por el aire como si fuera una hoja seca. Sima Ku estaba detrás de él, repitiendo exageradamente todos sus movimientos. Su rostro reflejaba la misma seriedad, pero yo me di cuenta de que era de cara a la galería.

—De acuerdo —dijo Babbitt secamente—, podemos comenzar.

—De acuerdo —dijo Sima Ku del mismo modo—, podemos comenzar.

Los soldados trajeron dos fardos y desataron uno de ellos. Lo que había en su interior era una sábana de seda blanca que parecía más grande que el mismísimo cielo, y que tenía unos cordones blancos pegados a ella. Babbitt les indicó a los soldados que ataran los cordones a las caderas y al pecho de Sima Ku. Cuando eso estuvo hecho, tiró de ellos para asegurarse de que estaban bien ajustados. Después movió la seda blanca como señal para que los soldados la estiraran todo lo que pudieran. Cuando llegó una ráfaga de viento, los soldados la soltaron y se hinchó formando un enorme arco, los cordones se pusieron en tensión y arrastró a Sima Ku por el suelo. Él intentó ponerse de pie pero no pudo y comenzó a rodar por el suelo como un burrito recién nacido. Babbitt corrió tras él y agarró el cordón que le pasaba por la espalda.

—Cógelo —le gritó secamente—, coge el cordón de la dirección.

Sima Ku, volviendo aparentemente en sí, lo insultó:

—Babbitt, maldito asesino...

Segunda Hermana se levantó de la alfombra de un salto y salió corriendo detrás de Sima Ku. Pero no había dado más que unos pocos pasos cuando el viento lo arrastró más allá del saliente de la montaña, terminando abruptamente con sus insultos. Babbitt rugió:

—¡Tira del cordón que hay a tu izquierda! ¡Tira, idiota!

Todos corrimos hacia el borde de la montaña, incluida Octava Hermana, que iba tambaleándose hasta que Primera Hermana la cogió. Para entonces, la sábana de seda se había convertido en una nube blanca, doblada por uno de sus extremos, y Sima Ku iba colgando debajo de ella, dando vueltas y agitándose como un pez en un anzuelo. Babbitt volvió a rugir:

—¡Firme, idiota, firme! ¡Prepárate para tocar tierra!

La nube se fue alejando, llevada por el viento, y descendió lentamente hasta que aterrizó en una lejana zona verde, donde se convirtió en una extraña manta blanca que cubría la hierba.

Durante todo ese tiempo estuvimos al borde de la montaña conteniendo la respiración, con la boca abierta, siguiendo la sábana blanca con la mirada hasta que se posó en el suelo; entonces, cerramos la boca y volvimos a respirar. Pero rápidamente nos pusimos en tensión de nuevo cuando nos dimos cuenta de que Segunda Hermana estaba llorando. De repente, se me ocurrió que el comandante podía haber encontrado la muerte en la caída. Todos nuestros ojos estaban clavados en aquella tela blanca, esperando un milagro. Y eso fue lo que sucedió: la sábana comenzó a moverse y un objeto negro salió arrastrándose de debajo de ella y se puso de pie. Agitando los brazos, dio unos gritos de excitación que llegaron hasta la cima de la montaña. Desde donde estábamos nosotros, un rugido le contestó.

La cara de Babbitt estaba de un color rojo intenso. Le brillaba la punta de la nariz, como si se la hubiera untado con aceite. Después de anudar unos cordones alrededor de su cuerpo y de atarse el otro fardo a la espalda, se puso de pie, estiró los brazos para desentumecerlos y empezó a retroceder lentamente. No podíamos quitarle la vista de encima, pero él no se daba cuenta de lo que pasaba a su alrededor y miraba fijamente hacia adelante. Cuando hubo reculado unos diez metros, se detuvo y cerró los ojos. Movía los labios, como si estuviera murmurando un conjuro. Cuando terminó, abrió los ojos y empezó a correr. Cuando llegó a la altura a la que nos hallábamos nosotros, se lanzó al aire, con el cuerpo extendido, y comenzó a caer como una piedra. Durante un momento a mí me pareció que no estaba cayendo, sino que en realidad el saliente al que estábamos asomados estaba ascendiendo, así como todo lo que había debajo. Entonces, de repente, una flor de un blanco purísimo, la más grande que había visto en mi vida, floreció en el cielo azul, sobre la hierba verde. Un rugido saludó a esta enorme flor blanca, llevada por el viento, bajo la cual colgaba firmemente Babbitt, como la pesa de una balanza. Tocó tierra en cuestión de segundos, justo en el medio de nuestro pequeño rebaño de cabras, que huyeron en todas direcciones como conejos asustados. Súbitamente, la gran flor blanca se deshizo sobre sí misma, como una burbuja, tapando a Babbitt y a la pastora Niandi.

Sexta Hermana se estremeció del susto cuando una capa de blancura cayó sobre ella. Sus cabras huyeron en todas direcciones y ella levantó la mirada hasta encontrarse con el rosáceo rostro de Babbitt, que colgaba de la nube blanca y no dejaba de sonreír. ¡Un dios había descendido a la tierra de los mortales! O, al menos, eso fue lo que pensó ella. Como si estuviera en trance, lo contempló caer rápidamente hacia ella, y su corazón se llenó de reverencia y de un ardiente amor por él.

Todos los demás estiramos la cabeza hacia el abismo para ver qué había pasado ahí abajo.

—Esto, sin ninguna duda, nos va a abrir los ojos —dijo Huang Tianfu, que regentaba la tienda de ataúdes—. Un dios. He vivido setenta años y al fin he visto a un dios descender a la tierra de los mortales.

El señor Qin el Segundo, que daba clases en la escuela de la localidad, se acarició la barba de chivo, y suspiró.

—Al Comandante Sima ya se le notaba algo especial desde el día en que nació. Cuando era alumno mío, me di cuenta de que estaba destinado a hacer grandes cosas.

El señor Qin y el señor Huang estaban rodeados por los ancianos de la aldea, y todos ellos estaban alabando a Sima Ku con expresiones similares pero diferentes tonos de voz, maravillados por el espectacular milagro que acababan de contemplar.

—No os podéis imaginar lo diferente que era de los demás —dijo el señor Qin en voz alta para atraer la atención hacia sí y que quedara claro que él había tenido una relación especial con Sima Ku, el hombre que podía volar como un pájaro.

Un ruido agudo y penetrante llegó por el aire desde algún lugar más allá de la multitud. Se parecía ligeramente al sonido que hace un pequeño cachorro cuando llora reclamando su pezón, y se parecía más a los chillidos de las gaviotas volando en círculos alrededor de los barcos, en el río, que habíamos escuchado muchos años atrás. La carcajada del señor Qin el Segundo se detuvo de forma abrupta, y la expresión de alegre orgullo que tenía en el rostro se desvaneció. Todos nos dimos la vuelta para ver de dónde había venido ese extraño sonido. Nos dimos cuenta de que lo había hecho Tercera Hermana, Lingdi, pero apenas quedaba de ella algo de «Tercera Hermana». Cuando emitió ese ruido extraño, agudo y penetrante que nos hizo estremecer, se había transformado casi por completo en el hada-pájaro. La nariz se le había convertido en un pico, los ojos se le habían vuelto de color amarillo, el cuello se le había retraído hasta quedar oculto en su torso, el pelo se le había transformado en plumas y sus brazos ahora eran alas, que batió hacia arriba y abajo mientras trepaba por la cada vez más escarpada ladera de la montaña, chillando como si estuviera sola en el mundo y dirigiéndose directamente hacia el precipicio. Sima Ting intentó interponerse para detenerla, pero no lo consiguió, y el único resultado que obtuvo fueron unos cuantos desgarrones en la ropa. Cuando salimos de nuestro asombro, ya estaba planeando por el aire, tras saltar desde el precipicio. Prefiero decir que estaba *planeando* a decir que se estaba *desplomando*. Una leve neblina verde se elevó del césped.

Segunda Hermana fue la primera en echarse a llorar. El ruido que hacía era muy molesto. Parecía totalmente natural que el hada-pájaro se lanzara a volar desde un precipicio, así que ¿por qué lloraba? Pero entonces, Primera Hermana, a quien yo siempre había considerado cínica y traicionera como una serpiente, también se puso a llorar. Inexplicablemente, incluso Octava Hermana, que no podía ver nada, se unió a ellas. Su llanto sonaba como si estuviera hablando en sueños, y estaba lleno de la pasión de alguien que necesitara pedir permiso para desahogarse y expresar sus sentimientos. Un día, mucho después, Octava Hermana me confesó que el ruido que hizo Tercera Hermana al impactar contra el suelo le pareció como el del cristal cuando se rompe.

La multitud estaba excitada y estupefacta. La gente tenía la cara petrificada y la mirada perdida. Segunda Hermana le hizo un gesto a un soldado para que trajera una mula y se montó encima de ella, cogiéndose del corto cuello del animal y saltando sobre su lomo. Clavó los talones en el vientre de la mula, haciéndola salir al trote rápido. Sima Liang empezó a correr detrás de la mula, pero fue detenido por un soldado antes de que hubiera dado más de un par de pasos. El soldado lo levantó en brazos y lo sentó sobre el caballo en el que había ido montado su padre, Sima Ku, hacía un rato.

Como si fuéramos un ejército en ruta, empezamos a descender la Montaña del Buey Reclinado. ¿Qué estarían haciendo Babbitt y Niandi bajo la nube blanca en aquel momento? Mientras bajaba a lomos de mi mula por el sendero montañoso, me exprimí el cerebro intentando crear una imagen de Niandi y de Babbitt bajo el paracaídas. Lo que creo que vi fue lo siguiente: él estaba de rodillas delante de ella, sosteniendo un tallo de hierba en la mano y cepillándole el pecho con sus estambres aterciopelados, igual que yo había hecho hacía no mucho tiempo. Ella estaba acostada, boca arriba, con los ojos cerrados, gimiendo con satisfacción, como un perro cuando se le acaricia la panza. Ahí está, levantando las patas y moviendo el rabo por el suelo de acá para allá. ¡Y ella hace lo que sea necesario para satisfacer a Babbitt! No hacía mucho había estado a punto de despellejarme por haberle hecho cosquillas con un tallo de hierba. Esa idea me malhumoró, aunque había en mí mucho más que mal humor. También había un sentimiento erótico semejante a una llama que me lamiera el corazón.

—¡Zorra! —la insulté, apretando las manos como si quisiera estrangularla.

Laidi se dio la vuelta.

—¿Y a ti qué te pasa? —me preguntó.

—Babbitt —murmuré yo—, Babbitt, el diablo americano de Babbitt ha cubierto a Sexta Hermana.

Para cuando terminamos nuestra lenta y serpenteante bajada de la montaña, Sima Ku y Babbitt ya se habían librado de sus cordones y estaban de pie, con la cabeza gacha, frente a un terreno cubierto de un exuberante césped verde. Tercera Hermana estaba tumbada pesadamente sobre el suelo fangoso, boca arriba. El barro y la hierba se alternaban a su alrededor. La expresión aviar había abandonado su rostro sin dejar ninguna huella. Tenía los ojos ligeramente abiertos, y de su cara todavía sonriente emanaba una sensación de tranquilidad. Los fríos haces de luz que surgían de sus ojos me aguijoneaban el pecho y penetraban hasta mi corazón. Tenía el rostro pálido y los labios parecían haber sido pintados con tiza. De la nariz, las orejas y los ojos le salían unos hilillos de sangre, y unas cuantas hormigas rojas le corrían muy excitadas por la cara.

Segunda Hermana se acercó lo más rápido que pudo, cayó de rodillas ante el cuerpo de Tercera Hermana y dijo, estremeciéndose:

—Tercera Hermana, Tercera Hermana, Tercera Hermana...

Le pasó un brazo por debajo del cuello, como si quisiera ayudarla a incorporarse, pero tenía el cuello blando y flexible como un trozo de goma, y lo único que pudo hacer fue estirárselo. La cabeza quedó apoyada sobre la articulación del brazo de Segunda Hermana, como un ganso muerto. Rápidamente, Segunda Hermana apoyó de nuevo en el suelo la cabeza de Tercera Hermana y le cogió la mano. También estaba blanda y flexible como la goma. Segunda Hermana lloró y lloró.

—Tercera Hermana, oh, Tercera Hermana, ¿por qué nos has dejado?...

Primera Hermana ni lloró ni gritó. Simplemente se arrodilló al lado de Tercera Hermana y miró a la gente que estaba de pie a su alrededor. No podía enfocar los ojos y tenía una mirada perdida, superficial, difusa. La escuché suspirar y vi cómo se echaba hacia atrás y arrancaba la corola aterciopelada de una delicada flor violeta, con la que limpió la sangre que había salido de la nariz de Tercera Hermana, después la de los ojos y finalmente la de las orejas. Una vez que hubo limpiado la sangre, se acercó la flor violeta a la nariz y la olió, inspiró completamente su aroma, y mientras lo hacía vi que una extraña sonrisa se dibujaba en su rostro y que los ojos se le iluminaban como a una persona que está en un cierto estado de intoxicación. Tuve la vaga sensación de que el alma trascendental, perteneciente a otro mundo, del hada-pájaro, estaba entrando en el cuerpo de Laidi a través de la corola aterciopelada y violeta de esa flor.

Sexta Hermana, que era la que más me preocupaba, se fue abriendo paso a codazos a través de la multitud de mirones y se acercó lentamente al cuerpo de Tercera Hermana. No se arrodilló ni lloró. Simplemente se quedó de pie a su lado, en silencio, tocándose nerviosamente el extremo de su coleta, con la cabeza gacha. En un determinado momento se sonrojaba, y un instante después su rostro empalidecía, y parecía una niña pequeña que se hubiera portado mal, aunque ya tenía el porte y el cuerpo de una mujer joven. Su pelo era negro y brillante, sus nalgas se levantaban tras ella, casi como si tuviera una tupida cola roja escondida ahí. Llevaba un vestido *cheongsam* de seda blanca que había heredado de Segunda Hermana, Zhaodi. Iba descalza, y tenía unos rasguños rojizos en las rodillas provocados por las afiladas hojas de los cardos. La parte de atrás de su *cheongsam* estaba llena de hierbas y florecillas silvestres aplastadas: puntitos rojos aquí y allá, entre las grandes manchas de color verde brillante... mis pensamientos se desplazaron bajo la nube blanca que la había cubierto a ella y a Babbitt tan delicadamente, los tallos de hierba... la cola tupida... mis ojos eran como sanguijuelas que le estuvieran chupando la sangre, tan fuertemente estaban adheridos a sus pechos. Los elevados y arqueados pechos de Niandi, con sus pezones como cerezas, quedaban resaltados por la seda de su *cheongsam*. La boca se me llenó de una saliva ácida. A partir de aquel momento, cada vez que veía un bonito par de pechos, la boca se me llenaría de saliva. Yo anhelaba cogerlos, mamar de ellos, anhelaba arrodillarme delante de todos los maravillosos pechos que había en el mundo y entregarme a ellos como su hijo más fiel... ahí estaban, protuberantes, y la seda blanca tenía una mancha como de baba de perro, y me dolía en el alma, como si hubiera sido testigo presencial de una escena en la que

Babbitt le mordía los pezones a mi sexta hermana. El cachorro de ojos azules había levantado la vista para observar su barbilla, y mientras tanto ella le había acariciado el cabello dorado de su cabeza con las mismas manos con las que me había golpeado tan violentamente la espalda. Y eso que lo único que yo le había hecho era cosquillas, y él incluso la había mordido. El terrible dolor que esto me causaba suavizó mi reacción ante la muerte de Tercera Hermana. Pero entonces, el llanto de Segunda Hermana me perturbó, y el llanto de Octava Hermana era el sonido de la naturaleza, que me traía a la mente los maravillosos recuerdos que tenía de la generosidad de Tercera Hermana, de sus increíbles actos que podían lograr que los árboles se doblaran y que las hojas cayeran, que podían provocar sacudidas en la tierra y temblores en el cielo y que podían incitar a los fantasmas a aullar y a los demonios a sollozar.

Babbitt dio unos cuantos pasos, acercándonos sus labios enrojecidos, tan tiernos y suaves, y su roja cara, que estaba cubierta por una pelusilla blanca. Sus pestañas eran blancas, y tenía la nariz grande y el cuello muy largo. Todos sus rasgos me resultaban desagradables. Abrió los brazos.

—Qué desgracia —dijo—, qué terrible desgracia. ¿Quién podía habérselo imaginado? —Dijo todo esto en un extraño idioma extranjero que ninguno de nosotros comprendía, y añadió algunos comentarios en chino que sí entendimos—: Vivía engañándose, creía que era un pájaro...

Las personas que se habían congregado a nuestro alrededor comenzaron a hablar entre ellas, principalmente sobre la relación que habían tenido el hada-pájaro y Hombre-Pájaro Han, y posiblemente mencionaron en algún momento a Sol Callado e incluso también a los dos hijos. Yo no sentía ningún interés en lo que decían, y en cualquier caso tampoco habría podido oírlo, ya que tenía en los oídos un zumbido que provenía de un avispero que había en la colina. Junto a él, un mapache estaba sentado, en cuclillas, enfrente de una marmota, un animal redondeado y carnoso con un par de minúsculos ojos muy juntos. Guo Fuzi, el hechicero de la aldea, que era un experto en comunicarse con los espíritus empleando la ouija y en capturar fantasmas, también tenía unos ojos minúsculos y muy juntos y por eso se había ganado el apelativo de «Marmota». Dio un paso adelante, surgiendo de entre la multitud, y dijo:

—Tío mayor, está muerta, y no la traeremos de nuevo a la vida llorando. Hace calor, así que llévala a casa, organízale un funeral y ponla a descansar en la tierra.

Yo no sabía qué tipo de relación de dependencia tenía con Sima Ku para llamarlo Tío mayor, y tampoco sabía quién podría explicármelo. Pero Sima Ku asintió con la cabeza y se frotó las manos.

—¡Mierda! —dijo—. ¡Qué terrible giro han dado las cosas!

Marmota estaba de pie detrás de mi segunda hermana, y sus minúsculos ojos se movían de un lado para otro.

—Tía mayor —dijo—, está muerta, y son los vivos los que cuentan. Si sigues llorando así, ahora que estás embarazada, podría ocurrir una verdadera tragedia. Además, ¿era nuestra tiíta una persona de verdad? Después de todo, no, no lo era, era un hada entre los pájaros que había sido enviada al mundo de los mortales como castigo por haber picoteado los melocotones de la inmortalidad de la Madre del Oeste. Ahora que ha concluido el tiempo que le había sido otorgado, ha regresado con naturalidad al país de las hadas al que pertenece. Tú viste con tus propios ojos el aspecto que tenía cuando caía por el precipicio, como si estuviera borracha, como si se estuviera quedando dormida entre el cielo y la tierra, flotando delicadamente. Si hubiera sido humana, no habría podido caer con tanta gracia y desenvoltura...

Mientras hablaba del cielo y la tierra, Marmota intentaba levantar a Segunda Hermana y ponerla de pie.

—Tercera Hermana —seguía diciendo ella—, qué muerte tan terrible...

—Bueno, basta —dijo Sima Ku haciendo un gesto de impaciencia con la mano—. Ya es suficiente. Deja de llorar. Para alguien como ella, la vida era un castigo. La muerte le ha dado la inmortalidad.

—Es culpa tuya —protestó Segunda Hermana—. ¡Tú y tus experimentos de piloto!

—Y he volado, ¿no? —dijo Sima Ku—. Vosotras, las mujeres, no entendéis esta clase de acontecimientos. Oficial Jefe Ma, dispón que unos hombres se la lleven de vuelta a casa, y después compra un ataúd y encárgate de la organización del funeral. Ayudante Liu, lleva los paracaídas otra vez a lo alto de la montaña. El Consejero Babbitt y yo vamos a volar de nuevo.

Marmota consiguió que Segunda Hermana se pusiera de pie y se dirigió a la multitud, diciendo:

—Vamos, todos, echad una mano.

Primera Hermana seguía de rodillas en el suelo, oliendo su flor, la que se había manchado con la sangre de Tercera Hermana. Marmota le dijo:

—Tía mayor, no hay ningún motivo para estar así de triste. Ha vuelto al país de las hadas, y eso debería llenarnos a todos de alegría...

Acababa de pronunciar estas palabras cuando Primera Hermana levantó la vista, sonrió de manera misteriosa y miró fijamente a Marmota. Él murmuró algo pero no se atrevió a decir nada más, y se perdió a toda prisa entre la multitud.

Laidi, llevando su corola de color violeta, se puso de pie con una sonrisa dibujada en el rostro. Dio unos pasos hasta donde estaba el cadáver del hada-pájaro, miró fijamente a Babbitt y se cubrió el cuerpo con su holgada túnica negra. Se movía nerviosamente, como alguien con la vejiga llena. Dio unos cuantos pasitos dramáticos, tiró a un lado la corola y se lanzó sobre Babbitt, pasándole los brazos alrededor del cuello y pegando el cuerpo contra el suyo.

—Lujuria —murmuró, como si tuviera fiebre—, sufrimiento...

Babbitt tuvo que luchar para poder soltarse de su abrazo. Con el rostro cubierto de sudor, dijo, combinando palabras extranjeras con términos autóctonos:

—No, por favor... No es a ti a quien yo quiero...

Como si fuera un perro con los ojos enrojecidos, Primera Hermana escupió todos los comentarios ruines que se le ocurrieron, y después volvió a lanzarse contra Babbitt. Él consiguió, a duras penas, evitar sus asaltos, una, dos, tres veces, y acabó protegiéndose detrás de Sexta Hermana. A ella no le gustó tener que servirle de protección, por lo que empezó a girar sobre sí misma, como si fuera un perro que intenta librarse de una campana que tiene atada a la cola. Primera Hermana se puso inmediatamente a dar vueltas tras ella, mientras Babbitt, doblado por la cintura, luchaba por mantener a Sexta Hermana entre él y su atacante. Dieron tantas vueltas que me mareé, y un caleidoscopio de imágenes pasó ante mis ojos: caderas arqueadas, torsos al ataque, nucas brillantes, caras sudorosas, piernas torpes... Mi cabeza volaba, mi corazón era una tormenta de emociones. Los aullidos de Primera Hermana, los gritos de Sexta Hermana, los jadeos entrecortados de Babbitt y las ambiguas miradas de la gente que los observaba. Unas aceitosas sonrisas decoraban los rostros de los soldados, y los labios se les entreabrían y las barbillas les temblaban. Las cabras, con las ubres tan llenas que casi rozaban el suelo, se dirigieron hacia nuestra casa formando una perezosa fila; mi cabra iba al frente, abriendo camino. Brillaba el pelaje de los caballos y las mulas. Los pájaros graznaban mientras volaban en círculos por encima de nosotros, cosa que seguramente significaba que sus huevos estaban enterrados en el cercano césped. El pobre césped maltrecho. Los tallos de las flores destrozados por pies descuidados. Una temporada de libertinaje. Segunda Hermana al fin logró agarrar la túnica negra de Primera Hermana. Primera Hermana se estiró intentando atrapar a Babbitt con ambas manos. Los sucios términos que salían de su boca hacían que la gente se sonrojara de vergüenza. La túnica se le rasgó por la costura, dejando a la vista un hombro y parte de la espalda. Segunda Hermana pegó un salto y abofeteó a Primera Hermana, que dejó de luchar instantáneamente. En las comisuras de los labios se le había juntado una baba espumosa, y sus ojos parecían de vidrio. Segunda Hermana la abofeteó una y otra vez, un poco más fuerte en cada ocasión. Unos regueros de oscura sangre salieron serpenteando de su nariz y la cabeza le dio un golpe contra el pecho como un girasol exhausto que se dobla, y después cayó al suelo de cabeza.

Agotada, Segunda Hermana se sentó en el césped, jadeando entrecortadamente. Sus jadeos pronto se convirtieron en sollozos. Se empezó a dar puñetazos en las rodillas como si quisiera marcar el ritmo de sus sollozos.

Sima Ku no podía ocultar la excitación que había en su mirada. Tenía los ojos clavados en la espalda desnuda de Primera Hermana. Una respiración áspera, fuerte. No dejaba de frotarse los pantalones con las manos, como si las tuviera manchadas con algo que nunca se limpiaría por mucho que se frotara.

III

El banquete de bodas se organizó en la iglesia, que acababa de ser encalada, al atardecer. Había una docena de bombillas brillantes, más o menos, que colgaban de las vigas e iluminaban el *hall* con más fuerza que la luz del día. Una máquina, en el pequeño patio, traqueteaba ruidosamente, enviando unas misteriosas corrientes eléctricas, a través de cables, hasta las bombillas, que emitían una poderosa luz que vencía a la oscuridad y atraía a las polillas, que morían chamuscadas en cuanto las rozaban, y caían sobre las cabezas de los oficiales del Batallón de Sima y de los altos cargos de Dalan. Sima Ku iba vestido con su uniforme. Su rostro estaba radiante en el momento en que se puso de pie ante la cabecera de la mesa y se aclaró la garganta.

—Por todos vosotros, miembros de la milicia y autoridades locales —dijo—. El banquete de esta noche se ha organizado para celebrar el matrimonio entre nuestro estimado amigo Babbitt y mi joven cuñada Niandi. Un acontecimiento tan feliz se merece un aplauso de todo corazón.

Todo el mundo aplaudió con mucho entusiasmo. Ocupando la silla de al lado de Sima Ku, vestido con un uniforme blanco y con una flor roja metida en el bolsillo de la camisa, estaba como invitado de honor, también radiante, el joven americano. Su pelo rubio, fijado con aceite de cacahuete, estaba tan reluciente como si se lo hubieran lamido los perros. Niandi, que estaba sentada en una silla a su lado, llevaba un vestido blanco, con un escote muy amplio que dejaba ver la mitad superior de sus pechos. Yo casi me desmayo. Durante la ceremonia de la boda, que se había celebrado más temprano aquel mismo día, Sima Liang y yo habíamos recorrido la iglesia tras ella, llevando la larga cola de su vestido, semejante a la de un faisán. Llevaba en el pelo dos enormes rosas chinas. En su rostro, muy empolvado, se dibujaba una expresión de alegre autocomplacencia. Afortunada Niandi, qué poca vergüenza tenías. ¡Los huesos del hada-pájaro todavía no estaban fríos, y tú ya te habías casado con el americano!

Sima Ku alzó una copa que tenía un brillo rojo por el vino que había en su interior.

—El Señor Babbitt nos llegó del cielo, el cielo nos dio a Babbitt. Todos vosotros fuisteis testigos personalmente de su demostración de vuelo, y él también conectó estas lámparas eléctricas que nos están iluminando. —Entonces se detuvo y señaló a las vigas—. Esto, amigos míos, es la electricidad. Se la hemos robado al Dios del Trueno. Desde el momento en que Babbitt apareció entre la niebla, a las fuerzas de nuestra guerrilla les ha salido todo muy bien. Babbitt es el General de la Buena Fortuna de nuestras tropas; ha llegado hasta nosotros con un montón de estrategias brillantes. En breves momentos, hará una demostración que nos dejará verdaderamente boquiabiertos a todos.

Entonces se dio la vuelta y señaló la sábana blanca que había sobre la pared de detrás del estrado desde el que el Pastor Malory había predicado en tiempos, y que después le había servido a la Señorita Tang, del batallón de demoliciones, para soltar su arenga de resistencia contra los japoneses. Un velo de oscuridad me ocultó los ojos: las luces eléctricas me estaban cegando.

—Ahora que hemos ganado la guerra, el Señor Babbitt ha dicho que quiere irse a casa. Para asegurarnos de que eso no ocurra, debemos hacer todo lo que sea necesario para retenerlo aquí, debemos demostrarle todo lo que sentimos por él. Y por eso me he decidido a ofrecerle a mi joven cuñada, más hermosa que los ángeles del Cielo, en matrimonio. Brindemos ahora por la felicidad del Señor Babbitt y de la Señorita Shangguan Niandi. ¡Por ellos!

Los invitados se pusieron de pie ruidosamente, chocaron sus copas y las apuraron diciendo:

—¡Por ellos!

Niandi alzó su copa, mostrando el anillo de compromiso de oro que llevaba en el dedo, y la chocó contra la copa de Babbitt. Después brindó con Sima Ku y Zhaodi. En las pálidas mejillas de Zhaodi, que todavía no había recuperado las fuerzas después de dar a luz, se veían unas manchas rojas muy poco saludables.

—Ya es hora de que la novia y el novio beban —dijo Sima Ku—. A ver, vosotros dos, enlazad los brazos.

Obedeciendo, Babbitt y Niandi se engancharon por los brazos y se bebieron torpemente el vino que les quedaba en las copas, provocando un estruendoso delirio en los invitados, que inmediatamente brindaron por los recién casados antes de sentarse de nuevo y entrar en combate con sus palillos; las docenas de bocas que estaban masticando, todas al mismo tiempo, producían una irritante cacofonía de labios grasientos y mejillas sudorosas.

Sentados en nuestra mesa, junto a mí y a Sima Liang, Sha Zaohua y Octava Hermana, había un montón de mocosos que yo no conocía. Estuve observando cómo comían. Zaohua fue la primera que tiró los palillos y empezó a usar las manos. Tenía una pata de pollo en una mano y una pezuña de cerdo en la otra y se las comía alternando un bocado de cada una. Para ahorrar energía, los niños mantenían los ojos cerrados mientras roían y mascaban, imitando a Octava Hermana, cuyas mejillas parecían estar ardiendo y cuyos labios eran como nubes de color escarlata. Estaba más hermosa que la novia. Cuando los niños empezaron a coger la comida de las fuentes con las manos, sus ojos se abrieron. A mí me entristecía verlos descuartizando los cuerpos de esos animales muertos.

Madre se había opuesto a que Sexta Hermana se casara con Babbitt, pero ella le había dicho: «Madre, nunca le he contado a nadie que mataste a la abuela». Eso había hecho que Madre se callara. Madre, con el aspecto de una hoja que se hubiera secado al llegar el otoño, dejó de interferir en la planificación de la boda. El banquete avanzaba según lo previsto: las conversaciones en las mesas, y entre mesas distintas, habían terminado a medida que se imponían los juegos de beber. Las existencias de alcohol parecían infinitas, los platos seguían llegando desde la cocina como un torrente y los camareros uniformados de blanco correteaban entre las mesas con las bandejas alineadas con sus brazos. «Abran paso, aquí llegan las albóndigas braseadas; abran paso, aquí llegan los capones a la parrilla; abran paso, aquí llega el pollo estofado con champiñones».

Los invitados que había sentados en nuestra mesa eran todos «generales del plato limpio». Al grito de «abran paso, las costillas de cerdo glaseado», unas relucientes costillas de cerdo apenas habían aterrizado en el centro de nuestra mesa cuando varias manos grasientas se lanzaron a por ellas. ¡Quema! Cogieron aire, intentando refrescarse la boca, como serpientes venenosas. Pero ni siquiera eso sirvió para que tuvieran las manos quietas; inmediatamente prosiguieron atrapando y despiezando los grandes trozos de carne. Si la carne caía sobre la mesa, la recogían y se la llevaban a toda prisa a la boca. No podían parar. Estiraban el cuello y tragaban, con la boca abierta, frunciendo el ceño, mientras unas lágrimas les asomaban en los ojos. En unos instantes, en la bandeja no quedaba nada de carne ni de piel, nada más que unos huesos de color blanco plateado. Después, incluso los huesos desaparecieron del plato; había llegado el momento de roer las articulaciones y los tendones. Una luz verde brillaba en los ojos de aquellos que no habían logrado atrapar nada y habían tenido que conformarse con chuparse los dedos. Tenían el vientre hinchado como pequeñas pelotas de cuero, y sus esqueléticas piernas colgaban tristemente de los bancos. De sus estómagos brotaban unas burbujas verdosas emitiendo un extraño ronroneo. Abran paso, el pescado agridulce. Un camarero bajito y con una enorme panza, prominente mandíbula y mejillas flácidas, todo vestido de blanco, apareció trayendo una enorme bandeja de madera sobre la que había una fuente de cerámica blanca que contenía un gran pescado amarillo braseado. Lo seguía una docena de camareros más, cada uno más alto que el anterior y todos ellos vestidos de blanco; todos llevaban idénticas bandejas de madera con idénticas fuentes de cerámica blanca que contenían pescados amarillos braseados muy similares. El último se parecía a una pértiga de transporte. Colocó la bandeja en el centro de nuestra mesa y me hizo una mueca a mí. Su cara me resultaba familiar. Tenía la boca torcida, uno de los ojos cerrado y la nariz surcada de arrugas. Yo había visto su cara en algún otro lugar, pero ¿dónde? ¿Habría sido en la boda de Pandi y Lu Liren, del batallón de demoliciones?

El costado del pescado agridulce estaba agujereado a cuchillo desde la cabeza hasta la cola, y los agujeros estaban rellenos con un sirope agrio de color naranja. Uno de sus ojos opacos estaba oculto bajo un lecho de cebollas de color verde esmeralda; su cola triangular colgaba melancólicamente fuera de la fuente, como si todavía pudiera moverse ligeramente. Las pequeñas garras grasientas atacaron tentativamente, y como yo no tenía valor para contemplar cómo desfiguraban al pescado, miré para otra parte. Más allá, en la mesa presidencial, Babbitt y Niandi estaban de pie, con una copa de vino en la mano y con los brazos que les quedaban libres entrelazados. Con una especie de gracia femenina, se acercaron a nuestra mesa, en la que todas las miradas, salvo la mía, estaban puestas sobre el cuerpo desfigurado del pobre pescado, cuya mitad superior había quedado reducida a una espina dorsal azulada. Una pequeña garra aferró la espina y la sacudió, con lo que las partes comestibles de la mitad inferior se separaron de ella. En todos los platos que había sobre la mesa se amontonaban unas pilas informes de pescado humeante. Como cachorros de bestias salvajes, los niños se llevaban sus presas a su refugio para darse un festín tranquilo. Ahora sólo quedaban la cabeza del pescado, una bonita y delicada cola y la espina dorsal que las unía. El mantel blanco estaba todo desordenado por todas partes salvo frente a mí; mi sitio era un espacio de pureza entre la basura, en el medio del cual había un vaso lleno de vino tinto.

—Brindemos, mis pequeños y queridos amigos —dijo Babbitt simpáticamente, alzando su copa.

Su mujer también alzó su copa. Tenía algunos de los dedos doblados para agarrarla; los demás estaban estirados. Era como una orquídea, con un anillo de oro reluciendo en el centro. Un brillo frío y blanco surgía de la mitad superior de su pecho, que estaba descubierta. Mi corazón empezó a latir con fuerza.

Mis compañeros de mesa se pusieron en pie de un salto, con la boca completamente llena de pescado y la punta de la nariz, e incluso la frente, brillando por el aceite. Sima Ling, que estaba a mi lado, engulló su bocado de pescado y cogió una esquina del mantel para limpiarse las manos y la boca. Mis manos estaban limpias y suaves, mi aspecto era intachable y el pelo me relucía de lo brillante que estaba. Mi aparato digestivo nunca había recibido la demanda de procesar el cadáver de un animal, y mis dientes nunca habían tenido que masticar las fibras de un vegetal. Todas las garras grasientas alzaron sus copas descontroladamente y brindaron, haciéndolas sonar contra las que alzaban los recién casados. Yo fui la única excepción; me quedé atónito, con la mirada fija en los pechos de Niandi, agarrado con ambas manos al borde de la mesa para no abalanzarme a mamar de los pechos de mi sexta hermana.

Babbitt me miró lleno de sorpresa.

—¿Por qué no comes ni bebes? —me preguntó—. ¿No has comido nada? ¿Ni un bocado?

Niandi bajó brevemente de su nube y recuperó algo de lo que la había convertido en quien era. Me frotó la nuca con la mano que tenía libre y le dijo a su marido:

—Mi hermano es casi un inmortal. No come lo que comen los mortales comunes.

La fragancia que emanaba su cuerpo hizo que mi corazón se pusiera a latir con frenesí. Rebelándose contra mi voluntad, mis manos se lanzaron adelante y le agarraron los pechos. Su vestido de seda era impresionantemente suave. Dio un alarido del susto y me tiró el vino a la cara. Su rostro se había puesto de color escarlata y, mientras se estiraba el arrugado cuerpo de su vestido, me insultó:

—¡Pequeño bastardo!

El vino tinto me resbalaba por la cara, una cortina roja casi transparente que caía sobre mis ojos. Los pechos de Niandi eran como globos rojos que explotaban juntos, haciendo un gran ruido, dentro de mi cabeza.

Babbitt me dio unas palmaditas en la cabeza con una de sus grandes manos.

—Los pechos de tu madre te pertenecen a ti, jovenzuelo —me dijo, guiñándome un ojo—. Pero los pechos de tu hermana me pertenecen a mí. Espero que algún día podamos ser amigos.

Yo retrocedí y miré su cómica y fea cara con odio. El sufrimiento que yo sentía en aquel momento excedía toda descripción. Aquella noche, los pechos de Sexta Hermana, tan brillantes, tan blandos y tan suaves como si estuvieran tallados en jade, joyas sin par, caerían en las manos de ese americano de piel clara, que los abrazaría o los acariciaría o los amasaría a voluntad. Los pechos de Sexta Hermana, de una blancura lechosa, llenos de miel, eran una golosina para la que no sería posible encontrar rival en ningún lado, ni en la tierra ni en el mar, y que acabaría en la boca de ese americano con los dientes de marfil, para que él los mordiera, los mordisqueara o los chupara hasta que sólo quedara de ellos su piel clara. Pero lo que en realidad me volvía loco era el hecho de que esto era lo que quería Sexta Hermana. Niandi, me diste una bofetada sólo por hacerte cosquillas con un tallo de hierba y me tiraste el vino en la cara cuando apenas te había tocado, pero lo toleras y te hace feliz que él te acaricie o te muerda. No es justo. Vosotras, hatajo de zorras, ¿es qué no entendéis el dolor que me causáis en el corazón? No hay nadie en la Tierra que comprenda a los pechos ni los ame ni sepa cómo protegerlos igual que yo. Y todas me tratáis como a un burro. Ese día lloré amargamente.

Babbitt me hizo una mueca y se encogió de hombros. Después cogió a Niandi por el brazo y se marchó a brindar con el resto de las mesas. Llegó un camarero con una sopera llena de sopa con trozos de huevo y algo que parecía el pelo de un hombre muerto flotando en la superficie. Mis compañeros de mesa imitaron a los de la mesa de al lado y empezaron a tomar la sopa, sirviéndose con unas cucharas blancas, cuanto más espesa mejor, y soplando para enfriarla un poco antes de sorberla. En nuestra mesa, la sopa salpicaba y volaba en todas las direcciones. Sima Liang me intentó provocar:

—Prueba un poco, Pequeño Tío —me dijo—. Está rica, está tan rica como la leche de cabra, por lo menos.

—No —le contesté yo—. No la quiero.

—Entonces siéntate. Todo el mundo te está mirando.

Miré a mi alrededor. No había nadie mirándome. Del centro de cada una de las mesas salía vapor, que subía en volutas hasta las lámparas eléctricas y se convertía en niebla antes de desaparecer. Las mesas presentaban un montón de platos y copas desordenados, los rostros de los invitados estaban ya un poco desencajados y el ambiente, dentro de la iglesia, apestaba a alcohol. Babbitt y su esposa habían vuelto a su mesa. Observé cómo Niandi se inclinaba hacia Zhaodi y le susurraba algo. ¿Qué le habría dicho? ¿Sería algo sobre mí? Cuando Zhaodi asintió, Niandi se echó hacia atrás, cogió una cuchara y la hundió en su sopa, y después se la llevó a la boca, se humedeció los labios y se la tomó con elegancia. Niandi conocía a Babbitt desde hacía poco más de un mes, pero ya se había convertido en una persona distinta. Un mes antes, era una vulgar sorbe-gachas. Un mes antes, hacía tanto ruido como cualquier otro cuando escupía en el suelo, o se sonaba la nariz. A mí me parecía desagradable, pero a la vez la admiraba. ¿Cómo podía ser que alguien cambiara tan rápido? Los camareros aparecieron trayendo el plato principal: unas bolas de masa hervida y esos fideos semejantes a gusanos que me habían quitado el apetito. También había unas empanadas multicolores. No soy capaz de ponerme a describir el aspecto que tenía la gente cuando comía. Yo estaba enfadado y tenía hambre. Madre y mi cabra debían estar esperándome ansiosamente. ¿Por qué, en ese caso, no me levantaba y me iba? Porque después de las palabras de Sima Ku, después de la comida, Babbitt iba a volver a demostrar la superioridad material y cultural de Occidente. Yo sabía que iba a poner una película, cosa que, por lo que me había podido enterar, consistía en una serie de imágenes en movimiento proyectadas sobre una pantalla gracias a la electricidad.

El banquete al fin terminó, y los camareros salieron con unos cubos y se pusieron a limpiar las mesas y a retirar los platos y las copas, metiéndolo todo en los cubos y haciendo mucho ruido. Lo que entraba en esos cubos eran piezas de vajilla que se podían seguir usando perfectamente; lo que se llevaron eran trozos de cristal y de cerámica. Una docena de soldados, más o menos, acudió a echar una mano, y cada uno de ellos cogió un mantel, lo dobló y se lo llevó a toda velocidad. Después los camareros regresaron para tender unos manteles limpios, sobre los cuales colocaron uvas y pepinos, sandías y peras de Hebei; también había algo llamado café de Brasil, que tenía el color de las batatas y emanaba un extraño olor. Trajeron un montón de jarras, una tras otra, más de las que yo era capaz de contar. Y después un montón de tazas, una tras otra, también más de las que era capaz de contar. Los invitados, que todavía estaban eructando después de esa gran comilona, volvieron a sentarse y probaron vacilantemente unos sorbos de café de Brasil, como si fuera alguna clase de medicamento chino.

Los soldados entraron trayendo una mesa rectangular sobre la que situaron una máquina cubierta con un trozo de tela roja.

Sima Ku dio unas palmadas y anunció en voz alta:

—La película va a comenzar en unos minutos. Demos la bienvenida al Señor Babbitt, que nos va a enseñar algo muy especial.

Babbitt se puso de pie en medio de un tumultuoso aplauso e hizo una reverencia al público. Después se acercó a la mesa y quitó la tela roja, descubriendo una máquina misteriosa y demoníaca. Sus dedos se movían con destreza entre un montón de ruedas, grandes y pequeñas, hasta que surgió un ruido sordo de las entrañas de la máquina. Un rayo de luz cortó el aire y se posó sobre la pared de la iglesia que daba al Oeste. Un rugido de aprobación le dio la bienvenida; después se oyó el sonido de unos taburetes que alguien arrastraba por el suelo. La gente se volvió para mirar la luz. Al principio, se posó sobre el rostro del Cristo que había sobre la cruz de madera de azufaifo, que acababa de ser restaurada y clavada de nuevo en la pared. Los rasgos faciales del icono sagrado eran totalmente irreconocibles. En el lugar donde en otro tiempo habían estado los ojos, ahora crecía un hongo medicinal de color amarillo llamado *lingzhi*. Como devoto cristiano que era, Babbitt había insistido en que la boda se celebrara en la iglesia. Durante el día, el Señor había contemplado los ritos matrimoniales que los unían a Niandi y a él con sus ojos cubiertos de hongos; ahora, cuando ya había caído la noche, él iluminaba los ojos del Señor con una luz eléctrica, ocultando los hongos con una neblina blanca. El rayo de luz comenzó a descender, desde el rostro de Cristo hasta su pecho, y desde ahí a su vientre, a sus partes bajas, que el tallista chino había tapado con una hoja de loto, y desde ahí hasta abajo, hasta los dedos de los pies. Finalmente, el rayo se quedó quieto sobre una sábana rectangular de tela blanca con unos anchos bordes negros que colgaba de la pared gris. Babbitt lo ajustó hasta que encajaba perfectamente dentro de los bordes negros, y después lo movió un poco más antes de dejarlo quieto. En ese momento, oí que la máquina hizo un ruido semejante al del agua de lluvia cuando cae, formando una cascada, desde el alero de un tejado.

—¡Apagad las lámparas! —gritó Babbitt.

Con el sonido de una pequeña explosión, las lámparas que colgaban de las vigas se apagaron y nos quedamos a oscuras. Eso hizo que se intensificara el rayo de luz de la máquina demoníaca de Babbitt. Había nubes de pequeños mosquitos blancos bailando en el aire, y una polilla blanca se situó, planeando erráticamente, en el centro del rayo, con lo que su forma apareció de repente, varias veces ampliada, sobre la sábana blanca. Oí los gritos de deleite del público, e incluso yo solté un aullido. Y entonces, ahí mismo, delante de mis ojos, aparecieron las imágenes eléctricas. De repente apareció una cabeza proyectada por la luz. Era la de Sima Ku. La luz brillaba a través de los lóbulos de sus orejas, y todos podíamos distinguir el fluir de la sangre. Su cabeza se movió cuando se dio la vuelta y miró el punto desde el que salía la luz. Su rostro se aplanó y se puso blanco como una hoja de papel mientras tapaba una gran parte de la pantalla. El público empezó a gritar con fuerza.

—¡Siéntate! —le gritó Babbitt, lleno de ira, en el momento en que una delicada y blanca mano entraba en el haz de luz.

La cabeza de Sima Ku desapareció debajo de la luz. La pared hizo una serie de ruidos mientras unas manchitas oscuras parpadeaban en la pantalla; era la imagen y el sonido de disparos. Entonces sonó una música procedente de una caja que colgaba al lado de la pantalla. Sonaba un tanto parecido a un instrumento de cuerda, el *huqin*, y era también ligeramente similar a un instrumento de viento, el *suona*, pero no se trataba de ninguno de los dos. Era un sonido delgado y metálico, como el de unos fideos de garbanzos verdes aplastados contra el fondo de un colador.

En la pantalla aparecieron unos cuantos renglones de unas palabras temblorosas de color blanco, algunas grandes y otras pequeñas, que surgían desde abajo y ascendían poco a poco. Se oyeron más gritos de la gente. Se dice que el agua siempre fluye hacia abajo, pero estas palabras escritas en un idioma extranjero fluían en la dirección contraria, desapareciendo en la oscuridad de la pared cuando alcanzaban la parte superior de la pantalla. Un pensamiento alocado atravesó mi mente: ¿Aparecerían mañana por la mañana todas esas palabras incrustadas en la pared de la iglesia? Entonces en la pantalla vimos agua, fluyendo en el cauce de un río bordeado por árboles donde unos ruidosos pájaros saltaban de rama en rama. Nos quedamos boquiabiertos por la sorpresa; tan sorprendidos estábamos que nos olvidamos de gritar. En la siguiente escena salía un hombre que llevaba un rifle colgado a la espalda y la camisa abierta, dejando al descubierto su torso peludo. Tenía un cigarrillo entre los labios, y unas volutas de humo subían ondulantes desde la punta; también echaba humo, de vez en cuando, por la nariz. ¡Dios mío, qué imagen! Un oso pardo salió de un grupo de árboles y se dirigió hacia el hombre. En la iglesia sonaron los chillidos de algunas mujeres, y se oyó cómo alguien amartillaba una pistola. La silueta de alguien irrumpió de nuevo en medio del rayo de luz. Era otra vez Sima Ku, revólver en mano. Tenía la intención de dispararle al oso, pero su imagen en la pantalla había desaparecido.

—¡Siéntate, maldito idiota! —le gritó Babbitt—. ¡Siéntate! ¡Es una película!

Sima Ku volvió a sentarse, pero para entonces el oso ya estaba muerto, tirado en el suelo, en la pantalla, y un torrente de sangre verde brotaba de su pecho. El cazador estaba sentado junto a él, cargando de nuevo su arma.

—¡Hijo de perra! —gritó Sima Ku—. ¡Qué buen tirador!

El hombre de la pantalla levantó la mirada, murmuró algo que yo no pude comprender y puso una sonrisa autocomplaciente. Tras volver a echarse el rifle a la espalda, se metió dos dedos en la boca y soltó un silbido agudo, que reverberó en la iglesia. Un carro tirado por un caballo llegó por la ribera del río. El caballo tenía un aspecto orgulloso y desafiante, pero de un modo un tanto estúpido. Su arnés me resultaba familiar, como si lo hubiera visto en alguna parte. Una mujer se levantó en el carro, detrás de la vara; su larga cabellera se agitaba al viento, de una forma que yo no podía distinguir de qué color era. Tenía una cara grande, una frente prominente, unos ojos bellísimos y unas pestañas rizadas tan negras y agudas como los bigotes de un gato. Su boca era enorme, con unos labios negros y brillantes. A mí me daba la sensación de que no tenía ninguna moral. Sus pechos rebotaban y bailaban como si estuvieran enloquecidos, como un par de conejos cogidos por el rabo. Eran mucho más grandes y más redondeados que ningunos de los de la familia Shangguan. Condujo el carro directamente hacia mí, al galope. El corazón me latía con fuerza, me temblaban los labios y me sudaban las manos. Me puse en pie de un salto, pero una poderosa mano se apoyó en mi cabeza y me empujó hasta dejarme de nuevo sentado en el banco. Me di la vuelta para mirar. El hombre tenía la boca completamente abierta. No lo reconocí. El espacio que había detrás de él estaba atestado de gente; hasta había gente bloqueando la entrada. Otros parecían estar colgados del marco de la puerta. Fuera, en la calle, la multitud clamaba por conseguir entrar.

La mujer tiró de las riendas, el caballo se detuvo y ella bajó del carro de un salto. Se levantó el dobladillo de la falda, dejando al descubierto sus piernas de un color blanco lechoso, y le gritó al hombre, por lo que yo entendí. Después salió corriendo, sin dejar de gritar. Desde luego, le estaba gritando a él. Olvidándose del oso muerto, él se quitó el rifle de la espalda, lo tiró al suelo y salió corriendo detrás de la mujer. Vimos el rostro de ella, sus ojos, su boca, sus dientes blancos, sus pechos bamboleantes. Y después el rostro del hombre, sus cejas pobladas, sus ojos de halcón, su barba lustrosa y una cicatriz brillante que tenía entre la ceja y la sien. Y de vuelta al rostro de la mujer. Y después otra vez al del hombre. Los pies de la mujer cuando se quitaba los zapatos. Los torpes pies del hombre. La mujer corrió a los brazos del hombre. Sus pechos quedaron aplastados. Atacó la cara del hombre con su enorme boca. La boca de él se posó sobre la de ella. Después, tu boca está fuera, la mía está dentro. Dos bocas emparejadas. Suspiros y gemidos, todos de la mujer. Después los brazos, echados sobre un cuello o envolviendo una cintura. Las manos empezaron a moverse, sobre mi cuerpo, sobre el tuyo, hasta que finalmente los dos cayeron sobre el alfombrado césped y empezaron a retorcerse y a dar vueltas; en un momento determinado, el hombre estaba arriba, y al instante siguiente era ella la que estaba encima de él. Fueron girando por el suelo, dando más y más vueltas, recorriendo una cierta distancia, y después se detuvieron. La mano peluda del hombre se deslizó por debajo del vestido de la mujer y le cogió uno de sus redondeados pechos. Mi pobre corazón estaba a punto de desgarrarse, y unas lágrimas calientes me brotaron de los ojos.

El rayo de luz se apagó y la pantalla quedó toda oscura. *Pop*, alguien encendió una lámpara que había junto a la máquina demoníaca. A mi alrededor, la gente jadeaba y suspiraba. El lugar estaba atestado, incluyendo a unos cuantos mocosos que estaban sentados en una mesa, enfrente de mí. Desde donde estaba, junto a la máquina, Babbitt parecía un mago celestial a la luz de la lámpara. Las ruedecillas de la máquina seguían girando sin parar. Al final, con el ruido de una pequeña explosión, se detuvieron.

Sima Ku se puso de pie de un salto.

—¡Maldita sea mi estampa! —dijo, soltando una sincera carcajada—. ¡No pares ahora, ponlo otra vez!

IV

Cuatro noches después, la proyección de la película se trasladó a la espaciosa era del recinto de la familia Sima, donde el Batallón de Sima —oficiales y soldados— y los familiares de los comandantes se sentaron en asientos de honor, los notables de la aldea y del concejo se sentaron unas filas más atrás y los ciudadanos ordinarios se quedaron de pie donde pudieron encontrar un hueco. La gran sábana blanca se colgó enfrente de un estanque cubierto de lotos, detrás del cual se situaron, sentados o de pie, los ancianos, los tullidos y los enfermos, disfrutando de la película desde atrás, además de poder contemplar a la gente que la miraba desde delante.

Ese día entró en los anales del Concejo de Gaomi del Noreste y, ahora que lo pienso, me doy cuenta de que ese día nada fue normal. Hacía un calor tremendo a mediodía, el sol estaba negro, el río traía peces con el vientre hacia arriba y caían pájaros del cielo. Un soldado joven y lleno de vitalidad fue derribado por el cólera mientras cavaba en el suelo para colocar los postes que sujetarían la pantalla, y cuando se estaba retorciendo por el suelo sufriendo unos dolores mortales, un líquido verde comenzó a salirle por la boca; eso no era normal. Docenas de serpientes de color violeta con manchas amarillas se arrastraban, en fila, por las calles de la aldea; eso no era normal. Las grullas blancas de los pantanos se posaron sobre los árboles que había en la entrada de la aldea; había bandadas de ellas, y con su peso hacían que se resquebrajaran las ramas, y sus plumas blancas cubrían los árboles. Agitaban las alas, estiraban el cuello como si fueran serpientes, tenían las patas rígidas; eso no era normal. Zhang el Valiente, que había recibido su apodo porque era el hombre más fuerte de la aldea, lanzó una docena de piedras de molino de la era al estanque; eso no era normal. A media tarde apareció un grupo de forasteros que estaban de viaje. Se sentaron a la orilla del Río de los Dragones a comerse unas tortitas finas como papel y a mascar unos rábanos. Cuando les preguntaron de dónde venían, dijeron que de Anyang, y cuando les preguntaron por qué, dijeron que para ver las películas. Cuando les preguntaron cómo se habían enterado de que aquí se estaban proyectando películas, dijeron que las buenas noticias viajan más rápido que el viento; eso no era normal. Madre, de modo muy poco habitual en ella, contó un chiste sobre un yerno estúpido, y eso tampoco era normal. Cuando se estaba poniendo el sol, el cielo se puso radiante, con un estallido de colores que se modificaban sin parar; eso tampoco era normal. Las aguas del Río de los Dragones corrían de color rojo sangre, y eso tampoco era normal. Cuando comenzó a caer la noche, los mosquitos formaron unos enjambres que flotaban sobre la era como nubes negras, cosa que no era normal. Sobre la superficie del estanque, unos lotos que habían florecido bastante tardíamente parecían seres celestiales bajo el atardecer rojizo, y eso no era normal. La leche de mi cabra tenía un desagradable olor a sangre, y eso, la verdad, no era normal.

Después de tomar mi ración vespertina de leche, corrí como el viento a la era con Sima Liang, atraídos por la película de una forma irresistible, corriendo en dirección a la puesta de sol. Nos fijamos en las mujeres que llevaban bancos mientras arrastraban a sus niños y en los ancianos con bastones, puesto que eran los únicos a los que podíamos superar. Xu Xian'er, un hombre ciego que tenía una voz ronca y cautivadora y que sobrevivía cantando a cambio de unas monedas, iba delante de nosotros, caminando bastante rápido y abriéndose camino golpeando el suelo con el bastón. La propietaria de la tienda de aceite de cocina, una mujer entrada en años que sólo tenía un pecho y a la que se conocía como Vieja Jin, le preguntó:

—¿Por qué tienes tanta prisa, ciego?

—Soy ciego —dijo él—. ¿Tú también eres ciega?

Un anciano llamado Cara Blanca Du, un pescador que llevaba la típica capa impermeable de los de su oficio y un taburete hecho con juncos entrelazados, le preguntó:

—¿Cómo piensas ver una película, ciego?

—Cara Blanca —le contestó el ciego enfadado—, para mí eres una mierda blanca. ¿Cómo te atreves a decir que soy ciego? Cierro los ojos para poder ver más allá de los asuntos mundanos.

Hizo girar su bastón por encima de su cabeza hasta que el aire comenzó a silbar, y estuvo a punto de impactar en una de las piernas, semejantes a las de una garza, de Cara Blanca Du. Du dio un paso hacia el ciego y estaba a punto de golpearlo con su taburete de juncos cuando fue detenido, justo a tiempo, por Semicírculo Fang, que tenía ese nombre porque un oso le había devorado media cara una vez, cuando se hallaba en lo alto de la Montaña Changbai cogiendo ginseng.

—Viejo Du —le dijo—, ¿qué pensará la gente si te pones a pelear con un ciego? Todos vivimos en la misma ciudad. Ganamos algunas discusiones y perdemos otras, pero siempre se trata de que alguien golpea su cuenco contra el plato de otro. Así son las cosas. Ahí arriba, en la Montaña Changbai, no es fácil encontrarse con un vecino de la aldea, así que aquí uno se siente como si estuviera en familia.

Todo tipo de gente se había congregado en la era de la familia Sima. Imaginaos, todas esas familias cenando, sentadas a la mesa, hablando sobre los logros de Sima Ku mientras las mujeres más cotillas cotilleaban sobre las chicas de la familia Shangguan. Nos sentíamos ligeros como plumas, nuestras almas volaban por el aire y lo único que queríamos era que estuvieran poniendo películas para siempre.

Sima Liang y yo habíamos reservado unos asientos justo delante de la máquina de Babbitt. Poco después de que nos sentáramos, y antes de que los diversos colores del cielo hubieran terminado de arder en el cielo del poniente, un olor rancio y salado llegó hasta nosotros traído por las brisas nocturnas. Justo enfrente de nosotros, en el suelo, había un círculo vacío dibujado con cal viva. Han Guo Sordo, un aldeano que renqueaba, estaba ocupado echando a la gente que se metía en el círculo con una rama de árbol de parasol. Su aliento apestaba a alcohol y tenía trozos de puerro entre los dientes. Observándolo todo con sus ojos de mantis religiosa, sacudió sin ninguna compasión su rama de parasol y golpeó una flor de seda roja que tenía en la cabeza la pequeña hermana bizca de alguien llamado Cara de Sueño, haciéndola caer al suelo. Pequeña Bizca había tenido relaciones con los jefes de todas las unidades militares que se habían instalado en la aldea. En ese momento, llevaba una camiseta interior de satén que le había regalado Wang Baihe, el jefe de cuartel del Batallón de Sima. Su aliento a humo también era cosa del jefe de cuartel Wang. Maldiciendo, se agachó a recoger la flor, y aprovechó para hacerse también con un puñado de tierra, que le lanzó a Han Guo Sordo a los ojos. La tierra cegó a Han Guo, que tiró al suelo su rama de parasol y escupió con furia un montón de barro mientras se frotaba los ojos y la insultaba:

—¡Que te jodan, pequeña puta bizca! ¡Que jodan a la hija de tu madre!

El bocazas de Zhao Seis, que vendía rollitos hechos al vapor, le dijo con voz suave:

—Han Guo Sordo, ¿por qué das tantos rodeos? ¿Por qué no te limitas a decir que jodan a esa pequeña perra bizca?

Justo había acabado de pronunciar esas palabras cuando un pequeño taburete de madera de ciprés le golpeó el hombro.

—¡Ay! —exclamó, dándose la vuelta.

Quien lo había atacado era el hermano de la chica bizca, Cara de Sueño, un hombre delgado y con aspecto de estar exhausto que se peinaba con raya al medio, como si tuviera una cicatriz, con un mechón cayendo a cada lado. Iba vestido con una polvorienta camisa de seda gris, y estaba temblando. Tenía el pelo grasiento y parpadeaba sin cesar. Sima Liang me contó en secreto que la chica bizca y su hermano tenían una historia. ¿Dónde habría oído ese jugoso cotilleo?

—Pequeño tío —me informó—, mi padre dice que mañana van a fusilar al jefe de cuartel Wang.

—¿Y qué me dices de Cara de Sueño? ¿También lo van a fusilar a él? —le pregunté, conteniendo la respiración.

Cara de Sueño una vez me había llamado bastardo, por lo que no sentía ninguna simpatía por él.

—Iré a hablar con mi padre —dijo Sima Liang—, y conseguiré que también fusilen a ese pequeño incestuoso.

—Muy bien —asentí, dando rienda suelta a mi odio—. ¡Que fusilen a ese pequeño incestuoso!

Han Guo Sordo, con lágrimas en los ojos —que ahora le resultaban casi inútiles—, agitaba los brazos en el aire. Zhao Seis le quitó el taburete de las manos a Cara de Sueño antes de que pudiera golpearlo otra vez y lo tiró por el aire.

—¡Que jodan a tu hermana! —le dijo directamente.

Cara de Sueño, con las manos convertidas en garras, cogió a Zhao Seis por la garganta. Zhao Seis cogió a Cara de Sueño por el pelo, y los dos fueron luchando hasta el círculo vacío, que estaba reservado para los miembros del batallón de Sima. Estaban fuertemente aferrados. La chica bizca se unió a la batalla para ayudar a su hermano, pero la mayor parte de los puñetazos que dio acabaron en la espalda de él. Al final, en un rapto de inspiración, se deslizó por alrededor de Zhao Seis hasta quedar a su espalda, como un murciélago, buscó entre sus piernas y le agarró con fuerza las pelotas, un movimiento que mereció un rugido de aprobación de Cometa Guan, un experto en artes marciales. «¡Eso es, una captura de melocotón inferior perfecta!». Con un alarido de dolor, Zhao Seis soltó a su oponente y se dobló como una gamba cocida. Su cuerpo empezó a temblar, su rostro adquirió las tonalidades del oro en la cortina opaca de la noche. La chica bizca apretó con todas sus fuerzas. «¿No he oído la palabra joder? —susurró—. ¡Vamos, estoy esperando!». Zhao Seis cayó al suelo y ahí quedó tumbado, moviéndose espasmódicamente. Mientras tanto, Han Guo Sordo, con la cara bañada por las lágrimas, recogió su rama de árbol de parasol y, como la imagen del demonio que encabeza las procesiones en los entierros, empezó a sacudirla en todas las direcciones, sin preocuparse por quién podía recibir el golpe —alguien importante o un cualquiera—, impactando contra todo lo que se le pusiera al alcance. Su rama silbaba por el aire, mientras las mujeres chillaban y los niños lloriqueaban. Los que estaban en los límites externos de la multitud empujaban para acercarse a contemplar el divertido espectáculo y los que corrían peligro de ser alcanzados intentaban ponerse a salvo alejándose en dirección contraria. Los gritos barrían la zona como una ola cuando sube la marea, y los montones de gente chocaban, tropezándose y empujándose de un lado para el otro. Yo vi cómo la rama golpeó a la chica bizca en plena espalda, y la envió a trompicones contra la masa, donde se encontró con las manos de los espíritus vengativos, unidas a las de los que no tenían mayor intención que aprovechar para palpar algo. Entonces se escucharon sus aullidos de protesta.

¡*Bang!* Un disparo. Sima Ku. Con una capa negra echada sobre los hombros, y rodeado por sus guardaespaldas, se acercó a la multitud muy enfadado junto a Babbitt, Zhaodi y Niandi.

—¡Dejadlo ya! —gritó uno de los soldados—. Si no, no habrá película.

Poco a poco, la multitud se fue tranquilizando. Sima Ku y sus acompañantes ocuparon sus asientos. Para entonces, el cielo se había teñido de violeta y la oscuridad era casi total. Una delgada luna creciente dejaba caer una luz mágica desde la esquina sudoeste del cielo. Atrapada en su hechizo, una estrella solitaria brillaba y parpadeaba.

La compañía de caballos, la compañía de mulas y los soldados comunes ya se habían presentado. Habían formado dos columnas y llevaban las armas montadas en los brazos o colgadas de la espalda, y no dejaban de mirar a la multitud de mujeres que los rodeaba. Un grupo de perros ansiosos se metió en la zona. Las nubes engulleron a la luna y la oscuridad se instaló sobre la tierra. Los insectos que había posados sobre los árboles comenzaron su melancólica cantinela por encima del ruidoso fluir del río.

—Encended el generador —ordenó Sima Ku desde donde estaba sentado, un poco a mi izquierda. Se encendió un cigarrillo con su mechero y después apagó la llama con un elegante movimiento de mano. El generador se había instalado en las ruinas de la casa de la mujer musulmana. Las imágenes negras parpadeaban y una linterna emitió un haz de luz. Por fin, la máquina revivió con un gran ruido; el sonido pasaba alternativamente de agudo a grave, pero muy pronto se equilibró. Se encendió una lámpara que había justo detrás de nuestras cabezas. «¡Ao! ¡Ao!», gritó la multitud, muy excitada. Yo me fijé en que la gente que había delante se dio la vuelta para mirar a la lámpara, que hacía que en sus ojos centelleara una luz verde.

Fue como la repetición de la primera noche: la luz buscó la pantalla, iluminando las polillas y los saltamontes que pasaban por delante del rayo y proyectando sus enormes y ágiles cuerpos sobre la tela blanca. Los soldados y los civiles soltaban exclamaciones de asombro. De todos modos, había muchas más cosas que eran diferentes de la primera noche. Para empezar, Sima Ku no se puso en pie de un salto, y por lo tanto el haz de luz no pasó a través de sus orejas. La oscuridad de los alrededores era más profunda, cosa que magnificaba la intensidad de la luz. Era una noche húmeda, y la brisa acuosa de los campos cercanos soplaba hacia nosotros. El viento silbaba suavemente a través de los árboles. Los graznidos de los pájaros llegaban desde el cielo, justo sobre nuestras cabezas. Oíamos a los peces atravesando la superficie del río y los relinchos de las mulas atadas en la ribera; estos animales habían traído a los visitantes de muy lejos. El ruido de los perros llegaba desde lo más profundo de la aldea. Unos rayos de luz verde brillaban en la parte inferior del cielo, hacia el Sudoeste, y después se oía el rugir de los truenos. Un tren cargado con armas de artillería aceleró en la Línea Jiaoji; el sonido rítmico que hacían las inmensas ruedas metálicas al pasar sobre los raíles de acero era maravillosamente compatible con los constantes *clics* que hacía el proyector. Otra cosa que diferenciaba significativamente aquella noche era mi falta de interés por la película que se veía en la pantalla. Esa tarde, Sima Liang había dicho:

—Pequeño Tío, mi padre se ha traído una película nueva de Qingdao. Está llena de imágenes de mujeres bañándose desnudas.

—Estás mintiendo —le había dicho yo.

—De verdad. Pequeño Du me dijo que el jefe de los soldados comunes fue a buscarla en una motocicleta y está a punto de llegar. —Pero al final acabamos viendo la misma película de siempre y, puesto que Sima Liang me había mentido, le di un pellizco en la pierna—. No te he mentido. A lo mejor ponen primero ésta y después la nueva. Esperemos.

Lo que pasaba después de que muriera el oso me resultaba ya muy trillado, así como la escena en la que el cazador y la mujer rodaban juntos por el suelo. Me bastaba con cerrar los ojos para verla por completo, así que me podía permitir fijarme en el resto de la gente, cotillear por aquí y por allá, intentando ver lo que pasaba a mi alrededor.

Zhaodi, que todavía se encontraba débil después del parto, estaba sentada en un sillón lacado en rojo que le habían traído especialmente para ella. Llevaba un abrigo de lana verde echado sobre los hombros. A su izquierda estaba el Comandante Sima, también sentado en un sillón, sobre cuya espalda descansaba su capa. Niandi estaba sentada a su izquierda, en una frágil silla de mimbre. Llevaba un vestido blanco, no el de cola sino otro, muy ajustado, de cuello alto. Al principio todos se sentaron muy rectos, con el cuello rígido y estirado, aunque de vez en cuando la cabeza del Comandante Sima se inclinaba ligeramente hacia la derecha, para susurrarle algo al oído a Niandi. Cuando el cazador se estaba fumando su cigarrillo, a Zhaodi ya se le había cansado el cuello y le dolía la cadera. Se fue deslizando poco a poco por la silla hasta que la cabeza le quedó apoyada en el respaldo. Lo único que yo podía percibir era el brillo de los adornos que tenía en el pelo y un débil aroma a alcanfor procedente de su vestido; también oía con claridad el sonido de su respiración irregular. Cuando la mujer de los enormes pechos bajó de la carreta de un salto y salió corriendo, Sima Ku se movió y vi que Zhaodi estaba a punto de quedarse dormida. Niandi, por el contrario, seguía sentada en una posición muy recta. El brazo izquierdo de Sima Ku comenzó a moverse muy lentamente, una sombra oscura y borrosa como la cola de un perro. Su mano, yo lo vi, su mano se apoyó sobre la pierna de Niandi. Ella se quedó tal como estaba, sin moverse, como si la pierna que Sima Ku estaba tocando no fuera la suya. Esa imagen me desagradó; no me hizo sentir enfado exactamente, y tampoco exactamente miedo. Tenía la garganta seca, y me pareció que estaba a punto de toser. Un relámpago de color verde, retorcido como la rama de un árbol viejo, partió en dos una nube gris que se cernía sobre el pantano semejante al algodón raído. La mano de Sima Ku se desplazaba de atrás hacia adelante, velozmente. Tosió como una cabra pequeña y después se movió en su asiento, dándose la vuelta para mirar hacia donde estaba el proyector. Yo me giré y también lo miré. Babbitt miraba con expresión estúpida un pequeño agujero por el que salía el haz de luz.

El hombre y la mujer que había en la pantalla estaban abrazados y besándose. Los hombres de Sima Ku respiraban pesadamente. Sima Ku introdujo la mano con fuerza entre las piernas de Niandi. Lentamente, ella levantó su mano izquierda, muy lentamente, hasta que llegó detrás de su cabeza, como si se estuviera acariciando el pelo. Pero no se estaba acariciando el pelo sino quitándose una horquilla. Después, la mano empezó a descender. Ella siguió ahí sentada, tan recta y formal como siempre, aparentemente absorta en la película. El hombro de Sima Ku dio un respingo. Él contuvo el aliento, y lentamente retiró la mano izquierda. Entonces volvió a toser como una cabra pequeña, una tos que sonaba vacía.

Soltando un suspiro, me giré para seguir mirando la pantalla pero sólo vi unas imágenes borrosas. Me sudaban las palmas de las manos con un sudor frío. ¿Debería contarle a Madre el secreto que había descubierto en la oscuridad? No, no podía contárselo. No le había revelado el secreto del día anterior, pero de todos modos ella se había dado cuenta.

Los relámpagos de color verde eran como acero fundido que iluminaba la colina de arena que ocupaban los hombres de Hombre-pájaro Han, con todos sus árboles y sus cabañas y sus muros de barro. Eran como dedos líquidos y ondulantes que acariciaban los árboles oscuros y las casas marrones. Los truenos sonaban como vibrantes sábanas de metal cubiertas de óxido. El hombre y la mujer rodaban abrazados en la ribera cubierta de césped, y eso me recordó lo que había visto la noche anterior.

La noche anterior, Sima Ku les había dicho a Madre y a Segunda Hermana que fueran a la iglesia a ver la película. Durante la escena en la que los protagonistas rodaban por el césped, Sima Ku se había levantado en silencio y se había marchado, y yo lo había seguido. Él había saltado el muro de un modo más acorde a un ladrón que a un comandante militar; seguro que, en algún momento de su vida, había sido ladrón. Había saltado el pequeño muro que daba al Sur y entrado en nuestro patio, siguiendo el mismo camino que había tomado mi tercer cuñado, Sol Callado. También el hada-pájaro había transitado a menudo por aquel camino. Yo no había tenido que saltar el muro, ya que conocía otra vía de entrada. Madre había echado el cerrojo a la puerta y había escondido la llave entre dos ladrillos cercanos. Yo era capaz de encontrarla con los ojos cerrados, pero tampoco me hizo falta, puesto que en la parte inferior de la puerta había un hueco para los perros que llevaba ahí desde los tiempos de Shangguan Lü. Los perros ya no estaban, pero el agujero permanecía. Yo era suficientemente pequeño como para deslizarme a través de él, y también lo eran Sima Liang y Sha Zaohua. Ahora estaba del lado de dentro, en una pequeña habitación que servía de pasillo y que conducía a la zona oeste del recinto. Dos pasos más y ya me encontraba frente a la puerta que daba al ala oeste. Ahí todo estaba donde siempre había estado: la piedra del molino, alfalfa para alimentar a las mulas y la esterilla de paja de Laidi. Era ahí, en esa esterilla de paja, donde ella había perdido la compostura y se había vuelto loca. Para evitar que irrumpiera en la boda de Babbitt, Sima Ku la había atado de la muñeca al marco de la ventana y la había dejado ahí tres días. Yo suponía que quería liberar a Primera Hermana y ayudarla a abrir los ojos. ¿Qué fue lo que sucedió entonces?

La silueta de Sima Ku parecía más grande que nunca a la débil luz de las estrellas. No pudo verme, cuando logró entrar, porque yo me había escondido en un rincón. Oí un golpe poco después de que entrara en la habitación; se había tropezado con un cubo de metal que habíamos puesto ahí para que Laidi hiciera sus necesidades. Ella soltó una risita en la oscuridad. Una minúscula llama iluminó la habitación, y ahí estaba Laidi, tumbada en su esterilla de paja, con el pelo todo revuelto a su alrededor y los dientes blancos como la nieve. Su túnica negra no la cubría del todo. ¿Daba miedo? No era nada más ni nada menos que un demonio. Sima Ku estiró la mano y le tocó la cara, pero ella no se asustó. La luz del mechero se apagó. Las cabras, en su establo, dieron unas patadas en el suelo. Sima Ku se rió y dijo:

—Somos cuñado y cuñada, y eso no tiene nada de malo, así que ¿por qué no lo intentamos? Me pareció que a ti realmente te apetecía. Bueno, aquí estoy...

Laidi chilló, haciendo un extraño sonido que atravesó el techo.

—No es poca cosa lo que has dicho hoy: deseo, sufrimiento... Tú eres una ola y yo soy un barco. Tú eres una gotera y yo soy la lluvia. Soy tu salvador.

Los dos empezaron a girar juntos como si se hubieran sumergido en agua, como si estuvieran en un pozo lleno de anguilas. Los chillidos de Laidi eran más agudos y penetrantes que lo que nunca habían sido los del hada-pájaro. Sin hacer ni un ruido, me deslicé de nuevo a través del agujero para los perros y salí otra vez a la calle, con el cuerpo pegajoso, cubierto de sudor frío.

La película estaba a punto de terminar cuando Sima Ku volvió a entrar en la iglesia silenciosamente. Al ver que se trataba del comandante, la gente se apartó para que él pudiera pasar hasta su asiento. Cuando pasó a mi lado, me acarició la cabeza, y yo detecté el olor de los pechos de Laidi en su mano. Una vez en su asiento, le susurró algo a Segunda Hermana, y ella pareció contestarle con una risa. Las luces se encendieron pillando al público de improviso, y todo el mundo se quedó descolocado, como si no supiera dónde estaba. Sima Ku se levantó y exclamó:

—Mañana por la noche, la proyección de la película será en la era. Vuestro comandante quiere mejorar esta región a través de la introducción de la cultura occidental.

Eso hizo que la gente volviera a la realidad, y el subsiguiente clamor tapó por completo el sonido del proyector. Más tarde, cuando todos los invitados ya se habían ido, Sima Ku le dijo a Madre:

—Bueno, señora, ¿qué le ha parecido? Valía la pena venir a verlo, ¿verdad? Ahora lo que voy a hacer es construir un cine para todo Gaomi del Noreste. Este tipo, Babbitt, puede hacer casi cualquier cosa, y usted debería agradecerme que se lo haya conseguido como yerno.

—Ya es suficiente —dijo Segunda Hermana—. Llevemos a Madre a casa.

—No puedes dejar de mover la cola —le dijo Madre—. El orgullo no trae nada bueno. Me recuerdas a los perros cuando están comiendo mierda en medio del gentío.

De un modo o de otro, Madre descubrió lo que había pasado esa noche con Laidi. A la mañana siguiente, Sima Ku y Segunda Hermana vinieron a traer la ración de grano y cuando estaban a punto de marcharse, Madre dijo:

—Quiero hablar con mi yerno de un asunto.

—Sea lo que sea —le dijo Segunda Hermana—, puedes hablar delante de mí.

—Adelante —insistió Madre, haciendo que Sima Ku pasara a la habitación de al lado—. ¿Qué es lo que planeas hacer con ella? —le preguntó Madre.

—¿Con quién?

—¡No te hagas el tonto conmigo! —le dijo Madre.

—No me estoy haciendo el tonto —dijo él.

—Elige el camino que quieras tomar —dijo Madre.

—¿De qué caminos me está hablando? —preguntó Sima Ku.

—Te lo voy a explicar —dijo ella—. El primer camino es casarte con ella, tomarla como primera esposa, como segunda esposa o como una de dos esposas de la misma categoría. Puedes negociar eso con mi segunda hija. El segundo camino es matarla.

Sima Ku se frotó los lados de sus pantalones con las dos manos, aunque en un estado mental muy diferente de la última vez que había hecho tal cosa.

—Te doy tres días para que tomes una decisión. Ahora ya puedes irte.

Sexta Hermana estaba ahí sentada sin moverse, como si nada hubiera pasado. Escuché toser a Sima Ku; hizo un ruido que me sobresaltó y me entristeció al mismo tiempo. En la pantalla, el hombre y la mujer estaban acostados, muy juntos, bajo un árbol. La cabeza de la mujer estaba apoyada sobre el pecho del hombre. Ella estaba contemplando el fruto del árbol mientras él mascaba una brizna de hierba, sumido en sus pensamientos. La mujer se incorporó hasta quedar sentada y se volvió para mirarlo, con la mitad superior de sus pechos bulbosos expuesta por encima del vestido. Su escote parecía violeta, como el refugio de una anguila en las zonas menos profundas del río. Ésa era la cuarta vez que yo contemplaba ese refugio, y deseaba deslizarme dentro de él. Entonces, ella se movió ligeramente y el hueco desapareció. Le dio un empujón al hombre y le dijo algo, malhumorada, pero él siguió con los ojos cerrados y mascando la brizna de hierba. Poco después, ella le dio una bofetada y rompió a llorar. El ruido que hacía cuando lloraba no era muy diferente del que hacían las mujeres chinas. El hombre abrió los ojos y le escupió el jugoso tallo de hierba a la cara. Una fuerte ráfaga de viento hizo que el árbol de la pantalla se agitara, haciendo que sus frutos se chocaran unos contra otros. El sonido de las hojas al moverse llegaba suavemente desde la orilla del río, y yo no sabía si el viento de la pantalla hacia que se movieran las hojas junto al río o si el viento que venía del río hacía que se movieran las hojas en la pantalla. Otro relámpago envió un rayo de luz de color verde que atravesó el cielo, seguido por el sonido de un trueno. El viento iba en aumento, y los espectadores comenzaron a moverse, nerviosos e impacientes, en sus asientos. Un enjambre de gotas pasó a través del haz de luz.

—Está lloviendo —gritó alguien, justo en el momento en que el hombre avanzaba hacia la carreta, llevando a la mujer descalza en brazos, con el vestido rasgado colgando de su cuerpo.

Sima Ku se levantó súbitamente.

—¡Apágalo! ¡Eso es todo! —dijo—. El agua va a estropear el proyector.

Estaba de pie bloqueando el haz de luz, cosa que generó rugidos de desaprobación entre la multitud, por lo que se volvió a sentar. El agua caía a chorros sobre la pantalla. El hombre y la mujer saltaron al río. Otro relámpago serpenteó por el cielo. Su crujido se mantuvo en el aire durante un montón de tiempo y oscureció el rayo de luz que salía del proyector. Una docena de objetos negros, más o menos, llegaron volando. Daba la impresión de que el relámpago hubiera desatado una lluvia de cagadas. En algún lugar entre las filas de soldados del Batallón de Sima hubo una violenta explosión. Una detonación atronadora, con estallidos de luces verdes y amarillas, todo acompañado por el penetrante olor de la pólvora, más o menos al mismo tiempo. Yo acabé sentado encima del vientre de alguien y sentí algo caliente y húmedo en la cabeza. Me toqué la cara con la mano; la tenía toda pegajosa. El aire estaba espeso por el hedor de la sangre. La gente, presa del pánico y enceguecida, no dejaba de gritar. El haz de luz iluminó espaldas curvadas, cabezas ensangrentadas, rostros aterrorizados. El hombre y la mujer que se divertían en el río americano habían quedado reducidos a pedazos. Relámpagos. Truenos. Sangre verde. Trozos de carne humana volando por el aire. Una película americana. Una granada de mano. Llamas doradas serpenteando desde el cañón de una pistola. Que no cunda el pánico, hermanos. Otra serie de explosiones. ¡Madre! ¡Hijo! Un brazo rebanado vivo. Unos intestinos enrollados en una pierna. Gotas de lluvia más grandes que monedas de plata. Una luz que hacía daño a los ojos. Una noche llena de misterios. «¡Al suelo boca abajo, aldeanos, y todos quietos! ¡Oficiales y soldados del Batallón de Sima, todos quietos! ¡Soltad las armas si queréis vivir! ¡Soltadlas o moriréis!». Las órdenes llegaban de todas partes, y caían sobre nosotros...

V

Antes de que se extinguiera la onda expansiva cayó sobre nosotros una cantidad de antorchas encendidas que parecía infinita. Los soldados del Decimosexto Regimiento independiente de Lu Liren se abrieron paso amenazadoramente hacia nosotros, con sus negros impermeables echados sobre los hombros y sus rifles con las bayonetas montadas, gritando al unísono. Los que transportaban las antorchas eran civiles que llevaban unos pañuelos blancos atados a la cabeza, en su mayor parte mujeres con el pelo cortado a lo paje. Levantaban las brillantes antorchas, hechas con viejos trozos de prendas de algodón empapados de keroseno, todo lo que podían, para que iluminaran a los soldados del Decimosexto Regimiento. Un crepitar de disparos surgió del medio del Batallón de Sima, y una docena, más o menos, de soldados del Decimosexto Regimiento cayó pesadamente al suelo, como sacos de grano. Pero los soldados que iban detrás de ellos ocuparon rápidamente su lugar, y una docena de granadas de mano voló por el aire hacia nosotros; sus explosiones sonaron como si el cielo se hubiera desplomado y la tierra se hubiera rajado. «Mis hombres, nos rendimos», gritó Sima Ku. Todos lanzaron las armas de cualquier manera al suelo iluminado por las abundantes antorchas.

Sima Ku sujetaba a Zhaodi entre sus brazos ensangrentados.

—¡Zhaodi! —gritó—. Zhaodi, mi esposa querida, despierta... Una mano temblorosa me cogió por el brazo. Levanté la vista y, a la luz de las antorchas, vi el rostro pálido de Niandi. Ella también yacía en el suelo, aplastada bajo unos cuantos cuerpos desarticulados.

—Jintong, Jintong... —Apenas era capaz de hablar—. ¿Estás bien?

Me dolía la nariz y empecé a llorar.

—Estoy bien, Sexta Hermana —sollocé—. ¿Y tú qué tal? ¿Estás bien?

Ella extendió las dos manos hacia mí.

—Querido hermanito —suplicó—, ayúdame. Cógeme de las manos.

Yo tenía las manos verdes y aceitosas. Ella también. Aferré fuertemente sus manos, como si estuviera apresando barbos vivos, pero se me escurrieron. Para entonces, todo el mundo estaba tirado en el suelo; nadie se atrevía a levantarse. El rayo de luz seguía impactando sobre la pantalla blanca, donde la ruptura de la pareja americana estaba alcanzando su clímax. La mujer sujetaba un cuchillo sobre la figura del hombre, que roncaba. El joven americano, Babbitt, gritaba ansiosamente, al lado del proyector:

—¡Niandi! ¡Niandi! ¿Dónde estás?

—Estoy aquí, Babbitt, ayúdame, Babbitt...

Sexta Hermana extendió una mano en dirección a su Babbitt. Respiraba con dificultad, y tenía el rostro cubierto de lágrimas y mocos. La silueta alta y ágil de Babbitt comenzó a moverse en busca de Niandi. Tenía problemas para andar, como un caballo atrapado en el fango.

—¡Quédate donde estás! —bramó alguien, pegando un tiro al aire—. ¡No te muevas!

Babbitt se tiró al suelo como si lo hubiera segado una espada.

Sima Liang apareció reptando. Un hilillo de sangre pegajosa le salía de una oreja herida y le corría por la mejilla y por el cuello hasta llegar al pelo. Me levantó y me palpó todo el cuerpo con sus rígidos dedos para comprobar cómo estaba.

—Estás muy bien, Pequeño Tío —me dijo—. Tus brazos y tus piernas están enteros.

Después se agachó, le quitó a Sexta Hermana los cuerpos que tenía encima y la ayudó a ponerse de pie. Su vestido blanco de cuello alto estaba todo salpicado de sangre.

Cuando la lluvia empezaba a calarnos, nos metieron como a ganado en un molino que era el edificio más alto de todo el concejo y que se solía usar como almacén. Ahora que lo pienso, me doy cuenta de que tuvimos un montón de oportunidades de escapar. La fuerte lluvia apagó las antorchas que llevaban los civiles del Decimosexto Regimiento, y los soldados se iban empujando entre ellos al intentar protegerse del helado aguacero que prácticamente los cegaba. Dos linternas amarillas eran lo único que iluminaba el camino. Y a pesar de todo esto, nadie salió corriendo. Los prisioneros y los guardias sufrían igualmente. Cuando nos aproximamos a la deteriorada puerta de entrada, los soldados nos empujaron para quitarnos de en medio y poder entrar ellos.

El molino temblaba bajo la tormenta, y cuando un relámpago iluminó la zona, vi que el agua entraba formando una cascada a través del tejado de chapa metálica. Una catarata con un brillo centelleante caía hacia afuera resbalando por el alero de metal, y enviaba un torrente de agua grisácea que bajaba por la acequia hasta la calle, al otro lado de la puerta del recinto. Sexta Hermana, Sima Liang y yo íbamos separados en el duro camino desde la era hasta el molino. Justo enfrente de mí había un soldado del Decimosexto Regimiento que llevaba una capa impermeable negra. Tenía unos labios demasiado finos como para taparle los dientes amarillos y las encías violáceas. Sus ojos grises estaban nublados. Cuando se extinguió un relámpago, estornudó ruidosamente en la oscuridad; un fuerte olor a tabaco barato y a rábano me llegó directamente a la cara, haciéndome unas desagradables cosquillas en la nariz. A mi alrededor sonaban montones de estornudos. Yo quería localizar a Sexta Hermana y a Sima Liang, pero no me atrevía a llamarlos, así que esperé al breve resplandor del siguiente relámpago para buscarlos, mientras el tremendo trueno que sonó después hacía que la tierra temblara y llenaba el aire con un fuerte olor a azufre ardiendo. Distinguí el rostro amarillento y raquítico de Cara de Sueño detrás de un pequeño soldado. Parecía un gracioso espectro que acabara de salir de su tumba. Su rostro pasó del amarillo al violeta, su pelo parecía consistir en dos trozos de fieltro, la chaqueta de seda se le había pegado al cuerpo, tenía el cuello completamente estirado, su nuez de Adán era tan grande como un huevo de gallina y se le podían contar las costillas. Sus ojos eran como los fuegos fatuos de un cementerio.

Justo antes del amanecer, la lluvia bajó en intensidad y el suave repiqueteo de un calabobos sustituyó a los golpes del aguacero sobre el tejado de chapa metálica. Los relámpagos decrecieron un poco, y sus aterradoras luces azules y verdes dieron paso a unas mucho más tenues, amarillas y blancas. Los truenos se habían alejado y los vientos soplaban desde el Noreste, agitando las láminas de metal del tejado y haciendo que el agua que se había estancado ahí arriba se colara y formara goteras. El viento, que se nos metía hasta los huesos y nos los congelaba, hacía que las articulaciones se nos quedaran tiesas, por lo que nos apelotonamos todos hasta quedar muy juntos, tanto los amigos como los enemigos. Las mujeres y los niños lloraban en la oscuridad. Yo sentí que los huevos me temblaban entre las piernas, provocándome unos dolorosos pinchazos en los intestinos que se me extendieron hasta el estómago. Me parecía que tenía las entrañas congeladas, como si fueran un trozo de hielo. Si alguien hubiera querido irse del molino en aquel momento, nadie se lo habría impedido, pero ninguno de nosotros lo intentó.

Un rato más tarde, un grupo de gente se presentó ante la puerta. Para entonces yo estaba medio inconsciente, apoyado contra la espalda de alguien que a su vez se apoyaba contra la mía. Un sonido de gente que caminaba a través de agua nos llegó desde más allá de la puerta del recinto; después, unos cuantos rayos de luz brillaron moviéndose en la oscuridad. Un puñado de hombres, vestidos con impermeables, con todo el cuerpo tapado menos el rostro, llegó hasta la entrada del molino.

—Hombres del Decimosexto Regimiento —gritó alguien—, salid. Debéis regresar al cuartel general.

Los gritos eran bastante ásperos, pero yo me di cuenta de que aquella voz era, en circunstancias normales, fuerte y clara, capaz de movilizar a la gente. Supe de quién era en cuanto posé los ojos en él. El rostro que vi sobre un impermeable y debajo de un sombrero era el del comandante y comisario político del batallón de demoliciones, Lu Liren. Ya esa primavera me habían llegado rumores de que su unidad se había alzado como fuerza independiente, y aquí estaba.

—Daos prisa —ordenó Lu Liren—. Todas las demás unidades han vuelto a sus cuarteles, así que ya es hora de regresar, camaradas, a secaros los pies y beber una rica infusión de jengibre.

Los soldados salieron del molino lo más rápidamente que pudieron y se colocaron en formación en la calle inundada. Muchos hombres que parecían cuadros levantaron unos faroles y empezaron a dar órdenes a gritos:

—¡Tercera compañía, seguidme! ¡Séptima compañía, seguidme!

Los soldados emprendieron la marcha detrás de los faroles y fueron reemplazados por otros soldados vestidos con unas capas impermeables armados con ametralladoras. El jefe del escuadrón saludó.

—Comandante —informó—, el escuadrón de seguridad se quedará atrás para vigilar a los prisioneros.

Lu Liren le devolvió el saludo.

—Tenedlos bien vigilados. No dejéis que se escape ninguno. Quiero un recuento a primera hora de la mañana. Si no me equivoco —dijo, volviéndose hacia el molino con una sonrisa—, mi viejo amigo Sima Ku está ahí dentro.

—¡Que te jodan a ti y a tus ancestros! —maldijo Sima Ku desde detrás de una enorme piedra de molino—. ¡Jiang Liren, despreciable sabandija, estoy aquí mismo!

—Te veré por la mañana —dijo Lu Liren, soltando una carcajada antes de marcharse.

El jefe del escuadrón se quedó de pie bajo la luz de un farol.

—Sé que algunos tenéis armas escondidas —dijo—. Yo estoy a la luz y vosotros en la oscuridad, cosa que me convierte en un blanco fácil. Pero os recomiendo muy seriamente que desechéis esa clase de ideas, porque soy el único al que daríais. Y entonces —y aquí hizo un movimiento con la mano señalando la docena de soldados, más o menos, que estaban armados con ametralladoras—, si ellos abren fuego, muchos más que uno de vosotros caería. Nosotros tratamos bien a nuestros prisioneros. Mañana, cuando se haga de día, os sacaremos de aquí. Los que quieran unirse a nosotros serán recibidos con los brazos abiertos. Los que no quieran, recibirán dinero para el viaje y se marcharán a sus casas.

El único sonido que se oía en el molino era el del agua que salpicaba. El jefe del escuadrón ordenó a sus hombres que cerraran la puerta medio podrida. La luz de su farol entraba a través de los huecos y las rendijas e iluminaba varios rostros hinchados. Cuando los soldados se marcharon hubo más espacio en el interior del molino, así que yo pude acercarme al lugar donde había oído a Sima Ku hacía solamente un instante. Tropecé con algunas piernas calientes y temblorosas y oí la melodía de varios lamentos cadenciosos. El inmenso molino era una construcción ideada por Sima Ku y por su hermano Sima Ting. Desde que fuera construido, ahí no se había molido ni un solo saco de harina, porque la primera noche unas violentas ráfagas de viento habían arrancado las aspas del molino, dejando en su lugar unos trozos de madera que giraban ruidosamente durante todo el año. El lugar era suficientemente grande como para alojar un circo. Una docena de piedras de molino del tamaño de pequeñas colinas había quedado, obstinadamente, sobre el suelo de ladrillos.

Dos días antes yo había ido a aquel lugar con Sima Liang para echar un vistazo, porque él le había sugerido a su padre que lo convirtiera en una sala de cine. Me estremecí en cuanto puse un pie en el molino. Un puñado de ratas feroces nos salió al paso, llenando el inmenso edificio con sus chillidos. Se detuvieron justo antes de llegar donde estábamos nosotros. Una enorme rata blanca con los ojos rojos, que encabezaba el grupo, se detuvo, se sentó sobre el trasero, levantó las garras delanteras, tan finas que parecían haber sido talladas en jade, y se acarició los bigotes, blancos como la nieve. Sus ojillos pequeños y brillantes se iluminaron mientras docenas de ratas negras formaron un semicírculo detrás de ella, mirándonos exultantes, preparadas para atacar. Lleno de miedo, retrocedí. Estaba muy tenso y unas descargas heladas me subían y bajaban por la espina dorsal. Sima Liang me protegió con su cuerpo, a pesar de que sólo me llegaba por la barbilla. Primero se agachó, después se puso de cuclillas y miró fijamente a los ojos a la rata blanca. Sin retroceder ni un poquito, la rata dejó de acariciarse los bigotes y se sentó como si fuera un perro; la boca y los bigotes le temblaban. Ni Sima Liang ni la rata iban a ceder. ¿Qué estarían pensando aquellas ratas, especialmente la blanca? ¿Y qué estaría pasando por la mente de Sima Liang, un niño que solía hacerme sentir desgraciado pero de quien cada vez me sentía más cerca? ¿Se trataba de una competición que consistía en mantener la mirada? ¿O una batalla de voluntades, como la de un alfiler y una espiga de trigo que intentan ver cuál tiene la punta más afilada? Y si era así, ¿quién era el alfiler y quién era la espiga de trigo? Realmente me pareció que oía a la rata decir: Éste es nuestro territorio y aquí no sois bienvenidos. Después oí a Sima Liang decir: Este molino pertenece a la familia Sima. Lo construyeron mi tío y mi padre, así que para mí es como estar en casa. Éste es mi hogar. La rata blanca dijo: El hombre que es fuerte es un rey, y el que es débil es un ladrón. Sima Liang contraatacó con: Mil kilos de rata no pueden competir con ocho kilos de gato. A lo que la rata blanca replicó: Tú eres un niño, no un gato. En mi vida anterior, dijo Sima Liang, fui un gato de ocho kilos. ¿Cómo se te ocurre que me voy a creer eso?, dijo la rata blanca. Sima Liang apoyó ambas manos en el suelo y sus ojos se almendraron y abrió la boca para soltar un gruñido. *Miau, miau,* el penetrante maullido de un gato hizo que temblaran las paredes del molino. *Miau, miau, miaaau,* y la rata blanca, confundida y presa del pánico, cayó de nuevo a cuatro patas y estaba a punto de emprender la retirada cuando Sima Liang se abalanzó sobre ella y la atrapó con una mano, aplastándola antes de que tuviera la oportunidad de darle un mordisco. Las otras ratas huyeron en todas direcciones. ¿Y yo? Imitando a Sima Liang, me lancé tras ellas, maullando como un gato, pero desaparecieron antes de que pudiera darme cuenta. Sima Liang soltó una carcajada y se volvió para mirarme. ¡Dios mío! Tenía de verdad unos ojos de gato, iluminados por esas diabólicas luces verdes. Tiró la rata blanca muerta al hueco del centro de una de las piedras de molino. Los dos cogimos la manija de madera y empujamos con todas nuestras fuerzas, pero no se movió ni un ápice, así que abandonamos y empezamos a merodear por el interior del molino, yendo de una piedra a otra, y descubrimos que todas las demás giraban con mucha facilidad.

—Pequeño Tío —me dijo Sima Liang—, montemos un molino nosotros.

Yo no supe qué contestar a esa propuesta, ya que las únicas cosas que me importaban en la vida eran los pechos y la leche que contenían. Fue una tarde gloriosa. La brillante luz del sol entraba a través de las fisuras del techo de chapa metálica y de las celosías de la ventana y caía sobre el suelo de ladrillo, donde abundaban las deposiciones de rata y de murciélago. Vimos unos pequeños murciélagos de alas rojas colgando de las vigas, y uno más grande, del tamaño de un sombrero cónico para protegerse de la lluvia, deslizándose por el aire por encima de ellos. Sus chillidos sonaban muy apropiados para su cuerpo, agudos y débiles, y me hicieron estremecer. En el centro de todas las piedras de molino se habían hecho unos agujeros. Unas estacas de madera de abeto chino salían de ahí y subían hasta atravesar el techo de chapa metálica; en la punta de las estacas estaban las ruedas sobre las que unas aspas, durante muy poco tiempo, habían estado dando vueltas. Lo que habían creído Sima Ku y Sima Ting era que, cuando hubiera viento, las aspas girarían y harían que las ruedas también rotaran, con lo que las estacas y las piedras de molino de abajo se pondrían a dar vueltas. Pero la ingeniosa idea de los hermanos Sima había sido rechazada por la realidad.

Al pasar al lado de las piedras de molino, buscando a Sima Liang, distinguí unas cuantas ratas subiendo y bajando por las estacas. Había alguien sobre una de las piedras, con los ojos echando ascuas. Supe que era Sima Liang. Se agachó y me cogió de la mano con su garra helada. Con su ayuda, logré trepar, apoyando un pie en la manija de madera. La piedra estaba muy húmeda; un agua grisácea emergía desde el agujero del centro.

—¿Te acuerdas de esa rata blanca, Pequeño Tío? —me preguntó con aire misterioso. Yo asentí en la oscuridad—. Está aquí —dijo en voz baja—. Voy a desollarla y a hacer unas orejeras para la abuela.

Un relámpago anémico cortó el lejano cielo del Sur como un cuchillo y arrojó una débil luz en el interior del molino. Entonces vi la rata muerta que tenía en la mano. Estaba toda mojada, y su asquerosa y raquítica cola colgaba hacia abajo.

—Tírala por ahí —le dije.

—¿Y por qué? —me preguntó él, disgustado.

—Es asquerosa. No me digas que no te da asco.

En medio del silencio que se hizo entonces, oí que la rata muerta volvía a caer en el agujero de la piedra de molino.

—Pequeño Tío, ¿qué crees tú que van a hacer con nosotros? —me preguntó tristemente.

Sí, ¿qué iban a hacer con nosotros? Un ruido de agua, al otro lado de la puerta, indicó el cambio de guardia. Los nuevos guardias estaban roncando como caballos.

—Hace frío —se quejó uno de ellos—. Esto no se parece nada a agosto. ¿Crees que el agua se va a congelar?

—No digas tonterías —le contestó el otro.

—¿Te gustaría estar en casa, Pequeño Tío? —me preguntó Sima Liang.

La cama de ladrillos, cómoda y calentita, el cálido abrazo de Madre, los merodeos nocturnos de Gran Mudo y Pequeño Mudo, los grillos encima del horno, la dulce leche de cabra, el crujido de las articulaciones de Madre y su tos profunda, la risita boba de Primera Hermana fuera, en el patio, las suaves plumas de las lechuzas nocturnas, el sonido de las serpientes cazando ratones detrás del almacén... ¿cómo no iba a tener ganas de estar en casa, teniendo todo eso en cuenta? Sollocé.

—Escapémonos, Pequeño Tío —me dijo.

—¿Cómo nos vamos a escapar con esos guardias que hay en la puerta? —dije yo en voz baja.

Él me agarró del brazo.

—¿Ves esta estaca de abeto? —dijo, colocando mi mano sobre la estaca, que subía hasta el techo. Estaba húmeda—. Podemos trepar hasta arriba, hacer un agujero en el techo de chapa metálica y escaparnos.

—¿Y entonces qué? —le pregunté yo, muy poco convencido.

—Bajamos al suelo de un salto —dijo él—. Y después, nos vamos a casa.

Intenté imaginarnos subidos en el tejado de chapa metálica, oxidado y ruidoso, y me empezaron a temblar las rodillas.

—Es demasiado alto —murmuré—. Nos romperíamos una pierna si saltamos desde ahí arriba.

—No te preocupes por eso, Pequeño Tío. Deja que yo me encargue de todo. La primavera pasada ya salté de este tejado. Hay unos arbustos de lilas debajo de los aleros. Sus ramas son muy flexibles y amortiguarán nuestra caída.

Miré hacia arriba, al lugar en el que la estaca se encontraba con el tejado de chapa metálica, a través del cual pasaban unos brillantes rayos de luz. El agua se deslizaba lentamente por la estaca.

—Pronto se hará de día, Pequeño Tío. Vámonos —me dijo ansiosamente, metiéndome prisa.

¿Qué podía hacer yo? Asentí.

—Yo iré primero y quitaré un trozo de la chapa metálica —me dijo, dándome una palmadita en el hombro para transmitirme que lo tenía todo bajo control—. Échame una mano. —Se abrazó a la resbaladiza estaca, pegó un salto y apoyó los pies sobre mis hombros—. ¡Levántate! —me dijo, apremiante—. ¡Levántate!

Agarrándome a la estaca, me levanté. Las piernas me temblaban. Las ratas que bajaban por la estaca chillaban al saltar al suelo. Sentí cómo se empujaba con los pies e iba trepando por la estaca como una lagartija. Yo lo observé ascendiendo poco a poco por la estaca, iluminado por la débil luz que se colaba por las rendijas, resbalándose ligeramente hacia abajo de vez en cuando hasta que finalmente llegó a lo más alto.

Entonces golpeó la chapa metálica con el puño, haciendo mucho ruido y dejando caer más agua de lluvia, que aterrizó sobre mi rostro. Un poco me entró en la boca y me dejó el amargo sabor del óxido, por no mencionar los pequeños trocitos de metal. Él jadeaba y gruñía en la oscuridad, debido al esfuerzo realizado. Oí cómo se movía la chapa de metal en el momento en que una cascada de agua impactó contra mí, y entonces me agarré fuertemente a la estaca para evitar que el agua me tirara de la piedra de molino en la que estaba subido. Sima Liang empujó con la cabeza para ampliar el tamaño del hueco. La chapa resistió un momento antes de ceder, y después un triángulo irregular se abrió en el techo, a través del cual se colaron unos rayos de luz gris procedentes de las estrellas. Entre las estrellas que había en el cielo, descubrí algunas que apenas brillaban.

—Pequeño Tío —me dijo desde más allá de las vigas—, espera ahí, que voy a echar un vistazo. Después volveré y te ayudaré a subir.

Impulsándose hacia arriba, asomó la cabeza por encima del techo, hacia la nueva luz, para echar un vistazo.

—¡Hay alguien en el techo! —gritó uno de los soldados que hacían guardia junto a la puerta.

Unas brillantes lenguas de luz atravesaron la oscuridad mientras una lluvia de balas caía sobre la chapa metálica haciéndola resonar con fuerza. Sima Liang se deslizó hacia abajo por la estaca con tanta rapidez que casi me aplasta. Se enjuagó el agua de la cara y escupió un montón de limaduras metálicas. Le castañeteaban los dientes.

—¡Ahí arriba hace un frío que pela!

La profunda oscuridad de justo antes de amanecer se había acabado, y en el interior del molino empezaba a entrar la luz. Sima Liang y yo nos acurrucamos juntos. Noté cómo su corazón latía a toda velocidad contra mis costillas, como un gorrión febril. Yo empecé a llorar de desesperación. Mientras me cepillaba la barbilla con su bonita y redondeada cabeza, me dijo:

—No llores, Pequeño Tío. No se atreverán a hacerte daño. Tu quinto cuñado es su superior.

Ahora había suficiente luz como para hacernos una buena idea de cómo era el lugar en el que estábamos. Las doce enormes piedras de molino, en una de las cuales habíamos estado subidos Sima Liang y yo, relucían majestuosamente. Su tío, Sima Ting, estaba subido en otra. Unas gotas de agua le caían desde la punta de la nariz en el momento en que nos guiñó un ojo. Unas ratas mojadas estaban subidas encima del resto de las piedras y cubrían su superficie por completo. Estaban muy juntas, acurrucadas unas contra otras. Sus pequeños ojillos somnolientos eran un brillo de color negro. Sus colas parecían gusanos. Daban pena y asco al mismo tiempo. El agua se colaba por las goteras del techo y se estancaba en el suelo, formando un montón de charcos. Los soldados del Batallón de Sima estaban de pie apiñados en pequeños grupos. Sus uniformes verdes, que ahora eran negros, se les pegaban al cuerpo. La mirada que había en sus ojos y la expresión de sus rostros eran terriblemente similares a las de las ratas. En general, los prisioneros civiles estaban por su cuenta. Sólo algunos de ellos se habían mezclado con los soldados, como el tallo de trigo que se encuentra de vez en cuando en un campo de maíz. Había más hombres que mujeres; algunas de ellas sostenían entre sus brazos a niños que lloraban y sollozaban intermitentemente. Las mujeres estaban sentadas en el suelo. La mayor parte de los hombres estaba de rodillas, salvo unos pocos que estaban apoyados contra las paredes. Esas paredes se habían encalado, hacía algún tiempo, pero ahora estaban completamente húmedas. La pintura se había desconchado con la fricción contra las espaldas de los hombres, modificando los colores de sus ropas. Distinguí a la chica bizca entre la gente. Estaba sentada en el barro con las piernas estiradas y con la espalda apoyada contra la de otra mujer. Tenía la cabeza inclinada sobre el hombro, como si se le hubiera partido el cuello. Vieja Jin, la mujer que sólo tenía un pecho, estaba sentada sobre las nalgas de un hombre. ¿Quién sería él? Estaba despatarrado en el agua, boca abajo, y en la superficie flotaban sus blancos bigotes. Alrededor de éstos se veían unos coágulos de sangre que se movían por el agua como pequeños renacuajos. A Vieja Jin sólo le había crecido el pecho derecho; el lado izquierdo de su torso era plano como una piedra de afilar, cosa que hacía que su pecho pareciera levantarse mucho más que lo normal, semejante a una colina solitaria en la llanura. El pezón era grande y duro, y casi le atravesaba la delgada blusa. La gente solía llamarla «Bote de Aceite» porque decían que cuando ese pezón se excitaba se podía colgar un bote de aceite de él. Unos decenios más tarde, cuando al fin tuve la oportunidad de yacer sobre su cuerpo desnudo, me di cuenta de que el único indicio de un pecho que había en su lado izquierdo era un pequeño pezón del tamaño de un guisante, como una peca que hablara de su existencia. Estaba sentada sobre las nalgas del muerto, acariciándose su propia cara, como si estuviera loca. Se acariciaba la cara y después se frotaba las manos contra las rodillas, como si acabara de salir arrastrándose del escondrijo de una araña y se estuviera quitando trozos de translúcida tela de araña de la cara. El resto de la gente había adoptado diferentes y variadas posturas y actitudes; algunos lloraban, otros se reían y otros mascullaban algo con los ojos cerrados. Una mujer movía la cabeza hacia atrás y hacia adelante, como una serpiente de agua o una grulla al borde del agua. Era la esposa de Geng Da'le, el vendedor de pasta de gambas, y tenía el cuello largo y la cabeza pequeña, demasiado pequeña para el tamaño de su cuerpo. La gente decía que era una serpiente que se había convertido en persona, y su cabeza, desde luego, parecía confirmarlo. Su cabeza sobresalía de un grupo de mujeres cuyas cabezas estaban todas inclinadas hacia adelante, y en la fría humedad del molino, con su luz sombría, la forma en la que se movía hacia adelante y hacia atrás era la prueba que yo necesitaba para creer que alguna vez había sido una serpiente y ahora estaba volviendo a convertirse en una. Me faltó valor para echar un vistazo a su cuerpo, pero incluso cuando me obligué a mirar hacia otra parte, su imagen permaneció conmigo.

Una serpiente de color limón se deslizó hacia abajo por una de las estacas de abeto chino. Su cabeza era plana como una espátula, y su lengua violeta salía de su boca como un dardo antes de volver a entrar. Cada vez que tocaba la parte superior de la piedra del molino con la cabeza, se quedaba quieta, daba un giro y se lanzaba en otra dirección, avanzando directamente hacia las ratas que había en el centro de la piedra. Las ratas mostraban las garras y se ponían a chillar frenéticamente. Cuando la cabeza de la serpiente avanzaba en línea recta, su grueso cuerpo se deslizaba con suavidad hacia abajo, dando vueltas alrededor de la estaca, desenrollándose al moverse, y parecía que era la estaca y no la serpiente la que estaba dando vueltas. Cuando llegó al centro de la piedra de molino, levantó la cabeza súbitamente en el aire, a unos treinta centímetros de altura, y la echó hacia atrás, como una mano. La parte de atrás de su cabeza empezó a contorsionarse, se aplanó y se expandió, y el dibujo que se vio en su cuello desplegado se parecía a una celosía. El movimiento de su lengua violeta se aceleró; era una imagen terrorífica, y la acompañaba un silbido que helaba la sangre. Las ratas se volvieron lo más pequeñas que pudieron, chillando sin cesar. Una rata grande se levantó sobre las patas traseras y enseñó sus garras, como si estuviera sosteniendo un libro, y después se apoyó en las patas delanteras antes de salir volando por el aire, dentro de la apertura triangular de la boca de la serpiente. La serpiente cerró la boca; la mitad posterior de la rata quedó fuera, rígida, pero su cola tiesa todavía se movía cómicamente.

Sima Ku estaba sentado sobre una estaca de abeto chino que estaba tirada en el suelo, abandonada, con la cabeza escondida en el pecho y el pelo totalmente revuelto. Segunda Hermana yacía sobre sus rodillas, con la cabeza metida en el hueco de su codo, boca arriba, con la piel del cuello muy tensa. Tenía la boca abierta; la mandíbula inferior colgaba pesadamente, formando un agujero negro en su rostro, de un blanco fantasmal. Segunda Hermana estaba muerta. Babbitt estaba sentado muy cerca de Sima Ku. Su rostro joven mostraba la expresión de un hombre viejo. La mitad superior del cuerpo de Sexta Hermana estaba apoyada encima de las rodillas de Babbitt, y no dejaba de retorcerse. Babbitt le acariciaba los hombros con una mano hinchada por tanta lluvia. Al otro lado de la decrépita puerta, un hombre delgadísimo se estaba preparando para suicidarse. Los pantalones se le habían caído hasta los muslos, descubriendo unos calzoncillos que se le habían soldado al cuerpo con barro. Quería atar su cinturón de algodón en lo alto del marco de la puerta, pero no era capaz de llegar tan arriba, ni siquiera dando saltos. Estaba tan débil que, cuando intentaba saltar, apenas se elevaba por encima del suelo. Me di cuenta, por la forma protuberante de la parte de atrás de su cabeza, que se trataba del tío de Sima Liang, Sima Ting. Al final, encontrándose demasiado cansado para seguir intentándolo, se agachó, se subió los pantalones y se volvió a colocar el cinturón. Entonces se dio la vuelta y sonrió a la gente que lo estaba observando antes de dejarse caer sobre el barro y empezar a sollozar.

Los vientos matinales llegaron soplando desde los campos, como un gato mojado con una carpa brillante en la boca, paseándose con arrogancia sobre el tejado de chapa metálica. El Sol rojo del amanecer ascendió, saliendo de su refugio, lleno de agua de lluvia, goteando, exhausto. El Río del Dragón estaba muy crecido, y el sonido que hacían sus olas al romper parecía más fuerte que nunca en el silencio de la mañana. Estábamos sentados sobre la piedra del molino, y desde ahí contemplamos los primeros rayos del sol, rojos y neblinosos. Los cristales de las ventanas estaban inmaculados después de una noche de lluvia ininterrumpida. Los campos de agosto estaban justo delante de nosotros, sin que ni el tejado del edificio ni los árboles nos los taparan. Afuera, el agua de la lluvia había limpiado el polvo de las calles y ahora se podía ver el duro suelo de color castaño. La superficie de la calle relucía como si la hubieran barnizado. Sobre la calle había un par de carpas rayadas que todavía no estaban completamente muertas; sus colas aún se movían débilmente. Pasó una pareja de hombres vestidos con uniformes grises. Uno era alto, el otro era bajito. El alto era delgado, el bajito era gordo. Iban inspeccionando la calle y llevaban una gran cesta de bambú llena de grandes peces. Tenían una docena, más o menos; había carpas rayadas, carpas de hierba e incluso una anguila plateada. Excitados por la visión de los dos peces en la calle, corrieron hacia ellos. En realidad, fueron a trompicones, como una grulla y un pato atados entre sí.

—¡Qué carpa enorme! —dijo el bajito y gordo.

—¡Hay dos! —dijo el alto y delgado.

Yo casi podía distinguir sus rostros cuando se agacharon a recoger los peces, y tuve la certeza de que eran dos de los camareros del banquete que hubo tras la boda de Sexta Hermana con Babbitt, una pareja de agentes infiltrados del Decimosexto Batallón. Los hombres que estaban de guardia delante de la puerta del molino los observaron recoger los peces. El jefe del pelotón bostezó y se acercó a donde estaban los dos hombres.

—Gordo Liu y Flaco Hou, esto es lo que se llama encontrar las pelotas en los propios calzoncillos, o atrapar peces en secano.

—Jefe de Pelotón Ma —dijo Flaco Hou—, es una tarea dura.

—La verdad es que no, pero tengo hambre —contestó el Jefe de Pelotón Ma.

—Ven a tomar una sopa de pescado —dijo Gordo Liu—. Por una victoria como la nuestra, los soldados merecen comer bien y beber bien, como recompensa.

—Tendréis suerte si esos pocos pescados son suficientes para vosotros, los cocineros —dijo el Jefe de Pelotón Ma—. Ni hablemos de los soldados.

—Tú eres un oficial, sea cual sea tu rango —dijo Flaco Hou—. Y los oficiales deben aportar pruebas para respaldar lo que dicen, deben moderar sus críticas en función de las necesidades políticas. No cabe hablar de manera irresponsable.

—Sólo estaba bromeando. ¡No os toméis todo tan en serio!

—Flaco Hou —dijo el Jefe de Pelotón Ma—, en los meses que han pasado desde la última vez que te vi, te has convertido en un charlatán.

Mientras discutían, Madre se acercó caminando lenta y pesadamente, pero con decisión, hacia nosotros, con el sol rojo brillando a su espalda. «Madre...», sollocé, bajando de la piedra de molino de un salto. Me hubiera gustado ir volando a sus brazos, pero me resbalé y me caí al barro que había al pie de la piedra.

Cuando volví en mí, los primero que vi fue el rostro agitado de Sexta Hermana. Sima Ku, Sima Ting, Babbitt y Sima Liang estaban de pie, a mi lado.

—Madre está aquí —le dije a Sexta Hermana—. La vi con mis propios ojos.

Conseguí escapar de los brazos de Sexta Hermana y salí corriendo hacia la puerta, pero choqué contra el hombro de alguien. Eso me detuvo momentáneamente, pero volví a lanzarme, atravesando la masa de gente. Llegué hasta la puerta y me tuve que parar. Golpeándola con los puños, empecé a gritar: «¡Madre! ¡Madre!».

Un soldado introdujo la punta del cañón de su ametralladora por un agujero que había en la puerta.

—¡Cálmate! Os dejaremos salir después del desayuno.

Madre escuchó mis gritos y comenzó a caminar más deprisa. Vadeó la acequia que había junto al camino y se dirigió al molino. El Jefe de Pelotón Ma la detuvo.

—¡Ya has llegado demasiado lejos, hermana mayor!

Pero Madre se deshizo de él de un empujón y siguió andando sin decir ni una palabra. Tenía la cara iluminada por la luz roja. Parecía como si estuviera manchada de sangre. Torcía la boca, poniendo un gesto de enfado.

Los guardias cerraron filas rápidamente, formando una línea como una pared negra.

—¡Deténgase ahí mismo, señora! —le ordenó el Jefe de Pelotón Ma cogiendo a Madre por un brazo e impidiéndole avanzar ni un paso más. Madre hizo un esfuerzo para liberarse de él—. ¿Quién es usted, y qué se cree que está haciendo? —le preguntó enfadado el Jefe del Pelotón Ma, y le dio un empujón que casi la tira al suelo.

—¡Madre! —grité yo, al otro lado de la puerta.

Los ojos de Madre se volvieron azules y su boca torcida se abrió mucho, dejando escapar una serie de gruñidos. Se lanzó contra la puerta sin pensar en nada más, pero el Jefe del Pelotón Ma tiró de ella desde atrás, lanzándola dentro de la acequia que había junto al camino. El agua salpicó en todas las direcciones. Madre se dio la vuelta en el agua y se puso de rodillas. El agua le llegaba por el ombligo. Salió a cuatro patas de la acequia. Tenía el pelo lleno de barro y totalmente empapado. Había perdido uno de sus zapatos, pero avanzó, cojeando, sobre sus pies inutilizados por el antiguo vendaje.

—¡He dicho que se detenga ahí! —El Jefe del Pelotón Ma levantó la ametralladora y la apuntó hacia su pecho—. ¿Está usted intentando que los presos se amotinen? —dijo, muy irritado.

—¡Quítate de mi camino!

—¿Qué se cree que está haciendo?

—¡Quiero encontrar a mi hijo!

Me puse a gritar más fuerte. Sima Liang, que estaba de pie a mi lado, gritó:

—¡Abuela!

Sexta Hermana gritó:

—¡Madre!

Conmovidas por nuestros llantos, las mujeres que había en el molino empezaron a sollozar. Sus lamentos se mezclaron con los ruidos de los hombres que se sonaban la nariz y con los gruñidos de los guardias. Nerviosos, los guardias dieron media vuelta y apuntaron sus armas a la puerta podrida.

—¡No hagáis tanto escándalo! —gritó el Jefe del Pelotón Ma—. Pronto saldréis de aquí. —Después se volvió hacia Madre—. Váyase a casa, hermana mayor —le dijo intentando reconfortarla—. Si su hijo no ha hecho nada malo, tiene mi palabra de que lo dejaremos en libertad.

—Mi niño —dijo ella en tono lastimero y rodeó corriendo al Jefe del Pelotón Ma antes de dirigirse hacia la puerta.

El Jefe del Pelotón Ma se puso delante de ella de un salto.

—Hermana mayor —le dijo—. Se lo advierto. Un paso más y no tendré más remedio que entrar en acción.

—¿Es que tú no tienes madre? ¿Es que no eres humano?

Madre le dio una bofetada y siguió avanzando, tambaleándose. Los guardias que había en la puerta se apartaron para dejarla pasar.

El Jefe del Pelotón Ma, poniéndose una mano en la mejilla, les gritó:

—¡Detenedla!

Los guardias se quedaron quietos donde estaban, como si no hubieran oído nada.

Madre estaba junto a la puerta. Yo saqué una mano por un agujero, y me puse a moverla y a gritar.

Madre tiró del oxidado cerrojo y me di cuenta de que respiraba con dificultad.

El cerrojo hizo un fuerte ruido metálico y una lluvia de balas atravesó la puerta; cientos de astillas de madera cayeron sobre mí.

—¡No se mueva, señora! —chilló el Jefe del Pelotón Ma—. ¡La próxima vez no fallaré! —añadió, pegando un tiro al aire.

Madre corrió el cerrojo y abrió la puerta de un empujón. Yo corrí hacia ella y hundí la cabeza en su seno. Sima Liang y Sexta Hermana vinieron detrás de mí.

A nuestra espalda, alguien gritó:

—¡Adelante, hombres! ¡Es nuestra ocasión!

Los hombres del Batallón de Sima se abalanzaron hacia la puerta como una ola gigante. Sus duros cuerpos chocaron contra nosotros, apartándonos de en medio. Caí al suelo, y Madre cayó encima de mí. El caos reinaba en el interior del molino; los lamentos, los gritos y los alaridos se superponían. A medida que los hombres del Decimosexto Regimiento iban cayendo, empujados por la masa, los soldados del Batallón de Sima se hacían con sus armas y empezaban a volar las balas, destrozando los cristales. El Jefe del Pelotón Ma fue lanzado a la acequia, desde donde empezó a disparar con su ametralladora; diez soldados del Batallón de Sima, más o menos, cayeron al suelo como soldaditos de juguete. Pero otros soldados se lanzaron a por él y lo hundieron debajo del agua mientras le propinaban puñetazos y patadas con ferocidad, salpicando en todas direcciones.

Varias unidades del Decimosexto Regimiento llegaron corriendo calle abajo, gritando y disparando sus armas. Los soldados del Batallón de Sima se dispersaron, pero fueron diezmados sin piedad.

En medio de toda esta actividad, nosotros estábamos con las espaldas pegadas contra la pared del molino, y rechazábamos a empujones a cualquiera que se nos acercara.

Un viejo soldado del Decimosexto Regimiento se colocó apoyado en una de sus rodillas debajo de un álamo, cogió su rifle con ambas manos, cerró un ojo y apuntó. El rifle se movió hacia arriba y un soldado del Batallón de Sima cayó al suelo. Sonaban muchos disparos, y los cartuchos usados caían al agua, donde chisporroteaban y formaban unas burbujas humeantes. El viejo soldado apuntó otra vez, esta vez a un soldado grande y moreno que estaba escapando hacia el Sur, a todo correr, y ya se había alejado bastante. Iba saltando por un campo de garbanzos como un canguro, dirigiéndose hacia el campo de sorgo que lo bordeaba. El viejo soldado, sin ninguna prisa, disparó de nuevo. El crepitar de sus disparos quedó sonando en el aire mientras el hombre que iba corriendo caía de cabeza al suelo. El viejo soldado quitó el seguro de su rifle, dejando caer un cartucho brillante que se arqueó en el aire hasta que sus extremos casi se tocaron.

Entre todo lo que estaba pasando, me fijé en Babbitt. Era como una mula sin cerebro en medio de un rebaño de ovejas. Rodeado de animales que balaban por todas partes, él tiraba y empujaba, con los ojos como platos, avanzando por el fango con sus pesados cascos, quitándose las ovejas de en medio a base de coces. Sol Callado era como un tigre de ébano. Agitaba su espada por encima de la cabeza y dirigía a una docena de valientes espadachines cuyo objetivo era cortarles el paso a las ovejas. Rodaban las cabezas, y unos alaridos que congelaban la sangre en las venas se imponían sobre los sonidos del campo. Las ovejas supervivientes corrían en cualquier dirección, sin saber dónde ir, intentando escapar. Babbitt se detuvo y se puso a mirar a su alrededor, despistado. Volvió en sí cuando el mudo cargó contra él y salió corriendo, lo más rápido que pudo, hacia donde estábamos nosotros; estaba jadeante, sin aliento, y le caía una espuma blanca de las comisuras de los labios. El viejo soldado lo apuntó.

—¡Viejo Cao, no dispares! —gritó Lu Liren, destacándose entre la multitud—. ¡Camaradas, no disparéis a ese americano!

Los hombres del Decimosexto Regimiento formaron una red humana, cerrando filas a medida que se acercaban. Los prisioneros seguían intentando escaparse, pero eran como peces atrapados en la red, y antes de que pasara mucho tiempo ya los habían juntado, como a un rebaño, en la calle que había frente al molino.

El mudo irrumpió en el grupo de prisioneros y le pegó a Babbitt un puñetazo en el hombro. La fuerza del golpe hizo que diera una vuelta completa sobre sí mismo. Cara a cara nuevamente con el mudo, balbuceó algo en su idioma, algo que podía ser una maldición terrible o una protesta formal. El mudo levantó su espada, que brilló reflejando la luz del sol. Babbitt levantó los brazos, como si quisiera esquivar los fríos rayos de luz.

—Babbitt...

Sexta Hermana dio un salto desde detrás de Madre y trastabilló, cayendo al suelo antes de poder dar ni un paso. Su pie izquierdo quedó sobresaliendo desde abajo de su pierna derecha; ella quedó tirada en el lodo pútrido.

—¡Que alguien detenga a Sol Callado! —ordenó Lu Liren. Algunos miembros del escuadrón de valientes del mudo lo cogieron por el brazo. Unos gruñidos salvajes emergieron del interior de su garganta mientras levantaba por el aire a los soldados que lo habían cogido como si fueran muñecas de trapo. Lu Liren cruzó la acequia de un salto y levantó el brazo—. ¡Sol Callado! —gritó—. ¡Acuérdate de las normas que tenemos para los prisioneros!

Sol Callado dejó de luchar al ver a Lu Liren, y sus camaradas lo soltaron. Se guardó la espada en el cinturón y agarró a Babbitt por la ropa. Sus dedos eran como pinzas metálicas. Lo arrastró hasta donde estaba Lu Liren. Babbitt le dijo algo a Lu Liren en su lengua extranjera. Lu Liren le contestó brevemente en el mismo idioma, apoyándose en unos enérgicos gestos. Babbitt se quedó callado. Sexta Hermana se acercó a él, sollozando:

—Babbitt...

Babbitt saltó al otro lado de la acequia y tiró de Sexta Hermana para ayudarla a levantarse. Su pierna izquierda colgaba inerte, como si se le hubiera muerto, y él tuvo que sujetarla pasándole el brazo por alrededor de la cintura. El vestido mugriento que llevaba, que parecía la piel arrugada de una cebolla, pareció que se le iba a salir cuando sus pálidas nalgas empezaron a deslizarse hacia el suelo. Se colgó del cuello de Babbitt, que la sujetó colocando las manos debajo de sus axilas. Los dos, marido y mujer, se mantenían más o menos de pie. Cuando los tristes ojos azules de Babbitt se posaron sobre Madre, cojeó como pudo hacia ella, arrastrando a Sexta Hermana, que ya no podía caminar.

—Mamá —le dijo él en chino, con los labios temblando y unos enormes lagrimones en los ojos.

El agua se empezó a mover en la acequia; el Jefe de Pelotón Ma se sacudió de encima el cadáver de un soldado del Batallón de Sima y se puso en pie lentamente, como un gigantesco sapo. Su impermeable estaba cubierto de agua, sangre y barro, los elementos que se encuentran característicamente en el dorso de un sapo. Con las piernas dobladas, se levantó temblando de miedo. Despertaba piedad. Se parecía a un oso, si uno no miraba con mucha atención, y a un héroe si uno se fijaba mejor. Un ojo se le había salido y colgaba al lado de su nariz como un trozo de mármol brillante. Había perdido dos de los dientes frontales y la sangre le goteaba de la mandíbula, que parecía de acero.

Una soldado con un botiquín de primeros auxilios se acercó a toda velocidad para evitar que se cayera.

—¡Comandante Shangguan, este hombre está gravemente herido! —gritó. Su delicada figura se curvaba bajo el peso de él.

En ese momento llegó corriendo Pandi, voluminosa como siempre pero muy ágil, delante de dos hombres que transportaban una camilla. Sobre la cabeza llevaba una minúscula gorra militar. La visera sobresalía de su amplio y redondeado rostro. Solamente las orejas, que asomaban desde debajo de su pelo cortado a lo paje, mantenían la delicada belleza de una chica Shangguan.

Sin dudar ni un momento, tiró del ojo del Jefe de Pelotón Ma hasta soltárselo y lo lanzó por ahí; fue rodando por el suelo fangoso durante unos instantes antes de detenerse y quedarse mirándonos, lleno de hostilidad.

—Comandante Shangguan —dijo el Jefe de Pelotón Ma sentándose en la camilla y señalando a Madre—. Dile al Comandante del Batallón Lu que esta anciana señora ha roto la puerta...

Pandi le vendó la cara al Jefe de Pelotón Ma con gasa, dando vueltas y más vueltas hasta que ya no podía ni abrir la boca. Después vino hasta donde estábamos nosotros y llamó tentativamente a Madre.

—Yo no soy tu madre.

—Una vez te conté —le dijo Pandi—, que el río fluye hacia el Este durante diez años y después hacia el Oeste los siguientes diez. Fíjate en el barro que tienes en los pies cuando salgas del agua.

—Ya lo he visto —dijo Madre—. Ya lo he visto todo.

Pandi dijo:

—Sé todo lo que ha pasado en la familia. Tú has cuidado bien a mi hija, Madre, así que te absuelvo de toda culpa.

—No necesito tu absolución. Ya he vivido suficiente tiempo.

—Hemos recuperado nuestra tierra. La hemos recuperado toda —dijo Pandi.

Madre echó un vistazo a las nubes dispersas por el cielo y murmuró:

—Señor, abre tus ojos y observa este mundo...

Pandi se acercó y, sin mostrar ninguna emoción, me acarició la cabeza. Percibí el desagradable olor a medicina que tenía en la mano. No le acarició la cabeza a Sima Liang, y yo supuse que él no le habría dejado hacerlo. Él apretaba con fuerza sus pequeños dientes de animal salvaje, y si ella hubiera intentado acariciarle la cabeza, probablemente él le habría arrancado un dedo de un mordisco. Pandi sonrió sarcásticamente y se volvió hacia Sexta Hermana.

—Has hecho bien. Los imperialistas americanos están proveyendo a nuestros enemigos con aviones y material de artillería. Están ayudando a nuestros enemigos a asesinar a la gente en los territorios liberados.

Abrazada a Babbitt, Sexta Hermana le dijo:

—Deja que nos vayamos, Quinta Hermana. Ya has matado a Segunda Hermana. ¿Ahora nos toca a nosotros?

En ese momento, Sima Ku sacaba el cuerpo de Zhaodi del molino a rastras, riéndose histéricamente. Un rato antes, cuando sus soldados habían salido alocadamente del edificio, él se había quedado dentro. Sima Ku era conocido por su meticulosidad en el vestir —los botones de su túnica siempre estaban limpios y relucientes—, pero había cambiado de la noche a la mañana. Su rostro parecía una alubia que se hubiera hinchado bajo la lluvia y después se hubiera secado al sol: unas arrugas blancas lo cruzaban de lado a lado. No había vida en su mirada y le habían salido canas en el pelo. Arrastró el cuerpo vacío de sangre de Segunda Hermana hasta donde estaba Madre y cayó de rodillas.

Madre tenía la boca torcida hacia un lado, y los huesos de la mejilla se le movían hacia arriba y hacia abajo de una forma tan violenta que no era capaz de decir ni una palabra. Los ojos se le llenaron de lágrimas. Se agachó para tocarle la frente a Segunda Hermana y después le cogió la mejilla con la mano y consiguió decirle:

—Zhaodi, mi pequeña niña, tú y tus hermanas elegisteis a los hombres con los que os fuisteis y el camino que tomasteis. No quisisteis escuchar a vuestra madre, así que no pude protegeros. Todas vosotras... a vuestra suerte...

Sima Ku soltó el cadáver de Segunda Hermana y se acercó a Lu Liren, que estaba rodeado por una docena, más o menos, de guardaespaldas, y se dirigía hacia el molino. Sima se detuvo cuando estaba a unos pocos pasos del otro hombre. Sus dos pares de ojos quedaron enganchados, aparentemente, en un combate mortal. Saltaban chispas, como si estuvieran batiéndose con espadas. Tras unos cuantos asaltos todavía no había vencedor. Tres carcajadas secas salieron de la boca de Lu Liren: *¡Ja, ja! ¡Ja, ja! ¡Ja, ja, ja!* Sima Ku respondió con otras tres: *¡Je, je! ¡Je, je! ¡Je, je, je!*

—Supongo que te ha ido bien desde la última vez que nos vimos, Hermano Sima —dijo Lu Liren—. Fue hace un año cuando me echaste de esta zona. ¡Me apuesto lo que sea a que nunca te habías imaginado que ibas a correr el mismo destino alguna vez!

—Una deuda de seis meses se salda muy rápido —dijo Sima—. Pero Hermano Lu, me has cobrado demasiados intereses.

—Estoy profundamente dolido por la trágica pérdida de tu esposa. Pero ésa es la esencia de las revoluciones. Cuando se extirpa un tumor, siempre hay que sacrificar algunas células buenas. Pero eso no nos debe impedir extirpar el tumor. Espero que comprendas esto.

—No gastes más saliva —dijo Sima Ku—. ¡Mátame ya!

—Los planes que tenemos para ti no son tan sencillos.

—Entonces tendrás que perdonarme si tomo las riendas de este asunto.

Sacó una pistola plateada, la amartilló y se volvió hacia Madre.

—Voy a hacer esto para vengar su pérdida —le dijo, y se puso la pistola en la cabeza.

Lu Liren soltó una fuerte carcajada.

—¡Así que después de todo eres un cobarde! ¡Vamos, mátate, gusano patético!

A Sima Ku le empezó a temblar la mano.

—¡Papá! —Era Sima Liang.

Sima Ku se volvió para mirar a su hijo. Lentamente fue dejando caer la mano junto a su cuerpo. Dejó escapar una carcajada con la que se burlaba de sí mismo y le pasó la pistola a Lu Liren.

—Toma, coge esto.

Lu Liren cogió la pistola y calculó su peso con la mano.

—Esto es un juguete para mujeres —dijo, entregándosela desdeñosamente a uno de sus hombres. Después pegó unas cuantas patadas en el suelo. Tenía los pies empapados y llenos de barro—. En realidad, una vez has entregado el arma, tu destino ya no está en mis manos. Mis superiores decidirán si acabas en el Cielo o en el Infierno.

Negando con la cabeza, Sima Ku dijo:

—Me temo que estás totalmente equivocado, Comandante Lu. Para mí no hay lugar ni en el Cielo ni en el Infierno. Mi lugar está entre esos dos sitios, y cuando todo acabe, tú y yo estaremos en el mismo barco.

Lu Liren se volvió hacia los hombres que había a su espalda.

—Lleváoslos.

Los guardas se acercaron, empujaron suavemente a Sima Ku y a Babbitt con sus rifles y les dijeron:

—¡Vamos, andando!

—Vámonos —le dijo Sima Ku a Babbitt—. A mí pueden matarme cien veces, pero a ti no te tocarán ni un pelo.

Babbitt, que todavía estaba ayudando a Sexta Hermana a mantenerse de pie, se acercó a Sima Ku.

—La Señora Babbitt puede quedarse —dijo Lu Liren.

—Comandante Lu —dijo Sexta Hermana—, le suplico que nos libere a los dos como agradecimiento por haber ayudado a Madre a criar a Lu Shengli.

Levantándose las gafas, que tenían una lente rota, le dijo a Madre:

—Hazla entrar en razón.

Madre sacudió la cabeza y se puso de cuclillas.

—Niños, echadme una mano —nos dijo a Sima Liang y a mí.

Así que Sima Liang y yo ayudamos a Madre a echarse el cuerpo de Zhaodi a la espalda.

Cargando con su hija, Madre tomó el embarrado camino de vuelta a casa, descalza, flanqueada por Sima Liang y por mí. Nosotros levantábamos una de las tiesas piernas de Zhaodi cada uno para que Madre no tuviera que cargar con tanto peso. Las profundas huellas que iba dejando en el embarrado camino con sus doloridos pies, antaño vendados, todavía se podrían distinguir unos cuantos meses más tarde.

VI

El Río de los Dragones estaba a punto de desbordarse. Si miraba por la ventana, desde mi cama, podía ver un agua turbia y amarillenta que rugía en lo más alto del dique. Había un destacamento de soldados, de pie sobre el dique, contemplando el río y discutiendo en voz alta.

Fuera, en el patio, Madre estaba haciendo unas tortitas a la plancha y Zaohua se encargaba de avivar el fuego. Debido a que la leña todavía estaba húmeda, las llamas eran de color amarillo oscuro y soltaban un humo negro y denso que se expandía por el aire. El sol estaba un tanto apagado.

Sima Liang vino dentro, trayendo con él el olor ácido de la acacia japonesa.

—Están planeando llevarse a mi papá y a Sexta Tía y a su marido al cuartel general de los militares —dijo en voz baja—. El marido de Tercera Tía y los demás están construyendo una balsa para escaparse navegando río abajo.

—Liang —lo llamó Madre desde fuera—. Baja al río con tu tío y tu tía y que los demás se queden ahí. Diles que quiero que se vayan.

El río fluía rápido y sucio, llevando tallos de grano, boniatos, animales muertos e incluso, en las zonas de mayor profundidad, árboles enteros, con raíz y todo. El Puente del Río de los Dragones, del cual Sima Ku había destruido tres pilares, había desaparecido bajo las furiosas aguas. La única huella que quedaba de su existencia eran unos fuertes remolinos y el ruidoso romper de las olas. Los arbustos de ambas riberas también habían desaparecido, pero en algunos lugares, de vez en cuando, una rama asomaba por encima de la superficie, todavía cubierta de hojas verdes. Unas gaviotas grisáceas y azuladas volaban a ras del agua, rozando la superficie de las olas y pescando ocasionalmente algún pequeño pez. La orilla opuesta parecía una cuerda negra que aparecía y desaparecía ante la vista, bailando sobre la espuma brillante de las aguas. Faltaban sólo unos centímetros para que el río desbordara los diques. En algunos puntos, unas lenguas de agua amarilla los lamían seductoramente, formaban remolinos y caían resbalando por el otro lado.

Cuando llegamos a la orilla del río, Sol Callado estaba sujetándose su impresionante órgano con la mano y meando en el agua. El líquido, del color del whisky, hacía un ruido semejante al de una campana cuando entraba en contacto con la superficie. Sonrió al vernos, sacó un silbato que se había construido con un cartucho y nos deleitó con una serie de reclamos de pájaros: el áspero llamado del tordo, el lamento superficial de la oropéndola, el triste gemido de la alondra. Era maravilloso. Incluso su rostro lleno de verrugas se ablandó un poco. Cuando tocó todo su repertorio, sacudió el silbato para que se cayera la saliva y, emitiendo un *grao* gutural, lo acercó hacia mí, evidentemente a modo de regalo. Pero yo retrocedí asustado y me limité a mirarlo. Sol Callado, especie de demonio, nunca olvidaré la expresión que tenías en la cara cuando estabas despedazando gente con tu espada. Nuevamente me lo ofreció, y después volvió a hacer *grao* con la mirada llena de agitación. Yo di un paso atrás. Él vino hacia mí. Sima Liang, que estaba de pie a mi espalda, me dijo en voz baja: «No lo cojas, Pequeño Tío. "El mudo silbador enfrentado a alguien mejor". Usa la cosa esa para llamar a los fantasmas en el cementerio». *¡Grao!* Empezando a ponerse nervioso, Sol Callado me puso en la mano, a la fuerza, el objeto metálico, y después se dio la vuelta y se dirigió hacia un grupo de hombres que estaban construyendo unas balsas de madera, sin hacernos ningún caso. Sima Liang me quitó el silbato de la mano y lo examinó cuidadosamente a la luz del sol, como si esperara que se le revelara algún secreto. «Pequeño Tío —me dijo—, yo nací bajo el signo del gato, no bajo uno de los doce signos del zodíaco, así que no hay ni un fantasma que sea rival para mí. Te guardaré esto». Se metió el silbato en uno de los múltiples bolsillos ocultos que tenía en sus pantalones, que le llegaban hasta las rodillas y estaban totalmente cubiertos de remiendos. En esos bolsillos había una gran cantidad de objetos raros e interesantes: una piedra que cambiaba de color a la luz de la luna, una pequeña sierra que se usaba para cortar tejas, huesos de albaricoque de diversas formas, incluso un par de garras de gorrión y las calaveras de dos ranas. También llevaba dientes de leche, los suyos, los de Octava Hermana y los míos. Madre los había tirado al patio, detrás de la casa, y él los había recuperado todos, cosa que no era fácil teniendo en cuenta la cantidad de mierdas de perro que había escondidas entre las altas hierbas silvestres. Pero él dijo: «Si de verdad quieres encontrar algo, saldrá de su escondrijo de un salto». Ahora a los tesoros que escondía en sus pantalones se había añadido un pequeño silbato diabólico.

Como una fila de hormigas, más de una docena de soldados del Decimosexto Regimiento aparecieron transportando unos troncos de pino por una de las calles que desembocaban en la orilla del río. *¡Crash! ¡Bang!* La torre de vigilancia de Sima Ting estaba sufriendo un asalto. Sol Callado era quien lo dirigía, ordenándoles a sus hombres que quitaran los postes y los ataran juntos con un grueso cable. Zunlong el Viejo, el carpintero más habilidoso de la aldea, se encargaba de la supervisión técnica. El mudo le gritaba como un gorila iracundo, y su saliva volaba en todas las direcciones. Zunlong lo escuchaba muy atentamente, de pie, con los brazos colgando a ambos lados del cuerpo; llevaba una abrazadera en una mano y un hacha en la otra. Tenía apretadas las rodillas, que estaban llenas de cicatrices, y sus pantorrillas de venas protuberantes se veían rectas, rígidas. En los pies llevaba unos zuecos de madera.

En ese momento, un guardia que tenía un rifle colgado a la espalda bajó por la calle montado en una bicicleta. Después de aparcar la bici, empezó a trepar al dique. A medio camino, se le metió uno de los pies en la madriguera de una rata, y cuando lo sacó, un agua turbia salió a la superficie.

—Mira —dijo Sima Liang—, el dique está a punto de ceder.

Los soldados, presa del pánico, abandonaron lo que estaban haciendo y se quedaron con la mirada fija en aquel húmedo agujero. Una extraña expresión de terror se dibujó en el rostro del mudo mientras observaba la furia del río, donde el agua llegaba a más altura que los edificios más altos de la aldea. Sacando su espada y golpeando con ella la parte más alta del dique, se quitó la camisa y los pantalones hasta que quedó ahí de pie vestido solamente con unos calzoncillos que parecían hechos de aluminio. Se volvió hacia sus hombres y soltó un gruñido. Como una bandada de perdices asustadas, ellos se limitaron a quedarse mirándolo, boquiabiertos. Finalmente, un soldado de cejas muy pobladas gritó:

—¿Qué quieres que hagamos? ¿Tirarnos al río?

El mudo se le acercó corriendo y lo cogió por el cuello de la camisa, tirando tan fuerte de él que varios de los botones de plástico negro se le soltaron. Muy excitado, el mudo escupió una palabra: «Desnudaos». Todo el mundo la oyó.

Zunlong miró el agujero y los remolinos que se formaban en el río.

—Vosotros, soldados —dijo—, ese agujero ha sido hecho por un castor, lo que significa que más abajo es más ancho. Vuestro comandante quiere que os desnudéis para que podáis bajar a taparlo. Adelante, desnudaos. Si no lo hacéis ahora, será demasiado tarde.

Zunlong se quitó la chaqueta y la tiró a los pies del mudo. Siguiendo sus pasos, los soldados comenzaron a desnudarse. Uno jovenzuelo se limitó a quitarse la chaqueta y se dejó los pantalones puestos. El mudo, que estaba cada vez más enfadado, repitió la orden: «¡Desnudaos! ¡Desnudaos! ¡Desnudaos!». Cuando se ven acorralados, los perros saltan por encima de los muros, los gatos trepan a los árboles y los mudos hablan. Bramaba una y otra vez.

—Comandante —aulló el soldado joven—, ¡yo no llevo calzoncillos!

El mudo cogió su espada y apoyó el reverso de la hoja sobre el cuello del soldado, dándole un par de golpecitos suaves. El pobre soldado se puso pálido y comenzó a tartamudear. «Me desnudaré, Abuelo Mudo, ¿cómo no?». Entonces se agachó, se desató las polainas y se quitó los pantalones, dejando al descubierto un trasero blanco como un lirio y una picha sin casi pelo, que se tapó rápidamente con las manos. El mudo se volvió hacia el guardia para que él también se desnudara, pero el hombre se bajó corriendo del dique, saltó sobre su bicicleta, se tambaleó un par de veces y se marchó a toda velocidad, gritando mientras pedaleaba:

—¡El dique está a punto de caerse! ¡El dique está a punto de caerse!

Mientras Zunlong arrancaba un enrejado para las alubias que había al pie del dique y hacía una gran pelota con las vides y los listones de madera, el mudo hizo un montoncito con la ropa que se había quitado y la ató toda con sus polainas. Varios soldados le ayudaron a llevar el fardo rodando hasta lo alto del dique, donde él lo cogió. Ya se estaba preparando para tirarse al agua cuando Zunlong señaló un gran remolino. Él se dirigió a su caja de herramientas, sacó una botella plana de color verde y le quitó el corcho. El olor a alcohol se expandió por el aire. El mudo empuñó la botella, echó la cabeza hacia atrás y se la bebió entera. Después le hizo un gesto a Zunlong mostrando el pulgar levantado y gritó «desnudaos»; todo el mundo comprendió que eso significaba «bien». Con el fardo en la mano, se zambulló en el río, cuyas aguas ya habían rebasado el dique. Para entonces, la cueva del castor era del tamaño del cuello de un caballo, y dejaba pasar un chorro de agua que serpenteaba hacia abajo, por la calle, y se convertía en un fuerte y turbio torrente que muy pronto llegó hasta la puerta de nuestra casa. Nuestros hogares parecían minúsculos castillos de arena al lado del río furibundo. El mudo desapareció en el río; unas burbujas y unos trozos de hierba señalaban el lugar en el que se había zambullido. Las gaviotas volaban a ras de la superficie del agua. Sus ojillos negros y somnolientos estaban ansiosamente fijos, llenos de expectativas, en el punto en el que el mudo se había sumergido. Yo distinguía sus brillantes picos rojos y sus garras negras metidas debajo de sus vientres. Con una ansiedad creciente, mirábamos fijamente el agua. Una sandía oscura y reluciente pasó girando y fue engullida. Volvió a emerger unos cuantos metros más abajo, llevada por la corriente. Después vimos una raquítica rana negra esforzándose por nadar hacia nosotros desde el centro del fangoso río, luchando contra la corriente. Cuando llegó a las relativamente calmadas aguas que había junto a la orilla, vi las pequeñas ondulaciones que dibujaban sus patas sobre la superficie. Los soldados, cuyos rostros mostraban un nerviosismo creciente, estiraban el cuello para ver lo que estaba pasando. Parecían condenados que, formando una fila, esperaran la espada del verdugo. El que habían obligado a desnudarse por completo se tapaba las joyas de la familia con las manos mientras, él también, estiraba el cuello como una grulla para mirar. Zunlong, por otra parte, observaba el agujero que había en el dique. Al ver que nadie le prestaba atención, Sima Liang cogió la espada del mudo, un arma que mataba hombres con la misma facilidad con que se corta un melón, y deslizó el pulgar furtivamente por la hoja para comprobar lo filosa que era.

—¡Muy bien! —gritó Zunlong—. ¡El agujero ya está tapado!

El salvaje chorro de agua que salía por el agujero era ahora una simple gotera. Como un enorme pez negro, la cabeza del mudo emergió a la superficie, haciendo que las gaviotas que daban vueltas alrededor remontaran vuelo hacia el cielo aterrorizadas. Mientras se secaba el agua de la cara con una mano, escupió lo que parecía un géiser de agua embarrada. Zunlong les ordenó a los soldados que lanzaran la bola de vides al río. El mudo la cogió con las dos manos y la metió en el agua para poder subirse encima, con piernas y todo. Él también se hundió bajo la superficie, pero sólo durante un momento. En el momento en que su cabeza reapareció, cogió una bocanada de aire. Zunlong le acercó una larga rama para ayudarlo a salir, pero el mudo la rechazó con un gesto de los brazos y volvió a sumergirse bajo la superficie del agua.

En la aldea, el sonido de un gong fue seguido por un toque de bugle. Unos cuantos soldados armados llegaron a la orilla del río desde todas las calles adyacentes. Lu Liren y sus guardias aparecieron por la calle donde vivíamos nosotros. En cuanto llegó al dique, gritó:

—¿Dónde está el peligro?

La cabeza del mudo emergió y desapareció muy rápidamente, cosa que indicaba que ya estaba exhausto. Entonces Zunlong volvió a tenderle la rama y tiró del mudo hasta la orilla del río, donde unos soldados lo ayudaron a salir del agua arrastrándolo. Con las piernas temblorosas, se sentó en el suelo.

—Comandante —le dijo Zunlong a Lu Liren—, si no hubiera sido por este hombre, probablemente a estas alturas los aldeanos habrían servido de pasto para las tortugas.

Lu se acercó al mudo y le hizo un gesto de satisfacción con el pulgar hacia arriba. El mudo, que tenía toda la piel del cuerpo de gallina y el rostro cubierto de lodo, se limitó a sonreír.

Los hombres de Lu Liren se pusieron a apuntalar el dique. Mientras tanto, avanzaban los trabajos de construcción de las balsas, ya que los prisioneros debían transportarse al otro lado del río a mediodía; allí los esperarían unos soldados procedentes del cuartel general para escoltarlos. Los soldados que se habían despojado de sus uniformes estaban aliviados. Cuantas más alabanzas recibían, más aumentaba su energía, y por lo tanto solicitaron quedarse para completar su misión, con o sin uniformes. Entonces Lu Liren tuvo que volver al campamento en busca de un par de pantalones para el pequeño soldado que estaba con el culo al aire. Le sonrió al jovenzuelo y dijo:

—No tienes por qué avergonzarte por tener una picha pequeña y sin pelo. —Mientras daba órdenes, Lu se volvió hacia mí y me preguntó—: ¿Cómo está tu madre? Shengli ya debe estar difícil de controlar.

Sima Liang me dio un codazo, pero yo no entendí qué era lo que quería, así que dijo:

—La abuela quiere venir a despedirse de mi padre y le gustaría que la esperaras.

Mientras tanto, Zunlong se había puesto manos a la obra y en cosa de media hora había construido una balsa de varios metros de largo. Como no tenían remos, aconsejó que se usaran palas de madera. Lu Liren dio la orden. Después le contestó a Sima Liang:

—Ve a decirle a tu abuela que he aceptado su petición. —Miró al reloj—. Vosotros dos ya podéis iros —nos dijo, pero no nos fuimos, porque cuando miramos en dirección a la casa, vimos a Madre que salía por la puerta llevando en un brazo una cesta de bambú tapada con un trozo de tela blanca y en el otro una tetera de arcilla roja.

Zaohua salió tras ella con un manojo de cebolletas entre los brazos. Detrás de ella iban las hijas gemelas de Sima Ku, Sima Feng y Sima Huang. Las seguían los hijos gemelos del mudo y Tercera Hermana, Gran Mudo y Pequeño Mudo. Después iba Lu Shengli, que acababa de aprender a andar. En último lugar iba Shangguan Laidi, con el rostro abundantemente empolvado. La procesión avanzaba con lentitud. Las gemelas miraban constantemente hacia las plantas de alubias y las campanillas azules que crecían entre ellas, con la esperanza de ver alguna libélula, mariposa o cigarra. Los gemelos miraban constantemente hacia los árboles que se alineaban a ambos lados del camino: acacias, sauces y moreras, con su corteza de color amarillo claro. Buscaban deliciosos caracoles. Lu Shengli miraba al suelo en busca de charcos, y cuando veía uno, se metía a chapotear en el agua y llenaba todo el sendero con el sonido de sus inocentes carcajadas. Laidi iba caminando como una dama joven, pero yo estaba tan lejos que sólo podía ver su rostro empolvado y no distinguía sus facciones.

Lu Liren cogió unos binoculares del cuello de uno de sus guardias y miró al otro lado del río. Un soldado que estaba a su lado le preguntó, con cierta urgencia:

—¿Ya han llegado?

—No —dijo, sin dejar de mirar—. No hay ni rastro de ellos. Lo único que veo es un cuervo picoteando una cagada de caballo.

—¿Les habrá pasado algo? —preguntó el guardia con ansiedad.

—No lo creo. Todos son magníficos tiradores, y nadie intentaría interponerse en su camino.

De pronto apareció un grupo de hombres de piel oscura al otro lado del río. El reflejo en movimiento del sol en la superficie creaba la ilusión de que estaban de pie sobre el agua, no sobre el dique.

—Ahí están —dijo Lu Liren—. Que les indiquen con una señal que estamos aquí.

Un joven soldado se puso en pie, levantó una pistola extraña, muy corta y muy ancha, y pegó un tiro al aire. Una pelota amarilla se elevó hacia el cielo, se quedó congelada un instante en lo alto y después volvió a bajar describiendo una elegante curva y dejando un rastro de humo blanco y emitiendo un sonido sibilante antes de caer al río. Algunas gaviotas tuvieron la tentación de ir en su busca, pero cuando miraron mejor salieron huyendo a toda velocidad mientras chillaban.

—Dales otra señal —dijo Lu Liren al ver que no había respuesta.

Esta vez el soldado sacó una bandera roja, la anudó al extremo de la rama de la que se había deshecho Zunlong y la hizo ondear en el aire. Los hombres que estaban en la otra orilla rugieron con aprobación.

—Bien —dijo Lu Liren, dejándose los binoculares colgados del cuello, y se volvió hacia el joven oficial que había hablado con él hacía un momento—. Oficial Qian, vuelve corriendo y dile al Jefe de Personal Du que traiga los prisioneros. Y que se dé prisa. —El Jefe de Personal Du se volvió y salió corriendo dique abajo.

Lu Liren se subió a la balsa de un salto y la pisó con fuerza para comprobar lo resistente que era.

—No se romperá cuando esté en medio del río, ¿verdad? —le preguntó a Zunlong.

—No se preocupe, señor. Durante el otoño de 1921, los aldeanos llevaron al Senador Zhao al otro lado del río, y yo hice la balsa que emplearon en aquella ocasión.

—Éstos son prisioneros importantes —dijo Lu Liren—. No puede haber errores.

—No se preocupe, señor. Si hay algún error, puede cortarme nueve de mis diez dedos.

—¿Y eso qué arreglaría? Si sucediera lo peor, ni siquiera serviría para nada que me cortara nueve de *mis* diez dedos.

Madre encabezaba la procesión dique arriba. Allí la esperaba Lu Liren.

—Tía —le dijo educadamente—, espere aquí un momento. Ahora los van a traer. —Se agachó para acercar su cara a la de Lu

Shangli. Asustada, ella empezó a llorar, avergonzando a Lu, que se colocó bien las gafas y dijo—: Ni siquiera conoce a su propio padre.

—Quinto Yerno —dijo Madre soltando un suspiro—. Todos estos combates, de aquí para allá... ¿Cuándo va a acabar esto?

Lu tenía la respuesta preparada:

—No se preocupe. Dentro de dos años, como mucho dentro de tres, tendrá la vida apacible que desea.

—Yo sólo soy una mujer y debería guardarme lo que pienso para mí, pero ¿no podrías dejarlos ir? —dijo Madre—. Después de todo, ellos y tú formáis parte de la misma familia.

—Querida Suegra —dijo Lu con una sonrisa—, yo no puedo tomar esa decisión. Pero ¿cómo ha acabado usted con tantos yernos problemáticos?

Soltó una carcajada, un sonido jovial que alegró el ambiente en el dique.

—¿No puedes pedirles a tus superiores que tengan clemencia?

—Por favor, Suegra, no se preocupe por esta clase de cosas.

Por la calle bajó un destacamento de guardias que escoltaban a Sima Ku, Babbitt y Niandi. Sima Ku llevaba las manos atadas con una cuerda detrás de la espalda. Las de Babbitt iban atadas por delante. Las de Niandi estaban sin atar. Cuando pasaron por delante de nuestra casa, Sima Ku se acercó a la puerta. Un guardia le bloqueó el paso. Sima Ku le escupió y le gritó: «Quítate de en medio. Voy a despedirme de mi familia». Poniendo las manos alrededor de la boca a modo de megáfono, Lu Liren gritó desde el otro extremo de la calle: «Comandante Sima, no es necesario que entre. Están todos aquí». Como si no lo hubiera oído, Sima se encogió de hombros y, seguido por Babbitt y por Niandi, forzó la entrada al patio, donde los tres estuvieron un rato sin hacer nada. Lu Liren miraba constantemente al reloj mientras las tropas de escolta que estaban al otro lado del río desplegaron una bandera roja y se pusieron a ondearla de un lado a otro. El soldado que se encargaba de las señales, a su lado, agitó los brazos como respuesta.

Finalmente, Sima Ku y sus acompañantes salieron del patio y se dirigieron al dique.

—¡Preparad la balsa! —ordenó Lu Liren.

Una docena de soldados, más o menos, empujaron la balsa hasta meterla en las aguas turbulentas del río. La balsa emergió rápidamente a la superficie y la corriente la colocó en posición paralela a la orilla. Los soldados aferraron fuertemente las manijas de cuerda para evitar que partiera río abajo.

—Comandante Sima, Señor Babbitt —dijo Lu Liren—. Somos un ejército benevolente. El principio que nos guía es el humanitarismo, y es por eso que he permitido que vuestras familias vengan a despedirse de vosotros. Por favor, no os demoréis demasiado.

Sima Ku, Babbitt y Niandi se acercaron a donde estábamos nosotros. Sima sonreía. Babbitt parecía preocupado. Niandi estaba en un estado de ánimo sombrío, parecía una mártir que no tuviera miedo a morir.

—Sexta Hermana —dijo Lu Liren en voz baja—, tú puedes quedarte.

Pero Niandi negó con la cabeza. Tenía la determinación de seguir a su marido.

Madre levantó el trozo de tela que tapaba la cesta que llevaba y Zaohua le alcanzó una cebolleta pelada. Ella la partió por la mitad y la metió en una tortita. Después sacó un bote de pasta de alubias y se lo pasó a Sima Liang.

—Sujétalo —le dijo. Él lo cogió y se quedó quieto, mirándola fijamente—. No me mires a mí —le dijo ella—, mira a tu padre.

La mirada de Sima Liang se desplazó hasta el rostro de Sima Ku, que a su vez miró a su fornido hijo de piel oscura. La sombra de una preocupación le nublaba el rostro; era algo que casi nunca habíamos visto. Hizo un movimiento con el hombro. ¿Se agacharía a tocar a su hijo? Sima Liang abrió la boca.

—Papá —dijo en voz baja.

Los ojos amarillos de Sima Ku parecieron ponerse a girar en sus órbitas. Conteniendo las lágrimas, dijo:

—No te olvides, hijo mío, de que ningún miembro de la familia Sima ha muerto jamás en la cama. Espero que tú tampoco.

—Papá, ¿te van a fusilar?

Sima Ku echó una mirada a las turbias aguas del río por el rabillo del ojo.

—Tu padre fracasó por ser demasiado blando, demasiado amable. No te olvides, por lo tanto, de que si vas a ser un hombre malo, tendrás que matar sin compasión, y si vas a ser un hombre bueno, tendrás que ir siempre con la cabeza gacha para evitar pisar hormiga alguna. Lo que no debes volverte nunca es un murciélago, y tampoco un pájaro ni un animal. ¿Te acordarás de esto?

Sima Ling asintió, mordiéndose la lengua.

Madre le dio una tortita rellena de cebolleta a Laidi, que se limitó a devolverle la mirada. «¡Dásela a él!». Poniéndose roja de vergüenza, Laidi evidentemente se había olvidado de su loca pasión de hacía tres días; la tímida expresión de su rostro era la prueba de ello. Madre la miró primero a ella y después a Sima Ku. Sus ojos fueron como un hilo de oro que juntó la mirada de Laidi con la de Sima Ku. Esas miradas hablaban por sí mismas. Laidi se quitó la túnica negra. Debajo llevaba una chaqueta violeta, unos pantalones con bordados violetas y unas pantuflas de tela violeta. Su figura era graciosa, y su cara delgada y encantadora. Sima Ku había avivado su pasión, y al hacerlo había despertado en ella un sentimiento nuevo: el mal de amores. Todavía era una mujer hermosa, bien versada en el arte de la coquetería, una viuda atractiva. Él la miró fijamente y le dijo: «Cuídate». Laidi le contestó haciendo un extraño comentario: «Tú eres un diamante y él es un trozo de madera podrida». Se acercó a él, mojó la tortita rellena de cebolleta en la pasta de alubias que sujetaba Sima Liang y le dio una vuelta en el aire, con gran habilidad, para que ni un poco de la pasta se cayera al suelo. Entonces se la acercó a Sima Ku a la boca. Él echó la cabeza hacia atrás y después la agachó para darle un bocado salvaje a la tortita, que masticó con dificultad, haciendo unos fuertes ruidos. Se le inflaron las mejillas y dos grandes lagrimones brotaron de sus ojos. Estiró el cuello para tragar, suspiró con fuerza y dijo: «¡Estas cebolletas están buenísimas!».

Madre me dio una de las tortitas y le dio otra a Octava Hermana.

—Jintong —me dijo—, dale de comer a Sexto Cuñado. Yunü, dale de comer a Sexta hermana. Como había hecho Laidi antes que yo, mojé la tortita en la pasta amarilla y se la acerqué a Babbitt a la boca. Sus labios torcidos se abrieron para que mordiera un trocito minúsculo. Caían lágrimas de sus ojos azules. Se agachó, apoyó sus sucios labios sobre mi frente y me dio un sonoro beso. Después se acercó a Madre. Yo pensaba que le iba a dar un abrazo, pero como tenía las manos atadas, lo único que pudo hacer fue agacharse y tocar su frente con sus labios como una cabra que mordisquea un árbol.

—Nunca te olvidaré, Mamá —le dijo.

Octava Hermana se abrió paso hasta donde estaba Sima Liang y, con la ayuda de éste, mojó su tortita en la pasta de alubias. Sujetándola con ambas manos, levantó la cabeza. Su frente parecía el caparazón de un cangrejo, sus ojos eran dos pozos negros y oscuros, su nariz era recta y su boca, muy ancha, tenía dos labios tiernos como pétalos de rosas. Mi octava hermana, de la que yo siempre me había aprovechado, era verdaderamente una piadosa ovejita.

—Sexta Hermana —gorjeó—, Sexta Hermana, esto es para ti.

Con los ojos llenos de lágrimas, Sexta Hermana cogió a Octava Hermana en brazos.

—Mi pobre hermanita desgraciada —sollozó.

Sima Ku se terminó su tortita.

Durante todo ese tiempo, Lu Liren había estado observando el río con el rabillo del ojo. Ahora se dio la vuelta y dijo:

—Ya es hora de subir a la balsa.

—Todavía no —dijo Sima Ku—. Yo tengo más hambre. En los viejos tiempos, cuando un tribunal estaba a punto de ordenar la ejecución de un criminal, se aseguraban de que hubiera comido antes todo lo que quisiera. Vosotros, la gente del Decimosexto Regimiento, decís que sois un ejército benevolente, así que lo mínimo que podéis hacer es dejarme que coma todas las tortitas rellenas de cebolleta que quiera, sobre todo si tenemos en cuenta que nuestra suegra las ha hecho con sus propias manos.

Lu Liren miró el reloj.

—De acuerdo —dijo—, adelante, come todo lo que quieras mientras vamos transportando a Babbitt al otro lado del río.

El mudo y seis de sus soldados cogieron sus palas de madera y saltaron alegremente a la balsa, que se balanceó en el agua y se inclinó hacia uno de los lados, de modo que la línea de flotación quedó por debajo de la superficie del agua. En ambos lados de la embarcación entró agua salpicando. Dos soldados que tenían las polainas arremangadas se echaron hacia atrás para controlar la balsa. Lu Liren estaba preocupado.

—Anciano —le dijo a Zunlong—, ¿podrá llevar dos personas más?

—No. Que se bajen dos de los remeros.

—Han el Calvo y Pan Yongwang, volved aquí.

Con sus palas de madera en las manos, los dos bajaron de un salto de la balsa, que se movió tanto que algunos de los soldados estuvieron a punto de caerse al río. El mudo, que todavía iba en ropa interior, gruñó: «¡Desnudaos! ¡Desnudaos! ¡Desnudaos!». Tras aquel día, nadie le volvió a oír decir *grao* nunca más.

—¿Ya está? —le preguntó Lu Liren a Zunlong.

—Sí —dijo él, quitándole a un soldado la pala de las manos—. El suyo es un ejército benevolente, y se ha ganado mi respeto. En el décimo año de la República, transporté a un senador al otro lado del río. Si a usted no le importa, para mí sería un honor servirle, incluso como bestia de carga.

—Anciano —le dijo Lu Liren, claramente emocionado—, eso es lo que yo tenía en mente, pero me daba vergüenza pedírtelo. Contigo al timón, sé que esta balsa está en buenas manos. ¿Quién tiene alcohol?

Un ordenanza se acercó con rapidez y le dio a Lu Liren una cantimplora de metal. Él desenroscó la tapa y se acercó la cantimplora a la nariz.

—Auténtico licor de sorgo —dijo—. Anciano, te ofrezco un trago de parte de mis superiores.

Entonces le alcanzó la cantimplora con ambas manos a Zunlong. Conmovido por ese honor, Zunlong se frotó las manos para quitarse algo del barro que tenía antes de aceptar la cantimplora y darle al menos diez profundos tragos antes de devolvérsela a Lu Liren. Después se limpió la boca con el dorso de la mano, mientras un enrojecimiento bajaba de su rostro a su cuello, y desde ahí a su pecho.

—Me he bebido su licor, señor. Eso une nuestros corazones.

Sonriendo, Lu Liren dijo:

—¿Por qué limitarse a los corazones? Nuestros hígados también están unidos, y nuestros pulmones, e incluso nuestros intestinos.

Parecía que a Zunlong se le iban a saltar las lágrimas cuando se subió a la balsa, controlándola inmediatamente desde la popa. La balsa se balanceó muy levemente. Lu Liren hizo un gesto de aprobación antes de acercarse a Babbitt. Miró hacia abajo, hacia sus manos atadas, y le sonrió como pidiéndole perdón.

—Sé que esto es duro para usted, Señor Babbitt. El Comandante Yu y el Director Song preguntaron por usted personalmente, por lo que puede esperar un trato cortés.

Babbitt levantó las manos.

—¿Es esto lo que llamas un trato cortés?

—En cierto modo, lo es —dijo Lu Liren tranquilamente—, y espero que usted no insista. Ya es hora de que se vaya.

Babbitt nos echó un vistazo, diciéndonos adiós con los ojos antes de darse la vuelta y subirse a la balsa de un salto. Esta vez se balanceó fuertemente, y él con ella. Zunlong, desde atrás, lo ayudó a mantenerse en pie con su pala.

Siguiendo los pasos de Babbitt, Niandi se agachó y me besó torpemente en la frente, y después besó a Octava Hermana mientras le pasaba los dedos por el pelo suave, del color del lino.

—Mi pobre hermanita pequeña —dijo, soltando un suspiro—, espero que el anciano de arriba tenga un buen plan para tu vida.

Después les hizo un gesto a Madre y a los niños que había en fila detrás de ella y se dio media vuelta para subir a bordo de la balsa.

—Sexta Hermana, no hace ninguna falta que vayas —le recordó Lu Liren.

Ella le contestó suavemente:

—Quinto Cuñado, hay un refrán popular que dice que el brazo que pesa menos de una balanza no abandona su lugar, y un buen hombre no abandona a su esposa. Tú y Quinta Hermana erais inseparables, ¿verdad?

—Sólo quiero lo mejor para ti —dijo Lu Liren—. Pero puedes hacer lo que te parezca. Si quieres, sube a la balsa.

Dos de sus guardias cogieron a Niandi por los brazos y la depositaron sobre la balsa. Babbitt la ayudó a que no perdiera el equilibrio. La balsa estaba bastante hundida en el agua, y bastante desequilibrada también. Algunas partes estaban completamente sumergidas y otras estaban unos centímetros por encima de la superficie. Zunlong le dijo a Lu Liren:

—Comandante Lu, es mejor que mis invitados vayan sentados, incluyendo a los remeros.

Entonces Lu Liren dio la orden:

—Sentaos todos. Señor Babbitt, por su propia seguridad, siéntese, por favor.

Babbitt se sentó en la balsa o, para ser más precisos, se sentó en el agua. Niandi se sentó frente a él, también en el agua.

El mudo y cinco de sus hombres se sentaron, tres a cada lado de la balsa. Zuniong era el único que se quedó de pie, con las piernas firmemente plantadas en la popa de la balsa.

La pequeña bandera roja seguía ondeando al otro lado del río.

—Hazles una señal —le dijo Lu Liren al encargado de ello—, para que estén preparados para recibir a los prisioneros.

El hombre sacó su pistola de balas de fogueo y disparó tres veces hacia el cielo, lanzando tres llamaradas sobre la orilla opuesta, donde la bandera roja dejó de ondear y un puñado de pequeños hombres negros se pusieron a correr, reflejados en la plateada superficie del río.

Lu Liren miró el reloj.

—¡Botad la balsa!

Los dos soldados soltaron amarras y entonces Zunlong empujó con su pala y los remeros introdujeron las suyas en el agua. La balsa salió a río abierto y rápidamente viró hacia un lado; la corriente la arrastraba río abajo. Como si estuvieran haciendo volar una cometa, los dos soldados que se quedaron en el dique iban soltando cuerda a medida que la balsa se alejaba.

En la otra orilla, los hombres miraban la balsa con ansiedad. Lu Liren se quitó las gafas y las limpió rápidamente con la manga. Tenía la mirada distante y un reborde blanco alrededor de los ojos, como esos pájaros que se alimentan de peces-lobo. Se colocó el cordón que le sujetaba las gafas detrás de las orejas. En el río, la balsa se balanceaba hacia ambos lados. Debido a que no tenían ninguna experiencia en navegar en balsa, los soldados movían sus palas hacia cualquier lado, haciendo que un agua lodosa salpicara encima de la balsa y empapara la ropa de todos los que iban a bordo. Babbitt, que todavía tenía las manos atadas, gritaba aterrorizado. Sexta Hermana se agarraba a él como si le fuera la vida en ello. Desde el lugar en que estaba sentado, en la popa, Zunlong gritaba:

—Despacio, hombres, despacio. No deis esos golpes. Tenéis que remar juntos, ésa es la clave.

Lu Liren disparó un par de veces al aire y todos los soldados levantaron la cabeza.

—Seguid el ritmo de Zunlong, remad juntos.

—Más despacio, hombres —dijo Zunlong—. Remad conmigo. Uno, dos, uno, dos, uno, dos, así, despacito, uno, dos...

La balsa avanzó hasta el centro del río y allí aceleró, impulsada por la corriente. Babbitt y Sexta Hermana quedaron empapados por las olas. Los dos soldados que sujetaban las cuerdas gritaron: «¡Comandante, ya no queda cuerda que seguir soltando!». Para entonces, la balsa ya había avanzado unos cien metros río abajo y la cuerda estaba tensa como un cable. Los soldados se enroscaron los extremos alrededor de sus brazos; la cuerda les mordía profundamente la carne. Ellos se inclinaban tanto hacia atrás que prácticamente estaban acostados en el suelo, y los talones empezaron a deslizárseles por el lodo. Súbitamente, corrían el peligro de ser arrastrados al agua. Se pusieron a gritar cuando la balsa empezó a ladearse. «¡De prisa, salid corriendo! —gritó Lu Liren—. ¡He dicho que corráis, cabrones!». Al principio a trompicones, los dos soldados salieron corriendo mientras los hombres que estaban junto a la base del dique se apresuraban a quitarse de en medio. Un trozo de la cuerda se rompió y la balsa comenzó de nuevo su rápido descenso río abajo. Zunlong siguió marcando el ritmo a gritos mientras los soldados que iban a los lados de la balsa, doblados por la cintura, remaban con todas sus fuerzas. Sus movimientos se iban acompasando gradualmente, de manera que mientras la balsa seguía descendiendo por el río, también se desplazaba en dirección a la otra orilla.

Un momento antes, cuando la balsa corría peligro de volcar y todas las miradas estaban puestas en el río, Sima Liang había dejado su cuenco en el suelo y había dicho en voz baja: «Papá, date la vuelta». Sima Ku, que seguía masticando su tortita, se giró para mirar el río. Entonces Sima Liang corrió detrás de él, sacó un pequeño cuchillo hecho de hueso —el que me había regalado Babbitt— y empezó a cortar la cuerda que ataba las manos de su padre, concentrándose en la zona que estaba más cerca de su cuerpo. Mientras tanto, Madre rezaba en voz alta: «Señor Amado, da muestras de Tu compasión y permite que mi hija y mi yerno lleguen al otro lado del río sanos y salvos, Señor Amado y piadoso». Entonces oí que Sima Liang susurraba: «Ya puedes romper la cuerda, papá». Después se dio la vuelta, se guardó el cuchillo en el bolsillo con rapidez y volvió a coger el cuenco. Laidi seguía dándole de comer a Sima Ku. Mientras tanto, la balsa, que ya había avanzado unos cuantos cientos de metros río abajo, se aproximó a la orilla de enfrente.

Lu Liren se acercó a Sima Ku y le echó una mirada burlona.

—Sí que tienes buen apetito.

Sin dejar de masticar, Sima Ku masculló:

—Mi suegra hizo estas tortitas con sus propias manos y me las está dando mi cuñada, así que ¿por qué no me las iba a comer? Nunca voy a volver a tener la oportunidad de comer tanto, ni de esta manera. ¿Me das un poco de pasta?

Laidi sacó la cebolleta presionando la punta de la tortita y la mojó en el cuenco de pasta que sujetaba Sima Liang, y después se la acercó a Sima Ku a la boca. Él dio un inmenso bocado y siguió masticando con hambre.

Lu Liren hizo un gesto burlón con la cabeza y se acercó a donde estábamos nosotros. Madre cogió en brazos a Shengli. La bebita se puso a llorar y a luchar para que la soltaran. Lu Liren retrocedió torpemente.

—Hermano Sima —le dijo—, te envidio, pero no puedo ser como tú.

Sima Ku tragó la comida que tenía en la boca.

—Eso es un insulto, Comandante Lu. Tú eres el vencedor, y eso te hace rey. Tú eres el cuchillo y yo soy la carne. Puedes cortarme en lonchas o hacerme picadillo, y encima te burlas de mí.

—No me estoy burlando de ti —dijo Lu Liren—. La verdad es que cuando llegues al cuartel general te darán la oportunidad de reparar tus crímenes. Pero si lo único que eres capaz de ofrecer es resistencia, me temo que no te gustará el resultado.

—He tenido una buena vida, con mucha comida buena y muchos buenos ratos, y estoy preparado para morir, pero tendré que dejar a mis hijos en tus manos.

—Por eso no te preocupes —dijo Lu Liren—. Si no fuera por la guerra, tú y yo seríamos buenos parientes.

—Tú eres un intelectual —dijo Sima Ku—, y lo que dices suena casi sagrado. Pero esa clase de parentesco sólo es resultado de acostarnos con ciertas mujeres.

Se rió, pero yo me di cuenta de que no movió los brazos.

Los soldados que sujetaban las cuerdas volvieron. En la otra orilla, los soldados que habían ido remando y los que iban a escoltar a los prisioneros estaban remolcando la balsa de nuevo río arriba. Cuando hubieron avanzado una cierta distancia, comenzaron a remar hacia nosotros otra vez. Esta vez iban a bastante velocidad, pues ya tenían algo de práctica y se coordinaban mejor con los dos soldados a su lado. Cruzaron el río muy rápido.

—Hermano Sima —dijo Lu Liren—, la hora de la comida está a punto de terminar.

Sima Ku soltó un eructo.

—Ya estoy saciado. Gracias, Suegra. A ti también, Cuñada, y a ti, Yunü. Hijo, has estado sujetando ese cuenco todo el rato. Gracias.

Feng, Huang, haced caso a vuestra abuela y a vuestra tía. En caso de apuro, id a buscar a Quinta Tía. Ella es importante ahora, mientras que vuestro padre ha caído en desgracia. Pequeño Tío, crece bien y ponte fuerte. Eras el favorito de tu segunda hermana. Ella decía a menudo que Jintong algún día sería alguien especial, así que tienes que demostrarnos que estaba en lo cierto.

Me puse tan triste que me empezó a doler la nariz.

La balsa se acercó a la orilla. El jefe de la escolta de los prisioneros, un hombre con aspecto de estar muy seguro de sí mismo, iba sentado en el medio. Se plantó en la orilla de un salto y saludó a Lu Liren, que le devolvió el saludo. Se dieron la mano como viejos amigos.

—Viejo Lu —le dijo el hombre—, has luchado bien. El Comandante Yu está encantado contigo, y el Comisario Song se ha enterado de todo.

Sacó una carta de la riñonera de cuero que llevaba al cinto y se la ofreció a Lu Liren, que la cogió y metió una pistola de plata en la riñonera del hombre.

—Aquí hay un trofeo de guerra para la pequeña Lan.

—Te lo agradezco mucho de su parte —dijo el hombre.

Entonces Lu Liren le dijo:

—Entrégamelo.

El hombre se quedó atónito.

—¿Que te entregue qué?

—El recibo por los prisioneros.

El hombre buscó una pluma y un trozo de papel en su riñonera y escribió un recibo apresuradamente. Después se lo dio a Lu.

—Eres muy meticuloso —le dijo.

Lu Liren se rió.

—No importa lo inteligente que sea el mono que hace trucos; nunca podrá superar a Buda.

—Entonces yo debo ser el mono que hace trucos —dijo el hombre.

—No, soy yo —le contestó Lu.

Se dieron las manos y se rieron. Después el hombre dijo en voz baja:

—Viejo Lu, he oído que hay un proyector de cine en tus manos. En el cuartel general también saben eso.

—Parece que tenéis las orejas muy largas —dijo Lu—. Cuando vuelvas, dile a tus superiores que lo enviaremos con un proyeccionista cuando se pase la crecida del río.

—Maldita sea —dijo Sima Ku, conteniendo la respiración—. El tigre mata a su presa para que se la coma el oso.

—¿Qué has dicho? —le preguntó el oficial escolta, claramente disgustado.

—Nada.

—Si no me equivoco, tú eres el famoso Sima Ku.

—En persona —dijo Sima.

—Muy bien, Comandante Sima —le dijo el hombre—. Te cuidaremos bien si tú cooperas. Lo último que desearíamos es traer tu cadáver de vuelta.

Soltando una carcajada, Sima dijo:

—No me atreveré a intentar nada. Vosotros, los escoltas, sois magníficos tiradores, y no me apetece ofrecerme como blanco humano.

—Eso es lo que esperaba que dijeras. De acuerdo, entonces, Comandante Lu. Eso es todo. Detrás de ti, Comandante Sima.

Sima Ku se subió en la balsa y se sentó.

El jefe de la escolta le dio de nuevo la mano a Lu Liren, se dio la vuelta y subió a bordo de un salto. Se sentó en la popa, enfrente de Sima Ku, con la mano apoyada en la pistola, que estaba guardada en su funda.

—No hace falta que seas tan precavido —le dijo Sima—. Tengo las manos atadas, así que si saltara al río me ahogaría. Siéntate más cerca y así podrás echar una mano si la balsa empieza a ladearse.

Ignorando a Sima, el hombre les dijo en voz baja a los soldados que empuñaban los remos:

—Empezad a remar, y hacedlo con brío.

Todos los miembros de nuestra familia nos quedamos juntos en la orilla; sabíamos algo que los demás no sabían, y queríamos ver qué iba a pasar.

La balsa salió a río abierto y empezó a navegar. Los dos soldados se desplazaban rápidamente por el dique, soltando gradualmente las cuerdas que les envolvían los brazos. Cuando la balsa llegó al centro del río, cogió velocidad, enviando grandes olas hacia las orillas. Zunlong, que para entonces ya estaba ligeramente irritado, volvió a marcar el ritmo, y los soldados redoblaron sus esfuerzos con los remos. Las gaviotas seguían a la balsa, volando a poca altura. Cuando llegó a la zona donde el agua fluía a más velocidad, la balsa empezó a balancearse violentamente y Zunlong se cayó de espaldas al río. El jefe de la escolta se puso en pie de un salto, asustado, y estaba a punto de sacar su pistola cuando Sima Ku, que había roto la cuerda que lo ataba y tenía las manos libres, se lanzó sobre él como un tigre hambriento. Ambos cayeron a las furiosas aguas. El mudo y los demás remeros entraron en pánico. Uno por uno, ellos también fueron cayendo al agua. Los soldados que había sobre el dique soltaron las cuerdas, con lo que la balsa se fue navegando libremente, corriente abajo, como un pez grande y negro llevado por las olas.

Todo esto pareció ocurrir simultáneamente, y para cuando Lu Liren y sus hombres se dieron cuenta de lo que había pasado, ya no quedaba a bordo nadie que pudiera controlar la balsa.

—¡Disparadle! —ordenó Lu Liren.

Una cabeza se asomaba por encima de la superficie de las turbulentas aguas de vez en cuando, pero los soldados no estaban seguros de si era la de Sima Ku y no se atrevían a disparar. En total, había nueve hombres en el agua, lo cual significaba que había una posibilidad entre nueve de que la cabeza que veían fuera la de Sima Ku. Además, el río corría como un caballo desbocado, por lo que aunque dispararan las posibilidades de dar en el blanco eran mínimas.

Sima Ku se había escapado. Había crecido en la orilla del Río de los Dragones y era un nadador experto que podía permanecer bajo el agua cinco minutos sin respirar. Además, todas las tortitas y cebolletas que se había comido le habían aportado un montón de energía.

Lu Liren estaba lívido. Le vimos un brillo frío en sus oscuros ojos cuando nos miró. Sima Liang, que todavía estaba sujetando el cuenco de pasta de alubias, se acurrucó contra las piernas de Madre fingiendo no ser más que un testigo asustado. Acunando a Shengli entre sus brazos, Madre bajó del dique en silencio. Todos los demás la seguimos, pegados a sus talones.

Unos días más tarde oímos que solamente el mudo y Zunlong habían conseguido llegar a tierra firme. El resto de los hombres, incluyendo al fanfarrón jefe de la escolta, simplemente desapareció y nunca se encontraron sus cuerpos. Pero nadie tenía ninguna duda de que Sima Ku había logrado ponerse a salvo.

De todos modos, estábamos mucho más preocupados por el destino de Sexta Hermana, Niandi y su marido americano, Babbitt. En esa época, como continuaba la crecida y el río seguía rugiendo con fuerza, Madre salía todas las noches y caminaba por el patio suspirando; el sonido de sus suspiros era tan fuerte que parecía que tapaba incluso el rugido del río. Madre había tenido ocho hijas; Laidi se había vuelto loca, Zhaodi y Lingdi habían muerto, Xiangdi se dedicaba a la prostitución y tal vez también estuviera muerta, Pandi estaba siempre con Lu Liren y las balas silbaban constantemente a su alrededor, por lo que podía morir en cualquier momento, y Qiudi había sido vendida a una rusa blanca, cosa que no era mucho mejor que estar muerta. Solamente quedaba Yunü a su lado, pero desgraciadamente era ciega. Quizá su ceguera era el único motivo por el que había permanecido junto a Madre. Por eso, si algo le ocurriera a Niandi, casi todas las jóvenes bellezas de la familia Shangguan serían apenas un recuerdo. Entre los suspiros de Madre, oíamos que rezaba en voz alta:

«Anciano del Cielo, Señor Amado, Virgen María bendita, Guanyin Bodhisattva del Mar del Sur, por favor, proteged a nuestra Niandi y a todos los niños. Descargad toda la miseria, todo el dolor, todas las enfermedades del Cielo y de la Tierra sobre mi cabeza, pero mantened a mis niños sanos y salvos...».

Un mes más tarde, después de que las aguas volvieran a su cauce, nos llegaron noticias de Sexta Hermana y de Babbitt desde la otra orilla del Río de los Dragones. Había habido una terrible explosión en una cueva secreta en las profundidades de la Montaña Da'ze. Cuando el polvo desapareció, la gente entró en la cueva y encontró tres cuerpos abrazados, de dos mujeres y un hombre. El hombre era un extranjero joven y rubio. Aunque nadie estaba preparado para decir que una de las mujeres era nuestra sexta hermana, cuando Madre se enteró de la noticia, una sonrisa amarga se dibujó en su rostro.

—Es todo culpa mía —dijo, antes de romper a llorar con fuerza.

VII

A finales de otoño, la estación del año más bonita en Gaomi del Noreste, la inundación ya había concluido. Los campos de sorgo estaban de un color tan rojo que parecía negro, y las cañas, que crecían profusamente, estaban tan blancas que parecían amarillas. El sol, a primera hora de la mañana, iluminaba los vastos campos cubiertos por la primera escarcha del año. Los soldados del Decimosexto Regimiento empezaron a salir en silencio, llevándose a todos sus caballos y mulas. Tras atravesar el deteriorado puente que cruzaba el Río de los Dragones, desaparecieron detrás del dique de la orilla norte y no los vimos más.

Cuando el Decimosexto Regimiento hubo partido, su comandante, Lu Liren, asumió los cargos, recientemente creados, de gobernador del Condado de Gaomi del Noreste y de comandante de la milicia del condado. Pandi fue nombrada comandante del ejército del Distrito de Dalan, y el mudo era su jefe de equipo. Su primera misión fue sacar todo lo que hubiera en la mansión de la familia Sima —mesas, sillas, taburetes, palanganas, jarras, todo lo que encontrara— y repartirlo entre los aldeanos. Pero aquella misma noche todo regresó a la puerta del patio de la mansión. Después, el mudo hizo que trajeran una cama de lujosa madera tallada a nuestro jardín.

—No lo quiero —dijo Madre—. ¡Lleváoslo!

—¡Desnudaos! ¡Desnudaos! —dijo el mudo.

Entonces Madre se volvió hacia la Comandante Pandi, que en ese momento estaba zurciendo unos calcetines, y le dijo:

—Pandi, llévate esta cama de aquí.

—Madre —le dijo Pandi—, es el signo de esta época. No puedes oponerte a eso.

—Pandi —le dijo Madre—, Sima Ku es tu segundo cuñado. Su hijo y su hija están aquí, bajo mi protección. ¿Qué pensará cuando regrese?

Pandi dejó de zurcir, cogió su rifle, se lo echó a la espalda y salió a toda prisa de la casa. Sima Liang la siguió por la calle. Cuando volvió, dijo: «Quinta Tía ha ido a la oficina del gobierno del condado». También dijo que un palanquín de dos plazas había llevado a alguien muy importante a la oficina. Iba acompañado por dieciocho guardaespaldas armados. El Gobernador del Condado Lu lo había recibido con la cortesía con la que un estudiante saluda a su tutor. Se decía que se trataba de un famoso reformista agrario a quien se atribuía la invención de un slogan muy conocido en la zona de Wei del Norte, en Shandong: «Matar a un campesino rico es mejor que matar a un conejo silvestre».

El mudo envió a unos cuantos hombres para que se llevaran la cama.

Madre suspiró, aliviada.

—Abuela —dijo Sima Liang—, vámonos de aquí. Creo que va a pasar algo malo.

—Tener buena suerte siempre está bien —dijo Madre—, y de la mala suerte no se puede escapar. No te preocupes, Liang. Incluso si el de arriba ordenara a sus generales divinos y a sus tropas celestiales que bajaran a la Tierra, ¿qué les harían a un montón de viudas y huérfanos?

El hombre importante no apareció en público. Dos centinelas armados hacían guardia de pie junto a la puerta de la mansión de la familia Sima, de donde entraban y salían constantemente oficiales del condado con sus rifles colgados a la espalda. Un día, cuando volvíamos a casa después de sacar a pastar a nuestras cabras, nos encontramos con el equipo de distrito del mudo y con varios oficiales del condado y militares. Bajaban andando por la calle con Huang Tianfu, el propietario de la tienda de ataúdes, Zhao Seis, el vendedor de rollitos hechos al vapor, Xu Bao, que llevaba el molino donde se extraía aceite de cocina, Jin, la que sólo tenía un pecho, propietaria de la tienda de aceite y un profesor de la academia de la localidad, Qin Dos. Los llevaban custodiados. Los prisioneros, apesadumbrados, caminaban con los hombros caídos y la espalda doblada.

—Hombres —dijo Zhao Seis, girando el cuello para mirarlos a todos—, ¿por qué hacéis esto? Os perdonaré los rollitos al vapor que me debéis. ¿Qué os parece?

Uno de los oficiales, un hombre con acento del Monte Wulian y la boca llena de dientes metálicos, le dio una bofetada a Zhao.

—¡Gilipollas! —chilló—. ¿Quién te debe algo a ti? ¿De dónde ha salido el dinero que tienes?

Los prisioneros no se atrevieron a decir ni una palabra más y siguieron avanzando con la cabeza gacha.

Aquella noche, mientras caía una lluvia heladora, una silueta sombría saltó el muro de nuestro patio.

—¿Quién está ahí? —susurró Madre.

El hombre entró a toda prisa y se puso de rodillas en el camino que llevaba a la puerta de la casa.

—Ayúdame, cuñada —dijo.

—¿Eres tú, Sima Ting?

—Soy yo —dijo él—. Ayúdame. Mañana van a organizar una gran asamblea para llevarme ante un pelotón de fusilamiento. Hemos sido vecinos y compañeros durante un montón de años. Ahora te pido que me salves la vida. —Madre abrió la puerta y Sima Ting se deslizó con rapidez al interior de la casa. Temblaba en la oscuridad—. ¿Me puedes dar algo de comer? ¡Estoy muerto de hambre!

Madre le dio una tortita. Él la cogió ansiosamente y la engulló en un momento. Madre suspiró.

—La culpa es de mi hermano —dijo él—. Él y Lu Liren se han convertido en enemigos mortales a pesar de que todos somos familia.

—Ya es suficiente —dijo Madre—. No quiero oír más. Puedes esconderte aquí dentro, pero después de todo yo soy su suegra.

Finalmente, el misterioso hombre importante mostró su cara. Estaba sentado en una tienda de campaña, escribiendo, con la pluma en la mano. Sobre la mesa, frente a él, había un gran tintero con un dragón y un ave fénix tallados. Tenía una barbilla prominente y una nariz larga y fina. Llevaba un par de gafas con la montura negra, debajo de las cuales brillaban sus pequeños ojos oscuros. Sus dedos eran largos, delgados y de una palidez fantasmal, como los tentáculos de un pulpo. La mayor parte de la era de la familia Sima estaba ocupada por los representantes de los campesinos pobres de las dieciocho aldeas del Concejo de Gaomi del Noreste, y había una serie de centinelas cada cuatro o cinco pasos, rodeándolos. Estos centinelas eran miembros de los equipos de producción del condado y del distrito militar. Los dieciocho guardaespaldas del hombre importante estaban sobre el escenario, formando una fila, con el rostro inexpresivo como el metal y una mirada asesina en los ojos, como los Arhats de la leyenda. En la zona del público no se oía ni un ruido, ni siquiera el llanto de los niños suficientemente mayores como para darse cuenta. A los que eran demasiado pequeños para darse cuenta les metían un pezón en la boca al mínimo gemido. Nos sentamos alrededor de Madre. Contrastando con los nerviosos aldeanos que teníamos cerca, ella estaba sorprendentemente tranquila, absorta en las tiras de cáñamo que tenía apoyadas sobre las rodillas desnudas; las enlazaba para hacer suelas de zapatos. Las tiras blancas le daban la vuelta alrededor de una pierna y se unían en trozos idénticos de cuerda sobre la otra. Aquel día, un helador viento del Noreste sopló desde el Río de los Dragones, que estaba congelado, haciendo que los labios de la gente se pusieran de color violeta.

Algo sucedió antes de que comenzara la asamblea: el mudo y algunos miembros del equipo militar del distrito trajeron a Zhao Seis y a una docena de hombres, más o menos, hasta el borde de la era. Estaban atados y llevaban unas placas con unas letras negras escritas en ellas, sobre las cuales se habían pintado unas grandes equis de color rojo. Cuando los aldeanos los vieron, bajaron la cabeza y se quedaron en silencio.

La gente escondía la cabeza entre las piernas para evitar que el hombre importante les viera la cara mientras él recorría la multitud con la mirada. Madre, por el contrario, siguió dándole vueltas al cáñamo, sin apartar la vista del trabajo que estaba haciendo, y yo tuve la sensación de que la mirada siniestra se detuvo en ella durante un largo periodo de tiempo.

Lu Liren, que llevaba una cinta roja en la cabeza, se dirigió al público; mientras hablaba, escupía en todas direcciones. Había estado sufriendo migrañas, y nada se las lograba aliviar. Solamente la cinta parecía hacer disminuir el dolor ligeramente. Cuando terminó, le pidió instrucciones al hombre importante. El hombre se puso en pie con lentitud. «Démosle la bienvenida al Camarada Zhang Sheng, que nos dará instrucciones sobre lo que debemos hacer», dijo Lu Liren al tiempo que comenzaba a aplaudir. Los aldeanos estaban estupefactos en sus asientos, preguntándose qué iba a pasar.

El hombre importante se aclaró la garganta y empezó a hablar, pronunciando todas y cada una de sus palabras muy lentamente. Su discurso era como una tira de papel que se agitara en el frío viento del Noroeste. Durante las décadas siguientes, cada vez que en un funeral veía esos recortes de papel blanco llenos de encantamientos que se emplean para mantener alejados a los espíritus malignos, me acordaba de ese discurso.

Cuando el discurso hubo terminado, Lu Liren avanzó al frente y le ordenó al mudo y a sus hombres, así como a varios oficiales que llevaban Mausers enfundados, que arrastraran a los prisioneros al escenario como si fueran una ristra de abetos. Los hombres ocuparon todo el escenario y taparon la visión que los aldeanos tenían del hombre importante. «¡De rodillas!», ordenó Lu Liren. Los hombres que eran más listos y rápidos cayeron de rodillas. Los que lo eran menos, fueron empujados al suelo.

Abajo del escenario, la gente se miraba entre sí por el rabillo del ojo. Algunos de los más audaces echaban un vistazo al escenario, pero la visión de todos esos hombres de rodillas, con los mocos colgándoles de las narices, les hacía bajar la cabeza de nuevo.

Un hombre flaco que había entre el público se levantó, con las piernas temblorosas, y dijo, con su voz ronca a punto de quebrársele:

—Comandante del Distrito... Yo... Yo quiero expresar una queja...

—¡Muy bien! —gritó Pandi, muy excitada—. No hay por qué tener miedo. ¡Sube al escenario!

La multitud se volvió para mirar al hombre. Era Cara de Sueño. Su túnica de seda gris estaba deshilachada y rasgada; una de las mangas colgaba de un hilo, dejando al descubierto su hombro moreno. El pelo, que en otra época llevaba limpio y cuidadosamente peinado con raya, se le había convertido en un nido de cuervos. Una ráfaga de frío viento lo hizo estremecerse, mientras miraba a su alrededor atemorizado.

—¡Sube aquí y di lo que tengas que decir! —dijo Lu Liren.

—No tiene ninguna importancia —dijo Cara de Sueño—. Hablaré desde aquí abajo, ¿de acuerdo?

—Sube —dijo Pandi—. Tú eres Zhang Decheng, ¿verdad? Me acuerdo de que a tu madre una vez la obligaron a recorrer el pueblo con una canasta, mendigando comida. Has sufrido amargamente y tu odio es profundo. Sube aquí y háblanos de ello.

Cara de Sueño atravesó la multitud y llegó caminando con sus piernas arqueadas hasta el borde del escenario, que medía aproximadamente un metro de alto y estaba hecho de tierra compactada. Intentó subir de un salto, pero lo único que consiguió fue ensuciarse aún más la túnica. Entonces un soldado se agachó, lo cogió por el brazo y tiró de él, levantándolo por el aire. Las piernas se le curvaron un poco más mientras él gritaba de dolor. El soldado lo depositó sobre el escenario. Aterrizó con las piernas tambaleantes; se movía como si estuviera apoyado sobre dos resortes, pero finalmente logró estabilizarse. Levantando la cabeza, se fijó en la multitud que había a sus pies y quedó perplejo ante todas las miradas que vio, que escondían innumerables emociones. Con las rodillas temblando, tartamudeó tímidamente algo que nadie ni siquiera oyó, y después se dio la vuelta para volver a bajar del escenario. Pandi lo agarró por el hombro y lo arrastró hacia atrás, casi tirándolo al suelo. Con un aspecto cada vez más patético, él dijo:

—Por favor, deja que me vaya, Comandante del Distrito. Yo soy un Don Nadie. Por favor, deja que me vaya.

—Zhang Decheng —dijo ella cruelmente—, ¿de qué tienes miedo?

—Soy soltero, duermo perfectamente y camino con la cabeza bien alta. No tengo nada que temer.

—Bueno, ya que no tienes nada que temer, ¿por qué no nos hablas? —le dijo Pandi.

—Ya te lo he dicho, no es nada importante —dijo él—, así que mejor vamos a olvidarlo.

—¿Crees que esto es una especie de juego?

—No te enfades, Comandante del Distrito. Hablaré. Lo que tenga que pasar, que pase.

Cara de Sueño se dirigió hacia donde estaba Qin Dos y le dijo:

—Señor Dos, usted es un hombre culto. Una vez que fui a estudiar con usted, lo único que hice fue quedarme dormido, ¿no es cierto? ¿Por qué me pegó en la mano con una regla hasta que me la dejó como un sapo lleno de verrugas? Y no fue sólo eso; también me puso un mote. ¿Se acuerda de cuál era?

—¡Contéstale! —rugió Pandi.

El Señor Qin Dos levantó la cabeza hasta que su barba de chivo quedó en posición horizontal, y murmuró:

—Eso fue hace mucho tiempo. Se me ha olvidado.

—Por supuesto que no se acuerda —dijo Cara de Sueño, con una excitación creciente y una claridad cada vez mayor—. ¡Pero yo no me olvidaré nunca! Lo que usted dijo, anciano maestro, fue: «Zhang Decheng, para mí siempre tendrás Cara de Sueño». Con eso bastó para que yo tuviera que cargar con el nombre de Cara de Sueño desde entonces. Así es como me llaman los hombres y así es como me llaman las mujeres. Incluso los niños llenos de mocos me llaman Cara de Sueño. ¡Y por cargar con un nombre podrido como ése, todavía no me he casado, a la edad de treinta y ocho años! ¿Qué chica aceptaría casarse con un hombre llamado Cara de Sueño? Ese nombre me ha estropeado la vida para siempre.

El pobre Cara de Sueño estaba tan enfadado que para entonces tenía el rostro empapado de lágrimas y de mocos. El oficial del condado de los dientes de metal cogió a Qin Dos por el pelo y tiró hasta que le hizo echar la cabeza hacia atrás.

—¡Habla! —le ordenó—. ¿Es verdad lo que dice Zhang Decheng?

—Sí, es verdad —contestó Qin Dos, y su barba de chivo temblaba como la cola de una cabra.

El oficial le empujó la cabeza a Qin Dos hasta que tocó la tierra del suelo con la cara.

—Escuchemos otras acusaciones —dijo.

Cara de Sueño se limpió los ojos con el dorso de la mano, se sonó la nariz con los dedos y lanzó por el aire los mocos que se había sacado. Aterrizaron en la tienda. Estremeciéndose del asco, el hombre importante sacó un pañuelo y se limpió las gafas.

—Qin Dos —siguió Cara de Sueño—, usted es un elitista. Cuando Sima Ku iba al colegio, le metió un sapo debajo del orinal de su dormitorio y se subió al tejado para cantar una canción que se burlaba de usted. ¿Y qué le hizo usted? ¿Le pegó con la regla? ¿Le gritó? ¿Le puso un mote? ¡No, no y no!

—¡Esto es maravilloso! —dijo Pandi, muy excitada—. Zhang Decheng ha planteado un problema muy serio. ¿Por qué Qin Dos no tuvo valor para castigar a Sima Ku? Porque la de Sima Ku es una familia rica. ¿Y de dónde salió toda su riqueza? Comían rollitos hechos de harina blanca, pero nunca trabajaron en un campo de trigo. Vestían con ropa de seda, pero nunca criaron un gusano de seda. Se emborrachaban todos los días, pero nunca destilaron ni una gota de alcohol. Convecinos, estos ricos terratenientes se han estado alimentando de nuestra sangre, nuestro sudor y nuestras lágrimas. Redistribuir su tierra y su riqueza no es más que recuperar lo que es, en justicia, nuestro.

El hombre importante aplaudió débilmente para mostrar su aprecio por el discurso apasionado de Pandi. Todos los oficiales del condado y del distrito, así como los guardias armados, se sumaron al aplauso.

Cara de Sueño no había terminado.

—Sima Ku es solamente un hombre, pero tiene cuatro esposas, y yo no tengo ninguna. ¿Es eso justo?

El hombre importante frunció el ceño.

Lu Liren dijo:

—No es necesario que hablemos de ese asunto, Zhang Decheng.

—¿No? —disintió Cara de Sueño—. Pero si ésa es la causa de mi amargura. Por muy Cara de Sueño que yo sea, también soy un hombre, ¿no es cierto? Tengo una herramienta de hombre colgando entre las piernas...

Lu Liren se acercó a Cara de Sueño para que concluyera su representación y levantó la voz para tapar su monólogo.

—Convecinos —dijo—, las palabras de Zhang Decheng quizá sean un tanto rudas para nuestros oídos, pero lo que quiere decir está claro y es innegable. ¿Por qué algunos hombres pueden casarse con cuatro, cinco o más mujeres mientras alguien como Zhang Decheng no puede ni siquiera encontrar una?

Entre el público comenzaron a surgir comentarios y muchas miradas se posaron en Madre, cuyo rostro se ensombreció. Pero no había ninguna señal de enfado ni de odio en su mirada, que estaba tan serena como un plácido lago en otoño.

Pandi le dio un empujoncito a Cara de Sueño.

—Ya puedes bajar.

Él dio un par de pasos y se disponía a bajar del escenario cuando se acordó de algo más. Se dio la vuelta y se acercó a Zhao Seis, lo cogió por la oreja y le dio una sonora bofetada.

—Hijo de perra —le gritó—. Hoy también es tu día. ¡Seguro que te has olvidado de cuando abusaste de la autoridad que te había dado Sima Ku para maltratarme!

Zhao retorció el cuello y le dio un cabezazo a Cara de Sueño en el estómago. Soltando un alarido, Cara de Sueño cayó al suelo y rodó hasta caerse del escenario.

El mudo llegó a toda prisa y envió a Zhao Seis al suelo de un golpe. Después se puso de pie sobre el cuello de Zhao, deformándole el rostro al pobre hombre. Estaba sin aliento, pero a pesar de todo chillaba como si estuviera poseído.

—¡Nunca conseguirás que admita nada, nunca! ¿No tienes conciencia? Tus crímenes son inimaginables...

Lu Liren se agachó para preguntarle al hombre importante qué debía hacer. El hombre dio un golpe en la mesa con su mortero para tinta; ésa era la señal para que Lu Liren leyera un pliego de papel: «El rico campesino Zhao Seis ha vivido de explotar a los demás. Durante la guerra contra Japón, alimentó a sus compañeros de viaje. Cuando Sima Ku gobernaba la zona, les proporcionó comida a los canallas de sus soldados. Ahora que la reforma agraria está en marcha, ha hecho circular desagradables rumores en clara oposición al Gobierno del Pueblo. Si un reaccionario como éste no es eliminado, el pueblo nunca podrá estar tranquilo. En el nombre del Gobierno Popular del Condado de Gaomi del Noreste, por la presente condeno a Zhao Seis a la muerte. ¡La sentencia será ejecutada inmediatamente!».

Dos de los soldados cogieron a Zhao Seis y lo arrastraron afuera como a un perro muerto. Cuando llegaron al borde del estanque, que estaba lleno de hierbas, los hombres se apartaron para dejarle sitio al mudo, que se puso detrás de Zhao y le metió una bala en la nuca. Su cuerpo cayó pesadamente al agua. Con la pistola echando humo todavía en la mano, el mudo volvió a subirse al escenario.

Los prisioneros aterrorizados que estaban sobre el escenario comenzaron a golpearse la cabeza contra el suelo. Para entonces, ya todos se habían cagado encima. «Perdonadme, perdonadme...». La propietaria de la tienda de aceite de cocina, Vieja Jin, avanzó a cuatro patas hasta donde estaba Lu Liren y se abrazó a sus piernas.

—Gobernador del condado Lu —sollozó—, perdóneme. Se lo daré todo a los aldeanos, el aceite, las semillas de sésamo, todas las propiedades de mi familia. No me quedaré con nada, ni siquiera con un plato donde echarles de comer a los pollos, pero no me quite la vida. Nunca volveré a hacer negocios que exploten a la gente...

Lu Liren intentó liberarse de su abrazo, pero ella lo sujetaba con todas sus fuerzas hasta que un oficial se acercó y le separó los dedos. Entonces ella se arrastró hacia el hombre importante.

—¡Ocupaos de ella! —ordenó Lu Liren.

El mudo levantó la pistola y la golpeó en la sien. Se le quedaron los ojos en blanco y cayó de espaldas; su único pecho quedó apuntando al cielo brillante.

—¿Quién más quiere purgar su amargura? —le gritó Pandi a la gente.

Alguien empezó a llorar. Era el ciego, Xu Xian'er, que estaba apoyado en un bastón de bambú amarillo.

—Ayudadlo a subir al escenario —dijo Pandi.

Nadie le ayudó, así que él se abrió camino dando golpecitos en el suelo con su bastón. La gente se apartaba a su paso y llegó hasta el borde del escenario. Entonces dos oficiales bajaron de un salto y lo subieron en brazos.

Lleno de odio, Xu Xian'er golpeó el suelo con fuerza con su bastón, haciendo agujeros en la tierra compactada.

—Di lo que tengas que decir, tío Xu —le dijo Pandi.

—Comandante —dijo Xu Xian'er—, ¿usted me puede garantizar que seré vengado?

—No te preocupes. Ya has visto lo que acabamos de hacer por Zhang Decheng.

—¡Entonces lo diré! —exclamó—. Lo diré. Ese bastardo de Sima Ku llevó a mi mujer a la tumba, y después mi madre murió por el enfado que eso le produjo. Me debe dos vidas. —De sus ojos ciegos empezaron a caer las lágrimas.

—Tómate tu tiempo, tío —le dijo Lu Liren.

—En el decimoquinto año de la República, en 1926, mi madre invirtió treinta dólares de plata para conseguirme una esposa, la hija de una pordiosera de la Aldea del Oeste. Vendió una vaca y un cerdo, además de dos sacos de trigo, y lo único que obtuvo a cambio fueron treinta dólares de plata. Todo el mundo decía que mi mujer era guapa, pero esa palabra, «guapa», era una profecía de la catástrofe. En esa época Sima Ku sólo tenía dieciséis o diecisiete años, pero ni siquiera a esa edad era un buen tipo. Como su familia tenía dinero y poder, tomó la costumbre de venir a mi casa a cantar y tocar su *huqin* de dos cuerdas. Un día se llevó a mi mujer a ver una ópera, y después la trajo a casa y abusó de ella. Mi esposa se suicidó tragando opio, cosa que le sentó tan mal a mi madre que se colgó... ¡Sima Ku, me debes dos vidas! Quiero que el gobierno repare el daño que me ha hecho... —Tras decir esto, cayó de rodillas. Un oficial del distrito se acercó a ayudarlo a levantarse, pero él dijo—: No me levantaré si no me vengáis...

—Tío —le dijo Lu Liren—, Sima Ku no se escapará de las redes de la justicia, y cuando lo atrapemos, pagará por lo que te ha hecho.

—Sima Ku es un halcón de vuelo alto, el rey de los cielos —dijo el ciego—. Nunca lo cogeréis. Por eso le pido al gobierno que le haga pagar una vida por cada vida que me quitó. Ejecutad a su hijo y a su hija. Comandante, sé que usted es familia de Sima Ku, pero si es un auténtico dispensador de justicia, llevará a cabo mi petición. Si deja que se interpongan sus sentimientos personales, Xu el ciego se irá a su casa y se colgará, para que Sima no me atrape cuando regrese.

—Tío —logró decir Lu Liren—, cada dolor tiene su objetivo, cada deuda tiene su deudor. Sólo se puede hacer responsable de un daño a la persona que lo causó. Ya que Sima es el causante de esas muertes, sólo se le puede pedir cuentas a Sima. Los niños no tienen ninguna culpa.

Xu golpeó el suelo con el bastón.

—Conciudadanos —gritó—, ¿habéis oído eso? No dejéis que os engañen. Sima Ku se ha escapado, Sima Ting está escondido y los niños se harán mayores antes de que os deis cuenta. El Gobernador del Condado Lu es familia de ellos, cosa que influye mucho. Conciudadanos, Xu Xian'er vivo no es más que este bastón, y muerto es poco más que alimento para los perros. Comparado con vosotros no soy nada, pero, conciudadanos, no dejéis que esta gente os engañe...

Pandi explotó:

—¡Viejo ciego, tus demandas no son razonables!

—Señora Pandi —dijo Xu el ciego—, usted y el resto de los Shangguan son muy impresionantes. Cuando los diablos japoneses nos invadieron, su cuñado mayor, Sha Yueliang, estaba al mando. Después, durante el dominio del Kuomintang, su segundo cuñado, Sima Ku, controló la zona con mano dura. Ahora usted y Lu Liren son los que mandan. Ustedes, los Shangguan, son mástiles de banderas que no se pueden derribar, embarcaciones que nunca naufragan. Algún día, cuando los americanos gobiernen China, su familia podrá alardear de tener un cuñado extranjero... La cara de Sima Liang se había vuelto pálida como la de un fantasma. No dejaba de apretar la mano de Madre. Sima Feng y Sima Huang tenían la cabeza escondida debajo de sus axilas. Sha Zaohua estaba llorando, así como Lu Shangli; también Octava Hermana, Yunü, se puso a llorar al poco tiempo.

Su llanto llamó la atención de la gente, tanto de la que estaba sobre el escenario como de la que estaba abajo. El oscuro hombre importante nos echó una mirada.

Xu Xian'er estaría ciego, pero se arrodilló exactamente a los pies del hombre importante.

—Señor —aulló entre lágrimas—, ¡haga algo por este viejo ciego!

Mientras aullaba se golpeó varias veces la cabeza contra el suelo hasta que tuvo la frente cubierta de tierra.

Lu Liren miró al hombre importante, excusándose con los ojos. El hombre importante le devolvió la mirada fríamente; era una mirada afilada como un cuchillo. El rostro de Lu estaba chorreante de sudor, y la cinta que tenía puesta se le había empapado; parecía que tuviera una herida en la frente. Ya no estaba tranquilo y en paz; ahora miraba alternativamente a sus pies y a la multitud que había abajo. Ya no le quedaba valor para mantener contacto visual con el hombre importante.

Pandi también había perdido la compostura que se espera de una comandante de distrito. Tenía la cara toda roja y el labio inferior le temblaba.

—Viejo ciego Xu —gritó, con el tono de voz de una mujer del campo—, ¡estás intentando liarla! ¿Qué te ha hecho a ti mi familia? La zorra de tu mujer sedujo a Sima Ku y se lo llevó al trigal. Entonces, cuando los pillaron, comió opio porque no podía mirar a la cara a la gente decente. Y no sólo es eso: la gente comentaba que tú solías pasarte la noche mordiéndola, como si fueras un perro. Ella le enseñaba a la gente las cicatrices que le dejabas en el pecho, ¿lo sabías? Tú fuiste el causante de la muerte de tu mujer. Lo que hizo Sima Ku estuvo mal, ¡pero la mayor parte de la culpa es tuya! Así que si hay que fusilar a alguien, yo creo que deberíamos empezar por ti.

—Excelencia, ¿ha oído usted eso? —dijo el ciego Xu—. En cuanto uno corta unos tallos de trigo, aparece un lobo.

Lu Liren intervino rápidamente para proteger a Pandi. Se acercó e intentó sacar a Xu Xian'er a empujones, pero Xu era inamovible.

—Tío —le dijo Lu—, tienes razón en solicitar la ejecución de Sima Ku, pero no la de sus inocentes hijos.

Xu Xian'er no estaba de acuerdo, y razonó de este modo:

—¿Cuáles son los delitos que cometió Zhao Seis? Lo único que hizo fue vender unos cuantos rollitos. Se trataba de una disputa personal con Zhang Decheng, ¿no es cierto? Pero vosotros dijisteis que lo ajusticiaríais y eso es lo que habéis hecho. Estimado Gobernador del Condado, no descansaré hasta que ordene ejecutar a los descendientes de Sima Ku.

Alguien entre el público dijo en voz baja:

—La tía de Zhao Seis era la madre de Xu Xian'er; ellos son primos.

Lu Liren se acercó dubitativamente hasta donde estaba el hombre importante con una sonrisa forzada dibujada en el rostro y, muy avergonzado, le dijo algo. El hombre acarició el oscuro mortero para tinta que tenía en la mano y su cara huesuda adoptó una expresión asesina. Entonces miró fijamente a Lu Liren y le dijo con frialdad:

—¿De verdad esperas que yo me ocupe de algo tan insignificante como esto?

Lu sacó un pañuelo para secarse el sudor de la frente; después se pasó la mano por detrás de la cabeza y se ajustó la cinta, apretándola tanto que su rostro se volvió del color de la cera. Dio unos pasos hasta situarse en el borde del escenario y desde ahí anunció en voz alta:

—Somos el gobierno de las masas, y llevamos a cabo los deseos del pueblo. Así que os dejo la decisión a vosotros. Todos aquellos que estén a favor de ejecutar a los hijos de Sima Ku, que levanten la mano.

Enfurecida, Pandi le preguntó:

—¿Es que te has vuelto loco?

Los aldeanos que había frente al escenario agacharon la cabeza. No se levantó ni una mano ni se oyó un solo ruido.

Lu Liren le lanzó una mirada de interrogación al hombre importante.

Con una mezcla de desprecio y burla, el hombre importante le dijo a Lu Liren:

—Inténtalo de nuevo, pero esta vez pregúntales cuántos están a favor de *no* ejecutar a los hijos de Sima Ku.

—Todos aquellos que estén a favor de *no* ejecutar a los hijos de Sima Ku, que levanten la mano.

Las cabezas siguieron agachadas. No se levantó ni una mano ni se oyó un solo ruido.

Madre se puso en pie lentamente.

—Xu Xian'er —dijo—, si lo que solicitas es una vida, puedes acabar con la mía. Pero tu madre no se colgó; murió de una hemorragia que se había originado en la época de los bandoleros. Mi suegra se encargó de organizar su funeral.

El hombre importante se puso en pie y se fue al espacio abierto que había detrás del escenario. Lu Liren lo siguió inmediatamente. Ahí el hombre importante le habló a Lu en voz baja y muy rápido, levantando su suave y blanca mano y moviéndola hacia abajo, como si fuera un cuchillo. Después se marchó, rodeado por sus guardaespaldas.

Lu Liren se quedó ahí de pie, con la cabeza gacha como un trozo de madera petrificado durante un largo rato antes de volver en sí. Al fin volvió, caminando como si sus piernas fueran de plomo, y nos miró fijamente y con una especie de locura. Los ojos parecían habérsele congelado en las órbitas. Tenía un aspecto patético subido ahí arriba. Finalmente, abrió la boca y habló:

—En este momento condeno a muerte Sima Liang, hijo de Sima Ku. ¡La ejecución se llevará a cabo de inmediato! Y condeno a muerte a Sima Feng y a Sima Huang, hijas de Sima Ku. ¡La ejecución también se llevará a cabo de inmediato!

El cuerpo de Madre se estremeció, pero sólo por un instante.

—¡Os desafío a que lo intentéis! —dijo, cogiendo a las dos niñas en brazos.

Sima Liang se lanzó ágil y astutamente al suelo y empezó a arrastrarse lentamente, alejándose poco a poco del escenario. La multitud lo protegía.

—Sol Callado, ¿por qué no cumples mis órdenes? —rugió Lu Liren.

—Tu maldita cabeza debe estar muy confusa —lo insultó Pandi—, para dar una orden como ésa.

—No está nada confusa, está completamente despejada —dijo Lu, dándose un golpe en la cabeza con el puño.

Dudando, el mudo bajó del escenario seguido por dos soldados.

Cuando llegó reptando a la parte de atrás de la multitud, Sima Liang se puso en pie de un salto, salió corriendo entre dos centinelas y trepó al dique.

—¡Se va a escapar! —gritó uno de los soldados que estaban en el escenario.

Un centinela echó mano de su fusil, que llevaba al hombro, le quitó el seguro, metió una bala en el cargador y disparó al aire. Para entonces, Sima Liang ya estaba bien escondido entre los arbustos que había en lo alto del dique.

El mudo y sus hombres se acercaron a nosotros. Sus hijos, Gran y Pequeño Mudo, le echaron una mirada triste y desdeñosa. Él estiró su garra de hierro. Madre le escupió en la cara. Él retrajo su garra y se limpió la saliva del rostro, y después la estiró de nuevo. Madre escupió por segunda vez, pero con menos fuerza. El escupitajo le cayó al mudo en el pecho. Girando el cuello, él miró hacia atrás, a la gente que había sobre el escenario. Lu Liren andaba de un lado a otro, con las manos apretadas detrás de la espalda. Pandi estaba tomando aliento, de cuclillas, con la cabeza metida entre las manos. Las caras de los oficiales del condado y del distrito, así como las de los soldados armados, parecían esculpidas en arcilla, como si fueran ídolos en un templo. La mandíbula del mudo, dura como una roca, se movió espasmódicamente, en un acto reflejo.

—¡Desnudaos! —dijo—. ¡Desnudaos, desnudaos!

Madre sacó pecho y le dijo, chillando:

—¡Mátame a mí primero, cabrón!

Después se lanzó sobre él y le dio un zarpazo en la cara.

El mudo se acarició el rostro y después se llevó la mano ante los ojos para ver si se le había quedado algo pegado a los dedos. Eso duró un momento, y luego se puso los dedos debajo de la nariz y los olfateó en busca de algún olor especial. Después sacó la lengua y los lamió intentando detectar algún sabor especial. A continuación soltó una serie de gruñidos y le dio un empujón a Madre, que cayó al suelo como una pluma. Nosotros nos lanzamos sobre ella, llorando sin parar.

El mudo nos fue cogiendo uno por uno y nos tiró por ahí para quitarnos de en medio. Yo aterricé sobre la espalda de una señora. Sha Zaohua aterrizó sobre mi vientre. Lu Shengli aterrizó sobre la espalda de un señor mayor. Octava Hermana aterrizó sobre el hombro de una señora aún más mayor. Gran Mudo estaba colgado del brazo de su padre, y por mucho que éste lo sacudía no lograba sacárselo de encima. Le mordió la muñeca a su padre. Pequeño Mudo estaba abrazado a la pierna de su padre y lo mordisqueaba en la huesuda rodilla. Dando una patada, el mudo envió a ese hijo volando por el aire, justo contra la cabeza de un hombre de mediana edad. Después agitó el brazo con todas sus fuerzas y envió a Gran Mudo sobre el regazo de una anciana, con un trozo de carne de su padre entre los dientes.

Cogiendo a Sima Feng con la mano izquierda y a Sima Huang con la derecha, se marchó. Daba pasos muy altos, como si caminara a través del barro. Cuando llegó al borde del escenario, lanzó a las dos chicas sobre él, una tras otra. Las dos gritaron llamando a su abuela y se bajaron del escenario de un salto. El mudo las capturó de nuevo y las volvió a subir. Para entonces, Madre había logrado ponerse en pie y empezó a avanzar a trompicones hacia el escenario, pero se cayó al suelo antes de poder dar ni siquiera un par de pasos.

Lu Liren dejó de dar vueltas y dijo melancólicamente:

—A todos vosotros, pobres campesinos, os hago una pregunta: ¿Soy un hombre o no lo soy? ¿No os podéis imaginar cómo me siento por tener que fusilar a esas dos niñitas? Se me parte el corazón. Después de todo, son sólo unas niñas, y encima estoy emparentado con ellas. Pero precisamente por ese motivo no tengo más remedio que tragarme mis lágrimas y condenarlas a muerte. Salid de vuestro estupor, amigos míos. Al ejecutar a las hijas de Sima Ku estamos evitando ir por el mal camino. Mirado superficialmente, parece que estemos ejecutando a dos niñas. Pero no son niñas lo que ejecutamos, sino un sistema social reaccionario que pertenece al pasado. ¡Vamos a ejecutar a dos símbolos! Levantaos, amigos. ¡O sois revolucionarios o sois contrarrevolucionarios, no hay término medio!

Gritaba con tanta fuerza que sufrió un ataque de tos. Se puso pálido y le brotaron lágrimas en los ojos. Un oficial del condado se le acercó y empezó a darle unas palmadas en la espalda, pero Lu le indicó con un gesto que se apartara. Cuando hubo recuperado el aliento, se agachó y escupió una flema. Con una voz que recordaba la de un tuberculoso, logró balbucear:

—¡Ejecutad la sentencia!

El mudo subió al escenario de un salto, cogió a las dos niñas y las llevó hasta el estanque, donde las dejó caer al suelo antes de retroceder diez o quince pasos. Las chicas se abrazaron. Sus caras, largas y delgadas, parecían cubiertas de polvo de oro. Miraron al mudo aterrorizadas mientras él sacaba su pistola y la levantaba pesadamente. Le sangraba la muñeca y le temblaba la mano por el esfuerzo de levantar la pistola, como si pesara diez kilos. Después —*bang*— se oyó el sonido de un tiro. La mano se le movió por el efecto del retroceso y un humo azul brotó de la boca del arma. Dejó caer el brazo débilmente. La bala les pasó a las niñas por encima de la cabeza e impactó contra el suelo al lado del estanque, levantando un poco de barro por el aire.

Una mujer se acercaba paseando, bajaba por el sendero lleno de hierbas que había a lo largo de la base del dique. Iba cloqueando en voz alta, como una gallina madre que lleva a sus pollitos delante de ella. En el instante en que apareció debajo del dique me di cuenta de que se trataba de Primera Hermana, que había recibido permiso para no ir a la reunión por estar perturbada mentalmente. En tanto viuda del traidor de Sha Yueliang, debería haber estado en los primeros puestos de la lista de los que iban a ser ejecutados, y si la gente hubiera sabido su aventura de una noche con Sima Ku, habría sido fusilada dos veces. Cuando la vi arrojarse a la red me preocupé gravemente, pero ella corrió hasta el estanque y se plantó delante de las dos niñas.

—¡Mátame a mí! —gritó como una loca—, ¡mátame a mí! ¡Yo me acosté con Sima Ku y yo soy su madre!

La mandíbula del mudo empezó a temblar de nuevo. Era una señal inconfundible de que unas perturbadoras olas azotaban su corazón. Levantó la pistola de nuevo y dijo oscuramente:

—Desnudaos, desnudaos, desnudaos.

Sin pensárselo ni un instante, Primera Hermana se desabotonó la blusa y enseñó sus pechos perfectos. El mudo se quedó mirándolos fijamente, con los ojos desorbitados. La mandíbula le temblaba con tanta violencia que parecía que estaba a punto de caérsele. Se puso una mano debajo de la barbilla para mantenerla quieta y en su lugar, y después abrió la boca y dijo, como quien escupe: «¡Desnudaos! ¡Desnudaos! ¡Desnudaos!». Primera Hermana se quitó obedientemente la blusa; estaba desnuda de cintura para arriba. Su rostro era moreno, pero su cuerpo brillaba lustrosamente, como si fuera de porcelana de la mejor calidad. Aquella oscura mañana se desnudó de cintura para arriba y atrapó al mudo en una lucha de deseos. Él se acercó a ella con las piernas arqueadas, con el aspecto de un muñeco de nieve cocinado al horno, que se va deshaciendo parte por parte, primero un brazo, después una pierna, unos intestinos que se enrollan en el suelo, como una serpiente, y un corazón rojo que le late entre las manos. Todas esas partes dispersas se volvieron a unir con gran dificultad cuando se arrodilló a los pies de Primera Hermana y se abrazó a su cintura, apoyando su enorme cabeza sobre el vientre de ella.

Lu Liren y los demás estaban atónitos. Eran testigos de un cambio impresionante y se quedaron boquiabiertos, como si tuvieran unos dulces calientes y pegajosos en la boca. Era imposible imaginarse lo que estarían pensando mientras contemplaban la escena junto al estanque.

—¡Sol Callado! —lo llamó débilmente Lu Liren, pero el poderoso Sol Callado lo ignoró.

Pandi bajó del escenario de un salto y salió corriendo hasta el estanque, donde recogió la blusa del suelo y se la puso a Primera Hermana sobre los hombros. Había ido con la intención de arrastrar a Primera Hermana lejos de allí, pero la mitad inferior de ésta ya se había unido al mudo, y ¿cómo podía Pandi alejarla de eso? Lo que hizo fue coger la pistola del mudo y darle un golpe con ella en el hombro. Él la miró. Tenía los ojos llenos de lágrimas.

Lo que ocurrió entonces sigue siendo un misterio hasta el día de hoy. En el momento en que Pandi estaba contemplando el rostro empapado de lágrimas del mudo, que había entrado en una especie de trance; en el momento en que Sima Feng y Sima Huang se levantaron, cogidas de la mano, todavía aterrorizadas, y empezaron a mirar a su alrededor buscando a su abuela; en el momento en que Madre volvió en sí y se puso a murmurar algo mientras salía corriendo en dirección al estanque; en el momento en que Xu Xian'er se reencontraba con su conciencia y decía: «Gobernador del Condado, no los mate. Mi madre no se colgó y Sima Ku no es el único culpable de la muerte de mi esposa»; en el momento en que un par de perros se enzarzó en una pelea en las ruinas que había detrás de la casa de la mujer musulmana; en el momento en que me vino el dulce recuerdo del juego que había jugado con Laidi en el abrevadero de los caballos y la boca se me llenó del sabor de las cenizas y del aroma elástico de su pezón; en el momento en que todo el mundo intentaba imaginarse de dónde había venido el hombre importante y dónde se había ido; en aquel momento, dos hombres a caballo llegaron del Sudeste como un huracán. Uno de los caballos era blanco como la nieve, y otro negro como el carbón. El jinete que montaba el caballo blanco iba totalmente vestido de negro, incluyendo un pañuelo negro que le tapaba la mitad inferior de la cara y un sombrero negro. El que iba en el caballo negro vestía todo de blanco, incluyendo un pañuelo blanco que le tapaba la mitad inferior de la cara y un sombrero blanco. Ambos llevaban un par de pistolas. Eran jinetes muy experimentados; se inclinaban ligeramente hacia adelante y las piernas les colgaban hacia abajo en línea recta. Cuando se acercaron al estanque, dispararon varios tiros al aire. Daban tanto miedo que los soldados armados, por no mencionar a los oficiales del condado y del distrito, se tiraron todos al suelo, boca abajo. Los dos jinetes azotaron a sus caballos y dieron unas vueltas en círculo alrededor del estanque; las monturas se inclinaban describiendo hermosos arcos. Después volvieron a disparar antes de darles con el látigo de nuevo y alejarse al galope. Las colas de los caballos ondeaban en el aire detrás de ellos. Se desvanecieron ante nuestros ojos; fue realmente un caso de algo que llega con el viento de la primavera y se va con el viento del otoño. Daba la impresión de haber sido un espejismo, a pesar de que eran totalmente reales. Poco a poco recuperamos la compostura, y cuando miramos al suelo vimos a Sima Feng y a Sima Huang tiradas junto al estanque, cada una con un agujero de bala entre los ojos. Todo el mundo se quedó paralizado de miedo.

VIII

El día de la evacuación, los habitantes de las dieciocho aldeas del Concejo de Gaomi del Noreste, gritando y llorando, condujeron a sus animales, cargaron a sus pollos, ayudaron a sus mayores y se llevaron a sus niños hasta la orilla norte del Río de los Dragones, de suelo alcalino y cubierta de matojos de hierbas. Estaban todos al borde de un ataque de nervios. El suelo estaba cubierto por una capa de álcali blanco, como una escarcha que no se derritiera nunca. Las hojas de las plantas y las cañas que no habían sido afectadas por el álcali eran amarillas, y sus algodonosos estambres se agitaban y ondeaban mecidos por el viento helado. Los cuervos, que siempre se sienten atraídos por los alborotos que se forman debajo de ellos, planeaban en el cielo y lo llenaban con sus poéticos y punzantes chillidos: *Aah... Guah...* Lu Liren, que había sido degradado a jefe sustituto del condado, estaba de pie ante la mesa de sacrificio, hecha de piedra, de la enorme cripta de un sabio de la dinastía Qing. Se desgañitaba como un poseso dirigiéndose a la gente que había movilizado para que evacuaran la zona. «Ahora que ha llegado lo más crudo del invierno, el Concejo de Gaomi del Noreste está a punto de convertirse en un inmenso campo de batalla, y quedarse aquí es equivalente a suicidarse». Las ramas de los negros pinos estaban atestadas de cuervos, algunos de los cuales incluso se habían posado sobre las estatuas de piedra de hombres y caballos. *Aah*, chillaban, *guah*. Los sonidos que emitían no solamente modificaban el tono de lo que decía Lu Liren sino que además hacían que aumentara el terror de la gente y que se confirmara la necesidad de huir del peligro.

El disparo de una pistola indicó que la evacuación se ponía en marcha. La oscura masa de gente empezó a salir de la aldea con un clamor. Los burros rebuznaban y las vacas mugían, los pollos aleteaban en el aire y los perros brincaban, las ancianas lloraban y los niños chillaban excitados, todo al mismo tiempo. Un joven oficial que iba montado en un poni blanco llevaba una bandera roja que colgaba tristemente de su mástil y se arrastraba de un lado para otro por el camino lleno de baches y cubierto de álcali que se dirigía hacia el Noreste. Guiando la procesión iba un contingente de mulas que transportaban los archivos del gobierno del condado, docenas de ellas, avanzando lánguida y laboriosamente hacia adelante, con lentitud, bajo la atenta mirada de los jóvenes soldados. Detrás de ellas iba un camello que había sobrevivido desde la época de Sima Ku. Llevaba un par de cajas metálicas apoyadas directamente sobre la sucia piel de su joroba. Había estado tantos años en Gaomi del Norte que era más un buey que un camello. Detrás de él iba una docena, más o menos, de porteadores que llevaban la imprenta del condado y un torno para el taller de reparaciones del equipo de producción. Todos eran hombres morenos y robustos y llevaban unas camisas finas con los hombros almohadillados, con forma de hojas de loto. Por la manera en la que se tambaleaban al caminar, y por sus ceños fruncidos y sus bocas abiertas, era fácil darse cuenta de lo pesada que era la carga que transportaban. Cerrando la procesión iba la caótica multitud que formaban los aldeanos.

Lu Liren, Pandi y un montón de oficiales del condado y del distrito avanzaban y retrocedían por el borde de la carretera montados en sus mulas y en sus caballos, haciendo todo lo que podían para poner un poco de orden en esa evacuación masiva. Pero la gente iba hombro con hombro por la estrecha carretera, y el arcén, más espacioso, los atraía. Cada vez más personas cambiaban la carretera por el arcén, y así se fueron expandiendo a lo ancho. La procesión avanzaba lenta y ruidosamente hacia el Noreste, haciendo un jaleo terrible.

La multitud nos arrastraba, a veces por la carretera, a veces no; incluso había momentos en los que no sabíamos si estábamos en la carretera o no. Madre, que se había puesto una correa de cáñamo en torno al cuello, iba empujando un carrito con las ruedas de madera. Las manijas estaban tan separadas que se veía obligada a abrir ambos brazos. Un par de canastas rectangulares colgaba a los lados del carrito. La canasta de la izquierda llevaba a Lu Shengli, nuestros edredones y nuestra ropa. Gran Mudo y Pequeño Mudo iban en la canasta de la derecha. Sha Zaohua y yo, los dos cargados con cestas, íbamos caminando junto al carrito, uno a cada lado. Octava Hermana, la pequeña ciega, agarrada al abrigo de Madre, iba detrás de ella tropezándose una y otra vez. Laidi, que oscilaba entre la lucidez y la confusión, abría la marcha; se inclinaba hacia adelante para tirar mejor del carrito de la familia con una correa ajustada sobre sus hombros, como un voluntarioso buey. Teníamos todo el tiempo el rechinar de las ruedas en los oídos. Los tres pequeños que iban en el carrito miraban constantemente el alboroto que había a su alrededor. Yo oía el crujido que hacían mis pies al pisar el suelo de álcali, y olía su penetrante aroma. Al principio me pareció divertido, pero después de recorrer unos cuantos kilómetros las piernas me empezaron a doler y sentí la cabeza pesada. Me estaba quedando sin fuerzas. El sudor me brotaba de debajo de los brazos. Mi pequeña cabra lechera blanca, que era fuerte como un buey, venía trotando respetuosamente detrás de mí. Sabía lo que estábamos haciendo, por lo que no hubo ninguna necesidad de atarla para el viaje.

Aquel día, los poderosos vientos del Norte se deslizaban dolorosamente en nuestras orejas. Unas pequeñas nubes de polvo blanco saltaban hacia arriba en el inabarcable y silvestre paisaje que teníamos alrededor. Compuesto de álcali, sal y salitre, el polvo nos irritaba los ojos, nos quemaba la piel y nos pudría la boca. La gente avanzaba contra el viento, con los ojos entrecerrados. Las camisas de los porteadores estaban empapadas de sudor y cubiertas de álcali, por lo que se habían puesto blancas de arriba a abajo. Cuando nos internamos en las pantanosas tierras bajas, se puso realmente complicado lograr que las ruedas del carrito siguieran girando. Primera Hermana tiraba con todas sus fuerzas, y la correa se le hundía cada vez más profundamente en el hombro. Respiraba con dificultad, haciendo unos ruidos como si se estuviera a punto de morir. ¿Y Madre? Las lágrimas caían de sus melancólicos ojos y se mezclaban con el sudor de su rostro creando un entramado de surcos violáceos. Octava Hermana iba colgada de Madre, dando tumbos de un lado a otro como un pesado fardo, mientras nuestro carrito dejaba sus huellas marcadas en la carretera. Pero los otros carritos, los animales de carga y la gente que venía detrás las borraban rápidamente. Los refugiados estaban por todas partes, una gran masa de rostros, algunos conocidos y otros no. El viaje era muy peligroso, tanto para la gente como para los caballos y los burros. Los únicos que lo llevaban relativamente bien eran los pollos que iban en brazos de las mujeres y mi cabra, que correteaba a mi lado aunque se detenía de vez en cuando a mordisquear las hojas secas de las cañas.

La luz del sol hacía que la capa de álcali que cubría el suelo brillara dolorosamente, tanto que no podíamos mantener los ojos abiertos. El brillo se extendía por el suelo como si se tratara de mercurio. La naturaleza salvaje que se extendía ante nosotros se parecía al legendario Mar del Norte.

Al mediodía, como si se tratara de una epidemia, la gente empezó a sentarse en grupos sin que nadie hubiera dicho nada al respecto. Por la falta de agua, tenían la garganta humeante y la lengua tan gruesa y desagradablemente salada que ya no podían hablar con normalidad. De la nariz les salía aire caliente, pero tenían la espalda y el vientre fríos. Los vientos del Norte les atravesaban la ropa empapada de sudor y los hacía quedarse duros y tiesos.

Apoyada en el manillar de un carrito, Madre metió la mano en una de las canastas y sacó unos rollitos hechos al vapor y al viento. Los partió en varios trozos y nos los dio. Primera Hermana dio un solo bocado y se le partió el labio; la sangre que rezumó manchó el rollito. Los pequeños que iban en el carro, con las caras polvorientas y las manos sucias, parecían ser siete partes de demonios del templo y tres partes de humanos. Con las cabezas gachas, se negaron a comer. Octava Hermana mordisqueó uno de los rollitos secos con sus delicados dientes blancos.

—Podéis darles las gracias a vuestros papás y a vuestras mamás por todo lo que nos está pasando —dijo Madre, soltando un suspiro.

—Vámonos a casa, abuela —suplicó Sha Zaohua.

Sin contestarle, Madre echó un vistazo a la multitud de gente que había sobre la colina y suspiró una vez más. Entonces me miró a mí.

—Jintong —me dijo—, a partir de hoy vas a empezar a comer otras cosas.

Metió la mano en su bolsa y sacó una taza esmaltada con una estrella roja. Después se acercó a mi cabra, se agachó y le limpió la tierra que tenía en una de las ubres. Cuando la cabra se resistió, Madre me dijo que la sujetara. Le abracé la fría cabeza y me puse a observar cómo le apretaba la ubre al animal hasta que un líquido blanco empezó a gotear en el interior de la taza. Me di cuenta de que la cabra no estaba cómoda, ya que se había acostumbrado a que yo me tumbara debajo de ella y bebiera directamente de sus ubres. No dejaba de mover la cabeza y de arquear la espalda como si fuera una cobra. Durante todo el tiempo, Madre murmuraba, una y otra vez, una frase terrible: «Jintong, ¿cuándo vas a empezar a comer comida normal?». En el pasado yo había probado diversas comidas, pero incluso la mejor me había dado dolor de estómago, después de lo cual me había puesto a vomitar hasta que lo único que salía era un líquido amarillo. Miré a Madre avergonzado y empecé a criticarme severamente. Había causado interminables problemas a Madre, por no hablar de mí mismo. Sima Liang, en una ocasión, me había prometido curarme de esta excentricidad, pero no lo habíamos vuelto a ver desde el día en que se escapó. Su cara, pequeña y astuta, se me apareció ante los ojos. El recuerdo de las luces que emanaban de los agujeros de bala de color azul metálico que había visto en las frentes de Sima Feng y de Sima Huang hizo que se me pusiera la piel de gallina. Conjuré la imagen de ambas, yaciendo una al lado del otra, en sus minúsculos ataúdes de madera de sauce. Madre había pegado unos pequeños trozos de papel rojo sobre los agujeros, convirtiendo las marcas de los balazos en pequeños y hermosos lunares. Después de llenar la taza hasta la mitad, Madre se levantó y encontró la botella de leche que la soldado llamada Tang le había dado para Sha Zaohua unos años atrás. Desenroscó la tapa y vertió la leche, y después me dio la botella y me observó ansiosamente y, en cierto modo, como si me estuviera pidiendo perdón. Aunque yo dudé un poco antes de aceptar la botella, no quería decepcionar a Madre, y al mismo tiempo tenía ganas de dar mi primer paso hacia la libertad y la felicidad. Por eso me metí el pezón de goma de color yema en la boca. Por supuesto, no se podía comparar con los de verdad, los que tenía Madre en la punta de sus pechos. Los de ella eran el amor, los de ella eran la poesía, los de ella eran el más alto reino de los cielos y el rico suelo que hay debajo de las doradas olas de trigo. Tampoco se podía comparar con los pezones que tenía mi cabra lechera en sus grandes ubres, hinchadas y pecosas. Los de ella eran el tumulto de la vida, los de ella eran la emergencia de la pasión. Esto era un objeto sin vida; a pesar de que era resbaladizo, no estaba húmedo. Pero lo que me pareció realmente aterrador fue que no tenía ningún sabor. Las membranas mucosas de mi boca notaron algo frío y grasiento. Pero por ayudar a Madre, y a mí mismo, reprimí mis sentimientos de desagrado y lo mordí. Me habló mientras un chorro de leche, mezclado con el ácido sabor del suelo alcalino, se lanzaba de una forma rarísima sobre mi lengua y contra las paredes de mi boca. Tomé otro trago y me dije a mí mismo: Éste por Madre. Otro trago. Éste por Shangguan Jintong. Seguí tragándome la leche poco a poco. Éste por Shangguan Laidi, por Shangguan Zhaodi, por Shangguan Niandi, por Shangguan Lingdi, por Shangguan Xiangdi, por todas las Shangguan que me han querido, que me han cuidado y me han ayudado, y por el pequeño diablillo de Sima Liang, que no tiene ni una gota de sangre Shangguan en sus venas. Contuve la respiración y, con este nuevo instrumento, me fui metiendo el líquido vital en el cuerpo. El rostro de Madre estaba empapado por las lágrimas cuando le devolví la botella. Laidi se rió, radiante.

—Pequeño Tío se ha hecho mayor —dijo Sha Zaohua.

Obligándome a resistir los múltiples espasmos que sentía en la garganta y el dolor secreto que tenía en las entrañas, avancé unos cuantos pasos, como si todo estuviera perfectamente, y eché una meada en el viento, entusiasmado por ver lo lejos y lo alto que podía enviar el chorro de líquido amarillo dorado. Vi la orilla del Río de los Dragones, que no estaba demasiado lejos de donde me encontraba yo; y más allá, muy vagamente, se recortaban el campanario de la iglesia de nuestra aldea y la torre de vigilancia del patio de Fan el Cuarto. Después de viajar durante toda la mañana, sólo habíamos logrado recorrer una distancia lamentablemente corta.

Pandi, que había sido degradada a presidenta de la Sociedad de Salvación Femenina del distrito, llegó cabalgando desde el Oeste, montada en un viejo caballo, ciego de un ojo, y tenía una marca con un número en el flanco derecho. El animal llevaba el cuello torcido, en un ángulo extraño, y hacía un ruido sordo al pisar con sus cascos viejos y cansados mientras corría hacia nosotros. Pandi se bajó del caballo dando un ágil y elegante saltito, a pesar de que estaba embarazada. Yo le miraba el vientre hinchado, intentando ver al niño que habría en su interior, pero los ojos no me respondían y lo único que vi fueron unos pocos puntos de color rojo oscuro sobre su uniforme gris.

—No te pares aquí, Madre —dijo Pandi—. Ahí adelante estamos hirviendo agua. Ahí es donde tú deberías comer.

—Pandi —le dijo Madre—. De verdad, no queremos nada de lo que tengas.

—Debes aceptar, Madre —le dijo Pandi con ansiedad—. Cuando el enemigo vuelva, esta vez será diferente. En el Distrito de Bohai asesinaron a tres mil personas en un día. Los Cuerpos de Restitución de la Tierra a sus Dueños han matado incluso a sus propias madres.

—No creo que nadie pueda matar a su propia madre —dijo Madre.

—No me importa lo que digas, Madre —insistió Pandi—. No pienso dejarte regresar. Eso es dirigirse directamente a la red, un suicidio evidente. Y si no te preocupas por ti misma, por lo menos preocúpate por todos estos niños. —Sacó una pequeña botella de su mochila, le desenroscó la tapa, hizo caer unas cuantas pastillas blancas y se las dio a Madre—. Estas pastillas son vitaminas —le dijo—. Cada una de ellas proporciona más nutrientes que una calabaza y dos huevos. Cuando estés agotada, tómate una de éstas y dale una a cada niño. Después de esta zona de suelo alcalino, la carretera mejora un poco. La gente del Mar del Norte nos recibirá con los brazos abiertos. Vámonos, Madre. Éste no es un buen lugar para ponerse a descansar.

Cogió al caballo por las crines, puso un pie sobre el estribo y se subió a la silla de un salto. Yéndose al galope, gritó:

—¡Conciudadanos, poneos en marcha! Hay agua caliente y aceite y verduras a la sal y cebolletas esperándoos en la Colina de la Familia Wang!

Instada por ella, la gente se puso en pie y continuó su camino.

Madre envolvió las pastillas en un pañuelo y se las guardó en el bolsillo. Después volvió a ajustarse la correa al cuello y cogió el manillar del carrito.

—Bueno, niños, nos vamos.

La procesión de los evacuados era tan larga que no podíamos ver ninguno de los dos extremos, ni el de adelante ni el de atrás. Caminamos hasta llegar a la Colina de la Familia Wang, pero allí no había ni agua caliente ni aceite, y desde luego, tampoco verduras a la sal ni cebolletas. Para cuando llegamos a la aldea, la compañía de los burros ya se había marchado. El suelo estaba lleno de trozos de paja y deposiciones de burro. La gente encendía hogueras para cocinar su comida seca mientras algunos niños extraían de la tierra ajos salvajes con ramas de árbol con forma de horquilla. Cuando nos íbamos de la Colina de la Familia Wang, vimos al mudo y a una docena de miembros de su equipo de producción, más o menos, que venían en nuestra dirección para volver a entrar en la aldea. En lugar de desmontar, el mudo se sacó dos batatas a medio cocinar y un nabo de color rojo de debajo de la camisa y las lanzó en una de las canastas de nuestro carrito. Casi le abre la cabeza a Pequeño Mudo. Yo noté especialmente la sonrisa que le lanzó a Primera Hermana. Parecía un lobo gruñendo, o un tigre.

Cuando el sol se puso detrás de la montaña, entramos, arrastrando nuestras alargadas sombras, en una pequeña y animada aldea. Un denso humo blanco salía de todas las chimeneas. Los ciudadanos, exhaustos, estaban tirados en la calle, como troncos dispersos. Un grupo de enérgicos oficiales vestidos de gris iban dando saltitos de un lado a otro entre los aldeanos. Al comienzo de la ciudad, la gente estaba amontonada en torno al pozo para sacar agua. La multitud era aún más densa por la presencia del ganado. El sabor del agua fresca espabilaba a los aldeanos. Mi cabra empezó a balar muy fuerte. Laidi, llevando un gran cuenco —aparentemente, un objeto valioso, hecho con una cerámica poco común—, intentó abrirse paso hasta el pozo, pero constantemente la rechazaban a empujones. Un viejo cocinero que trabajaba para el gobierno del condado nos reconoció y nos trajo un cubo lleno de agua. Zaohua y Laidi se acercaron a toda prisa, se pusieron a cuatro patas y sus cabezas se chocaron cuando empezaron a beberse el agua a lengüetadas.

—¡Los niños primero! —le dijo Madre a Laidi, regañándola, que hizo una pausa lo suficientemente larga como para que Zaohua metiera por completo la cabeza en el cubo. Tomaba el agua a lametones como una ternera sedienta. La única diferencia era que ella agarraba los bordes del cubo con sus sucias manos—. Ya es suficiente. Te va a doler la tripa si bebes demasiado —le dijo Madre, dándole un empujón para apartarla del cubo.

Zaohua se lamió los labios para no desperdiciar ni una gota mientras sus entrañas, humedecidas, comenzaban a hacer ruido. Después de beberse su ración, Primera Hermana se puso de pie. Su vientre apuntaba hacia afuera. Madre cogió un poco de agua para Gran Mudo y Pequeño Mudo. Octava Hermana olfateó el aire y se acercó al cubo, se arrodilló a su lado y sumergió la cara en el agua.

—¿Quieres beber un poco, Jintong? —me preguntó Madre.

Yo sacudí la cabeza. Ella llenó otro cuenco de agua mientras yo soltaba a la cabra, que se habría ido al cubo corriendo hacía rato si yo no la hubiera tenido sujeta por el cuello. La cabra, sedienta, bebió del cubo sin levantar la cabeza ni una vez. El agua le entraba a borbotones por la garganta y le hinchaba lentamente el vientre. El viejo cocinero expresó sus sentimientos, no con palabras sino con un largo suspiro, y cuando Madre le dio las gracias, suspiró otra vez, incluso más fuerte.

—¿Por qué has tardado tanto en venir aquí, Madre? —preguntó Pandi críticamente.

Madre no le dio la satisfacción de contestarle. En cambio, lo que hizo fue coger el manillar del carrito y nos llevó a todos, incluida la cabra, dando vueltas y a trompicones a través del gentío hasta llegar a un pequeño patio. Alrededor habían construido un muro de adobe. Fueron infinitos los insultos y las quejas que recibimos mientras nos abríamos camino, serpenteando por los minúsculos huecos que quedaban, entre la masa de gente. Pandi ayudó a Madre a bajar a los pequeños del carrito para dejarlo, junto a la cabra, en el exterior del patio, donde estaban atados los burros y los caballos. No había ni cestos ni heno, por lo que los animales se alimentaban de la corteza de los árboles. Dejamos el carrito en la calle pero al final nos llevamos a la cabra dentro. Pandi me echó una mirada significativa pero no dijo nada, ya que sabía que aquella cabra era como un cordón umbilical para mí.

Dentro de la casa vimos una sombra oscura debajo de la brillante lámpara. Un oficial del condado discutía de algo en voz alta. Oímos la ronca voz de Lu Liren. Unos soldados armados holgazaneaban en el patio, curándose los doloridos pies. Las estrellas brillaban en la profunda oscuridad de la noche. Pandi nos llevó a una de las habitaciones laterales, donde un débil farol proyectaba sombras fantasmales sobre las paredes. Una anciana, vestida de luto, yacía en un ataúd destapado. Abrió los ojos cuando entramos.

—Hacedme un favor, amables visitantes, y ponedle la tapa a mi ataúd —dijo—. Quiero este espacio para mí.

—¿De qué va todo esto, Tía? —le preguntó Madre.

—Hoy es mi día de suerte —le contestó la anciana—. Haced eso por mí, amables visitantes, ¿de acuerdo?

—Mírale el lado bueno, Madre —dijo Pandi—. Es mejor que dormir en la calle.

Esa noche no dormimos bien. La discusión continuó, en la habitación de al lado, hasta bien entrada la noche, y en cuanto terminó se empezaron a oír ruidos de disparos procedentes de la calle. Ese alboroto fue seguido por un tremendo incendio que se declaró en la aldea; las llamas ascendían hacia el cielo como banderas de seda roja, iluminando nuestros rostros y el de la anciana que estaba tumbada cómodamente en su ataúd. Cuando salió el sol, ya no se movía más. Madre la llamó, pero ella no abrió los ojos. Al tomarle el pulso, se constató que había muerto.

—Es una semi-inmortal —dijo Madre, mientras le ponía la tapa al ataúd con la ayuda de Primera Hermana.

Los días que siguieron fueron todavía más duros, y cuando llegamos a la base de la montaña Da'ze, los pies de Madre y de Primera Hermana estaban en carne viva. Gran Mudo y Pequeño Mudo se habían acatarrado, y Shengli tenía fiebre y diarrea. Madre se acordó de las pastillas que nos había dado Quinta Hermana y sacó una y se la dio a Shengli. La pobre Octava Hermana era la única que no estaba enferma. Habían pasado dos días enteros desde la última vez que habíamos visto a Pandi o, para el caso, a algún oficial del condado o del distrito. Habíamos visto al mudo una vez, cargando a un soldado herido sobre la espalda, un hombre al que le habían volado la pierna; la sangre le empapaba la inútil y rasgada pernera del pantalón. Iba sollozando:

—Haga una buena acción, Comandante, acabe conmigo, este dolor me está matando, ay, madre mía...

Debió ser el quinto día de viaje cuando vimos una montaña muy alta, blanca, cubierta de árboles, que se elevaba al norte. En la cima había un pequeño monasterio. Desde la orilla del Río de los Dragones, detrás de nuestra casa, se podía ver esta montaña los días más claros, pero siempre nos había parecido de color verde oscuro. Ahora, al verla desde cerca, su forma y su olor limpio y agradable hizo que me diera cuenta de lo lejos de casa que estábamos, de cuánto habíamos viajado. Cuando íbamos caminando por un ancho camino pavimentado con gravilla, nos encontramos con un destacamento de tropas de a caballo que venía a nuestro encuentro. Los soldados vestían igual que los del Decimosexto Regimiento. Nos pareció evidente, cuando pasaron a nuestro lado, avanzando en dirección contraria, que nuestro hogar se había convertido en un campo de batalla. Los soldados de infantería venían un poco más atrás, seguidos por un destacamento de burros que tiraban de carros cargados con piezas de artillería. En el hocico llevaban ramos de flores. Los soldados que iban montados sobre los enormes cañones tenían un aire de confianza y superioridad. Después de que pasara el destacamento de artillería, aparecieron los camilleros y dos columnas de tropas motorizadas. Las furgonetas iban cargadas con sacos de harina y de arroz, además de balas de heno. Nos echamos discretamente al borde del camino para dejar que pasaran las tropas. Algunos de los soldados de infantería se apartaban un momento de la fila para preguntar qué estaba sucediendo. En ese momento, Wang Chao, el barbero, que se había unido a la procesión con su ingenioso carrito de neumáticos de goma, se metió en problemas, pues a uno de los carros de transporte de provisiones se le rompió el eje que unía sus ruedas de madera. El conductor le dio la vuelta al carro, quitó el eje y lo examinó detalladamente hasta que las manos se le pusieron negras de grasa. Su hijo no tendría más de quince o dieciséis años, y tenía ampollas en la cara y en los labios. Llevaba una camisa sin botones y un cinturón de cáñamo.

—¿Qué ha pasado, papá? —preguntó.

—Se ha roto el eje, hijo.

El padre y el hijo sacaron la rueda del eje.

—¿Y ahora qué hacemos, papá?

El padre fue hasta el borde del camino y se limpió las manos grasientas en la áspera corteza de un álamo.

—No podemos hacer nada —dijo.

En ese preciso momento, un soldado que sólo tenía un brazo y que llevaba un estrecho uniforme militar, un rifle a la espalda y un gorro de piel de perro sobre la cabeza, se salió de la fila de carros y se acercó corriendo.

—¡Wang Jin! —le gritó, muy enfadado—. ¿Qué estás haciendo fuera de la fila? ¿Qué pretendes? ¿Quieres avergonzar a nuestra Compañía del Hierro y del Acero?

—Instructor Político —dijo Wang Jin, frunciendo el ceño—, se nos ha roto un eje.

—No podía pasarte un poco antes ni un poco después, ¿verdad? Tenías que esperar a que fuera el momento de entrar en combate, ¿no? Te dije que comprobaras minuciosamente que tu carro estaba bien antes de que saliéramos, ¿te acuerdas? —dijo, y le dio una bofetada a Wang Jin, muy enfadado.

—¡Ay! —aulló Wang Jin, agachando la cabeza. Empezó a salirle sangre por la nariz.

—¿Por qué le pegas a mi padre? —le preguntó el valiente jovenzuelo al instructor político.

El instructor político se estremeció.

—No lo he hecho aposta —dijo—. Tienes razón, no debería haberlo hecho. Pero si las provisiones no llegan a tiempo a su destino, haré que os fusilen a los dos.

—No hemos roto el eje intencionadamente —dijo el jovenzuelo—. Somos pobres y tuvimos que pedirle el carro prestado a mi tía.

Wang Jin se sacó de la manga de su abrigo un poco de algodón raído que servía de relleno y se lo metió en la nariz para que le dejara de sangrar.

—Instructor Político —murmuró—. Por favor, sea razonable.

—¿Razonable? —dijo el instructor político, amenazante—. Conseguir que las provisiones lleguen hasta el frente de batalla es razonable. No conseguirlo no es razonable. Ya estoy harto de tus cuchicheos. ¡Vas a transportar esos ciento quince kilos de mijo hasta el Concejo de Taoguan aunque tengáis que cargarlos a vuestras espaldas!

—Instructor Político, usted siempre está diciendo que es importante que seamos prácticos y realistas. Ciento quince kilos de mijo... es sólo un niño... por favor, se lo ruego...

El instructor político levantó la vista hacia el cielo soleado y después miró el reloj y echó un vistazo a los alrededores. Primero su mirada se posó sobre nuestro carrito de ruedas de madera, y después en el de Wang Chao, que tenía neumáticos de goma.

Wang Chao era un barbero con mucha experiencia, que estaba soltero y había ganado un montón de dinero, una parte del cual se gastaba en su comida favorita, cabeza de cerdo. Estaba bien alimentado; tenía la cabeza cuadrada, grandes orejas y una complexión muy saludable. No tenía nada que ver con un campesino. En su carrito llevaba una caja con sus instrumentos de barbería y un carísimo edredón atado con una piel de perro. El carrito estaba hecho de madera de acacia japonesa revestida de aceite de árbol del tung, que hacía que la madera brillara. Era un carrito con muy buen aspecto y que olía muy bien. Antes de ponerse en marcha, había inflado los neumáticos para que el carrito se balanceara ligeramente sobre la dura superficie del camino y apenas se movieran las cosas que transportaba. Wang Chao era un hombre fuerte al que nunca le faltaba una petaca de alcohol, de la que bebía a intervalos regulares mientras avanzaba alegremente, cantando sus cancioncillas y pasándoselo en grande. Era la aristocracia de los refugiados.

Los oscuros ojos del instructor político casi se le salen de las órbitas al verlo; se acercó al borde del camino con una sonrisa en los labios.

—¿De dónde sois? —nos preguntó amablemente.

Nadie le contestó. Entonces sus ojos se clavaron en el rostro de Wang Chao y su sonrisa se desvaneció. La sustituyó una mirada tan intensa como una montaña y tan inaccesible como un monasterio remoto.

—¿Cómo te ganas la vida? —le preguntó, con los ojos fijos en la cara de Wang Chao, grande y aceitosa.

Wang Chao, de un modo bastante estúpido, miró hacia otro lado, con los labios sellados.

—Por el aspecto que tienes —le dijo el instructor político—, si no eres un terrateniente, debes ser un granjero rico, y si no eres un granjero rico, debes ser el propietario de alguna tienda. Seas lo que seas, está claro que no te ganas la vida con el sudor de tu frente. ¡No, tú eres un parásito que vive de explotar a otros!

—Se está equivocando conmigo, Comandante —protestó Wang Chao—. Yo soy barbero, soy un hombre que se gana la vida trabajando con las manos. Mi casa consiste en dos habitaciones cochambrosas y medio derruidas. No tengo tierras, ni esposa, ni hijos. Si como lo que necesito, nadie se queda con hambre. Como lo que haya en cada momento, sin preocuparme por el futuro. En el distrito comprobaron mis antecedentes y me dieron la categoría de artesano, que es la misma que la de campesino medio, trabajo básico.

—¡Tonterías! —dijo el hombre que sólo tenía un brazo—. Tal como yo lo veo, tienes una lengua muy ágil, pero ni siquiera un loro puede engatusar a Tong Pass. ¡Voy a requisar tu carrito! —Entonces se volvió hacia Wang Jin y su hijo—. ¡Descargad el mijo y ponedlo en este carrito!

—Comandante —dijo Wang Chao—, este carrito me ha costado los ahorros de toda mi vida. Usted no debería apropiarse de los bienes de la gente pobre.

El hombre que sólo tenía un brazo dijo, muy enfadado:

—Yo he dado un brazo por la victoria de la causa. ¿Cuánto crees que vale un carrito? Nuestras tropas, en el frente, están esperando que lleguen estas provisiones, y no quiero oír ni una sola protesta más.

—Usted y yo somos de distritos diferentes, señor —dijo Wang Chao—. Y de condados distintos. Así que ¿qué autoridad tiene usted para requisar mi carrito?

—¿A quién le importan los condados o los distritos? —dijo el hombre que sólo tenía un brazo—. En el frente necesitan estos alimentos.

—No —dijo Wang—. No puedo permitirle que se lo lleve.

El hombre que sólo tenía un brazo se arrodilló sobre una pierna, sacó una pluma y le quitó la tapa con los dientes. Después se apoyó un trozo de papel en la rodilla y garrapateó algo en él.

—¿Cómo te llamas? —le preguntó—. ¿Y de qué condado y distrito vienes?

Wang Chao se lo dijo.

—El jefe de tu condado, Lu Liren, y yo somos viejos camaradas del ejército, así que te diré lo que vamos a hacer. Cuando termine la batalla, entrégale esto y él se ocupará de conseguirte un carrito nuevo.

Wang Chao nos señaló y dijo:

—Ésa es la suegra de Lu Liren, señor. Ésa es su familia.

—Señora —dijo el hombre que sólo tenía un brazo—, usted será mi testigo. Dígale, simplemente, que la situación era crítica y que

Guo Mofu, instructor político de la Octava Compañía Militar del Distrito de Bohai, tomó prestado un carrito que era propiedad del aldeano Wang Chao, y pídale de mi parte que se encargue del asunto. Entonces volvió a dirigirse a Wang Chao.

—Así queda todo arreglado —le dijo, poniéndole en la palma de la mano el trozo de papel. Después se dio la vuelta y le dijo a Wang Jin de mala manera—: ¿A qué estás esperando? ¡Si no conseguimos que las provisiones lleguen a su destino a tiempo, tú y tu hijo cataréis el látigo, y yo, Guo Mofu, cataré la bala! —Después se volvió hacia Wang Chao para decirle—: Descarga todo lo que hay en tu carrito. ¡Y date prisa!

—¿Y yo qué debo hacer, señor? —le preguntó Wang Chao.

—Si estás preocupado por tu carrito, puedes venir con nosotros. En la compañía de porteadores tenemos comida suficiente para una persona más. Y cuando la batalla haya terminado, puedes llevarte tu carrito.

—Pero señor, yo vengo huyendo de ahí —dijo Wang Chao con lágrimas en los ojos.

—¿Quieres que saque la pistola y te meta una bala en el cuerpo? —le preguntó el inspector político, enfurecido—. No tenemos ningún miedo a derramar la sangre ni a hacer sacrificios por la revolución. No me puedo creer que hagas tanto lío por un carrito de nada.

—Tía —dijo Wang Chao patéticamente—, usted es mi testigo.

Madre asintió.

Wang Jin y su hijo se marcharon encantados con el carrito de neumáticos de goma de Wang Chao mientras el hombre que sólo tenía un brazo le hacía una cortés reverencia a Madre. Después se dio la vuelta y salió corriendo para alcanzar a sus hombres.

Wang Chao se sentó en su edredón con una expresión de dolor en el rostro, murmurando para sí mismo: «¡Mira qué mala suerte! ¿Por qué siempre me pasan estas cosas? ¿A quién habré ofendido?». Las lágrimas resbalaban por sus mejillas regordetas.

Por fin conseguimos llegar al pie de la montaña, donde el camino de grava se dividía en diez estrechos senderos, más o menos, que iban serpenteando montaña arriba. Esa noche, los refugiados se reunieron en grupos en los que se hablaba toda clase de dialectos para intercambiar información sobre el desarrollo del conflicto. Sufrimos los rigores de la noche abrazados entre los pequeños arbustos que crecían al pie de la montaña. Tanto al sur como al norte se oían sordas explosiones, semejantes a truenos, mientras la artillería desgarraba la oscuridad dibujando enormes arcos en el cielo con sus proyectiles. A medida que avanzaba la noche, el aire se fue poniendo cada vez más frío y húmedo, y un viento cortante surgía de entre las grietas de la montaña, agitando violentamente las hojas y las ramas de nuestro refugio y haciendo crepitar las hojas que habían caído al suelo. Los zorros aullaban lastimeramente en sus guaridas. Los niños enfermos se quejaban como gatos desgraciados. Las toses de los aldeanos más ancianos sonaban como golpes de gong. Fue una noche terrible, y cuando se hizo de día, encontramos docenas de cadáveres congelados en las concavidades de la montaña, cadáveres de niños, de ancianos e incluso de hombres y mujeres jóvenes. Nuestra familia logró sobrevivir gracias a la vegetación inusualmente baja: los árboles, con sus hojas doradas, nos protegieron. Ésos eran los únicos árboles cuyas hojas no se habían caído. Nos tumbamos todos juntos, sobre el abundante césped seco que había debajo de los árboles, abrazados sobre el único edredón que nos habíamos llevado. Mi cabra se recostó contra mi espalda, convirtiéndose en un escudo que me protegía del viento. Las peores horas fueron las de después de la medianoche. El estruendo de la artillería que venía del sur solamente acentuaba el silencio de la noche. Los gemidos y lamentos de la gente penetraban profundamente en nuestros corazones y hacían que nos estremeciéramos. Una melodía muy parecida a la del popular «maullido del gato», el teatro de nuestra zona, sonaba en nuestros oídos. Se trataba de los sollozos de una mujer. Entre el apabullante silencio, estos ruidos cortaban las rocas, frías y húmedas, y unas nubes oscuras se cernían sobre el helado edredón que nos tapaba. Después llegó la lluvia, una lluvia glacial. Las gotas caían sobre el edredón, caían sobre las hojas amarillas que crepitaban, caían sobre las laderas de la montaña, caían sobre la cabeza de los refugiados, caían sobre las gruesas pieles de los lobos aullantes. La mayoría de las gotas de lluvia se convertían en granizo antes de impactar contra el suelo, donde empezaron a formar una durísima capa.

Me vino a la cabeza aquella otra noche, años antes, en que el Viejo Fan Tres nos había salvado de una muerte segura llevando su antorcha bien alta; las llamas, como un potro de color rojo, bailaban en el aire. Aquella noche yo había estado inmerso en un cálido mar de leche, aferrando un pecho bien redondo con ambas manos y sintiéndome transportado al Paraíso. Pero ahora esa atemorizadora aparición había retornado, como un dorado rayo de luz que atraviesa la oscuridad, o como el haz de luz del proyector de cine de Babbitt; cientos de gotitas heladas bailaban en la luz, como escarabajos, mientras apareció una mujer con el pelo largo y suelto, con una capa semejante a una puesta de sol echada sobre los hombros, con unas perlas engarzadas que brillaban y lanzaban reflejos luminosos, algunos largos y otros cortos. Su rostro cambiaba todo el tiempo; primero era el de Laidi, después el del hada-pájaro, después el de la mujer que sólo tenía un pecho, la Vieja Jin, y después, súbitamente, el de la mujer americana...

—¡Jintong!

Madre me estaba llamando y me sacó de mis alucinaciones. En la oscuridad, ella y Primera Hermana me estaban haciendo un masaje en los brazos y en las piernas para traerme a su lado antes de que cayera en el abismo de la muerte.

El sonido de alguien llorando llegó desde los arbustos bajos, en la luz neblinosa de las primeras horas de la mañana. La gente, al encontrarse con los cadáveres rígidos de sus seres queridos, daba rienda suelta a su dolor con fuertes lamentos. Pero gracias a las hojas amarillas de los árboles bajo los que nos habíamos refugiado y al deshilachado edredón que nos cubría, nuestros siete corazones seguían latiendo. Madre repartió las pastillas que le había dado Pandi. Yo dije que no quería comerme la mía, así que Madre se la metió en la boca a mi cabra. Después de masticarla, la cabra se fijó en las hojas de los arbustos que, al igual que las ramas de las que colgaban, estaban cubiertas de una película de hielo, que también colgaba de las rocas que se veían en la ladera de la montaña. No había viento, pero seguía cayendo una lluvia helada que percutía fuertemente sobre las ramas. La superficie de la montaña brillaba como un espejo. Uno de los refugiados, que llevaba un burro con el cadáver de una mujer encima, estaba intentando avanzar por uno de los senderos que subían a la montaña. Pero la ascensión era complicada y peligrosa: el burro resbalaba en el hielo constantemente, y cada vez que se ponía en pie, se volvía a caer al suelo. El hombre intentaba ayudarlo, pero invariablemente se caía también. No pasó mucho tiempo antes de que el cadáver se cayera del lomo del animal y se cayera en una acequia. Justo en ese momento, un gato montés de pelaje dorado salió de una de las grutas que había en la montaña llevando un bebé en la boca y saltando con dificultad de roca en roca, haciendo un esfuerzo para mantener el equilibrio mientras avanzaba. Una mujer con el pelo revuelto perseguía al gato montés, temblando y chillando mientras corría, pero también ella se caía constantemente entre las rocas cubiertas de hielo. Cada vez que se caía, lograba ponerse de nuevo de pie, sin desanimarse nunca, y continuaba la persecución, que le estaba costando cara: se había abierto la barbilla, había perdido algunos dientes, tenía una brecha en la parte de atrás de la cabeza, se le habían roto las uñas, se había torcido un tobillo, y se le había dislocado un hombro, además de sufrir traumatismos en varios órganos internos. Y sin embargo, siguió persiguiéndolo hasta que el gato salvaje se frenó un poco y ella pudo agarrarlo por la cola.

Todo el mundo estaba en peligro: el que tratara de moverse, se caía; el que se quedara quieto, moriría congelado. Pero como morir congelado no era una alternativa que se pudiera elegir, la gente continuaba cayéndose, y pronto perdió de vista el objetivo de la evacuación. El monasterio que había en lo alto de la montaña para entonces se había vuelto blanco y tenía un aspecto glacial, el mismo que tenían los árboles que había a medio camino hacia la cima. A aquella altura, la lluvia helada se convertía en nieve. Por carecer del valor suficiente para intentar subir hasta arriba, la gente se limitaba a dar vueltas constantemente junto al pie de la montaña. Miramos hacia arriba y distinguimos el cuerpo de Wang Chao, el barbero, colgando de un árbol; había pasado su cinturón por encima de una rama baja, que el peso de su cuerpo casi había separado del tronco. Los tacones de sus zapatos rozaban el suelo y tenía los pantalones bajados a la altura de las rodillas y la chaqueta almohadillada atada a la cintura, para cuidar su imagen, incluso después de muerto. Miré un instante su rostro amoratado, con la lengua afuera, y me di la vuelta, asqueado, pero no pude evitar que la imagen de su cara de muerto apareciera a menudo en mis sueños a partir de aquel día. Nadie volvió a pensar en él, aunque varias personas con pinta de ser muy simples empezaron a disputarse su lujoso edredón y la piel de perro que lo tapaba.

En medio de la pelea, un hombre alto y joven soltó repentinamente un alarido de dolor; un hombre pequeño y mal encarado que había junto a él le había arrancado de un mordisco un trozo de una de sus protuberantes orejas. El tipo se escupió el lóbulo en la palma de la mano, le echó un vistazo y se lo devolvió a su propietario antes de coger el pesado edredón y la piel de perro. Para evitar caerse, dio unos saltitos que lo llevaron al lado de un anciano, que rápidamente le dio un golpe en la cabeza con un palo con forma de horquilla que usaba para que su carrito no se le fuera rodando. El tipo bajito cayó al suelo como un saco de arroz. El anciano cogió el edredón y se refugió junto a un árbol, sujetando su trofeo con una mano y agitando amenazadoramente el palo con forma de horquilla con la otra. A algunos jóvenes y alocados diablillos se les pasó por la cabeza intentar quitarle el edredón al anciano, pero un simple roce de su palo los hacía caer al suelo. El anciano llevaba una larga túnica ceñida por la cintura con un trozo de tela áspera, de la que colgaban su pipa y una bolsita en la que llevaba el tabaco. Su barba larga y blanca estaba salpicada de partículas de hielo.

—¡Acercaos si queréis morir! —chillaba salvajemente, mientras parecía que se le alargaba la cara y unas luces verdes refulgían en sus ojos. Sus posibles atacantes huyeron, presos del pánico.

Madre tomó una decisión: ¡Volvíamos!

Cogiendo el manillar del carrito, se dirigió al Sudoeste tambaleándose. El eje estaba cubierto de hielo, y crujía al avanzar. Pero servimos de ejemplo para otros que, sin decir ni una palabra, se pusieron a seguirnos. Algunos, incluso, nos adelantaron, pues tenían mucha prisa por regresar a sus hogares.

Las placas de hielo se resquebrajaban y estallaban bajo las ruedas; rápidamente fueron reemplazadas por la lluvia heladora que no dejaba de caer. Antes de que pasara mucho tiempo, trozos de granizo del tamaño de perdigones nos perforaban las orejas y nos pinchaban el rostro. El vasto paisaje campestre comenzó a emitir una serie de fuertes ruidos cacofónicos. Volvíamos de un modo muy parecido al que nos habíamos marchado: Madre empujaba el carrito desde atrás y Primera Hermana tiraba de él desde delante. A Primera Hermana se le rompieron los zapatos por la parte de atrás, dejándole al descubierto los talones, que se le irritaron y enrojecieron por la congelación, con lo que se vio obligada a caminar como si estuviera haciendo la danza del florecimiento del arroz. Cada vez que Madre hacía girar el carrito, Primera Hermana giraba con él. La cuerda estaba tan tensa que se cayó de bruces en más de una ocasión. Llegó un momento en que gritaba a cada paso que daba. Zaohua y yo también gritábamos, pero Madre no. Sus ojos brillaban con una luz azulada mientras ella apretaba los dientes y se mordía el labio para darse ánimos. Avanzaba con precaución pero también con coraje y con voluntad de hierro. Sus minúsculos pies eran como dos palas que se hundían poderosamente en el suelo. Octava Hermana la seguía en silencio, aferrada a la ropa de Madre con una mano que se parecía a una berenjena podrida y empapada de agua.

Teníamos mucha prisa por volver a casa, y al mediodía ya habíamos llegado a la ancha carretera de grava con álamos alineados a ambos lados. A pesar de que el sol llevaba todo el día detrás de las nubes, el cielo estaba brillante y la carretera parecía estar toda pavimentada con azulejos. Los copos de nieve fueron reemplazando gradualmente el granizo, tiñendo la carretera, los árboles y los campos de los alrededores de color blanco. Vimos muchos cadáveres tirados a lo largo del camino, cadáveres de seres humanos y de animales; de vez en cuando aparecía alguna golondrina, alguna urraca o alguna gallina silvestre. Lo que no vimos fue ni un cuervo muerto. Sus plumas negras eran casi azules en contraste con la blancura del telón de fondo, y muy lustrosas. Se estaban dando un banquete a costa de los muertos, y lo festejaban de lo lindo.

Entonces nuestra suerte empezó a mejorar. Primero, junto a un caballo muerto encontramos un saco de paja cortada y mezclada con habas y salvado. Eso sirvió para llenarle el estómago a mi cabra, y las sobras se emplearon para taparles los pies a Gran Mudo y a Pequeño Mudo a modo de protección contra el viento y la nieve. Cuando la cabra hubo comido todo lo que quiso, lamió un poco de nieve para saciar su sed. Yo entendí lo que me quería decir cuando me hizo un gesto con la cabeza. Cuando ya estábamos de nuevo en la carretera, Zaohua dijo que olía a trigo tostado en el aire. Madre le dijo que siguiera el rastro del olor. En una pequeña cabaña que había en lo alto de una colina, al lado de un cementerio, descubrimos el cuerpo de un soldado muerto; a su lado había dos sacos llenos de trigo tostado. Nos habíamos acostumbrado a ver gente muerta, y ya no nos daba ningún miedo, así que pasamos la noche en aquella cabaña.

Lo primero que hicieron Madre y Primera Hermana fue arrastrar el cadáver del joven soldado fuera de la cabaña. Se había suicidado apoyándose el rifle en el pecho y metiéndose el cañón en la boca; después, tras quitarse un calcetín raído, había apretado el gatillo con el dedo gordo del pie. La bala le había volado la tapa de los sesos; las ratas le habían devorado las orejas y la nariz y le habían roído los dedos hasta los huesos, dejándoselos como ramitas de sauce. Hordas de ratas observaron, con los ojos enrojecidos, cómo Madre y Primera Hermana lo arrastraron al exterior. A pesar de que estaba agotada, Madre quiso dar gracias por la comida, así que se arrodilló sobre el suelo helado y, empleando la bayoneta del soldado, cavó un hoyo muy poco profundo para al menos enterrar su cabeza. Un pequeño hoyo como ése no suponía prácticamente nada para las ratas, que sobrevivían haciendo agujeros todo el tiempo, pero a Madre le sirvió de consuelo hacerlo.

La cabaña era apenas suficientemente grande para que cupiera nuestra pequeña familia y la cabra. Bloqueamos la puerta con el carrito y Madre se sentó junto a ella, armada con el rifle del soldado que se había volado la cabeza. Cuando cayó la noche, montones de personas intentaron entrar en nuestra pequeña cabaña. Muchos de ellos eran ladrones y vagabundos. Madre los ahuyentó a todos con el rifle. Un hombre con una boca enorme y unos ojos malévolos la desafió, preguntándole, mientras intentaba forzar la puerta: «¿Acaso sabes disparar con eso?». Madre lo apuntó con el rifle. No sabía disparar, así que Laidi se lo quitó, echó hacia atrás el cerrojo, tiró un cartucho que ya estaba usado y empujó el cerrojo hacia adelante, metiendo una bala en la cámara. Después apuntó justo encima de la cabeza del hombre y apretó el gatillo. Una columna de humo se elevó hacia el techo. Al ver la forma en que Laidi manejaba el arma, me acordé de su historia gloriosa, de la época en la que seguía a Sha Yueliang de batalla en batalla. El hombre de la boca enorme salió huyendo, arrastrándose como un perro al que se ha azotado con un látigo. Madre miró a Laidi con una expresión de gratitud en los ojos, y después se levantó y entró en la cabaña, cediéndole su puesto a la nueva guardia.

Aquella noche dormí como un bebé. No me desperté hasta que los rojizos rayos del sol habían iluminado completamente el nevado y blanco mundo. Quise arrodillarme y rogarle a Madre que nos dejara quedarnos en aquella pequeña cabaña fantasmal, quedarnos ahí, al lado de aquel cementerio, quedarnos en aquel bosquecillo de pinos cubierto de nieve. «No nos vayamos de este lugar feliz, de este sitio de la suerte». Pero ella cogió el carrito por el manillar y nos puso de nuevo en marcha. El rifle iba junto a Shengli, debajo de nuestro edredón hecho jirones.

En la carretera había unos quince centímetros de nieve; crujía bajo nuestros pies y bajo las ruedas del carrito. Pero ya no caía con demasiada frecuencia, por lo que pudimos avanzar bastante rápido. El brillo del sol era cegador y, por contraste, nos hacía parecer muy oscuros independientemente de la ropa que lleváramos. Madre, aquel día, estaba más seca que nunca, tal vez debido a la presencia del rifle en la canasta y a la habilidad para usarlo que había demostrado Laidi. Alrededor del mediodía se había convertido en una especie de tirano, cuando un soldado que volvía, rezagado, desde el sur, con un brazo en cabestrillo que daba la impresión de que estaba herido, decidió registrar nuestro carrito. Madre le dio una bofetada tan fuerte que la gorra gris que llevaba salió volando. El soldado huyó corriendo sin ni siquiera detenerse a recuperar su gorra; Madre la cogió y se la puso a mi cabra en la cabeza. La cabra iba muy orgullosa con la gorra. Los refugiados, congelados y hambrientos, que pasaban cerca de nosotros, se reían de una forma que sonaba peor que los llantos y los lamentos, de la poca energía que les quedaba.

Al día siguiente, a primera hora de la mañana, después de que tomara mi desayuno de leche de cabra, mi estado de ánimo era excelente. Pensaba en cosas alegres y percibía todo con claridad. Miré a mi alrededor y descubrí la imprenta del gobierno del condado y las cajas metálicas, llenas de documentos, abandonadas al borde de la carretera. ¿Dónde estarían los porteadores? No había forma de saberlo. ¿Y la compañía de mulas? También había desaparecido.

En la carretera había mucho tráfico. Columnas de camilleros se dirigían hacia el sur con su carga quejosa de soldados heridos. Los camilleros iban jadeando, exhaustos, con los rostros bañados en sudor. Se movían con rabia y daban patadas a la nieve, que salía volando por el aire. Una mujer vestida de blanco avanzaba tambaleándose detrás de los camilleros cuando uno de ellos tropezó y cayó; el soldado que llevaba, estremeciéndose, se precipitó contra el suelo. Tenía toda la cabeza vendada. Sólo se le veían los agujeros negros de la nariz y los labios pálidos. Una soldado que llevaba una maleta de cuero colgada a la espalda se acercó a toda prisa para maldecir al descuidado camillero y para consolar al soldado herido. La reconocí de inmediato: era la mujer llamada Tang, la camarada de Pandi. Maldecía a los hombres de la milicia empleando los términos más groseros y les hablaba con dulzura a los soldados heridos. Vi que tenía unas profundas arrugas en la frente y patas de gallo junto a los ojos. La que había sido una soldado joven y llena de vitalidad se había convertido en una mujer ojerosa, madura y recia. Ni siquiera nos miró, y Madre no pareció reconocerla.

La fila de camilleros parecía inacabable. Nos echamos a un lado de la carretera para no entorpecer su marcha. Finalmente, cuando pasó el último camillero, vimos que la carretera helada había quedado hecha un desastre por el peso de todos los pasos que había tenido que soportar. La nieve se había derretido y ahora no era más que agua sucia y barro; la que no se había derretido estaba salpicada de sangre fresca, lo que le daba el horrible aspecto que tiene la carne cuando se está pudriendo. Me dio un vuelco al corazón cuando percibí el olor de la nieve derritiéndose combinado con el hedor de la sangre humana. Además, estaba el repulsivo olor de los cuerpos sudorosos. Volvimos a la carretera y nos pusimos en marcha, ahora con mucha más ansiedad. Incluso la cabra lechera, que se había estado pavoneando, orgullosa de su gorra militar, temblaba atemorizada, como un recluta en su primer día de combate. El resto de la gente deambulaba arriba y abajo por la carretera, incapaz de decidir si seguir avanzando o si retroceder. La carretera del Sudoeste llevaba a un campo de batalla, eso estaba claro, y nos situaría en medio de un bosque de armas y una tormenta de fuego cruzado. Todo el mundo sabía que las balas no tienen ojos, que las bombas no son muy dadas a pedir disculpas y que los soldados son como tigres que han bajado de la montaña, tigres que no son precisamente vegetarianos. La gente miraba interrogativamente hacia adelante y hacia atrás, pero no encontraba ninguna respuesta. Sin mirar a nadie, Madre se lanzó adelante con su carrito. Cuando volví la cabeza para echar un vistazo, me fijé en que algunos de los refugiados se habían dado la vuelta y se dirigían al Noreste, mientras otros habían decidido seguirnos.

IX

Pasamos la primera noche de después de la batalla en el mismo lugar en el que habíamos pasado la primera noche de la evacuación: en la misma habitación lateral que daba al mismo pequeño patio, donde estaba el ataúd en el que había yacido la anciana. La única diferencia era que casi todos los edificios de la minúscula aldea habían sido destruidos; incluso la cabaña de tres habitaciones donde habían estado viviendo Lu Liren y algunos miembros del gobierno del condado ya no era más que un montón de escombros. Llegamos a la aldea justo antes del anochecer, cuando el Sol era una bola de color rojo sangre. La calle estaba llena de cuerpos rotos; veinte cadáveres desfigurados, más o menos, habían sido apilados ordenadamente en medio de una plaza, como si estuvieran conectados por un hilo invisible. El aire estaba cálido y seco. Había unos cuantos árboles con las ramas achicharradas, como si les hubiera caído un rayo. ¡*Clanc!* Primera Hermana le dio sin querer una patada a un casco que tenía un agujero. Yo me caí al suelo tras tropezar con un montón de cartuchos usados que todavía estaban calientes. Un olor a goma quemada flotaba en el aire, mezclado con el penetrante olor de la pólvora. Un cañón solitario asomaba por encima de una pila de ladrillos rotos, apuntando a las estrellas heladas que parpadeaban en el cielo. La aldea estaba silenciosa como la muerte. Nos parecía estar caminando por los legendarios salones del Infierno. La cantidad de refugiados que nos seguía en el camino hacia casa se había ido reduciendo lentamente hasta que ya no quedaba ni uno; estábamos solos. Madre, cabezonamente, nos había traído hasta aquí. Mañana atravesaríamos la orilla norte del Río de los Dragones, cubierta de álcali, después cruzaríamos el propio río y desde ahí nos dirigiríamos a ese lugar que llamábamos nuestra casa. Estaríamos en casa. En casa.

Entre las ruinas de la aldea solamente aquella pequeña cabaña de dos habitaciones quedaba en pie, como si siguiera existiendo especialmente para nosotros. Retiramos las vigas y los postes que habían caído contra la puerta, bloqueándola, y entramos. Lo primero que vimos fue el ataúd, que nos hizo darnos cuenta de que después de casi veinte días con sus veinte noches, estábamos exactamente en el mismo lugar en el que habíamos pasado la primera noche.

—¡Es la voluntad del Cielo! —dijo Madre lacónicamente.

En cuanto se hizo de día, Madre empezó a cargar a los niños y todas nuestras posesiones, incluido el rifle, en el carrito.

Súbitamente, la carretera estaba atestada de gente. La mayoría llevaba uniformes militares, y todos iban equipados con cinturones de cuero de los que colgaban granadas con la anilla de madera. Por el suelo, aquí y allá había cartuchos usados, y en la acequia que había al lado de la carretera se veían proyectiles de artillería junto a caballos muertos con los vientres abiertos por las explosiones. De repente, de forma abrupta, Madre cogió el rifle del carrito y lo tiró al agua helada de la acequia. Un hombre que portaba dos pesadas cajas de madera sobre los hombros nos miró, sin salir de su asombro. Entonces dejó las cajas en el suelo y se hizo con el rifle.

Cuando nos acercábamos a la Colina de la Familia Wang, una ráfaga de aire caliente nos golpeó en el rostro, como si surgiera de un enorme horno para fundir metales. La aldea estaba cubierta de humo y neblina, los árboles de la entrada estaban llenos de hollín y millones de moscas que parecían estar fuera de lugar volaban en enjambres desde las entrañas podridas de los caballos muertos hasta los rostros de los seres humanos muertos.

Para evitar problemas, Madre se metió por un sendero que rodeaba nuestra aldea; como estaba muy mal empedrado, resultaba muy difícil avanzar por ese camino, así que tumbó el carrito en el suelo, sacó una jarra de aceite del manillar, mojó una pluma en el aceite y lo untó en el eje y en los tapacubos de las ruedas. Sus manos hinchadas parecían tartas de sorgo al horno.

—Vamos a ese bosquecillo a descansar un rato —dijo Madre, cuando terminó de engrasar el carrito.

Después de tantos días en la carretera, Shengli, Gran Mudo y Pequeño Mudo se habían acostumbrado a hacer lo que se les decía sin rechistar. Sabían que para poder ir montados en el carro tenían que pagar con su derecho a protestar. Las ruedas, recién engrasadas, ahora cantaban en voz alta. No muy lejos del sendero había un campo de sorgo desecado; sobre los oscuros tallos, algunos capullos secos apuntaban al cielo, mientras otros estaban inclinados hacia el suelo.

Cuando nos acercamos a los árboles, descubrimos un arsenal de artillería oculto entre la vegetación. Había docenas de cañones; parecían cuellos de tortugas envejecidas. Habían empleado ramas de árboles a modo de camuflaje. Las ruedas estaban profundamente enterradas en el suelo. En el suelo, entre los enormes cañones, había una fila de cajas. Las que estaban abiertas mostraban proyectiles de artillería ordenadamente guardados y muy bien protegidos. Los hombres encargados de manejar los cañones, todos vestidos con ropas de camuflaje, estaban sentados o de pie bajo los árboles, bebiendo agua en cuencos esmaltados. Un caldero con asas de hierro estaba puesto encima de una parrilla, sobre una hoguera. En el caldero se cocinaba carne de caballo. ¿Cómo podía yo saber que se trataba de carne de caballo? Distinguí un casco de caballo, del que salían unos larguísimos pelos, como barbas de chivo, asomando al borde del caldero; una herradura brillaba al sol. El cocinero estaba echando una rama de pino para avivar el fuego. Las lenguas de las llamas ascendían hacia el cielo y el líquido que había en el caldero hervía y echaba humo, por lo que la pata del pobre caballo no dejaba de temblar.

Un hombre que parecía un oficial se acercó corriendo y nos instó muy amablemente a que diéramos media vuelta y nos marcháramos por donde habíamos venido. Madre le contestó muy fría y segura de sí misma.

—Capitán —le dijo—, si nos obliga a hacerlo, nos iremos, pero encontraremos otra forma de pasar dando un rodeo.

—¿Es que no temen por sus vidas? —dijo el hombre, evidentemente sorprendido—. ¿Es que no teme perder a su familia bajo el fuego de la artillería? Usted no sabe lo potentes que son estos cañones.

—Si hemos llegado tan lejos, no ha sido porque tengamos miedo a la muerte, sino porque la muerte nos tiene miedo a nosotros —contestó Madre.

El hombre se hizo a un lado.

—Son libres para ir donde quieran.

Seguimos avanzando, y atravesamos el desierto alcalino. La única opción que teníamos era seguir los pasos de Madre. En realidad, seguíamos los de Laidi. Durante todo el arduo viaje, Laidi tiró del carrito como una bestia de carga que no se quejara nunca y, en los momentos en los que fue necesario, se detuvo para disparar el rifle contra quienquiera que amenazara nuestra seguridad cuando nos detuvimos a pasar la noche. Gracias a eso se ganó mi admiración y mi respeto.

Cuanto más nos internábamos en el desierto, más difícil era avanzar por la carretera, que estaba muy deteriorada por el pesado tránsito de los últimos tiempos. Por ello, nos salimos de la carretera y empezamos a marchar sobre el suelo alcalino. La nieve que no se había derretido hacía que el suelo pareciera una cabeza sarnosa; los matojos de hierba seca que se veían de vez en cuando eran como mechones de pelo. A pesar de que daba la sensación de que en esa zona acechaba el peligro, vimos varias ruidosas bandadas de alondras que la sobrevolaban y un puñado de conejos silvestres del color de la hierba seca formando una beligerante barrera delante de un zorro blanco y atacándolo mientras chillaban con gran alegría. Seguro que por haber sufrido amargamente, y albergando un profundo odio por el zorro, habían organizado una carga heroica. Detrás de ellos, un montón de cabras salvajes, con la cara finamente tallada, iban avanzando por rachas. Yo no sabía si se estaban sumando al ataque de los conejos o si simplemente tenían curiosidad por lo que iba a pasar. Sobre la hierba, algo brilló a la luz del sol. Zaohua se acercó corriendo, lo cogió y me lo dio a mí, que estaba al otro lado del carrito. Era un conjunto de cubiertos, platos y cazuelas portátil. Dentro había pescaditos fritos. Se lo devolví. Ella cogió uno de los pescaditos y se lo ofreció a Madre, que le dijo:

—Yo no quiero. Cómetelos tú.

Zaohua se comió los pescaditos con mucha delicadeza, como una gata. Gran Mudo, desde la canasta, sacó su sucia y pequeña mano y gruñó: «¡Ao!». Pequeño Mudo hizo lo mismo. Los dos tenían el rostro un tanto cuadrado, semejante a una calabaza, y los ojos muy altos, cosa que hacía que pareciera que tenían la frente más pequeña de lo normal. Ambos tenían la nariz chata y alejada de la boca, muy grande en los dos casos. Sus labios superiores eran demasiado cortos y estaban un poco replegados hacia arriba, por lo que no lograban taparles los dientes amarillentos. Zaohua le echó una mirada a Madre para ver qué era lo que debía hacer, pero Madre tenía la vista perdida en la lejanía, así que cogió dos pescaditos y le dio uno a cada uno. La olla ya estaba vacía. Solamente quedaban algunas raspas de pescado y unas gotas de aceite. Zaohua la lamió hasta dejarla limpia.

—Descansemos un rato —dijo Madre—. Ya no falta mucho para divisar la iglesia.

Yo me tumbé en el suelo alcalino y levanté la vista al cielo. Madre y Primera Hermana se quitaron los zapatos y les dieron unos golpes contra el manillar del carrito para quitarles el álcali que tenían dentro. Tenían los talones como boniatos podridos. Repentinamente, una bandada de pájaros aterrorizados pasó volando muy cerca del suelo. ¿Habrían visto un halcón? No, era un par de aeroplanos de ala doble que atravesaban el cielo desde el Sudeste. Hacían un ruido como el de mil ruedas que estuvieran girando todas al mismo tiempo.

Al principio, volaban a mucha altura, y avanzaban lentamente, pero cuando estaban justo encima de nuestras cabezas, empezaron a bajar en picado y cogieron velocidad. Volaban con la gracia de cachorrillos alados, a toda velocidad, con las hélices traqueteando a máxima velocidad, como avispones que dan vueltas alrededor de la cabeza de una vaca. Cuando pasaron, casi rozando la parte superior de nuestro carrito, uno de los hombres que vimos a través del cristal nos sonrió como si fuera un viejo amigo. Me dio la sensación de que lo conocíamos, pero antes de que pudiera fijarme bien, él y su sonrisa aceleraron y se alejaron de mí con la velocidad de un relámpago. Una violenta ráfaga de viento que arrastraba una nube de polvo fino levantó las hierbas secas, la arena y las cagadas de conejo y nos las lanzó como una lluvia de balas. La olla que tenía Zaohua en la mano salió volando por el aire. Presa del pánico, di un salto, escupiendo tierra, mientras el segundo aeroplano se lanzó sobre nosotros aún más salvajemente, escupiendo dos largas lenguas de fuego desde el vientre. Las balas levantaron toda la tierra que había a nuestro alrededor. Dejando un rastro de humo negro, los aeroplanos giraron hacia un lado y se fueron volando a través del cielo, por encima de la colina de arena. Las llamaradas seguían saliendo desde debajo de sus alas, explotando y haciendo un sonido semejante al de una jauría de perros ladrando, y levantando por el aire nubes de tierra amarillenta. Planeaban y remontaban el vuelo como las gaviotas cuando pasan a ras de la superficie del agua; se dejaban caer salvajemente y después volvían a ascender de forma abrupta. La luz del sol se reflejaba en los cristales, y sus alas adquirieron un color azul brillante como el del acero. Los soldados que había sobre la colina de arena quedaron bañados en un polvo gris y, entrando en pánico, se pusieron a correr dando alaridos. Las llamas amarillas que surcaban el cielo sobre sus cabezas anunciaban el insistente crepitar de los disparos como una constante ráfaga de viento. Los aeroplanos eran como gigantescos pájaros alucinados que rodaban por el cielo. El sonido de sus motores parecía un canto delirante. Uno de ellos se detuvo súbitamente y su vientre empezó a vomitar un denso humo negro. Rugiendo, se puso a moverse de forma descontrolada, dio unas vueltas sobre sí mismo y cayó en picado en el desierto, cavando una zanja en el barro. Las alas se estremecieron durante unos instantes antes de que una gran bola de fuego le consumiera el vientre, produciendo una explosión ensordecedora que hizo saltar a todos los conejos silvestres de la zona. El otro pájaro cogió altura, soltó un chillido de angustia y se alejó volando.

En ese momento nos dimos cuenta de que había desaparecido la mitad de la cabeza de Gran Mudo y de que en el vientre de Pequeño Mudo había un agujero grande como un puño. Todavía no estaba muerto, y nos mostraba el blanco de los ojos. Madre cogió un puñado de tierra alcalina e hizo presión con ella en el agujero, pero ya era demasiado tarde para evitar que brotara un burbujeante líquido verdoso y se le salieran los intestinos. Metió más y más tierra en el agujero, pero no consiguió detener el flujo. Los intestinos de Pequeño Mudo comenzaron a llenar la canasta. A mi cabra se le doblaron las patas delanteras, y empezó a emitir unos sonidos quejosos muy extraños; después se le contrajo violentamente la panza y arqueó el lomo, mientras expulsaba por la boca un gran trozo de hierba a medio digerir. Tanto Primera Hermana como yo nos inclinamos hacia adelante y nos pusimos a vomitar. Madre, con las manos manchadas de sangre fresca, se quedó quieta, contemplando con incredulidad los intestinos. Le temblaban los labios. De pronto, abrió la boca y salió un chorro de líquido rojo, seguido por unos lamentos fuertes y profundamente dolorosos.

Poco después, una descarga de proyectiles de artillería desgarraba el cielo dibujando curvas como bandadas de cuervos. Procedían del arsenal de artillería que estaba oculto en el pequeño bosquecillo que había cerca de la entrada de nuestra aldea. Unos destellos azules teñían el cielo de color lila. El sol estaba de un color gris opaco y tenue. Después de la primera descarga, el suelo tembló mientras los proyectiles silbaban por encima de nuestras cabezas. Después vinieron las sordas explosiones de los impactos, que hicieron que varias columnas de humo blanco subieran por el aire por encima de nuestra aldea. Finalmente, los disparos se detuvieron, y hubo un instante de silencio, rápidamente roto cuando los cañones de la otra orilla del Río de los Dragones enviaron hacia donde estábamos nosotros una respuesta que consistió en proyectiles aún más grandes. Algunos tocaron tierra entre los árboles; otros cayeron en medio del desierto. Y así siguió la cosa, como si se tratara de una serie de visitas familiares. Unas olas de aire caliente barrían el desierto de un lado al otro. Después de aproximadamente una hora, los árboles del bosquecillo empezaron a arder y los cañones que había allí se quedaron en silencio, cosa que no hicieron los de nuestra aldea; sus proyectiles caían cada vez más lejos. De repente, por encima de la colina de arena, el cielo se coloreó de azul por unos proyectiles que volaron silbando por el aire y aterrizaron en nuestra aldea. Esta descarga ridiculizó a la que habían lanzado desde el bosquecillo, tanto por la cantidad de proyectiles como por el efecto que tuvo. He descrito las descargas procedentes del bosque como bandadas de cuervos. Pues bien, éstas que venían del otro lado de la colina de arena eran como pequeños cerdos negros marchando en ordenadas formaciones, gruñendo en voz alta y agitando la cola hasta entrar, persiguiéndose unos a otros, en nuestra aldea. Pero cuando tocaron tierra ya no eran pequeños cerdos negros sino grandes panteras negras, tigres, jabalís, que mordían todo lo que tocaban con sus colmillos semejantes a sierras. Cuando las descargas de la artillería se recrudecieron, los aeroplanos volvieron, pero esta vez eran doce, volando en parejas, casi rozándose los extremos de las alas. Soltaron sus huevos desde lo alto del cielo, huevos que abrieron agujeros en la tierra. ¿Y entonces? Una columna de tanques salió ruidosamente de la aldea. En esa época, yo no sabía que esas extrañas máquinas con cañones largos y parecidos a trompas se llamaran tanques. Cuando la columna llegó al desierto alcalino, los tanques se dispersaron, seguidos por un contingente de soldados de infantería, todos protegidos con cascos, que subieron trotando a un montículo y se pusieron a disparar hacia el cielo. *Bang, bang, bang. Bang, bang, bang. Bang, bang, bang, bang, bang, bang, bang.* Tiro al blanco. Nosotros nos refugiamos en uno de los cráteres que habían abierto los proyectiles, donde algunos nos sentamos y otros se tiraron al suelo boca abajo, pero con calma, como si no tuviéramos miedo.

Las ruedas de oruga que tenían los tanques empezaron a coger velocidad, una tras otra. Los tanques avanzaban haciendo un fuerte estruendo. Ni las zanjas ni los desniveles les causaban el más mínimo problema; sus trompas seguían apuntando hacia adelante. Avanzaban a toda velocidad, chillando, rugiendo, escupiendo, como una columna de tiranos enfurecidos. Hartos de escupir flemas, se pusieron a escupir bolas de fuego; las trompas retrocedían con cada explosión. Lo único que tenían que hacer para destruir una trinchera y dejar el suelo completamente plano era pasar por encima un par de veces, yendo hacia adelante y hacia atrás. Durante este proceso solían quedar enterrados unos cuantos hombrecitos de color caqui. Todos los lugares por los que pasaban quedaban convertidos en terreno recién labrado. Fueron rodando hasta la colina de arena, donde una lluvia de balas cayó sobre ellos. *Bang, bang*. Apenas la notaron. No así los soldados que venían detrás de ellos, que cayeron como moscas. Un pelotón de hombres salió corriendo desde detrás de la colina de arena portando unas antorchas hechas de tallos de sorgo. Las lanzaron debajo de los tanques. Algunos tanques volaron por el aire con una fuerte explosión; algunos hombres rodaron por el suelo frente a ellos. Unos pocos tanques murieron, otros quedaron heridos. Sobre la colina de arena aparecieron más hombres, que reaccionaron como pelotas de goma y se lanzaron rodando por la ladera para enfrentarse a los soldados que llevaban casco. Sus gritos se mezclaban caóticamente; tantos alaridos formaban una masa sonora incoherente. Puños por el aire, patadas bien dirigidas, cuellos estrangulados, entrepiernas aplastadas, dedos mordidos, orejas arrancadas, ojos reventados. En los cuerpos entraban espadas plateadas; de los cuerpos salían espadas rojas. No se dejó de probar ni una sola de las posibles maneras de combatir. Un soldado pequeño estaba a punto de perder frente a uno grande, así que cogió un puñado de arena y le dijo:

—Hermano mayor, tú y yo somos primos lejanos. La esposa de un primo mío por parte de padre es tu hermana pequeña. Por eso te pido por favor que no me golpees con la culata de ese rifle, ¿vale?

—De acuerdo —le dijo el soldado grande—, por esta vez te perdono, ya que he estado invitado a tu casa a tomar unas copas. La jarra con la que sirves el vino es muy elegante. Ese tipo de artesanía se llama jarra del Pato Mandarín.

Sin previo aviso, el soldado pequeño le tiró la arena a la cara al grande, cegándolo temporalmente, y entonces se puso a su espalda rápidamente y le abrió la cabeza con una granada de mano.

Aquel día pasaron tantas cosas que me tendrían que haber salido diez pares de ojos para verlo todo, y necesitaría diez bocas para poder contarlo. Los soldados que llevaban cascos cargaban en oleadas, pero los muertos se iban apilando, formando una especie de pared, y no podían atravesarla. Después trajeron unos lanzallamas, que echaban chorros de muerte y hacían que la arena de la colina cristalizara. Y llegaron más aeroplanos, que dejaron caer grandes tortitas y rollitos rellenos de carne, y también montones de billetes de todos los colores. Cuando cayó la noche, agotados, ambos bandos se detuvieron a descansar, pero solamente durante un rato; poco después, la batalla volvió a comenzar, tan candente que el cielo y la tierra se tiñeron de rojo, el suelo helado se ablandó y los conejos silvestres cayeron como moscas, no por efecto de las armas sino como consecuencia del miedo.

El fuego de los fusiles y las descargas de la artillería no se acababan nunca. Las llamaradas iluminaban el cielo de una manera tan brillante que apenas podíamos abrir los ojos.

Al amanecer, los soldados que iban con cascos arrojaron sus armas; se rendían.

La primera mañana de 1948, los cinco miembros de mi familia, además de la cabra, empezamos a cruzar cautelosamente el Río de los Dragones, que estaba congelado, y logramos arrastrarnos hasta el otro lado. Sha Zaohua y yo ayudamos a Primera Hermana a llevar el carrito hasta lo alto, donde nos detuvimos a contemplar las grandes zonas donde el hielo había quedado destrozado por el impacto de los proyectiles de la artillería, y el agua que salía a borbotones por los agujeros. Mientras escuchábamos el crujiente sonido del hielo partiéndose, nos sentimos agradecidos porque ninguno de nosotros hubiera caído. La luz del sol empezó a iluminar poco a poco el campo de batalla al norte del río, donde todavía olía a pólvora. Los gritos de alegría, celebrando el triunfo, y una ráfaga de fuego que sonaba de vez en cuando mantenían vivo el lugar. Los cascos en el suelo parecían hongos, y yo entonces me acordé de Pequeño y Gran Mudo, a quienes Madre había metido en el cráter que había producido una bomba, donde yacían al descubierto, sin que nadie les hubiera echado ni siquiera un poco de tierra por encima. Me obligué a mí mismo a darme la vuelta y echar un vistazo hacia nuestra aldea, que de algún modo había logrado no quedar reducida a escombros. Eso sí que fue un milagro. La iglesia todavía estaba en pie, así como el molino. La mitad de las edificaciones cubiertas de azulejos del recinto de la familia Sima había sido derruida, pero las nuestras seguían en pie, salvo el techo de la estancia principal, que se había estropeado porque un proyectil le había caído encima. Cuando entramos en el patio intercambiamos algunas miradas, como si no conociéramos el lugar, pero después todo fueron abrazos hasta que nos vinimos abajo y nos pusimos a llorar, Madre la primera.

El sonido de nuestro llanto quedó abruptamente interrumpido por los queridos sollozos de Sima Liang. Levantamos la vista y lo vimos, de cuclillas, subido a un albaricoque, con una expresión que recordaba la de un animal salvaje. Llevaba una piel de perro cubriéndole los hombros. Madre fue hacia él y él bajó del árbol de un salto, como una bocanada de humo, y se arrojó a sus brazos.

Capítulo 5

I

La primera nevada del periodo de paz dejó los cadáveres cubiertos de blanco, mientras los gorriones silvestres, hambrientos, daban saltitos sobre la nieve. Sus gorjeos lastimeros sonaban como los ambiguos sollozos de las viudas. A la mañana siguiente, el cielo tomó la apariencia del hielo translúcido, y cuando el sol salió, de color rojo, en el levante, el espacio que había entre el cielo y la tierra parecía una vasta superficie barnizada de colores. Una alfombra blanca cubría la tierra, y cuando la gente salía de sus casas, su aliento formaba un humo de color rosa; entonces atravesaban tambaleándose la nieve virgen del lindero del campo que daba al Este, con sus posesiones a la espalda, y se llevaban a sus vacas y ovejas en dirección sur. Tras cruzar el Río de los Dragones, donde abundaban los cangrejos y las almejas, se encaminaban hacia las impresionantes tierras altas y hacia el importante «mercado de la nieve» del Concejo de Gaomi del Noreste, un mercado que se instalaba sobre el suelo helado y donde se realizaban transacciones comerciales, sacrificios ancestrales y celebraciones en medio de la nieve.

En este ritual la gente sabía que tenía que guardarse sus ideas para sí mismos, porque en cuanto abrieran la boca y las hicieran públicas, les lloverían las catástrofes. En el mercado de la nieve, uno dedicaba sus sentidos de la vista, el olfato y el tacto a aprehender todo lo que estaba sucediendo alrededor; uno podía pensar, pero no debía decir nada. Lo que le ocurriría a alguien que rompiera la prohibición de hablar era algo que nadie nunca había preguntado, y mucho menos intentado explicar. Era como si todo el mundo lo supiera y hubiera establecido un acuerdo tácito para no divulgar la respuesta.

Los habitantes del Concejo de Gaomi del Noreste que sobrevivieron a la carnicería, que fueron sobre todo mujeres y niños, se vistieron con sus mejores galas para Nochevieja y se dirigieron, a través de la nieve, hacia las tierras altas, con el helado olor de la nieve que había bajo sus pies perforándoles la nariz. Las mujeres se cubrían la nariz y la boca con las mangas de sus gruesos abrigos, y aunque parecía que estaban intentando evitar el olor de la nieve, yo estaba seguro de que lo que querían evitar era decir algo. Un sonido sostenido de crujidos emergía desde la blanca superficie del suelo, y aunque la gente observaba la prohibición de hablar, su ganado no lo hacía. Las ovejas balaban, las vacas mugían, y los pocos caballos envejecidos y mulas cojas que habían conseguido sobrevivir a las múltiples batallas relinchaban. A lo largo del camino se veían perros salvajes y rabiosos que despedazaban los cadáveres con sus incansables garras y aullaban al sol como si fueran lobos. La única mascota de la aldea que había logrado no contagiarse la rabia, el perro ciego que pertenecía al monje taoísta Men Shengwu, caminaba tímidamente, siguiendo a su amo, a través de la nieve. El hogar de Men Shengwu era una cabaña de tres habitaciones que estaba enfrente de una pagoda hecha de ladrillo, en las tierras altas. Este hombre, que tenía ciento veinte años, practicaba una forma del arte de la magia conocida como «abstención de cereales». Los rumores decían que no había comido ningún alimento humano desde hacía diez años, y que sobrevivía exclusivamente a base de rocío, como las cigarras que viven en los árboles.

Los aldeanos pensaban que Men el Taoísta era medio hombre medio inmortal. Se desplazaba siempre como si no quisiera que nadie notara su presencia, con pasos ligeros y ágiles. Su cabeza era calva y reluciente, semejante a una bombilla, y su barba blanca y espesa como un arbusto. Sus labios eran parecidos a los de una pequeña mula y sus dientes brillantes relucían como perlas. Tanto su nariz como sus mejillas eran rojizas, y tenía unas cejas blancas tan largas como plumas de ala de pájaro. Cada año aparecía en la aldea el día del solsticio de invierno para hacerse responsable de su tarea; elegir el «Príncipe de la Nieve» durante el mercado de la nieve anual, o mejor dicho, el Festival de la Nieve. Este Príncipe de la Nieve tenía la obligación de llevar a cabo algunas actividades sagradas en el mercado de la nieve, y en compensación recibía una considerable recompensa. Por este motivo, todos los aldeanos deseaban que sus hijos fueran los escogidos. Yo, Shangguan Jintong, fui elegido Príncipe de la Nieve aquel año. Después de visitar las dieciocho aldeas del Concejo de Gaomi del Noreste, Men el Taoísta se decidió por mí, cosa que demostraba que yo no era un chico común. Madre lloró de alegría. Cuando iba por la calle, las mujeres me miraban con reverencia.

—Príncipe de la Nieve, oh, Príncipe de la Nieve —me susurraban dulcemente—, ¿cuándo va a nevar?

—No sé cuándo va a nevar. ¿Cómo iba a saberlo?

—¿Que el Príncipe de la Nieve no sabe cuándo va a nevar? ¡No, es que no quieres revelar los secretos de la naturaleza!

Todo el mundo esperaba con impaciencia la primera nevada, y yo más que nadie. Al anochecer, dos días antes, unas nubes densas y rojas cubrieron todo el cielo; durante la tarde del día siguiente, comenzó a nevar. Al principio era solamente un polvillo, pero se fue convirtiendo en una tremenda tormenta de nieve, con unos copos del tamaño de plumas de ganso y, finalmente, unas bolas pequeñas y suaves. Las fuertes ráfagas de nieve, una tras otra, apagaron el sol. En las afueras, en los pantanos, los zorros y cánidos diversos aullaban, mientras los fantasmas de los difuntos malditos recorrían las calles y los callejones, lamentándose y llorando. La nieve, húmeda y pesada, azotaba las cortinas de papel de las ventanas de las casas. Los animales blancos se acurrucaban en los alféizares, golpeando las celosías con sus peludas colas. Esa noche yo estaba demasiado excitado como para poder dormir. Tenía los ojos rebosantes de extrañas visiones; no diré de qué visiones se trataba, porque sonaría demasiado banal para cualquiera que no haya estado ahí para verlas.

Apenas se estaba empezando a hacer de día cuando Madre salió de la cama y puso a hervir agua en un cazo para lavarme la cara y las manos. Mientras lo hacía, me dijo que tenía que cuidar las zarpas de su cachorrito. Incluso me cortó las uñas con unas tijeras. Cuando estuve todo limpio, me selló la frente con la huella dactilar de su pulgar en tinta roja, como si fuera una marca comercial. Después abrió la puerta y ahí estaba Men el Taoísta, esperando de pie en el umbral. Había traído una túnica y una gorra blancas, ambas hechas de brillante satén, muy suaves y agradables al tacto. También me había traído una tradicional arma mágica del taoísmo. Después de vestirme, me dijo que diera unos pasos sobre la nieve que había en el patio.

—¡Maravilloso! —me dijo—. ¡Eras un verdadero Príncipe de la Nieve!

Yo no podía sentirme más orgulloso. Madre y Hermana Mayor estaban evidentemente satisfechas. Sha Zaohua me miraba con una expresión de adoración. La cara de Octava Hermana estaba adornada con una hermosa sonrisa, como una florecilla. La sonrisa que había en el rostro de Sima Liang, en cambio, era más bien burlona.

Dos hombres me llevaron en un palanquín que tenía un dragón pintado en el lado izquierdo y un fénix en el derecho. Wang Taiping, un porteador profesional, encabezaba la marcha. Detrás iba su hermano mayor, Wang Gongping, que también era porteador profesional. Ambos hermanos tartamudeaban ligeramente al hablar. Unos años atrás habían intentado evitar que los reclutara el ejército; Taiping se había cortado el dedo índice y Gongping se había untado los testículos con aceite de croton, muy irritante, para que pareciera que tenía una hernia. Cuando el jefe de la aldea, Du Baochuan, se dio cuenta del engaño, los apuntó con su rifle y les dio la posibilidad de elegir entre ser fusilados o irse a la línea de fuego en calidad de porteadores, para llevar a los soldados heridos sobre sus espaldas y transportar las municiones. Ellos respondieron tartamudeando algo incoherente, por lo que escogió por ellos su padre, Wang Dahai, un albañil que se había caído de un andamio durante la construcción de la iglesia y había quedado tullido. Los dos hombres transportaban su carga de forma rápida y sin apenas sacudirla, cosa que les había valido el reconocimiento de sus superiores, y cuando fueron desmovilizados, su comandante, Lu Qianli, les escribió sendas cartas de recomendación. Pero entonces el hermano menor de Du Baochuan, Du Jinchuan, que se había ido a la guerra con ellos, enfermó y murió súbitamente, y los hermanos transportaron su cuerpo de vuelta al hogar, recorriendo unos mil quinientos *li* y sufriendo lo indecible durante el camino. Cuando llegaron, Du Baochuan los acusó de haber asesinado a su hermano y les dio la bienvenida con dos sonoras bofetadas. Incapaces de decir nada sin tartamudear incontrolablemente, ellos sacaron las cartas de recomendación que les había escrito el comandante de su regimiento. Du Baochuan se las arrancó de las manos y las rompió en ese mismo momento. Después, moviendo una mano, les dijo: «El que es un desertor una vez, es un desertor para siempre». Lo único que pudieron hacer ellos fue tragarse su amargura. Sus hombros, bien templados, eran duros como el acero, y tenían unas piernas muy bien entrenadas para su profesión. Ir en un palanquín transportado por ellos era como ir montado en una barca que navega corriente abajo. Se veían olas de luz que atravesaban el yermo nevado.

Un puente de piedra, apoyado en gruesos pilares de madera de pino, cruzaba el Río del Agua Negra. Se movió cuando pasamos, haciendo que el suelo crepitara bajo nuestros pies. Cuando llegamos al otro lado, me di la vuelta y me fijé en las huellas que nuestros pasos habían dejado sobre el yermo cubierto de nieve. Entonces distinguí a Madre, a Primera Hermana y a todos los niños pequeños de la familia que, junto a mi cabra, venían detrás de mí.

Los hermanos que portaban el palanquín me llevaron hasta las tierras altas, donde me dieron la bienvenida las miradas vivaces de la gente que había llegado antes que nosotros: hombres, mujeres y niños nos esperaban con la boca fuertemente cerrada. Los adultos tenían un aspecto bastante sombrío; los niños miraban todo con una expresión traviesa.

Guiados por Men el Taoísta, los hermanos me llevaron hasta una plataforma cuadrada de adobe que había en el medio de un montículo, donde vi un par de bancos detrás de un enorme incensario en el que había tres varitas de incienso. Depositaron el palanquín encima de los bancos, de modo que yo podía sentarme y me quedaban las piernas colgando. El silencioso frío me arañaba los dedos gordos de los pies como un gato negro y me mordisqueaba las orejas como uno blanco. El sonido del incienso al quemarse, cuando las cenizas se retorcían y caían sobre el incensario como una casa que se derrumba, era parecido al que hacen los gusanos. Su aroma me entraba por el agujero izquierdo de la nariz reptando como una oruga, y volvía a salir por la derecha. Men el Taoísta quemó un puñado de dinero en un brasero de bronce que había al pie de la plataforma; al hacerlo, compraba bienestar espiritual. Las llamas se parecían a mariposas doradas con las alas cubiertas de polvillo dorado. El papel era como mariposas negras que salían volando hacia el cielo hasta que se consumía completamente, y después caía lentamente sobre la nieve, donde desaparecía rápidamente. Después Men el Taoísta se prosternó delante de la plataforma del Príncipe de la Nieve y les hizo una señal a los hermanos Wang indicándoles que me volvieran a levantar. Me dieron una especie de cetro de madera envuelto en papel dorado. Uno de los extremos tenía forma de cuenco y estaba envuelto en papel de plata. Era el bastón de mando del Príncipe de la Nieve. Tras escogerme para que fuera el Príncipe de la Nieve, Men el Taoísta me había contado que el fundador del mercado de la nieve había sido su maestro, Chen el Taoísta, que había sido instruido por Laozi, el fundador del taoísmo, y que cuando hubo seguido sus instrucciones había subido al Cielo para convertirse en un inmortal y vivir en una torre alojada en la cima de una montaña, donde comía piñones y bebía agua de los arroyos, desplazándose por el aire de los pinos a los álamos y de los álamos a su cueva. Men el Taoísta me explicó, con todo detalle, las obligaciones y tareas del Príncipe de la Nieve. Yo ya había cumplido con la primera de ellas, ser venerado por la multitud, y ya había llegado el momento de cumplir con la segunda, que consistía en inspeccionar el mercado de la nieve.

Ése era el momento álgido del Príncipe de la Nieve. Una docena de hombres, vestidos con uniformes negros y rojos, daba un paso adelante y, aunque no tenían nada en la mano, adoptaban la postura de músicos que tocaran la trompeta, la *suona*, la corneta o los platillos.

Algunos inflaban los carrillos como si estuvieran soplando con todas sus fuerzas. Cada pocos pasos, el que tocaba los platillos levantaba la mano izquierda para levantar el instrumento imaginario y simulaba golpearlo con el de la mano derecha. Los silenciosos sonidos recorrían largas distancias. Los hermanos Wang se tambaleaban sobre sus agotadas piernas mientras la ciudadanía abandonaba sus silenciosas transacciones comerciales y se erguía, con los ojos bien abiertos y los brazos pegados a los lados del cuerpo para contemplar la procesión del Príncipe de la Nieve. Los colores de sus rostros, algunos conocidos y otros no, quedaban resaltados por el brillo de la nieve; los rojos parecían dátiles, los negros parecían trocitos de carbón, los amarillos parecían cera de abeja y los verdes parecían cebolletas. Agité mi bastón de mando hacia donde estaba la gente; todos se pusieron nerviosos instantáneamente, y movían las manos en el aire, confundidos, y abrían la boca, como si estuvieran gritando. Pero nadie se atrevía a hacer ni un ruido, ni siquiera lo deseaban. Una de las tareas sagradas que me había encomendado Men el Taoísta era abrirle la boca con la punta de mi bastón a quienquiera que osara hacer algún ruido y, después, pegar un fuerte tirón y arrancarle la lengua.

Distinguí a Madre, a Primera Hermana y a Octava Hermana entre la multitud de gente que gritaba en silencio. También vi a los otros, a Sha Zaohua y a Sima Liang. A mi cabra le habían puesto una máscara sobre la boca, hecha de algodón blanco con la forma de un cono, para que guardara silencio. Se sostenía con una tira de algodón blanco que le pasaba por detrás de las orejas. La prohibición de hacer ruido no era solamente para la familia del Príncipe de la Nieve sino también para su cabra. Agité mi bastón en dirección a mi familia y todos me devolvieron el saludo levantando los brazos. Sima Liang hizo unos círculos con los dedos y se los llevó a los ojos, como si me estuviera mirando con unos prismáticos. La cara de Zaohua estaba radiante, como un pez en las profundidades del océano.

En el mercado de la nieve se vendía toda clase de cosas. La primera parada que hizo mi silenciosa guardia de honor fue en el mercado de zapatos. Solamente se exponían las sandalias de paja. Todas estaban hechas de hierbas de los pantanos suavizadas. Ésa era la clase de calzado que los habitantes de Gaomi del Noreste usaban en invierno. Hu Tiangui, padre de cinco chicos que habían sobrevivido a la guerra y después habían sido enviados a hacer trabajos forzados, estaba ahí de pie apoyado en una rama de sauce, con unos carámbanos de hielo colgando de la barbilla, que tenía envuelta con un pedazo de tela de color blanco. Lo único que llevaba puesto era un saco de esparto todo deshilachado. Estaba encorvado, y tenía dos dedos mugrientos estirados; estaba regateando con Qiu Huangshan, el maestro artesano que hacía las sandalias. Qiu mostró tres dedos y los apoyó sobre los dos de Hu. Éste, testarudamente, volvió a estirar sus dos dedos. Qiu contestó inmediatamente con tres. Así estuvieron un rato, tres, cuatro, cinco veces, hasta que Qiu retiró la mano y, con una expresión de dolor que pretendía mostrar su frustración, desató de la cuerda de la que colgaba su mercadería un par de sandalias de calidad inferior, hechas con los extremos verdosos de las hierbas. La boca abierta de Hu Tiangui expresaba en silencio lo enfadado que estaba. Se dio unos golpes en el pecho, miró en dirección al cielo y después señaló el suelo. Lo que quería decir era que todo eso era bastante raro. Empezó a revolver la pila de sandalias con su bastón, buscando un par de calidad superior, que fueran del color de la cera de abejas y tuvieran una suela gruesa y fuerte, hecha con las raíces de las hierbas de los pantanos. Qiu apartó el bastón de Hu, sacó cuatro dedos y los colocó bajo la nariz de Hu sin que le temblaran ni un poco. Una vez más, Hu miró al cielo y señaló el suelo. Su saco de esparto estaba a punto de caérsele cada vez que se movía. Después se agachó y desató el par de sandalias que había escogido, las apretó un poco y movió los pies. Sus zapatos destrozados, cuyas suelas de goma apenas seguían unidas a la parte superior, quedaron en el suelo frente a él. Apoyándose en su bastón, metió sus temblorosos pies en las nuevas sandalias y después sacó un billete todo arrugado de su bolsillo cosido con retales y lo tiró a los pies de Qiu Huangshan. Con el rostro desencajado por la rabia, Qiu lo maldijo en silencio y golpeó el suelo muy enfadado, pero se agachó a recoger el deteriorado billete, lo estiró, lo cogió de una de las esquinas y lo agitó en el aire para que la gente que estaba alrededor lo pudiera ver con claridad.

Algunos movieron la cabeza en señal de empatía con él, pero otros sonrieron estúpidamente. Avanzando con lentitud, ayudado por su bastón, Hu Tiangui empezó a alejarse. Sus piernas estaban tiesas como tablones de madera. Yo estaba enfadado con Qiu Huangshan, con su labia y sus dedos ágiles, y en mi interior deseaba que su rabia le hiciera perder el control y decir algo; si eso ocurría, yo, gracias a mi autoridad temporal, podría arrancarle la lengua, su larga lengua, con mi bastón de mando. Pero él, astutamente, se dio cuenta de lo que yo estaba pensando y guardó el billete rosa en un par de sandalias que colgaban de su pértiga. Cuando cogió esas sandalias, vi que estaban prácticamente llenas de billetes de colores brillantes. Señaló a todos los artesanos que hacían sandalias que estaban a su alrededor, uno por uno, y ellos me miraron obsequiosamente. Después señaló, muy despacio, al dinero que había en las sandalias. Cuando hubo terminado, me lanzó las sandalias reverentemente. Me rebotaron en el vientre y cayeron en el suelo, frente a mí. Algunos de los billetes, que tenían imágenes de bobas ovejas regordetas que parecían estar esperando que las esquilaran o las degollaran, se salieron de las sandalias. A medida que yo avanzaba, varios pares de sandalias más, todas llenas de dinero, vinieron volando hacia mí.

En el mercado de la comida, Fang Meihua, la viuda de Zhao el Sexto, estaba friendo ansiosamente unos rollitos rellenos en un *wok* plano. Su hijo y su hija estaban sentados en una esterilla de paja, envueltos en una manta. Sus cuatro ojos no dejaban de girar en sus órbitas. Había instalado unas cuantas mesitas miserables enfrente de su cocina, y en ese momento había seis robustos buhoneros, instalados frente a las mesas en unas esteras de caña, comiendo rollitos y ajo. Los extremos superior e inferior de los rollitos fritos eran de un color marrón crujiente; estaban tan calientes que se los podía oír crepitar dentro de la boca de los hombres, y tan grasientos que brotaba un aceite rojizo cada vez que los mordían. Ninguno de los propietarios de los otros puestos de rollitos ni ninguno de los vendedores ambulantes de tortitas tenía un solo cliente. Todos contemplaban, llenos de envidia, ese lugar frente al puesto de la Viuda Zhao, mientras golpeaban los bordes de sus *woks*.

Cuando pasé montado en mi palanquín, la Viuda Zhao metió un billete en un rollito, me apuntó a la cara y me lo lanzó con naturalidad. Yo lo esquivé justo a tiempo, y el rollito impactó sobre el pecho de Wang Gongping. La viuda Zhao me echó una mirada pidiéndome perdón y se limpió las manos en un trapo grasiento. Tenía los ojos profundamente hundidos en su pálido rostro, y los rodeaban dos círculos de color violeta oscuro.

Un hombre alto y delgado salió de detrás del puesto donde se vendían pollos vivos; las gallinas, aterrorizadas, cacareaban nerviosamente. La propietaria del puesto negaba repetidamente con la cabeza. El hombre caminaba de un modo muy particular: rígido como un tablón, avanzaba rítmicamente, subiendo y bajando los hombros a cada paso que daba, como si estuviera a punto de echar raíces en el suelo. Se trataba de Zhang Enviado del Cielo, a quien todo el mundo llamaba con el apodo de Viejo Maestro Cielo. Se dedicaba a la extraña labor de acompañar a los muertos en el regreso a sus ciudades natales, y tenía el don de hacerlos ponerse de nuevo en pie para que pudieran volver caminando hasta su hogar. Cada vez que un habitante de Gaomi del Noreste moría lejos de casa, se contrataba a Zhang para que lo trajera de vuelta. Y cada vez que un forastero moría en el Concejo de Gaomi del Noreste, se lo contrataba para que se lo llevara. ¿Cómo alguien podía no venerar a un hombre que tenía la capacidad de conseguir que un cadáver cruzara, caminando, todos los ríos y las montañas que fuera necesario para volver a su hogar? Su cuerpo emanaba un extraño olor, e incluso los perros más agresivos metían la cola entre las piernas, se daban media vuelta y salían corriendo cuando él se acercaba. Sentándose en el banco que había frente al *wok* de la viuda, estiró dos dedos. En la confusa serie de gestos manuales que tuvo lugar a continuación entre él y la mujer, quedó claro que quería dos bandejas de rollitos, que hacían un total de cincuenta; no solamente dos, no solamente veinte. Entonces la viuda se apresuró a servir a este cliente de portentoso estómago. A la mujer se le iluminó la cara, mientras de los puestos vecinos llegaban miradas llenas de envidia. Yo deseé que dijeran algo, pero ni siquiera la envidia tenía la fuerza suficiente como para que abrieran la boca.

Enviado del Cielo se sentó sin hacer ruido, fijó la mirada en la viuda mientras ella trabajaba y dejó las manos apoyadas tranquilamente sobre sus rodillas. Un saco de tela negra le colgaba del cinturón, pero nadie sabía lo que contenía. Durante el último otoño había tenido que encargarse de un trabajo complicado: escoltar a un buhonero que vendía pergaminos para la celebración del año nuevo y que había fallecido en la Aldea de Aiqiu, en el Condado de Gaomi del Noreste, hasta su hogar, que estaba muy lejos, en dirección noreste. Tras aceptar la tarifa, el hijo del hombre dejó su dirección y se adelantó con el objetivo de preparar un recibimiento para su padre. Dada la gran cantidad de cadenas montañosas que Enviado del Cielo tendría que atravesar, la gente dudaba de que alguna vez regresara. Pero lo había hecho, y por el aspecto que tenía, no hacía mucho tiempo. ¿Estaría su dinero en la bolsa de tela? Sus sandalias de paja estaban destrozadas, y se le veían los dedos gordos, muy hinchados, y los tobillos, en los huesos.

Cuando la hermana pequeña de Cara de Sueño, Belleza Bizca, pasó caminando junto a mi palanquín con una gran calabaza, me echó una mirada provocativa, flirteando conmigo. Tenía las manos enrojecidas por el frío. En el momento en que pasó por delante del puesto de la Viuda Zhao, a la viuda le empezaron a temblar violentamente las manos. Sus miradas se encontraron y sus ojos de enemigas mortales soltaron unos destellos de color rojo. Ni siquiera la visión de la mujer que había asesinado a su marido bastó para que la Viuda Zhao violara la prohibición de hablar en el mercado de la nieve. Y sin embargo, yo me di cuenta de que le hervía la sangre. La Viuda Zhao tenía la cualidad de no dejar que nada, ni siquiera la rabia, la apartara de su trabajo. Tras llenar un enorme cuenco de cerámica blanca con la primera tanda de rollitos, se lo puso delante a Enviado del Cielo, que estiró un brazo. A la Viuda Zhao le llevó un momento darse cuenta de lo que quería. Se dio un golpecito en la frente, como pidiendo disculpas, y después cogió una jarra, de la que sacó dos grandes cabezas de ajo de color violeta, y se los ofreció. Después llenó un pequeño cuenco negro con una salsa de chile y sésamo y también la puso delante de Enviado del Cielo, como atención especial de la casa. Los buhoneros que estaban en las esteras de caña levantaron la mirada poniendo cara de desaprobación, censurándola por agasajar a Zhang Enviado del Cielo, quien muy despacio y muy satisfecho comenzó a pelar un ajo mientras esperaba que se enfriaran un poco los rollitos. Después colocó los blancos dientes de ajo que había pelado sobre la mesa, en fila, por orden de tamaño, como una columna de soldados. De vez en cuando cambiaba uno o dos de lugar, para perfeccionar la columna. No se puso a comer —o más bien a inhalar— los rollitos hasta que mi palanquín siguió adelante, en dirección al mercado de calabazas.

Junto a la base de la pagoda, que no estaba dedicada a ninguna deidad en particular, había una minúscula cabaña. El aroma sutil del incienso al quemarse se percibía desde detrás de la puerta. Enfrente del incensario había un gran caldero de madera lleno de nieve virgen. Detrás, se veía un taburete de madera: el trono del Príncipe de la Nieve. Men el Taoísta levantó la cortina de gasa que separaba la silenciosa cabaña del exterior, entró y me cubrió la cara con un trozo de satén blanco. Yo sabía, por las instrucciones que me había dado, que mientras estuviera llevando a cabo esta empresa no debía quitarme el velo. Escuché cómo se deslizaba silenciosamente fuera de la cabaña. A partir de entonces, lo único que pude oír fueron los sonidos de mi suave respiración, los débiles latidos de mi corazón y el leve chisporroteo que hace el incienso al quemarse. Gradualmente comencé a escuchar también el delicado crujir de la nieve bajo los pies de la gente que se acercaba caminando a donde yo estaba.

Entró una chica pisando el suelo con mucha suavidad. Lo único que yo podía ver a través del velo era el perfil de una chica alta cuyo cuerpo apestaba a pelo de cerdo quemado. No tenía ninguna pinta de ser de Dalan; lo más probable era que fuera de la Aldea de la Colina de Arena, donde había una familia que se dedicaba al negocio de hacer cepillos artesanalmente. En cualquier caso, viniera de donde viniera, el Príncipe de la Nieve estaba obligado a ser imparcial, así que metí las manos en la nieve que había en el caldero para limpiarlas de impurezas. Después, las extendí hacia ella. La costumbre era que todas las mujeres que quisieran engendrar un hijo durante el siguiente año, y aquellas que quisieran que la leche les llenara los pechos y los mantuviera jóvenes y saludables, se levantaran la blusa, mostraran los pechos y recibieran una caricia del Príncipe de la Nieve, que se quedaba quieto con las manos extendidas. Ocurrió exactamente como tenía que ocurrir: dos esponjosos y carnosos montículos se apretaron contra mis manos heladas. La cabeza empezó a darme vueltas mientras una cálida corriente de alegría atravesaba mis manos y se expandía por todo mi cuerpo. La mujer empezó a jadear incontrolablemente mientras sus pechos se frotaban contra las yemas de mis dedos; después, como un par de palomas excitadas, se fueron volando.

Apenas había podido palpar el primer par de pechos y ya se habían ido. Mi decepción se convirtió en deseo cuando metí las manos en la nieve para volver a purificarlas. Esperé con impaciencia a que llegara el siguiente par, que no pensaba dejar escapar tan fácilmente. Cuando llegaron, los agarré y no quería soltarlos. Eran pequeños y deliciosos, ni muy blandos ni muy duros, como rollitos recién sacados del horno. A pesar de que no podía verlos, sabía que eran blancos como la nieve, suaves y brillantes, con sus minúsculos pezones semejantes a pequeños hongos. Aferrándolos, pronuncié en silencio una plegaria, con todos mis buenos deseos. Los apreté por primera vez: «Que tengas trillizos varones y rechonchos». Los apreté por segunda vez: «Que tu leche fluya como una fuente». Los apreté por tercera vez: «Que tu leche sea maravillosamente dulce, como el rocío del amanecer». Ella se lamentó suavemente antes de retirarse, dejándome fuertemente desconsolado. Me entristecí y empecé a sentirme avergonzado. Para castigarme, enterré las manos en la nieve hasta que las yemas de mis dedos tocaron el suave fondo del caldero, y no las saqué hasta que se me adormecieron los brazos hasta el codo. El Príncipe de la Nieve levantaba sus purificadas manos para bendecir a las mujeres del Concejo de Gaomi del Noreste. Sentí una oscura melancolía hasta que unos pechos caídos y bamboleantes se frotaron contra mis manos. Cacareaban como gallinas testarudas y tenían unas delicadas manchitas cutáneas. Pellizqué los dos pezones exhaustos y después retiré las manos. El aliento oxidado que emanaba de la boca de la mujer atravesó el velo de gasa y me llegó a la cara. El Príncipe de la Nieve no discrimina. Que tus deseos se hagan realidad. Si deseas un hijo, que te nazca un niño. Si deseas una hija, que te nazca una niña. Y que tengas toda la leche que necesites. Tus pechos siempre estarán sanos, pero si lo que deseas es volver a ser joven, el Príncipe de la Nieve no puede ayudarte.

Los pechos que se acercaron en cuarto lugar eran como dos codornices a punto de explotar; tenían las plumas marrones, el pico inflexible y el cuello corto y poderoso. Esos picos inflexibles no dejaron de picotearme en las palmas de las manos en ningún momento.

El quinto par de pechos parecía esconder dos avisperos, porque empezaron a zumbar en cuanto los toqué. Su superficie se calentó debido a que todos los insectos pugnaban por salir, haciéndome cosquillas en las manos mientras administraban sus bendiciones.

Aquel día acaricié al menos ciento veinte pares de pechos. Uno tras otro, me fueron aportando más y más sentimientos e impresiones con respecto a los pechos femeninos; era como ir pasando las páginas de un libro. Pero el unicornio acabó con todas esas gustosas impresiones. Era como un rinoceronte a la carga, como un terremoto que arrasara el almacén de mi memoria, como un toro salvaje entrando violentamente en un jardín.

Había estirado las manos. Para entonces las tenía muy hinchadas y casi sin sensibilidad. Intentaba cumplir con las obligaciones del Príncipe de la Nieve y me quedé esperando al siguiente par de pechos. Entonces oí una risita familiar, pero los pechos no llegaron. Una cara rojiza, unos labios rojos, unos pequeños ojos oscuros... De repente, el rostro de la joven que había flirteado conmigo me vino a la memoria.

Mi mano izquierda tocó un pecho grande y redondeado; mi mano derecha no tocó nada, y en aquel momento me di cuenta de que la Vieja Jin, la mujer de un solo pecho, había llegado. Tras estar a punto de que la fusilaran después de una pelea grupal, esta provocativa viuda, que tenía una tienda de aceite de sésamo a su cargo, se había casado con el hombre más pobre del pueblo, un mendigo sin techo llamado Un Ojo Fang Jin, y ahora era la esposa de un pobre campesino. Su marido tenía un solo ojo; ella tenía un solo pecho. Era una pareja hecha en el cielo. La Vieja Jin en realidad no era vieja, pero los rumores sobre su particular manera de hacer el amor circulaban con insistencia entre los hombres de la aldea e incluso habían llegado a mis oídos en más de una ocasión, aunque yo no entendía la mayor parte de lo que se decía. Cuando tenía la mano izquierda sobre su pecho, me cogió la derecha y se la acercó también; ahora, su pecho, que era mucho más redondo de lo habitual, estaba en contacto con mis dos manos. Guiado por ella, lo palpé hasta el último centímetro. Era una montaña solitaria que se alzaba en el lado derecho de su pecho. La mitad superior era una colina tranquila y relajante, y la mitad inferior era una abrupta semiesfera. El suyo era el pecho más cálido que había tocado en mi vida. Me recordaba a un gallo recién vacunado; estaba tan caliente que casi saltaban chispas. Era suave y brillante, y aún lo hubiera sido más de no ser por el calor. El extremo de la semiesfera abrupta se expandía hacia el espacio como un cuenco de vino hacia abajo, y lo coronaba un pezón que apuntaba ligeramente hacia arriba. Era duro un instante y blando al instante siguiente, como una bala de goma. Varias gotas de un líquido fresco se me pegotearon en la mano, y entonces me acordé de algo que me había contado un pequeño aldeano que se había ido de viaje al Sur, para vender seda. Me había dicho que la lujuriosa Vieja Jin, era como una papaya, una mujer que rezumaba fluidos blanquecinos en cuanto se la tocaba. Como yo nunca había visto una papaya, lo único que me podía imaginar era que se trataba de una fruta fea que causaba una atracción mortal. El pecho único de la Vieja Jin hizo que se interrumpieran las actividades sagradas del Príncipe de la Nieve. Mis manos eran como esponjas empapadas en el calor de su pecho, y me daba la sensación de que mis caricias también la satisfacían a ella. Gruñendo como un cerdito, me cogió la cabeza y se la acercó a su seno, donde su pecho candente me quemó la cara. Entonces la oí murmurar en voz baja: «Querido niño... mi querido niño...».

Se había roto la ley del mercado de la nieve.
Una sola palabra llamaba al desastre.

* * *

Un Jeep verde aparcó en la plaza que había frente a la casa de Men el Taoísta. Cuatro policías especiales, vestidos con uniformes de color caqui, con insignias de algodón blanco bordadas sobre los bolsillos del pecho, salieron a toda prisa y con gran agilidad y precisión irrumpieron a través de la puerta de la casa. Volvieron a aparecer, unos instantes más tarde, llevando a Men el Taoísta esposado. Cuando lo condujeron hasta el Jeep a empujones, me echó una mirada desolada pero no dijo nada. Se limitó a subir al Jeep sumisamente.

Tres meses más tarde, Men Shengwu, Men el Taoísta, el jefe de una secta reaccionaria que subía furtivamente a lo alto de una colina para enviar señales con balas de fogueo a otros agentes secretos, fue fusilado junto al Puente Encantado en la capital del condado. Su perro ciego salió corriendo tras el Jeep, persiguiéndolo por la nieve, hasta que le voló la cabeza un francotirador que iba en el coche.

II

Estornudé y me desperté. Una luz dorada procedente de la lámpara de keroseno barnizaba las relucientes paredes. Madre estaba sentada junto a la lámpara cepillando la dorada piel de una comadreja; sobre las rodillas tenía apoyadas unas tijeras. La peluda cola de la comadreja saltaba y daba brincos entre sus manos. Un hombre sucio y con una cara semejante a la de un mono, vestido con un abrigo militar de color marrón, estaba sentado en un taburete frente al *kang*, rascándose el cuero cabelludo, metiéndose los dedos tullidos debajo del pelo gris.

—¿Eres tú, Jintong? —me preguntó, con una mirada llena de melancolía que hacía brillar sus ojos oscuros.

—Jintong —me dijo Madre—, éste es tu... es tu primo mayor, Sima...

Era Sima Ting. Hacía años que no lo veía. ¡Y qué mal lo habían tratado esos años! Sima Ting, el jefe del concejo que se había subido a la torre del vigía hacía tantos años, lleno de vitalidad y de energía... ¿Dónde estaba ahora? Y sus dedos, rojos como zanahorias maduras, ¿dónde estaban?

En el momento en que los misteriosos jinetes les habían destrozado la cabeza a Sima Feng y a Sima Huang, Sima Ting había salido de un salto del abrevadero para caballos que había junto al ala oeste de nuestra casa, como una carpa que salta fuera del agua, mientras el crepitar de los disparos le perforaba los tímpanos. Rodeó la casa corriendo a toda velocidad, como un burro aterrorizado, y dio una vuelta tras otra. El ruido de los cascos de los caballos subió por la calle como una ola. Me tengo que escapar, pensaba él, no puedo quedarme aquí esperando a que me maten. Con la cabeza llena de cáscaras de trigo, trepó por encima del muro de nuestro patio por la parte que daba al Sur y aterrizó en un montón de mierda de perro. Tirado en el suelo, escuchó unos ruidos alborotados que venían de la calle, y a cuatro patas llegó hasta un viejo almacén de heno, que descubrió que compartía con una gallina ponedora que tenía una cresta de color rojo brillante. Lo siguiente que oyó, sólo unos segundos más tarde, fue un golpe pesado y sordo y el crujido de una puerta al hacerse trizas. Inmediatamente después, un grupo de hombres con el rostro cubierto con máscaras negras salió al patio y se dirigió hacia el muro. Aplastaron las hierbas y el césped que había junto a la base del muro con sus zapatos de tela de gruesas suelas. Todos iban armados con rifles de repetición de color negro. Moviéndose con la confianza de bandidos temerarios, pasaron por encima del muro como una bandada de golondrinas negras. Se preguntó por qué llevaban la cara tapada, pero cuando más adelante se enteró de la muerte de Sima Feng y Sima Huang, un rayo de luz se filtró entre las nubes de su mente, aclarando cosas que no había comprendido hasta entonces. Los hombres se dispersaron por el terreno. Preocupándose solamente por su cabeza, y dejando que su trasero se ocupara de sí mismo, se metió dentro del montón de heno a esperar un desenlace.

—El Número Dos es el Número Dos, y yo soy yo —le dijo Sima Ting a Madre, a la luz de la lámpara—. Que eso quede claro, Cuñada.

—Entonces él te llamará Tío Mayor. Jintong, éste es tu tío mayor, Sima Ting.

Antes de volver a deslizarme en el sueño, vi cómo Sima Ting se sacaba una pequeña medalla de oro del bolsillo y se la daba a Madre.

—Cuñada —le dijo en voz baja y muy avergonzado—, quiero enmendarme y compensar mis crímenes.

Tras salir del pajar reptando, Sima Ting escapó furtivamente de la aldea en la oscuridad de la noche. Medio mes más tarde, fue reclutado y enviado a una unidad de camilleros, donde su compañero resultó ser un hombre joven y de rostro oscuro. Durante una de las batallas, por culpa de una explosión, perdió tres dedos de la mano izquierda. Pero no dejó que el dolor le impidiera llevar al hospital al jefe de un escuadrón que había perdido una pierna cargándolo a su espalda.

Lo escuché charlando interminablemente, contando todas sus extrañas aventuras, como los jóvenes cuando se inventan historias para que nadie se fije en sus errores. La cabeza de Madre se balanceaba a la luz de la lámpara. Un brillo dorado le cubría la cara. Las comisuras de sus labios estaban curvadas ligeramente hacia arriba, en un gesto que parecía de burla.

Cuando me desperté, a primera hora de la mañana, un olor asqueroso me llegó a la nariz. Vi a Madre sentada en una silla, apoyada contra la pared, profundamente dormida. Sima Ting se había instalado en un banco que había cerca del *kang*. También él dormía, y se parecía a un águila posada en un árbol. El suelo, delante del *kang*, estaba cubierto de colillas amarillentas.

Ji Qiongzhi, que después sería mi maestra en la escuela, vino del gobierno del condado y puso en marcha una campaña para que las mujeres pudieran casarse en segundas nupcias en la ciudad de Dalan. Con ella vinieron unas cuantas oficiales femeninas que actuaron como una manada de caballos salvajes. Organizaron una reunión para todas las viudas del concejo con la intención de publicitar su campaña y que pudieran volver a casarse. Gracias a sus activas movilizaciones y a todo lo que organizaron, prácticamente todas las viudas de nuestra aldea encontraron marido. Las únicas viudas con las que no funcionó esta campaña fueron las de la familia Shangguan. Nadie se atrevió a pedir la mano de mi hermana mayor, Laidi; todos los solteros de la localidad sabían que había sido la esposa del traidor Sha Yueliang, que Sima Ku, antes de huir de la revolución, se había aprovechado de ella; y que también había sido la esposa del soldado revolucionario Sol Callado. Incluso después de la muerte, estos tres hombres no eran de los que uno quiere tener como enemigos. Madre estaba dentro del grupo de edad que Ji Qiongzhi había establecido, pero se negó a casarse de nuevo. Cuando una oficial se presentó ante la puerta de nuestra casa para intentar convencer a Madre, ésta la echó con una salva de maldiciones.

—¡Sal de mi casa! —aulló Madre—. ¡Pero bueno, si soy más mayor que tu madre!

Sin embargo, y muy extrañamente, cuando la propia Ji Qiongzhi vino a casa a intentarlo personalmente, Madre se dirigió a ella con total cordialidad:

—Jovencita —le dijo—, ¿con quién has pensado que me podría casar?

—Alguien más joven que tú no sería buena idea, tía —le dijo Ji Qiongzhi—, y el único hombre que hay en tu grupo de edad es Sima Ting. A pesar de que en su historial hay algunas manchas, ha compensado todo con sus meritorios servicios. Además, ya tenéis una relación bastante especial.

Con una sonrisa ácida, Madre dijo:

—Jovencita, su hermano pequeño es cuñado mío.

—¿Y eso qué importa? —dijo Ji Qiongzhi—. No sois parientes de sangre.

La ceremonia nupcial en la que se casaban cuarenta y cinco viudas tuvo lugar en la vieja y decrépita iglesia. Yo asistí, a pesar de que estaba muy enfadado. Madre ocupó su lugar entre las viudas. Parecía que se había puesto un tinte rosa en la cara. Sima estaba de pie con los hombres, rascándose la cabeza con su mano tullida todo el tiempo, tal vez para disimular lo incómodo que se sentía.

En nombre del gobierno, Ji Qiongzhi le regaló una toalla y una pastilla de jabón a cada una de las parejas. El jefe del concejo les otorgó unos certificados de matrimonio. Madre se sonrojó como una joven virginal al recibir la toalla y el certificado. En mi mente dominaban unos pensamientos retorcidos. La cara me ardía y me sentía avergonzado de Madre. En el lugar de la pared donde había estado el Cristo de madera de azufaifo no había más que polvo. Y sobre la plataforma donde me había bautizado el Pastor Malory había un puñado de hombres y mujeres avergonzados. Parecían asustados; tenían la mirada huidiza, como si fueran una banda de ladrones. A pesar de que a Madre se le había llenado el pelo de canas, ahí estaba, a punto de casarse con el hermano mayor de su propio cuñado. Una de las oficiales lanzó unos pétalos secos de rosas de China, que sacó de una calabaza vaciada, en dirección a las patéticas y lamentables nuevas parejas. Algunas aterrizaron sobre el pelo gris de Madre, que se lo había alisado con resina de olmo. Su cabello caía como cae la lluvia sucia, como caen las plumas viejas de un pájaro.

Como un perro cuya alma hubiera levantado el vuelo, me escabullí en silencio de la iglesia. Ahí, en medio de la vieja calle, vi al Pastor Malory con una túnica negra echada sobre los hombros, vagabundeando lentamente, solitario. Tenía la cara salpicada de barro, y unos tiernos brotes amarillos de trigo le crecían en la cabeza. En sus ojos, que parecían grandes uvas heladas, brillaba la luz de la tristeza. Le conté, en voz alta, que mi madre se había casado con Sima Ting. Vi cómo el rostro se le desencajaba de dolor; después, mientras yo lo observaba, su figura y la túnica negra comenzaron a deshacerse y a disolverse en volutas de un humo negro y hediondo.

Hermana Mayor estaba en el patio. Tenía el cuello, blanco como la nieve, doblado hacia abajo. Se estaba lavando el pelo, que era negro y exuberante. En aquella posición, sus adorables pechos rosáceos cantaban como un par de oropéndolas de voz sedosa. Cuando se irguió, unas gotas de agua cristalina se deslizaron hacia abajo por el valle que separaba sus pechos. Se recogió el pelo en una coleta con una mano mientras entrecerraba los ojos, mirándome con un gesto burlón.

—¿Te das cuenta de que se ha casado con Sima Ting? —le pregunté.

Otra vez su mirada burlona. No me hizo ningún caso. Madre entró en la casa dándole la mano a Shangguan Yunü, llevando todavía unos vergonzosos pétalos de rosa pegados a la cabeza. Sima Ting, un tanto deprimido, venía detrás de ellas. Hermana Mayor cogió la palangana y lanzó su contenido por el aire; el agua dibujó un abanico luminoso. Madre suspiró pero no dijo nada. Sima Ting me ofreció su medalla, quizá para congraciarse conmigo, quizá para mostrarme su valía, pero yo me limité a mirarlo fija y solemnemente. En su rostro sonriente había un trazo de hipocresía. Él miró hacia otro lado y disimuló su incomodidad con una tos. Yo tiré la medalla por ahí. Voló por encima del tejado, como un pájaro, y detrás de ella se movía, como si fuera la cola, un lazo de color dorado.

—¡Ve a buscarla! —me dijo Madre, muy enfadada.

—¡No! —le dije yo, desafiante.

—Déjalo, olvídalo —dijo Sima Ting—. No hay ninguna necesidad de conservarla.

Madre me dio una bofetada.

Yo caí de espaldas y rodé por el suelo.

Madre me dio una patada.

—¡Avergüénzate! —le espeté, lleno de veneno—. ¡No tienes vergüenza!

La cabeza de Madre cayó por el peso de la tristeza y un fuerte lamento salió de su boca. Entonces se dio la vuelta y entró corriendo en la casa, bañada en lágrimas. Sima Ting suspiró antes de instalarse debajo del peral a fumar un poco.

Unos cuantos cigarrillos más tarde, se levantó y me dijo:

—Entra ahí y habla con tu Madre, sobrino. Haz que deje de llorar.

Después se sacó el certificado de matrimonio del bolsillo, lo rompió en varias tiras y las tiró al suelo justo antes de salir del patio, caminando muy encorvado, anciano, como una vela que se va derritiendo mientras sopla el viento.

III

Cuando estaba en el punto álgido de la etapa en la que fanfarroneaba incesantemente, Sima Ku le regaló unas gafas que parecían estar hechas con diamantes a su venerado maestro Qin Er, que era miope. Ahora, con aquel regalo contrarrevolucionario posado sobre la nariz, Qin estaba sentado en un púlpito de ladrillo con un grueso volumen de literatura china entre las manos. La voz le temblaba mientras nos daba clase a nosotros, los de la clase de primero del Concejo de Gaomi del Noreste. Éramos un grupo de alumnos cuyas edades diferían dramáticamente. Las pesadas gafas se le iban deslizando hasta llegar a la mitad del puente de la nariz; un único moco verde y grasiento le colgaba de la punta, y amenazaba con caer al suelo pero, de algún modo, seguía colgando. «Las cabras grandes son grandes», dijo él. A pesar de que ya estábamos en el sexto mes, uno de los más cálidos del año, él estaba ahí sentado vestido con una túnica negra a rayas, de cuerpo entero, y una gorra de satén negro con una borla roja. «Las cabras grandes son grandes», repetimos nosotros, gritando las palabras que había dicho él e intentando imitar su tono de voz. «Las cabras pequeñas son pequeñas», dijo él tristemente. El ambiente de la habitación era sofocante, estaba oscura y húmeda. Ahí estábamos, sentados, descalzos y sin camisa, con el cuerpo cubierto de un sudor grasiento, mientras nuestro profesor, con ropa de invierno, la cara pálida y los labios morados, parecía estar a punto de congelarse. «Las cabras pequeñas son pequeñas», resonaron nuestras voces en la habitación, que olía a orina rancia, como un corral de cabras que no se ha limpiado en mucho tiempo. «Las cabras grandes y las cabras pequeñas suben corriendo la colina... Las cabras grandes y las cabras pequeñas suben corriendo la colina... Las cabras grandes corren, las cabras pequeñas balan... Las cabras grandes corren, las cabras pequeñas balan». Dado mi profundo conocimiento de las cabras, yo sabía que las grandes, con sus ubres colgando, no podían correr; si apenas podían caminar. En cuanto a las cabras pequeñas, era perfectamente posible que balaran y, llegado el caso, que corrieran. Las cabras grandes pastaban perezosamente en los prados, mientras las pequeñas corrían alrededor balando. Sentí la tentación de levantar la mano para preguntarle al venerable profesor cuál era su opinión, pero no me atreví a hacerlo. Delante de él había una regla con la que imponía la disciplina; su único uso era golpear las manos de los alumnos desobedientes. «Las cabras grandes comen mucho... Las cabras grandes comen mucho... Las cabras pequeñas comen poco... Las cabras pequeñas comen poco...». Esos enunciados eran verdaderos. Por supuesto, las cabras grandes comen más que las cabras pequeñas, y las cabras pequeñas comen menos que las cabras grandes. «Las cabras grandes son grandes... Las cabras pequeñas son pequeñas...». Con eso, volvimos atrás y comenzamos todo de nuevo. El profesor seguía recitando incansablemente, pero el orden empezó a trastocarse en la clase. Uno de los estudiantes, Wu Yunyu, el hijo de un empleado de una granja, era un chico alto y robusto de dieciocho años. Ya se había casado, con una viuda que era la propietaria de una tienda de tofu y que era ocho años mayor que él y estaba en la última fase del embarazo. Estaba a punto de ser papá. Este papá incipiente se sacó una pistola oxidada de debajo del cinturón y apuntó a la borla roja de la gorra de Qin Er. «Las cabras grandes corren... Las cabras grandes... ¡Bang! Ja, ja, ja, ja, corren...». El profesor levantó la vista; sus ojos grises y ovinos nos escrutaron por encima de las gafas de falsos diamantes. Era tan miope que probablemente no veía nada. Entonces se puso de nuevo a leer. «Las cabras pequeñas balan... *¡Bang!*». Wu Yunyu le pegó otro tiro imaginario, y la borla roja de la gorra del viejo profesor se tambaleó. Las carcajadas retumbaron en la habitación. El profesor cogió la regla y dio un golpe en la mesa. «¡Silencio!», ordenó, como si fuera un juez. El recitado volvió a empezar. Guo Qiusheng, un chico de diecisiete años, hijo de un campesino pobre, se levantó de donde estaba sentado de cuclillas y se acercó, caminando sobre las puntas de los pies, hasta el púlpito, donde se quedó de pie detrás del maestro, se mordió el labio inferior con sus ratoniles dientes incisivos y gesticuló como si estuviera metiendo proyectiles en un mortero a través de la boca de su cañón, que resultaba ser la parte superior de la huesuda cabeza del profesor. Entonces disparó su arma imaginaria una y otra vez. En la clase comenzó a reinar el caos; todos nos echábamos hacia adelante y hacia atrás, muertos de risa. Xu Lianhe, un chico muy grande, empezó a aporrear su pupitre, mientras Fang Shuzhai, que era más bajito pero más gordo, desgarró todas las páginas de su libro y las lanzó por el aire para que revolotearan como mariposas.

El viejo profesor se puso a dar golpes en la mesa, pero eso no hizo que las cosas se calmaran. Miraba constantemente por encima de sus gafas, intentando determinar la causa de todo aquel escándalo. Mientras tanto, Guo Qiusheng seguía adelante con su humillante representación a espaldas de Qin Er, arrancándoles extraños alaridos a todos los chicos idiotas que rondaban los quince años. Entonces la impertinente mano de Guo Qiusheng rozó la oreja del anciano profesor, quien se dio la vuelta y la atrapó.

—¡Recita la lección! —ordenó el viejo profesor, muy digno.

Guo Qiusheng se quedó de pie, en el púlpito, con los brazos colgando a ambos lados del cuerpo, intentando representar el papel del estudiante obediente. Pero la sonrisa burlona que se dibujó en su rostro lo traicionó. Metió los labios hacia dentro de modo que su boca tomó la forma de un ombligo. Después cerró un ojo y echó la boca a un lado todo lo que pudo. A continuación apretó los dientes y empezó a mover las orejas.

—¡Recita la lección! —rugió enfadado el profesor.

Guo Qiusheng empezó: «Las chicas grandes son grandes, las chicas pequeñas son pequeñas, las chicas grandes asustan a las pequeñas». En medio de las carcajadas delirantes que se oyeron a continuación, Qin Er se levantó apoyándose en el borde de la mesa. Su barba canosa temblaba mientras él murmuraba:

—¡Un chico malo! ¡A los chicos malos no se les puede enseñar nada! A tientas, encontró su regla, cogió la mano de Guo Qiusheng y la colocó sobre la mesa. *¡Pa!* La regla impactó salvajemente sobre la mano de Guo Qiusheng, quien aulló roncamente. El profesor lo miró a los ojos y levantó la regla por encima de su cabeza, pero su brazo quedó congelado en el aire cuando vio la mirada insolente de un matón proletario en el rostro de Guo; sus ojos de acero negro brillaban con un odio desafiante. En la mirada reumática del profesor se vio una expresión de derrota. Después dejó caer el brazo a un lado débilmente, con la regla en la mano. Murmurando algo inaudible, se quitó las gafas, las guardó en una funda metálica, envueltas en un trozo de tela azul y se las metió en el bolsillo. También se guardó la regla, con la que en otros tiempos había castigado a Sima Ku, en la túnica. Hecho eso, se quitó la gorra de la cabeza, le hizo una reverencia a Guo Qiusheng, después se volvió y nos hizo una reverencia al resto de la clase y exclamó, con una voz lastimera que sugería a un tiempo tristeza y repugnancia:

—Caballeros, yo, Qin Er, soy un viejo loco y testarudo. No soy mejor que la mantis que creía que podría detener un tren. He sobrestimado mis capacidades. He superado la edad en la que servía para algo y me he cubierto de vergüenza aferrándome a la vida. ¡Os he ofendido profundamente, y lo único que puedo hacer es suplicar vuestro perdón!

Entonces juntó las manos por las palmas a la altura del vientre y las movió en señal de respeto unas cuantas veces antes de volver a encorvarse como una gamba cocida y de dejar el aula con unos pasos ligeros y temblorosos. Cuando estuvo fuera, oímos el turbio sonido de su voz.

Así concluyó nuestra primera clase del día.

La segunda era la clase de música.

¡Música! Nuestra profesora, Ji Qiongzhi, que había sido enviada por el gobierno del condado, apoyó el extremo de su puntero en la pizarra, donde había unas grandes palabras escritas con tiza, y dijo con una voz muy aguda: «Para la clase de música no usaremos ningún libro de texto. Nuestros libros de texto estarán aquí —y se señaló la cabeza y el pecho—, y aquí —y se señaló el diafragma. Se dio la vuelta y se puso a escribir en la pizarra mientras siguió diciendo—: Hay muchas maneras distintas de hacer música: con una flauta o con un violín, tarareando una cancioncilla o cantando un aria. Todo eso es música. Quizá no lo comprendáis ahora, pero algún día lo entenderéis. Cantar puede ser una forma de orar, pero no siempre lo es. Cantar es una actividad musical importante y, ya que estamos en una aldea remota como ésta, será el aspecto más importante de nuestras clases de música. Así que hoy vamos a aprender una canción —continuó, mientras escribía en la pizarra».

Desde donde yo estaba sentado, mirando por la ventana, podía ver al hijo de un contrarrevolucionario, Sima Ting, y a la hija de un traidor, Sha Zaohua. A ninguno de los dos les habían concedido autorización para asistir a las clases, y les habían encargado que cuidaran de las ovejas mientras miraban con curiosidad y deseo el edificio de la escuela. Estaban entre un césped que les llegaba por las rodillas, rodeados por una docena de girasoles, más o menos, de tallos gruesos, anchas hojas verdes y brillantes flores amarillas. Todos esos rostros amarillos reflejaban la melancolía que reinaba en mi corazón. Al ver esos ojos relucientes, los míos se llenaron de lágrimas. Mientras observaba la ventana, con sus gruesas celosías de madera de sauce, me imaginé que me convertía en un zorzal y salía volando para bañarme en la dorada luz del sol de la tarde estival y posarme encima de uno de aquellos girasoles, junto a los afidios y las mariquitas.

La canción que nos enseñó aquel día era el *Himno de la liberación de las mujeres*. La profesora se dobló por la cintura para garrapatear las últimas frases en la parte inferior de la pizarra. La solidez de su espalda erguida me recordaba al lomo de una yegua. Una flecha emplumada, cuya punta había sido untada con resina de peral, pasó velozmente a mi lado y le impactó en la espalda. Las risotadas malignas resonaron en el aula. El arquero, Ding Jingou, que se sentaba justo detrás de mí, agitó su arco de bambú triunfalmente una o dos veces antes de esconderlo con rapidez. La profesora de música retiró la flecha del blanco y sonrió al examinarla. Después la lanzó sobre la mesa, donde se quedó pegada, de pie, temblando durante unos instantes.

—Buen tiro —dijo tranquilamente, dejando el puntero y quitándose la chaqueta militar que tenía puesta, que estaba ya blanca por las innumerables veces que se había lavado.

Sin la chaqueta, su blusa blanca, de manga corta y escote en V, nos dejó maravillados. La llevaba metida por debajo de los pantalones, que iban ceñidos con un ancho cinturón de cuero que, con el paso de los años, se había vuelto negro y brillante. Tenía la cintura fina, los pechos altos y redondeados y las caderas anchas. También sus pantalones militares se habían decolorado por los múltiples lavados. Por último, llevaba un par de zapatillas blancas muy a la moda. Para conseguir que su aspecto fuera más atractivo, se apretó el cinturón un poco más delante de nosotros. Sonrió y desplegó todo el encanto de un hermoso zorro blanco, pero su sonrisa desapareció tan rápido como había venido, y entonces mostró la ferocidad de un zorro blanco.

—Habéis echado a Qin Er. ¡Qué héroes! —Con una sonrisa despectiva y burlona, despegó la flecha de la mesa y nos la mostró, cogiéndola con tres dedos—. ¡Qué flecha tan impresionante! —dijo—. ¿Es de Li Guang? ¿O quizá de Hua Rong? ¡Que alguien se atreva a ponerse en pie y asumir lo que ha hecho!

Sus encantadores ojos negros recorrieron el aula. Nadie se levantó. Entonces ella cogió el puntero. ¡*Pang!* Dio un fuerte golpe en la mesa.

—Os lo advierto —dijo—, en mi clase no quiero saber nada de vuestros truquitos de pandilleros, así que os los guardáis en un trozo de algodón y os vais a casa a hacérselos a vuestras madres.

—¡Profesora, mi madre está muerta! —gritó Wu Yunyu.

—¿La madre de quién está muerta? —preguntó ella—. ¡Ponte en pie! —Wu Yunyu se puso en pie, aparentando despreocupación—. Ven aquí al frente, donde yo pueda verte.

Wu Yunyu, que llevaba una grasienta gorra de piel de serpiente que le cubría su finísimo pelo —y la llevaba todo el tiempo, decían, incluso por la noche, mientras dormía, y cuando se metía a bañarse en el río— se dirigió, pavoneándose, al frente de la clase.

—¿Cómo te llamas? —le preguntó ella, sonriendo.

Wu Yunyu le dijo su nombre, dándose aires de fanfarrón.

—Escuchad, estudiantes —dijo ella—, yo me llamo Ji Qiong-zhi. Me quedé huérfana cuando era un bebé y pasé los primeros siete años de mi vida en un vertedero de basura. Después me uní a un circo ambulante. No hay ninguna clase de gamberro o delincuente que yo no conozca. Aprendí a saltar en moto pasando por un aro en llamas, a caminar por la cuerda floja, a tragar sables y a escupir fuego. Después me convertí en domadora de animales; empecé con perros y luego me dediqué a los monos, a los osos y finalmente a los tigres. Puedo enseñarle a un perro a saltar por un aro, a un mono a que se suba a un poste, a un oso a montar en bicicleta y a un tigre a que se tumbe y ruede por el suelo. A los diecisiete años me incorporé al ejército revolucionario. He combatido contra el enemigo; muchas veces he metido la espada limpia y la he sacado roja brillante. Cuando tenía veinte años me mandaron a la Academia Militar del Sur de China, donde aprendí actividades deportivas, pintura, canto y danza. A los veinticinco años me casé con Ma Shengli, jefe del departamento de inteligencia de la Oficina de Seguridad Pública y campeón de lucha libre; puedo pelearme con él en igualdad de condiciones.

Se echó hacia atrás el pelo, que llevaba corto. Tenía una cara morena, saludable, revolucionaria, unos pechos vivaces que empujaban contra su camisa con orgullo, una nariz valiente, unos labios orgullosos y salvajes y unos dientes tan blancos como la piedra caliza.

—Yo, Ji Qiongzhi, no tengo miedo a los tigres —dijo muy secamente, mirando con desprecio a Wu Yunyu—. ¿Crees que te voy a tener miedo a ti?

Mientras expresaba su desprecio, le acercó el puntero, metiéndole el extremo debajo de la gorra; luego, con un rápido movimiento de muñeca, se la sacó de la cabeza como quien da la vuelta a una tortita en una sartén, con un sonido sibilante. Todo ocurrió en un instante. Wu se tapó la cabeza con ambas manos. Su cráneo parecía una patata podrida. La expresión arrogante que tenía desapareció sin dejar rastro y fue reemplazada por una mirada de profunda estupidez. Con las manos todavía sobre la cabeza, levantó la mirada, buscando el objeto que ocultaba su desfiguración. Estaba en el aire, muy arriba, bailando y girando encima del puntero, dando vueltas como la hélice de un artista de circo. La imagen de su gorra danzando con tanta gracia, de un modo tan cautivador, hizo que a Wu Yunyu el alma se le cayera a los pies. Con otro quiebro de la muñeca de ella la gorra despegó, ascendió por el aire y volvió a aterrizar sobre el puntero para seguir dando vueltas. Yo estaba fascinado. Ella volvió a lanzarla al aire, pero esta vez dirigió ese objeto feo y maloliente de modo que cayera a los pies de Wu Yunyu.

—Vuelve a ponerte ese sombrero inmundo en la cabeza y arrastra tu culo hasta tu asiento —le dijo, mirándolo con asco—. He comido más sal que tú fideos —dijo, cogiendo la flecha que estaba encima de la mesa. Su mirada se posó en uno de los estudiantes—. ¡Tú! ¡Te estoy hablando a ti! —le dijo fríamente—. ¡Tráeme ese arco!

Ding Jingou se levantó muy nervioso, subió al estrado y, obedientemente, depositó el arco sobre la mesa.

—¡Vuelve a tu asiento! —le dijo ella, cogiendo el arco. Lo probó—. ¡Este bambú es demasiado blando, y la cuerda está prácticamente inservible! Las mejores cuerdas para arcos se hacen con tendones de vaca.

Colocó la flecha llena de plumas en la cuerda de pelo de caballo, tensó ligeramente el arma y apuntó a la cabeza de Ding Jingou. Él se escondió bajo su pupitre, aterrorizado. Justo en ese momento, una mosca empezó a zumbar en la luz que entraba por la ventana. Ji Qiongzhi apuntó cuidadosamente. *Tuing*, hizo la cuerda de pelo de caballo. La mosca cayó al suelo.

—¿Alguien quiere otra demostración? —preguntó. Nadie dijo ni pío. Entonces, ella sonrió dulcemente y un hoyuelo se le formó en la barbilla—. Ya podemos empezar. Ésta es la letra de la canción de hoy:

En la sociedad antigua, las cosas eran así:
Un pozo, un pozo oscuro y seco, muy profundo, en el suelo.
La gente corriente aplastada y las mujeres en lo más bajo,
en lo más bajo de todo.
En la sociedad nueva, las cosas son así:
Un sol, un sol brillante y cálido, muy alto, sobre las cabezas
de los campesinos.
Las mujeres tienen la libertad de ponerse en pie en lo más alto,
en lo más alto de todo.

IV

Mi capacidad para memorizar las letras y mi talento para la música destacaban entre los alumnos de la clase de Ji Qiongzhi. Mientras yo cantaba «y las mujeres en lo más bajo», Madre tenía en la mano una botella envuelta en una toalla y llena de leche de cabra y me llamaba una y otra vez desde el otro lado de la ventana:

—¡Jintong, ven a tomar la leche!

Sus gritos y el olor de la leche me distrajeron un poco, pero cuando la clase estaba a punto de acabar, yo había sido el único que pudo terminar de cantar la canción sin equivocarse ni en un pulso. Éramos cuarenta estudiantes en aquella clase, y yo era el único al que Ji Qiongzhi felicitó. Después de preguntarme cómo me llamaba, me dijo que me pusiera de pie y me hizo cantar el *Himno de la liberación de las mujeres* desde el principio hasta el final. Cuando la clase hubo concluido, Madre me alcanzó la leche por la ventana. Yo no sabía si cogerla o no, y entonces ella me dijo:

—Bébetela, hijo. Madre está orgullosa de ver lo bien que lo estás haciendo.

En la clase se oyeron unas risas apagadas.

—Cógela, hijo. No tienes nada de lo que avergonzarte —dijo Madre.

Ji Qiongzhi se acercó caminando y se puso a mi espalda. Apoyada en su puntero, miró por la ventana y dijo con un tono de voz amistoso:

—Ya veo que eres tú, tía. Por favor, te pido que a partir de ahora no vuelvas a interrumpir la clase.

Echando un vistazo al interior de la clase, Madre le contestó respetuosamente:

—Profesora, es mi único hijo y, por desgracia, no ha comido nunca comida de verdad. Cuando era pequeño se alimentaba de mi leche, y ahora lo único que toma es leche de cabra. Esta mañana la cabra no ha dado lo suficiente y quería asegurarme de que toma algo más para aguantar todo el día.

Ji Qiongzhi sonrió y dijo:

—Cógela. No tengas a tu madre ahí esperando.

La cara me ardía cuando cogí la botella que me había traído. Ji Qiongzhi le dijo a Madre:

—Pero tiene que comer comida de verdad. ¿No pretenderás que arrastre a su cabra lechera cuando vaya al instituto o a la universidad, no? —Probablemente se imaginó a un estudiante universitario entrando en un aula con una cabra atada a un ronzal, porque soltó una carcajada sincera, una carcajada sin un ápice de maldad, y preguntó—: ¿Cuántos años tiene?

—Trece. Nació en el año del conejo —le contestó Madre—. Yo también estoy preocupada por él, pero vomita cualquier otra cosa que coma. Le da un dolor de estómago tan fuerte que empieza a sudar muchísimo. Me asusto cada vez que le pasa.

—Ya basta, Madre —dije yo, de mal humor—. Por favor, no digas nada más. Y no quiero la leche.

Le intenté dar la botella a través de la ventana. Ji Qiongzhi me hizo una caricia en la oreja con un dedo.

—No seas así, estudiante Shangguan. Ya irás superando tus problemas gradualmente, pero de momento deberías tomarte esa leche.

—Me di la vuelta y vi un montón de ojos brillantes clavados en mí, y sentí una profunda vergüenza—. Ahora escuchadme —dijo Ji—. No debéis reíros de las debilidades de los demás.

Entonces salió de la clase.

De cara a la pared, me bebí la leche lo más rápido que pude y le devolví la botella a mi Madre por la ventana.

—Madre —le dije—, por favor, no vuelvas nunca más por aquí.

Durante el intervalo que hubo entre las clases, Wu Yunyu y Ding Jingou se portaron estupendamente y se quedaron sentados en sus asientos sin ninguna expresión en el rostro. Fang Shuzhai, el chico gordo, se sacó el cinturón, se subió a su pupitre y lo colgó de una viga para jugar al juego del ahorcado. Después, imitando la voz aguda de una viuda, empezó a sollozar y a quejarse tristemente: «Perro Dos, Perro Dos, ¿cómo has podido hacer eso? Con los brazos extendidos has vuelto junto al creador y has dejado a tu pequeña mujer durmiendo sola noche tras noche. Un gusano ha anidado en mi corazón, así que me voy a ahorcar. Te veré junto a las fuentes del Río Amarillo».

Estuvo sollozando y quejándose tristemente hasta que dos regueros de lágrimas le empezaron a correr por las pequeñas y regordetas mejillas de cerdito que tenía. También le goteaba la nariz y su contenido se le metía en la boca. «¡No puedo seguir viviendo!», se lamentó poniéndose de puntillas y metiendo la cabeza en la horca que había construido con el cinturón. Cogió la supuesta soga con ambas manos, se inclinó hacia adelante y pegó un salto. «¡No puedo seguir viviendo!», gritó. Volvió a saltar. «¡Ya he vivido lo suficiente!». Las carcajadas que resonaban en el aula tenían algo extraño. Wu Yunyu, que todavía estaba reconcomiéndose de rabia, apoyó las dos manos sobre su pupitre, estiró una pierna y le dio una patada al pupitre que Fang Shuzhai tenía debajo. Éste se quedó colgando y estremeciéndose, se aferró a la soga con las dos manos, luchando por su vida. Sus piernas cortas y rechonchas se agitaban en el aire, pero a cada instante más y más lentamente. La cara se le empezó a poner morada y echaba espuma por la boca, hasta que un estertor mortal sonó desde lo más profundo de su garganta. «¡Está muerto!», gritaron, aterrorizados, varios de los chicos más pequeños, y salieron corriendo de la clase. Fuera, en el patio, se pusieron a dar patadas en el suelo mientras gritaban: «¡Está muerto! ¡Fang Shuzhai se ha colgado!». Los brazos de Fang Shuzhai colgaban, inertes, a sus lados, y sus piernas ya no se agitaban. Con un espasmo, su cuerpo se estiró al máximo. Desde dentro de sus pantalones nos llegó el sonido de un fortísimo pedo, que se deslizó como una serpiente, mientras en el patio el resto de los estudiantes corrían como locos. Ji Qiongzhi salió de la sala de profesores con un grupo de hombres cuyos nombres, así como las asignaturas que impartían, yo desconocía. «¿Quién está muerto? ¿Quién?», preguntaron mientras se dirigían hacia la clase, tropezando con algunos restos de la obra que todavía no habían sido retirados. Un puñado de estudiantes excitados y presa del pánico abría la marcha; cada vez que uno de ellos se volvía para mirar atrás, daba un traspié. Saltando como una gacela, Ji llegó a la clase en cuestión de segundos. Parecía un poco confundida por pasar de la brillante luz del sol a una habitación tan oscura.

—¿Dónde está? —preguntó.

El cuerpo de Fang Shuzhai yacía pesadamente en el suelo como el de un cerdo muerto. Su cinturón se había partido en dos.

Ji se arrodilló y lo puso boca arriba. Frunciendo el ceño, levantó los labios para taparse los agujeros de la nariz. Fang Shuzhai apestaba como un demonio. Ella le colocó un dedo debajo de la nariz y entonces le dio un violento pellizco entre la boca y la nariz. Inmediatamente, Fang Shuzhai levantó un brazo y le agarró la mano. Con el ceño todavía fruncido, ella se puso en pie y le dio una patada a Fang Shuzhai.

—¡Levántate! ¿Quién tiró ese pupitre?

Su expresión y su voz mostraban con claridad lo enfadada que estaba. Se puso frente a toda la clase.

—Yo no lo he visto.

—Yo no lo he visto.

—Yo no lo he visto.

—Bueno, y entonces ¿quién lo ha visto? O mejor, ¿quién de vosotros lo hizo? ¿Qué tal si demostráis un poco de valor por una vez?

Todos estábamos con la cabeza completamente gacha. Fang Shuzhai no dejaba de sollozar.

—¡Cállate! —le dijo ella, dando un golpe en la mesa—. Si de verdad tienes tantas ganas de morir, no hay nada que hacer. Luego te enseñaré unos cuantos métodos infalibles. Y no me creo que ninguno de vosotros viera quién tiró el pupitre. Shangguan Jintong, tú eres un chico sincero. Dímelo tú.

Yo bajé la cabeza aún más.

—Levanta la cara y mírame —me dijo—. Sé que tienes miedo, pero te doy mi palabra de que no tienes nada que temer.

Yo levanté la mirada y contemplé su rostro de revolucionaria, sus hermosos ojos, y me sentí mecido por un sentimiento como el que se siente mecido por el viento del otoño.

—Espero que tengáis el valor para denunciar a la gente mala y las acciones dañinas —dijo ella, muy tensa—. Es una cualidad muy necesaria entre la juventud de la nueva China.

Yo giré la cabeza ligeramente a la izquierda, y me encontré con la mirada intimidatoria de Wu Yunyu. Entonces dejé caer nuevamente la cabeza sobre el pecho.

—Wu Yunyu, hazme el favor de levantarte —dijo ella tranquilamente.

—¡Yo no fui! —bramó él.

Ella se limitó a sonreír y a decirle:

—¿Por qué estás tan susceptible? ¿Por qué gritas?

—Bueno, porque yo no fui —murmuró él, repiqueteando con las uñas de los dedos en la superficie del pupitre.

—Wu Yunyu —le dijo ella—, la gente que vale la pena siempre asume la responsabilidad de sus actos.

De repente, él dejó de repiquetear sobre el pupitre y levantó lentamente la cabeza. La expresión de su rostro se había vuelto malvada. Tiró su libro al suelo, envolvió su pizarra de mano y sus tizas en un trozo de tela azul y se lo metió bajo el brazo. Después, con una mueca burlona, dijo:

—¿Y qué pasa si le di una patada a ese pupitre? ¡No me pienso quedar en esta escuela de mierda! Para empezar, yo nunca quise venir, pero tú me convenciste.

Entonces se dirigió hacia la puerta caminando con arrogancia. Era alto y de complexión grande, la imagen perfecta de un individuo rudo y poco razonable. Ji Qiongzhi se puso debajo de la puerta, bloqueándole el paso.

—¡Quítate de en medio! —dijo él—. ¿Qué crees que estás haciendo?

Ji sonrió dulcemente y le dijo:

—¡Voy a enseñarle a un gamberro mamón —y le dio una patada en la rodilla con el pie derecho— que si haces cosas dañinas —Wu Yunyu aulló de dolor y cayó al suelo— serás castigado!

Wu cogió la pizarra de mano y se la lanzó a Ji Qiongzhi. Le impactó en el torso. Protegiéndose el pecho herido con los brazos, Ji soltó un quejido. Wu Yunyu se puso en pie y dijo, con un tono de voz fanfarrón que intentaba disimular su miedo:

—No me asustas. Soy un granjero arrendatario de tercera generación. Toda mi familia, mis tías, mis tíos, mis sobrinas, mis sobrinos... son campesinos pobres. ¡Yo nací en la cuneta de una carretera donde mi madre mendigaba para comer!

Acariciándose el pecho dolorido, Ji Qiongzhi dijo:

—Odio ensuciarme las manos con un perro rastrero como tú. —Estiró los dedos de sus manos y los volvió a cerrar. *¡Crac! ¡Crac!* Le crujieron los nudillos—. Me da igual que seas un granjero arrendatario de tercera generación o un granjero arrendatario de trigésima generación. ¡Igual voy a darte una lección!

Súbitamente, su puño impactó contra la mejilla de Wu. Él gritó y se tambaleó al recibir el golpe. El siguiente puñetazo le cayó en las costillas, y después recibió una patada en el tobillo. Cayó despatarrado al suelo, llorando como un bebé. Entonces Ji lo cogió por el cuello y lo levantó hasta ponerlo de pie, sonriendo mientras le miraba su fea cara. Lo fue llevando hacia la puerta, le dio un rodillazo en el estómago y lo empujó con fuerza. Wu Yunyu quedó tirado boca arriba sobre un montón de ladrillos.

—En este mismo instante —dijo Ji Qiongzhi—, quedas expulsado de la escuela.

V

Me estaban esperando en el sendero que iba de la escuela a la aldea, cada uno con una elástica vara de morera en la mano. La brillante luz del sol hacía que sus rostros resplandecieran como si estuviesen cubiertos de cera. La agradable calidez de los rayos del sol le daba un lustre especial a la gorra de piel de serpiente y a la mejilla inflamada de Wu Yunyu, a los siniestros ojos de Guo Qiusheng, a las orejas semejantes a setas de Ding Jingou y a los dientes renegridos de Wei Yangjiao, que en la aldea tenía fama de ser particularmente astuto. Yo pensaba pasar junto a ellos por uno de los lados del camino, pero Wei Yangjiao me bloqueó el paso con su vara de morera.

—¿Qué estáis haciendo? —pregunté tímidamente.

—¿Que qué estamos haciendo? Escucha, pequeño bastardo —dijo, y el blanco de sus ojos bizcos se desplazaba por sus órbitas como una polilla—, le vamos a dar una lección a un bastardo hijo de un diablo extranjero y pelirrojo.

—Pero si yo no os he hecho nada —protesté.

La vara de Wu Yunyu cayó sobre mi espalda, creando unas cálidas corrientes de dolor. Después se sumaron los demás: las cuatro varas de morera me golpeaban en el cuello, en la espalda, en los costados y en las piernas. Para entonces yo estaba aullando, así que Wei Yangjiao sacó un cuchillo con un mango de hueso y lo agitó delante de mis narices.

—¡Cállate! —me ordenó—. ¡Si no dejas de gritar, te corto la lengua, te arranco los ojos y te rebano la nariz!

La luz del sol refulgió fríamente en la hoja. Aterrorizado, cerré la boca. Entonces me inmovilizaron apoyándose encima de mí con las rodillas y empezaron a azotarme con sus varas en la parte posterior de las piernas, como lobos que se lanzan en manada sobre una oveja y se la llevan a lo más profundo del bosque. El agua fluía silenciosamente por las acequias, a ambos lados del sendero. Unas burbujas ascendían a la superficie y soltaban un hedor que se hacía más intenso a medida que avanzaba la tarde. Yo les suplicaba, una y otra vez:

—Dejadme ya, hermanos mayores.

Pero con eso sólo conseguía que me golpearan más fuerte, y cada vez que gritaba, Wei Yangjiao estaba ahí para hacerme callar. No tenía más remedio que aceptar la paliza en silencio e ir adonde me quisieran llevar.

Después de cruzar un puente hecho de tallos secos, me hicieron parar en un campo de flores de ricino. Para entonces, tenía toda la espalda mojada, pero no podría decir si se trataba de sangre o de pis. Los rayos rojos del atardecer se filtraban entre sus cuerpos mientras ellos se colocaban en fila. Las puntas de sus varas de morera estaban todas desgarradas, y de un color tan verde que parecía negro. Las gruesas hojas del ricino, semejantes a abanicos, se habían convertido en la morada de diversos saltamontes con grandes vientres que chirriaban sombríamente. El fuerte olor de las flores de ricino me hizo saltar las lágrimas. Wei Yangjiao se volvió hacia Wu Yunyu y le preguntó con obsecuencia:

—¿Qué vamos a hacer con él, hermano mayor?

Acariciándose la mejilla inflamada, él murmuró:

—Yo digo que lo matemos.

—No —dijo Guo Qiusheng—, no podemos hacer eso. Su cuñado es el ayudante del gobernador del condado, y su hermana también es una oficial. Si lo matamos, estamos acabados.

—Podemos matarlo —dijo Wei Yangjiao—, y arrojar su cuerpo al Río del Agua Negra. En cuestión de días será pasto de las tortugas marinas y nos habremos librado del listillo.

—No cuentes conmigo si piensas matarlo —dijo Ding Jingou—. Su cuñado, Sima Ku, que ha matado a un montón de gente, sería capaz de aparecer y eliminar a todas nuestras familias.

Los escuché debatir sobre mi destino como si fuera un observador desinteresado. No tuve miedo, y ni se me pasó por la cabeza la posibilidad de salir corriendo. Estaba en un estado de ánimo expectante. Incluso tuve tiempo para dirigir la vista hacia lo lejos, a la distancia, donde vi praderas teñidas de color rojo sangre junto a la dorada Montaña del Buey Reclinado hacia el Sudeste, y una infinita extensión de tierras de cultivo de color verde oscuro hacia el Sur. Las orillas del Río de Agua Negra, que serpenteaba hacia el Este, quedaban ocultas por unos altos tallos y reaparecían tras unos más bajos. Bandadas de pájaros blancos formaban algo parecido a hojas de papel volando sobre la corriente de agua que estaba fuera del alcance de mi vista. Algunos episodios del pasado me vinieron a la cabeza, uno tras otro, y de pronto me dio la sensación de que llevaba sobre la Tierra por lo menos cien años.

—Vamos, matadme —les dije—. Podéis matarme. ¡Ya he vivido bastante!

Una expresión de sorpresa cruzó sus ojos. Tras intercambiar unas miradas entre ellos, se volvieron todos hacia mí, como si no me hubieran oído bien.

—¡Adelante, matadme! —dije con decisión antes de ponerme a llorar.

Unas lágrimas pegajosas rodaron por mi cara y se me metieron en la boca, saladas, como la sangre de pescado. Mi súplica los había colocado en una posición extraña. Volvieron a intercambiar unas miradas, dejando que sus ojos hablaran por ellos. Entonces subí la apuesta inicial:

—Os lo suplico, caballeros, acabad conmigo de una vez. No me importa cómo lo hagáis, sólo os pido que sea rápido, para no sufrir mucho.

—Crees que no tenemos agallas para matarte, ¿verdad? —dijo Wu Yunyu, cogiéndome la barbilla con sus dedos ásperos y mirándome fijamente a los ojos.

—No —dije yo—. Estoy seguro de que las tenéis. Lo único que digo es que lo hagáis rápido.

—Chicos —dijo Wu Yunyu—, nos ha puesto en una situación peliaguda, y la única manera de resolverla es matándolo. Ahora ya no podemos echarnos atrás. No importa lo que pase. Ha llegado la hora de acabar con él.

—Entonces hazlo tú —dijo Guo Qiusheng—. Yo no pienso hacerlo.

—¿Es que te estás amotinando? —dijo Wu, cogiendo a Guo por los hombros y sacudiéndolo—. Somos cuatro langostas sobre el mismo alambre, así que es mejor que a nadie se le ocurra abandonar. Si lo intentas, me encargaré de que todo el mundo se entere de lo que le hiciste a esa chica tontaina de la familia Wang.

—Esperad —dijo Wei Yangjiao—. Dejad de discutir. Sólo estamos hablando de matarlo. Si queréis saber la verdad, yo soy el que mató a esa vieja en la Aldea del Puente de Piedra. No tenía ningún motivo, sólo quería probar mi cuchillo. Siempre pensé que debía ser difícil matar a alguien, pero ahora sé que es facilísimo. Le metí el cuchillo entre las costillas y fue como cortar un pastel de tofu. *Slurp*. Se lo metí hasta el mango. Cuando saqué el cuchillo, ya estaba muerta. No hizo ni un ruido. —Se frotó la hoja del cuchillo contra los pantalones y dijo—: Mirad.

Apuntó a mi estómago y me clavó el cuchillo. Yo cerré los ojos lleno de felicidad, y me pareció que realmente veía la sangre verdosa que salía a borbotones de mi vientre y le empapaba la cara. Salieron corriendo hacia la acequia, donde se echaron agua para limpiarse la sangre, pero el agua parecía un jarabe rojo y translúcido y en lugar de limpiarles el rostro se lo ensució todavía más. Mientras la sangre chorreaba, las tripas se me salieron y se deslizaron por el sendero que conducía hasta la acequia, donde quedaron a merced de la corriente. Con un grito de alarma, Madre se metió en la acequia de un salto para recuperar mis tripas. Se las fue enrollando alrededor del brazo, vuelta tras vuelta, hasta que llegó donde estaba yo. Agotada por el peso de mis intestinos, respiraba con dificultad y me miraba con tristeza.

—¿Qué te ha pasado, niño?

—Me han matado, Madre.

Sus lágrimas me cayeron sobre el rostro. Después, se arrodilló y me metió las tripas en el vientre, pero estaban tan resbaladizas que en cuanto lograba meter un trozo, se volvía a salir, y la rabia y la frustración la hacían llorar cada vez más. Finalmente se las apañó para meterlas de nuevo. Después se sacó una aguja e hilo de entre los cabellos y me cosió como a un abrigo roto. Noté un dolor extraño y punzante en el vientre y sentí que los ojos se me abrían de golpe. Todo lo que había visto hasta ese momento era una ilusión. Lo que realmente había pasado es que me habían tirado al suelo, habían sacado sus impresionantes pollas y me estaban meando en la cara. Me parecía que el suelo, todo húmedo, daba vueltas. Sentí como si me estuviera debatiendo por salir de un pozo de agua.

—¡Tío! ¡Pequeño Tío!

—¡Tío! ¡Pequeño Tío!

Los gritos de Sima Liang y de Sha Zaohua —graves los de uno, agudos los de la otra— surgieron desde detrás de los cultivos de ricino. Abrí la boca para contestarles y se me llenó de pis. Mis atacantes se guardaron a toda prisa las mangueras, se subieron los pantalones y desaparecieron entre las plantas de ricino.

Sima Liang y Sha Zaohua estaban de pie junto al puente, llamándome sin verme, como solía hacer Yunü. Sus gritos se cernieron sobre los campos durante un largo rato, llenándome de tristeza el corazón y nublándome la garganta. Hice un esfuerzo por ponerme en pie, pero antes de que pudiera erguirme volví a caer boca abajo. Entonces escuché a Zaohua, que gritaba muy excitada:

—¡Ahí está!

Me levantaron entre los dos, cogiéndome por los brazos. Yo estaba inestable como un *punching-ball*. Cuando Zaohua me vio bien la cara, abrió mucho la boca y empezó a berrear. Sima Liang se agachó para tocarme la espalda y me hizo aullar de dolor. Se miró la mano, roja de sangre y verde de las varas de morera. Le crujieron los dientes.

—Pequeño Tío, ¿quién te ha hecho esto?

—Fueron ellos...

—¿Quiénes son ellos?

—Wu Yunyu, Wei Yangjiao, Ding Jingou y Guo Qiusheng.

—Vámonos a casa, Pequeño Tío. La abuela está muy preocupada. Y vosotros, Wu, Wei, Ding, Guo, bastardos, quiero que me escuchéis con atención. Os podéis ocultar hoy, pero no mañana. Podéis escabulliros la primera mitad del mes, pero no a partir del quince. ¡Si le volvéis a tocar un pelo a mi pequeño tío, en vuestros hogares se tendrán que poner de luto!

Los gritos de Sima Liang todavía resonaban por el aire cuando Wu, Wei, Ding y Guo salieron del campo de plantas de ricino, riéndose a carcajadas.

—¡Pero bueno! ¿De dónde ha salido este alfeñique, y qué se ha creído para hablar así? ¿Es que no tiene miedo de perder la lengua?

Cogieron sus varas de morera y, como una jauría de perros, se abalanzaron sobre nosotros.

—Zaohua, tú cuida a Pequeño Tío —gritó Sima Liang echándome a un lado y apresurándose a enfrentarse con nuestros atacantes, que eran todos más grandes que él.

Se quedaron atónitos ante su valiente carga, casi suicida, y antes de que pudieran levantar las varas, Sima Liang hundió la cabeza en el vientre del cruel y malhablado Wei Yangjiao, que se dobló sobre sí mismo y cayó al suelo, haciéndose una bola, como un erizo herido. Los otros tres atacantes descargaron sus varas sobre Sima Liang, que se protegió la cabeza con los brazos y salió corriendo. Ellos le pisaban los talones. Comparado con el pelele de Shangguan Jintong, Sima Liang, el pequeño lobo, era un ejemplar muy interesante. Gritaban mientras corrían, muy excitados. Estaban de caza; la batalla había empezado sobre el letargo del prado. Si Sima Liang era un pequeño lobo, Wu, Guo y Ding eran chuchos enormes y salvajes, pero bastante torpes. Wei Yangjiao era un cruce, medio perro y medio chucho, y por eso había sido el primer objetivo de Sima Liang. Al dejarlo fuera de combate, se había librado del líder del grupo. Al principio Sima corrió muy rápido, pero después bajó un poco la velocidad, empleando una táctica inventada para lidiar con los zombis, que consiste en cambiar constantemente de dirección para evitar que se puedan acercar a uno. Varias veces estuvieron a punto de tropezarse y caer al tener que cambiar súbitamente de dirección. Las hierbas, que llegaban a la altura de las rodillas, se separaban y se juntaban de nuevo cuando ellos pasaban, asustando a los pequeños conejos silvestres, que salían asustados de sus madrigueras. A uno de ellos no le dio tiempo a quitarse de en medio y fue aplastado por el pesado pie de Wu Yunyu. Sima Liang no se limitaba a correr solamente. De vez en cuando, se daba la vuelta y cargaba contra sus perseguidores. Haciendo zigzag, había abierto una brecha suficientemente grande como para poder volverse y atacarlos, uno por uno, a la velocidad del rayo. Cogió un trozo de barro y se lo tiró a la cara a Ding Jingou; le dio un mordisco en el cuello a Wu Yunyu; y empleó la técnica de Belleza Bizca contra Guo Qiusheng: le cogió lo que le colgaba de la entrepierna y tiró con todas sus fuerzas. Los tres matones quedaron heridos, pero Sima Liang había recibido un montón de golpes en la cabeza durante la lucha. Cada vez corrían más despacio. Sima Liang se retiró hacia el puente. Sus perseguidores estrecharon filas; estaban jadeando, sin resuello, como un viejo fuelle. Entonces volvieron a salir tras él, nuevamente en grupo. Para entonces, Wei Yangjiao ya se había recuperado y se había unido a sus colegas. Era como un gato al acecho. Agachándose, se puso a andar a gatas, abriéndose paso con las manos. Su cuchillo de mango de hueso estaba tirado en el suelo, frío. «¡Hijo de puta! ¡Hijo bastardo de un terrateniente! ¡Te voy a matar me cueste lo que me cueste!». Iba maldiciéndolo en voz baja mientras avanzaba a tientas. Los trozos blancos de sus ojos bizcos, como polillas, saltaban de un lado a otro, semejantes a huevos pintados. Sha Zaohua, viendo clara la ocasión, saltó como un gamo, cogió el cuchillo que había en el suelo y lo agitó con las dos manos. Wei Yangjiao se puso de pie y estiró un brazo hacia ella. «¡Devuélvemelo, semilla de traidor!», gruñó, amenazante. Sin decir nada, Zaohua retrocedió hacia mí, alejándose de Wei Yangjiao, sin apartar la vista ni un momento de sus zarpas callosas. Él se intentó abalanzar sobre ella varias veces, pero siempre tuvo que contenerse, pues ella interponía la punta del cuchillo. Para entonces, Sima Liang se había batido en retirada hasta el puente.

—¡Wei Yangjiao, maldito gilipollas! —juró en voz alta Wu Yunyu—. ¡Ven aquí y mata a este bastardo hijo de un terrateniente! ¡Trae tu culo gordo hasta aquí!

Wei Yangjiao le susurró a Zaohua:

—¡Volveré a ocuparme de ti más tarde!

Intentó arrancar una planta de ricino para usarla como arma, pero era demasiado gruesa, así que le cortó una de las ramas y, agitándola en el aire, se dirigió hacia el puente.

Zaohua se pegó mucho a mí para protegerme y avanzamos tambaleándonos hasta el estrecho puente. El agua fluía rápidamente por la acequia que pasaba por abajo, y arrastraba cardúmenes de minúsculas carpas. Algunas saltaban por encima del puente, otras caían sobre él y se quedaban dando coletazos angustiosamente, arqueando en el aire sus elegantes cuerpos. Yo tenía la entrepierna toda pegajosa, y en todas las partes del cuerpo donde me habían golpeado —la espalda, las nalgas, las pantorrillas, el cuello— sentía un ardor terrible, como si me estuvieran quemando. Una sensación dulce y amarga a la vez, como el sabor del hierro oxidado, me llenaba el corazón; a cada paso que daba, me temblaba el cuerpo y se me escapaba un suspiro por entre los labios. Iba con el brazo echado por encima del hombro huesudo de Sha Zaohua, y aunque intentaba erguirme para ejercer un poco menos de presión sobre ella, no podía hacerlo.

Sima Liang iba trotando por el sendero, bajando en dirección a la aldea. Cuando sus perseguidores se le acercaban demasiado, aceleraba, y cuando perdían velocidad, él hacía lo mismo. Mantenía una distancia lo suficientemente pequeña para que ellos no perdieran el interés, pero no tanto como para permitir que lo atraparan. La neblina ascendía desde los campos a ambos lados del sendero, teñida de rojo por el sol que se ponía; las ranas atestaban las acequias y croaban sordamente. Wei Yangjiao le susurró algo al oído a Wu Yunyu, y entonces se dividieron. Wei y Ding cruzaron la acequia y corrieron hacia los extremos opuestos del campo. Wu y Guo continuaron la persecución, pero a un ritmo más relajado.

—Sima Liang —le gritaron—. Sima Liang, un auténtico guerrero no sale corriendo. Quédate ahí si tienes huevos, y luchemos.

—Corre, hermano mayor —gritó Sha Zaohua—. ¡Que no te líen!

—¡Tú, pequeña zorra! —dijo Wu Yunyu, girándose hacia ella y agitando un puño—. ¡Te voy a dar una paliza que te vas a cagar!

Sha Zaohua dio un paso adelante, dejándome a su espalda y blandió el cuchillo.

—Vamos —dijo con valentía—. ¡No te tengo ningún miedo!

Cuando Wu se acercaba, Zaohua me empujaba con el trasero para hacerme retroceder. Sima Liang se acercó y gritó:

—¡Cabeza costrosa, si te atreves a tocarla, te juro que voy a envenenar a esa maloliente vendedora ambulante de tofu que tienes por madre!

—¡Corre, hermano mayor! —gritó Sha Zaohua—. Esos dos chuchos, Wei y Ding, te van a rodear.

Sima Liang se detuvo sin saber si avanzar o retroceder. Tal vez se detuvo por algún motivo, puesto que tanto Wu Yunyu como Guo Qiusheng también se detuvieron. Mientras tanto, Wei Yangjiao y Ding Jingou aparecieron desde el campo, cruzaron la acequia y venían acercándose lentamente por el sendero. Sima Liang se quedó quieto, con pinta de estar muy tranquilo, secándose la frente sudorosa. Fue entonces cuando oí los gritos de Madre, traídos por el viento que venía de la aldea. Sima Liang se metió en la acequia de un salto y salió corriendo por un estrecho camino que dividía los dos campos de cultivo, el de sorgo y el de maíz.

—¡Muy bien, chicos! —gritó Wei Yangjiao, muy excitado—. ¡Vamos a por él!

Como una bandada de patos, se metieron en la acequia y se lanzaron en persecución de su presa. Las hojas de los tallos de sorgo y de maíz impedían que se viera el sendero, por lo que para enterarnos de lo que estaba pasando tuvimos que escuchar con atención los ruidos que hacían las plantas al crujir y los gritos, semejantes a ladridos, de los perseguidores.

—Espera a la abuela aquí, Pequeño Tío, que yo voy a ayudar al Hermano Liang.

—Zaohua —le dije—, estoy asustado.

—No tengas miedo, Pequeño Tío. La abuela llegará dentro de un momento. ¡Abuela! —gritó—. Van a matar al hermano Liang. ¡Grita!

—¡Madre! ¡Estoy aquí! Aquí estoy, Madre...

Zaohua saltó valientemente a la acequia. El agua le llegaba hasta el pecho. Chapoteó, creando unas ondas verdes sobre la superficie del agua, y me preocupé pensando que se iba a ahogar. Pero salió por el otro lado, con el cuchillo en la mano y las delgadas piernas llenas de barro. Se quitó los zapatos y los dejó ahí tirados antes de meterse por el estrecho sendero y desaparecer de la vista.

Como una vaca vieja que protege a su ternero, Madre vino corriendo, tambaleándose a un lado y al otro, y cuando llegó a mi lado estaba sin resuello. Su pelo parecía estar hecho de hilos dorados, y un brillo cálido y amarillento le barnizaba el rostro.

—¡Madre! —grité.

Los ojos se me llenaron de lágrimas. Me dio la sensación de no poder aguantar más tiempo de pie. Trastabillé, me fui hacia adelante y caí sobre su seno caliente y húmedo.

—Hijo mío —dijo Madre, entre lágrimas—. ¿Quién te ha hecho esto?

—Wu Yunyu y Wei Yingjiao... —dije yo, sollozando.

—¡Esa pandilla de matones! —dijo Madre, apretando los dientes—. ¿Y dónde se han ido?

—¡Están persiguiendo a Sima Liang y a Sha Zaohua! —le contesté, y señalé el camino por el que se habían ido.

Del camino salían nubes de niebla. Un animal salvaje aulló desde las profundidades del misterioso sendero. Desde aún más lejos llegaron los ruidos de la lucha y los chillidos de Zaohua.

Madre miró hacia atrás, hacia la aldea, que ya estaba envuelta en una espesa niebla. Me cogió de la mano y decidió meterse en la acequia, donde el agua que rápidamente me subió por la pernera del pantalón estaba caliente como el engrudo que se emplea para engrasar los ejes de los carros. Madre, debido a su cuerpo pesado y a sus pequeños pies, tenía dificultades para avanzar por el barro, pero se aferró a unas plantas que había al otro lado de la acequia y consiguió salir de ella.

Llevándome de la mano, se metió por el estrecho sendero. Tuvimos que avanzar de cuclillas para evitar que los afilados bordes de las hojas nos arañaran la cara y los ojos. Las enredaderas y las hierbas silvestres prácticamente cubrían el camino, y las ortigas me hacían escocer las plantas de los pies. Yo iba sollozando lastimeramente. Por haberme metido en el agua, las heridas me dolían muchísimo. El único motivo por el que no me caía al suelo era que Madre me tenía aferrado fuertemente por el brazo. Estaba oscureciendo, y las extrañas criaturas que se escondían en las profundas, serenas y aparentemente interminables tierras de cultivo comenzaban a agitarse. Tenían los ojos verdes y la lengua de un rojo brillante. De sus puntiagudas narices salían unos fuertes ronquidos. Yo tenía la vaga sensación de que estaba a punto de internarme en el Infierno. ¿Podía ser que esa persona que me llevaba de la mano, que jadeaba como un buey y que avanzaba hacia adelante con una idea fija fuera realmente mi madre? ¿O era un demonio que había adoptado su aspecto y me conducía a las profundidades del Infierno? Intenté liberarme de su mano, pero lo único que conseguí es que me apretara todavía más fuerte.

Finalmente, el aterrador sendero llegaba a un claro luminoso. Al sur se extendían los campos de sorgo, como un bosque ilimitado y oscuro. Al norte, el yermo. El sol estaba a punto de ponerse, y los grillos, desde la tierra baldía, chirriaban en coro. Un horno de ladrillos nos saludó con su color rojo encendido. Detrás de varios montones de ladrillos sin hornear, Sima Liang y Sha Zaohua estaban librando una fogosa guerra de guerrillas contra los cuatro matones. Ambos bandos se habían atrincherado tras sendas filas de ladrillos de adobe, que empleaban como proyectiles para lanzárselos al enemigo. Como eran más pequeños y más débiles, Sima Liang y Sha Zaohua estaban en desventaja; apenas eran capaces de lanzar los misiles con sus raquíticos brazos. Wu Yunyu y sus tres colegas les tiraban tantos trozos de ladrillos rotos que Sima Liang y Sha Zaohua no se atrevían a asomar la cabeza por encima de su montón.

—¡Parad ahora mismo! —gritó Madre—. ¡Pandilla de cerdos matones!

Embriagados en medio de la batalla, los cuatro atacantes no le prestaron ninguna atención a la reacción de enfado de Madre, y continuaron disparando sus misiles, asomándose por los costados de su montón de ladrillos para flanquear a Sima Liang y a Sha Zaohua. Arrastrando a la niña tras él, Sima se lanzó como una flecha hacia el horno abandonado. Un trozo de baldosa impactó contra la cabeza de Zaohua, que se tambaleó soltando un alarido de dolor y pareció a punto de caer al suelo. Todavía tenía el cuchillo en la mano. Sima Liang cogió un par de ladrillos, se puso al descubierto de un salto y se los lanzó al enemigo, que se refugió de inmediato. Madre me dejó en el campo de sorgo, donde no se me veía, abrió los brazos y entró a la carga en el campo de batalla, moviéndose como si estuviera realizando la danza de la cosecha del arroz. Sus zapatos se quedaron incrustados en el fango, y sus pies, lamentablemente pequeños, quedaron al descubierto. Sus talones iban dejando huecos en el barro, de los que rezumaba agua.

Sima Liang y Zaohua se expusieron saliendo por uno de los extremos del muro de ladrillos. Cogidos de la mano, salieron corriendo a trompicones en dirección al horno. Para entonces, la luna, de color rojo sangre, ya había ascendido silenciosamente al cielo. Las sombras violáceas de Sima Liang y de Sha Zaohua se estiraban por el suelo. Las sombras de los cuatro matones se estiraban mucho más. Zaohua retrasaba un poco a Sima Liang, y cuando estaban al descubierto, delante del horno, un ladrillo que había lanzado Wei Yangjiao lo hizo caer al suelo. Zaohua salió corriendo directamente hacia Wei con el cuchillo en la mano, pero él se hizo a un lado y esquivó su embestida. Entonces llegó Wu Yunyu y la tiró al suelo.

—¡Quieto ahí! —gritó Madre.

Como buitres que despliegan las alas, los cuatro atacantes se arremangaron y empezaron a darles patadas a Sima Liang y a Sha Zaohua, una tras otra. Ella gritaba lastimeramente; él no hizo ni un solo ruido. Rodaron por el suelo, tratando de esquivar los pies de sus atacantes, quienes, bajo la luz de la luna, parecían estar absortos en un extraño baile.

Madre se tropezó y cayó, pero volvió a ponerse en pie, testarudamente, y cogió a Wei Yangjiao por el hombro, y no lo soltaba. Él, que era conocido por su astucia y por su maldad, lanzó los codos hacia atrás, golpeándola en ambos pechos. Con un fuerte alarido, Madre retrocedió, perdió el equilibrio y cayó sentada al suelo. Yo me eché cuerpo a tierra y escondí la cara en el barro. Entonces me pareció que me salía sangre negra de los ojos.

Pese a todo, se pusieron a golpear a Sima Liang y a Zaohua en un ataque de furia salvaje. En aquel momento, una figura enorme con el pelo largo y despeinado, la barba descuidada, el rostro cubierto de hollín y todo vestido de negro salió del horno. Se movía con rigidez. Salió arrastrándose y se puso en pie con mucha torpeza. Entonces levantó un puño que parecía tan grande como un martinete, lo dejó caer sobre Wu Yunyu y le destrozó la clavícula. Este héroe de ocasión se sentó en el suelo y se puso a llorar como un bebé. Los otros tres tipos duros se quedaron paralizados.

—¡Es Sima Ku! —gritó Wei Yangjiao, alarmado.

Se dio la vuelta, dispuesto a salir corriendo, pero al oír el rugido de enfado de Sima Ku, él y los demás se quedaron congelados donde estaban. Sima Ku volvió a levantar el puño; esta vez, aplastó un ojo de Ding Jingou. El siguiente puñetazo le hizo salir la bilis por la boca a Guo Qiusheng. Antes de recibir el siguiente puñetazo, Wei Yangjiao cayó de rodillas y empezó a golpear el suelo con la cabeza, prosternándose y suplicando por su vida:

—¡Perdóneme, viejo maestro, perdóneme! Estos tres me obligaron a unirme a ellos. Me dijeron que me darían una paliza si no lo hacía, que me harían saltar todos los dientes de la boca... por favor, viejo maestro, perdóneme...

Sima Ku dudó sólo por un momento antes de propinarle a Wei Yangjiao una patada que lo mandó rodando por el suelo. A duras penas consiguió ponerse en pie y salió corriendo como un conejo asustado. Poco después, su voz, semejante a un ladrido, rompía el silencio y se cernía sobre el camino que conducía a la aldea:

—¡Id a capturar a Sima Ku! ¡Sima Ku, el líder de los Cuerpos de Restitución de la Tierra a sus Dueños, ha vuelto! ¡Id a capturarlo!

Sima Ku ayudó a Sima Liang y a Sha Zaohua a ponerse en pie, y después a Madre.

La voz de Madre se quebró:

—¿Eres una persona o un fantasma?

—Suegra... —sollozó Sima Ku, pero no pudo continuar.

—Papá, ¿de verdad eres tú?

—Hijo —contestó Sima Ku—. Estoy orgulloso de ti. —Sima Ku se volvió hacia Madre—. ¿Quién queda en casa?

—No hagas preguntas —dijo Madre, muy nerviosa—. Tienes que escaparte de aquí.

El sonido de un gong golpeado frenéticamente llegó de la aldea, junto al crepitar de los disparos de rifle.

Sima cogió a Wu Yunyu y le dijo, hablando muy despacio, para que no hubiera ningún malentendido:

—¡Escucha, pedazo de mierda, dile a la pandilla de tortugas de la aldea que si alguien se atreve a ponerle la mano encima a cualquiera de mis parientes, yo, Sima Ku, iré personalmente a borrar a toda su familia de la faz de la tierra! ¿Me has entendido?

—Entiendo —dijo Wu Yunyu con ansiedad—. Entiendo.

Sima Ku lo soltó y Wu volvió a caer al suelo.

—¡Date prisa, vete ya! —Madre golpeó el suelo con la mano para que él se pusiera en marcha.

—Papá —sollozó Sima Liang—. Quiero ir contigo...

—Sé buen chico —dijo Sima Ku—, y vete con tu abuela.

—Por favor, papá, llévame contigo.

—Liang —le dijo Madre—, no hagas que tu padre se retrase más. Tiene que irse de aquí ahora mismo.

Sima Ku se arrodilló delante de Madre y se prosternó.

—Madre —le dijo, lleno de tristeza—, el chico se va a tener que quedar contigo. En esta vida nunca te he podido pagar la deuda que tengo contigo, así que tendrás que esperar a la próxima vida.

—He perdido a las dos niñas, Feng y Huang —le contestó Madre con los ojos llenos de lágrimas—. Por favor, no me odies por ello.

—No fue culpa tuya. Y ya me he vengado de eso.

—Vete, entonces. Vete. Corre rápido, vuela lejos. La venganza solamente sirve para generar más de lo mismo. Sima Ku se puso en pie y se metió a toda prisa en el horno. Salió un momento después, con un impermeable de paja y una ametralladora. De su cinturón colgaba un montón de brillantes municiones. Instantes después ya había desaparecido en el campo de sorgo, haciendo que los tallos susurraran con fuerza. Cuando se hubo ido, Madre le gritó:

—Escucha lo que te digo: corre rápido, vuela lejos y no te detengas a matar a nadie más.

El silencio regresó al campo de sorgo. La luz de la luna caía como una cascada de agua. Una marea de ruidos humanos se aproximaba rápidamente hacia nosotros desde la aldea.

Wei Yangjiao venía en cabeza, guiando a un variopinto grupo de gente formado por integrantes de las milicias locales y fuerzas de seguridad del distrito hacia el horno. Llevaban faroles, antorchas, rifles y lanzas adornadas con borlas de color rojo. Rodearon el horno aparatosamente. Un oficial de la seguridad pública llamado Yang, que tenía una pierna ortopédica, se apoyó contra un montón de ladrillos y gritó, utilizando un megáfono:

—¡Ríndete, Sima Ku! ¡No tienes escapatoria!

El oficial Yang continuó así durante un rato, sin que desde el interior del horno nadie le contestara. Al final, sacó su pistola y disparó dos veces apuntando a la oscura entrada. Las balas impactaron contra las paredes de dentro, produciendo un sonoro eco.

—¡Traedme unas granadas! —gritó el oficial Yang.

Un miliciano se le acercó reptando sobre su vientre, como un lagarto, y le entregó dos granadas con anillas de madera. Yang le quitó la anilla a una, la lanzó en la dirección del horno y se echó cuerpo a tierra tras los ladrillos, esperando que explotara. Cuando lo hizo, lanzó la otra, con idéntico resultado. La onda expansiva llegó muy lejos, pero del horno no salió ni un ruido. Yang volvió a coger el megáfono.

—Sima Ku, tira el arma y no te haremos daño. Tratamos bien a nuestros prisioneros.

Como única respuesta se oyó el chirrido de los grillos y el croar de las ranas en las acequias.

Yang se armó de valor y se puso en pie con el megáfono en una mano y la pistola en la otra.

—¡Seguidme! —les gritó a los hombres que tenía detrás.

Dos valientes milicianos, uno armado con un rifle y el otro con una lanza adornada con una borla roja, se lanzaron tras él. La pierna ortopédica de Yang hacía un ruidito metálico a cada tambaleante paso que daba. Entraron en el viejo horno sin consecuencias, y volvieron a salir unos instantes más tarde.

—¡Wei Yangjiao! —bramó el oficial Yang—. ¿Dónde está?

—Juro que vi a Sima Ku salir de ese horno. Pregúntales a ellos si no me crees.

—¿Era Sima Ku? —El oficial Yang miró a Wu Yunyu y a Guo Qiusheng, Ding Jingou yacía en el suelo, inconsciente—. ¿No os habréis equivocado?

Wu Yunyu miró, incómodo, hacia los campos de sorgo y balbuceó:

—Creo que era...

—¿Y estaba solo?

—Sí.

—¿Iba armado?

—Creo que... una ametralladora... llevaba municiones por todas partes...

Wu Yunyu acababa de pronunciar esas palabras cuando el oficial Yang y todos los hombres que habían venido con él cayeron al suelo como hierba segada.

VI

En la iglesia se organizó una clase abierta al público. En cuanto los alumnos llegaban a la puerta, rompían a llorar, como si estuvieran cumpliendo órdenes.

El ruido que hacían cientos de alumnos —la Escuela Primaria de Dalan se había convertido, para entonces, en la más importante de todo el Concejo de Gaomi del Noreste— llorando todos a la vez atronaba desde un extremo de la calle al otro. El recién llegado director se subió a los escalones de piedra y exclamó, con un acento muy marcado: «¡Silencio, niños, silencio!». Entonces se sacó del bolsillo un pañuelo gris y con él se secó los ojos primero y después se sonó fuertemente la nariz.

Cuando los alumnos dejaron de llorar, siguieron a sus profesores en fila de a uno, entraron en la iglesia y se alinearon sobre un gran cuadrado que había dibujado con tiza en el suelo. Las paredes estaban llenas de dibujos de todos los colores, con diversas explicaciones escritas debajo.

Cuatro mujeres se situaron en las esquinas con un puntero en la mano.

La primera era nuestra profesora de música, Ji Qiongzhi, que había sido castigada por pegarle a un alumno. Tenía la cara de un color amarillo ceroso y era evidente que estaba bastante deprimida. Sus ojos, que en otro tiempo habían sido radiantes, ahora estaban fríos y faltos de vitalidad. El nuevo jefe del distrito, con un rifle colgado al hombro, estaba de pie en el púlpito del Pastor Malory mientras Ji señalaba los dibujos que había a su espalda y leía las descripciones que los acompañaban.

La primera docena de dibujos, más o menos, describía el entorno natural del Concejo de Gaomi del Noreste, su historia y la situación en la que se encontraba la sociedad antes de la Liberación. Después vino el dibujo de un nido de serpientes venenosas con rojas lenguas bífidas. Sobre cada una de las cabezas de las serpientes había un nombre escrito; sobre una de las cabezas más grandes estaba el nombre del padre de Sima Ku y Sima Ting.

—Bajo la cruel opresión de estas serpientes chupasangres —dijo Ji Qiongzhi monótonamente—, los habitantes del Concejo de Gaomi del Noreste se vieron atrapados en un abismo de sufrimiento, y vivieron en peores condiciones que las bestias de carga.

Entonces señaló el dibujo de una anciana que tenía un rostro semejante al de un camello. La mujer portaba una canasta vieja y deteriorada y un cuenco para pedir limosna; una monicaca esquelética iba agarrándola por el dobladillo de la chaqueta. Unas hojas negras, con unas líneas quebradas que indicaban que caían desde la esquina superior izquierda del dibujo, mostraban el frío que hacía.

—Una cantidad innumerable de gente tuvo que abandonar sus hogares y dedicarse a mendigar, para ser atacados por los perros de los terratenientes, que les dejaban las piernas desgarradas y ensangrentadas.

El puntero de Ji Qiongzhi se desplazó al siguiente dibujo. Una puerta negra, de dos hojas, ligeramente entreabierta. Sobre la puerta colgaba una placa de madera dorada en la que había escritas cinco palabras: *Casa Solariega de la Felicidad*. Una pequeña cabeza, cubierta con una gorra adornada con una borla roja, asomaba por la abertura de la puerta. Evidentemente, se trata del hijo mimado de un tiránico terrateniente. Lo que me pareció raro fue la manera en la que el artista había dibujado a este mocoso: con sus mejillas rosadas y sus ojitos brillantes, lo que debería haber sido una imagen repugnante era en realidad algo muy atractivo. Un inmenso perro amarillo tenía los dientes hundidos en la pierna de un niño pequeño. Llegados a este punto, una de las niñas empezó a sollozar. Era una alumna en la escuela de la Aldea de la Colina de Arena, una «chica» de diecisiete o dieciocho años que iba a segundo. Todos los demás estudiantes se dieron la vuelta para mirarla, pues tenían curiosidad por saber por qué lloraba. Uno de ellos levantó el brazo y gritó una consigna, interrumpiendo el relato de Ji Qiongzhi. Ella, a pesar de todo, siguió con el puntero en la mano y esperó pacientemente, con una sonrisa en el rostro. El que había gritado la consigna, entonces, comenzó a gemir aterrorizado, aunque ni una sola lágrima brotó de sus ojos inyectados en sangre. Miré a mi alrededor; todos los alumnos estaban llorando. Las olas de sonido ascendían y caían. El director, que estaba de pie donde todo el mundo podía verlo, se había tapado la cara con el pañuelo y se estaba dando golpes en el pecho con el puño. Unas brillantes gotas de baba caían por la cara pecosa del chico que había a mi lado, Zhang Zhongguang, que también se estaba dando golpes en el pecho, primero con una mano, luego con la otra, quizá porque estaba enfadado, quizá porque estaba triste. Su familia había recibido la categoría de granjeros arrendatarios, a los que no se podía desalojar, pero antes de la Liberación Nacional yo había visto muchas veces a este hijo de un granjero arrendatario en el mercado de Dalan acompañando a su padre, que se dedicaba al juego y las apuestas. El chico solía estar comiendo un trozo de cabeza de cerdo a la barbacoa envuelto en una hoja de loto fresca. Al final siempre acababa con las mejillas, e incluso la frente, cubiertas de grasa de cerdo. Ahora tenía la barbilla llena de baba procedente de esa boca abierta que había consumido tanto cerdo grasiento. A mi derecha había una chica corpulenta que tenía un dedo de más en cada mano, junto al pulgar, un dedo tierno, amarillento, semejante al capullo de una flor. Creo que su nombre era Du Zhengzheng, pero todos la llamábamos Seis-Seis Du. Ahora se tapaba el rostro con las manos mientras sus sollozos sonaban como el zureo de las palomas, y aquellos pequeños y encantadores dedos de más se agitaban sobre su cara como las colas enroscadas de los lechoncitos. De entre sus dedos surgieron dos sombríos rayos de luz. Por supuesto, vi muchos más estudiantes cuyos rostros estaban humedecidos por las lágrimas que eran reales y tan preciosas que nadie quería secárselas. Yo, por el contrario, no pude derramar ni una; ni siquiera podía imaginarme cómo esos pocos dibujos mal hechos podían partirle el corazón a los alumnos de ese modo. En cualquier caso, yo no quería que se me notara, puesto que me había dado cuenta de que la siniestra mirada de Seis-Seis Du se había posado sobre mi cara, y yo sabía que le caía fatal. Íbamos a la misma clase y compartíamos banco, y una tarde, cuando estábamos ahí sentados recitando la lección a la luz de una lámpara, me había tocado el muslo a hurtadillas con uno de sus dedos de más, sin dejar de recitar. Yo me había puesto en pie de un salto, presa del pánico, interrumpiendo la clase, y cuando la profesora me pegó un grito, yo solté lo que había pasado. Fue una estupidez, sin duda, ya que se supone que a los chicos les gustan estos contactos con las chicas. E incluso si a uno no le gustan, no tiene por qué hacer tanto lío. Pero yo no me di cuenta de eso hasta muchos años más tarde, y cuando al fin lo hice, sacudí la cabeza, preguntándome por qué no había... Pero en aquel momento, esos dedos parecidos a orugas me dieron una mezcla de miedo y asco. Cuando la acusé, ella quiso que la tierra la tragara de la vergüenza que le dio; por suerte, era una clase vespertina, y las tenues lámparas que había delante de cada alumno solamente daban un halo de luz del tamaño de una sandía. Agachó la cabeza y entre todas las miradas obscenas que le estaban clavando los fisgones que había a su alrededor, balbuceó: «Fue sin querer. Estaba intentando cogerle la goma...». Como un completo idiota, yo dije: «Mentira, lo hizo aposta. Me dio un pellizco». «¡Shangguan Jintong, cállate!».

Así que además de que la profesora de música y literatura, Ji Qiongzhi, me mandara callar, había logrado convertir a Du Zhengzheng en mi enemiga. Al día siguiente me encontré una lagartija muerta en la bolsa que llevaba a la escuela, y me imaginé que había sido ella quien la metió ahí. Y, pese a todo, ahora, mientras recordaba estos sombríos acontecimientos, era el único que tenía la cara seca, sin lágrimas ni babas. Eso podía traerme graves problemas.

Si Du Zhengzheng aprovechaba esta oportunidad para vengarse... Ni siquiera quería pensarlo. Así que me tapé la cara con las manos y, abriendo mucho la boca, empecé a hacer ruidos como si estuviera llorando. Pero no lloré, simplemente no pude. Ji Qiongzhi alzó la voz para ahogar el sonido del llanto.

—La reaccionaria clase de los terratenientes vivía una vida de lujuria y excesos. ¡Sima Ku, por ejemplo, tenía cuatro esposas!

Golpeó el puntero con impaciencia contra uno de los dibujos, que era un retrato de Sima Ku pero con cabeza de lobo y cuerpo de oso; tenía los largos y peludos brazos sobre cuatro atractivas y demoníacas mujeres. Las dos que estaban a la izquierda tenían cabeza de serpiente. Las dos de la derecha tenían unas tupidas colas amarillas. Detrás de ellas había una pandilla de pequeños demonios, que obviamente eran los hijos de Sima Ku. Entre ellos tenía que estar Sima Liang, el héroe de mi infancia. ¿Pero cuál de ellos era? ¿El gato, con orejas triangulares a ambos lados de la frente? ¿O la rata, la que tenía un hocico puntiagudo y llevaba una chaqueta roja y sacaba las garras por el extremo de las mangas? Sentí que la fría mirada de Du Zhengzheng me recorría de arriba a abajo.

—La cuarta esposa de Sima Ku, Shangguan Zhaodi —dijo Ji Qiongzhi en voz alta pero sin ninguna pasión, señalando al dibujo de una mujer con una larga cola de zorro—, se alimentaba de toda clase de delicias de tierra y de mar. Lo único que le quedaba por comer era la delicada piel amarillenta que los gallos tienen en las patas, por lo que un montón de gallos de Sima fueron sacrificados para satisfacer sus extravagantes deseos.

¡Eso es mentira! ¿Cuándo se había comido mi hermana la piel amarilla de la pata de un gallo? Ni siquiera comía pollo. ¡Y nunca se habían sacrificado los gallos de Sima! Las calumnias que estaban contando de mi segunda hermana me llenaron de enfado y de una sensación de traición. Y unas lágrimas provocadas por un sentimiento complejo asomaron a mis ojos. Me las sequé lo más rápido que pude, pero no dejaban de brotar.

Cuando hubo terminado de adoctrinarnos, Ji Qiongzhi se hizo a un lado, respirando pesadamente, exhausta. Entonces ocupó su lugar una mujer que acababa de llegar, enviada por el gobierno del condado: la Profesora Cai. Tenía unas cejas muy finas sobre unos tersos párpados, y una voz clara y melódica. Los ojos se le llenaron de lágrimas incluso antes de comenzar a hablar. El trozo de la lección que iba a dar ella tenía un tema que provocaba mucha rabia: *Los monstruosos crímenes de los Cuerpos de Restitución de la Tierra a sus Dueños.* Cai llevó a cabo su tarea escrupulosamente, señalando los encabezamientos de todos los dibujos y leyéndolos en voz alta, como si se tratara de una clase de vocabulario. El primero de los dibujos representaba una luna creciente parcialmente escondida detrás de unos negros nubarrones en el ángulo superior derecho. En la esquina superior izquierda había unas hojas negras que dejaban unas líneas oscuras a su paso. Pero esta ilustración era del viento del otoño, no del invierno. Debajo de las nubes negras y la luna creciente, sacudidas por los helados vientos otoñales, estaba el cabecilla de todas las fuerzas del mal de Gaomi del Noreste, Sima Ku, vestido con un abrigo militar y una bandolera, con la boca abierta, enseñando los colmillos y con unas gotas de sangre cayéndole de la lengua, que le colgaba como a un perro. En la garra que asomaba por la manga izquierda, Sima Ku tenía un cuchillo ensangrentado, y en la de la derecha un cuchillo; unas llamas muy mal dibujadas salían del cañón, pues acababa de disparar unas cuantas balas. No llevaba pantalones. El abrigo militar le colgaba hasta el comienzo de su peluda cola de zorro. Un grupo de bestias salvajes y horrendas le pisaba los talones. Uno de ellos tenía el cuello completamente estirado; se trataba de una cobra que escupía un veneno de color rojo.

—Éste es Chang Xilu, un granjero rico y reaccionario de la Aldea de la Colina de Arena —dijo la Profesora Cai, señalando la cabeza de la cobra—. Y este otro —dijo, mientras su puntero se apoyaba sobre un perro salvaje—, es Du Jinyuan, el despótico terrateniente de la misma aldea.

Du Jinyuan llevaba un palo con púas (que goteaba sangre, por supuesto). A su lado estaba Hu Rikui, un mercenario de la Colina de la Familia Wang. Temía un aspecto más o menos humano, pero su rostro era alargado y fino, parecido al de una mula. El granjero rico y reaccionario Ma Qinyun, del Caserío del Condado Dos, era un oso grande y torpe. Todos juntos formaban un grupo de bestias salvajes con cara de asesinos que se lanzaban al asalto del Concejo de Gaomi del Noreste bajo el liderazgo de Sima Ku.

—Los Cuerpos de Restitución de la Tierra a sus Dueños empezaron una frenética guerra clasista y en cuestión de solamente diez días, empleando todos los medios que tenían al alcance, incluidos los más crueles, asesinaron a 1.388 personas.

Cai tocó unas imágenes que representaban a los terratenientes miembros de dichos cuerpos cometiendo brutales asesinatos, uno tras otro, con lo que arrancó lamentos de dolor de los alumnos. Era como un diccionario a gran escala de impactantes métodos de tortura, que combinaba textos con vívidas ilustraciones. En los primeros dibujos se veían algunos métodos de ejecución tradicionales: decapitaciones, pelotones de fusilamiento, y cosas semejantes. Pero después, gradualmente, las escenas se volvían más creativas:

—Esto que veis aquí son enterramientos —dijo la Profesora Cai—. Como su nombre indica, la víctima es enterrada viva.

Docenas de hombres con el rostro muy pálido estaban de pie, en el fondo de una gran fosa. Sima Ku estaba al borde de la fosa, dando instrucciones a una pandilla de miembros de los cuerpos de restitución, que echaban tierra dentro.

—Según el testimonio de una mujer que sobrevivió, la anciana Señora Guo —dijo la profesora, y leyó el texto que había debajo de la ilustración:

«Los bandidos de los cuerpos de restitución se cansaron de hacer el trabajo, y obligaron a los cuadros revolucionarios y a los civiles comunes a cavar sus propias fosas y a enterrarse unos a otros. Cuando la tierra les llegaba al pecho, las víctimas empezaban a tener dificultades para respirar. Sentían como si el pecho les estuviese a punto de explotar. La sangre se les subía rápidamente a la cabeza. Cuando llegaban a ese punto, los bandidos de los cuerpos de restitución disparaban sus armas contra las cabezas de sus víctimas, haciendo que la sangre y los sesos dieran saltos por el aire de hasta un metro de altura».

El rostro de la Profesora Cai, que se sentía un tanto mareada, estaba blanco como una sábana. Los gemidos de los alumnos hacían temblar las vigas, pero yo tenía los ojos completamente secos. Según las fechas que aparecían debajo de los dibujos, cuando Sima Ku lideraba los cuerpos de restitución y cometían salvajes asesinatos en el Concejo de Gaomi del Noreste, yo me encontraba con Madre y con algunos cuadros revolucionarios y otros activistas en unos refugios situados a lo largo de la orilla noreste del río. Sima Ku, Sima Ku, ¿era realmente tan cruel? La Profesora Cai apoyó la cabeza contra el dibujo de los enterramientos de gente viva. Un pequeño miembro de los cuerpos de restitución estaba levantando una pala llena de tierra por encima de su cabeza, y parecía como si estuviera a punto de enterrarla. Unas translúcidas gotas de sudor le corrían por el rostro. Empezó a resbalarse, apoyada en la pared, hasta que cayó al suelo, arrastrando la ilustración con ella. Quedó sentada en el suelo, con la espalda contra la pared y el dibujo tapándole la cara. Un polvillo gris, procedente de la pared, se depositó lentamente sobre el papel blanco.

El rumbo que tomaron los acontecimientos hizo que los estudiantes dejaran de gemir. Varios oficiales del distrito llegaron corriendo y se llevaron a la Profesora Cai por la puerta. El jefe del distrito, un hombre de mediana edad que tenía unos rasgos muy comunes y el rostro repleto de lunares, dejó la mano apoyada en la culata de madera del rifle que llevaba colgado a la espalda y dijo con voz severa:

—Estudiantes, camaradas, ahora vamos a invitar a la pobre y anciana campesina de la Aldea de la Colina de Arena, la Señora Guo, para que nos cuente su experiencia personal. ¡Que pase la Señora Guo!

Todos nos volvimos y miramos hacia la pequeña y maltrecha puerta que conducía de la iglesia a lo que había sido la residencia del Pastor Malory. Silencio, silencio, un silencio súbitamente roto por un interminable gemido que llegó hasta la iglesia desde el patio que había al frente. Dos oficiales abrieron la puerta empujándola con la espalda y entraron, ayudando a la Señora Guo, una anciana con el pelo canoso que se tapaba la boca con la manga y sollozaba lastimeramente. Todo el mundo, en la iglesia, se unió a su explosión de lágrimas durante no menos cinco minutos, hasta que al fin ella se secó las lágrimas, se sacudió la manga y dijo:

—No lloréis, niños. Las lágrimas no pueden hacer revivir a los muertos. Nosotros tenemos que seguir viviendo.

Los alumnos dejaron de llorar y la observaron. En mi opinión, lo que dijo era muy simple, pero tenía un significado profundo. En cierto modo, dio la impresión de ser una persona reservada cuando preguntó, de una forma un tanto confusa:

—¿Qué se supone que debo decir? No hay ninguna necesidad de hablar del pasado.

Se dio la vuelta como si se fuera a ir, pero fue detenida por la directora de la Liga de Mujeres de la Colina de Arena, Gao Hongying, que corrió hacia ella y le dijo:

—Vieja Tía, habíamos quedado en que nos ibas a hablar, ¿no es verdad? Ahora no puedes echarte atrás.

Gao estaba visiblemente disgustada. El jefe de distrito dijo cordialmente:

—Vieja Tía, cuéntales cómo los miembros de los Cuerpos de Restitución de la Tierra a sus Dueños enterraban a la gente viva. Tenemos que educar a nuestros jóvenes de manera que el pasado no caiga en el olvido. Como dijo el Camarada Lenin, «olvidar el pasado es una forma de traición».

—Bueno, puesto que incluso el Camarada Lenin quiere que hable, eso es lo que haré. —La Señora Guo suspiró—. Aquella noche había luna llena, y estaba tan brillante que podría haber bordado bajo su luz. No hay muchas noches como ésa. Cuando era pequeña, un señor mayor me contó que se acordaba de que había habido una luna blanca como aquella durante la época de la Rebelión Taiping. No podía dormir, estaba preocupada, tenía la sensación de que iba a suceder algo malo, así que me levanté para ir a pedirle prestado un patrón para hacer zapatos a la madre de Fusheng, en la Calle Oeste y, ya que estaba, comentarle a Fusheng que necesitaba encontrar una esposa para un sobrino mío que ya estaba en edad de casarse. Cuando salía por la puerta, vi a Pequeño León, que llevaba una espada grande y brillante, con la madre y la esposa de Jincai, y sus dos hijos. El mayor sólo tenía unos siete u ocho años, y la pequeña, una niña, apenas dos. El chico iba caminando junto a su abuela, asustado, llorando. La esposa de Jincai llevaba en brazos a la pequeña, que también lloraba asustada. Jincai tenía una herida hecha con una espada, un corte grande, profundo y ensangrentado en el hombro. Al fijarme, casi me muero del susto. Tres tipos con aspecto malvado, que a mí me sonaban de algo y que también estaban armados con espadas, iban andando detrás de Pequeño León. Intenté esconderme para que no me vieran, pero ya era tarde; ese bastardo de Pequeño León me había visto. Resulta que la madre de Pequeño León y yo somos medio primas, por lo que él dijo:

—¿No es mi tía ésa que está ahí?

—Pequeño León —le dije yo—, ¿cuándo has vuelto?

Él me contestó:

—Anoche.

—¿Qué estás haciendo? — le pregunté.

—Nada —me dijo—. Buscar un lugar para que duerma esta familia.

No me sonó nada bien, así que le dije:

—Son nuestros vecinos, León, aunque las cosas se pongan feas.

—No hay ningún problema, ni siquiera entre mi padre y ellos —me dijo él—. De hecho, mi padre y el suyo son hermanos de sangre. Pero él colgó a mi padre de un árbol y le pidió dinero.

—No sabía lo que hacía —dijo la madre de Jincai—. Perdónalo, hazlo por la generación anterior. Me pondré de rodillas y me prosternaré ante ti.

—Madre —dijo Jincai—, no supliques.

—Jincai, estás empezando a hablar como un hombre —le dijo Pequeño León—. No me extraña que te hayan hecho jefe de la milicia.

—No vas a durar más que unos días —dijo Jincai.

—Tienes razón —dijo Pequeño León—, me imagino que duraré diez días, o un par de semanas. Pero me basta con esta noche para ocuparme de ti y de tu familia.

Yo intenté aprovecharme de mi edad para convencerlo, y le dije:

—Deja que se vayan, Pequeño León. Si no los dejas, ya no serás más mi sobrino.

Pero él se limitó a mirarme fijamente y me dijo:

—¿Quién demonios es tu sobrino? ¡No me vengas ahora con parentescos! Esa vez que aplasté a uno de tus pollitos sin querer, me abriste la cabeza con un palo.

—León, ¿qué clase de persona eres? —Él se dio la vuelta y les preguntó a los hombres que iban con él—: Chicos, ¿a cuántos hemos matado hoy?

Uno de ellos le dijo:

—Contando con esta familia, exactamente noventa y nueve.

—Tú, mujer anciana, eres una tía tan lejana que tendrás que sacrificarte para que pueda llegar a un número redondo.

Cuando oí eso, se me puso el pelo de punta. ¡Ese bastardo estaba hablando de matarme! Me metí en la casa corriendo, pero en realidad no podía escapar de ellos. Para Pequeño León, la familia no significaba nada. Cuando pensaba que su mujer tenía una aventura, metió una granada entre las cenizas del fogón, pero su madre se levantó muy temprano y se puso a limpiar el fogón y fue ella quien se encontró con la granada. Yo me había olvidado de aquel incidente y ahora iba a pagarlo caro, y todo por ser tan bocazas. Nos llevaron a Jincai y a su familia y a mí hasta la Aldea de la Colina de Arena, donde uno de ellos empezó a cavar una gran fosa. No le llevó mucho tiempo, puesto que el suelo era muy arenoso. La luna brillaba tanto que veíamos todo lo que había en el suelo —briznas de hierba, flores, hormigas, babosas— como si fuera de día. Pequeño León se acercó al borde del foso para echar un vistazo.

—Hacedlo un poco más hondo —dijo—. Jincai es grande como una mula, el cabrón.

El hombre continuó cavando. La arena húmeda volaba de un lado a otro. Pequeño León le preguntó a Jincai:

—¿Tienes algo que decir?

—León —dijo Jincai—, no voy a suplicarte nada. Maté a tu padre, pero si no lo hubiera hecho yo, lo habría hecho algún otro.

—Mi padre era un hombre austero que vendía mariscos con el tuyo. Ahorró algo de dinero y se compró unos acres de terreno. Desgraciadamente para tu padre, alguien le robó el dinero. Dime, ¿cuál fue el delito de mi padre?

—¡Compró tierras, ése fue su delito!

—Jincai, dime la verdad. ¿A quién no le gustaría tener un terreno? ¿Qué me dices de tu padre, por ejemplo? ¿O de ti?

—A mí no me lo preguntes —dijo Jincai—. No puedo contestar esa pregunta. ¿El hoyo ya es suficientemente profundo?

El hombre que cavaba dijo que sí. Sin decir ni una palabra, Jincai se metió dentro de un salto. Solamente su cabeza asomaba por encima del nivel del suelo.

—León —dijo—, quiero gritar una cosa.

—Adelante —dijo León—. Hemos sido amigos desde que éramos niños e íbamos con el culo al aire, así que te mereces un trato especial. Adelante, grita lo que quieras.

Jincai pensó un momento y después levantó el brazo izquierdo y gritó con todas sus fuerzas:

—¡Larga vida al Partido Comunista! ¡Larga vida al Partido Comunista! ¡Larga vida al Partido Comunista!

Fueron solamente tres gritos.

—¿Eso es todo? —dijo Pequeño León.

—Eso es todo.

—Vamos —dijo León—, grita un poco más. Tienes una buena voz.

—No —dijo Jincai—. Eso es todo. Con tres veces es suficiente.

Pequeño León le dio un ligero codazo a la madre de Jincai.

—Muy bien —le dijo—. Ahora vas tú, tía.

La madre de Jincai cayó de rodillas y tocó el suelo con la frente, pero Pequeño León se limitó a cogerle la pala de las manos al otro hombre y la usó para empujarla al interior de la fosa. El otro hombre empujó a la esposa y a los hijos de Jincai. Los niños berreaban. Su madre también.

—¡Parad ya! —les ordenó Jincai—. Cerrad la boca y no me hagáis pasar vergüenza.

Su esposa y sus hijos dejaron de llorar. Entonces uno de los hombres me señaló y dijo:

—¿Y qué hacemos con ésta, jefe? ¿También la metemos dentro?

Antes de que Pequeño León pudiera contestar, Jincai gritó:

—Pequeño León, dijiste que esta fosa era para mi familia. No quiero ningún extraño aquí abajo.

—No te preocupes, Jincai —dijo Pequeño León—. Te comprendo perfectamente. Con esta anciana vamos a...

Se volvió hacia donde estaban los demás.

—Chicos, ya sé que estáis cansados, pero cavad otro hoyo para enterrarla a ella.

Los hombres se dividieron en dos grupos, uno para cavar una fosa para mí y el otro para rellenar la fosa donde estaba Jincai con su familia. La hija de Jincai empezó a llorar.

—Mamá, me está entrando arena en los ojos.

Entonces la esposa de Jincai le tapó la cabeza a la niña con las amplias mangas de su blusa. El hijo de Jincai intentó esforzadamente trepar por la pared de la fosa para escapar, pero le dieron un golpe con una pala que lo mandó de nuevo al fondo. El niño empezó a berrear. La madre de Jincai, por su parte, se sentó en el suelo y rápidamente quedó enterrada bajo la arena. Jadeaba por la falta de aire.

—¡Partido Comunista, ah, Partido Comunista! —gruñó—. ¡Por tu culpa estamos muriendo nosotras, las mujeres!

—¡Así que por fin lo has entendido, ahora, que estás a punto de morir! —dijo Pequeño León—. Jincai, lo único que tienes que hacer es gritar: «Abajo el Partido Comunista» tres veces y le perdonaré la vida a un miembro de tu familia. De ese modo, habrá alguien que visite tu tumba en el futuro.

Tanto la madre como la esposa de Jincai le rogaron que lo hiciera:

—¡Dilo, Jincai, dilo de una vez!

Con la cara tapada casi completamente por la arena, Jincai levantó la mirada con orgullo.

—¡No, no lo diré!

—De acuerdo, tienes agallas —dijo Pequeño León lleno de admiración, y le cogió la pala a uno de sus hombres, la hundió en la arena y echó una palada más a la fosa.

La madre de Jincai ya no se movía. La arena le llegaba a su mujer por el cuello. Ya había enterrado a su hija y casi le cubría del todo la cabeza a su hijo, que levantaba los brazos y seguía esforzándose por salir de ahí. A su esposa le salía sangre negra de la nariz y las orejas. Del agujero negro en que se había convertido su boca se escaparon las palabras «qué sufrimiento, ay, qué sufrimiento». Pequeño León hizo una pausa en su trabajo y le dijo a Jincai:

—Bueno, ¿qué me dices ahora?

Jadeando como un buey, Jincai, que tenía la cabeza hinchada como una cesta, le contestó:

—Ni hablar, Pequeño León.

—Como fuimos amigos cuando éramos pequeños —dijo Pequeño León—, te daré una oportunidad más. Lo único que tienes que hacer es gritar: «Larga vida al Partido Nacionalista» y te sacaré de ahí.

Con los ojos muy abiertos, y mirándolo fijamente, Jincai balbuceó:

—Larga vida al Partido Comunista...

Enfurecido, Pequeño León comenzó a echar arena en la fosa otra vez. La esposa y los hijos de Jincai quedaron enterrados muy pronto, pero todavía se notaban movimientos justo debajo de la superficie, lo que indicaba que aún no estaban muertos del todo. De repente, nos impactó ver la cabeza hinchada de Jincai elevarse de un modo terrorífico. Ya no podía hablar y le salía sangre de la nariz y de los ojos. Las venas de la frente se le habían hinchado hasta tener el tamaño de gusanos de seda. Entonces Pequeño León empezó a saltar para apisonar bien la tierra. Después, se sentó en cuclillas delante de la cabeza de Jincai.

—Bueno, ¿qué me dices ahora? —le preguntó.

Jincai ya no podía contestarle. Pequeño León le dio unos golpecitos en la cabeza con el dedo y le dijo:

—A ver, chicos, ¿queréis probar los sesos humanos?

—¿Quién va a querer comer eso? —dijeron—. Me da ganas de vomitar.

—Hay gente que los ha comido —dijo Pequeño León—. El Jefe de Destacamento Chen, por ejemplo. Me dijo que si se le pone un poco de salsa de soja y unas tiras de jengibre, sabe como el tofu en gelatina.

El hombre que estaba cavando el otro pozo salió de él y dijo:

—¡Ya está listo, señor!

Pequeño León se acercó a echar un vistazo.

—Ven aquí, tía lejana, y dime qué opinas de esta cripta que te he hecho.

—León —dije yo—, León, ten un poco de compasión y perdónale la vida a esta anciana.

—¿Y para qué quiere vivir alguien tan viejo como tú? Si te dejo ir, tendré que encontrar a alguien que ocupe tu lugar, puesto que necesito llegar a cien para hacer un número redondo.

Entonces yo le dije:

—En ese caso, acaba conmigo con tu espada. ¡Ser enterrada viva es demasiado horrible!

Lo único que me dijo ese hijo de perra engendrado por una tortuga fue:

—La vida es constante sufrimiento. Pero cuando mueras, irás directamente al Cielo.

Y entonces me empujó dentro de la fosa. Justo entonces apareció un montón de gente, gritando para anunciar su llegada. Venían de la Aldea de la Colina de Arena. Uno de ellos era Sima Ku, el segundo del administrador de la Casa Solariega de la Felicidad. Mucho tiempo atrás yo había cuidado a su tercera esposa, así que pensé: ha llegado mi salvador. Llegó caminando con aire arrogante, con sus botas de montar. Había envejecido un montón durante los años que habían pasado desde la última vez que yo lo había visto.

—¿Quién eres? —preguntó.

—¿Yo? ¡Soy Pequeño León!

—¿Qué estás haciendo?

—Enterrando a una gente.

—¿A quién?

—Al jefe de los milicianos de la Colina de Arena, Jincai, y a su familia.

Sima Ku se acercó al hoyo en el que estaba yo.

—¿Quién está ahí abajo?

—¡Segundo Patrón, sálveme! —grité yo—, yo cuidé a su tercera esposa. Soy la mujer de Guo Loguo.

—Ah, eres tú —dijo él—. ¿Cómo has caído en sus manos?

—Hablé cuando no debía. Sea compasivo, Segundo Patrón.

Sima Ku se volvió hacia Pequeño León.

—Deja que se vaya —le dijo.

—Si hago eso, Jefe del Equipo, no llegaré a un número redondo.

—Olvídate de los números. Limítate a matar a quien merezca que lo maten.

Uno de sus hombres colocó la pala de modo que yo pudiera salir de la fosa. Podéis decir lo que queráis, pero Sima Ku es un hombre razonable, y si no hubiera sido por él, ese bastardo de Pequeño León me habría enterrado viva.

Los oficiales se llevaron de la habitación a la anciana señora Guo, arrastrándola y empujándola.

La Profesora Cai, con la cara pálida, cogió su puntero y volvió al punto donde se había desmayado y comenzó de nuevo a hacer sus descripciones de las torturas. A pesar de que se le saltaban las lágrimas mientras seguía con su monótono sermón, hablando con una voz desolada, los estudiantes ya no lloraban más. Recorrí con la mirada los rostros de toda esa gente que había estado golpeándose el pecho y dando patadas en el suelo; ahora se veían los efectos del agotamiento y de la impaciencia. Todos aquellos dibujos, rezumantes de sangre, se habían vuelto insípidos, como si fueran tortitas que han estado empapadas durante días y que después se han puesto a secar. Comparado con lo que nos había contado la anciana señora Guo, cuya experiencia personal la había investido con la voz de la autoridad, los dibujos y las explicaciones habían perdido su capacidad de despertar nuestras emociones.

VII

Me sacaron a rastras de la escuela. En la calle se había congregado una multitud; estaba claro que me esperaban a mí. Dos milicianos con la cara mugrienta se me acercaron y me ataron con un trozo de cuerda que era suficientemente largo como para que me diera una docena de vueltas al cuerpo, o más, y todavía sobró un poco para que uno de los guardias armados la cogiera y fuera tirando de mí. El otro hombre venía detrás, empujándome suavemente con la boca del cañón de su rifle. Toda la gente que nos cruzamos por el camino se me quedaba mirando, boquiabierta. Después, desde la otra punta de la calle, otro grupo de personas atadas se acercó hasta donde estaba yo. Venían tambaleándose. Eran mi madre, mi primera hermana, Sima Liang y Sha Zaohua. Shangguan Yunü y Lu Shengli, que no iban atadas, intentaban abrazarse a Madre todo el tiempo, y todo el tiempo uno de los corpulentos milicianos las empujaba a un lado. Nos encontramos en el cuartel general del distrito —la Casa Solariega de la Felicidad—, donde nos limitamos a intercambiar miradas. Yo no tenía nada que decir, y estoy seguro de que a ellos les pasaba lo mismo.

Escoltados por los milicianos, atravesamos varios patios hasta llegar a la última habitación, la que quedaba más al sur, y ahí nos amontonamos todos. La ventana del muro que daba al Sur era un enorme agujero. Su celosía y sus persianas de papel estaban destrozadas, como para ofrecer las actividades del interior del edificio al escrutinio público. Distinguí a Sima Ting, encogido en un rincón, con el rostro pálido. Le faltaban los dientes de delante. Nos echó una mirada llena de tristeza. Detrás de la ventana se encontraba el último pequeño jardín, rodeado por un alto muro, una parte del cual había sido atravesado como para abrir una puerta especial. Los guardias patrullaban la zona. Los uniformes se les hinchaban debido al viento del Sur que soplaba desde los campos.

Aquella noche, el oficial del distrito colgó cuatro lámparas de gas del techo de la habitación, e hizo que llevaran una mesa y seis sillas. También trajo látigos de cuero, estacas, varas de ratán, cable de acero, cuerdas, un cubo y una escoba. Además de todo esto, instaló un dispositivo ensangrentado para degollar a los cerdos, un cuchillo de carnicero, un pequeño cuchillo para desollar animales, unos ganchos de hierro para colgar la carne y un cubo para guardar la sangre. Todo lo necesario para montar un matadero.

Escoltado por un escuadrón de milicianos, el Inspector Yang entró en la habitación. Su pierna ortopédica crujía a cada paso que daba. Tenía los carrillos caídos y unas lorzas de grasa debajo de las axilas que le hacían separar los brazos del cuerpo, como un yugo que le colgara del cuello. Se sentó detrás de la mesa y, ociosa y tranquilamente, comenzó a prepararlo todo para interrogarnos. Primero se sacó del bolsillo trasero una Mauser de color azul brillante, la amartilló y la dejó sobre la mesa. Entonces le dijo a uno de los milicianos que le trajera un megáfono, que depositó junto a la pistola. Después trajo una petaca de tabaco y una pipa, que depositó junto al megáfono. Por último, se agachó, se quitó la pierna ortopédica —con el zapato y el calcetín puestos— y la colocó en una de las esquinas de la mesa. La pierna se veía de un color rosa que daba miedo bajo la brillante luz de la lámpara, y tenía una serie de cicatrices negras en la pantorrilla. Tanto el zapato como el calcetín estaban muy desgastados. Quedó sobre la mesa como si fuera uno de los leales guardaespaldas del Inspector Yang.

Otros oficiales del distrito se sentaron sombríamente a ambos lados del Inspector Yang, con las plumas en la mano, delante de unos cuadernos de notas. Los milicianos apoyaron sus rifles contra la pared, se arremangaron y cogieron látigos y estacas. Como si fueran guardias del *yamen*, formaron dos filas, una enfrente de la otra, respirando pesadamente.

Lu Shengli, que se había entregado voluntariamente, aferraba la pierna de Madre y lloraba. De las puntas de las largas pestañas de Octava Hermana también colgaban algunas lágrimas, aunque ella sonreía. Era cautivadora incluso en las circunstancias más difíciles, y comencé a sentirme culpable por haberla privado de los pechos de Madre cuando éramos pequeños. Madre miraba inexpresiva y fijamente a las lámparas.

El Inspector Yang rellenó su pipa y pasó una cerilla por encima de la áspera superficie de la mesa. Se encendió con un chasquido. Juntó ruidosamente los labios aspirando de la pipa para que el tabaco comenzara a arder. Después tiró la cerilla y tapó la cazoleta de la pipa con el pulgar antes de volver a aspirar profundamente, haciendo mucho ruido, mientras echaba el blanco humo por la nariz. Después quitó las cenizas dándole un golpe a la cazoleta contra la pata del taburete en el que estaba sentado. Tras dejar la pipa sobre la mesa, cogió el megáfono y se lo llevó a la boca de manera que el extremo abierto apuntaba hacia la gente que había al otro lado de la ventana.

—Shangguan Lu, Shangguan Laidi, Shangguan Jintong, Sima Liang, Sha Zaohua —dijo con voz grave—. ¿Sabéis por qué os hemos traído aquí?

Todos nos volvimos para mirar a Madre, que todavía tenía los ojos clavados en la lámpara. Tenía la cara tan hinchada que la piel estaba casi transparente. Movió los labios una vez o dos, pero no dijo nada. Se limitó a sacudir la cabeza.

El Inspector Yang dijo:

—Sacudir la cabeza no es forma de contestar a mi pregunta. Basándonos en los testimonios de la gente y en la exhaustiva investigación que han llevado a cabo las autoridades, hemos conseguido una amplia serie de pruebas. Durante un largo periodo de tiempo, la familia Shangguan, bajo la supervisión de Shangguan Lu, ocultó el paradero del contrarrevolucionario más importante del Concejo de Gaomi del Noreste, un hombre que ha hecho correr una incalculable cantidad de sangre, Sima Ku, el enemigo público. Además, hace muy poco, uno de los miembros de la familia estropeó el salón de actos de la escuela y llenó la pizarra de la iglesia de eslóganes reaccionarios. Solamente por estos delitos podríamos fusilar a toda vuestra familia. Pero siguiendo nuestra política actual, estamos dispuestos a daros otra oportunidad, una última oportunidad para que podáis salvar la vida. Queremos que nos reveléis el escondite secreto del malvado bandido Sima Ku, para poder traer a ese lobo feroz ante la justicia sin demora. En segundo lugar, queremos que confeséis haber estropeado el salón de actos de la escuela y haber escrito los eslóganes reaccionarios, a pesar de que ya sabemos quién es el culpable de ello. Esperamos que seáis completamente honestos, y como contrapartida seremos muy indulgentes. ¿Comprendéis lo que digo?

Respondimos con silencio.

El Inspector Yang levantó la pistola y la golpeó contra la mesa, sin apenas apartarse de la boca el megáfono, que seguía apuntando a la ventana.

—Shangguan Lu —bramó—, ¿has oído lo que he dicho?

Con voz tranquila, Madre dijo:

—Esto es una trampa para incriminarnos.

—Una trampa para incriminarnos —dijimos los demás, haciéndole eco.

—¿Una trampa para incriminaros, decís? No es nuestra costumbre incriminar a la gente inocente, pero tampoco lo es dejar que los culpables campen por sus respetos. Colgadlos a todos.

Nos resistimos y gritamos, pero lo único que conseguimos fue retrasar un poco lo que era inevitable. Nos ataron las manos a la espalda y nos colgaron de las vigas de la casa de Sima Ku. Madre colgaba de la viga que había más hacia el sur, seguida de Shangguan Laidi, Sima Liang y yo. Sha Zaohua estaba detrás de mí. Me dolían los brazos, pero eso era soportable. El dolor que sentía en las articulaciones de los hombros, por el contrario, era espantoso. La cabeza nos quedaba colgando hacia adelante, con el cuello estirado al máximo. Era imposible mantener las piernas rectas, era imposible no estirar el empeine y era imposible evitar que los dedos gordos de los pies apuntaran directamente hacia el suelo. Yo no podía dejar de gimotear, pero Sima Liang no hacía ni un ruido. Shangguan Laidi se lamentaba, pero Sha Zaohua guardaba silencio. El peso de Madre hacía que su cuerda se tensara como un cable. Ella fue la primera en empezar a sudar, y la que más sudaba. Un vapor casi incoloro le salía del despeinado cabello. Shengli y Yunü la agarraron por las piernas y la movían hacia adelante y hacia atrás, así que los milicianos las apartaron a un lado empujándolas como a un par de pollitos recién nacidos. Ellas volvieron a toda prisa y fueron apartadas de nuevo.

—Inspector Yang —dijeron los hombres—, ¿quiere que colguemos también a estas dos?

—¡No! —dijo el Inspector Yang con firmeza—. Haremos todo como está mandado.

Sin querer, Shengli le quitó a Madre uno de los zapatos. El sudor se deslizó por su cuerpo hasta la punta del dedo gordo, y desde ahí cayó al suelo como si se tratara de lluvia.

—¿Ya estáis dispuestos a hablar? —nos preguntó el Inspector Yang—. Confesad y os bajaré de ahí inmediatamente.

Haciendo un esfuerzo para levantar la cabeza y recuperar el aliento, Madre dijo casi sin voz:

—Suelta a los niños... Yo soy la que te interesa a ti...

—¡Los haremos hablar! —dijo él, dirigiéndose a la ventana—. ¡Pegadles, pegadles con fuerza!

Los milicianos cogieron los látigos y las estacas y, dando unos gritos aterradores, comenzaron a golpearnos sistemáticamente. Yo me estremecía de dolor, al igual que Primera Hermana y que Madre. Sha Zaohua reaccionó con absoluto silencio, probablemente porque se desmayó. En cuanto al Inspector Yang y a los oficiales del distrito, estuvieron todo el tiempo pegando puñetazos en la mesa e insultándonos a gritos. Algunos de los milicianos arrastraron a Sima Ting hasta el dispositivo para degollar cerdos mientras le pegaban en el trasero con una vara metálica. Con cada uno de los golpes, él soltaba un grito agónico. «¡Segundo Hermano, hijo de perra, ven aquí y confiesa tus delitos! No podéis pegarme así, no después de todo lo que he hecho...». Uno de los milicianos descargaba su estaca una y otra vez, sin decir ni una palabra, como si estuviera golpeando un trozo de carne podrida. Uno de los oficiales golpeó una cantimplora de cuero con su látigo mientras otro azotaba una bolsa de arpillera con el suyo. Los gritos y los fuertes crujidos, algunos reales y otros no, llenaban la habitación. Los ruidos se mezclaban confusamente. Los látigos y las estacas bailaban bajo la brillante luz de las lámparas de gas.

Cuando pasó aproximadamente el tiempo que dura una clase, soltaron la cuerda que estaba atada a la celosía y Madre se precipitó al suelo. Después soltaron la siguiente, y Primera Hermana se precipitó al suelo. Los demás las seguimos uno a uno. Un miliciano trajo un cubo lleno de agua y nos echó agua fría en la cara con un cucharón, haciendo que recuperáramos el sentido inmediatamente. Me dolía cada una de las articulaciones del cuerpo.

—¡Lo de esta noche sólo ha sido una advertencia! —bramó el Inspector Yang—. Quiero que os lo penséis muy bien. ¿Estáis dispuestos a hablar o no? Si habláis, os perdonaremos todos vuestros delitos. Si no, lo peor todavía no ha llegado.

Cogió su pierna ortopédica, guardó la pipa y metió la pistola en su funda; después les ordenó a los milicianos que nos vigilaran bien antes de darse la vuelta y salir cojeando por la puerta acompañado por sus guardaespaldas, chirriando a cada paso.

Los milicianos cerraron la puerta con pestillo y se apoyaron en la pared, agachados, a fumar. Se dejaron los rifles apoyados sobre el pecho. Nosotros nos acurrucamos alrededor de Madre, sollozando e incapaces de decir ni una sola palabra. Ella nos acarició la cabeza con sus manos hinchadas. Sima Ting gemía de dolor.

—Oídme —dijo uno de los milicianos—, decidle lo que quiere oír. El Inspector Yang puede hacer confesar a una estatua de piedra. Vuestros cuerpos son de carne y hueso. ¿Cuántos días os creéis que aguantarán? Con mucha suerte, llegaréis a pasado mañana.

Uno de los otros dijo:

—Si Sima Ku es el hombre que dicen que es, debería entregarse. Durante esta época puede esconderse en las tierras de cultivo, protegerse tras esa cortina verde. Pero en cuanto llegue el invierno, quedará al descubierto. Tu yerno es un tigre muy extraño. A finales del mes pasado, un escuadrón de la policía lo tenía rodeado en un cañaveral junto al Lago del Caballo Blanco, pero se les escapó y consiguió matar a siete u ocho de sus perseguidores con una sola ráfaga de ametralladora. Y además, el jefe del escuadrón resultó herido en la pierna.

Los milicianos parecían estar insinuando algo. Yo no estaba seguro de qué se trataba. Pero habían dejado caer algunas noticias sobre Sima Ku. Después de dejarse ver junto al horno de ladrillos, había desaparecido como un guijarro en medio del océano. Le habíamos dicho que se fuera volando muy alto, muy lejos, pero se había quedado cerca de Gaomi del Noreste, sembrando el caos y buscándonos problemas. El Lago del Caballo Blanco estaba al sur del Caserío del Condado Dos, a unos cuatro o cinco kilómetros de Dalan.

VIII

Al día siguiente, al mediodía, Pandi viajó desde la capital del condado. Estaba enfurecida, y tenía la intención de hacer que los oficiales del distrito pagaran por lo que habían hecho. Pero cuando salió de la oficina del jefe del distrito, quien vino a vernos con ella, ya se había calmado. No la habíamos visto en seis meses, y no teníamos ni idea de qué era lo que hacía en el cuartel general del condado. Había perdido mucho peso, pero las manchas de leche seca que tenía en la blusa indicaban que estaba amamantando. Nos quedamos mirándola fijamente.

—Pandi —le preguntó Madre—, ¿qué mal hemos hecho?

Pandi levantó la vista hacia el jefe del distrito, que estaba mirando por la ventana. Los ojos se le llenaron de lágrimas y dijo:

—Madre... ten paciencia... confía en el gobierno... el gobierno nunca le haría daño a alguien inocente...

En el mismo momento en el que Pandi intentaba torpemente consolarnos, en el cementerio familiar del Erudito Ding, situado en el espeso bosquecillo de pinos que hay más allá del Lago del Caballo Blanco, Cui Fengxian, una viuda de la Aldea de la Boca de Arena, golpeaba rítmicamente la lápida que cubría la tumba del Erudito Ding, en la que estaban grabados unos comentarios sobre sus heroicas hazañas. Los sonidos que hacía se mezclaban con el *du-du-du* de un pájaro carpintero que hacía su trabajo en un árbol. Las blancas plumas de la cola de una urraca gris, semejantes a un abanico, avanzaban resbalando por el cielo, sobre las copas de los árboles. Después de aporrear encima de las inscripciones durante un buen rato, Cui Fengxian se sentó a esperar ante el altar. Tenía el rostro empolvado e iba bien vestida y con la ropa limpia. Una cesta de bambú tapada le colgaba del brazo, y todo ello le daba el aspecto de una joven recién casada que va de visita a la casa de sus padres. Sima Ku apareció desde detrás de la lápida, haciendo que ella saltara hacia atrás, aterrorizada.

—¡Maldito fantasma! —dijo ella—. Me has dado un susto de muerte.

—¿Desde cuándo una espíritu de zorro como tú tiene miedo de los fantasmas?

—Así que ésas tenemos —dijo ella—, sigues tan mordaz como siempre.

—¿Qué quieres decir con «así que ésas tenemos»? Todo es maravilloso, nunca me ha ido mejor. —Y añadió—: Esos aldeanos bastardos hijos de tortuga se creen que me van a capturar, ¿verdad? *¡Ja, ja, ja!* ¡Soñar es gratis! —Le dio unos golpecitos al rifle automático que tenía apoyado sobre el pecho, a la Mauser alemana plateada que llevaba en el cinturón y a la pistola Browning que iba enfundada en su cartuchera—. Mi suegra quiere que me vaya de Gaomi del Noreste. ¿Por qué iba a hacerlo? Éste es mi hogar, el sitio en el que están enterrados mis ancestros. Conozco íntimamente cada brizna de hierba, cada árbol, cada montaña, cada río. Aquí es donde yo disfruto, e incluso hay una maldita espíritu de zorro como tú, así que te lo tengo que preguntar: ¿Por qué iba a querer irme?

En los pantanosos cañaverales, una bandada de patos silvestres asustados levantó vuelo, y Cui Fengxian estiró el brazo y le tapó la boca con la mano a Sima Ku. Él le apartó la mano y dijo:

—No hay nada de lo que preocuparse. Más allá les he dado una lección a los del Octavo Ejército de Caminos. A esos patos los deben haber asustado los buitres.

Cui lo arrastró cementerio adentro y le dijo:

—Tengo una cosa importante que contarte.

Fueron andando entre los matorrales y las zarzas hasta llegar a un enorme panteón. «¡Ay!», gritó Cui Fengxian al pincharse un dedo con una zarza. Sima Ku se echó la ametralladora a la espalda y encendió un farol, y después se dio la vuelta y le cogió la mano.

—¿Te ha atravesado la piel? —le preguntó—. Déjame ver.

—Estoy bien —dijo ella, intentando soltarse.

Pero él ya se había metido el dedo de ella en la boca y lo chupaba con fuerza. Ella gimió.

—Eres un maldito vampiro.

Sima Ku soltó el dedo, cubrió la boca de ella con la suya y le aferró los pechos con sus grandes y toscas manos. Ella se retorció apasionadamente y dejó que su cesta cayera al suelo. Unos huevos de color marrón salieron rodando por el suelo de ladrillo. Sima Ku la levantó y la tumbó sobre la gran cubierta de la cripta...

Sima Ku yacía desnudo sobre la cubierta de la cripta, con los ojos medio cerrados, lamiéndose las puntas de su sucio y amarillento bigote, que no había recortado en mucho tiempo. Cui Fengxian le estaba masajeando los grandes nudillos de una mano con sus suaves dedos. Súbitamente, apoyó su ardiente rostro contra el huesudo torso de él, que olía como un animal salvaje, y comenzó a morderlo.

—Eres un demonio —le dijo, con un toque de desesperanza en la voz—. Nunca vienes a verme cuando las cosas te van bien, pero en cuanto te encuentras en problemas, vienes y me envuelves con tus tentáculos... Sé bien que cualquier mujer que se líe contigo va a pasarlo mal, pero no puedo controlarme. Tú agitas tu cola y yo corro detrás de ti como si fuera una perra... Dime, demonio, ¿qué poder maligno tienes para hacer que las mujeres te sigan, incluso cuando saben que las estás conduciendo al Averno, y que se metan sin dudarlo, con los ojos bien abiertos?

Sima Ku sonrió a pesar de que el comentario de ella lo había puesto triste. Le cogió la mano y se la apretó contra su pecho, de modo que ella sintió la fuerza de los latidos de su corazón.

—Tienes que confiar en esto, en mi corazón, en la sinceridad de mi corazón. Yo les entrego el corazón a las mujeres.

Cui Fengxian sacudió la cabeza.

—Sólo tienes un corazón. ¿Cómo puedes dárselo a diferentes mujeres al mismo tiempo?

—Aunque se lo dé a muchas, sigue siendo sincero. Y también esto lo es —dijo, soltando una carcajada libidinosa mientras su mano se deslizaba hacia abajo por su cuerpo.

Cui Fengxian le dio un pellizco en los labios.

—¿Qué voy a hacer con un monstruo como tú? ¡Incluso cuando te persiguen hasta el punto que tienes que dormir en tu tumba, encuentras tiempo para hacer tonterías y juguetear!

Con una risotada, Sima Ku dijo:

—Cuanto más lo intentan, más me apetece jugar. Las mujeres son auténticos tesoros, tesoros entre los tesoros. Son lo más precioso que hay.

Volvió a tocarle los pechos.

—Oye, lascivo —dijo ella—, ya basta. Ha pasado algo en tu casa.

—¿Qué? —preguntó él sin dejar de acariciarla.

—Se los han llevado a todos y los tienen encerrados. Tienen a tu suegra, a tus cuñadas la mayor y la menor, a tu hijo, a tu pequeño cuñado, a las hijas de tus cuñadas la mayor y la quinta y a tu hermano mayor. Los han encerrado en la casa de la familia. Por la noche, los cuelgan de las vigas y los azotan con látigos y les pegan con estacas... Se me rompe el corazón. No creo que puedan soportarlo más que un día más.

Las manos de Sima Ku quedaron petrificadas frente al pecho de Cui Fengxian. Bajó de la cripta de un salto, cogió su rifle automático y se agachó para salir del panteón. Cui Fengxian lo abrazó y le suplicó:

—No vayas. Estás buscando que te maten.

Cuando se calmó, se sentó junto a un ataúd y engulló uno de los huevos duros. La luz del sol se filtraba entre las zarzas y caía sobre su mejilla hinchada y sobre las canas que tenía en las sienes. La yema del huevo se le quedó en la garganta. Tosió y la cara se le empezó a poner morada. Cui Fengxian le dio unas palmadas en la espalda y un masaje en el cuello hasta que la comida por fin le bajó por el gaznate. La pobre tenía la cara bañada en sudor.

—¡Me has dado un susto de muerte! —dijo, jadeando, mientras dos grandes lágrimas caían sobre la mejilla de Sima Ku y rodaban hacia abajo.

Él se puso en pie de un salto; casi se golpea la cabeza contra el techo del panteón. Unas llamaradas de odio parecieron brotarle de los ojos.

—¡Hijos de perra, os voy a arrancar la piel!

—Por favor, no vayas —le suplicó Cui Fengxian abrazándolo de nuevo—. Yang el lisiado te ha preparado una trampa. Incluso una vieja mujer de pelo largo como yo puede darse cuenta de lo que está intentando. Usa la cabeza. Si irrumpes allá tú solo, caerás directamente en su trampa.

—¿Y entonces qué debo hacer?

—Sigue el consejo de tu suegra y vete lo más lejos de aquí que puedas. Yo iré contigo, si no soy una carga, aunque se me deshagan las plantas de los pies.

Sima Ku la cogió de la mano y le dijo con gran emotividad:

—Soy un hombre muy afortunado por haber conocido a tantas mujeres buenas. Todas han querido dármelo todo y entregarse a mí en cuerpo y alma. ¿Qué más puede pedirle un hombre a esta vida? Pero ya no puedo causarte ningún daño más. Ahora vete, Fengxian, y no vengas a buscarme nunca más. No te pongas triste cuando te enteres de que he muerto. He tenido una buena vida...

Con lágrimas en los ojos, ella asintió y se quitó un peine hecho de cuerno de buey de la cabeza y se lo pasó amorosamente a Sima Ku por el pelo. Lo tenía enmarañado y salpicado de canas. Al peinarlo, salieron trozos de hierba, caparazones rotos de caracoles y pequeños insectos. Le dio un húmedo beso en la frente y le dijo, con voz tranquila: «Te esperaré». Después recogió su cesta y salió del panteón arrastrándose. Abriéndose paso entre las zarzas, abandonó el cementerio. Sima Ku se quedó ahí sentado sin moverse hasta mucho después de que ella se hubiera marchado, con los ojos fijos en las zarzas iluminadas por el sol, que se balanceaban con delicadeza.

A la mañana siguiente, Sima Ku se arrastró fuera del panteón, dejando dentro sus armas, y fue dando un paseo hasta el Lago del Caballo Blanco, donde se dio un baño. Después, como quien se va de excursión a contemplar la naturaleza, dio una vuelta alrededor del lago, observándolo todo, entablando conversaciones con unos pájaros que había posados sobre las cañas y echando carreras con los conejos que corrían al lado del sendero. Caminó por los bordes de esas zonas pantanosas, deteniéndose a cada rato para recoger florecillas silvestres rojas y blancas; después se las acercaba a la nariz para aspirar su fragancia. Más tarde recorrió ampliamente los pastos, desde donde vio, a lo lejos, la Montaña del Buey Reclinado, que parecía dorada por los rayos del sol que se ponía. Cuando pasaba por el puente que cruza el Río del Agua Negra, dio unos cuantos brincos, como si quisiera comprobar si era sólido. El puente se balanceó y crujió. Sintiéndose como un niño travieso, se abrió los pantalones y expuso su desnudez; entonces miró hacia abajo y le gustó lo que vio. Dejó caer un torrente de humeante orina al río. Cuando ésta impactaba sobre la superficie del agua, salpicando fuerte y rítmicamente, aulló: «Ah, ah, ah ya ya». El sonido de su voz se expandió por todas partes antes de regresar a él. A la orilla del río, un pequeño pastorcillo bizco hacía restallar su látigo. Eso atrajo la atención de Sima Ku. Miró al niño y éste lo miró a su vez. Ambos sostuvieron la mirada hasta que comenzaron a reírse.

—Sé quién eres, niño —le dijo Sima Ku, soltando una risita—. ¡Tus piernas son de madera de peral, tus brazos son de madera de albaricoque y tu madre y yo hicimos tu pequeño pito con un pedazo de barro!

Enfadado por este comentario, el niño lo maldijo:

—¡Que le den a tu vieja!

Este insulto vil hizo que a Sima Ku se le agitara el corazón. Los ojos se le humedecieron y suspiró profundamente. El pastor volvió a hacer restallar el látigo para que sus cabras se dirigieran hacia el sol poniente. Su sombra se alargó mientras comenzó a cantar, con su voz aguda e infantil: «En 1937, los japoneses vinieron a las llanuras. Primero tomaron el Puente de Marco Polo, y después el Paso de Shanhai. Construyeron unas vías de tren que llegaban hasta nuestra ciudad, Jinan. Después, los japoneses dispararon sus cañones, pero el soldado del Octavo Ejército de Caminos amartilló su rifle, apuntó y... *pang*, un oficial japonés cayó, estirando las piernas mientras su alma emprendía el vuelo...». Antes de que la canción se terminara, unas lágrimas calientes brotaron de los ojos de Sima Ku. Tapándose la ardiente cara con las manos, se sentó de cuclillas sobre el puente de piedra...

Después se lavó en el río el rostro surcado por las lágrimas, sacudió su ropa para quitarle toda la tierra que tenía encima y comenzó a caminar lentamente siguiendo la acequia, que estaba llena de flores de colores estridentes. A medida que iba anocheciendo, los graznidos de los pájaros se volvían más lóbregos y escalofriantes. La variedad de colores que había en el cielo formaba una gigantesca mancha. Los aromas de las flores que había por todos lados, algunos muy fuertes y otros sutiles, embriagaban a Sima Ku; simultáneamente, los olores de las hierbas, a veces amargos y a veces picantes, lo sacaban de su embriaguez. Tanto el Cielo como el Infierno parecían muy remotos, la eternidad parecía transcurrir en un abrir y cerrar de ojos, y estos pensamientos lo llenaban de una profunda angustia. Las langostas desovaban sobre el sendero gris que había junto a la acequia, y parecían cubrirlo por completo: frotaban sus blandos abdómenes contra el duro y embarrado suelo mientras mantenían levantada la parte superior del cuerpo; era una escena de sufrimiento y de dolor al mismo tiempo. Mientras observaba cómo se ondulaban sus abdómenes largos e inconexos, se acordó de su infancia y de su primer amor, una jovencita de piel clara con las cejas depiladas que era la amante de su padre, Sima Weng. Cuánto le habría gustado frotar su cartilaginosa nariz contra sus pechos...

La aldea estaba ahí mismo, un poco más adelante. El humo de las cocinas subía dibujando volutas por el aire, y el olor de los humanos se hacía cada vez más pesado. Se agachó para coger un crisantemo silvestre y aspirar su fragancia con la intención de quitarse de la cabeza todas esas imágenes del pasado y de abandonar sus fantasiosos pensamientos. Después decidió dirigirse a una brecha que habían abierto recientemente en el muro sur del hogar de su familia. Un miliciano que estaba escondido en el agujero salió de un salto, amartilló su rifle y gritó:

—¡Alto! ¡No des ni un paso más!

—Ésta es mi casa —contestó Sima Ku con frialdad.

El guardia se quedó atónito durante unos instantes. Después pegó un tiro al aire y gritó salvajemente:

—¡Es Sima Ku! ¡Sima Ku está aquí!

Sima Ku miró cómo el miliciano salió corriendo, arrastrando su rifle tras él, y murmuró:

—¿Por qué corre? ¡Qué cosa!

Volvió a inhalar el aroma de la flor amarilla y tarareó la cancioncilla antijaponesa que había cantado el pastor. Estaba decidido a hacer una entrada digna. Pero el primer paso que dio fue en falso, y cayó dentro de un hoyo que habían cavado enfrente de la brecha, precisamente para atraparlo a él. Un escuadrón de policías del condado que estaba haciendo guardia noche y día en el terreno que había detrás del muro apareció inmediatamente, saliendo de su escondite. Los agujeros negros de docenas de cañones de rifles apuntaban a Sima Ku, que estaba atrapado y que se había cortado los pies con unos tallos de bambú afilados.

—¿Qué creéis que estáis haciendo? —les dijo, despectivamente, atravesado por el dolor—. He venido a entregarme. ¿Para qué construís una trampa para jabalís salvajes para atraparme?

El investigador jefe se agachó, ayudó a Sima Ku a salir del agujero y le puso unas esposas.

—¡Liberad a los miembros de la familia Shangguan! —bramó—. ¡Estoy aquí para responder por lo que he hecho!

IX

Para satisfacer las demandas de los habitantes de Gaomi del Noreste, el juicio público contra Sima Ku se celebró en la plaza donde él y Babbitt habían proyectado su primera película al aire libre. En ese lugar, originalmente, se encontraba la era de su familia, pero ahora había allí una plataforma de tierra prensada que apenas se levantaba por encima del nivel del suelo. En aquel punto era donde Lu Liren había liderado a las masas en la campaña de la reforma agraria. Como preparación para la llegada de Sima Ku, los oficiales del distrito habían enviado al lugar una serie de milicianos armados la noche anterior, para que sacaran de la tierra un montón de arena con el que reconstruir la plataforma. Querían que fuera tan alta como los diques del Río de los Dragones, y que cavaran una trinchera que rodeara la plataforma por los cuatro costados. Después la llenarían de un agua aceitosa y gris. Cuando todo eso estuvo terminado, autorizaron el envío de una cantidad de dinero suficiente para comprar quinientos kilos de mijo, que después intercambiaron en un mercado que había a unos quince kilómetros de la aldea por dos carros llenos de telas muy bien tejidas de color amarillo dorado. Con ellas erigieron una inmensa tienda sobre la plataforma y después la cubrieron con hojas de papel de todos los colores en las que habían escrito un montón de consignas; algunas mostraban rabia, otras expresaban júbilo. La tela que sobró se extendió sobre la plataforma. A los lados sobraba un poco, que daba la impresión de formar cascadas de oro. El jefe del distrito, acompañado por el gobernador del condado, se acercó personalmente para inspeccionar el lugar donde iban a llevarse a cabo los interrogatorios. De pie sobre la elegante plataforma, que resultaba muy cómoda para los pies y que se parecía al escenario de una ópera, contemplaron las turbias aguas azules del Río de los Dragones, que fluía hacia el Este. Un viento frío hacía que se les hincharan las mangas y las perneras de los pantalones hasta el punto de que parecían salchichas. El gobernador del condado se frotó la nariz enrojecida y se volvió para preguntarle en voz muy alta al jefe del distrito:

—¿Quién es el responsable de esta obra maestra?

Incapaz de decidir si el gobernador del condado lo decía sarcásticamente o estaba siendo elogioso, el jefe del distrito le respondió con ambigüedad:

—Yo participé en la planificación, pero él se hizo cargo del trabajo. —Señaló a un oficial del Comité de Propaganda del Distrito que estaba de pie, a un lado del escenario.

El gobernador del condado le echó una mirada al sonriente oficial y asintió con la cabeza. Después, bajando la voz un poco pero no lo suficiente como para que la gente que había a su espalda no lo oyera, dijo:

—¡Esto se parece más a una coronación que a un juicio público!

El Inspector Yang llegó cojeando en ese momento e hizo una respetuosa reverencia ante el gobernador del condado, que lo caló inmediatamente y le dijo:

—El condado reconoce el excepcional servicio que has hecho al organizar la captura de Sima Ku. Pero en tus planes has incluido la tortura de los miembros de la familia Shangguan, cosa que ha sido censurada.

—Lo que cuenta es haber traído al demonio asesino de Sima Ku ante la justicia —contestó apasionadamente el Inspector Yang—, y para lograrlo habría dado mi pierna buena alegremente.

El juicio público se programó para la mañana del octavo día del duodécimo mes lunar. Los aldeanos, cubiertos por el frío resplandor de las estrellas del alba, bajo el helador semblante de la luna, comenzaron a afluir al lugar para tomar parte en la diversión. Cuando empezó a amanecer, la plaza estaba atestada de gente. Algunos estaban detrás de unas verjas que se habían levantado en la orilla del Río de los Dragones. En el momento en el que el sol apareció tímidamente, lanzando sus rayos sobre las cejas y las barbas cubiertas de escarcha de la gente, un vaho rosado les salía de la boca. Mucha gente había olvidado que era la mañana en la que, normalmente, se comían unos cuencos de gachas de arroz afrutadas, pero no los miembros de mi familia. Madre intentó contagiarnos su fingido entusiasmo, pero el llanto constante de Sima Liang nos tenía a todos de un humor de perros. Como una pequeña madre, Octava Hermana buscó a tientas una esponja que había encontrado entre la arena, a la orilla del río, y le secó sus copiosas lágrimas a Sima Liang. Lloraba sin hacer ni un solo ruido, cosa que era peor que si hubiera estado berreando a pleno pulmón. Primera Hermana se quedó cerca de Madre, que corría de un lado a otro muy ocupada, preguntándole una y otra vez:

—Madre, si muere, ¿se esperará que yo muera con él?

—¡Deja de decir tonterías! —la abroncó Madre—. ¡No se esperaría eso de ti ni siquiera si estuvierais casados!

Cuando repitió la misma pregunta por décima o duodécima vez, Madre perdió la paciencia y le dijo significativamente:

—Laidi, ¿acaso a ti te importan las apariencias? Cuando te liaste con él, no fue nada más que un cuñado beneficiándose a su cuñada. Eso, para cualquiera, es un acto indecente.

Primera Hermana estaba atónita.

—Madre —le dijo—, has cambiado.

—Sí, he cambiado —dijo Madre—, pero sigo siendo la misma. Durante los últimos diez años, como mínimo, muchos miembros de la familia Shangguan han caído como tallos de cebolletas y otros han nacido para ocupar sus lugares. Allí donde hay vida, la muerte es inevitable. Morir es fácil; lo difícil es vivir. Y cuanto más difícil se vuelve, más fuerte es la voluntad de seguir viviendo. Y cuanto mayor es el miedo a la muerte, mayor es el esfuerzo que se hace por conservar la vida. Yo quiero seguir aquí el día que mis hijos y mis nietos lleguen a la cumbre, así que espero que todos os comportéis. ¡Hacedlo por mí!

Con los ojos humedecidos por las lágrimas, pero echando chispas, nos miró a todos, uno tras otro, y al fin se detuvo en mí, como si yo fuera el depositario de todas sus esperanzas. Eso me dio un miedo y una ansiedad increíbles, puesto que, con la única excepción de mi capacidad para memorizar las lecciones escolares y para cantar el *Himno de la liberación de las mujeres*, no se me ocurría ni una sola cosa en la que yo fuera especialmente bueno. Yo era un llorica. Tenía miedo hasta de mi propia sombra y era un alfeñique, una especie de oveja castrada.

—Preparaos —dijo Madre—. Vamos a despedirnos de él como se debe. Es un cabrón, pero también es un hombre digno de ser llamado así. En otro tiempo, aparecían hombres como él cada ocho o diez años, pero me temo que ahora estamos ante el último de su estirpe.

Nos quedamos, reunidos en familia, junto al dique del río, contemplando cómo la gente que nos rodeaba se escabullía. Nos echaron muchas miradas con el rabillo del ojo. Sima Liang intentó acercarse, pero Madre lo cogió por el brazo.

—Quédate aquí, Liang. Miraremos desde una cierta distancia. Si nos acercamos mucho, sólo conseguiremos que él tenga un motivo más de preocupación.

El Sol se levantaba cada vez más alto en el cielo mientras varios camiones llenos de soldados armados y con la cabeza cubierta con cascos iban cruzando sigilosamente el Río de los Dragones y atravesando la brecha que había en el dique. Los hombres tenían el aspecto de quien se sabe enfrentado a un enemigo poderoso. Después de que los camiones se detuvieran al lado de la tienda, los soldados saltaron al suelo por parejas y se organizaron rápidamente para formar una muralla humana. Después, dos soldados descendieron de uno de los camiones y abrieron la puerta trasera. Entonces apareció Sima Ku con un par de relucientes esposas en las manos, custodiado por un escuadrón de soldados. Trastabilló cuando lo empujaron para que bajara, pero inmediatamente lo recogió un soldado alto y robusto que, evidentemente, había sido escogido para desempeñar esa tarea. Sima Ku, con las piernas hinchadas y cubiertas de una espesa sangre, avanzó tambaleándose junto a sus captores, dejando unas huellas malolientes en la tierra. Lo condujeron hasta la tienda, sobre la plataforma. Los testigos forasteros, que veían a Sima Ku por primera vez y se lo habían imaginado como un demonio asesino, medio hombre y medio bestia, un monstruo con colmillos y un rostro verdoso y feroz, comentaron más tarde que se habían sentido decepcionados al verlo en persona. Este hombre de mediana edad, con la cabeza rapada y unos ojos grandes y tristes, no tenía un aspecto amenazante en absoluto. Por el contrario, les dio la impresión de ser una persona sin ninguna malicia, cándido y de buen corazón, por lo que se preguntaron si la policía no se habría equivocado al arrestarlo.

El juicio se puso en marcha rápidamente. Comenzó con la lectura, por parte del magistrado, de la lista de los delitos de Sima Ku, y concluyó con el dictamen de la sentencia de muerte. Después, los soldados lo hicieron bajar de la plataforma. Cojeaba al caminar, por lo que los soldados tenían que sujetarlo de los brazos. La procesión se detuvo al borde del estanque, en el infame lugar destinado a las ejecuciones. Sima Ku se volvió para mirar hacia el dique. Tal vez nos viera, tal vez no.

—¡Papá! —le gritó Sima Liang, pero Madre le tapó inmediatamente la boca con la mano.

—Liang —le susurró al oído—, sé buen chico y haz lo que te digo. Sé cómo te sientes, pero es muy importante que no hagamos que tu papá se sienta peor de lo que ya se siente. Deja que se enfrente a este último desafío libre de preocupaciones.

Las palabras de Madre funcionaron como un conjuro mágico y transformaron a Sima Liang, que parecía un perro rabioso, en una dócil oveja.

Dos soldados con aspecto de forzudos cogieron a Sima Ku por los hombros y lo obligaron a darse la vuelta para que quedara de frente al estanque de las ejecuciones. La acumulación de agua de lluvia a lo largo de treinta años se asemejaba al aceite de limón. Desde ahí, la imagen de su rostro demacrado, con las mejillas llenas de cicatrices, le devolvió la mirada. Dándole la espalda al escuadrón de soldados, mirando hacia el estanque, vio las caras de innumerables mujeres reflejadas en el agua. Sus fragancias ascendían desde la superficie, y súbitamente se apoderó de él una sensación fuerte: la de su propia fragilidad. Unas turbulentas y emocionantes olas perturbaron la calma de su corazón. Liberándose de los soldados que lo tenían atrapado, se dio la vuelta, dándole un susto al director del Departamento Judicial de la Oficina de Seguridad del Condado, así como a los verdugos, que eran conocidos por su capacidad de matar sin ni siquiera pestañear.

—¡No dejaré que me disparéis por la espalda! —gritó estridentemente.

Al situarse frente a las pétreas miradas de sus verdugos, sintió punzadas de dolor procedentes de las cicatrices que tenía en las mejillas. Sima Ku, para quien la dignidad era tan importante, fue asaltado por los remordimientos cuando los acontecimientos del día anterior afloraron a su mente.

Cuando el representante legal le había hecho entrega del documento en el que se lo condenaba a ser ejecutado, Sima Ku lo había recibido lleno de alegría. El representante le había preguntado si tenía una última petición que hacer. Frotándose la perilla, él había dicho: «Me gustaría que un peluquero me afeitara la cabeza», a lo que el representante le había contestado: «Se lo transmitiré a mis superiores».

Llegó el peluquero, portando su pequeña maleta, y se acercó a la celda del condenado con evidente inquietud. Después de afeitarle la cabeza de un modo muy irregular, dirigió su cuchilla hacia la barba. Pero cuando había realizado la mitad del trabajo, le hizo un rasguño en la mejilla, arrancándole un chillido a la víctima. El peluquero se asustó tanto que se plantó en la puerta de la celda de un salto y buscó protección situándose entre los dos guardias armados.

—El pelo de este tipo es más espinoso que las cerdas de un puerco —dijo el peluquero, mostrándole a los guardias la cuchilla—. Me ha estropeado la cuchilla. Y su barba es todavía peor. Es como un cepillo de púas metálicas. Toda su fuerza debe estar concentrada en las raíces de su barba.

El peluquero recogió sus cosas y estaba a punto de marcharse cuando lo detuvo un insulto de Sima Ku:

—Tú, hijo de perra, ¿qué te crees que estás haciendo? ¿Quieres que vaya a encontrarme con mis antepasados con media cara afeitada?

—Tú, condenado —le contestó el peluquero—. Tu barba está demasiado dura, y estás concentrando toda tu fuerza ahí.

Sin saber si reírse o echarse a llorar, Sima Ku le dijo:

—No le eches la culpa al retrete si no puedes cagar. No tengo ni idea de a qué te refieres cuando dices que concentro toda mi fuerza en no sé qué sitio.

—Estás gruñendo todo el tiempo. Si eso no es concentrar tu fuerza, ¿qué es? —le contestó el peluquero astutamente—. No estoy sordo, ¿sabes?

—¡Cabrón! —le dijo Sima Ku—. Estoy gruñendo por el daño que me haces.

Uno de los guardias le dijo al peluquero:

—Tienes trabajo, así que cállate ya y termina de afeitarlo.

—No puedo —dijo él—. Buscad a un maestro peluquero.

Sima Ku suspiró y dijo:

—Mierda. ¿Dónde habéis encontrado a esta basura? Quitadme las esposas, chicos, y me afeitaré yo mismo.

—¡De ninguna manera! —dijo uno de los guardias—. Si esto es una estratagema para atacarnos y escapar, o para suicidarte, será responsabilidad nuestra.

—¡Que le den a tu vieja! —bramó Sima Ku—. Quiero ver a la persona que esté al mando —añadió, golpeando ruidosamente las esposas contra los barrotes de la ventana.

Una oficial de seguridad llegó corriendo.

—Sima Ku, ¿qué te crees que estás haciendo? —le preguntó.

—Mírame la cara —dijo Sima—. Me ha afeitado media cara y luego ha parado diciendo que mi barba es demasiado dura. ¿A ti te parece comprensible?

—No —dijo ella, dándole una palmada en el hombro al peluquero—. ¿Por qué no terminas de afeitarlo?

—Su barba es demasiado dura. Y está todo el tiempo concentrando su fuerza en las raíces...

—¡Que le den a todos tus antepasados! ¡Deja ya esa tontería sobre la fuerza que concentro!

El peluquero levantó y mostró su cuchilla estropeada en defensa de su argumento.

—¿Por qué no actúas como un hombre, amiga? —le dijo Sima Ku a la oficial—. Quítame las esposas y yo mismo me afeitaré. Es el último favor que pido en mi vida.

La oficial, que había participado en la captura de Sima, dudó durante unos momentos antes de volverse hacia uno de los guardias y decirle:

—Quítaselas.

Con mucha aprensión, el guardia hizo lo que le habían dicho y después se apartó, de un salto, de la zona de peligro. Sima Ku se frotó las muñecas hinchadas y estiró un brazo con la palma de la mano hacia arriba. Entonces la oficial le quitó la cuchilla al barbero y se la depositó sobre la mano a Sima, quien la cogió y clavó su mirada en los oscuros ojos de ella, semejantes a uvas, que coronaban unas pobladas pestañas.

—¿No tienes miedo de que te ataque, o de que huya, o de que me quite la vida?

—Si lo hicieras —dijo ella sonriendo—, no serías Sima Ku.

Soltando un suspiro, Sima dijo:

—¡Nunca soñé que sería una mujer quien me entendiera de verdad!

Ella sonrió con sorna.

Sima se quedó mirando los labios rojos y duros de la mujer, y después dejó caer la mirada hasta su pecho, que se arqueaba hacia arriba por debajo de su uniforme de color caqui.

—Tienes unos bonitos pechos, hermanita —le dijo.

Ella apretó los dientes, muy enfadada, y dijo:

—¿Eso es lo único en lo que puedes pensar el día de antes de tu muerte?

—Hermanita —le contestó Sima con voz sombría—, me he follado a un montón de mujeres en mi vida, y lo único de lo que me arrepiento es de no haberme follado nunca a una comunista.

Ella se puso furiosa y le dio una bofetada tan fuerte y tan sonora que un poco de polvo se desprendió de las vigas. Él sonrió pícaramente y le dijo:

—Tengo una joven cuñada que es comunista. Sus convicciones políticas son tan firmes como sus hermosos pechos...

Sonrojándose, la oficial escupió a Sima a la cara y le dijo, gruñendo en voz baja:

—¡Ándate con cuidado, chucho sarnoso, o te voy a cortar las pelotas!

Sima Ting gritó, con una voz llena de tristeza y de rabia, sacando a Sima Ku de sus angustiosos pensamientos. Miró y vio a un escuadrón de milicianos arrastrando a su hermano mayor hacia la multitud de espectadores. «¡Soy inocente! ¡Inocente! ¡He prestado un buen servicio! ¡Rompí relaciones con mi hermano hace mucho tiempo!». Nadie hizo ningún caso a las llorosas súplicas de Sima Ting. Sima Ku suspiró y un sentimiento de culpa se apoderó poco a poco de su corazón. Cuando todo iba bien, el tipo había sido un hermano bueno y leal, aunque a veces no se pudiera confiar en lo que decía.

Sima Ting tenía las piernas como de goma, hasta el punto que no podía mantenerse de pie. Un oficial de la aldea le preguntó:

—Dime, Sima Ting, ¿dónde está escondido el tesoro de la Casa Solariega de la Felicidad? ¡Si no me lo dices, correrás la misma suerte que él!

—No hay ningún tesoro escondido. Durante la reforma agraria ya cavaron hasta una profundidad de un metro y no encontraron nada —se defendió el desgraciado hermano de Sima Ku.

Éste sonrió y dijo:

—¡Deja de refunfuñar, Hermano Mayor!

—¡Es todo por tu culpa, cabrón! —protestó Sima Ting. Sima Ku se limitó a sacudir la cabeza y a sonreír con amargura.

—¡Basta ya de tonterías! —los reprendió el oficial de la aldea, con la mano apoyada en la culata de su pistola—. ¡Llevaos a ese hombre! ¿Es que no tenéis educación? —Mientras se llevaban de allí a Sima Ting, el oficial añadió—: Pensábamos que ésta sería una buena ocasión para sonsacarle algo.

El oficial que estaba al mando de la ejecución levantó una banderita roja y exclamó en voz alta:

—Preparados...

Los hombres que formaban el pelotón de fusilamiento levantaron sus armas, esperando la orden. Una sonrisa helada se dibujó en el rostro de Sima Ku, que miraba fijamente las negras bocas de los rifles que lo apuntaban. Un resplandor rojizo se elevó por encima del dique, y el olor de las mujeres invadió el cielo y la tierra. Sima Ku gritó:

—¡Las mujeres son una cosa maravillosa!

El sordo crepitar de los disparos le abrió la cabeza a Sima Ku como si fuera un melón maduro. La sangre y los sesos saltaron en todas direcciones. Su cuerpo se quedó momentáneamente rígido y después se precipitó hacia adelante. En aquel momento, como en la escena culminante de una obra de teatro que se produce justo antes de que caiga el telón, la viuda Cui Fengxian, de la Aldea de la Boca de Arena, vestida con una chaqueta de satén rojo y unos pantalones de satén verde, y con el pelo adornado con un ramillete de sedosas flores de color amarillo dorado, llegó volando desde lo alto del dique y se tumbó en el suelo al lado de Sima Ku. Yo supuse que empezaría a llorar junto al cadáver, pero no lo hizo. Tal vez la imagen del cráneo destrozado de Sima Ku hizo que se quedara sin un ápice de valor. Sacó de su cinturilla un par de tijeras; yo pensé que se las iba a clavar en el pecho para acompañar a Sima Ku en la muerte. Pero no lo hizo. Ante los ojos de todo el mundo, le clavó las tijeras a Sima Ku en su pecho muerto. Después se tapó la cara, rompió el silencio con breves chillidos de dolor y se marchó tambaleándose lo más rápido que pudo. La multitud de espectadores se quedó ahí de pie. Parecían estacas de madera. Las últimas palabras de Sima Ku, decididamente poco elegantes, se habían abierto paso hasta lo más profundo de sus corazones, produciéndoles un leve cosquilleo pícaro mientras se retiraban del lugar. ¿Son realmente las mujeres una cosa maravillosa? Tal vez lo sean. Sí, definitivamente las mujeres son una cosa maravillosa, pero dicho esto, hay que añadir que en realidad no son «una cosa».

Capítulo 6

I

El día del decimoctavo cumpleaños de Shangguan Jintong, Shangguan Pandi se llevó a Lu Shengli con ella. Jintong estaba sentado en el dique, contemplando melancólicamente cómo las gaviotas planeaban por encima del río. Sha Zaohua salió del bosque y le entregó su regalo de cumpleaños, un pequeño espejo. A la chica, que tenía la piel muy morena, ya le habían crecido unos bonitos pechos. Sus ojos oscuros, ligeramente bizcos, parecían guijarros en el fondo del río, y estaban llenos del brillo de la pasión.

—¿Por qué no lo guardas para dárselo a Sima Liang cuando vuelva? —dijo Jintong.

Ella se metió la mano en el bolsillo y sacó un espejo más grande.

—Éste es para él.

—¿De dónde has sacado tantos espejos? —le preguntó Jintong, evidentemente sorprendido.

—Los robé de la cooperativa —dijo ella en voz baja—. He conocido a una maga ladrona en el Mercado de Wopu que me ha cogido de aprendiza. Cuando mi aprendizaje concluya, si necesitas algo, no tienes más que pedírmelo y yo lo robaré para dártelo. Mi profesora le robó el reloj a un tipo de la propaganda soviética quitándoselo de la muñeca, y además le sacó un diente de oro de la boca.

—Pero eso va contra la ley.

—Ella me dijo que los hurtos menores van contra la ley, pero no los robos de alto nivel. —Examinando entre sus manos los dedos de Jintong, le dijo—: Tienes unos dedos suaves y finos. Podrías ser un buen ladrón.

—No, yo no. Me falta valor. Pero Sima Liang sí que podría, tiene agallas y siempre está alerta. Él es tu hombre. Puedes enseñarle cuando vuelva.

Zaohua se guardó el espejo grande, diciendo:

—Liangzi, Liangzi, ¿cuándo vas a volver?

Sonaba como una mujer madura.

* * *

Sima Liang había desaparecido hacía cinco años. Enterramos a Sima Ku al día siguiente al que lo fusilaron, y Sima Liang partió aquella noche. El viento frío y húmedo del Noreste hacía que las jarras y los cazos desconchados que colgaban de la pared cantaran oscuramente. Nos sentamos sin hacer nada frente a un farol solitario, y cuando el viento apagó la llama, nos quedamos a oscuras. Nadie hablaba. Todos nos habíamos quedado impresionados por la escena que tuvo lugar en el entierro de Sima Ku. Como no teníamos ataúd, tuvimos que envolver su cuerpo en una esterilla de paja, como se envuelve un puerro en una tortita, muy apretado, y lo atamos con una cuerda. Una docena de personas, más o menos, ayudó a llevar su cuerpo hasta el cementerio público, donde cavamos un hoyo. Después nos quedamos de pie junto a la cabecera de la tumba, donde Sima Liang cayó de rodillas y se prosternó. Ni una lágrima le corrió por la cara, donde se dibujaban bonitas arrugas. Yo tenía ganas de decir algo para que mi querido amigo se sintiera mejor, pero no se me ocurrió nada. Cuando volvíamos a casa, me dijo en voz baja:

—Me voy a marchar, Pequeño Tío.

—¿Dónde? —le pregunté yo.

—No lo sé.

En el momento en que el viento apagó la llama del farol, creí ver una vaga y oscura figura saliendo silenciosamente por la puerta, y tuve la certeza de que Sima Liang se había marchado, aunque no oí ni un ruido. Se fue como si nada. Madre lo buscó metiendo un largo palo de bambú hasta el fondo en todos los pozos secos y los estanques profundos de la zona, pero yo sabía que estaba perdiendo el tiempo, puesto que Sima Liang no era de los que se suicidan. Después Madre mandó a gente a buscarlo por las aldeas vecinas, pero lo único que obtuvo fueron informaciones contradictorias. Una persona dijo que lo había visto en un circo ambulante, y otra dijo que había visto el cuerpo de un niño pequeño al lado de un lago, con el rostro picoteado por los buitres. Unos reclutas que acababan de volver del noreste dijeron que lo habían visto cerca de un puente sobre el Río Yalu. En aquella época la Guerra de Corea se estaba calentando, y la aviación militar norteamericana bombardeaba todos los días.

Miré el pequeño espejo que me había dado Zaohua. Ésa fue la primera vez que pude contemplar bien mis propios rasgos. A los dieciocho años tenía una mata de pelo amarillo, unas orejas pálidas y carnosas, unas cejas del color del trigo maduro y unas pestañas amarillentas que proyectaban su sombra sobre unos ojos de un profundo color azul. Tenía la nariz alta, los labios rosados y la piel cubierta de un fino vello. En honor a la verdad, yo ya tenía una idea de cuál era mi aspecto, y me la había hecho mirando a Octava Hermana. Con una cierta tristeza, me vi forzado a admitir que Shangguan Shouxi definitivamente no era nuestro padre y que, fuera quien fuera, se parecía al hombre del que la gente a veces hablaba en voz muy baja. Éramos, me di cuenta, descendientes ilegítimos del clérigo sueco, el Pastor Malory; un par de bastardos. Un aterrador sentimiento de inferioridad me aguijoneó el corazón. Me teñí el pelo de negro y me oscurecí el rostro, pero no podía hacer nada con el color de mis ojos; tenía ganas de arrancármelos. Recordé historias que había oído sobre gente que se había suicidado tragando oro, así que rebusqué en el joyero de Laidi hasta que encontré un anillo de oro que databa de los tiempos de Sha Yueliang. Estirando el cuello, me lo tragué, y después me tumbé en el *kang* a esperar a la muerte. Mientras tanto, Octava Hermana estaba sentada al borde del *kang* enrollando hilo. Cuando Madre volvió del trabajo en la cooperativa y me vio ahí tirado, se quedó sin aliento de la sorpresa. Yo me imaginaba que ella se avergonzaría, pero lo que encontré fue una mirada de enfado que me aterrorizó. Me cogió por el pelo y de un tirón me hizo sentarme. Después me empezó a dar bofetadas, una tras otra, hasta que me sangraban las encías y me pitaban los oídos; me hizo ver las estrellas.

—Sí, el Pastor Malory era tu padre. ¿Y qué? Lávate la cara y el pelo, quítate eso que te has puesto, sal a la calle con la cabeza bien alta y exclama: «¡Mi padre fue el Pastor Malory, el sueco, y eso me convierte en un heredero de la realeza y en alguien muy superior a vosotros, tortugas!».

Mientras me decía eso y me seguía abofeteando, Octava Hermana continuaba sentada enrollando sus hilos en silencio, como si nada de esto tuviera que ver con ella.

Estuve sollozando durante todo el tiempo que pasé frente a la palangana lavándome la cara. El agua salía negra. Madre se quedó de pie a mi espalda, maldiciendo en voz baja, pero yo sabía que ya no era el blanco de sus insultos. Cuando terminé, cogió un poco de agua limpia con un cucharón y me la echó por encima de la cabeza. Justo entonces comenzó a llorar. El agua me resbaló por la nariz y por la barbilla y cayó en la palangana que había en el suelo, haciendo que el agua que había allí se aclarara lentamente. Cuando me estaba secando el pelo, Madre me dijo:

—En aquella época yo no podía hacer nada, hijo. Eres lo que eres, así que ponte en pie bien erguido y actúa como un hombre. Ya tienes dieciocho años; ya no eres un niño. Sima Ku tuvo sus defectos, un montón de ellos, pero vivió la vida como un hombre, y eso es algo que vale la pena imitar.

Yo asentí obedientemente, pero de repente me acordé del anillo de oro. Justo cuando estaba a punto de contarle lo que había hecho, Laidi entró corriendo en casa, sin aliento. Acababa de empezar a trabajar en la fábrica de cerillas del distrito y llevaba un delantal blanco en el que se veían las siguientes palabras impresas: *Luz Estelar. Fábrica de Cerillas de Dalan.*

—¡Madre! ¡Ha vuelto! —exclamó, muy nerviosa.

—¿Quién? —preguntó Madre.

—El mudo —dijo Primera Hermana.

Madre se secó las manos y miró el rostro demacrado de Primera Hermana.

—Me temo que es tu destino, Hija.

El mudo, Sol Callado, entró *andando* en el patio delantero de nuestra casa. Había envejecido desde la última vez que lo habíamos visto. Su pelo canoso asomaba por debajo de la gorra militar que llevaba en la cabeza. Tenía los legañosos ojos más nublados que nunca. Su mandíbula se parecía a un arado oxidado. Llevaba un uniforme amarillo nuevo, con una túnica de cuello alto, abotonada por la garganta, y una hilera de brillantes medallas prendidas en la pechera. Sus brazos largos y poderosos terminaban en un par de relucientes guantes blancos. Apoyaba las manos sobre unos pequeños taburetes con ribetes de cuero. Iba sentado sobre una almohadilla de piel sintética que tenía adherida. Las amplias perneras de sus pantalones estaban dobladas y las llevaba atadas a la cintura; debajo de ésta, se adivinaban dos muñones. Ésa era la imagen que el mudo, que no habíamos visto en años, nos ofrecía ahora. Apoyándose con sus poderosos brazos sobre los pequeños taburetes, desplazó su cuerpo hacia adelante y se acercó a nosotros. La almohadilla que llevaba adherida a la cadera brillaba con un tono rojizo cuando le daba la luz.

Con cinco tambaleantes movimientos, se acercó a unos tres metros de nosotros; se quedó a una distancia suficiente como para no tener que levantar la cabeza para mirarnos a la cara. Me enjuagué el pelo y un montón de agua sucia salpicó y cayó al suelo, fluyendo hacia él. Apoyando las manos detrás de la espalda, retrocedió un poco, y entonces me di cuenta de que la estatura de las personas depende sobre todo de sus piernas. La mitad superior de Sol Callado parecía más gruesa, más robusta y más amenazante que nunca. A pesar de que había quedado reducido a un torso, seguía siendo increíblemente aterrador. Nos miró a los ojos, y un montón de emociones distintas afloró a su rostro moreno. Le tembló la mandíbula de un modo muy parecido al que lo hacía años atrás, y gruñó una y otra vez la misma palabra: «Desnudaos, desnudaos, desnudaos...». Dos hileras de lágrimas que parecían diamantes le brotaron en sus ojos ligeramente dorados y se deslizaron hacia abajo por sus mejillas.

Alzando las manos al aire, hizo una serie de gestos acompañando a las palabras «desnudaos, desnudaos, desnudaos», y entonces me di cuenta de que no lo habíamos visto desde que se había ido al noreste a investigar el paradero de sus hijos, Gran y Pequeño Mudo. Tapándose la cara con una toalla, Madre entró corriendo en la casa. Lloraba sin parar. El mudo comprendió al instante lo que le pasaba y dejó caer la cabeza sobre el pecho.

Madre volvió trayendo dos gorras manchadas de sangre; me las dio y me indicó que se las entregara. Olvidándome completamente del anillo de oro que me había tragado, me dirigí hacia él. Cuando estuve delante de él, se fijó en mi cuerpo, delgado como un raíl, y sacudió la cabeza tristemente. Yo primero me agaché, pero después cambié de idea y me puse de cuclillas ante él, le entregué las gorras y señalé hacia el Noreste. Vinieron a mi cabeza diversas imágenes de aquel lamentable viaje: el mudo llevándose a un soldado herido del frente cargándolo sobre su espalda y, mucho peor, la horripilante visión de los dos pequeños mudos muertos, yaciendo abandonados en un cráter producido por un proyectil. Cogió una de las gorras, se la llevó a la cara y la olisqueó profundamente, igual que un perro de caza olería a un asesino que se ha dado a la fuga o a un cadáver. Se colocó la gorra entre los muñones y me cogió la otra de las manos, olisqueándola de la misma manera antes de guardarla junto a su compañera. Después, sin preocuparse por si nos parecía bien, entró dando bandazos en la casa e inspeccionó todos los rincones de todas las habitaciones, desde los salones hasta el depósito de grano y la despensa. Después volvió a salir para echarle un vistazo a la edificación anexa que había en la esquina sudeste del recinto. Incluso metió la cabeza en el gallinero. Yo lo seguí a todas partes, cautivado por su forma ágil y única de desplazarse de un sitio a otro. En la habitación donde dormían Primera Hermana y Sha Zaohua, se sentó en el suelo, junto al *kang*, y agarró el borde con ambas manos. Fue una visión que me llenó de tristeza. Pero lo que ocurrió después demostró que yo me había equivocado al sentir lástima de él. Todavía aferrado al borde del *kang*, tiró de sí mismo hasta quedar suspendido en el aire; era un despliegue de fuerza que yo solamente había visto en los espectáculos de feria. Cuando su cabeza asomó por encima del borde, flexionó los brazos ruidosamente y se lanzó sobre el *kang*. Aterrizó de cualquier manera, pero sólo tardó un instante en sentarse bien.

Ahora, sentado en la cama de Primera Hermana, parecía el cabeza de familia o un auténtico líder, y yo, de pie junto a la cabecera de la cama, me sentí como un visitante no deseado en un dormitorio ajeno.

Primera Hermana estaba en la habitación de Madre. La oí llorar.

—Échalo de aquí, Madre —dijo entre lágrimas—. No lo quise ni cuando tenía piernas. Ahora, que no es más que medio hombre, lo quiero todavía menos.

—Es muy fácil invitar a una deidad a que forme parte de la vida de uno, niña, pero es muy difícil conseguir que se vaya.

—¿Y quién lo ha invitado?

—Yo me equivoqué cuando lo hice —dijo Madre—. Te entregué a él hace dieciséis años, y ahora ha llegado la hora de nuestro justo castigo.

Madre le alcanzó al mudo un cuenco lleno de agua caliente. Él exteriorizó una cierta emoción al cogerlo y vaciarlo de un trago.

—Estaba segura de que habrías muerto —dijo Madre—. Me sorprende que sigas vivo. Yo fracasé en mi intento de proteger a los niños, y mi dolor por ello es más grande que el tuyo. Vosotros erais sus padres, pero yo era su cuidadora. Parece que has servido bien al gobierno, y espero que ahora te cuiden bien. Hace dieciséis años, arreglé vuestra boda siguiendo nuestras costumbres feudales. Pero en la sociedad nueva la gente ya no se casa así. Tú eres un destacado representante del gobierno, y nosotros somos una familia de viudas y huérfanos. Deberías dejarnos vivir lo mejor que podamos. Además, en realidad Laidi nunca se casó contigo. Eso fue cosa de mi tercera hija. Te lo suplico, déjanos en paz. Que el gobierno se ocupe de ti como te mereces.

Sin hacerle ningún caso a Madre, el mudo atravesó la cortina de papel con un dedo y miró el patio a través del agujero. Mientras tanto, Primera Hermana había encontrado un par de tenazas que databan de la época de su abuela y entró en la habitación blandiéndolas con ambas manos.

—¡Tú, bastardo mudo! —gruñó—. ¡Tú, pedazo de muñón humano, sal de nuestra casa!

Se lanzó contra él con las tenazas, pero él se limitó a extender la mano y las atrapó en el aire. Ella lo intentó con todas sus fuerzas pero no logró que las soltara. En medio de aquella desesperadamente desigual competición de fuerzas, una sonrisa petulante se dibujó en el rostro del mudo. Débilmente, Primera Hermana soltó las tenazas y se cubrió la cara con las manos.

—Mudo —le dijo entre lágrimas—, no sé lo que has pensado, pero sea lo que sea, olvídalo. Me casaría con un cerdo antes que contigo.

Desde la calle llegó un estallido de platillos seguido por los gritos de un grupo de gente. Lo encabezaba el jefe del distrito. Atravesaron la puerta del patio de nuestra casa. Eran una docena, más o menos, de cuadros del partido, y un puñado de niños de la escuela que portaban ramos de flores. El jefe del distrito entró en la casa, se inclinó por la cintura y felicitó a Madre en voz alta.

—¿Por qué? —le preguntó Madre con frialdad.

—Por la bendición del Cielo, tía —le dijo él—. Deja que me explique.

Fuera, en el patio, los niños agitaban las flores en el aire y gritaban: «¡Enhorabuena! ¡Grandes honores y enhorabuena de todo corazón!».

—Tía —dijo el jefe del distrito—, hemos estado revisando los documentos de la reforma agraria y hemos llegado a la conclusión de que fuisteis erróneamente clasificados como campesinos de nivel medio-alto. El declive de vuestra situación familiar y todos los problemas que habéis tenido os convierten en campesinos pobres, y así os hemos re-clasificado. Ésta es la primera parte de las alegres noticias. También hemos estudiado algunos documentos procedentes de la época de la masacre japonesa de 1939 y hemos llegado a la conclusión de que tu suegra y tu marido desempeñaron un papel importante en la resistencia a los invasores japoneses, por lo que deberían ser honrados con el título de mártires. Merecen recuperar su estatus original, y tu familia merece disfrutar de los honores de ser descendientes de la revolución. Ésa es la segunda parte de las alegres noticias. En consonancia con estas reparaciones y rehabilitaciones, la escuela de la aldea ha decidido aceptar a Shangguan Jintong como alumno. Para compensar el tiempo que ha perdido, le será asignado un tutor, y tu nieta Sha Zaohua también tendrá la oportunidad de recibir una educación. En este momento, la compañía de teatro del condado acepta estudiantes, y haremos todo lo que esté en nuestra mano para que ella sea una de los que cojan. Ésta es la tercera parte de las alegres noticias. La cuarta parte de las alegres noticias, por supuesto, es que el héroe de primera clase del movimiento voluntario de resistencia, tu yerno, Sol Callado, ha regresado a casa cubierto de gloria. La quinta parte de las alegres noticias es que el hospital para veteranos convalecientes ha dado el paso sin precedentes de aceptar a tu hija Shangguan Laidi como enfermera de primer nivel. Recibirá un salario mensual, pero no tendrá que aparecer por el hospital. La sexta parte de las alegres noticias es verdaderamente alegre, y consiste en la celebración del reencuentro entre el héroe de la resistencia y su esposa, de la que estaba separado. El gobierno del distrito organizará la ceremonia. ¡Tía, como abuela revolucionaria que eres, vas a disfrutar de seis alegres acontecimientos!

Madre se quedó ahí quieta, con los ojos como platos y la boca abierta, como si le hubiera caído un rayo. El cuenco que tenía en la mano se hizo trizas contra el suelo.

Mientras tanto, el jefe del distrito señaló a uno de los oficiales, que se separó del grupo de escolares y se acercó, seguido por una joven que llevaba un ramo de flores. El oficial le entregó un sobre blanco al jefe del distrito.

—El certificado de descendiente de un mártir —le susurró.

El jefe del distrito lo cogió y se lo ofreció a Madre con ambas manos.

—Tía, éste es el certificado de mártir.

A Madre le temblaron las manos al cogerlo. La joven dio un paso adelante, se puso frente a Madre y le apoyó un ramo de flores blancas en la parte interior del codo. Después el oficial le entregó un sobre rojo al jefe del distrito.

—Certificado de empleo —le dijo.

El jefe del distrito cogió el sobre y se lo ofreció a Primera Hermana.

—Éste es tu certificado de empleo —le dijo.

Primera Hermana se quedó quieta, con las manos todas manchadas de hollín detrás de la espalda, por lo que el jefe del distrito extendió una mano, le cogió un brazo y le puso el sobre rojo en la mano.

—Te lo mereces —le dijo.

La joven le colocó a Primera Hermana un ramo de flores rojas bajo el brazo. A continuación el oficial le entregó al jefe del distrito un sobre amarillo.

—Notificación de matriculación en la escuela —dijo.

El jefe del distrito me ofreció el sobre.

—Pequeño Hermano —me dijo—, tu futuro promete ser brillante, así que debes estudiar mucho.

Cuando la joven me dio un ramo de flores amarillas, me di cuenta de que sus ojos transmitían un extraordinario afecto. El delicado perfume de las doradas flores me recordó al anillo de oro que todavía tenía en el estómago. ¡Si hubiera sabido que iba a pasar todo esto, no me lo habría tragado! El oficial le entregó un sobre violeta al jefe del distrito.

—La compañía de teatro.

El jefe del distrito, con el sobre en la mano, buscó con la mirada a Sha Zaohua, que apareció dando un saltito desde el otro lado de la puerta y lo cogió. Él le estrechó la mano.

—Estudia mucho, chica —le dijo—, y conviértete en una gran actriz.

La joven le entregó a Zaohua un ramo de flores violetas. Cuando ella las cogió, una medalla brillante cayó al suelo. El jefe del distrito se agachó a recogerla. Tras leer lo que había escrito en ella, se la entregó al mudo, que estaba sentado en el *kang*. Yo sentí una repentina y alegre excitación cuando el mudo se la prendió en el pecho. Evidentemente, ahora nuestra familia contaba con un ladrón de primera clase. Por último, el jefe del distrito recibió el único sobre que quedaba —uno de color azul— del oficial y dijo:

—Camarada Sol Callado, éste es un certificado de tu boda con Shangguan Laidi. El distrito se ha ocupado de todos los detalles. Lo único que tenéis que hacer es poner ahí vuestras huellas dactilares un día de estos.

La joven extendió la mano y le entregó al mudo un ramo de flores azules.

—Tía —dijo el jefe del distrito—, ¿tienes algo que decir? No seas tímida. ¡Todos somos una gran familia feliz!

Madre miró con preocupación a Primera Hermana, que se había quedado quieta, sujetando su ramo de flores rojas. Uno de los lados de la boca le temblaba hasta la altura de la oreja. Del rabillo del ojo le brotaron algunas lágrimas brillantes que cayeron sobre sus flores, como rocío, cubriendo sus pétalos.

—En la nueva sociedad —dijo Madre, tentativamente—, deberíamos escuchar la opinión de nuestros hijos...

—Shangguan Laidi —dijo el jefe del distrito—, ¿tienes algo que decir?

Primera Hermana nos miró y suspiró.

—Supongo que es mi destino.

—¡Magnífico! —dijo el jefe del distrito—. ¡Ordenaré que venga alguna gente a preparar la casa para que podamos celebrar la ceremonia mañana!

La noche antes de que Shangguan Laidi se casara formalmente con el mudo, expulsé el anillo de oro.

***

La docena de doctores, más o menos, que había en el hospital del condado, se organizaron en una unidad médica que, bajo la dirección de un especialista procedente de la Unión Soviética, logró por fin desengancharme de mi dieta láctea y curarme de mi aversión a la comida normal empleando las teorías de Pavlov. Liberado de ese pesado yugo, me incorporé a la escuela. Comencé a estudiar y, antes de que pasara mucho tiempo, me había convertido en el alumno más aventajado del primer curso de la Escuela Intermedia de Dalan. Aquélla fue la época más gloriosa de toda mi vida. Pertenecía a la familia más revolucionaria de la zona, era más listo que nadie, tenía un aspecto físico envidiable y una cara que hacía que todas las chicas bajaran la mirada, avergonzadas, y gozaba de un apetito voraz. En la cafetería de la escuela, solía zamparme un enorme trozo de pan de maíz y una gorda cebolla verde mientras charlaba y reía con los otros chicos. Cuando llevaba seis meses en la escuela, ya me habían adelantado dos cursos y me había convertido en el delegado de tercero de la clase de ruso. Me admitieron en la Liga Juvenil sin tener que solicitarlo, y en muy poco tiempo me eligieron miembro de la rama joven del comité de propaganda, cuya principal función era cantar canciones populares rusas en ruso. Tenía una voz fuerte, rica como la leche y potente como una gorda cebolla verde, que invariablemente apagaba las voces de los que cantaban junto a mí. En resumen, fui la estrella más brillante de la Escuela Intermedia de Dalan durante la segunda mitad de los años 50, y el alumno favorito de la Profesora Huo, una hermosa mujer que había servido como intérprete de los expertos rusos que visitaban el país. Ella solía alabarme delante de los demás estudiantes, diciendo que tenía un don para los idiomas. Para ayudarme a mejorar mi conocimiento del ruso, me consiguió una amiga con la que cartearme. Se trataba de una chica que estaba en el noveno curso en una ciudad soviética y que era la hija de un experto soviético que había trabajado en China. Se llamaba Natasha. Intercambiamos fotos. Me miraba con una ligera expresión de sorpresa en los ojos. Tenía unas pestañas exuberantes y rizadas.

II

Shangguan Jintong sintió que
se le aceleraba el corazón y que
la sangre le subía a la cabeza;
la mano con la que sostenía la foto le empezó a temblar de forma
incontrolable. Los gruesos labios de Natasha se levantaban ligeramente mostrando unos dientes casi cegadores de tan blancos, y la
cálida y delicada fragancia de las orquídeas pareció elevarse ante sus
ojos mientras una dulce sensación hacía que le doliera la nariz. Contempló el rubísimo pelo que le caía sobre los sedosos hombros. Un
vestido escotado y con cuello en forma de U, que seguro que había
pertenecido a su madre o a una hermana mayor, le caía, muy suelto,
desde sus pequeños y respingones pechos. Su largo cuello y su escote
no dejaban nada a la imaginación. Por alguna misteriosa razón, de los
ojos de él brotaron unas lágrimas, produciendo un efecto semejante
a mirar a través de un cristal empañado. Mientras seguía disfrutando
de esa visión casi directa de sus pechos, el dulce aroma de la leche
penetró en su alma y se imaginó que oía una llamada procedente del
lejano Norte. Estepas cubiertas de hierba hasta donde alcanzaba la
vista, un denso bosque de melancólicos abedules, una pequeña cabaña
en lo más profundo del bosque, abetos blanqueados por la nieve y el
hielo... unas encantadoras escenas desfilaron ante sus ojos como una

secuencia de fotografías. Y en medio de cada una de las imágenes se encontraba la joven Natasha, con un ramo de flores violetas entre los brazos. Jintong se tapó los ojos con las manos y lloró de alegría; las lágrimas se deslizaron hacia abajo resbalando a través de sus dedos.

Durante toda aquella noche, Jintong osciló entre el sueño y la vigilia mientras Natasha paseaba de un lado a otro delante de él con el dobladillo del vestido arrastrándole por el suelo. En su fluido ruso, él desnudó su corazón ante ella, pero la expresión de su rostro pasó de la felicidad al enfado, cosa que lo arrancó de las cumbres de la excitación y lo llevó hasta las profundidades de la desesperanza. Y sin embargo, una simple sonrisa hipnotizadora lo volvió a transportar a las alturas.

Al amanecer, el chico de la litera de abajo, un tipo llamado Zhao Fengnian que tenía dos hijos, se quejó:

—Shangguan Jintong, ya sé que hablas un ruso maravilloso, pero tienes que dejar que los demás duerman.

Tras dejar que la cautivadora imagen de Natasha se desvaneciera, y con un dolor de cabeza terrible, Jintong se disculpó cáusticamente ante Zhao Fengnian, que se dio cuenta de que tenía el rostro pálido y los labios llenos de ampollas.

—¿Estás enfermo?

Sufriendo, negó con la cabeza, y se sintió de repente como si sus pensamientos fueran en un coche que surcara un terreno montañoso y resbaladizo, donde existe el riesgo de perder súbitamente el control y despeñarse. En la base de la montaña, donde abunda la hierba, la hermosa Natasha se levanta el dobladillo de la falda y corre silenciosamente hacia él...

Cogió el poste de la litera y se puso a golpearlo con la cabeza una y otra vez.

Zhao Fengnian hizo llamar al instructor político, Xiao Jingang, que había formado parte de una brigada de trabajadores armados y era un hombre que provenía de un medio realmente proletario. Una vez había jurado que llevaría a la Profesora Huo ante un pelotón de fusilamiento por llevar faldas cortas, cosa que él consideraba una degeneración moral. Sus ojos sombríos, en un rostro que era duro como el acero, hicieron que Jintong sufriera un instantáneo escalofrío. La cabeza le dejó de dar vueltas y le pareció como si lo estuvieran sacando de unas arenas movedizas.

—¿Qué te pasa, Shangguan Jintong? —le preguntó severamente Xiao Jingang.

—¡Xiao Jingang, palurdo de cara aplastada, métete en tus asuntos!

Para que el hombre lo ayudara, con su severidad, a librarse de la imagen de Natasha, que lo tenía fuertemente aferrado, lo único que se le ocurrió fue hacer que se enfadara.

Xiao le dio un manotazo en un costado de la cabeza.

—¡Pequeño gilipollas! —lo insultó—. ¿Quién eres tú para hablarme de ese modo? ¡No permitiré que un mocoso enchufado de Huo Lina me trate así!

Durante el desayuno, cuando estaba sentado mirando su cuenco de gachas de maíz, a Jintong se le revolvió el estómago, y se dio cuenta de que su terrible aversión a toda comida que no fuera leche materna se había vuelto a apoderar de él. Entonces cogió el cuenco y, empleando los restos de lucidez que quedaban en su mente turbia, se obligó a empezar a beberse las gachas. Pero en cuanto vio el líquido, un par de pechos vivarachos parecieron surgir del cuenco, que se le cayó de las manos y se hizo añicos contra el suelo. Las gachas calientes le salpicaron las piernas, pero no sintió nada.

Sus compañeros de clase, asustados, lo arrastraron inmediatamente a la enfermería, donde la enfermera de la escuela le limpió las piernas y le frotó las quemaduras con un ungüento, y después les dijo a sus compañeros que se lo volvieran a llevar al dormitorio.

Una vez allí, rompió la fotografía de Natasha y arrojó los trozos al río que pasaba por detrás de la escuela. Entonces observó cómo Natasha, hecha trizas, se alejaba corriente abajo y llegaba a un remolino, donde sus trozos volvieron a unirse y, como si fuera una sirena desnuda, se quedó flotando en la superficie. Su pelo, rizado y húmedo, le caía hasta las caderas.

Sus compañeros de clase, que lo habían seguido hasta el río, vieron que abría los brazos y se sumergía en el agua después de gritar algo. Algunos de ellos salieron corriendo hacia la orilla del río, y otros volvieron a toda prisa a la escuela en busca de ayuda. Hundiéndose bajo la superficie del agua, Jintong vio a Natasha nadando como un pez entre las algas. Intentó llamarla, pero se le llenó la boca de agua y su grito quedó ahogado.

Cuando Jintong abrió los ojos, estaba acostado sobre el *kang* de Madre. Intentó incorporarse, pero Madre lo sujetó y le metió en la boca la tetina de una botella llena de leche de cabra. Débilmente se acordó de que la vieja cabra había muerto hacía mucho tiempo. ¿De dónde habría salido esa leche? Ya que no lograba que su testaruda mente se pusiera a funcionar, cerró los ojos, agotado. Madre y Primera Hermana hablaban de un exorcismo, pero el débil sonido de sus voces parecía provenir de una botella lejana.

—Debe estar poseído —dijo Madre.

—¿Poseído? —preguntó Primera Hermana—. ¿Por quién?

—Creo que es un espíritu de zorro maligno.

—¿Podría tratarse de esa viuda? —preguntó Primera Hermana—. Adoraba a un hada-zorro cuando estaba viva.

—Tienes razón —le contestó Madre—. No debería haber venido a buscar a Jintong... Apenas hemos tenido la oportunidad de disfrutar unos días felices...

—Madre —dijo Primera Hermana—, estos días, que tú llamas felices, han sido una tortura para mí. Ese medio hombre mío me va a aplastar hasta matarme... es como un perro, pero como un perro inútil. Madre, no me eches la culpa si hago algo.

—¿Por qué te iba a echar la culpa? —dijo Madre.

Jintong estuvo metido en la cama durante dos días, y su mente se fue aclarando poco a poco. La imagen de Natasha seguía flotando ante sus ojos. Cuando se lavaba, el lloroso rostro de ella se le aparecía en el lavabo. Cuando se miraba en el espejo, ella estaba ahí para devolverle la sonrisa. Cada vez que cerraba los ojos, escuchaba el sonido de su respiración. Incluso podía sentir su pelo suave acariciándole la cara y sus cálidos dedos recorriéndole el cuerpo. Su madre, asustada ante su errática conducta, lo seguía a todas partes, retorciéndose las manos con nerviosismo y lloriqueando como una niña pequeña. Su propio rostro demacrado le miraba desde el agua del depósito, y le sostenía la mirada.

—¡Está ahí dentro!

—¿Quién está ahí dentro? —le preguntó su madre.

—¡Natasha! Y está triste.

Ella observó cómo su hijo metía la mano en el depósito de agua. Ahí dentro no había nada más que agua, pero su hijo, muy excitado, murmuraba palabras que ella no podía comprender, así que se lo llevó de allí y le puso la tapa al depósito. Pero Jintong cayó de rodillas frente a una palangana y comenzó a hablar en un idioma extraño al espíritu que habitaba en el agua. En cuanto su madre tiró el agua de la palangana, Jintong apretó los labios contra la ventana, como si quisiera besar su propio reflejo.

Las lágrimas brillaron en la cara de su madre. Jintong vio a Natasha bailando en esas lágrimas, saltando de una a otra.

—¡Ahí está! —dijo, con una expresión de estupidez en el rostro, señalando la cara de su madre—. Natasha, no te vayas.

—¿Dónde está?

—En tus lágrimas.

Madre se secó las lágrimas a toda prisa.

—¡Ahora ha pegado un salto y se te ha metido en los ojos! —gritó Jintong.

Finalmente, su madre comprendió. Natasha aparecía en cualquier parte donde hubiera un reflejo. Entonces tapó todos los recipientes que contenían agua, enterró los espejos, cubrió las ventanas con un papel negro y no le dejaba a su hijo mirarla a los ojos.

Pero Jintong veía a Natasha tomar forma en la oscuridad. Había pasado de un estado en el que intentaba todo cuanto fuera posible para evitar a Natasha a otro en el que la perseguía frenéticamente. Ella, por su parte, había pasado de un estado en el que estaba en todos lados a otro en el que se escondía en cualquier lugar. Gritando «escúchame, Natasha», él se dirigió corriendo hacia un rincón oscuro. Ella se metió arrastrándose en una ratonera que había debajo de un armario. Él acercó su cara al agujero e intentó meterse detrás de ella. En su imaginación, lo consiguió, y la siguió por un serpenteante pasadizo, gritándole: «No te escapes de mí, Natasha. ¿Por qué me haces esto?». Natasha salió arrastrándose por otro agujero y desapareció.

Él la buscó por todas partes, y al final la descubrió pegada a la pared; se había estirado hasta volverse fina como una hoja de papel. Él corrió hacia allí y empezó a palpar la pared con ambas manos, como si le estuviera acariciando la cara. Agachándose por la cintura, Natasha se escurrió entre sus brazos y fue gateando hasta la chimenea de la cocina; muy pronto tuvo toda la cara cubierta de hollín. Él se puso de rodillas al pie de la cocina y extendió una mano para quitarle el hollín de la cara, pero no salía. Por el contrario, él se llenó de hollín la suya.

Sin saber qué más hacer, Madre cayó de rodillas, se prosternó y decidió convocar al gran exorcista, el Mago Ma, que hacía años que no ponía en práctica sus conocimientos.

El espiritista llegó vestido con una larga túnica negra y con el pelo suelto, colgándole hasta la altura de los hombros. Venía descalzo; tenía ambos pies manchados de color rojo brillante. En una mano llevaba una espada hecha de madera de melocotonero, y murmuraba cosas que nadie podía comprender. En cuanto lo vio, Jintong se acordó de todas las extrañas historias que había oído sobre el hombre en cuestión y, como si se hubiera tragado una cucharada de vinagre, sintió un estremecimiento. En su mente confusa se abrió un hueco y la imagen de Natasha se desvaneció, al menos por el momento. El mago tenía un rostro de color violáceo oscuro y unos ojos saltones que le daban un aspecto salvaje. Tosió y escupió una flema; fue parecido a ver a un pollo soltar una de sus húmedas deposiciones. Blandiendo en el aire su espada de madera, realizó un extraño baile. Se cansó rápido y se situó, de pie, al lado de la palangana; diciendo un conjuro, escupió dentro. Después, cogiendo la espada con ambas manos, se puso a revolver el agua, que poco a poco se fue volviendo roja. Esto fue seguido por otro baile. Cuando volvió a cansarse se dedicó a revolver el agua de nuevo, hasta que adquirió el color de la sangre fresca. Tirando su espada, se sentó en el suelo, respirando pesadamente. Arrastró a Jintong a su lado y le dijo:

—Mira en la palangana y dime qué es lo que ves.

Jintong percibió un dulce olor a hierbas cuando clavó la mirada en la superficie del agua, semejante a un espejo; se quedó asombrado al ver la cara que lo miraba fijamente. ¿Cómo podía ser que Jintong, tan lleno de vida, se hubiera convertido en un joven ojeroso, lleno de arrugas y sumamente feo?

—¿Qué ves? —insistió el mago.

La cara ensangrentada de Natasha brotó muy lentamente de la palangana y se fundió con la suya; Natasha se deslizó fuera de su vestido y señaló una herida ensangrentada que tenía en el pecho.

—Shangguan Jintong —le dijo—, ¿cómo puedes ser tan despiadado?

—¡Natasha! —le dijo Jintong, estremeciéndose y metiendo la cara en el agua.

Entonces oyó que el mago les decía a Madre y a Laidi:

—Ya está bien. Podéis llevarlo de nuevo a su habitación.

Jintong se puso en pie de un salto y se lanzó contra el mago de la montaña. Era la primera vez en su vida en que atacaba a alguien. ¡Qué valor hace falta para atacar a alguien que se relaciona con fantasmas y demonios! Y todo por Natasha. Le cogió al mago la perilla canosa con la mano izquierda y tiró con todas sus fuerzas, haciendo que al hombre se le estirara la boca hasta adoptar la forma de un óvalo negro. Una saliva que olía de una manera repugnante le resbaló por la mano. Protegiéndose el pecho herido con una mano, Natasha se sentó sobre la lengua del mago y miró a Jintong con admiración. Espoleado por aquella mirada, él tiró de la perilla aún más fuerte, empleando ahora las dos manos. El cuerpo del mago se dobló dolorosamente hasta que se parecía a la Esfinge del manual de geografía. Moviéndose con torpeza, golpeó a Jintong en la pierna con su espada de madera. Pero Jintong no sintió ningún dolor, gracias a Natasha, e incluso si lo hubiera sentido, no habría soltado a su presa, porque Natasha estaba dentro de la boca de ese hombre. La idea de lo que ocurriría si le soltaba la barbilla lo hizo estremecerse. El mago masticaría a Natasha hasta convertirla en papilla y después se la tragaría y ella descendería por su aparato digestivo. ¡Los intestinos del mago eran algo asqueroso! ¡Date prisa, Natasha, sal de ahí!, le gritó ansiosamente. Pero ella se quedó sentada sobre la lengua del mago, como si estuviera sorda. La perilla del hombre estaba cada vez más resbalosa, porque la sangre procedente del pecho de Natasha le había empapado los bigotes. Él seguía tirando con ambas manos, y la sangre de ella le manchaba los dedos. El mago tiró su espada, extendió ambas manos, cogió a Jintong por las orejas y tiró con todas sus fuerzas. A Jintong se le abrió mucho la boca y oyó los chillidos de Madre y de Primera Hermana, pero nada iba a hacer que le soltara la perilla al mago. Los dos combatientes daban vueltas en círculos por el patio, seguidos por Madre y Primera Hermana, hasta que Jintong se tropezó con algo que había en el suelo. Entonces dejó de tirar durante un instante que fue aprovechado por el mago para morderle una de las manos. Tenía la sensación de que le iban a arrancar las orejas de los lados de la cabeza, y le habían mordido el dorso de la mano hasta los huesos. Dio un alarido de dolor, pero ese dolor no era nada comparado con el que sentía en el corazón. Todo se volvió borroso. Frenéticamente, pensó en Natasha. El mago se la había tragado y ahora ella estaba dentro de su estómago, deshaciéndose en sus jugos digestivos. Las pinchudas paredes de su estómago la estaban desmigajando sin piedad. La imagen borrosa que había ante él se oscureció hasta que todo estaba negro, como el vientre de una sepia.

Sol Callado, que había salido a comprar una botella, entró en el patio. Gracias a su mirada perspicaz y a su rica experiencia de soldado, se dio cuenta inmediatamente de lo que estaba pasando. Con toda la calma del mundo, dejó la botella junto a la base de la pared de la habitación lateral. «¡Jintong tiene problemas! —gritó Madre—. ¡Sálvalo!». Sol Callado se situó sin ningún esfuerzo detrás del mago, levantó los dos pequeños taburetes y los dejó caer simultáneamente sobre sus pantorrillas. El hombre cayó al suelo como una piedra. Los taburetes de Sol Callado se alzaron en el aire por segunda vez y volvieron a impactar sobre los brazos del caído, que le soltó las orejas a Jintong. Los taburetes de Sol golpearon violentamente las orejas del mago; éste abrió la boca y le soltó la mano a Jintong antes de caer rodando al suelo. Apretó los dientes y extendió la mano para coger su espada. Sol Callado rugió; el hombre se estremeció. Para entonces, Jintong, que había empezado a gemir, hizo un esfuerzo por recomponerse y cargar de nuevo contra el mago, decidido a abrirle el vientre en canal y rescatar a Natasha. Pero Madre y Primera Hermana lo atenazaron entre sus brazos y lo sujetaron. El mago huyó de Sol Callado, que estaba agazapado como un tigre, listo para saltar.

Muy poco a poco Jintong fue recuperando el equilibrio, pero no el apetito. Entonces Madre fue a ver al jefe del distrito, que inmediatamente envió a alguien a comprar leche de cabra. Jintong pasaba la mayor parte del tiempo acostado en la cama, y sólo ocasionalmente se levantaba a estirar las piernas. Sus ojos estaban más apagados que nunca. Cada vez que se acordaba de la pobre Natasha y de su pecho sangrante, las lágrimas le rodaban por las mejillas. No tenía ninguna gana de hablar, y sólo rompía su silencio de vez en cuando para murmurar algo en voz baja; pero en cuanto alguien se le acercaba, se quedaba callado.

Una brumosa mañana, mientras estaba mirando al techo acostado en la cama, cuando apenas se le habían secado las lágrimas por el pecho herido de Natasha, sintió que se le tapaba la nariz y se le ablandaba el cerebro. Necesitaba volver a dormirse inmediatamente. De pronto, un aullido estridente y sobrecogedor salió de la habitación de Laidi y el mudo, erizándole el vello y quitándole las ganas de dormir. Levantó las orejas para enterarse de lo que estaba pasando, pero sólo escuchó un zumbido en los tímpanos. Estaba a punto de cerrar los ojos cuando sonó otro estridente aullido, esta vez aún más largo y más aterrador. Llevado por la curiosidad, se deslizó fuera de la cama y se acercó, caminando de puntillas, a la puerta de la habitación que daba al Este para echar un vistazo a través de una fisura que había. Sol Callado, completamente desnudo, era una enorme araña negra que se abrazaba a la delgada y suave cintura de Laidi. Tenía los protuberantes labios cubiertos de baba mientras le chupaba a Laidi un pezón primero y después el otro. Ella tenía el cuello estirado a lo largo de la cama, y su rostro, boca arriba, estaba blanco como las hojas exteriores de un repollo. Sus pechos redondos, los mismos que Jintong había visto cuando ella se había tumbado en el abrevadero de la mula hacía muchos años, eran como amarillentos rollitos hechos al vapor que yacían esponjosamente sobre sus costillas. Tenía sangre en la punta de los pezones y marcas de mordiscos en el pecho y en la parte superior de los brazos. Sol Callado había convertido el cuerpo de Laidi, que en otro tiempo había sido tan hermoso y suave, en algo parecido a un pescado sin escamas. Sus largas piernas desnudas estaban extendidas sobre la cama.

Cuando Jintong comenzó a sollozar, Sol Callado cogió una botella que había junto a la cabecera de la cama y la lanzó contra la puerta; Jintong salió corriendo al patio, donde cogió un ladrillo y lo tiró contra la ventana.

—¡Mudo! —le gritó—. ¡Vas a tener una muerte horrible!

Apenas había pronunciado estas palabras cuando lo venció el agotamiento. La imagen de Natasha flotó un instante ante sus ojos y se desvaneció rápidamente como una bocanada de humo.

El poderoso puño del mudo atravesó la ventana. Jintong retrocedió aterrorizado hasta el árbol de parasol, desde donde vio cómo el puño volvió a meterse en la habitación y un chorro de pis amarillo salió por el agujero y cayó en un cubo que había bajo la ventana, colocado ahí para eso. Apretando los dientes, muy enfadado, Jintong se dirigió a la habitación lateral, donde una extraña figura se le acercó. El extraño caminaba agachado, arrastrando sus largos brazos tras él. Debajo de la cabeza afeitada y de las cejas canosas y pobladas, sus grandes ojos negros, rodeados por unas finas arrugas, eran tan intimidantes que era difícil mirarlos fijamente. Unos cardenales morados —algunos grandes y otros pequeños— le cubrían el rostro, y tenía las orejas llenas de cicatrices y hechas jirones, con quemaduras en algunas partes y signos de congelación en otras; parecían las orejas secas y arrugadas de un mono. Llevaba una túnica gris, de cuello alto, que no le quedaba bien y que apestaba a naftalina. A ambos lados de su cuerpo colgaban unas manos huesudas, con las uñas todas rotas, que se agitaban de manera incontrolable.

—¿A quién buscas? —dijo Jintong con una expresión de asco en la voz, asumiendo que se trataría de uno de los camaradas de armas del mudo.

El hombre hizo una respetuosa reverencia y le contestó, con lengua de trapo, articulando las palabras con torpeza:

—Casa... Shangguan Lingdi... soy... Hombre-pájaro... Han...

III

Hombre-pájaro Han me impresionó terriblemente el día que se presentó en nuestra casa. Yo recordaba débilmente algo relacionado con un hada-pájaro, pero era solamente que había tenido unos asuntos románticos con el mudo; eso y un incidente que consistía en que el hada había saltado desde una montaña. Pero no recordaba nada de este extraño cuñado. Me aparté a un lado para dejarlo pasar justo en el momento en que Laidi, con una sábana blanca alrededor de la cintura y desnuda de ahí para arriba, salía corriendo al patio. El puño del mudo atravesó la cortina de papel, seguido por la mitad superior de su cuerpo. «¡Desnudaos! —dijo—, ¡desnudaos!». Laidi, llorando, tropezó y cayó. La sábana se le había manchado de rojo por la sangre que había abajo. Y así fue como apareció ante Hombre-pájaro Han: atormentada y medio desnuda, con la sangre goteándole por las piernas.

Entonces regresó Madre, seguida por Octava Hermana. Traían una cabra. No pareció muy sorprendida por la antiestética pinta de Primera Hermana, pero en cuanto vio a Hombre-pájaro Han cayó redonda al suelo. No fue hasta mucho más tarde que Madre me contó que se había dado cuenta, de inmediato, de que él había vuelto a reclamar lo que se le debía, y que nosotros tendríamos que devolverle, con intereses, todos los pájaros que nos habíamos comido hacía quince años antes de que él se viera obligado a escapar a Japón, donde había llevado una vida muy primitiva.

La llegada de Hombre-pájaro Han acabaría con la prosperidad y el estatus que habíamos logrado sacrificando a la hija mayor de Madre. Pero eso no impidió que preparara una suntuosa comida de bienvenida. Este extraño pájaro que había caído del cielo se sentó, como en trance, en nuestro patio, y se dedicó a observar las ocupaciones de Madre y de Laidi en la cocina. Conmovida por el maravilloso relato que hizo Hombre-pájaro sobre los quince años que había pasado escondido en Japón, Laidi se olvidó temporalmente de lo que sufría en manos del mudo, que se movía por el patio y le echaba miradas provocativas a Hombre-pájaro.

En la mesa, Hombre-pájaro manejaba los palillos con tanta torpeza que no fue capaz de coger ni un solo trozo de carne, así que Madre se los quitó y lo instó a comer con las manos. Él levantó la cabeza.

—¿Ella... mi... esposa?

Madre miró con odio al mudo, que estaba mordisqueando la cabeza de un pollo.

—Ella —contestó Madre—, se ha ido muy lejos.

Madre, con su amable forma de ser, no podía negarse a aceptar la petición de Hombre-pájaro de quedarse a vivir con nosotros, por no mencionar las exhortaciones del jefe del distrito y de la Administración Civil: «No tiene ningún otro sitio al que ir, y es nuestro deber satisfacer las necesidades de alguien que ha vuelto a nuestro encuentro desde el Infierno. Y no es sólo eso...». «No hace falta que me digas nada más —lo interrumpió Madre—. Pero manda a alguna gente para que nos ayude a prepararle la habitación lateral».

De esa manera, Hombre-pájaro Han se instaló en las dos habitaciones donde en otro tiempo había vivido el hada-pájaro. Madre bajó de las polvorientas vigas del techo el dibujo, marcado por los insectos, del hada-pájaro, y lo colgó en la pared que daba al Norte. Cuando el Hombre-pájaro vio el dibujo, dijo:

—Sé quién mató a mi esposa, y algún día de estos me vengaré.

La extraordinaria historia de amor entre Primera Hermana y Hombre-pájaro Han fue como una amapola del pantano de la que se extrae el opio: tóxico pero salvajemente hermoso. Aquella tarde, el mudo se fue a la cooperativa a comprar algo de alcohol. Primera Hermana estaba limpiando su ropa interior debajo del melocotonero mientras Madre se quedó sentada en su *kang* haciendo un plumero con las plumas de un gallo. Entonces oyó un ruido procedente de la puerta y vio a Hombre-pájaro Han, que había vuelto a cazar pájaros, salir al patio sin hacer ruido con un precioso pajarito posado sobre un dedo. Se acercó al melocotonero y se quedó mirando el cuello de Laidi. El pajarito pió de una forma encantadora y le temblaron las plumas. El remolino de sus piadas tocó las finas cuerdas de la pasión de ella. Una sensación de remordimiento se asentó profundamente en el corazón de Madre. Aquel pájaro no era ni más ni menos que la encarnación del dolor y el sufrimiento del Hombre-pájaro Han. Observó cómo Laidi levantaba la cabeza y contemplaba el bonito pecho, de color rojo sangre, del ave, y sus ojos negros y conmovedores, del tamaño de semillas de sésamo. Madre vio que a Laidi se le encendían las mejillas y que los ojos se le llenaban de lágrimas, y se dio cuenta de que el apasionado canto del pájaro estaba levantando el telón que a ella tanto le preocupaba. Pero no tenía ninguna capacidad para detener lo que estaba sucediendo; sabía que cuando se agitaban los sentimientos de una chica Shangguan, ni una manada de caballos podía desviar el curso de los acontecimientos. Desesperada, cerró los ojos.

A Laidi el corazón le latía con fuerza; con las manos todavía llenas de jabón, se puso lentamente de pie, maravillada por el hecho de que un pájaro tan minúsculo, no más grande que una nuez, pudiera piar de una manera tan cautivadora. Y, mucho más importante, le parecía que le estaba enviando un mensaje misterioso, una tentación excitante pero aterradora semejante a una azucena de agua de color violeta que flota en un estanque bajo la luz de la luna. Luchó para resistir la tentación, y se levantó con la intención de meterse en casa, pero sus pies parecían haberse enraizado en el suelo y sus manos se dirigieron hacia el pájaro como si tuvieran voluntad propia. Hombre-pájaro hizo un leve movimiento de muñeca y el pajarito voló por el aire y se posó en la cabeza de Laidi, que sintió sus delicadas garras escarbándole el cabello. Las piadas penetraron en su cabeza. Miró fijamente a los ojos amables, ansiosos, paternales y bellos de Hombre-pájaro Han, y la envolvió la poderosa sensación de que la vida había sido injusta con ella. Él le hizo un gesto de asentimiento con la cabeza y se dirigió a sus habitaciones. El minúsculo pajarito salió volando de la cabeza de Laidi para seguirlo al interior de la casa.

Ella se quedó ahí de pie, aturdida, y oyó a Madre que la llamaba desde el *kang*. Pero en lugar de volverse, rompió a llorar y, sin ninguna sensación de vergüenza, entró corriendo en la habitación lateral, donde Hombre-pájaro Han la esperaba con los brazos abiertos. Las lágrimas de ella le humedecieron el pecho. Él dejó que lo golpeara con los puños cerrados, e incluso le acarició los brazos y la espalda mientras ella le pegaba. Mientras tanto, el minúsculo pajarito se posó en la mesa del altar que había ante el dibujo, donde se puso a piar muy excitado. Unas pequeñas estrellas semejantes a gotas de sangre parecían brotarle del minúsculo pico.

Laidi se quitó la ropa tranquilamente y se señaló las cicatrices que tenía como resultado de los abusos del mudo.

—Mira esto, Hombre-pájaro Han —se quejó—. Mira esto. Mató a mi hermana y ahora intenta hacer lo mismo conmigo. Y lo va a conseguir. Me ha hecho envejecer.

Rompiendo de nuevo a llorar, se echó sobre la cama de él.

Aquella fue la primera vez que Hombre-pájaro Han veía realmente un cuerpo de mujer. En su rostro se reflejó la sorpresa mientras pensaba en las mujeres, esos objetos sobrenaturales que, por su desgraciada experiencia vital, no había podido conocer. Era la cosa más hermosa que había visto nunca. Se emocionó tanto que se puso a llorar al contemplar sus largas piernas, sus caderas redondeadas, sus pechos, que estaban aplanados contra la ropa de cama, su fina cintura y la delicada, brillante piel, semejante al jade, de todo su cuerpo, más delicada aún que la de su rostro, a pesar de las cicatrices. Después de haberlos contenido durante quince tortuosos años, mientras se preocupaba por no volver a caer en manos de sus perseguidores, sus deseos de juventud se fueron inflamando lentamente. Sintió que le fallaban las rodillas y se arrodilló junto a Laidi y le cubrió las plantas de los pies de cálidos y trémulos besos.

Laidi sintió que unas chispas azules crepitaban en sus pies y comenzaban a subir hasta cubrirle todo el cuerpo. Su piel se tensó como un tambor, y después se relajó. Se dio la vuelta, se abrió de piernas, arqueó el cuerpo y le echó los brazos al cuello a Hombre-pájaro Han. Su boca experta atrajo hacia sí al virginal Hombre-pájaro. Después dejó de besarlo apasionadamente para decirle, casi sin aliento:

—¡Quiero que se pudra ese mudo cabrón, ese endemoniado muñón humano! ¡Quiero que los pájaros le arranquen los ojos a picotazos!

Para que no se oyeran los gritos de su pasión, Madre cerró la puerta fuertemente y salió al patio y se puso a golpear una olla muy deteriorada. En ese momento, los niños de la escuela se dedicaban a buscar por las calles toda clase de objetos metálicos usados para llevar a los hornos de fundir: ollas, espátulas, cucharones, pestillos de puertas, dedales e incluso anillas de las que llevan los bueyes en la nariz. Pero nuestra familia, por disfrutar del prestigio del héroe de guerra Sol Callado y del legendario Hombre-pájaro Han, quedó exenta de entregar utensilios. Madre esperó con impaciencia a que Hombre-pájaro y Laidi terminaran de hacer el amor. Debido a sus sentimientos de culpabilidad por los abusos que Laidi había sufrido en manos del mudo y a la simpatía que le tenía a Hombre-pájaro Han por lo mal que lo había pasado en el extranjero, además de la gratitud que sentía por todos los deliciosos pájaros que nos había proporcionado quince años atrás, por no mencionar el respetuoso recuerdo por su adorada Lingdi, asumió el papel de protectora de la ilícita relación que se estableció entre los dos amantes sin ser siquiera consciente de que lo hacía. A pesar de que podía anticipar las trágicas consecuencias que sin ninguna duda sobrevendrían, decidió hacer todo lo que pudiera para proteger su secreto y para, como mínimo, retrasar lo inevitable. Pero en cuanto un hombre como Hombre-pájaro Han se exponía a la pasión y el cariño de una mujer, no había fuerza sobre la Tierra que pudiera contenerlo. Era un hombre que había sobrevivido quince años en los bosques, como un animal salvaje; era un hombre que se había mantenido entre la vida y la muerte día tras día durante quince años, y desde su punto de vista un tipo como el mudo no valía más que una estaca de madera. Para Laidi, una mujer que había conocido a Sha Yueliang, a Sima Ku y a Sol Callado, tres hombres completamente distintos, una mujer que había sentido el calor de la batalla, que había tenido la experiencia de la prosperidad y la fama y que había llegado a la cima del delirio y del placer con Sima Ku y a las degradantes profundidades del abuso físico a manos de Sol Callado, Hombre-pájaro Han significaba la satisfacción absoluta. Su contacto, profundamente agradecido, le aportaba las gratificaciones de un amor paternal; su torpe inocencia en la cama le aportaba las gratificaciones de iniciarlo en el sexo; y su ansiedad por consumir la fruta prohibida y su pasión desenfrenada le aportaban las gratificaciones del sexo y las gratificaciones de vengarse del mudo. De este modo, cada uno de sus encuentros iba acompañado de lágrimas calientes y de sollozos. No había ni el más ligero rastro de lascivia; se trataba de la dignidad y la tragedia humanas. Cuando hacían el amor, sus corazones rebalsaban de palabras no dichas.

El mudo, con una botella de alcohol colgada del cuello, avanzó tambaleándose por la calle llena de gente. Se había levantado el polvo, pues un grupo de trabajadores empujaba unos carros llenos de minerales de hierro del Este hacia el Oeste mientras otros grupos empujaban carros del mismo color del Oeste al Este. Mezclándose con ambas pandillas, el mudo iba dando pequeños saltitos hacia adelante; para él era un gran salto adelante[7]. Todos los trabajadores miraban con respeto la brillante medalla que llevaba prendida al pecho y se detenían para dejarlo pasar, cosa que para él era enormemente satisfactoria. A pesar de que no les llegaba a los demás hombres más que a la altura de los muslos, era el más animoso y lleno de vida de

---

[7] El autor juega con el famoso «Gran Salto Adelante», nombre con el que se conoce a una amplia serie de revolucionarias medidas políticas, económicas y sociales con las que se intentó modernizar China a fines de la década de los cincuenta [*N. del T.*].

todos. Desde aquel momento, pasaba la gran mayoría de las horas de luz en la calle. Solía ir desplazándose a saltitos desde el extremo este de la calle hasta el extremo oeste, ahí se refrescaba dándole unos cuantos tragos a su botella y después volvía dando saltitos por el mismo camino. Y mientras él se dedicaba a su gran salto adelante, Laidi y Hombre-pájaro Han llevaban a cabo su gran salto adelante en el suelo o en la cama. El mudo acababa cubierto de polvo y de suciedad; sus pequeños taburetes ya se habían desgastado unos tres centímetros, y la esterilla de goma que llevaba en la espalda se había roto y tenía un agujero. Todos los árboles que había en la aldea se habían cortado para servir como leña en los hornos instalados en los patios traseros de las casas. Una capa de humo se cernía sobre los campos. Yo me había unido a los cuerpos de erradicación de gorriones, que marchaban portando unas pértigas de bambú con tiras de tela roja, acompañados por el sonido de los gongs y se dedicaban a perseguir a los gorriones de una aldea a otra, evitando que encontraran comida y que se posaran, de modo que acababan cayendo al suelo de la calle exhaustos y hambrientos. Varios estímulos me habían curado el mal de amores, y también había superado mi obsesión con la leche de Madre y mi repulsión a la comida. Pero mi prestigio había caído en picado. Mi profesora de ruso, Huo Lina, a quien estaba consagrado, había sido declarada una derechista y la habían enviado a la granja de reforma a través del trabajo que había junto al Río de los Dragones, a tres kilómetros de Dalan. Vi al mudo por la calle y él me vio a mí, pero nos limitamos a saludarnos con el brazo y seguimos nuestro camino.

La escandalosa temporada de celebraciones en el Concejo de Gaomi del Noreste, durante la cual las llamas encendían el cielo, llegó a su término muy rápidamente, dando paso a una nueva y sombría etapa. Una lluviosa mañana de otoño, doce camiones cargados de piezas de artillería aparecieron haciendo un gran estruendo por la pequeña carretera que llegaba a Dalan desde el Sudeste. Cuando entraron en la aldea, el mudo avanzaba tambaleándose por el suelo mojado, completamente solo. Durante los últimos días había saltado tanto que se había quedado exhausto, y ahora se desplazaba con indiferencia. Sus ojos tenían una expresión apática, sin vida, y debido a todo el alcohol que tomaba, se le había hinchado el torso. La llegada de la compañía de artillería lo revigorizó. De una forma que, por lo visto, fue inadecuada, se dirigió al medio de la calle para bloquear el convoy. Los soldados se quedaron quietos un momento, pestañeando, bajo la lluvia, mirando al extraño medio hombre que había en medio de la calle. Un oficial que llevaba una pistola colgando de la cintura saltó de la cabina de uno de los camiones y lo insultó, muy enfadado: «¿Estás cansado de vivir, imbécil de mierda?». De una manera increíble teniendo en cuenta que la calle estaba resbaladiza, él estaba mutilado y las ruedas del camión eran muy altas, el mudo había avanzado a saltos por la calle quedando fuera de la vista del conductor, que sólo había visto una ráfaga de color marrón frente al camión y había pegado un frenazo sin tiempo para evitar que el parachoques tocara la amplia frente del mudo. Aunque el golpe no le hizo una herida, hizo que le saliera un gran cardenal de color violeta. El oficial no había terminado de insultarlo cuando vio la mirada de halcón del mudo y sintió que le daba un vuelco al corazón. Justo en aquel momento, sus ojos se posaron en la medalla que el mudo llevaba prendida en su uniforme hecho jirones. Juntando los pies, le hizo una profunda reverencia y gritó: «¡Mis excusas, señor! ¡Por favor, perdóneme!».

Esta satisfactoria reacción le subió la moral al mudo. Se echó a un lado de la carretera para dejar que pasara el convoy. Los soldados lo saludaban desde los camiones que iban pasando lentamente, y él les devolvía el saludo tocándose la visera de la gorra con la punta de los dedos. Los camiones dejaban la carretera destrozada a su paso. Soplaba un viento del Noroeste, seguía cayendo la lluvia y la carretera estaba medio oculta en la neblina helada. Unos pocos gorriones que habían sobrevivido se deslizaban entre la lluvia, mientras algunos perros empapados, quietos debajo de una propaganda que había al lado del camino, habían quedado cautivados por la visión de los movimientos del mudo.

El paso de la compañía de artilleros marcó el fin de la temporada de celebraciones. El mudo se retiró a casa, abatido. Como solía, golpeó la puerta con uno de sus pequeños taburetes. La puerta se abrió sola, haciendo un fuerte crujido. Había vivido en un mundo de silencio durante tanto tiempo que Hombre-pájaro Han y Laidi habían logrado ocultarle su adulterio. Durante meses, había pasado la mayor parte de las horas de luz en la calle, cerca de los hornos de fundir, y después se había arrastrado a casa a dormir como un perro muerto. Y cuando llegaba la mañana siguiente, ya estaba de nuevo en la puerta, sin tiempo para dedicárselo a Laidi. La recuperación del oído por parte del mudo bien se pudo atribuir a su encuentro con el camión que topó contra él. El toque en su frente debió haber aflojado lo que fuera que le taponaba las orejas. El crujido de la puerta lo sorprendió, y después oyó el repiquetear de la lluvia sobre las hojas y los ronquidos que soltaba su suegra mientras dormía; se había olvidado de cerrar la puerta. Pero le que lo impactó más profundamente fueron los gemidos de dolor y de placer procedentes de la habitación de Laidi.

Olisqueando el aire como un sabueso, detectó el húmedo olor del cuerpo de ella y se dirigió, tambaleándose, hacia la habitación que daba al Este. La lluvia se había filtrado a través de su almohadilla de goma, empapándole la espalda, y sentía unas dolorosas punzadas alrededor del ano.

Imprudentemente, habían dejado la puerta abierta; en el interior ardía una vela. En el dibujo, los ojos del hada-pájaro brillaban con frialdad. Con su primera mirada distinguió las largas, peludas y envidiablemente fuertes piernas de Hombre-pájaro Han. Las nalgas de Hombre-pájaro se movían hacia arriba y hacia abajo. Debajo de él, Laidi arqueaba la cadera hacia arriba. Sus pechos se agitaban en todas las direcciones. Su alborotado pelo negro se movía sobre la almohada de Hombre-pájaro Han. Ella se agarraba fuertemente a las sábanas. Los intensos gemidos que tanto le habían excitado provenían de la masa de pelo negro. La escena estaba iluminada como por una explosiva llama verde. El mudo aulló como si fuera un animal herido y lanzó uno de sus taburetes, que voló hasta el hombro de Hombre-pájaro, rebotó en la pared y cayó junto al rostro de Laidi. Después arrojó el otro taburete; éste impactó sobre el trasero de Hombre-pájaro, que se volvió y fulminó con la mirada al mudo, que estaba calado hasta los huesos y temblaba de frío y sonreía con aire de suficiencia. Laidi se estiró y se quedó donde estaba, aplastada contra la cama, jadeando, y cogió la manta para taparse. «Nos has descubierto, mudo cabrón, ¿y qué?». Se sentó e insultó al mudo, que se impulsó sobre sus manos, como una rana. Atravesó el umbral de un salto, y de otro se plantó a los pies de Hombre-pájaro Han. Arremetió con la cabeza. Las manos de Hombre-pájaro volaron hacia sus ingles para proteger el órgano que sólo hacía unos momentos estaba llevando a cabo una actuación magistral. Con un chillido, se dobló en dos mientras unas gotas de sudor amarillo le resbalaban por la cara. El mudo embistió de nuevo, esta vez con más fuerza, atrapando a Hombre-pájaro por los hombros con sus poderosos brazos, semejantes a los tentáculos de un pulpo. Al mismo tiempo, le envolvió la garganta con sus callosas manos, las trampas de hierro en las que se concentraba toda su fuerza. Hombre-pájaro cayó al suelo, con la boca abierta en una mueca de terror y los ojos dándole vueltas y a punto de salírsele de las órbitas.

Laidi salió de su estado de pánico, cogió el pequeño taburete que había quedado al lado de su almohada y salió de la cama de un salto, desnuda. En cuanto sus pies tocaron el suelo, atacó al mudo golpeándole los brazos con el taburete, pero fue como si estuviera golpeando el tronco de un árbol, así que decidió ir a por su cabeza. Se oyó un ruido sordo, como si estuviera golpeando un melón maduro. Después dejó caer el taburete y cogió el pesado pasador de la puerta; le dio unas vueltas por el aire y lo hizo impactar contra la cabeza del mudo, que soltó un quejido pero se mantuvo en pie. Cuando Laidi le golpeó por segunda vez, el mudo soltó la garganta de Hombre-pájaro, se tambaleó un momento y cayó de cabeza contra el suelo. Hombre-pájaro se desplomó encima de él.

El ruido que salía de la habitación de al lado despertó a Madre, que corrió hasta la puerta; cuando llegó, todo había terminado, y el resultado era lamentablemente obvio. Vio a Laidi, desnuda, ligeramente apoyada contra la puerta, y después vio cómo dejaba caer el pasador manchado de sangre y salía al exterior y se ponía a caminar bajo el aguacero, como si estuviera en trance. La lluvia resbalaba por su cuerpo y sus feos pies chapoteaban en los charcos llenos de barro que había en el suelo del patio. Llegó hasta el pilón y ahí se puso de cuclillas y se lavó las manos.

Madre se acercó y, a rastras, quitó a Hombre-pájaro de encima del mudo. Después, pasándole el hombro por debajo del brazo, lo ayudó a subir a la cama. Con una cierta sensación de asco, lo tapó con la manta. Le escuchó gemir, cosa que significaba que el héroe legendario no corría peligro de morir. Entonces volvió hacia donde estaba el mudo y, al levantarlo como si fuera un saco de arroz, se dio cuenta de que tenía dos chorritos de un líquido oscuro saliéndole por la nariz. Le puso el dedo debajo de la nariz para detectar algún signo de vida, pero dejó caer la mano; el cadáver del mudo, todavía caliente, estaba sentado, muy recto, y ya nunca más volvería a inclinarse.

Después de limpiarse en la pared la sangre que se le había quedado en el dedo, Madre volvió a su habitación, muy confundida, y se acostó vestida. Diversos episodios de la vida del mudo le llegaron a la memoria, y cuando se acordó del mudo y sus hermanos sentados en el muro, creyéndose los reyes del mundo, soltó una fuerte carcajada. Fuera, en el patio, Laidi se frotaba incansablemente las manos, una y otra vez, mientras un charco de espuma de jabón se iba formando a sus pies. Aquella tarde, Hombre-pájaro salió al patio, con una mano en la garganta y la otra en las ingles, y levantó a Laidi del suelo. El cuerpo de ella se había quedado frío como el hielo. Laidi le abrazó por el cuello y empezó a reírse tontamente.

Un poco más tarde, un joven oficial militar con los labios de color rosa y los dientes de un blanco centelleante, acompañado por el secretario del jefe del distrito, entró en el patio llevando una palangana cubierta con un papel rojo. Llamaron a voces, y como nadie les contestó, entraron directamente hasta la habitación de Madre.

—Tía —le dijo el secretario—, éste es el Comandante Song, de la compañía de artillería pesada. Ha venido a rendir tributo al Camarada Sol Callado.

—Le ruego que acepte mis disculpas, tía —dijo el Comandante Song, muy avergonzado—. Uno de nuestros camiones estuvo a punto de llevarse por delante al Camarada Sol, y le hizo un chichón en la frente.

Madre se sentó en la cama, dando un respingo.

—¿Qué has dicho?

—La carretera estaba muy resbaladiza —dijo el Comandante Song—, y el parachoques de uno de nuestros camiones le golpeó en la cabeza.

—Y cuando volvió a casa —dijo Madre, soltando algunas lágrimas—, gimió un rato y después murió.

El joven comandante de la compañía se puso pálido. Estaba a punto de llorar cuando dijo:

—Tía, frenamos inmediatamente, pero la carretera estaba muy resbaladiza...

Cuando el experto médico llegó a examinar el cuerpo, Laidi, muy elegantemente vestida y cargada con un paquete, dijo:

—Madre, me voy. Aceptaré las cosas como son, pero no puedo dejar que estos soldados carguen con la culpa.

—Ve a informar a las autoridades —dijo Madre—. La norma siempre ha sido que una mujer embarazada tiene que dar a luz antes de...

—Sí, lo entiendo. De hecho, nunca en mi vida he entendido nada con tanta claridad.

—Yo me ocuparé de cuidar a tu hijo.

—Ésa es mi única preocupación, Madre.

Entonces se dirigió a la habitación lateral, donde informó:

—No hay ninguna necesidad de que investiguen. Yo lo golpeé con uno de sus taburetes y después lo maté con el pasador de una puerta. Estaba estrangulando a Hombre-pájaro Han cuando lo hice.

Hombre-pájaro entró en el patio. Traía un montón de pájaros muertos.

—¿Qué pasa aquí? —preguntó—. Ahora hay medio hombre menos en el mundo, un poco de basura menos, y soy yo quien lo ha matado.

La policía esposó a Laidi y a Hombre-pájaro Han y los arrestaron.

Cinco meses más tarde, una policía le trajo a Madre un bebito esquelético como un gato enfermo y le contó que Laidi sería fusilada al día siguiente. La familia tenía derecho a reclamar el cuerpo, pero si decidíamos no hacerlo, sería enviado al hospital para que lo diseccionaran. La policía también informó a Madre de que Hombre-pájaro Han había sido condenado a cadena perpetua y pronto comenzaría a cumplir su pena en El Cuenco de Tarim, en la Región Autónoma de Uighur, lejos de Gaomi del Noreste. Se permitía a la familia visitarlo por última vez.

Para entonces, yo había sido expulsado de la escuela por destruir los árboles del campus, mientras que Zaohua había sido expulsada de la compañía de teatro por robar.

—Vamos a reclamar su cuerpo —dijo Madre.

—No veo por qué —dijo Zaohua.

—Cometió un delito capital y se merece un balazo, pero no fue un acto abyecto.

Más de diez mil personas acudieron a presenciar la ejecución de Shangguan Laidi. Un camión trajo a la prisionera y condenada al lugar donde se cumpliría la sentencia, en el Puente de los Pesares. Hombre-pájaro Han iba en el camión con ella. Para evitar cualquier posible arrebato de última hora, los encargados de la ejecución les habían tapado la boca a los dos.

Poco después del fusilamiento de Laidi, la familia recibió la noticia de la muerte de Hombre-pájaro Han. De camino a la prisión, se las había apañado para escapar y había muerto bajo las ruedas del tren.

IV

Para poder reclamarle miles de hectáreas de tierras de cultivo al Concejo de Gaomi del Noreste, todos los hombres y las mujeres jóvenes y no discapacitados de la aldea de Dalan fueron organizados en equipos en la Granja del Río de los Dragones, gestionada por la comunidad. El día en que se asignaron las tareas, el director me preguntó:

—¿Y tú en qué eres bueno?

En aquel momento yo tenía tanta hambre que me pitaban los oídos, por lo que no pude oírlo bien. Entonces abrió la boca, mostrando un diente de acero inoxidable que estaba justo en el centro, y me preguntó de nuevo, esta vez más fuerte:

—¿En qué eres bueno tú?

Yo acababa de distinguir a mi profesora, Huo Lina, que iba por la carretera cargando con un saco de estiércol, y por eso me acordé de que ella había dicho que yo tenía un talento natural para el ruso, así que dije:

—Hablo muy bien el ruso.

—¿El ruso? —dijo él, con un tono de voz despectivo, mientras su diente de acero inoxidable relucía bajo la luz del sol—. ¿Cómo de bien? —preguntó burlona y desdeñosamente—. ¿Suficientemente bien como para hacer de intérprete entre Kruschov y Mikoyan? ¿Podrías hacerte cargo de redactar un comunicado conjunto chino-soviético? Escucha, jovencito. Hay gente que ha estudiado en la Unión Soviética y que aquí se dedica a acarrear el estiércol. ¿Te crees que tu ruso es mejor que el de ellos?

Todos los jóvenes jornaleros que estaban esperando que se les asignara una tarea soltaron unas cuantas carcajadas a mi costa.

—Lo que te estoy preguntando es a qué te dedicas cuando estás en tu casa, qué es lo que sabes hacer mejor.

—En casa me ocupaba de una cabra. Eso es lo que mejor hacía.

—Muy bien —dijo el director despectivamente—. De acuerdo, eso es lo que tú sabes hacer bien. El ruso y el francés, el inglés y el italiano, todo eso no sirve para nada. —Garrapateó algo en una hoja de papel y me la entregó—. Dirígete a la brigada de animales. Dile a la Comandante Ma que te encargue algo.

Cuando me dirigía hacia allí, un viejo jornalero me dijo que la Comandante Ma Ruilian era la esposa del director de la granja, Li Du; dicho de otro modo, era la Primera Dama. Cuando me presenté para que me asignara una tarea, con una mochila y mi ropa de cama a la espalda, ella estaba en la granja de reproducción haciendo una demostración de cruza de animales. En el patio, atados, había varios animales hembra en periodo de ovulación: una vaca, una burra, una oveja, una cerda y una coneja doméstica. Había también cinco asistentes —dos hombres y tres mujeres— que iban vestidos con batas blancas y llevaban mascarillas cubriéndoles la boca y la nariz y guantes de goma en las manos y que sujetaban los utensilios necesarios para el proceso de inseminación. Estaban de pie, y parecían tropas de asalto preparadas para el combate. Ma Ruilian llevaba un corte de pelo de chico, y los rasgos de su cara eran toscos como los de una yegua. La forma de su cabeza era redonda y su tez muy morena; sus ojos, estrechos y alargados; su nariz, roja; sus labios, carnosos; su cuello, corto; su caja torácica, gruesa y sus pechos, redondeados y pesados como un par de montículos funerarios. «¡Mierda! —pensé para mis adentros—. ¿Cómo que Ma Ruilian? ¡Ésa es Pandi! Debe haberse cambiado el nombre por la mala reputación que ha adquirido el apellido Shangguan». Y entonces, Li Du tenía que ser Lu Liren, que anteriormente se había llamado Jiang Liren y tal vez antes alguna otra cosa Liren. El hecho de que esta pareja con nombres cambiantes hubiera sido enviada ahí debía significar que habían caído en desgracia. Ella llevaba una camiseta de manga corta, de algodón, de diseño ruso, y un par de pantalones negros muy arrugados sobre unas zapatillas altas de deporte. Tenía un cigarrillo de la marca Salto Adelante y el humo verdoso dibujaba volutas entre sus dedos, semejantes a zanahorias. Le dio una calada al cigarrillo.

—¿Está aquí el periodista de la granja?

Un hombre de mediana edad, de rostro cetrino, que tenía puestas unas gafas de leer, llegó corriendo desde detrás de donde se amarraban los caballos, doblado por la cintura.

—Estoy aquí —dijo—. Aquí estoy.

Traía una pluma estilográfica apoyada sobre un cuaderno de notas abierto; estaba preparado para ponerse a escribir. La Comandante Ma se rió en voz alta y le dio unas palmaditas en el hombro con su mano regordeta.

—Veo que ha venido el mismísimo editor jefe.

—La unidad de la Comandante Ma siempre está donde está la noticia —dijo él—. No confiaría en nadie más para este trabajo.

—¡El viejo Yu, siempre tan riguroso con su trabajo! —dijo Ma Ruilian en tono halagador, y volvió a darle unas palmaditas en el hombro.

El editor palideció y escondió el cuello entre los hombros, como si tuviera miedo de coger frío. Más tarde me enteré de que este tipo, Yu Zheng, que editaba el boletín informativo de la localidad, había sido el director y editor del periódico del Comité Provincial del Partido hasta que lo habían destituido por derechista.

—Hoy voy a proporcionarte una noticia de portada —dijo Ma Ruilian, echándole una significativa mirada al educado Yu Zheng y dándole una profunda calada a su cigarrillo, ya convertido en colilla; casi se quema los labios.

Después se lo sacó de la boca, deshaciendo el papel y dejando que las pocas hebras de tabaco que quedaban volaran por el aire. Este pequeño truco que tenía era suficiente para frustrar a los que se dedicaban a buscar colillas en el suelo. Exhalando una última bocanada de humo, les preguntó a sus asistentes:

—¿Preparados?

Le contestaron alzando sus utensilios. Sonrojándose, se retorció las manos y dio unas palmadas, nerviosa. Después cogió una servilleta para secarse las manos; estaba sudando.

—El esperma de caballo, ¿quién tiene el esperma de caballo? —preguntó en voz alta.

El asistente que tenía el esperma de caballo dio un paso adelante y dijo:

—Yo, lo tengo yo.

Sus palabras quedaron ahogadas por la mascarilla que llevaba tapándole la boca. Ma Ruilian señaló a la vaca.

—Dáselo a ella —dijo—, insemínala con el esperma de caballo.

El hombre dudó un instante; primero miró a Ma Ruilian y después a sus colegas asistentes, que estaban en fila detrás de él, como si estuviera a punto de decir algo.

—No te quedes ahí parado —dijo Ma Ruilian—. ¡Si quieres que esto funcione tienes que golpear cuando el hierro está candente!

Con una mirada traviesa, el asistente dijo:

—Sí, señora —y llevó el esperma de caballo hasta donde estaba atada la vaca.

Mientras su asistente le metía el utensilio para inseminar a la vaca, Ma Ruilian se quedó con la boca entreabierta, respirando pesadamente, como si le estuvieran introduciendo el instrumento a ella y no a la vaca. Pero inmediatamente después, dio una rápida serie de instrucciones. Ordenó que el esperma de toro envolviera al óvulo de la oveja y que el esperma de carnero se fundiera con el óvulo de la coneja. Bajo su dirección, el esperma de burro se le introdujo a la cerda y el esperma de cerdo fue inyectado en el útero de la burra.

El rostro del editor del boletín informativo de la granja no tenía ningún brillo; se quedó con la boca abierta, y era imposible saber si estaba a punto de echarse a llorar o a reír. Una de las asistentes, la que sujetaba el esperma de carnero, una mujer con las pestañas muy rizadas sobre unos ojos pequeños pero brillantes y negros en los que apenas se veía la parte blanca, se negó a ejecutar la orden de Ma Ruilian. Tiró su utensilio para inseminar en una bandeja de porcelana y se quitó los guantes y la mascarilla, dejando al descubierto el fino bigotito que tenía sobre el labio superior, una bonita nariz y una barbilla con una hermosa curva.

—¡Esto es una farsa! —dijo, muy enfadada.

—¿Cómo te atreves? —aulló Ma Ruilian dando una palmada y escrutando el rostro de la mujer—. A menos que me equivoque —dijo oscuramente—, eres una ultraderechista, y eso es lo que serás siempre, ¿verdad?

La mujer agachó débilmente la cabeza hasta rozar el pecho con la barbilla, como si ésta fuera una hoja de hierba que se dobla por el peso de la escarcha.

—Sí, tienes razón —dijo—. Llevo toda la vida siendo ultraderechista. Pero, de todos modos, a mí me parece que son cuestiones que no tienen nada que ver; una es científica y la otra es política. Los asuntos políticos son veleidosos, se mueven por capricho, el negro se vuelve blanco y el blanco se vuelve negro. Pero la ciencia es constante.

—¡Cállate la boca! —Ma Ruilian gesticulaba y farfullaba como una máquina de vapor fuera de control—. ¡No te voy a dejar soltar tu veneno en mi granja de reproducción! ¿Quién eres tú para venir a hablar de política? ¿Sabes cómo se llama la política? ¿Sabes de qué se alimenta? ¡La política está en el corazón de todo el trabajo! La ciencia, aislada de la política, no es verdadera ciencia. En el diccionario del proletariado, la ciencia no trasciende a la política. La burguesía tiene su ciencia burguesa y el proletariado tiene su ciencia proletaria.

—¡Si la ciencia proletaria —contestó la mujer, asumiendo un enorme riesgo—, insiste en cruzar ovejas con conejos con la esperanza de crear una nueva especie animal, entonces, por lo que a mí respecta, eso que tú llamas ciencia proletaria no es más que un montón de mierda de perro!

—Qiao Qisha, ¿cómo puedes ser tan arrogante? —A Ma Ruilian los dientes le castañeteaban de furia—. Mira al cielo y mira después al suelo. Deberías intentar comprender la complejidad de las cosas. ¡Decir que la ciencia proletaria es mierda de perro te convierte en una reaccionaria radical! ¡Ese comentario, por sí solo, bastaría para que te metamos en la cárcel, o incluso para que te llevemos ante un pelotón de fusilamiento! Pero viendo lo joven y lo guapa que eres... —Shangguan Pandi, ahora llamada Ma Ruilian, suavizó el tono—. Voy a pasarlo por alto esta vez, pero espero que sigas adelante con tu trabajo en la granja de reproducción. Si te niegas, no me importa que seas la flor de la Facultad de Medicina o la hierba de la Facultad de Agricultura. ¡Puedo acabar con ese caballo de los cascos gigantes, así que no te creas que no puedo acabar contigo!

El editor del boletín informativo, un hombre bien intencionado, intervino:

—Pequeña Qiao, haz lo que dice la Comandante Ma. Después de todo, esto es un experimento científico. En el Distrito de Tianjin lograron injertar algodón en un árbol de parasol, y arroz en unas cañas. Lo leí en *El Periódico Popular*. Ésta es una época en la que se derrumban las supersticiones y se libera el pensamiento, una época para hacer milagros. Si puedes engendrar una mula cruzando un burro con un caballo, ¿quién dice que no vas a poder crear una nueva especie animal cruzando una oveja con un conejo? Vamos, haz lo que te dice.

La flor de la Facultad de Medicina, la ultraderechista Qiao Qisha, sintió que se estaba poniendo roja; tenía la cara como una remolacha y unas lágrimas de indignación asomaron a sus ojos.

—¡No! —dijo obstinadamente—. ¡No pienso hacerlo! ¡Va en contra del sentido común!

—Estás comportándote como una tonta, pequeña Qiao —dijo el editor.

—Por supuesto que es tonta. ¡Si no, no sería ultraderechista! —disparó Ma Ruilian, ofendida ante lo mucho que se preocupaba el editor por Qiao Qisha.

El editor agachó la cabeza y se mordió la lengua.

Uno de los otros asistentes dio un paso adelante.

—Lo haré yo, Comandante Ma. Meter esperma de un carnero en una coneja no es nada. Ni siquiera me importaría que me ordenara inyectar el esperma del Director Li Du en el útero de una cerda.

El resto de los asistentes rompió a reír, y el editor del boletín informativo disimuló su risa haciendo como si estuviera tosiendo.

—¡Deng Jiarong, pedazo de cabrón! —lo insultó Ma Ruilian, enfurecida—. ¡Esta vez te has pasado!

Deng se quitó la mascarilla, dejando al descubierto su insolente rostro caballuno. Desdeñosa y audazmente, dijo:

—Comandante Ma, yo no soy de derechas y nunca lo he sido. En mi familia somos tres generaciones de mineros, tan rojos y honrados como el que más, así que no intente intimidarme como ha hecho con la pequeña Qiao.

Entonces se dio la vuelta y se marchó; Ma Ruilian tuvo que desahogarse con Qiao Qisha.

—¿Vas a hacerlo o no? Si te niegas, te retiraré los cupones de cereales durante lo que queda de mes.

Qiao Qisha se contuvo y se contuvo hasta que ya no pudo contenerse más. Las lágrimas le empezaron a caer poco a poco por las mejillas y después se puso a llorar abiertamente. Cogió el utensilio para la inseminación sin ponerse los guantes, se acercó tambaleándose hasta la coneja —un animal negro, atado con un trozo de cuerda roja— y la sujetó para que no intentara escaparse.

En aquel momento, Pandi, ahora llamada Ma Ruilian, se percató de mi presencia.

—¿Y tú qué haces aquí? —me preguntó con frialdad.

Yo le entregué la nota que me había escrito el director administrativo de la granja. Ella la leyó.

—Vete a la granja de los pollos —me dijo—. Allí les hace falta una persona más.

Después me dio la espalda y le dijo al editor del boletín informativo:

—Viejo Yu, vete a escribir tu noticia. Puedes obviar las partes innecesarias.

Él le hizo una reverencia.

—Te traeré las galeradas para que las corrijas —le dijo.

Después se volvió hacia Qiao Qisha.

—En consonancia con tus deseos, Qiao Qisha, quedas apartada del módulo de reproducción. Coge tus cosas y preséntate en la granja de los pollos. —Finalmente, se volvió de nuevo hacia mí—. ¿Qué estás esperando?

—No sé dónde está la granja de los pollos —le dije.

Ella miró el reloj.

—Ahora voy hacia allá. Puedes venir conmigo.

Se detuvo cuando el muro encalado de la granja de los pollos apareció ante nuestros ojos. Íbamos por un sendero embarrado que llevaba a la granja de los pollos a través de un vertedero de chatarra. La pequeña acequia que había junto al sendero estaba roja por el óxido, y la zona, rodeada por una valla, estaba llena de hierbas que cubrían las huellas de los tanques desguazados, cuyos oxidados cañones apuntaban hacia el cielo azul. Unas tiernas enredaderas florecidas de campanillas envolvían la mitad que quedaba de una pesada pieza de artillería. Una libélula descansaba sobre la boca de un cañón antiaéreo. Varias ratas correteaban entrando y saliendo de la torreta desde donde se manejaba el cañón. Los gorriones habían construido un nido en uno de los cañones para criar allí a sus polluelos, y los alimentaban con insectos de color verde esmeralda. Una niña pequeña con un lazo en el pelo estaba sentada, aburrida, sobre la ennegrecida rueda de una cureña, y se dedicaba a observar a unos niñitos que golpeaban los mandos de uno de los tanques con piedras. Ma Ruilian, que se había quedado unos instantes contemplando la desolación del vertedero de chatarra, se volvió hacia mí. Ya no era la comandante que daba órdenes a todo el mundo en el módulo de reproducción, y me preguntó:

—¿Cómo están todos en casa?

Yo me di la vuelta y miré fijamente el cañón antiaéreo y las campanillas que brotaban como pequeñas mariposas, intentando ocultar mi enfado. ¿Qué clase de pregunta era ésa, viniendo de alguien que se había ido y se había cambiado el nombre?

—Hubo una época en la que parecía que ibas a tener un futuro brillantísimo —me dijo—. Estábamos muy contentos contigo. Pero

Laidi lo estropeó todo. Por supuesto, no fue sólo culpa suya. La estupidez de Madre también...

—Si no quieres nada más de mí —le dije—, iré a presentarme a la granja de los pollos.

—¡Vaya, veo que has desarrollado todo un carácter desde la última vez que te vi! —dijo ella—. Eso está muy bien, me da esperanzas. Ahora que nuestro Jintong ya ha cumplido los veinte, es hora de subirse la bragueta y abandonar el pezón.

Yo me eché a la espalda la ropa de cama que llevaba y me dirigí hacia la granja de los pollos.

—¡Espera un momento! Hay algo que tienes que comprender. Las cosas no nos han ido nada bien en estos últimos años. Cada vez que abrimos la boca, la gente nos acusa de tener inclinaciones derechistas. No hemos tenido opción.

Se sacó del bolsillo un trozo de papel y metió la mano en una bolsita que llevaba colgada del cuello en busca de algo para escribir. Tras garrapatear unas palabras, me entregó el papelito y me dijo:

—Pregunta por la Directora Long y dale esto.

Yo lo cogí.

—¿Hay algo más? Si es así, quiero que me lo digas.

Ella dudó un momento y después me dijo:

—¿Tienes idea de lo difícil que ha sido para el viejo Lu y para mí llegar a estar donde estamos ahora? Por favor, no nos causes ningún problema. Te ayudaré en lo que pueda en privado, pero en público...

—No lo digas. Cuando decidiste cambiarte el nombre, terminaste tu relación con la familia Shangguan. Ya no eres mi hermana, así que no me cuentes eso de «te ayudaré en lo que pueda en privado».

—¡Magnífico! La próxima vez que veas a Madre, dile que Lu Shengli está muy bien.

Sin prestarle más atención, me puse a andar, siguiendo la valla oxidada y simbólica que tenía agujeros lo suficientemente grandes como para que se colara una vaca a pastar entre aquellos vestigios de la guerra. Me dirigía hacia el muro blanco de la granja de los pollos y estaba muy satisfecho de cómo me había comportado. Sentía como si hubiera ganado una batalla decisiva. Id al infierno, Ma Ruilian y Li

Du, e id al infierno todos los cañones oxidados semejantes a un puñado de tortugas que sacan la cabeza del caparazón. Todos vosotros, chasis de morteros, escudos contra proyectiles de artillería, alas de bombarderos, id todos al infierno. Rodeé unas plantas imponentes y me encontré al borde de un campo cubierto por una especie de red de pesca, entre dos filas de edificios con tejados de color rojo. En su interior había cientos de pollos blancos que se movían constantemente de una manera perezosa. Un gallo grande y solitario con una cresta roja y brillante estaba posado en lo alto, como un rey que vigilara a su harén, cacareando con fuerza. El cloqueo de las gallinas podía volver loco a cualquiera.

Le di la notita que me había escrito Ma Ruilian a una mujer que sólo tenía un brazo, la Directora Long. Echándole un simple vistazo a su fría cara me di cuenta de que no se trataba de una mujer corriente.

—Llegas en el momento justo, jovencito —me dijo, después de leer la nota—. Éstas son tus obligaciones: por la mañana tienes que rastrillar las deposiciones de los pollos, recogerlas y llevarlas a la granja de los cerdos. Después tienes que ir a la planta de procesamiento de los alimentos y traer la comida para pollos que necesitemos. Por la tarde, tú y Qiao Qisha, que llegará muy pronto, llevaréis la producción de huevos del día a la oficina de administración de la granja, y desde ahí iréis al depósito de grano y traeréis la comida para pollos refinada para el día siguiente. ¿Entendido?

—Entendido —le contesté, mirando fijamente a la manga vacía.

Adoptó un aire despectivo cuando se dio cuenta de dónde miraba yo.

—Aquí solamente hay dos normas. La primera es no dormirse en el trabajo y la segunda es no robar comida.

La luna iluminó todo el cielo aquella noche. Yo me acosté en unas cajas de cartón aplastadas en el almacén del dormitorio de los pollos, y descubrí lo difícil que era conciliar el sueño entre el suave murmullo de las gallinas. Estaba al lado del dormitorio de las mujeres, que alojaba a una docena, más o menos, de cuidadoras de pollos. Sus ronquidos me llegaban atravesando la delgada pared junto al ruido de alguien que hablaba en sueños. Una triste luz lunar se colaba por la ventana y las fisuras de la puerta, iluminando las palabras que había escritas en las cajas:

VACUNA PARA LA GRIPE AVIAR
MANTÉNGASE EN UN LUGAR SECO
Y ALEJADO DE LA LUZ
FRÁGIL, NO APILAR
ESTE LADO VA ARRIBA

Lentamente, la luz de la luna fue deslizándose por el suelo hasta que empecé a oír el rugido de los tractores marca *El Este es rojo* que trajinaban por los campos, al comienzo del verano, conducidos por los miembros del turno nocturno del destacamento de tractores para el cultivo de las tierras vírgenes. El día anterior, Madre me había acompañado ante el jefe de la aldea, llevando en brazos al bebé que habían dejado Hombre-pájaro Han y Laidi.

—Jintong —me dijo—, acuérdate de que cuanto más exigente sea el trabajo, más duro te hará y mejor te preparará para la lucha por la vida. El Pastor Malory solía decir que él había leído la *Biblia* de cabo a rabo y que en eso se resumía todo. No te preocupes por mí. Tu madre es como un gusano; puedo vivir allá donde haya un poco de tierra sucia.

—Madre —le dije yo—, voy a comer con moderación y así podré enviarte lo que me sobre.

—No quiero que hagas eso —me dijo ella—. Si mis hijos comen todo lo que necesitan, para mí es suficiente.

Cuando llegamos a la orilla del Río de los Dragones, le dije:

—Madre, Zaohua se ha convertido en una experta en…

—Jintong —me dijo ella, con un deje de frustración en la voz—, durante todos estos años, ni una sola chica de la familia Shangguan ha seguido los consejos de nadie.

En algún momento, en medio de la noche, se oyó un gran alboroto proveniente de donde estaban los pollos. Me puse en pie de un salto y pegué la cara a la ventana. Entonces vi un montón de pollos bullendo bajo la red, que estaba hecha jirones, como olas coronadas de espuma. Un zorro verdoso saltaba entre ellos bajo la acuosa luz de la luna, como un ondulante lazo de satén de color verde. Dando la voz de alarma, las mujeres de la habitación de al lado se apresuraron a salir, medio desvestidas. A la cabeza de ellas iba la Comandante Long con su único brazo, armada con una pistola negra. El zorro llevaba una gallina bien gorda entre sus fauces, y correteaba junto a la base del muro. Las patas de la gallina arañaban el suelo. La Comandante Long disparó; vimos una llamarada que salió del cañón de su pistola. El zorro se detuvo y dejó caer la gallina al suelo. «¡Le has dado!», gritó una de las mujeres. Pero los brillantes ojos del zorro escrutaron los rostros de las mujeres. Su cara alargada tenía un halo a la luz de la luna, y adoptó una expresión de desdén. Las mujeres quedaron asombradas ante aquella mueca burlona, y la Comandante Long dejó caer el brazo junto a su cuerpo, pero rápidamente se armó de valor y disparó de nuevo. Esta vez ni se acercó; de hecho, impactó en el suelo y levantó un poco de tierra al lado de donde estaban las mujeres. Sin mayor preocupación, el zorro volvió a coger la gallina y se deslizó despreocupadamente entre los barrotes metálicos del cercado. Las mujeres contemplaron su partida como si estuvieran en trance. Como una bocanada de humo verde, el zorro desapareció entre los vestigios de la guerra que había en el vertedero de chatarra, donde las hierbas alcanzaban una gran altura y los fuegos fatuos proliferaban: se trataba de un paraíso para un zorro.

A la mañana siguiente, noté que me pesaban mucho los párpados cuando iba tirando de un carrito cargado hasta los topes de deposiciones de pollo, llevándolas hacia la granja de los cerdos. Cuando di vuelta a la esquina del vertedero de chatarra, oí un grito a mi espalda. Me giré y vi a la derechista Qiao Qisha que corría con brío hacia mí.

—La directora me envió a ayudarte —dijo con indiferencia.

—Tú empuja desde atrás —le dije yo—, y yo tiro.

Las dos ruedas del pesado carrito se atascaban constantemente en la tierra húmeda de la estrecha carretera, y cada vez que eso pasaba yo tenía que darme la vuelta y tirar hacia arriba con todas mis fuerzas, arqueando tanto la espalda que casi daba con el suelo. Al mismo tiempo, ella empujaba todo lo que podía. Cuando lográbamos liberar las ruedas, me echaba un vistazo antes de que yo me diera la vuelta de nuevo. La visión de sus ojos de color negro azabache, el delicado vello sobre su labio superior, su hermosa nariz y la bonita curva de su barbilla, así como la expresión de su cara, que rebosaba sentidos ocultos, me recordaron al zorro que había visto en el gallinero. Esas miradas iluminaron un rincón oculto de mi cerebro.

La granja de los cerdos estaba a un par de kilómetros de la de los pollos, y el camino pasaba junto a un pozo lleno de fertilizantes para uso de la unidad de plantas y jardines. Mi profesora, Huo Lina, pasó a nuestro lado transportando un saco lleno de abono; su delgada cintura sufría bajo el peso de su carga, tanto que parecía que estaba a punto de quebrarse en dos. En la granja de los cerdos, entregamos las deposiciones de pollo que llevábamos a la encargada, Ji Qiongzhi, mi antigua profesora de música, que echó el viscoso y maloliente producto en los comederos de los cerdos.

Uno de los miembros del equipo de procesamiento de alimentos era un tipo atlético que era capaz de alcanzar los dos metros, en salto de altura, empleando una técnica moderna. Por supuesto, era derechista. Se mostró muy preocupado por Qiao Qisha y fue extremadamente simpático conmigo; era uno de esos derechistas alegres, no como esos que están todo el día con el ceño fruncido. Llevaba una toalla anudada al cuello y un par de gafas, y trabajaba alegremente con el pulverizador, que llenaba el aire de polvo. El jefe de este equipo era otro caso especial, un hombre analfabeto que se llamaba Guo Wenhao que se inventaba unas letrillas que se cantaban en toda la granja. En el primer viaje que hicimos, transportando un forraje basto hecho de batatas, nos deleitó con una de sus letrillas:

«Había una vez la jefa de una granja, Ma Ruilian, que tenía una novedosa vocación. Se dedicaba a llevar a cabo experimentos en la planta de reproducción, cruzando ovejas y conejos con gran emoción. Enfadó a su asistente, Qiao Qisha, y le dio un golpe en su panzón. Un caballo y un burro engendran una mula, pero una oveja conejo sería una nueva creación. Si una oveja se puede casar con un conejo, un verraco puede emplear a Ma Ruilian para la gestación. Muy enfadada, se lo contó a Li Du y le expresó su insatisfacción. El tolerante Director Li le recomendó un poco de meditación. Estos derechistas —le dijo— no han entendido la reconversión. La Pequeña Qiao fue a la Facultad de Medicina, Yu Zheng emplea el boletín informativo para hacer su obra de creación, Ma Ming estudió en América, esa extraña nación, y el diccionario de Zhang Jie no necesita ninguna aclaración. Incluso el derechista Wang Meizan, cuya cabeza es ajena a toda sensación, es un gran atleta, motivo de celebración...».

—¡Eh, vosotros, derechistas! —gritó Guo Wenhao.

Wang Meizan juntó las piernas.

—¡Ey! —le contestó—. Cargad a la niña Qiao de forraje.

Wang le contestó:

—Ya va, Jefe Guo.

Wang Meizan llenó nuestro carrito de forraje mientras Guo Wenhao me preguntó, imponiéndose al rugido del pulverizador:

—¿Eres un Shangguan?

—Sí —le dije—, soy el pequeño bastardo de la familia Shangguan.

—Un bastardo puede convertirse en un gran hombre. Vosotros, los Shangguan, sois una familia increíble: Sha Yueliang, Sima Ku, Hombre-pájaro Han, Sol Callado, Babbitt. Sois realmente especiales...

Cuando volvíamos con los alimentos a la granja de los pollos, Qiao Qisha me espetó:

—¿Cómo te llamas?

—Shangguan Jintong. ¿Por qué me lo preguntas?

—Por nada —me dijo—. Trabajamos juntos, así que bien podríamos saber cómo nos llamamos. ¿Cuántas hermanas tienes?

—Ocho. No, siete.

—¿Y qué pasó con la octava?

—Es una traidora —le contesté, molesto—. Eso es todo lo que necesitas saber.

Todas las noches el mismo zorro venía a acosar a los pollos, y una de cada dos veces se llevaba una gallina. Las noches en que no robaba una gallina no era porque no pudiera sino porque no quería. Sus actividades nocturnas eran de dos tipos: había noches en que tenía hambre y otras en que simplemente quería molestar. Esto sacaba de quicio a las cuidadoras de los pollos y hacía que no pudieran dormir. La Comandante Long le disparó al menos veinte balas al zorro, pero nunca le rozó ni un pelo.

—Ese zorro es un demonio, sin ninguna duda —dijo una de las mujeres—. Habrá hecho un encantamiento que lo protege de las balas.

—¡Tonterías! —dijo una mujer alta, apodada Mula Salvaje, expresando su radical desacuerdo—. Un zorro sarnoso no puede convertirse en un demonio.

—Si eso es cierto, ¿cómo puede ser que la Comandante Long, que era una magnífica tiradora en la milicia, fallara una y otra vez? —le preguntó la otra mujer.

—Creo que lo hace aposta. Se trata de un zorro macho, después de todo —dijo con procacidad Mula Salvaje—. Quizá un visitante verde y guapo se mete en su cama a altas horas de la noche, cuando todo está en calma.

La Comandante Long se quedó de pie, bajo la red hecha jirones, escuchando en silencio la conversación de las mujeres, toqueteando su pistola, aparentemente perdida en sus propios pensamientos. Las carcajadas libertinas la sacaron de sus meditaciones. Dándole unos golpecitos a su gorra gris con el cañón de la pistola, se metió en el gallinero, bordeando la zona donde las gallinas ponían, y se plantó enfrente de Mula Salvaje, que estaba recogiendo huevos.

—¿Qué es lo que acabas de decir? —le preguntó, enfadada.

—Yo no he dicho nada —le contestó tranquilamente Mula Salvaje, con un huevo marrón sobre la palma de la mano.

—¡Te he oído! —dijo la Comandante Long, enfurecida, golpeando la alambrada con la pistola.

—¿Y qué es lo que has oído exactamente? —le preguntó provocativamente Mula Salvaje.

El rostro de la Comandante Long adquirió el color del huevo que tenía Mula Salvaje en la mano.

—¡Esto no te lo perdonaré jamás! —farfulló rabiosa, dándose la vuelta para marcharse. Estaba realmente enfurecida.

Mula Salvaje se quedó mirándole la espalda y le dijo:

—¡Si una tiene un corazón puro, ni siquiera el diablo la puede asustar! No dejes que su aspecto serio te engañe, zorro. Arde en deseos, desde luego. La otra noche, ¿crees que no lo vi con mis propios ojos?

—Mula Salvaje —la aconsejó una de las mujeres, más prudente—, ya basta. ¿Cómo haces para sacar esa energía de los ciento cincuenta gramos de fideos que te dan de comer?

—¿Ciento cincuenta gramos de fideos? ¡Que se vayan a la mierda, ella y sus ciento cincuenta gramos de fideos!

Se sacó un alfiler del pelo, hizo un agujero a ambos lados del huevo que tenía en la mano y lo chupó rápidamente hasta dejarlo seco. Después lo dejó con los otros. Aparentemente estaba lleno.

—Si alguien quiere denunciarme, que lo haga. Mi padre me ha encontrado marido en el noreste, así que me marcho de aquí el mes que viene. Allí hay suficientes patatas como para formar montañas. ¿Tú, por ejemplo, estás pensando en denunciarme? —le preguntó a Jintong, que se encontraba amontonando las deposiciones de los pollos con una pala, junto a la ventana—. Sería típico que lo hiciera alguien como tú, un gallito perfumado. Eres justo de la clase de gente a la que nuestra jefa sin brazo suele tratar con favoritismo. ¡Una vieja vaca como ella, con esos dientes podridos, tiene que pastar en hierbas tiernas!

Jintong quedó totalmente ofuscado por este ataque verbal. Levantando la pala frente a sí, dijo:

—¿Quieres un poco de esta mierda de pollo?

Aquella tarde, cuando pasaron junto al pozo lleno de fertilizantes de la unidad de plantas con su carga, cuatro cajones llenos de huevos, Qiao Qisha le pidió a Jintong que se detuviera. Él fue frenando lentamente y bajó las manijas del carrito hasta que las apoyó en el suelo.

—¿Has visto eso? —le preguntó Qiao Qisha cuando él se dio la vuelta—. Todas roban huevos, incluso la Comandante Long. ¿Has visto a esa Mula Salvaje? Está en plena forma. Esas mujeres comen mucho más de lo que necesitan.

—Pero estos huevos ya han sido pesados —dijo Jintong—. ¿Tenemos que pasar hambre mientras transportamos un montón de huevos? Yo estoy a punto de desfallecer de hambre.

Cogiendo dos huevos, se metió en el recinto vallado y desapareció detrás de dos tanques. Unos instantes más tarde, regresó con lo que parecían dos huevos llenos y los volvió a poner en su sitio.

—Qiao Qisha —dijo Jintong, preocupado—, eso es como un gato que intenta tapar su propia mierda. Cuando pesen estos cajones en la granja se darán cuenta de lo que ha pasado.

Ella soltó una carcajada.

—¿Te crees que soy idiota? —le dijo, cogiendo otros dos huevos y acercándose a él—. Ven conmigo —le dijo.

Jintong la siguió al interior del recinto, donde un polen blancuzco flotaba por encima de unos altos tallos de artemisa, llenando el aire de una fragancia embriagadora. Ella se puso de cuclillas junto a un tanque y extrajo algo envuelto en papel de un hueco que había entre la banda neumática del tractor y la rueda. El lugar donde escondía el producto de sus delitos. Ahí había un minúsculo taladro, una aguja hipodérmica, un trozo de tela cubierta de goma y teñida del color de una berenjena y un par de pequeñas tijeras. Taladró uno de los huevos para hacer un minúsculo orificio, y después metió por él la aguja hipodérmica y, lentamente, extrajo el contenido.

—Abre la boca —dijo, y la vació en la garganta de Jintong, convirtiéndolo en cómplice.

Cuando terminó, sacó agua de un casco de acero dado la vuelta que había en el suelo, junto al tanque, y la empleó para rellenar la cáscara del huevo. Finalmente, cortó un pequeño trozo de tela y tapó el orificio. Lo hizo todo con gran eficiencia.

—¿Esto es lo que os enseñan en la Facultad de Medicina? —preguntó Jintong.

—Exactamente —dijo ella—. ¡Cómo robar huevos!

Cuando pesaron los huevos, incluso habían ganado unos veinticinco gramos.

El tema del robo de huevos se acabó de forma abrupta un par de semanas más tarde. Las lluvias de mitad del verano marcaron el comienzo de la temporada de muda de las gallinas, y la producción de huevos descendió considerablemente. Un día se detuvieron en el lugar de siempre con su carga de un cajón y medio de huevos y entraron en el recinto a través de la valla mojada. Los capullos de artemisa estaban repletos de semillas, y una niebla húmeda se cernía sobre los vestigios de la guerra. Los restos oxidados emanaban un olor espeso, semejante al de la sangre. Sobre una de las ruedas de un tanque descansaba una rana. La imagen de su piel verde y pegajosa provocaba en Jintong una sensación de incomodidad. Cuando Qiao Qisha le echó el chorrito de huevo en la boca, le dio una repentina náusea. Llevándose la mano a la garganta, le dijo:

—Este huevo sabe a podrido, y está frío.

—Dentro de un par de días, tendrás suerte si eres capaz de conseguir huevos podridos y fríos. Esto se nos acaba.

—Sí —dijo Jintong—, las gallinas están a punto de mudar.

—Qué tonto eres —le dijo ella—, me pregunto si no intuyes nada sobre mí.

—¿Sobre ti? —dijo Jintong, negando con la cabeza—. ¿Y qué iba a intuir?

—Nada, olvídate de lo que te he dicho. Ya tienes bastante con lo que pasa con tu familia, y yo sólo complicaría las cosas aún más.

—No sé de qué estás hablando —dijo Jintong—. Todo esto me parece muy confuso.

—¿Por qué no me has preguntado nada sobre mis orígenes? —le dijo ella.

—No estoy pensando en casarme contigo, así que ¿por qué iba a hacerlo?

Ella se quedó de piedra unos instantes, y luego sonrió.

—Así habla un verdadero Shangguan, siempre con algún sentido oculto. ¿Quién dice que tengas que casarte conmigo para preguntarme por mis orígenes?

—Mi profesora, Huo Lina, dijo una vez que es de muy mala educación preguntarle a una chica por sus orígenes.

—¿Te refieres a la que transporta el abono?

—Habla ruso maravillosamente —dijo Jintong.

Con un gesto de desdén, Qisha dijo:

—He oído que tú eras su alumno favorito.

—Supongo que sí.

Con la intención de fardar, pavoneándose, Qisha soltó un largo monólogo en perfecto ruso, claramente mucho más complejo de lo que Jintong podía comprender.

—¿Te has enterado de algo?

—Creo que era un cuento popular muy triste sobre una niña pequeña...

—¿Eso es todo lo que puede decir el alumno favorito de Huo Lina? Un gato con tres patas, un tigre de papel, un farol que apenas da luz, una funda de almohada vacía —dijo ella.

Después recogió los cuatro huevos que había rellenado y emprendió el camino de regreso.

—Yo estudié con ella menos de seis meses. —Jintong se defendió—: Esperas demasiado de mí.

—No tengo tiempo para esperar nada de ti —le contestó ella.

Las húmedas plantas de artemisa le habían rozado la blusa, que se le había pegado a los pechos, que estaban bien redondeados debido a los sesenta y ocho huevos que se había comido y que contrastaban fuertemente con su flaca figura. Un sentimiento de ternura y de melancolía invadió a Jintong, mientras una sensación de familiaridad con esta hermosa derechista se instalaba en su cabeza, penetrando como un ejército de hormigas. De manera instintiva, estiró un brazo para tocarla, pero justo en ese momento ella se agachó y pasó ágilmente a través de la valla de alambre. Unos instantes más tarde, oyeron el sonido de una carcajada burlona de la Comandante Long al otro lado de la valla.

La Comandante Long estuvo manoseando uno de los huevos rellenos, dándole vueltas una y otra vez. Jintong le miraba fijamente la mano; le temblaban las rodillas. Qiao Qisha, por su parte, miraba altaneramente a los cañones que apuntaban hacia el cielo, que parecían estar disparando alaridos silenciosos. Una fina lluvia le dejaba gotas translúcidas en la frente que después caían deslizándose por los costados de su nariz. Jintong vio en sus ojos la mirada de despectiva tranquilidad que era tan común entre las chicas Shangguan cuando se enfrentaban a una situación adversa. En aquel momento, se dio cuenta de cuáles eran los orígenes de ella y, al mismo tiempo, comprendió por qué le había hecho tantas preguntas sobre su familia durante los meses que habían pasado trabajando juntos.

—¡Un genio! —dijo burlonamente la Comandante Long—. Enhorabuena por tu formación.

Después, sin previo aviso, le lanzó el huevo relleno a Qiao Qisha, alcanzándola en plena frente. La cáscara se rompió, a Qisha le tembló la cabeza y se le quedó toda la cara manchada de agua sucia.

—Seguidme al cuartel general de la granja —dijo la Comandante Long—. Allí recibiréis el castigo que os merecéis.

—Shangguan Jintong no tiene nada que ver con esto —dijo Qisha—. Él solamente es culpable de no delatarme, igual que yo no he delatado a las demás, que no sólo roban y se comen los huevos sino también las gallinas.

Dos días más tarde, Qiao Qisha perdió el derecho a recibir su ración de cereales durante medio mes, y fue enviada a la unidad de plantas para que se dedicara al transporte de abono, trabajando con Huo Lina. Ahí, las dos hablantes de ruso fueron vistas con mucha frecuencia blandiendo sus palas llenas de abono, una frente a la otra, y maldiciendo en ruso. Jintong conservó su puesto en la granja de los pollos, donde menos de la mitad de las gallinas ponedoras había sobrevivido. La docena de mujeres, más o menos, que trabajaban allí, fueron enviadas a trabajar en el campo durante el turno de noche, con lo que solamente la Comandante Long y Jintong quedaron encargados de cuidar a las gallinas que habían sobrevivido a la época de muda en aquella granja en la que, poco tiempo atrás, había habido tanta actividad. En cuanto al zorro, continuó sus incursiones. La lucha contra este maleante se convirtió en la principal tarea de la Comandante Long y de Jintong.

Una noche de verano, cuando unos oscuros nubarrones engulleron a la luna, el zorro regresó. En el momento en que se dirigía a la puerta con una gallina sin plumas en las fauces, avanzando con aire arrogante, la Comandante Long hizo sus dos disparos habituales, que se habían convertido en una especie de ceremonia de despedida. Entre el embriagador aroma de la pólvora, ambos se quedaron mirándose a la cara. El croar de las ranas y los graznidos de las aves llegaron con el viento, desde los campos lejanos, mientras la luna se abría paso entre las nubes y lubricaba los cuerpos de los dos combatientes con su luz. Jintong oyó a la Comandante Long soltar un gruñido, y cuando la miró se dio cuenta de que su rostro se había alargado y vuelto aterrador. El brillo de sus dientes era de una blancura temible. Y aún había más: una cola peluda hinchaba la parte trasera de sus pantalones como si llevara un globo inflado. ¡La Comandante Long era un zorro! Entonces, en su cabeza se hizo la luz, una luz horripilante: ella era una zorra, la pareja del zorro ladrón, y por eso siempre fallaba cuando le disparaba. El visitante verde que Mula Salvaje había dicho que entraba con frecuencia en su dormitorio bajo la brumosa luz de la luna era aquel zorro transfigurado. Un nocivo olor a zorro saturaba el ambiente. Se quedó boquiabierto cuando la vio venir hacia él, con la pistola humeante todavía en la mano. Tirando el palo que llevaba, Jintong salió corriendo hacia su dormitorio, soltando alaridos, y en cuanto hubo entrado apoyó el hombro contra la puerta, para impedirle el paso. Entonces oyó cómo ella entraba en la habitación de al lado. Estaba sola. La luz de la luna daba contra la pared, que se mantenía en pie gracias a unos listones de madera que tenía clavados. Ella empezó a arañar la pared con sus garras, murmurando algo en voz baja. Sin previo aviso, dio un golpe que abrió un agujero en la pared y entró en la habitación de él, completamente desnuda. Había recuperado su forma humana. Sólo una horrible cicatriz, semejante a la abertura de una bolsa de arpillera cuando se encuentra fuertemente cerrada, ocupaba el lugar en el que anteriormente había estado su brazo. Sus pechos sobresalían, duros y pesados, como los pesos de una balanza. Cayó de rodillas a los pies de Jintong y le abrazó las piernas con su único brazo. Sollozando como una anciana llorona, le dijo:

—¡Shangguan Jintong, apiádate de una mujer desgraciada!

Jintong luchó por librarse de su abrazo, pero ella levantó la mano y lo atrapó por el cinturón, y tiró tan fuerte que se lo quitó y le bajó los pantalones. Cuando él se agachó para subírselos, ella lo aferró del cuello con el brazo y de la cintura con las piernas. Gracias a esa extraña llave, ella se las apañó para desvestirlo. Cuando lo hubo conseguido, le dio un golpecito en la sien; los ojos le empezaron a girar en sus órbitas y cayó al suelo, rígido como se queda un pez fuera del agua. La Comandante Long le mordisqueó cada centímetro del cuerpo, pero no fue capaz de liberarlo del terror que lo tenía atenazado. Enfurecida por su fracaso, corrió de nuevo a la habitación de al lado, cogió la pistola, se colocó el cañón entre las piernas y metió dos balas en la recámara. Después, apuntando el arma al bajo vientre de él, le dijo:

—Tienes dos posibilidades: o haces que se levante, o le pego un tiro.

El brillo de sus ojos le bastó a Jintong para saber que hablaba en serio. Esos pechos, duros como el hierro, no dejaban de bambolearse. Una vez más, Jintong observó cómo su rostro se alargaba y le crecía una peluda cola por detrás, lentamente, hasta tocar el suelo.

Durante los siguientes días, en los que lloviznó constantemente, la Comandante Long hizo todo lo que pudo para convertir a Jintong en un hombre; recurrió tanto a darle aliento como a amenazarlo, pero al final fracasó; para entonces, ya escupía sangre. En los últimos momentos, antes de apuntarse a sí misma con la pistola, se limpió la sangre que tenía en la barbilla y dijo con tristeza: «Long Qingping, ah, Long Qingping, tienes treinta y nueve años y sigues siendo virgen. Todo el mundo sabe que eres una heroína, pero nadie se da cuenta de que también eres una mujer, y de que has desperdiciado tu vida...». Tosió y se encogió de hombros. Su rostro moreno palideció y, dando un largo grito, escupió un montón de sangre, cosa que le dio un asco terrible a Jintong, que se quedó con la espalda pegada a la puerta. Las lágrimas caían rodando por la cara de Long Qingping; con una mirada de resentimiento, se acercó a él a gatas, levantó la pistola y se apoyó el cañón en la sien. Hasta entonces, Jintong no había comprendido la fuerza de seducción de un cuerpo de mujer. Ella levantó el codo, dejando ver el fino vello que tenía bajo el brazo, y se sentó sobre sus talones mientras una nube de humo dorado estallaba ante los ojos de Jintong. La zona fría de entre sus piernas se hinchó súbitamente, llena de sangre caliente. La inconsolable Long Qingping apretó el gatillo —si, en aquel momento, hubiera mirado hacia atrás, la tragedia se habría evitado— y Jintong vio una nube de humo ocre en el pelo de su sien mientras sonó un seco disparo de pistola. El cuerpo de la mujer se agitó brevemente antes de desplomarse sobre el suelo. Jintong corrió a su lado y le dio la vuelta a toda prisa; entonces quedó expuesto el agujero negro que se había hecho en la sien, rodeado por unas minúsculas partículas de pólvora. Un montón de oscura sangre le salía del interior de la oreja y le corría por los dedos a Jintong. Los ojos de Long Qingping habían quedado abiertos, y todavía expresaban su sufrimiento. La piel de su pecho se movía como se mueven las ondas sobre la superficie de un estanque.

Jintong la cogió entre sus brazos, presa del remordimiento, y cumplió el último deseo de ella mientras se le iba la vida. Finalmente, se apartó de encima de ella, completamente agotado. Las chispas de luz que quedaban en los ojos de la mujer se apagaron cuando se le cerraron los párpados. Una cortina grisácea se instaló en medio de su cabeza mientras miraba aquel cuerpo, ya sin vida. Fuera caía una lluvia torrencial, una grisura cegadora que penetraba en la habitación y se tragaba los cuerpos de ambos.

V

Llevaron a Shangguan Jintong al gallinero para interrogarlo. Tenía las piernas desnudas y totalmente empapadas por la lluvia, que estallaba contra los tejados, caía en cascadas desde los aleros y anegaba el recinto. Desde aquel momento que había pasado con Long Qingping, la lluvia no había dejado de caer, y sólo se había suavizado unos instantes para volver más fuerte que nunca.

El agua casi le llegaba por las rodillas. Envuelto en un chubasquero negro, el jefe de la sección de seguridad estaba sentado de cuclillas sobre su silla. Dos días y dos noches de interrogatorios no habían producido ningún resultado. El hombre fumaba constantemente, encendiendo un cigarrillo con el anterior. El agua que lo rodeaba estaba llena de colillas empapadas, y el ambiente era agobiante por el acre olor a humo. Frotándose los ojos enrojecidos, el jefe de sección bostezó, agotado, así como el oficial encargado de tomar notas. Después cogió un cuaderno que había sobre el húmedo escritorio y se quedó mirando fijamente lo que había ahí escrito, salpicado de manchas. Después extendió la mano y cogió a Jintong por una oreja; entonces le dijo, aullando:

—¿Primero la violaste y después la mataste?

Jintong se quedó ahí de pie, sollozando, pero ya no le quedaban lágrimas.

—No la maté —repetía una y otra vez—, y no la violé...

—No tienes por qué contármelo —dijo el jefe de sección, que estaba a punto de perder la paciencia—. Pero dentro de poco llegará un experto médico del condado. Va a traer unos perros de presa consigo. Si me lo cuentas ahora, se considerará una confesión voluntaria.

—No la maté —dijo una vez más, somnoliento—, y no la violé.

El jefe de sección sacó un paquete de cigarrillos, lo estrujó y lo lanzó al agua. Frotándose los ojos por el sueño que tenía, le dijo al oficial encargado de tomar notas:

—Vete al cuartel general de la granja, Sol, y llama al Departamento de Seguridad del Condado. Diles que vengan lo antes que puedan. —Olisqueó el aire—. El cuerpo está empezando a apestar; si no vienen con rapidez, nos estropearán la investigación.

—Jefe —dijo el hombre—, ¿está usted loco? Ya intenté llamar antes de ayer y no logré comunicarme. La lluvia ha arrancado los postes de teléfono.

—¡Mierda! —dijo el jefe de sección, bajando de un brinco de su silla.

Entonces se puso su gorra para la lluvia y vadeó la habitación hasta llegar a la puerta y sacó la cabeza al exterior para echar un vistazo. Una rugiente cortina de agua le empapó la brillante espalda mientras corría hacia el sitio donde había tenido lugar la ilícita relación entre Jintong y la Comandante Long. Fuera, en el patio, el agua limpia se mezclaba con la sucia, y unos cuantos pollos muertos flotaban en su superficie. Las pocas gallinas que habían logrado sobrevivir estaban posadas en lo alto del muro, agachando la cabeza y cloqueando lastimeramente. Jintong tenía un dolor de cabeza terrible y le castañeteaban los dientes. Además, tenía la mente en blanco; sólo veía recurrentemente los movimientos de la Comandante Long desnuda. Después de penetrar impulsivamente su cuerpo moribundo, había sentido unos horribles remordimientos, pero ahora lo único que sentía hacia ella era asco y enfado. Hizo un esfuerzo para librarse de su imagen pero, como le había sucedido con Natasha años atrás, la tenía empecinadamente metida en la cabeza. La diferencia era que la de Natasha era una imagen hermosa y juvenil, mientras que la de la Comandante Long era repulsiva y demoníaca. En el momento en que le arrastraban fuera para interrogarle, tomó la decisión de no revelar los escabrosos detalles de lo que había ocurrido. Yo no la violé y yo no la maté. Ella intentó forzarme y, cuando me negué y me resistí, se quitó la vida. Eso era todo lo que estaba dispuesto a contar bajo la presión del implacable interrogatorio.

El jefe de seguridad volvió y sacudió la cabeza para quitarse el agua que tenía en el cuello.

—¡Maldición! —exclamó—. Está totalmente hinchada. Se parece a los despojos de un cerdo. Es repugnante.

Se pellizcó la garganta.

Fuera, a lo lejos, la chimenea de ladrillos rojos de la cafetería se desplomó hasta el suelo, sin dejar de vomitar un humo negro, e hizo que se derrumbara con ella todo el edificio —el tejado, las ventanas, las persianas venecianas y lo demás—, enviando una torre de agua grisácea hacia el cielo con un fuerte rugido.

—El edificio se ha caído —exclamó el jefe de seguridad—. ¿Y ahora qué? ¡Que le den a este interrogatorio de mierda, ahora ya no vamos a poder comer!

El derrumbamiento de la cafetería hizo que se pudieran ver ampliamente los campos, sin que nada los tapara. También permitió la aterradora visión de un océano de agua que llegaba hasta el horizonte. Los diques del Río de los Dragones asomaban a la superficie aquí y allá, pero la cantidad de agua que había caído los había vuelto completamente inútiles. La lluvia caía irregularmente sobre el terreno, como si saliera de una gigantesca regadera que se moviera a toda velocidad por el cielo. Justo debajo de la regadera, el aguacero rugía poderosamente y los torrentes de agua formaban una neblina sobre el campo; en otras partes, la luz del sol iluminaba el suave fluir de las aguas que habían crecido hasta inundarlo todo. Por estar situada en el punto más bajo de las tierras bajas y pantanosas de Gaomi del Noreste, la Granja del Río de los Dragones había sido irrigada con agua procedente de tres condados distintos. Poco después de que se derrumbara la cafetería, todas las restantes construcciones de la granja, desde las que estaban hechas con paredes de adobe hasta las que tenían techos de tejas, cayeron hechas trizas al agua, que no dejaba de fluir. Sólo hubo una excepción: el depósito de grano, que había sido diseñado y construido por un derechista que se llamaba Liang Badong. Algunas partes del gallinero, hecho con ladrillos procedentes del cementerio, también lograron mantenerse en pie, pero el agua ya estaba a punto de alcanzar las ventanas. Los bancos y los taburetes flotaban en el agua, que le llegaba hasta el ombligo a Jintong, que también empezó a flotar en su silla.

Por todas partes sonaban gritos de angustia. La gente luchaba esforzadamente contra la crecida. «¡Dirigíos hacia los diques!», gritó alguien.

El oficial de la sección de seguridad encargado de tomar notas abrió la ventana de una patada y salió huyendo, seguido por las maldiciones del jefe de la sección, que se volvió hacia Jintong y le dijo: «Sígueme».

Así, Jintong siguió al jefe de la sección hasta el patio, donde el hombre tuvo que mover los brazos hacia adelante y hacia atrás, dentro del agua, para lograr mantenerse en pie. Jintong echó un vistazo a su espalda y vio un puñado de gallinas posadas sobre el tejado, junto al maligno zorro. El cadáver de Long Qingping salió flotando de la habitación y se fue detrás de él. Él apretó el paso, pero el cadáver también empezó a avanzar más rápido, y cuando cambió de dirección, el cadáver tomó su mismo rumbo. Los restos mortales de Long Qingping casi hicieron que se cagara de miedo. Finalmente, un mechón de su pelo quedó atrapado en la valla de alambre que rodeaba los vestigios de la guerra y Jintong pudo escaparse de ella. Los cañones de la artillería asomaban por encima de la superficie del agua embarrada. De los tanques, solamente las torretas y los cañones quedaban a la vista, como enormes tortugas que estiraran mucho el cuello para sacarlo del agua. Cuando los dos hombres llegaron a la unidad de los tractores, la granja de los pollos se derrumbó.

En el garaje de la unidad de los tractores, un grupo de gente se había amontonado sobre dos cosechadoras rusas de color rojo, y unos cuantos más estaban intentando subir a bordo; cuando lo lograban, empujaban a otros que se caían al agua. Una oleada de agua arrastró al jefe de la sección de seguridad, con lo cual Jintong recuperó su libertad. Él y varios derechistas se dirigieron, todos cogidos de la mano, hacia el Río de los Dragones, bajo el liderazgo de Wang Meizan, el saltador de altura. El ingeniero civil Liang Badong cerraba la marcha. Huo Lina, Ji Qiongzhi, Qiao Qisha y otras personas que no conocía caminaban entre los dos hombres. Ahí iba también Jintong, que avanzaba medio andando y medio nadando. Qiao Qisha le tendió la mano. Las blusas mojadas de las mujeres se les pegaban al cuerpo, y era casi como si estuvieran desnudas. Por la fuerza de la costumbre, aunque no le gustaran, Jintong se fijó subrepticiamente en los pechos de Huo Lina, Ji Qiongzhi y Qiao Qisha, que lo transportaron al paisaje onírico de su juventud e hicieron que la imagen de Long Qingping se le fuera de la cabeza. Sintió que se convertía en una mariposa que salía volando del interior del ennegrecido cuerpo de la Comandante Long para secar sus alas al sol y revolotear por un jardín lleno de pechos que emitían una misteriosa fragancia.

Jintong se sorprendió pensando que deseaba poder estar para siempre ahí, atravesando esa agua, pero la visión del dique del Río de los Dragones acabó con sus esperanzas. Los trabajadores de la granja que se amontonaban en lo alto del dique estaban cogidos por los hombros. Las aguas fluían lentamente hacia abajo y al caer creaban una ligera neblina que se extendía por el aire. No había golondrinas, no había gaviotas. En dirección sudoeste, Dalan estaba envuelto en la blancura producida por la lluvia. Miraran donde miraran, veían el caos que había causado el agua.

Cuando la cabaña de tejas rojas que se empleaba como almacén de grano al fin cayó, la Granja del Río de los Dragones se convirtió, sencillamente, en un gigantesco lago. Desde el dique subían los sonidos de gente sollozando; lloraban los izquierdistas, lloraban los derechistas. El Director Li Du, un hombre que no veían casi nunca,

675

sacudía su canosa cabeza —es decir, la cabeza de Lu Liren— y gritaba estridentemente:

—No lloréis, camaradas. Sed fuertes. Si nos mantenemos unidos, superaremos toda clase de problemas... De pronto, se llevó la mano al pecho y empezó a tambalearse. El jefe de la sección administrativa intentó sujetarlo, pero no pudo, y el director cayó desplomado al suelo lleno de barro.

—¿Hay algún doctor por aquí? ¡Rápido, que venga alguien con conocimientos médicos! —aullaba el hombre.

Qiao Qisha y un derechista llegaron corriendo. Le tomaron el pulso a la víctima y le levantaron los párpados para mirarle los ojos. Después le pellizcaron el canal de debajo de la nariz y el espacio entre el pulgar y el índice, pero no sirvió de nada.

—Ha muerto —dijo el hombre, con el tono de voz de quien constata un hecho irreversible—. Ataque al corazón.

Ma Ruilian abrió la boca y dejó escapar unos sollozos que subían por la garganta de Shangguan Pandi.

Cuando cayó la noche, la gente se juntó para mantener el calor. Un aeroplano con unas parpadeantes lucecitas verdes apareció en el cielo, haciendo que renaciera la esperanza. Pero pasó de largo, como una cometa, y no regresó. En algún momento, en medio de la noche, dejó de llover, y hordas de ranas se pusieron a croar. Era un coro que desgarraba los tímpanos. Unas pocas estrellas se atrevieron a brillar en el cielo; parecía que estuvieran a punto de caerse. Durante un breve descanso de las ranas, el viento silbó a través de las ramas de los árboles que flotaban a nuestro alrededor. De repente, alguien se zambulló en el agua y reapareció de inmediato, con el vientre hacia arriba, como un enorme pez. Nadie gritó pidiendo ayuda; nadie pareció ni siquiera darse cuenta. Poco tiempo después, alguien más se tiró al agua y, en esta ocasión, la reacción sobre el dique fue, si cabe, de mayor indiferencia aún.

La luz de las estrellas iluminaba a Qiao Qisha y a Huo Lina mientras se dirigían a Jintong.

—Quiero hablarte de mis orígenes pero dando un rodeo —le dijo Qiao Qisha.

Después se volvió hacia Huo Lina y le habló en ruso durante varios minutos. Huo Lina, con la mayor objetividad, tradujo lo que ella le decía.

—Cuando tenía cuatro años, me vendieron a una mujer blanca, una rusa. Nadie me explicó nunca por qué esta mujer había querido comprar una niña china. —Qiao Qisha continuó en ruso y Huo Lina siguió traduciéndola—. Un día, la mujer rusa murió de una intoxicación etílica y a mí me tocó vagabundear por las calles hasta que el gerente de una estación de ferrocarril me tomó a su cuidado. Él y su familia me trataron como si fuera su hija. Después de la Liberación, en 1949, conseguí que me admitieran en la Facultad de Medicina. Pero después, durante una época de intercambio de puntos de vista, dije que hay gente pobre que es mala, al igual que hay gente rica que es buena, y me pusieron la etiqueta de derechista. Creo que soy tu séptima hermana.

Qisha le estrechó la mano a Huo Lina para darle las gracias. Después cogió de la mano a Jintong y lo llevó a un lado, donde le dijo en voz baja:

—He oído algunas cosas sobre ti. Yo estudié medicina. Tu profesora me contó que te habías acostado con esa mujer antes de que se suicidara. ¿Es cierto?

—Fue después de que lo hiciera —dijo Jintong entrecortadamente.

—Eso es detestable —dijo ella—. El jefe de la sección de seguridad era un imbécil. Esta crecida te ha salvado la vida. Lo sabes, ¿verdad?

Jintong asintió con la cabeza.

—Vi cómo las aguas se llevaban su cadáver, así que no tienen ninguna prueba en tu contra —dijo con voz inexpresiva la mujer que decía ser mi séptima hermana—. Mantente firme. Di que nunca te has acostado con ella. Si es que conseguimos sobrevivir a esta inundación, claro.

La predicción de Qiao Qisha se cumplió. La crecida había venido en ayuda de Jintong. Para cuando el investigador jefe del Departamento de Seguridad del Condado y un examinador médico llegaron en una balsa de goma, la mitad de la gente yacía inconsciente sobre el dique del Río de los Dragones, y el resto había sobrevivido alimentándose de las algas en proceso de descomposición que habían pescado del río, como caballos famélicos. En el momento en que los hombres se bajaron de la balsa, se vieron rodeados de gente hambrienta y esperanzada. Respondieron enseñando sus insignias, desenfundando sus pistolas y anunciando que estaban ahí para investigar la violación y el asesinato de una heroica mujer. Entonces estalló un estruendo de voces profiriendo exabruptos e insultos. El investigador, con cara de pocos amigos, exigió ver al jefe de los supervivientes y fue guiado hasta donde estaba Lu Liren, que yacía sobre el suelo embarrado; el uniforme gris se le había desgarrado por lo mucho que se le había hinchado el cuerpo. «Es él». Tapándose la nariz, el investigador dio una vuelta completa alrededor del cuerpo de Lu Liren, que estaba comenzando a pudrirse y atraía a montones de moscas. Entonces se puso a buscar al jefe de la sección de seguridad de la granja, que había informado del crimen por teléfono. Le dijeron que al hombre se lo había llevado el río, aferrado a un tablón, hacía tres días. El investigador se detuvo frente a Ji Qiongzhi; las pétreas miradas que intercambiaron revelaban los complejos sentimientos de una pareja que se ha divorciado.

—La muerte de una persona, estos días, importa más o menos lo mismo que la muerte de un perro, ¿verdad? —le dijo ella—. ¿Qué es lo que vas a investigar?

El investigador echó un vistazo a todos los cadáveres que flotaban en el agua opaca, algunos de animales y otros de seres humanos, y dijo:

—Ésas son dos cosas distintas.

Entonces se fueron a buscar a Shangguan Jintong y comenzaron a acribillarlo a preguntas, empleando diversas estrategias psicológicas. Pero Jintong se mantuvo firme y se negó a revelar su secreto.

Algunos días más tarde, tras caminar con dificultad atravesando un mar de barro que les llegaba hasta las rodillas, el concienzudo investigador jefe y el examinador médico encontraron el cuerpo de Long Qingping, que se había quedado enganchado en la verja de alambre.

Pero cuando el examinador estaba tomando unas fotografías del cuerpo, éste explotó como una bomba de relojería; su piel putrefacta y sus pegajosos jugos ensuciaron el agua de una amplia zona a su alrededor. Lo único que permaneció enganchado en la valla fue el esqueleto. El examinador médico sacó la calavera, con su agujero de bala, y la examinó desde todos los ángulos posibles. Llegó a dos conclusiones: el cañón estaba apoyado sobre la sien cuando se hizo el disparo y, aunque tenía toda la pinta de tratarse de un suicidio, era posible que hubiera sido un asesinato.

Se prepararon para llevarse a Jintong, pero fueron rápidamente rodeados por algunos derechistas.

—Fíjate bien en este chico —dijo Ji Qiongzhi, aprovechándose de su especial relación con el investigador jefe—. ¿Te parece alguien capaz de cometer una violación y un asesinato? Esa mujer era un demonio terrorífico. Este chico, en cambio, fue alumno mío.

Para entonces, el investigador jefe estaba a punto de suicidarse debido al hambre y al penetrante hedor.

—El caso está cerrado —dijo, harto de todo el asunto—. Long Qingping se quitó la vida.

Entonces él y el examinador médico treparon a su balsa de goma y volvieron al cuartel general. Pero en cuanto la balsa se alejó un poco de la orilla, se dio la vuelta y fue engullida por la corriente, perdiéndose río abajo.

VI

Durante la primavera de 1960,
cuando la campiña se llenó de
los cadáveres de las víctimas
de la hambruna, algunos miembros de la unidad de derechistas de la
Granja del Río de los Dragones quedaron convertidos en un rebaño
de rumiantes que rastreaban el suelo en busca de algún vegetal con el
que combatir el hambre. A cada persona le correspondían unos cuarenta gramos diarios de cereales, menos lo que sisaban el encargado
del almacén, el gerente del comedor y otros individuos importantes.
Lo que quedaba resultaba suficiente para llenar un cuenco de gachas
con tan poca sustancia que uno podía verse reflejado en el líquido.
En cualquier caso, eso no los liberaba de sus obligaciones en la reconstrucción de la granja. Además, con la ayuda de los soldados de la
unidad de artillería local, sembraron mijo en unas cuantas hectáreas
de tierra fangosa. Al abono se le añadió veneno para mantener a raya
a los ladrones. Era tan potente que el suelo se llenó de cadáveres de
grillos, gusanos y muchos otros insectos variados que el derechista
Fang Huawen, que era un biólogo con bastante experiencia, nunca
había visto. Los pájaros que se alimentaban de estos insectos caían al
suelo, rígidos, y los bichos que acudían a devorar sus cuerpos pegaban
un salto y morían antes de caer al suelo.

En primavera, cuando las plantas de mijo llegaban a la altura de las rodillas, ya había toda clase de vegetales listos para ser cosechados, y los derechistas, cuando salían al campo, se atiborraban de todo lo que podían encontrar mientras hacían su trabajo. Durante los periodos de descanso, se sentaban en las zanjas y regurgitaban las hojas que tenían en el estómago para volver a masticarlas y deshacerlas todo lo que pudieran. En las comisuras de sus labios se acumulaba una saliva verdosa. Sus rostros estaban tan hinchados que la piel se les había vuelto translúcida.

Menos de diez trabajadores de la granja se libraron de contraer hidropesía. El nuevo director, que se llamaba Pequeño Viejo Du, fue uno de ellos; el encargado del almacén del grano, Guo Zilan, también se libró; todo el mundo sabía que hurtaban forraje para caballos. El Agente Especial Wei Guoying tampoco la padeció, ya que por tener un perro lobo recibía una ración extra de carne. Otro hombre que se libró fue uno llamado Zhou Tianbao. En la infancia, se había volado tres dedos con una bomba casera, y unos años más tarde había perdido un ojo cuando su propio rifle se le había disparado en la cara. Había sido designado encargado de la seguridad de la granja, y dormía durante el día y hacía la ronda por toda la granja durante la noche, armado con una escopeta checa, sin dejarse ni un rincón por vigilar. Lo habían alojado en una pequeña cabaña hecha con chapas metálicas situada en una esquina de la chatarrería militar; de allí, por las noches, tarde, emanaba con mucha frecuencia un fragante olor a carne cocinada. Ese olor hacía que a la gente que estaba en la zona le resultara prácticamente imposible dormir. Una noche, Guo Wenhao se arrastró hasta la cabaña y estaba a punto de asomarse a la ventana cuando oyó el ruido sordo de la culata de un rifle golpeada contra el suelo.

—Maldito seas —juró Zhou Tianbao, y la luz de su ojo bueno atravesó la oscuridad—. ¡Un contrarrevolucionario! ¿Qué haces merodeando por aquí?

Zhou le incrustó el cañón de su arma en la espalda a Guo.

—¿Qué estás cocinando ahí dentro, Tianbao? —preguntó Guo maliciosamente—. ¿Por qué no me dejas probarlo?

—No creo que tengas agallas para probarlo —refunfuñó Zhou en voz baja.

—La única cosa de cuatro patas que no me comería es una mesa —dijo Guo—. Y la única cosa de dos patas que no me comería es una persona.

Zhou se rió.

—Lo que estoy cocinando es precisamente carne humana.

Al oír eso, Guo Wenhao dio media vuelta y salió corriendo.

La noticia de que Zhou Tianbao comía carne humana se extendió rápidamente, haciendo que todo el mundo entrara en pánico. La gente dormía con un ojo abierto, aterrorizada ante la idea de que Zhou iría a buscarlos para prepararse su próxima comida. Con la intención de acallar el rumor, Pequeño Viejo Du convocó una reunión para anunciar que había estado investigando el asunto y había descubierto que lo que Zhou Tianbao cocinaba y comía eran ratas que encontraba en tanques abandonados. Entonces le dijo a todo el mundo, y especialmente a los derechistas, que dejaran de comportarse como apestosos intelectuales y que aprendieran de Zhou Tianbao y se abrieran a nuevas fuentes de alimentos de modo que pudieran ahorrar grano, incluso durante las épocas de vacas flacas, para enviárselo a las gentes de otras partes del mundo que estaban peor que nosotros. Wang Siyuan, un licenciado por la Facultad de Agricultura, propuso que cultiváramos champiñones empleando la madera podrida para hacerlos crecer. Pequeño Viejo Du le dijo que le parecía bien y que se pusiera en marcha. Dos semanas más tarde, el plan de los champiñones hizo que se envenenaran más de cien personas. Algunas no padecieron más que un episodio de vómito y diarrea, pero otros sufrieron una locura transitoria y no se les entendía nada de lo que decían, como si estuvieran hablando en un idioma desconocido. La sección de seguridad pensó que se trataba de un acto de sabotaje, pero el departamento de sanidad lo atribuyó a una intoxicación alimentaria. Como consecuencia de todo esto, Pequeño Viejo Du fue censurado y el derechista Wang Siyuan fue catalogado como ultraderechista. La mayor parte de las víctimas pudieron ser atendidas a tiempo y rápidamente estuvieron fuera de peligro. Huo Lina, por el contrario, no pudo salvarse. Después de su muerte, circuló el rumor de que había estado liada con un hombre que trabajaba en la cocina al que todo el mundo llamaba Zhang Cara de Viruela y que gracias a eso conseguía raciones de comida mayores que las de los demás. Alguien dijo que un domingo por la noche, durante la proyección de la película, los había visto deslizándose en la oscuridad hacia una zona de hierbas altas.

La muerte de Huo Lina afectó a Jintong de una manera especialmente dura. Además, no podía creerse que alguien de buena familia, que había sido educada en Rusia, se entregara a un ser tan feo y basto como Zhang Cara de Viruela a cambio de un poco más de sopa. Lo que le sucedió más adelante a Qiao Qisha le demostraría que se equivocaba. Y es que cuando una mujer está tan subalimentada que sus pechos se le aplanan y deja de tener el periodo, el respeto que siente por sí misma y la castidad la abandonan. El pobre Jintong iba a ser testigo del incidente completo, desde el principio hasta el final.

Durante la primavera llegaron a la granja unos bueyes para arar la tierra. Antes de que pasara mucho tiempo, descubrieron que no había suficientes hembras como para cruzarlos, por lo que castraron a cuatro toros con el propósito de que engordaran y sirvieran de alimento. Ma Ruilian todavía estaba a cargo de la unidad de animales domésticos, pero disfrutaba de un poder considerablemente menor desde que Li Du había muerto. Por eso, cuando Deng Jiarong se marchó con los ocho testículos, lo único que pudo hacer ella fue quedarse mirándole la espalda. Cuando se le hizo la boca agua al detectar el aroma de los testículos asándose en la parrilla de Deng Jiarong, en la planta de reproducción, le dijo a Chen San que fuera y le trajera algunos. Deng exigió, a cambio, una cierta cantidad de forraje para caballos, a lo que Ma Ruilian accedió de mal humor; finalmente intercambiaron medio kilo de tortas de alubias secas por uno de los testículos.

El trabajo que le encargaron a Jintong consistía en pasear a los bueyes, por la noche, para impedir que se tumbaran y se les abrieran las heridas. Un anochecer, cuando estaba completamente oscuro, se dirigió a la acequia de irrigación de la zona este de la granja. Allí condujo a los animales a un bosquecillo de sauces, donde los ató a los árboles. Ya llevaba cinco noches seguidas paseándolos y le pesaban tanto las piernas como si las tuviera llenas de plomo. Se sentó en el suelo, apoyándose en uno de los árboles, sintiendo los párpados cada vez más pesados. Estaba a punto de quedarse dormido cuando le llegó a la nariz el aroma dulce y fresco de unos rollitos recién cocidos y todavía calientes. Su espíritu se conmovió y se le abrieron los ojos como platos. Entonces vio al cocinero Zhang Cara de Viruela caminando hacia atrás con un rollito hecho al vapor insertado en un pincho; lo movía en el aire como si fuera un cebo. Y eso es lo que era exactamente. A un metro de distancia Qiao Qisha, la flor de la Facultad de Medicina, lo seguía con la vista clavada fija y ávidamente en el rollito. La débil luz del sol poniente le dibujaba un halo alrededor de su cara regordeta y parecía recubrirla con sangre de perro. Ella caminaba con dificultad, jadeando y extendiendo la mano para intentar coger el rollito. En más de una ocasión estuvo a punto de tocarlo, pero Zhang Cara de Viruela daba un tirón y lo alejaba de su alcance, sonriendo maliciosamente. Ella gimoteaba como un cachorrito maltratado. Pero cada vez que estaba a punto de rendirse, frustrada, el aroma del rollito la volvía a atraer; era como si la pusiera en trance. Qiao Qisha, que, cuando todo el mundo recibía ciento cincuenta gramos de cereales, se podía permitir negarse a inseminar a una coneja con esperma de carnero, había perdido la fe en la política y en la ciencia ahora que la ración se había reducido a treinta gramos por día. El instinto animal la empujaba hacia el rollito al vapor, y no tenía ninguna importancia quién lo estuviera sujetando. Lo siguió hasta lo más profundo del bosquecillo de sauces. Aquella mañana, Jintong había dedicado su tiempo de descanso a ayudar a Chen San a segar el heno, por lo que había recibido ochenta gramos de tarta de alubias secas. Eso le dio suficiente energía como para poder controlarse y resistir la tentación de unirse al desfile del rollito. Más adelante se demostraría que durante la hambruna de 1969, Zhang intercambió comida por sexo con casi todas las derechistas de la granja. Qiao Qisha era la última que le quedaba. La más joven, más hermosa y más obstinada de todas las mujeres derechistas no le resultó más difícil de conquistar que las demás. Bajo los rayos del sol poniente, de un color rojo sangre, Jintong contempló la violación de su séptima hermana.

Lo que para la granja había sido una inundación catastrófica, para los sauces resultó una época maravillosa. Unas raíces aéreas y rojizas brotaban con profusión de los troncos negros, como las antenas de las criaturas oceánicas, y sangraban cuando se partían. Estos enormes doseles parecían mujeres locas, enfurecidas, con los pelos al viento. De todas las ramas habían brotado unas hojas tiernas, suaves, flexibles, acuosas, que habitualmente eran de un ligero color amarillo pero ahora habían adoptado tonalidades rosadas. Jintong tenía la sensación de que tanto las ramas como las hojas debían ser verdaderamente exquisitas, y mientras contemplaba lo que sucedía ante sus ojos, se llenó la boca de ramitas y hojas de sauce.

Finalmente, Zhang Cara de Viruela tiró el rollito al suelo. Qiao Qisha se lanzó a toda prisa a cogerlo y se lo metió en la boca incluso antes de incorporarse. Zhang Cara de Viruela se colocó detrás de ella, le levantó la falda, le bajó las mugrientas bragas rojas hasta los tobillos y, con gran habilidad, le separó las piernas. Después de hacerlo, sacó su miembro, que no se había visto afectado por la hambruna de 1960, y se lo introdujo. Como un perro que roba un trozo de comida, ella se obligó a soportar el dolor de su ataque por detrás mientras engullía el alimento. Siguió haciendo el movimiento de tragar incluso cuando ya se lo hubo terminado todo. El dolor que sentía en la entrepierna no era nada comparado con el placer que le reportaba la comida. Por lo tanto, mientras Zhang Cara de Viruela continuaba moviéndose vigorosamente detrás de ella, enloquecido, haciendo que su cuerpo temblara y se estremeciera, ella no dejó en ningún momento de comer. Las lágrimas le humedecieron los ojos, pero fue una reacción física porque se había atragantado con el rollito, totalmente al margen de cualquier sentimiento. Quizá, cuando hubo terminado de engullir la comida, se diera cuenta del dolor que sentía en la espalda, porque cuando se enderezó se dio la vuelta para mirar hacia atrás. El rollito estaba seco y le había resultado difícil de ingerir y le había hecho daño en la garganta, por lo que estiró el cuello hacia adelante como si fuera un pato. Zhang Cara de Viruela todavía estaba dentro de ella, y la cogió de la cintura con un brazo mientras, con la mano que le había quedado libre, se sacó otro rollito medio espachurrado del bolsillo y lo arrojó al suelo, enfrente de ella. Ella avanzó un paso y volvió a agacharse. Él seguía pegado a su cuerpo, con una mano apoyada en su cadera mientras la empujaba hacia abajo, con la otra, por el hombro. Esta vez, mientras se comía el rollito, le dejó libertad incondicional para hacer lo que quisiera, sin interferir en absoluto.

Jintong mascaba con ferocidad las ramitas y las hojas de sauce; éstas eran una exquisitez que, por algún motivo, había pasado inadvertida hasta entonces. Al principio, su sabor era dulce, pero cuando las tragó se dio cuenta de que la dulzura inicial era rápidamente reemplazada por una amargura nauseabunda que las hacía imposibles de tragar. Ésta era la razón por la que la gente no las comía. Siguió mascando y los ojos se le humedecieron. A través de la neblina provocada por las lágrimas vio que el drama que había tenido lugar ante sus ojos había concluido y que Zhang Cara de Viruela había abandonado la escena, dejando a Qiao Qisha ahí, de pie, mirando a su alrededor como si no supiera quién era. Después ella también se marchó, golpeándose la cabeza contra las ramas más bajas de los sauces.

Abrazándose a uno de los árboles, Jintong, agotado, apoyó la frente contra la corteza.

La larga primavera estaba a punto de acabarse; el mijo ya estaba maduro, cosa que indicaba que los días de la hambruna estaban llegando a su fin. Con el fin de asegurarse de que los trabajadores tuvieran la energía necesaria para recoger la cosecha de mijo, las autoridades enviaron un cargamento de tartas de alubias a la granja. Había suficiente para darle unos cien gramos a cada uno. Pero del mismo modo que Huo Lina había muerto por comer champiñones, el organismo de Qiao Qisha no podría tolerar toda esa comida extra y ella moriría también.

Estaba en la cola, con toda la gente que aguardaba el turno para recibir su ración. Los encargados de repartir la comida eran Zhang

Cara de Viruela y uno de los cocineros. Sujetando un cuenco para arroz, ella estaba en la cola justo delante de Jintong. Él vio cómo Zhang Cara de Viruela le guiñaba un ojo a su séptima hermana mientras le servía su ración, pero ella estaba demasiado absorta en el aroma de la comida como para hacerle caso. Estallaron unas protestas por las pequeñas disparidades que había en el reparto, y Jintong tuvo la sensación, vaga pero dolorosa, de que Qisha iba a obtener más de lo que le correspondía. Había llegado la orden de que cada ración de cien gramos tenía que durar dos días, pero todo el mundo se llevaba lo que le tocaba a su casa y se comía hasta la última migaja. Aquella noche hubo un flujo constante de gente que corría al pozo en busca de agua. La comida se les había hinchado en el estómago, y Jintong pudo disfrutar del placer casi olvidado de sentirse lleno. Eructaba y se tiraba pedos constantemente, y el olor de las tartas de alubias surgía por ambas vías. A la mañana siguiente, a la puerta del baño se había formado una cola; las tartas de alubias habían causado estragos en el organismo de la gente, que había estado pasando hambre demasiado tiempo.

Nadie sabía cuánto había comido Qiao Qisha, nadie excepto Zhang Cara de Viruela, que no decía nada. Y Jintong no tenía ninguna gana de manchar la reputación de su séptima hermana. Se había dado cuenta de que el vientre de ella estaba protuberante, como una cuba de agua. Más tarde o más temprano, pensó él, todos ellos morirían, ya fuera de inanición o por comer en exceso, así que ¿por qué preocuparse?

La causa de su muerte estaba clara, así que no hizo falta emprender ninguna investigación. Y puesto que su cadáver no se iba a conservar mucho tiempo debido al calor del verano, llegó la orden de que la enterraran de inmediato. No hubo ataúd ni, por supuesto, ninguna clase de ceremonia. A algunas de las derechistas se les ocurrió vestirla con la ropa más bonita que tenía, pero la imagen de su vientre grotescamente hinchado y las nauseabundas burbujas de espuma que se le habían formado en los labios les dio tanto asco que abandonaron la idea. Finalmente, algunos de los derechistas varones consiguieron en la unidad de los tractores un trozo de lona hecha jirones, la envolvieron en ella y cerraron los extremos con alambre. Después la subieron a un carro y la transportaron a una zona de césped que estaba al lado de la chatarrería de vestigios de la guerra, donde cavaron un hoyo y la enterraron junto a Huo Lina y enfrente del esqueleto de Long Qingping, al que le faltaba el cráneo, ya que el examinador médico se lo había llevado.

VII

Caía la noche cuando Jintong entró en la casa. Había pasado un año desde la última vez que había estado ahí. El hijo de Laidi y Hombre-pájaro Han estaba en una cuna con un baldaquín que colgaba del árbol de parasol, asegurada por ambos lados. A pesar de que era moreno y muy delgado, era un niño mucho más saludable que la mayoría de los de su época.

—¿Tú quién eres? —le preguntó Jintong, bajándole un poco las sábanas. El pequeño parpadeó y miró a Jintong con curiosidad, clavándole sus ojos oscuros—. ¿No me reconoces? Soy tu tío.

—Abuela... *Yao, yao.*

El niño apenas hablaba. Tenía la barbilla llena de baba.

Jintong se sentó en la puerta a esperar a que saliera Madre. Era su primer viaje a casa desde que lo habían enviado a la granja, y le habían dicho que no tenía que volver si no quería. Cuando pensaba en todas esas hectáreas de mijo se ponía furioso, porque cuando se hiciera la cosecha, a los trabajadores de la granja se les iba a ofrecer una verdadera comida. Y fue entonces cuando a Jintong y a unos cuantos jóvenes más los habían apartado de la plantilla de trabajadores. Pero unos días después, esa rabia desapareció, porque justo cuando los derechistas se dirigían en sus rojas cosechadoras rusas a los campos para empezar a trabajar, una terrible granizada destrozó el mijo maduro, que acabó mezclándose con el barro.

El niñito no le hizo ningún caso mientras estuvo sentado en la puerta. Unos papagayos con las plumas de color verde esmeralda bajaron del árbol de parasol y volaron en círculos alrededor de la cuna. El niñito los siguió con sus brillantes ojos, mientras ellos revoloteaban a su alrededor sin ningún miedo. Algunos incluso se posaron en el borde de la cuna, y otros lo hicieron sobre sus hombros y lo picotearon en las orejas mientras él imitaba sus roncos chillidos.

Jintong se quedó sentado, aburrido, en la puerta, con los ojos cerrados. Se acordó del viaje en barca, a través del río, y de la expresión de sorpresa en el rostro del barquero, Huang Laowan. El Puente del Río de los Dragones había sido arrastrado por la corriente durante las inundaciones del año anterior, así que la Comuna Popular había puesto a funcionar un transbordador. Un joven soldado muy hablador, proveniente de algún lugar del sur del país, lo había acompañado en el trayecto de un lado del río al otro. El hombre agitó un telegrama delante de las narices de Huang Laowan y le metió prisa para que zarpara.

—Vámonos ya, tío. Mira lo que dice aquí: tengo que estar de regreso con mi unidad a mediodía. ¡Y en estos tiempos, una orden militar puede hacer que se tambalee una montaña!

Huang Laowan reaccionó ante las prisas del soldado con un silencio gélido. Encogiéndose de hombros, se apoyó en la proa del transbordador como un cormorán y se puso a observar los veloces movimientos del agua del río. Un rato después, una pareja de oficiales que volvían a la comuna de la ciudad se subieron a bordo y se instalaron en cada uno de los lados del transbordador.

—¡Vamos, viejo Huang, en marcha! —lo instó uno de ellos—. Tenemos que volver para participar en una reunión importante.

—Nos vamos en un minuto —dijo Huang con un tono de voz apagado—. La estoy esperando a ella.

La mujer subió a bordo de un salto. Llevaba un laúd. Se sentó justo enfrente de Jintong. Iba maquillada y tenía los labios pintados de rojo, pero no lo suficiente como para ocultar lo cetrina que era su tez. Los oficiales la miraron desvergonzadamente.

—¿De qué aldea eres? —le preguntó uno de ellos, poniendo un cierto tono de superioridad.

Ella levantó la cabeza y se quedó mirando al hombre. Sus ojos sombríos, que habían estado apuntando al suelo desde que se había subido al transbordador, adquirieron un brillo salvaje que denotaba hostilidad. A Jintong le dio un vuelco al corazón. La expresión que esta mujer cetrina tenía en los ojos le dio la sensación de que la hacía capaz de conquistar a cualquier hombre, al que ella escogiera, y de que nunca ningún hombre la conquistaría. La piel de su rostro estaba ligeramente flácida, y unas profundas arrugas le surcaban el cuello, pero Jintong se dio cuenta de que sus dedos eran finos y esbeltos y de que tenía las uñas esmaltadas, una señal clara de que no era ni de lejos tan mayor como su rostro y su cuello la hacían parecer. Con la mirada clavada en el oficial, abrazó el laúd con fuerza acercándoselo al pecho, como si fuera una niña.

Huang Laowan se levantó y se dirigió a la popa, donde cogió una pértiga de bambú con la que empujó hasta sacar el transbordador del bajío, lo hizo dar vuelta y salir al río abierto, dejando una estela blanca a su paso. Avanzaba deslizándose sobre el agua como si fuera un enorme pez. Las golondrinas pasaban rozando la superficie. El frío hedor de las algas flotaba a su alrededor. Los pasajeros estaban ahí sentados, con aire taciturno, pero el oficial que se había dirigido a la mujer no podía soportar el silencio.

—¿Tú no eres el Shangguan que...?

Jintong reaccionó mirándolo con indiferencia. Sabía qué era lo que el hombre había dejado sin decir, por lo que le contestó de la forma a la que se había acostumbrado:

—Así es, soy Shangguan Jintong, el bastardo.

Lo directo de la respuesta y lo auto-denigratorio de la actitud que la acompañaba crearon una situación extraña, ya que la arrogancia con que la gente se comporta con frecuencia en la esfera pública quedaba cuestionada y amenazada. Eso lo situaba fuera de juego, y su modo de volver a aparecer era recurriendo a la lucha de clases a través de una serie de claras insinuaciones. El oficial evitó cuidadosamente mirar a Jintong. Mantuvo la vista fija en la pértiga de bambú de Huang Laowan.

—Dicen que esos agentes secretos de los Estados Unidos y de Chiang Kai-shek proceden todos del Concejo de Gaomi del Noreste, que son hombres que en otro tiempo estuvieron al servicio de Sima Ku. Te lo digo yo: todos esos que tienen las manos manchadas con la sangre del pueblo fueron entrenados por un asesor americano. Huang Laowan, ¿puedes adivinar quién era ese asesor? ¿No? Me han dicho que lo has visto alguna vez. No es ningún otro que el tirano que unió su destino al de Sima Ku en el Condado de Gaomi del Noreste, el hombre que ponía las películas. ¡Babbitt! Y dicen que su apestosa y vieja mujer, Shangguan Niandi, incluso organizó un banquete para los agentes secretos, ¡y le dio a cada uno de ellos una suela de zapatilla hermosamente bordada!

La mujer del laúd miró furtivamente a Jintong; él sintió los ojos de ella, y vio que sus dedos se agitaban con nerviosismo junto a la caja de resonancia del instrumento.

El oficial de la comuna no había hecho más que empezar.

—Jovencito —dijo—, ahora vosotros, los soldados, tenéis la oportunidad de hacer algo por vuestro país. ¡Si algún día atrapas a uno de esos agentes secretos, te habrás ganado el respeto de tus compatriotas!

El joven soldado le dio un golpe al telegrama que llevaba.

—Ya sabía que estaba pasando algo gordo —dijo—, por eso aplacé mi boda y vuelvo a toda prisa a mi unidad.

Cuando el transbordador atracó en la orilla opuesta, el joven soldado fue el primero en bajarse de un salto. La mujer del laúd se entretuvo, como si quisiera hablar con Jintong.

—Ven con nosotros a la comuna —le dijo el oficial con severidad.

—¿Por qué? —dijo ella—. ¿Por qué habría de hacerlo?

Él le arrancó el laúd de las manos y lo sacudió. Algo repiqueteó en su interior. Se puso rojo de lo excitado que estaba, y la nariz, semejante a un gusano, le empezó a temblar.

—¡Un transmisor! —exclamó—. ¡O tal vez una pistola!

La mujer se acercó e intentó quitárselo, pero él se hizo a un lado y ella cerró las manos en el aire.

—¡Devuélvemelo! —exigió.

—¿Que te lo devuelva? —dijo él, con tono burlón—. ¿Qué hay escondido ahí dentro?

—Un objeto personal femenino.

—¿Un objeto personal femenino? Ven conmigo a la comuna, señora ciudadana.

Una mirada feroz se dibujó en el demacrado rostro de la mujer.

—Te he pedido amablemente que me lo devuelvas, hijo. Puedes golpear la montaña para asustar a los tigres todo lo que quieras. Ya he visto esta manera de robar, a plena luz del día, un montón de veces. La gente que vive de los demás no me resulta nada novedosa.

—¿A qué te dedicas? —preguntó el oficial, comenzando a perder la confianza.

—Eso no es asunto tuyo. ¡Ahora devuélveme mi laúd!

—No estoy autorizado para hacerlo —dijo él—. Me gustaría que vinieras conmigo a la comuna.

—¡Le robas a la gente a plena luz del día! ¡Eres peor que los japoneses!

El oficial se dio la vuelta y salió en dirección al cuartel general de la comuna, el recinto que en otros tiempos había pertenecido a la familia Sima.

—¡Ladrón! —gritó la mujer, y salió corriendo detrás de él—. ¡Matón, sanguijuela asquerosa!

Sintiendo que esta mujer tenía que tener algo que ver con la familia Shangguan, Jintong repasó mentalmente el destino de todas sus hermanas. Laidi estaba muerta, al igual que Zhaodi, Lingdi y Qiudi. Y aunque no había visto el cadáver de Niandi, sabía que ella también estaba muerta. Pandi se había cambiado el nombre y ahora era Ma Ruilian, y a pesar de que todavía estaba viva, era como si ya se hubiera muerto. Así que sólo quedaban Xiangdi y Yunü. Los dientes de la mujer estaban amarillentos y tenía la cabeza bien grande. Las comisuras de los labios le apuntaban hacia abajo cuando le gritaba al oficial, y una luz verde surgía de sus ojos, como si fuera una gata defendiendo a sus crías. Tenía que tratarse de Xiangdi, la que se había vendido. Cuarta Hermana, que se había sacrificado por la familia hasta tal punto. ¿Qué tendría escondido en el interior del laúd?

Jintong estaba cavilando sobre el misterio del laúd cuando Madre, que para entonces era poco más que piel y huesos, entró en la casa a toda prisa. Cuando oyó que ella echaba el cerrojo de la puerta, levantó la vista justo a tiempo para verla entrar apresuradamente desde la habitación lateral. Entonces él la llamó y al mismo tiempo rompió a llorar, como un niño pequeño del que han abusado. Aparentemente sorprendida de verlo, ella no logró decir ni una palabra. Por el contrario, se tapó la boca con las manos, se dio la vuelta y salió al patio corriendo. Fue directamente hacia el albaricoque, junto al cual estaba el pilón de madera lleno de agua; ahí cayó de rodillas, se aferró al borde con ambas manos, estiró el cuello, abrió la boca y vomitó. Un montón de alubias, todavía secas, salió a borbotones, cosa que hizo que el agua del pilón salpicara hacia todos lados. Cuando recuperó el aliento, levantó la cabeza para mirar a su hijo y se le llenaron los ojos de lágrimas. Intentó decir algo antes de agacharse de nuevo y ponerse a vomitar un poco más. Jintong se quedó mirando la aterradora imagen de su madre con el cuello estirado, los hombros hundidos y el cuerpo sufriendo unos fuertes espasmos que provenían de sus zonas más profundas. Cuando se le pasaron las arcadas, metió la mano en el agua y pescó las alubias secas con una expresión de satisfacción en el rostro. Finalmente, se puso de pie, se acercó a su hijo que era alto pero débil y le dio un abrazo.

—¿Por qué no volviste a casa antes? —le preguntó con un tono de cierto reproche—. Son sólo tres kilómetros. —Antes que él pudiera contestarle, continuó—: Poco después de que te marcharas, encontré un trabajo manejando el molino de la comuna, el que está en el recinto de la familia Sima. Rompieron el molino de viento, así que ahora hay que hacerlo girar manualmente. Du Wendou fue el que me consiguió el trabajo. Me pagan un cuarto de kilo de batatas por día. Si no fuera por ese trabajo, ya no estaría aquí para darte la bienvenida. Y tampoco estaría Papagayo.

Fue entonces cuando Jintong se enteró de que el hijo de Hombre-pájaro Han se llamaba Papagayo. Seguía en la cuna, berreando a todo volumen.

—Ve a cogerlo y yo voy a haceros la comida a los dos.

Madre enjuagó las alubias secas que había sacado del pilón y las metió en un gran cuenco, que quedó casi lleno. Percibiendo una expresión de sorpresa en el rostro de Jintong, le dijo:

—Es lo que hay que hacer, hijo. No te burles de mí. He hecho muchas cosas malas a lo largo de mi vida, pero ésta es la primera vez que robo algo.

Él apoyó la cabeza sobre el hombro de su madre y le dijo con tristeza:

—No digas eso, Madre. Eso no es robar. E incluso si lo fuera, hay cosas que son mucho peores que robar.

Madre sacó un mortero para ajos de debajo de la cocina y lo empleó para machacar las alubias. Después añadió un poco de agua fría para hacer una pasta.

—Vamos, hijo, cómetelo —le dijo, pasándole el cuenco—. No me atrevo a encender el fuego porque vendrían a ver qué es lo que estoy cocinando, y eso no debe suceder.

—¿Cómo se te ocurrió hacer esto? —le preguntó Jintong tristemente mientras observaba su cabeza cana y ligeramente temblorosa.

—Al principio me las escondía en los calcetines, pero me pillaron y me hicieron sentir peor que un perro. Después todo el mundo empezó a comer alubias. Una vez que estaba moliendo alubias me metí algunas en la boca. Cuando volvía a casa, sentía un peso en el estómago, tan fuerte que apenas podía caminar. Sabía que mi vida corría peligro y me asusté. Entonces me metí un palillo en la garganta y las vomité en el patio. Estaba lloviendo, así que las dejé ahí. A la mañana siguiente vi que, por la lluvia, se habían vuelto blancas, y Papagayo estaba a cuatro patas comiéndoselas. Me dijo que tenían un sabor muy dulce y me preguntó qué eran. Aunque ya era grande, nunca había visto una alubia. Me metió algunas en la boca y eran dulces y pegajosas. Una delicia. Cuando se acabaron, Papagayo me pidió más, y entonces fue cuando se me ocurrió. Al principio necesitaba meterme un palillo para provocarme los vómitos... oh, qué sensación... pero ahora ya me he acostumbrado y lo único que tengo que hacer es agachar la cabeza... el estómago de tu madre se ha convertido en un depósito de grano... pero me temo que la de hoy ha sido la última vez. Todas las mujeres con las que trabajo en el molino estaban haciendo lo mismo, y el encargado se ha dado cuenta de que siempre falta un montón de comida, y nos ha amenazado con ponernos una mordaza...

Después se pusieron a hablar de las experiencias que había tenido Jintong en la granja durante el año anterior, y le contó todo a Madre, incluyendo su relación sexual con Long Qongping, la muerte de Qiudi y de Lu Liren y que Pandi se había cambiado el nombre.

Madre se quedó sentada, en silencio, hasta que la luna apareció sigilosamente por el cielo del Este y arrojó su luz en el patio y a través de la ventana.

—No hiciste nada malo, hijo —le dijo ella finalmente—. El alma de esa joven, Long, encontró la paz, y a partir de ahora la consideraremos parte de la familia. Espera a que la situación mejore un poco y traeremos a casa sus restos y los de tu séptima hermana.

Madre cogió en brazos a Papagayo, que tenía tanto sueño que se tambaleaba hacia adelante y hacia atrás, y lo llevó a la cama.

—En una época había tantos Shangguan que éramos como un rebaño de ovejas. Ahora ya quedamos muy pocos.

Jintong se obligó a preguntar:

—¿Y qué pasa con Octava Hermana?

Soltando un suspiro, ella lo miró, avergonzada. Daba la impresión de que le estaba pidiendo que la perdonara.

Incluso cuando ya tenía veinte años, Yunü era como una niña pequeña, una asustadiza y pudorosa niña pequeña. Siempre había sido como una crisálida que había pasado la vida metida dentro de un capullo, sin querer causarle ningún problema a su familia. Durante los lúgubres y lluviosos meses del verano, escuchaba melancólicamente el ruido que hacía Madre en el patio cuando se ponía a vomitar. Los truenos retumbaban a lo lejos, el viento agitaba las hojas de los árboles y se cernía en el aire el olor a quemado de los relámpagos chisporroteando, pero ningún sonido era lo suficientemente fuerte como para tapar los ruidos que hacía Madre, que le daban arcadas, así como ningún olor podía disimular el hedor procedente de sus vómitos. El ruido que hacían las alubias al caer al agua penetraba en el alma de la chica. Por un lado deseaba que se acabara, pero por otro quería que continuara para siempre. Le daba asco el olor de los jugos y la sangre del estómago de Madre, pero al mismo tiempo se sentía agradecida. Cuando Madre machacaba las alubias con el mortero, ella sentía como si fuera su corazón lo que estaba aplastando. Y cuando Madre le alcanzaba el cuenco de alubias, con su olor tosco, frío y pegajoso, unas lágrimas calientes asomaban a sus ojos ciegos y la encantadora boca que tenía temblaba con cada cucharada de aquel viscoso puré. Pero nunca verbalizó la inmensa sensación de gratitud que sentía en su interior.

El año anterior, la mañana del séptimo día del séptimo mes, cuando Madre estaba a punto de marcharse al molino, Yunü le había espetado:

—¿Qué aspecto tienes, Madre? —Extendiendo hacia ella sus delicadas manos, le había dicho—: Déjame tocarte la cara, por favor.

Madre suspiró y dijo:

—Pequeña niña boba, con lo mal que están las cosas, ¿es eso lo único que deseas?

Acercó su rostro a las manos de Octava Hermana y dejó que la acariciara con sus suaves dedos, que tenían un olor húmedo y fresco.

—Ve a lavarte las manos, Yunü. Hay agua en el pilón.

Cuando Madre se hubo marchado, Octava Hermana salió de la cama. Oyó a Papagayo cantando feliz en su cuna; su voz se confundía con los gorjeos de los pájaros, con el sonido de los caracoles reptando y soltando su baba sobre la corteza de los árboles y con el ruido que hacían las golondrinas al construir un nido en el alero del tejado de la casa. Olisqueando el aire, siguió el aroma del agua limpia hasta llegar al pilón. Se agachó enfrente de él. Su encantadora cara se reflejaba en el agua, de la misma manera que la imagen de Natasha se había encontrado con los ojos de Jintong, pero ella no podía verse. No había mucha gente que le hubiera visto la cara a esta chica Shangguan. Tenía la nariz alta, la piel clara, el pelo suave y amarillento y un cuello largo y delgado, semejante al de un cisne. Cuando sintió el agua fría en la punta de la nariz, y después en los labios, sumergió el rostro en ella. El agua le entró por la nariz, cosa que la devolvió a la realidad, y entonces sacó la cabeza de abajo del agua. Tenía un zumbido en los oídos, y la nariz le dolía y se le había hinchado. En cuanto se golpeó un poco las orejas con las manos para que saliera el agua, oyó el gorjeo de los papagayos en los árboles y el llanto de Papagayo Han, que llamaba a su octava tía. Fue caminando hasta el árbol, y allí extendió una mano y le acarició la naricita mocosa. Después, sin decir una palabra, salió del recinto del patio, encontrando la puerta a tientas.

Madre le secó las lágrimas con el dorso de la mano.

—Tu octava hermana se marchó porque pensaba que era una carga —dijo en voz baja—. A tu octava hermana nos la envió su padre, el Rey Dragón. Pero se le acabó el tiempo, y ahora ha regresado al Océano del Este para seguir viviendo en forma de Princesa Dragón...

Jintong quería consolar a su madre, pero no encontró las palabras para hacerlo, así que se limitó a toser para disimular el dolor que sentía en el corazón.

Justo en ese momento, alguien llamó a la puerta. Madre tembló brevemente antes de esconder el mortero y decirle a Jintong:

—Abre la puerta. Vete a ver quién es.

Jintong abrió la puerta. Era la mujer del transbordador. Estaba de pie, en el umbral de la casa, con su laúd en brazos.

—¿Eres Jintong? —le preguntó con su minúscula voz, parecida a la de un mosquito.

Shangguan Xiangdi había vuelto a casa.

VIII

Cinco años más tarde, una mañana de invierno, Xiangdi estaba acostada, esperando a la muerte, pero de repente se levantó de la cama. La nariz se le había podrido, y de ella sólo quedaba un agujero negro, y estaba ciega de ambos ojos. Se le había caído prácticamente todo el pelo, y el que le quedaba formaba unos mechones de color oxidado, diseminados por su cuero cabelludo arrugado y reseco. Después de llegar a tientas hasta el armario, trepó en un taburete y bajó su antiguo laúd, cuya caja estaba toda deteriorada. Después salió al patio. La luz del sol le calentó el cuerpo a esta mujer cuya carne, en proceso de descomposición, olía a moho. Levantó la cabeza hacia el sol; lo miró sin verlo. Madre, que estaba en el patio haciendo una estera para el equipo de producción, se levantó.

—Xiangdi —le dijo, preocupada—, pobre hija mía, ¿qué haces aquí fuera?

Xiangdi se sentó apoyada en la base del muro, estirando las piernas llenas de escamas. Se le veía el vientre, pero hacía mucho tiempo que el recato no desempeñaba ningún papel en su vida, y ya no le molestaba el frío. Madre corrió al interior de la casa en busca de una manta y se la echó a Xiangdi sobre las piernas.

—Mi preciosa hija, toda tu vida, tú...

Le secó las pocas lágrimas que tal vez tuviera en los ojos y volvió a tejer esteras.

Los gritos de los niños de la escuela primaria sonaron muy cercanos: «¡Ataquemos, ataquemos, ataquemos a todos los enemigos de clase! ¡Llevemos a cabo la Gran Revolución Cultural Proletaria!». Sus roncos lemas iban en todas direcciones, por las calles y los senderos. Unos dibujos infantiles y unos lemas mal escritos pero intensos adornaban todas las paredes del barrio. Los habían pintado con tizas de colores.

Xiangdi dijo, en voz muy baja:

—Madre, me he acostado con diez mil hombres y he ganado un montón de dinero. Con ese dinero, compré oro y joyas suficientes como para que tengáis comida para el resto de vuestras vidas. —Acarició la caja del laúd, que el oficial de la comuna había aplastado, y dijo—: Estaba todo aquí, Madre. Mira esta perla; brilla incluso por la noche. Es un regalo que me hizo un cliente japonés. Si la coses a una gorra y te la pones por la noche, ilumina el camino como si fuera un farol... Este ojo de gato lo cambié por diez anillos y un rubí... Este par de pulseras de oro es un regalo de Viejo Maestro Xiong, con quien perdí la virginidad. —Uno a uno, fue quitando todos los preciosos recuerdos que había traído en el interior del laúd—. Ya no tienes por qué preocuparte, Madre. Ahora tienes todo esto. Solamente esta esmeralda es suficiente para comprar quinientos kilos de harina, y este collar vale, por lo menos, un burro... Madre, el día que me metí en el abismo en llamas de la prostitución, hice la promesa de que me encargaría de darles una buena vida a mis hermanas, ya que acostarse con un hombre no es diferente de acostarse con mil. Es para eso que he comerciado con mi cuerpo. He llevado este laúd conmigo allá donde he ido. Encargué que hicieran este relicario de la longevidad especialmente para Jintong. Asegúrate de que lo lleve siempre consigo... Madre, esconde todas estas cosas donde los ladrones no puedan encontrarlas, y no dejes que la Asociación de Campesinos Pobres te las quite... Lo que tienes aquí es el sudor y la sangre de tu hija... ¿Vas a esconderlas?

Ahora el rostro de Madre estaba empapado en lágrimas. Abrazó con fuerza el cuerpo sifilítico de Xiangdi y sollozó:

—Mi preciosa hija, me has roto el corazón... Con todo lo que hemos pasado, nadie ha sufrido tanto como mi Xiangdi...

Jintong acababa de volver de la calle; una pandilla de Guardias Rojos le había abierto la cabeza cuando él estaba barriendo. Se quedó de pie, bajo el árbol de parasol, escuchando la conmovedora historia de Cuarta Hermana. Los Guardias Rojos habían clavado una fila de letreros en la puerta de entrada al recinto donde estaba su casa, en los que se leían cosas como: *Familia de traidores; Refugio de los Cuerpos de Restitución de la Tierra a sus Dueños; Casa de putas*. Entonces, mientras oía a su hermana moribunda, tuvo ganas de cambiar la palabra «putas» por «hijas abnegadas» o «mártires». Hasta ese momento, había guardado las distancias con su hermana debido a su enfermedad. Ahora deseaba no haberlo hecho. Se acercó a ella, le cogió la mano, que estaba helada, y le dijo:

—Cuarta Hermana, gracias por el relicario... Ahora lo llevo encima.

El brillo de la felicidad iluminó los ojos ciegos de Cuarta Hermana.

—¿De verdad? ¿No te hace sentir mal? No le cuentes a tu esposa de dónde lo sacaste... Déjame tocarlo... A ver si te va bien.

Durante los últimos momentos que Xiangdi pasó sobre la faz de la tierra, todas las pulgas que tenía abandonaron su cuerpo, intuyendo, supongo, que ya no tendrían más sangre que chupar.

Una sonrisa, una fea sonrisa, se dibujó en sus labios y dijo, con voz entrecortada:

—Mi laúd... Déjame tocar algo... para ti.

Rasgueó las cuerdas una o dos veces antes de que la mano se le quedara colgando, quieta, y la cabeza se le cayera a un lado.

Madre lloró solamente un instante. Después se levantó y dijo:

—Mi preciosa hija, ya has dejado de sufrir.

Dos días después de enterrar a Xiangdi, cuando todo estaba volviendo a la calma, un equipo de ocho derechistas de la Granja del Río de los Dragones trajo el cuerpo de Shangguan Pandi hasta la puerta.

Un hombre con un brazalete rojo, que lo distinguía como su jefe, llamó a la puerta.

—¡A ver, Shangguans, venid a recuperar vuestro cuerpo!

—Ésa no es mi hija —le dijo la Madre al jefe.

El jefe, que era miembro de la unidad de los tractores, conocía a Jintong, por lo que le dio un trozo de papel.

—Ésta es la carta de tu hermana. Siguiendo el espíritu del humanismo revolucionario, os la hemos traído a casa. No os podéis imaginar lo pesada que es. Estos derechistas han quedado extenuados por transportar su cuerpo.

Jintong asintió, excusándose ante los derechistas, y después desdobló el trozo de papel. Estaban escritas las siguientes palabras:

Soy Shangguan Pandi, no Ma Ruilian. Después de pasarme veinte años colaborando con la revolución, así es como he terminado. Cuando muera, suplico a las masas revolucionarias que lleven mi cuerpo a Dalan y se lo entreguen a mi madre, Shangguan Lu.

Jintong se acercó a la puerta sobre la cual habían traído el cuerpo, se agachó y quitó el papel blanco que le cubría el rostro. Pandi tenía los globos oculares hinchados, como a punto de salírsele de las cuencas, y la lengua afuera. Le volvió a tapar la cara rápidamente y se arrojó a los pies de los ocho derechistas, diciendo:

—Os lo suplico, por favor, llevadla al cementerio. Aquí no hay nadie que pueda hacerlo.

Entonces Madre empezó a gemir en voz muy alta.

Después de enterrar a su quinta hermana, Jintong iba caminando por la calle, arrastrando una pala, cuando fue detenido por una pandilla de Guardias Rojos. Le colocaron en la cabeza una gorra con unas orejas de burro hechas de papel, y él sacudió la cabeza; entonces la gorra se cayó al suelo y vio que le habían escrito su nombre encima, con una X roja tachándolo. La tinta roja y la tinta negra se habían corrido y mezclado, como si se tratara de sangre. Debajo de su nombre leyó las palabras «Necrófilo y Asesino». Cuando los Guardias Rojos comenzaron a pegarle en las nalgas con un palo, soltó un aullido, a pesar de que sus pantalones almohadillados impedían que le doliese demasiado. Uno de los Guardias Rojos cogió la gorra, le ordenó que se pusiera de cuclillas como Wu Dalang, el personaje de la ópera cómica, y le puso la gorra nuevamente en la cabeza, pero esta vez le dio unos golpes para que no se le cayera.

—¡Sujétala! —le ordenó un Guardia Rojo que tenía un aspecto temible—. ¡Si se te vuelve a caer, te vamos a partir las piernas! Sujetándose la gorra con ambas manos, Jintong bajó la calle a trompicones. En la puerta de la Comuna Popular, vio una fila de gente; todos llevaban gorras con orejas de burro. Ahí estaba Sima Ting, con el vientre tan hinchado y tenso que la piel se le había vuelto casi transparente; el director de la escuela primaria; el instructor político de la escuela secundaria, además de cinco o seis oficiales de la comuna, que habían perdido su aire arrogante, y un buen puñado de gente a la que, en una ocasión, Lu Liren había obligado a ponerse de rodillas sobre la plataforma de tierra, enfrente de todo el mundo. Después Jintong vio a su madre. Al lado de ella estaba Papagayo Han, y junto a éste se encontraba la Vieja Jin, la mujer que solamente tenía un pecho. Las palabras «Escorpión Madre, Shangguan Lu» estaban escritas en la gorra de Madre. Papagayo Han no llevaba gorra, pero la Vieja Jin sí, además de un viejo zapato que le habían colgado al cuello para señalar su indecencia. Acompañados por ruidosos tambores y gongs, los Guardias Rojos empezaron el desfile público de los Demonios-Bueyes y los Espíritus-Serpientes. Era el último día de mercado antes del Año Nuevo, y las calles estaban atestadas de gente que había salido a hacer compras. Los vendedores se apiñaban a ambos lados de la calle con montones de sandalias de paja, calabazas, hojas de ñame y otros artículos agrícolas que se vendían mucho. Todo el mundo iba vestido con abrigos almohadillados que brillaban tras un invierno lluvioso entre los humos grasientos. Muchos de los hombres más mayores llevaban los pantalones ceñidos con cinturones de cáñamo, y el aspecto general de la gente no era muy diferente del que tenía en el Festival de la Nieve, quince años atrás. La mitad de la gente que había asistido al Festival de la Nieve había muerto durante los tres años que había durado la hambruna, y los que habían sobrevivido ahora eran hombres y mujeres ya ancianos. Unos pocos de ellos todavía podían recordar lo gracioso y elegante que había estado el Príncipe de la Nieve de aquel último Festival, Shangguan Jintong. En aquella época nadie se hubiera podido imaginar que un día, años más tarde, se convertiría en un necrófilo y asesino.

Los Demonios-Bueyes y los Espíritus-Serpientes caminaban inexpresivamente mientras los Guardias Rojos les golpeaban el trasero con estacas, de un modo más simbólico que real. El sonido de los gongs y los tambores hacía retumbar la tierra, y los lemas, proferidos a gritos, hacían que los tímpanos de todo el mundo vibraran con fuerza. Las masas de gente señalaban con el dedo y discutían animadamente. Mientras caminaban, Jintong sintió que alguien le pisaba el pie derecho, pero no hizo caso. Cuando sucedió por segunda vez, levantó la vista y vio que la Vieja Jin tenía los ojos clavados en él, a pesar de que iba con la cabeza agachada y el cabello amarillento le tapaba las orejas enrojecidas.

—Maldito Príncipe de la Nieve —la oyó decir—. ¡Todas las chicas estaban esperándote y tenías que hacerlo con un cadáver!

Él hizo como que no la había oído y siguió andando, con la mirada fija en los talones de la persona que iba delante.

—Ven a verme cuando todo esto termine —la oyó decir, y entonces se sintió muy confundido. Esa provocación inadecuada le pareció indignante.

Sima Ting, que iba cojeando junto a los demás, se tropezó con un ladrillo y cayó al suelo. Los Guardias Rojos le dieron algunas patadas, pero él no reaccionó, así que uno de los más bajitos empezó a saltar sobre su espalda. Todos oímos un ruido sordo, como el de un globo que explota, y vimos un chorrito de un líquido amarillo que le salía de la boca. Madre se arrodilló y le giró la cabeza para verle la cara. «¿Qué pasa, tío?». Sus ojos se abrieron un poco, lo justo para enseñar el blanco y, tras echarle esa última mirada a Madre, se cerraron para siempre. Los Guardias Rojos arrastraron su cuerpo hasta la acequia que había junto a la carretera y la procesión continuó.

Jintong distinguió una figura que se movía graciosamente entre la multitud y la reconoció de inmediato. Llevaba un abrigo de pana negra, una bufanda marrón y un antifaz, de una blancura cegadora, que le tapaba la boca y la nariz, de modo que lo único que se le veía eran los oscuros ojos y las pestañas. ¡Sha Zaohua! Estuvo a punto de gritar su nombre. Ella se había marchado después de que fusilaran a Primera Hermana; durante los siete años que habían transcurrido desde entonces, él había oído insistentemente un rumor sobre una ladrona que le había robado un pendiente a la Princesa Sihanouk, y siempre había sabido que sólo podía tratarse de Zaohua. A juzgar por su aspecto, parecía haberse convertido en una mujer joven pero madura. Entre todos los ciudadanos vestidos de negro que había en el mercado, destacaban los que llevaban bufandas y antifaces; eran los primeros jóvenes urbanos que habían sido enviados al campo, y Zaohua era la que tenía más pinta de urbanita de todos ellos. Estaba en el umbral del restaurante de la cooperativa mirando hacia donde se encontraba él. El sol cayó sobre su rostro y Jintong vio que sus ojos brillaban como un par de relucientes canicas. Tenía las manos metidas en los bolsillos de su abrigo. Llevaba un par de pantalones de pana azul, con un corte a la moda de la época; Jintong los vio fugazmente cuando ella avanzó hacia la puerta del almacén. Un anciano sin camisa salió del restaurante a todo correr y se metió en la procesión de Demonios-Bueyes y Espíritus-Serpientes; lo perseguían dos hombres que no eran de la aldea. El anciano tenía tanto frío que la piel se le había vuelto prácticamente negra. Llevaba los pantalones, blancos y toscamente almohadillados, subidos hasta el pecho. Intentando abrirse paso entre la multitud, se metió una tortita en la boca, y estuvo a punto de atragantarse con ella. Los dos hombres lo atraparon y entonces el rompió a llorar, llenando la comida que quedaba de mocos y saliva. «¡Tenía hambre! —sollozó—. ¡Hambre!». Los dos hombres hicieron una mueca de asco ante la visión de los húmedos y sucios restos de la tarta, que se le había caído al suelo. Uno de ellos la recogió con dos dedos y la observó detenidamente; le daba asco, pero pareció que pensaba que era una lástima tirarla. «No te la comas, hombre —le dijo alguien entre la multitud—. Ten piedad de él». El hombre tiró la tarta al suelo, a los pies del anciano, y bramó: «¡Vamos, cómetela, viejo cabrón, y espero que te atragantes con ella!». Entonces sacó un pañuelo para limpiarse los dedos y se marchó con su acompañante. El anciano recogió la tarta húmeda y pegajosa y se la llevó hasta un muro cercano, donde se apoyó para terminársela lentamente.

Sha Zaohua entraba y salía de la masa de gente. Un uniformado trabajador del sector del petróleo, que llevaba una gorra de piel de perro, se abrió paso hacia ellos de un modo muy llamativo. Tenía los ojos cubiertos de cicatrices y llevaba un cigarrillo en los labios. Avanzó, poniéndose de lado, a través de la multitud. Todo el mundo lo miraba con envidia, y cuanto más importante se sentía, más le brillaban los ojos. Jintong lo reconoció y quedó conmovido por su aspecto. Las ropas hacen al hombre; las monturas hacen al caballo. Un uniforme de trabajador y una gorra de piel de perro habían convertido al matón aldeano Fang Shixian en un hombre nuevo. Muy poca de la gente que se amontonaba ahí había visto alguna vez uno de esos bastos uniformes azules, bien gruesos por el abundante almohadillado que tenían —el algodón sobresalía entre las puntadas— y evidentemente muy calientes. Un jovenzuelo que parecía un mono oscuro y que tenía un pelo parecido al nido de una rata le pisaba los talones a Fang Shixian. Llevaba unos pantalones a rayas con un roto en la entrepierna por el que se le había salido un poco de algodón de relleno que parecía la cola de una oveja; llevaba también una chaqueta almohadillada cuyos botones hacía mucho tiempo que se habían caído, dejándole el vientre al aire libre. La gente que iba en la procesión se empujaba y achuchaba para conservar el calor. De repente, el jovenzuelo pegó un salto, le quitó a Fang la gorra de piel de perro de la cabeza, se la colocó en la suya y salió correteando entre la multitud como un perro astuto. Los gritos arreciaron y los empujones y los achuchones se multiplicaron. Fang Shixian levantó la mano y se tocó la cabeza; le llevó un momento darse cuenta de lo que había sucedido, y después él también comenzó a gritar y se lanzó en persecución del jovenzuelo, quien no corría particularmente rápido, como si estuviera esperando a su perseguidor. Fang lo siguió, maldiciendo todo el tiempo. No miraba la carretera que había ante él; tenía la mirada clavada en los rayos de sol que hacían brillar los pelos de perro de su gorra. Se iba chocando con la gente, que le devolvía los empujones y lo hacía girar sobre sí mismo. El episodio que se estaba desarrollando en la calle atrajo la atención de todo el mundo, incluso la de los pequeños generales de los Guardias Rojos, que dejaron de lado durante un momento la lucha de clases, abandonando su Demonios-Bueyes y sus Espíritus-Serpientes para abrirse paso a empellones a través de la gente y disfrutar del espectáculo. El jovenzuelo corrió hasta la puerta que había frente al molino de acero de la Comuna Popular, donde unas chicas vendían cacahuetes tostados, cosa que no estaba permitida; por eso tenían que estar siempre alerta, preparadas para salir huyendo en cualquier momento. A pesar de que ya estaba bien avanzado el invierno, de la superficie de un estanque cercano salía vapor, debido a todos los residuos líquidos, de un color rojizo, que le llegaban del molino. El jovenzuelo se quitó la gorra y la lanzó al estanque. La gente se quedó momentáneamente asombrada, pero pocos instantes después se pusieron a dar voces de nuevo, regodeándose, disfrutando y expresando su aprobación por lo que había hecho. La gorra se quedó flotando en el agua, negándose a hundirse bajo la superficie. Lo único que Fang Shixian pudo hacer fue acercarse hasta el borde del estanque y maldecir.

—¡Pequeño cabrón, ya verás cuando caigas en mis manos!

Pero para aquel entonces el pequeño cabrón estaba muy lejos, y Fang se limitó a caminar hacia un lado y otro, contemplando su gorra y parpadeando, lleno de furia. Las lágrimas le corrían por las mejillas.

—Vamos, joven, vete a casa y trae una pértiga de bambú. Así podrás sacarla —le gritó alguien.

—Si haces eso, hasta que regreses dará tiempo a que se hundan diez gorras de piel de perro —dijo otro.

Como si tuviera la intención de darle la razón, la gorra ya había comenzado a deslizarse hacia abajo de la superficie.

—Desnúdate y ve a buscarla —dijo alguien más.

—¡El que la coja se la queda!

Sufriendo un repentino ataque de pánico, Fang se quitó el uniforme y se quedó solamente con un par de calzoncillos. Dio unos pasos en el agua, vacilantes al principio, y avanzó hasta que le llegaba por los hombros. Finalmente, en cualquier caso, consiguió recuperar la gorra. Pero cuando estaba en el agua y la atención de todo el mundo se dirigía a él, Jintong vio que el jovenzuelo surgió de la nada, cogió el uniforme de Fang y desapareció por una callejuela, una figura esbelta y ágil que se perdió de vista. Cuando Fang salió del estanque, con la gorra en la mano, lo único que le esperaba para darle la bienvenida era un par de zapatos y un par de calcetines agujereados.

—¿Dónde está mi ropa? —gritó, y sus gritos rápidamente se convirtieron en sollozos agonizantes. Cuando se dio cuenta de que le habían robado la ropa y que lo de la gorra había sido una artimaña, que había caído en la trampa de un profesional, gritó—: ¡Dios mío, me quiero morir!

Con la gorra todavía en la mano, saltó al estanque. Por todos lados se oyeron gritos que decían «¡salvadlo!», pero nadie tenía ninguna gana de desnudarse y de meterse en el agua tras él. Con el gélido viento que hacía y el suelo lleno de hielo, aunque el agua estuviera caliente, entrar sería mucho más fácil que salir. Por lo tanto, mientras Fang Shixian se revolcaba en el agua, la gente se limitaba a comentar el procedimiento del ladrón.

—¡Genial! —decían—. ¡Sencillamente genial!

¿Se había olvidado Madre de que estaba desfilando en público? Fuera cual fuera la respuesta, esta mujer de edad, que había criado a un montón de hijas y era la suegra de muchos jóvenes renombrados, tiró al suelo su gorra con orejas de burro y se plantó ante el estanque de un salto.

—¿Cómo podéis quedaros sin hacer nada mientras se ahoga un hombre? —recriminó a la gente.

Entonces le cogió una escoba a un vendedor ambulante que estaba instalado por ahí cerca, se fue a la orilla del estanque y gritó:

—Oye, sobrino Fang, ¿es que te has vuelto loco? ¡Rápido, agárrate a esta escoba y te sacaré de ahí!

La salobre agua, aparentemente, había hecho que Fang cambiara de opinión con respecto a acabar con todo, así que se agarró a la escoba y, como un pollo desplumado, logró salir del estanque. Tenía los labios amoratados y los ojos apenas se le movían. Tampoco podía hablar. Madre se quitó la chaqueta y se la pasó por los hombros, con lo que inmediatamente se convirtió en un personaje cómico. La gente no sabía si reírse o llorar.

—Ponte los zapatos, joven sobrino —le dijo Madre—, y luego vete a tu casa corriendo lo más rápido que puedas. Tienes que hacer ejercicio y sudar mucho si no quieres morir de un catarro.

Desgraciadamente para él, los dedos se le habían congelado y los tenía rígidos, por lo que no se podía poner los zapatos, así que algunas de las personas que estaban mirando, conmovidas por la amabilidad de Madre, lo ayudaron hasta que consiguieron ponerle los zapatos. Después lo levantaron y lo llevaron al trote. Las piernas, entumecidas, le arrastraban por el suelo.

Vestida sólo con una fina blusa, Madre se abrazó sus propios hombros para darse calor mientras contemplaba cómo se llevaban a rastras a Fang Shixian. Mucha gente le echaba miradas de admiración, pero Jintong no estaba entre ellos. Fang Shixian, al fin y al cabo, había sido el encargado de la unidad de seguridad de los granjeros el año anterior. Día tras día, cuando los miembros de la comuna se marchaban a casa, era él quien se ocupaba de registrarlos y de inspeccionar sus cestos. Un día, cuando recorría el camino de vuelta a casa, Madre se había encontrado un ñame en la carretera, lo había cogido y se lo había guardado en su cesto de paja. Fang Shixian lo había encontrado y la había acusado de robo. Cuando Madre negó que la acusación fuera cierta, el hijo de perra la había abofeteado, haciéndole sangrar la nariz. La sangre le había manchado la solapa de la camisa, la misma camisa blanca que tenía puesta ahora. ¡Un haragán como él, que iba pavoneándose por ahí sólo porque lo habían clasificado como campesino pobre! ¿Por qué no habría dejado que se ahogara? Sus sentimientos por ella, en aquel momento, se acercaron al asco.

En la puerta del matadero de la comuna, Jintong vio a Zaohua, de pie frente a un letrero rojo con un lema escrito en letras amarillas, y tuvo la certeza de que ella había tenido algo que ver con la desgracia de Fang Shixian. El jovenzuelo probablemente era su aprendiz. Si ella era capaz de robarle un anillo de diamantes del dedo a la Princesa Mónica, a pesar de las fuertes medidas de seguridad que la rodeaban en el Restaurante del Mar Amarillo, no podía estar interesada por el uniforme de un trabajador. No, aquello había sido una venganza contra el malvado que había abofeteado a su abuela. La imagen que Jintong tenía de Zaohua se transformó de manera inmediata. Tal como él lo veía, dedicarse al robo era una desgracia, y lo había sido desde épocas inmemoriales. Pero ahora consideraba que lo que había hecho Zaohua estaba bien. Ser un ladrón vulgar, por supuesto, no era nada honroso, pero alguien como Zaohua, una ladrona inmortal, merecía las más altas alabanzas. En su opinión, la familia Shangguan había levantado otra gloriosa bandera para que ondeara en el viento.

El pequeño jefe de los Guardias Rojos, que estaba enfadado por lo que había hecho Madre, cogió un megáfono a pilas, que era un objeto extraño en aquella época pero muy apropiado y necesario para las actividades revolucionarias y, en el estilo del que había sido jefe de la redistribución de la tierra del Concejo de Gaomi del Noreste décadas atrás, exclamó, con una voz enfermiza y temblorosa: «Revolucionarios, camaradas, Guardias Rojos, camaradas de armas, campesinos pobres inferiores e intermedios: no os dejéis confundir por la fingida amabilidad de la antigua contrarrevolucionaria Shangguan Lu, que está intentando distraernos de nuestros esfuerzos...».

Este jefe de los Guardias Rojos, Guo Pingen, era en realidad el hijo maltratado del excéntrico Guo Jingcheng, un hombre que le había roto una pierna a su mujer y después le había advertido que no llorara. Cuando la gente pasaba junto a su casa, solía oír ruidos de golpes y sollozos ahogados de mujer. Un tal Li Wannian, un hombre de buen corazón, una vez decidió intentar terminar con todo eso, pero en cuanto abrió la puerta recibió el impacto de una piedra que fue volando hacia él. Guo Pingen había heredado el carácter cruel y despiadado de su padre. Al comienzo de la Revolución Cultural, le había dado una patada terrible a un profesor que se llamaba Zhu Wen, destrozándole el hígado.

Cuando terminó su exhortación, se echó el megáfono a la espalda, se acercó a Madre y le dio una patada en la rodilla, en un lugar bien elegido. «¡Arrodíllate!», le ordenó. Soltando un alarido de dolor, Madre se hincó de rodillas. Después la agarró de una oreja y le ordenó: «¡Levántate!». Acababa de ponerse de pie cuando recibió otra patada que la mandó al suelo de nuevo. Entonces él apoyó un pie sobre su espalda. Administraba todas sus palizas de modo que le dieran un sentido concreto al conocido lema revolucionario «Golpea a todos los enemigos de clase hasta que caigan al suelo, y después súbete encima de ellos».

El fuego de la rabia comenzó a arder en el corazón de Jintong cuando vio a su madre recibiendo golpes; salió corriendo hacia Guo Pingen con los puños cerrados, pero fue detenido por una siniestra mirada de Guo. Vio dos profundas arrugas que iban desde la boca hasta la barbilla de este líder revolucionario, que era, también, poco más que un niño. Le daban un cierto aspecto de reptil prehistórico. Jintong relajó los puños, en un gesto instintivo. Le dio un vuelco el corazón y estaba a punto de preguntarle a Guo qué se creía que estaba haciendo cuando el joven Guardia Rojo levantó una mano; la pregunta de Jintong se convirtió en un lamento:

—Madre...

Entonces cayó de rodillas al lado de su madre, quien alzó la cabeza con dificultad y lo miró.

—¡Levántate, inútil hijo mío!

Jintong se puso en pie mientras Guo Pingen les hacía una señal a los Guardias Rojos para que con sus palos, sus gongs y sus tambores rodearan a los Demonios-Bueyes y a los Espíritus-Serpientes y recomenzaran el desfile por el mercado. Volvió a coger su megáfono para exhortar al público del mercado a que gritara los lemas con él; el efecto que en la gente tenía su voz, extrañamente alterada, era como si le estuviera dando veneno. Fruncían el ceño, pero nadie respondió a su llamada.

Mientras tanto, Jintong estaba ahí de pie, sumido en sus fantasías. Era un día soleado. Armado con la legendaria espada de la Fuente del Dragón, hizo que arrastrasen a Guo Pingen, Zhang Pingtuan, Fang el Ratonil, Perro Liu, Wu Wunyu, Wei Yangjiao y Guo Qiusheng al escenario. Allí, él los obligó a ponerse de rodillas y a mirar de frente la brillante punta de su espada.

—¡Vuelve ahí, pequeño bastardo! —ladró uno de los pequeños generales de los Guardias Rojos dándole un puñetazo a Jintong en el vientre—. ¡Ni se te ocurra pensar en escaparte!

La fantasía de Jintong le había llenado los ojos de lágrimas, pero el puño en el estómago lo trajo de vuelta a la realidad, que le pareció peor que nunca. El camino que se abría ante él estaba cubierto de una niebla impenetrable, pero en ese momento se produjo una disputa entre la facción de Guoping y el Regimiento Rebelde del Mono de Oro, bajo el liderazgo de Wu Yunyu, y lo que había comenzado como una batalla dialéctica pronto condujo a los empujones y, finalmente, a la guerra.

Wu Yunyu empezó con una patada, que Guo respondió con un puñetazo. Después arremetieron el uno contra el otro. Guo le quitó a Wu la gorra, que era algo muy preciado para él, y le arañó la cabeza sarnosa hasta sacarle sangre. Wu le metió los dedos a Guo en la boca y tiró con todas sus fuerzas, haciéndole una raja junto a la comisura de los labios. En cuanto las facciones de los Guardias Rojos se dieron cuenta de lo que estaba pasando, la cosa se convirtió en una guerra de pandillas y en un abrir y cerrar de ojos las estacas surcaban el aire y los ladrillos volaban de un lado para el otro; los participantes en la pelea, llenos de sangre, estaban decididos a luchar hasta la muerte. El subordinado de Wu Yunyu, Wei Yangjiao, apuñaló a dos de los combatientes en el vientre con la punta de acero de su lanza, adornada con borlas rojas. De las heridas rezumaba la sangre y una materia pegajosa y grisácea. Guo Pingen y Wu Yunyu retrocedieron para poder dirigir a sus tropas durante el combate. En aquel momento, Jintong vio a la joven con la cara tapada por un velo, en quien había reconocido a Zaohua, pasando al lado de Guo Pingen. Pareció que le cepillaba la cara con la mano al pasar, pero al cabo de un momento él soltó un fuerte lamento agonizante y Jintong vio que le había aparecido un tajo en el rostro, como si le hubiera salido una segunda boca. La sangre salía de la herida a borbotones; era una visión terrorífica. Se dio la vuelta y salió corriendo en dirección a la clínica de la comuna. En aquel momento eso era lo único que le importaba. Al ver que la batalla se había vuelto mortal y que podrían acabar cubiertos de sangre, los vendedores ambulantes empaquetaron sus cosas y desaparecieron por las múltiples callejuelas adyacentes.

Uno de los dos combatientes con heridas en el vientre murió de camino a la clínica, y al otro le hizo falta una transfusión de sangre para quedar fuera de peligro. La sangre procedía de las venas de los Demonios-Bueyes y los Espíritus-Serpientes. Cuando recibió el alta de la clínica, en ninguna unidad de los Guardias Rojos quisieron saber nada de él, ya que su sangre de campesino pobre ya no era pura; ahora, la sangre de los enemigos de clase —los terratenientes, los campesinos ricos y los contrarrevolucionarios históricos— corría por sus venas. Según Wu Yunyu, Wang Jinzhi se había convertido en un enemigo de clase, como un árbol frutal al que le hubieran hecho un injerto, y poseía los cinco males. El pobre Wang había sido miembro de la combativa unidad de propaganda de la Facción del Viento y el Trueno. Incapaz de soportar la soledad, decidió formar su propia facción, el Equipo de Lucha del Unicornio, y dotarlo de un sello, una bandera y unos brazaletes oficiales. Incluso les pidió a los encargados del sistema de comunicación con el público de la comuna que le dejaran cinco minutos de su tiempo de emisión en antena. Él mismo elegía los temas y las noticias que daba, y se dedicaba a contar desde los progresos de la facción del Unicornio hasta anécdotas históricas relacionadas con Dalan, cotilleos interesantes, escándalos sexuales, asuntos de interés general, etcétera. El programa se emitía tres veces por día, por la mañana, a mediodía y por la noche. Antes de que comenzaran las emisiones, los representantes de las distintas facciones se sentaban, por orden, en un banco, esperando su turno. El Unicornio recibió el último espacio del día, así que cuando pasaban sus cinco minutos ponían *La Internacional* y así concluía la programación de la jornada.

En esa época, en la que no había radionovelas ni programas de música, el espacio de cinco minutos del Unicornio servía de entretenimiento para los ciudadanos del Concejo de Gaomi del Noreste. Mientras alimentaban a sus cerdos, estaban sentados a la mesa o descansaban tumbados en la cama, la gente levantaba las orejas, llena de expectativas. Una noche, el locutor del Unicornio dijo: «Campesinos pobres de nivel bajo y medio, camaradas de armas de la Revolución, según fuentes bien informadas, la persona que en una ocasión atacó al antiguo dirigente de la Facción del Viento y el Trueno, Guo Pingen, haciéndole un profundo tajo en la cara, fue la infame ladrona Sha Zaohua. La ladrona Sha es la hija del traidor Sha Yueliang, quien campó por sus respetos durante años en el Concejo de Gaomi del Noreste, y de Shangguan Laidi, quien asesinó a un servidor público y fue ejecutada por su delito. En su juventud, la ladrona Sha conoció a un extraño hombre en la Montaña del Sudeste de Lao, quien le enseñó artes marciales. Es capaz de volar sobre los aleros y de trepar por las paredes, y es una maestra prestidigitadora capaz de vaciar un bolsillo o de hacerse con un bolso en las mismas narices de su dueño, que nunca se dará cuenta de lo que ha pasado. Según mis fuentes, dignas de todo crédito, la ladrona Sha llegó subrepticiamente al Concejo de Gaomi del Noreste hace tres meses y ya ha establecido contactos en cada una de sus aldeas y en cada uno de sus caseríos. Mediante el uso de la intimidación y la coerción, ha reclutado a un amplio número de subordinados que la mantienen informada de todo lo que sucede y funcionan como un pequeño ejército de espías. El jovenzuelo que le quitó la gorra de piel de perro al campesino pobre Fang Shixian en el mercado de Dalan era uno de los cómplices de la ladrona Sha. La ladrona Sha ha ejercido su malévolo oficio en grandes ciudades. Tiene muchos alias, pero el que se oye con más frecuencia es Golondrina Sha. El objetivo de su furtivo retorno a Gaomi del Norte es vengar las muertes de su padre y de su madre, y el tajo que le hizo a Guo Pingen en la mejilla sería el primer paso de todas las represalias de clase que está dispuesta a tomar. Se espera que en los próximos días haya incidentes incluso más crueles y terribles. Se ha informado de que una de las herramientas que emplea es una moneda de bronce que colocó en una vía de tren cuando iba a pasar una locomotora. Es más fina que el papel, y tan afilada que puede cortar un pelo por la mitad. Cuando corta piel, la herida tarda diez minutos en comenzar a sangrar y la víctima no siente ningún dolor hasta que han pasado veinte. La ladrona Sha esconde esta arma entre los dedos; con un movimiento tan veloz que pasa desapercibido, puede cortarle la arteria carótida a un hombre, causándole la muerte de forma instantánea. Las habilidades de la ladrona Sha no tienen parangón. Cuando estaba estudiando con su maestro, introducía diez monedas en un cazo lleno de aceite hirviendo y después metía los dedos desnudos y las iba sacando, una tras otra, sin quemarse ni un poco. Sus movimientos son tan rápidos y tan precisos que apenas se pueden ver. Camaradas de armas de la Revolución, campesinos pobres de nivel bajo y medio, los enemigos que empleaban pistolas han sido eliminados, pero los que emplean monedas siguen entre nosotros, y es seguro que nos van a combatir con diez veces más mentiras y cien veces más frenesí». *¡Se acabó el tiempo, se acabó el tiempo!* Eso es lo que los oyentes escucharon, repentinamente, en la emisora pública. «Ya casi he terminado, ya casi he terminado». *No, eso ha sido todo. ¡El Unicornio no puede continuar mientras suena* La Internacional*!* «¿No podríamos continuar un poquito más?». Pero la melodía de *La Internacional* empezó a sonar de forma abrupta.

A la mañana siguiente, a través de la misma emisora pública, el programa del Regimiento Rebelde del Mono de Oro rechazó con todo lujo de detalles la leyenda de Sha Zaohua propagada por el Unicornio y después le atribuyó a esta facción todos los delitos. Las organizaciones de masas emitieron una declaración conjunta retirándole al Unicornio sus privilegios de emisión y ordenándoles a los dirigentes de esta facción que la desmantelaran en menos de cuarenta y ocho horas y que destruyeran el sello oficial y todos los materiales de propaganda.

A pesar de que el Regimiento Rebelde del Mono de Oro desmintió la existencia de una súper-ladrona llamada Sha Zaohua, le ordenaron a una serie de agentes secretos y centinelas que observaran a la familia Shangguan. No fue hasta la primavera siguiente, durante el Festival de Qingming, cuando una furgoneta de la policía del Departamento de Seguridad del Condado vino a llevarse a Jintong, que Wu Yunyu, quien para entonces había ascendido a la posición de presidente del Comité Revolucionario de Dalan, liberó de sus tareas a los agentes y a los centinelas, que simulaban ser reparadores de *woks*, afiladores de cuchillos y zapateros.

Cuando estaban vaciando y limpiando la Granja del Río de los Dragones, se descubrió un diario que había escrito Qiao Qisha. En él había dejado un detallado testimonio de la ilícita relación que habían tenido Shangguan Jintong y Long Qingping. El resultado de esto fue que el Departamento de Seguridad del Condado hizo arrestar a Jintong acusado de asesinato y necrofilia y, antes incluso de que comenzara la investigación, lo condenó a quince años de prisión, que tendría que comenzar a cumplir en un campo de reforma mediante el trabajo que estaba a la orilla del Mar Amarillo.

Capítulo 7

I

Era la primera primavera de los años ochenta. Jintong, tras cumplir su condena, estaba sentado en un rincón apartado de la sala de espera de una estación de autobuses, sintiéndose avergonzado y confundido mientras esperaba el autobús que lo llevaría a Dalan, la capital del Concejo de Gaomi del Noreste.

Los quince largos años que habían pasado le parecían verdaderamente un mal sueño. Estuvo intentando recordar hasta que le empezó a doler la cabeza, pero lo único que logró conjurar fueron fragmentos de su memoria, todos ligados a una luz brillante que le aguijoneaba los ojos como pedazos de cristal incrustados en barro. Se acordó del primer momento en que le pusieron las esposas en las muñecas y del reflejo de luz que le abrasó los ojos justo antes de que la oscuridad lo envolviera y escuchara los gritos de su madre en la distancia: «¿Con qué derecho arrestáis a mi hijo? Mi hijo es un hombre bueno que nunca le ha hecho daño a nadie...». Y después se acordó de los días que pasó aterrorizado en el calabozo esperando que se dictara su sentencia, y de cómo cada noche, en la tenue luz de su celda, se había visto obligado a practicar sexo oral con el barbudo guardián... y se acordó del calor insoportable que azotaba el campo de trabajo, ese desierto de sal, y de la luz cegadora que allí había. Los guardianes llevaban gafas de sol, cosa que a los presos no se les permitía. En cualquier dirección que mirara, la luz salina, viciada, cegadora, arrancaba lágrimas de los ojos que estaban expuestos al aire salado... Después se acordó de algunas escenas recogiendo leña en el espantoso frío del invierno, cuando la luz del sol chisporroteaba sobre el suelo cubierto de nieve y refulgía en los cañones de las escopetas de los guardianes. El ensordecedor sonido de los disparos de escopeta lo hizo enderezarse, y entonces miró en dirección al sol y vio una figura deslumbrantemente oscura que se tambaleaba y caía al suelo. Después se enteró de que se trataba de un preso que había intentado escaparse, con el resultado de que uno de los guardianes le había pegado un tiro... Entonces sus pensamientos lo llevaron a un verano en el que los estallidos de los relámpagos del tamaño de pelotas de baloncesto habían iluminado el cielo, por encima de los campos. Aterrorizado, cayó de rodillas. «Padre Celestial —rezó—, perdóname. No he hecho nada malo. Por favor, no me lances un rayo... Déjame seguir viviendo... Déjame que sobreviva a mi condena y recupere la libertad... Quiero ver a mi madre una vez más...». El estallido de otro trueno hizo temblar el cielo, y cuando volvió en sí vio una cabra tirada a su lado, muerta por el impacto de un rayo. El olor de la carne quemada se cernía en el aire...

Fuera, justo antes del amanecer, el cielo seguía oscuro. La docena de bombillas que colgaban en la sala de espera no tenía más función que la decorativa; la poca luz que había en el interior procedía de un par de lámparas de pared de pocos vatios. Los diez bancos, más o menos, que había ahí estaban monopolizados por jóvenes muy a la moda que yacían roncando y hablando en sueños; uno de ellos tenía las rodillas dobladas y las piernas cruzadas y sus pantalones de pata de elefante parecían estar hechos de planchas metálicas. La brumosa luz del sol a primera hora de la mañana se fue filtrando gradualmente por la ventana e iluminando el lugar, y Jintong, a medida que examinaba la ropa de los durmientes que había a su alrededor, se dio cuenta de que había vuelto al mundo en una época nueva. A pesar de los escupitajos, de los mugrientos trozos de papel e incluso de las ocasionales manchas de orina, pudo ver que el suelo estaba construido con un magnífico mármol. Y a pesar de que las paredes servían para que descansaran un montón de moscas negras, gordas pero cansadas, se veía que el dibujo del papel que las cubría era brillante y atractivo. Para Jintong, que acababa de salir de una cabaña de adobe de un campo para reformar a la gente a través del trabajo, todo lo que había alrededor era fresco y nuevo, completamente extraño, y esto hacía que su desasosiego se volviera más profundo.

Finalmente el sol del amanecer iluminó la hedionda sala de espera y los pasajeros comenzaron a moverse. Un joven con la cara llena de granos y el pelo todo despeinado se incorporó en su banco, se rascó los pies y los dedos gordos, cerró los ojos mientras sacaba un cigarrillo con filtro muy espachurrado y se lo encendió con un mechero de plástico. Tras darle una profunda calada, carraspeó y escupió un montón de flema en el suelo. Después metió lentamente los pies en los zapatos y pisoteó la viscosidad que había echado. Se volvió hacia la mujer que estaba tumbada a su lado y le dio unas palmaditas en la espalda. Ella gimió seductoramente mientras se desperezaba. «El autobús ya está aquí», dijo él, en un tono de voz más alto de lo necesario. Ella se incorporó con lentitud, se frotó los ojos con las manos enrojecidas y bostezó grandiosamente. Cuando por fin se dio cuenta de que su acompañante la había engañado, le dio unos cuantos puñetazos en broma y bostezó una vez más antes de volver a estirarse sobre el banco. Jintong estudió la cara regordeta de la joven, su nariz pequeña y grasienta y la blanca y arrugada piel de su vientre, que asomaba por debajo de su camiseta rosa. Con un gesto impertinente, el hombre deslizó la mano izquierda, en la que llevaba un reloj digital, por debajo de la blusa de ella y le acarició el pecho plano, despertando en Jintong un sentimiento que hacía mucho tiempo que había quedado atrás y que le mordió el corazón como un gusano de seda que se da un banquete de hojas de morera. Por primera vez, al menos aparentemente, se le ocurrió esta idea: ¡Dios mío, tengo cuarenta y dos años! Un hombre de mediana edad que nunca tuvo la oportunidad de crecer. Las muestras de afecto del joven hicieron que a este observador secreto se le pusieran rojas las mejillas; entonces miró en otra dirección. La implacable naturaleza del paso del tiempo tendió una capa de profunda tristeza sobre su estado de ánimo, ya de por sí sombrío, y sus pensamientos se dispararon salvajemente. He vivido en el mundo cuarenta y dos años, y ¿qué es lo que he conseguido? El pasado es como un camino lleno de neblina que conduce a las profundidades de un desierto; a su espalda, uno solamente puede ver unos pocos pasos, y delante nada más que niebla. Ya ha pasado más de la mitad de mi vida. Mi pasado está completamente desprovisto de gloria, mi pasado es sórdido, me da asco incluso a mí. La segunda mitad de mi vida comenzó el día que me dejaron en libertad. ¿Qué es lo que me espera?

En ese momento vio un mural hecho con cristales y porcelana en la pared de enfrente de la sala de espera: un musculoso hombre, tapado con una hoja de higuera, abrazaba a una mujer que tenía los pechos descubiertos y llevaba una larga coleta. Las miradas de vehemente deseo que distinguió en las caras de la joven pareja —medio humana, medio inmortal— hicieron que sintiera un triste vacío en su corazón. Había experimentado esa sensación antes, infinidad de veces, recostado en el suelo, en el campo de reforma mediante el trabajo del Mar Amarillo, y mirando el vasto cielo azul. Cuando su rebaño de ovejas pastaba a lo lejos, Jintong solía mirar al cielo, sin alejarse mucho de la fila de banderas rojas que señalaba el límite de la zona donde podían estar los reclusos, patrullada por guardianes montados y armados que iban siempre acompañados por perros mestizos, vástagos de los perros militares que habían pertenecido a los antiguos soldados y de los chuchos locales, que interrumpían sus perezosas rondas poniéndose a ladrarles inútilmente a las espumosas olas del mar que rompían justo al otro lado del dique.

Durante la decimocuarta primavera de su reclusión, conoció a uno de los hombres que había sido encarcelado por intentar asesinar a su mujer, un tipo con gafas llamado Zhao Jiading. Era un hombre educado; había sido profesor en una Facultad de Derecho y Ciencias Políticas antes de que lo arrestaran. Sin ahorrarse ni un solo detalle, le relató a Jintong cómo había planeado envenenar a su esposa. Su plan, perfectamente organizado, era una obra de arte, y pese a ello su mujer había sobrevivido. Jintong le correspondió contándole detalladamente su caso. Cuando terminó, Zhao dijo, emocionado:

—Hermosa historia, es pura poesía. Lástima que nuestras leyes no toleren la poesía. Bueno, si en su momento yo hubiera... No, olvídalo. ¡Es una estupidez! Te han impuesto una condena demasiado dura. Pero en fin, ya has cumplido catorce de tus quince años, así que ahora no tiene sentido lamentarse por ello.

Cuando el director del campo de reforma a través del trabajo proclamó que ya había llegado el momento de que recuperara la libertad y que podía irse a casa, lo que sintió fue que le dejaban abandonado. Con lágrimas en los ojos, suplicó:

—¿No puedo quedarme aquí el resto de mi vida, señor?

El oficial que le había dado la noticia lo miró con incredulidad y sacudió la cabeza.

—¿Y por qué ibas a querer hacer eso?

—Porque no sé cómo voy a sobrevivir ahí afuera. Soy un inútil, soy peor que un inútil. El oficial le ofreció un cigarrillo y le dio fuego.

—Vamos —le dijo, dándole una palmadita en el hombro—, el mundo de ahí afuera es mejor que el de aquí.

Como nunca había aprendido a fumar, le dio una profunda calada al cigarrillo y casi se muere de asfixia. Las lágrimas le salían de los ojos a borbotones.

Una mujer con cara de sueño, vestida con un uniforme azul y un sombrero, pasó a su lado, barriendo indolentemente las colillas y las mondas de frutas que había en el suelo. La expresión de su rostro mostraba cuánto odiaba su trabajo. Se dedicaba a empujar suavemente a la gente que dormía en el suelo con el pie o con la escoba. «¡Arriba! —les gritaba—, ¡levántate!», mientras pasaba la escoba por los charcos llenos de pis y lo empujaba hacia ellos. Sus gritos y sus empujones los obligaban a sentarse o a ponerse de pie. Los que se ponían de pie se estiraban, bostezando, y los que se quedaban sentados en el suelo acababan recibiendo algún impacto de su recogedor o de su escoba, y entonces también tenían que levantarse de un salto. Y en cuanto lo hacían, ella barría el periódico sobre el que se habían acostado y se lo llevaba con el recogedor. Jintong, que estaba acurrucado en un rincón, no logró librarse de sus diatribas. «¡Apártate! —le ordenó—. ¿Es que estás ciego?». Empleando la actitud vigilante que había desarrollado durante los quince años que había estado en el campo, se echó a un lado de un salto y vio cómo ella señalaba, enfadada, a su bolsa de viaje de lona. «¿De quién es eso? —bramó—. ¡Quítalo de ahí!». Él recogió la bolsa que contenía todas sus propiedades y no la volvió a dejar en el suelo hasta que ella hubo pasado la escoba por esa zona una o dos veces. Después, volvió a sentarse.

En el suelo, enfrente de él, había un montón de basura. La mujer echó el contenido de su recogedor en el montón y después se dio la vuelta y se marchó. Todas las moscas que estaban instaladas en la basura y que ella molestó zumbaron unos instantes en el aire antes de volver a posarse. Jintong levantó la mirada y vio una serie de puertas a lo largo de la pared donde estaban aparcados los autobuses. Encima de cada una de ellas había un cartel con un número de ruta y un destino. La gente hacía cola detrás de algunas de las vallas metálicas, esperando que les picaran sus billetes. Cuando localizó la puerta que daba al autobús número 831, con destino Dalan y la Granja del Río de los Dragones, una docena de personas, más o menos, ya estaba haciendo cola. Algunos fumaban, otros charlaban y aún otros estaban sentados, en silencio, sobre su equipaje. Al observar su billete con atención, se dio cuenta de que la hora de embarque era a las 7:30, pero el reloj de la pared indicaba que ya eran las 8:10. Sintió cómo le atravesaba el pánico mientras se preguntaba si su autobús ya habría abandonado la estación. Con su bolsa de viaje hecha jirones en la mano, se apresuró a ponerse a la cola, detrás de un hombre de rostro inexpresivo que llevaba una bolsa de cuero negro, y le echó una mirada furtiva a la gente que guardaba cola delante de él. Por algún motivo todos le resultaban familiares, pero no era capaz de recordar el nombre de ninguno de ellos. A su vez, ellos parecían observarlo; algunos tenían pinta de estar sorprendidos, y otros de sentir simplemente curiosidad. Ahora no sabía qué hacer. Deseaba ver una cara amiga, una cara que perteneciera a su hogar, pero tenía miedo de que lo reconocieran, y sintió que las palmas de la mano se le ponían pegajosas.

—Camarada —le dijo, tartamudeando, al hombre que iba delante de él—, ¿éste es el autobús que va a Dalan?

El hombre le miró de arriba a abajo del mismo modo que hacían los oficiales del campo, cosa que lo puso ansioso como una hormiga en una sartén caliente. En su interior Jintong se veía a sí mismo como un camello en medio de un rebaño de ovejas, un bicho raro; y si él tenía esa imagen, ¡cuál no tendrían los demás! La noche anterior, cuando se había contemplado en el espejo empañado que había en la pared de un mugriento baño público, lo que le había devuelto la mirada era una cabeza exageradamente grande cubierta de un finísimo pelo que no era ni rojo ni amarillo. Tenía la cara llena de manchas, como la piel de un sapo, y surcada por profundas arrugas. Su nariz era de color rojo brillante, como si alguien se la hubiera pellizcado, y una barba de tres días crecía alrededor de sus labios regordetes. Al darse cuenta de que los ojos del hombre le estaban escrutando, se sintió envilecido, degradado y sucio. El sudor de las palmas de sus manos ya le había humedecido los dedos. El hombre respondió a su pregunta limitándose a señalar con la boca hacia el letrero rojo del cartel que había sobre la puerta.

Entonces apareció un carrito de cuatro ruedas empujado por una mujer gorda vestida con un uniforme blanco.

—Rollitos rellenos —ofreció con una voz aguda e infantil—. ¡Rollitos de cerdo caliente y cebolletas, recién sacados del horno!

Su rostro, enrojecido y grasiento, tenía un brillo saludable. En el pelo se había hecho la permanente y tenía infinidad de ricitos, como los que las pequeñas ovejas australianas que Jintong había pastoreado tenían en el lomo. Sus manos parecían rollitos recién sacados del horno, y sus dedos rechonchos eran como salchichas.

—¿Cuánto cuesta medio kilo? —le preguntó un tipo que llevaba una chaqueta con cremallera.

—No los vendo al peso —dijo ella.

—Bueno, pues ¿cuánto cuesta uno?

—Veinticinco fen.

—Deme diez.

Ella quitó la tela que los cubría, que alguna vez había sido blanca pero ahora estaba casi completamente negra, cogió un trozo de un periódico que colgaba a uno de los lados del carrito y cogió diez rollitos con unas pinzas. El cliente sacó un fajo de billetes y se puso a buscar alguno pequeño para pagarle; en ese momento, todas las miradas de la gente se dirigieron a sus manos.

—¡Los campesinos de Gaomi del Noreste se lo han montado bien estos últimos dos años! —dijo con envidia un hombre que llevaba un maletín de cuero negro.

Chaqueta con Cremallera dejó de devorar un rollito durante unos instantes y le contestó:

—¿Esa cara que pones es de avidez, viejo Huang? Si es así, vete a casa, rompe ese cuenco de arroz de hierro que tienes y vente conmigo a vender pescado.

—¿Qué tiene de especial el dinero? —dijo Maletín de Cuero—. A mí me parece que es como un tigre que baja de las montañas, y no me apetece nada que me muerda.

—¿Y por qué te preocupas por cosas como ésa? —le dijo Chaqueta con Cremallera—. Los perros muerden a la gente, los gatos también, e incluso los conejos, si se asustan. Pero nunca he oído decir que el dinero mordiera a nadie.

—Eres demasiado joven para comprenderlo —dijo Maletín de Cuero.

—No empieces con ese rollo de tío anciano y sabio, viejo Huang. Y deja de abofetearte la cara para que se te hinchen las mejillas. Fue el jefe de tu concejo el que proclamó que los campesinos tenían derecho a meterse en negocios y hacerse todo lo ricos que pudieran.

—No te dejes llevar de esa manera, jovencito —dijo Maletín de Cuero—. El Partido Comunista no olvidará su propia historia, así que te recomiendo que tengas cuidado.

—¿Cuidado con qué?

—Con una segunda serie de reformas agrarias —dijo enfáticamente Maletín de Cuero.

—Adelante, llevad a cabo vuestra reforma —le contestó Chaqueta con Cremallera—. Todo lo que gano me lo gasto en mí mismo, en comer, en beber y en pasármelo bien, ya que la verdadera reforma es imposible. ¡No me verás llevando la vida que llevaba el tonto de mi anciano abuelo! Trabajó como un perro, deseando no tener que comer ni que cagar para poder ahorrar lo suficiente como para comprarse unas pocas hectáreas de tierra improductiva. Después llegó la reforma agraria y *¡chas!*, lo clasificaron como terrateniente, lo llevaron al puente y vuestra gente le pegó un balazo en la cabeza. Bueno, yo no soy mi abuelo. Yo no pienso ahorrar nada de dinero, me lo voy a comer todo. Y después, cuando se lleve a cabo vuestra segunda serie de reformas agrarias, seguiré siendo un auténtico campesino pobre.

—¿Hace cuánto le quitaron a tu padre la etiqueta de terrateniente, Jin Zhuzi? —preguntó Maletín de Cuero—. ¡Y aquí estás tú, fanfarroneando!

—Huang —dijo Chaqueta con Cremallera—, eres como un sapo que intenta detener un carromato: te sobrestimas. ¡Vete a casa y ahórcate! ¿Te crees que puedes inmiscuirte en las políticas gubernamentales? Lo dudo mucho.

Justo en ese momento, un pordiosero vestido con un abrigo hecho jirones y atado con un cable de electricidad de color rojo se acercó a ellos; llevaba en la mano un cuenco todo descascarillado en el que había una docena de monedas, más o menos, y unos pocos billetes inmundos. Con la mano temblorosa, le acercó el cuenco a Maletín de Cuero.

—Hermano mayor, ¿tienes algo para mí? ¿Me puedes dar algo para comprar un rollito relleno?

El hombre retrocedió.

—¡Apártate de mí! —le dijo, muy enfadado—. Ni siquiera he terminado de desayunar.

El pordiosero le echó una mirada a Jintong, y éste notó la expresión de desprecio en sus ojos. Se dio la vuelta para ver a quién más le podía mendigar. La depresión de Jintong se agravó. ¡Incluso un pordiosero te rehúye, Jintong! El pordiosero se dirigió al tipo de la chaqueta con cremallera.

—Hermano mayor, apiádate de mí con unas pocas monedas, o quizá con un rollito relleno...

—¿Cómo está clasificada tu familia? —le preguntó Chaqueta con Cremallera.

—Campesinos pobres —contestó el pordiosero tras una breve pausa—. Desde hace ocho generaciones.

Chaqueta con Cremallera soltó una carcajada.

—¡Ir al rescate de los campesinos pobres es mi especialidad!

Entonces metió en el cuenco los dos rollitos rellenos que le quedaban, envueltos en el periódico grasiento. El pordiosero se metió ansiosamente uno en la boca, y el periódico grasiento se le quedó pegado a la barbilla.

De repente se armó un alboroto en la sala de espera. Una docena, más o menos, de revisores vestidos con uniformes y gorras azules, evidentemente hastiados, surgió de su oficina con perforadoras para los billetes. El frío brillo de sus ojos mostraba su asco por los pasajeros que estaban esperando. Tras ellos, un montón de gente se arremolinaba empujándose unos a otros, tratando de abrirse paso hacia las puertas de embarque. Un hombre con un megáfono a pilas se colocó en el pasillo y bramó:

—¡Pónganse a la cola! ¡Formen colas! No vamos a empezar a picar los billetes hasta que no hayan formado unas colas bien ordenadas. Todos los empleados, que escuchen bien: ¡Hasta que no formen colas, no picamos los billetes!

A pesar de todo, la gente se arremolinó en torno a los encargados de picar los billetes. Los niños comenzaron a llorar y una mujer muy morena de cara, que tenía un niño pequeño en los brazos, una bebita a la espalda y un par de gallos en la mano maldijo en voz alta a un hombre que la estaba empujando. Sin hacerle ningún caso, él levantó una caja de cartón llena de bombillas por encima de su cabeza y siguió intentando abrirse paso hacia adelante. La mujer le dio un golpe en la espalda, pero él se limitó a darse la vuelta para mirarla.

A Jintong lo empujaron tanto hacia atrás que acabó el último de la fila. Reuniendo el poco valor que le quedaba, aferró fuertemente su bolsa y se lanzó hacia adelante, pero en cuanto acababa de empezar a avanzar, un codo huesudo se le clavó en el pecho; viendo las estrellas y soltando un gemido, se desplomó contra el suelo.

—¡Pónganse a la cola! ¡Formen colas! —bramaba el hombre del megáfono una y otra vez—. ¡Hasta que no formen colas, no picamos los billetes!

La encargada de picar los billetes del autobús con destino Dalan, una chica que tenía todos los dientes torcidos, se abrió paso entre la gente con la ayuda de su sujetapapeles y de su perforadora. Llevaba la gorra ladeada, por lo que su pelo negro caía hacia abajo formando cascadas. Muy enfadada, se puso a dar patadas al suelo mientras gritaba:

—Vamos, apártense. Si no, van a recibir un montón de pisotones.

Entonces se volvió, enfurecida, a su oficina. En ese momento, las dos manecillas del reloj se juntaron en el número 9.

La pasión de la gente se enfrió en cuanto la encargada de picar los billetes se declaró en huelga. Jintong se quedó al margen de la gente, regodeándose en secreto por el rumbo que habían tomado los acontecimientos. Sentía cierta simpatía por la encargada de picar los billetes, pues la veía como una protectora de los débiles. Para entonces, las demás puertas ya se habían abierto y los pasajeros intentaban abrirse paso a empujones por el estrecho pasillo que quedaba entre dos barricadas, como una vía fluvial obligada a circular entre bancos de arena.

Un hombre joven, musculoso, bien vestido y de estatura media se acercó portando una caja en la que había un par de extraños papagayos blancos. Sus ojos, de color negro azabache, le llamaron la atención a Jintong, y los papagayos blancos enjaulados le recordaron a los papagayos que volaban haciendo círculos por encima del hijo de Hombre-pájaro Han y Laidi, decenios atrás, durante su primer viaje a casa desde la Granja del Río de los Dragones. ¿Sería él? A medida que Jintong lo observaba minuciosamente, la fría pasión de Laidi y la resuelta inocencia de Hombre-pájaro Han empezaron a asomarse a la cara del hombre. Jintong, sorprendido, soltó un suspiro. ¡Qué grande está! El niñito moreno que él había conocido en la cuna se había convertido en un hombre. Ese pensamiento hizo que tomara conciencia de su propia edad, e inmediatamente se sintió un hombre en decadencia y se dio cuenta de que ya no estaba en la flor de la vida. Una inmensa apatía y una fuerte sensación de vacío lo invadieron, y se vio a sí mismo como una hoja de hierba seca y mustia, cuyas raíces se hunden en una tierra estéril, que ha nacido en silencio, ha crecido en silencio y ahora está muriendo en silencio.

El joven de los papagayos se acercó a la puerta donde picaban los billetes para echar un vistazo. Varios de los pasajeros le saludaron, y él les respondió de forma chulesca antes de bajar la vista para mirar el reloj.

—Papagayo Han —gritó alguien entre el gentío—. Tú tienes buenos contactos y se te da muy bien hablarle a la gente. Ve a decirle a esa joven que vuelva.

—No os ha querido picar los billetes porque yo no había llegado.

—¡Deja de fanfarronear! Te creeremos cuando consigas que venga.

—Bueno, ahora poneos todos en fila. ¡Y dejad de empujaros! ¿Para qué empujáis? ¡Poneos en fila! ¡He dicho que os pongáis en fila!

Los organizó, medio en broma, obligándolos a formar una cola ordenada que llegaba hasta los bancos de la sala de espera.

—Si veo que alguien da un empujón o se sale de la cola, bueno, voy a coger a su madre y... ¿me habéis entendido? —Hizo un gesto obsceno—. Además, todo el mundo va a poder subirse, antes o después. Y si alguien no cabe dentro, se podrá montar arriba, donde va el equipaje, a disfrutar del aire fresco y de las magníficas vistas. A mí no me importaría ir sentado ahí arriba. Bueno, ahora esperad aquí mientras yo voy a buscar a esa chica.

Cumplió su palabra; ella salió de la oficina, todavía enfadada pero con Papagayo Han a su lado acribillándola con su labia.

—Querida tiíta, no vale la pena enfadarse con gente de esta calaña. Son la escoria de la sociedad, son gamberros y zorrillas, los melones contrahechos y las peras ácidas, los gatos muertos y los perros podridos, la pasta de gambas en mal estado. Eso es lo que son todos éstos. Si te pones a pelear con ellos, lo único que consigues es rebajarte a su nivel. O, todavía peor, el enfado puede hacerte engordar un montón, y al pobre tío eso no le gustaría nada, ¿verdad?

—¡Cállate ya, papagayo asqueroso! —le dijo ella, dándole un golpe en el hombro con su perforadora de billetes—. ¡Nunca vas a pasar por mudo, ¿eh?

Papagayo Han hizo una mueca.

—Tía —le dijo—, tengo un par de hermosos pájaros para ti. Sólo tienes que decirme cuándo quieres que te los traiga.

—¡Qué manera de hablar! ¡Eres como una tetera sin fondo! ¿Dices que tienes unos pájaros hermosos? ¡Ja! ¡Llevas prometiéndomelos como un año, y todavía no he visto ni una pluma!

—Esta vez lo digo en serio. Te voy a enseñar un pájaro de verdad, para variar.

—Si tuvieras corazón, dejarías de hablar tanto de esos hermosos pájaros y me regalarías esta pareja de papagayos blancos.

—No puedo darte éstos —dijo—. Éstos son para cruzarlos. Acaban de llegar de Australia. Pero si lo que quieres son papagayos blancos, el año que viene te daré una pareja. ¡Te lo prometo, y si no lo hago, no soy tu Papagayo Han!

Cuando se abrió la estrecha puerta, la gente inmediatamente intentó meterse como pudo. Papagayo Han, con la jaula en la mano, se quedó al lado de la encargada de picar los billetes.

—Ya lo ves, tía —dijo—. ¿Cómo se puede discutir que los chinos son gente de calidad inferior? Lo único que saben hacer es darse empujones, a pesar de que con eso solamente consiguen que las cosas vayan más despacio.

—Lo único que puede producir vuestro Concejo de Gaomi del Noreste son bandidos y salteadores de caminos. Sois un puñado de salvajes —dijo ella.

—No es buena idea intentar coger todos los peces del río con una sola red, tía. Aquí hay alguna buena gente. Por ejemplo, fíjate en...

Se detuvo a mitad de la frase cuando vio a Shangguan Jintong avanzando tímidamente hacia él desde el final de la cola.

—Si no me equivoco —le dijo—, tú eres mi pequeño tío.

Tímidamente, Jintong le contestó:

—Yo... Yo también te he reconocido.

Papagayo Han le cogió la mano a Jintong y se la estrechó con entusiasmo.

—Has vuelto, Pequeño Tío —le dijo—. Por fin. La abuela ha llorado hasta casi quedarse ciega pensando en ti.

Para entonces el autobús estaba tan lleno que había gente que sacaba medio cuerpo por la ventana. Papagayo Han dio la vuelta al autobús y subió por la escalera hasta el portaequipajes, donde retiró la red protectora y ató fuertemente la jaula con sus papagayos. Después extendió la mano hacia abajo para coger la bolsa de viaje de Jintong. No sin algo de miedo, éste subió detrás de su bolsa hasta el portaequipajes. Papagayo Han lo cubrió con la red protectora.

—Pequeño Tío —le dijo—, agárrate fuerte a los hierros. Bueno, en realidad no creo que sea necesario. Este autobús es más lento que una cerda vieja.

El conductor, con un cigarrillo colgándole de los labios y una taza de té en la mano, se acercó perezosamente al autobús.

—¡Papagayo! —le gritó—. ¡Eres realmente un hombre-pájaro! Pero no me eches la culpa si te caes de ahí y la palmas en medio de la carretera.

Papagayo Han le lanzó un paquete de cigarrillos al conductor, que lo atrapó en el aire, se fijó en la marca y se lo metió en el bolsillo.

—Ni siquiera el anciano del cielo podría tratar con alguien como tú —le dijo.

—Tú limítate a conducir el autobús, abuelo —dijo Papagayo Han—. Y haznos un favor a todos: ¡Que no se te estropee tan a menudo!

El conductor tiró de la puerta y la cerró a su espalda, sacó la cabeza por la ventana y dijo:

—Uno de estos días, este autobús destartalado se va a caer en pedazos. Yo soy el único que sabe arreglarlo. Si cambiarais al conductor, ni siquiera podría sacarlo de la estación.

El autobús se deslizaba lentamente sobre la carretera de grava que llevaba al Concejo de Gaomi del Noreste. Se cruzaron con muchos vehículos, incluyendo algunos tractores, que venían en dirección contraria y que pasaban con mucho cuidado al lado del autobús, que se movía con gran lentitud. Sus ruedas levantaban tanto polvo y lanzaban tanta gravilla por el aire que Jintong no se atrevía a abrir los ojos.

—Pequeño Tío, la gente dice que te trataron muy mal cuando te encerraron —dijo Papagayo Han, mirando a Jintong a los ojos.

—Supongo que se puede decir eso —dijo suavemente Jintong—. O se puede decir que fue lo que me merecía.

Papagayo le ofreció un cigarrillo. Él no lo cogió. Entonces Papagayo lo volvió a meter en el paquete y, empatizando con él, le echó un vistazo a sus manos ásperas y callosas.

—Debe haber sido terrible —le dijo, mirándolo nuevamente a la cara.

—No es para tanto cuando uno se acostumbra.

—Han cambiado un montón de cosas en estos últimos quince años —dijo Papagayo—. La Comuna Popular se desmanteló y se parceló la tierra. Después se montaron granjas privadas. De ese modo, todo el mundo tiene comida sobre la mesa y ropas en el armario. Las viejas casas se destruyeron; se puso en marcha un programa de unificación. La abuela no se llevaba nada bien con esa maldita vieja que tengo por esposa, así que se mudó a la pagoda de tres dormitorios que pertenecía al viejo taoísta, Men Shengwu. Ahora que has vuelto, ya no estará sola.

—¿Y cómo... Cómo se encuentra?

—Físicamente está muy bien —dijo Papagayo—, salvo de la vista. Pero todavía puede cuidarse sola. No voy a ocultarte nada, Pequeño Tío. Yo soy un calzonazos. Mi esposa, maldita sea, viene de una familia de gamberros proletarios y no tiene ni la menor idea de lo que son las obligaciones filiales. Se mudó a la casa y la abuela se fue inmediatamente. A lo mejor la conoces; es la hija de Viejo Geng, que vendía pasta de gambas, y de esa mujer serpiente... No es una mujer, es una serpiente endemoniada y tentadora. Yo estoy dedicando toda mi energía a ganar dinero, y en cuanto consiga ahorrar cincuenta mil... ¡La voy a echar a patadas!

El autobús se detuvo en la cabeza del Puente del Río de los Dragones, donde se bajaron todos los pasajeros, incluido Jintong, con la ayuda de Papagayo Han. Lo primero que atrajo su mirada fueron una fila de casas nuevas, construidas en la orilla norte del río, y un puente de cemento que no estaba lejos del antiguo, que era de piedra. Los vendedores de frutas, cigarrillos, golosinas y cosas semejantes habían instalado sus puestos cerca de la cabeza del puente. Papagayo Han le señaló unos edificios que había en la orilla norte.

—El gobierno del concejo cambió sus oficinas y la escuela de lugar, y el recinto que antiguamente pertenecía a la familia Sima ha sido tomado por Gran Diente de Oro —el hijo de Wu Yunyu, un gilipollas—, que instaló ahí una fábrica de píldoras anticonceptivas y junto a ella produce ilegalmente licores y matarratas. El tipo no hace absolutamente nada por los demás. Olfatea el aire —le dijo, levantando una mano—. ¿A qué te huele?

Jintong vio una alta chimenea hecha de placas metálicas que se elevaba por encima del recinto de la familia Sima; vomitaba unas grandes nubes de humo verdoso. Ésa era la fuente del olor que había en el aire, que revolvía el estómago.

—Me alegro de que la abuela se haya mudado de aquí —dijo Papagayo Han—. Todo ese humo la habría asfixiado. En esta época, el lema es: «Ocho inmortales atraviesan el mar, y cada uno demuestra sus habilidades personales». Ya no se habla de clases ni de lucha. Lo único que le importa a la gente ahora es el dinero. Yo tengo cien hectáreas de tierras en la Colina de Arena, y mucha ambición. He montado una granja para criar aves exóticas. Me he dado un plazo de diez años para traer todas las aves exóticas del mundo aquí, al Concejo de Gaomi del Noreste. Para entonces, habré ahorrado suficiente dinero como para poder tener influencias. Entonces, empleando el dinero y las influencias, lo primero que voy a hacer es erigir un par de estatuas de mis padres en la Colina de Arena...

Estaba tan entusiasmado con sus planes para el futuro que los ojos se le encendieron y brillaban con un fuerte tono azul y echó su escuálido pecho hacia adelante, como una paloma henchida de orgullo. Jintong se dio cuenta de que cuando no estaban vendiendo algo, los encargados de los puestos que había junto a la cabeza del puente se dedicaban a observarlos a él y a Papagayo Han, que no dejaba de gesticular ni un instante. Entonces volvió su sentimiento de inferioridad; además, se arrepentía de no haber ido a ver a Wei Jinzhi, el sucio barbero del campo de reforma mediante el trabajo, para que lo afeitara y le cortara el pelo antes de marcharse.

Papagayo Han se sacó unos cuantos billetes del bolsillo y se los puso en la mano a Jintong.

—No es mucho, Pequeño Tío, pero acabo de empezar y las cosas todavía no me van del todo bien. Además, la vieja de mi esposa todavía me controla estrictamente el dinero que gasto. No me atrevería a tratar a la abuela como se merece ni aunque pudiera. Cuando me cuidaba, estuvo a punto de toser sangre. No podía haberle resultado más duro, y eso es algo que yo no olvidaré ni cuando sea viejo y se me caigan los dientes. Pienso ayudarla a que esté bien cuando lleve a cabo mis planes.

Jintong le devolvió los billetes a Papagayo Han.

—Papagayo —le dijo—, no puedo aceptarlo.

—¿Es que te parece poco?

Su comentario hizo que Jintong se sintiera avergonzado.

—No, no es eso...

Papagayo volvió a ponerle los billetes a Jintong en su mano sudorosa.

—Entonces es que menosprecias a tu sobrino, por inútil, ¿verdad?

—Viendo en lo que me he convertido yo, no tengo derecho a menospreciar a nadie. Tú eres especial, eres mil veces mejor que tu tío, que es un incapaz absoluto...

—Pequeño Tío —dijo Papagayo—, la gente no te comprende. La familia Shangguan está formada por dragones y fénix, que dan origen a tigres y panteras. Es una pena que los tiempos no nos hayan sido favorables, que hayamos tenido que vivir a contracorriente. Mírate, Pequeño Tío; tienes la misma cara que Genghis Khan. Ya llegará tu momento. Pero primero tienes que irte a casa y disfrutar de poder pasar unos cuantos días junto a la abuela. Después ven a verme a la Reserva Oriental de los Pájaros.

Papagayo fue y le compró a uno de los vendedores un puñado de plátanos y una docena de naranjas. Las metió en una bolsa de nailon, se la entregó a Jintong y le dijo que se la llevara a la abuela. Se despidieron sobre el nuevo puente. Cuando Jintong miró hacia abajo, para contemplar el agua brillante, sintió que empezaba a dolerle la nariz. Encontró entonces un lugar aislado y dejó la bolsa en el suelo y se dirigió a la orilla del río, donde se lavó la cara. La tenía llena de tierra y mugre. Tiene razón, pensaba. Ya que estoy en casa, tengo que apretar los dientes y hacer algo memorable; por la familia Shangguan, por Madre y por mí mismo.

Haciendo un gran esfuerzo de memoria, logró encontrar el camino hasta el antiguo hogar familiar, donde tantos acontecimientos emocionantes habían tenido lugar. Pero lo que encontró fue una vasta extensión de terreno, un descampado donde un *bulldozer* estaba derribando los últimos restos del muro que había rodeado la casa. Entonces volvió a acordarse de lo que le había dicho Papagayo cuando iban en lo alto del autobús: los tres condados de Gaomi, Pingdu y Jiaozhou habían cedido una porción de terreno para construir una nueva ciudad, cuyo centro sería Dalan. El lugar en el que estaba, por lo tanto, pronto se habría convertido en una próspera ciudad, y en el lugar donde había estado su casa iba a levantarse, según estaba planeado, un alto edificio de siete plantas que alojaría las oficinas del Gobierno Metropolitano de Dalan.

Las calles ya se habían ensanchado; las habían pavimentado con grava sobre arcilla y a sus lados habían cavado unas profundas zanjas en las que unos obreros estaban ocupados enterrando unas gruesas cañerías de agua. La iglesia estaba completamente arrasada y sobre la casa de la familia Sima se cernía un enorme cartel en el que se podía leer *Gran Compañía Farmacéutica China*. Una flota de viejos y destartalados camiones estaba aparcada en lo que en otros tiempos habían sido los terrenos de la iglesia. Todas las piedras del molino de la familia Sima estaban tiradas, aquí y allá, medio enterradas en el barro, y en el lugar donde se había alzado el molino ahora se estaba construyendo un edificio circular. Entre el estruendo producido por una hormigonera y el penetrante olor del alquitrán caliente, pasó junto a un montón de peritos y de obreros; casi todos ellos se habían emborrachado bebiendo cerveza. Finalmente, salió de la inmensa obra que una vez había sido su aldea y tomó el sendero de tierra que llevaba al puente de piedra para cruzar al otro lado del Río del Agua Negra.

Mientras cruzaba el puente hacia la orilla sur del río, divisó la majestuosa pagoda de siete pisos en lo alto de la colina. El Sol se estaba poniendo y sus rayos de un rojo encendido parecían a punto de prenderle fuego a los ladrillos y de convertir los trozos de paja que había entre ellos en cenizas. Una bandada de palomas voló en círculo alrededor de la estructura. Una única columna de humo blanco emergía desde la cocina de la cabaña que había en la parte frontal. En los campos reinaba un silencio sepulcral, roto solamente por el estruendo que hacían las máquinas pesadas en las diversas obras. Jintong sintió como si le hubieran vaciado la cabeza hasta secársela, pero unas lágrimas calientes se deslizaron por su rostro hasta las comisuras de sus labios.

A pesar de que el corazón estaba a punto de salírsele del pecho, se obligó a seguir avanzando hacia la pagoda sagrada. Mucho antes de llegar, vio una figura de pelo canoso de pie, enfrente de la pagoda, apoyada en un bastón fabricado con el mango de un viejo paraguas, observando cómo el se acercaba. Sentía tanto cansancio en las piernas que dar cada paso le costaba un esfuerzo enorme. Las lágrimas seguían fluyendo sin interrupción. Como la paja del edificio, el cabello blanco de Madre parecía estar en llamas. Con un grito ahogado, Jintong cayó de rodillas y apretó el rostro contra las rodillas de ella, deformadas por toda una vida de trabajo físico. Se sintió como si estuviera en el fondo del océano, donde los sonidos, los colores y las formas dejan de existir. De algún profundo lugar de su memoria le llegó el olor de la leche de Madre, inundando todos sus sentidos.

II

Al poco tiempo de regresar a casa, Jintong cayó gravemente enfermo. Al principio se trataba solamente de una debilidad en los miembros y un dolor en las articulaciones, pero después sufrió ataques de vómitos y diarrea. Madre se gastó todo lo que había ahorrado a lo largo de los años juntando chatarra y vendiéndola en pagarle a diversos médicos procedentes de distintos lugares de Gaomi del Noreste, pero ninguna de las inyecciones que le pusieron ni de las medicinas que le recetaron hizo que mejorara. Un día de agosto, la cogió de la mano y le dijo:

—Madre, durante toda mi vida no te he dado más que problemas. Ahora que estoy a punto de morirme, ya no tendrás que sufrir más...

Ella le apretó la mano.

—¡Jintong, no te permito que hables así! Todavía eres joven. Yo ya estoy ciega de un ojo, pero todavía veo que vendrán buenas épocas más adelante. El sol brilla, las flores tienen un aroma celestial y nosotros tenemos que seguir avanzando hacia el futuro, hijo mío...

Dijo esto con toda la energía que pudo reunir, pero unas tristes lágrimas ya le habían salpicado la huesuda mano.

—Madre, habla todo lo que quieras, pero no servirá para nada —dijo Jintong—. La he vuelto a ver. Se había rellenado con yeso el agujero de bala de la sien y tenía en la mano un trozo de papel con su nombre y el mío escritos en él. Me dijo que había conseguido nuestro certificado de matrimonio y que esperaba que me casara con ella.

—Querida hija —dijo Madre, entre lágrimas, al espacio vacío que tenía ante ella—. Querida hija, no merecías la muerte. Lo sé, y para mí eres como mi propia hija. Jintong estuvo quince años en la cárcel por ti, y ya ha pagado completamente su deuda. Te pido que muestres un poco de compasión y que le perdones. De esa manera, esta vieja solitaria tendrá a alguien que la cuide. Tú eres una chica sensata. Como dice el refrán, la vida y la muerte son dos caminos distintos, y hay que tomar uno o el otro. Perdónale, hija querida. Esta mujer vieja y ciega te lo suplica de rodillas...

Mientras su madre rezaba, Jintong vio el cuerpo desnudo de Long Qingping en la ventana soleada. Sus pechos, que parecían de hierro, estaban cubiertos de orín. Ella se abrió de piernas desvergonzadamente y brotó un puñado de champiñones blancos y redondos. Pero cuando miró más detenidamente, Jintong se dio cuenta de que se trataba de un montón de redondeadas cabezas de bebés, no de champiñones, y todas ellas estaban unidas. Cada una de esas minúsculas cabezas tenía un rostro perfecto y estaba cubierta por un pelo amarillento y aterciopelado. Todas las caritas tenían la nariz alta, los ojos azules, los lóbulos de las orejas delgados como papel, como la piel de las alubias metidas en agua. Todos los niños le gritaban; su voz era suave y débil, pero clara como una campana. ¡Papá! ¡Papá! Aquellos gritos le llenaron de miedo el corazón, así que cerró los ojos. Los niños se soltaron y se lanzaron hacia él, aterrizando sobre su cara y su cuerpo. Le tiraron de las orejas, le metieron los dedos en la nariz y le arañaron la cara sin dejar de gritar: ¡Papá! Él cerró los ojos apretándolos con todas sus fuerzas, pero eso no impidió que siguiera viendo a Long Qingping frotándose los pechos oxidados con papel de lija, haciendo un ruido que le provocaba dolor en los oídos. Ella le miró fijamente con una expresión en la que se combinaban la melancolía y la rabia, y siguió frotándose los pechos hasta que parecía que se le habían vuelto de una madera brillante y recién barnizada que emitía un frío brillo que se concentraba alrededor de los pezones y, como un rayo helado, penetraba directamente hasta lo más hondo de su corazón. Jintong se estremeció y perdió el conocimiento.

Cuando se despertó, vio una vela encendida en el alféizar de la ventana y una lámpara de aceite colgada de la pared. Poco a poco, el rostro atormentado de Papagayo Han se materializó en medio de la parpadeante luz.

—¿Qué ha pasado, Pequeño Tío?

Su voz parecía venir desde muy lejos. Intentó contestarle, pero no pudo lograr que sus labios se movieran. Agotado, cerró los ojos para dejar de ver la luz de la vela.

—Te doy mi palabra —oyó decir a Papagayo Han—. No se va a morir. No hace mucho tiempo que leí un libro de adivinación del futuro; Pequeño Tío tiene el rostro de alguien que encontrará la riqueza y la buena fortuna, alguien que va a vivir una larga vida.

—Papagayo —dijo Madre—, nunca en mi vida he suplicado nada, pero ahora te suplico a ti.

—Abuela, cuando me hablas así parece como si me estuvieras maldiciendo.

—Tú conoces un montón de gente, y por eso te pido que consigas un carro y te lleves a tu tío al hospital del condado.

—Eso no es necesario, abuela. Las instalaciones de nuestra ciudad son tan buenas como las de las ciudades grandes. Los doctores locales son mejores que los que hay en el hospital del condado. Dado que el Doctor Leng ya lo ha visto, no hace ninguna falta ir a ningún otro lugar. Se graduó el primero de su clase en la Facultad de Medicina de la Unión, y después estudió en el extranjero. Si dice que no hay ningún tratamiento para esto, es que no hay ningún tratamiento.

Con expresión de desánimo, Madre le dijo:

—Papagayo, no necesitamos tu labia. Deberías irte. Si llegas tarde a tu casa, tendrás que vértelas con esa esposa que tienes.

—Antes o después me voy a liberar de esas cadenas. Toma, abuela, coge estos veinte yuan y compra algo de comer que le guste a Pequeño Tío.

—Guárdate tu dinero —le dijo ella—. Vete ya. A tu Pequeño Tío no le apetece comer nada.

—Tal vez a él no, pero tú necesitas comer algo. Tú me criaste hasta que me convertí en un hombre, abuela. Sufrimos la opresión del gobierno y éramos tan pobres que apenas conseguimos sobrevivir. Después de que se llevaran a Pequeño Tío, me colgaste a tu espalda y te pusiste a mendigar, llamando a la puerta de las casas de todo Gaomi del Noreste. Cuando pienso en las cosas que tuviste que hacer es como si una daga me atravesara el corazón, y no puedo evitar ponerme a llorar. Éramos los últimos de los últimos. Si no hubiera sido así, jamás habría aceptado casarme con esa bruja. ¿No sabes que es así, abuela? Pero esta época infernal está a punto de acabarse. He pedido un préstamo para mi Reserva Ornitológica Oriental, y el alcalde ha aprobado que me lo concedan. Si esto funciona, será gracias a mi prima, Lu Shengli. Ella es la gerente del Banco de la Industria y el Comercio de Dalan. Es joven y talentosa, y se hace lo que ella dice. Abuela, no te preocupes. Iré a hablar con ella. Si ella no nos ayuda con la enfermedad de Pequeño Tío, ¿quién lo va a hacer? Ella es otra miembro de esta familia a la que tú criaste hasta que se hizo mayor. Sí, iré a hablar con ella. Se ha hecho toda una reputación. Tiene un coche con chófer, y come como una reina: palomas con sus dos patas, tortugas con sus cuatro patas, cangrejos con sus ocho patas, camarones redondeados, cohombros de mar llenos de espinas, escorpiones venenosos y huevos de cocodrilos no venenosos. A esa prima mía ya no le interesa la carne de pato ni de pollo ni de cerdo ni de perro. Sé que a lo mejor suena un poco mal, pero el collar de oro que lleva es tan grueso como una correa de perro. Lleva anillos de platino y de diamantes en los dedos y una pulsera de jade en la muñeca. Las monturas de sus gafas son de oro y tienen lentes de cristal natural, y todos sus modelos están hechos por diseñadores italianos, y sus perfumes franceses tienen un aroma que puedes recordar durante el resto de tu vida...

—¡Papagayo, coge tu dinero y vete! —le interrumpió Madre—. Y no vayas a hablar con ella. La familia Shangguan no necesita tener parientes ricos de esa clase.

—Ahí te equivocas, abuela. Podría llevar a Pequeño Tío al hospital en carro, pero para conseguir cualquier cosa, hoy en día, hacen falta contactos. La diferencia en el trato que le dan a un paciente que lleve yo y a un paciente que lleve mi prima es como la que hay entre la noche y el día.

—Así es como ha sido siempre —dijo Madre—. Que tu tío muera o sobreviva está en manos del destino. Si la fortuna lo acompaña, vivirá. Si no, ni siquiera los milagrosos cuidados de los doctores Hua Tuo y Bian Que, en el caso de que volvieran a la Tierra, podrían salvarle. Ahora vete y no me hagas enfadar.

Papagayo tenía más cosas que decir, pero Madre golpeó la punta de su bastón contra el suelo, muy enfadada, y le dijo:

—Papagayo, por favor, haz lo que te digo. ¡Coge tu dinero y vete!

Papagayo se marchó. Jintong, que todavía estaba en una especie de duermevela, oyó a Madre sollozando fuera de la casa. El viento nocturno hacía susurrar la hierba seca de la pagoda. Un poco más tarde, la oyó trajinando en la cocina, de donde emanaba un olor a plantas medicinales que llegaba hasta su habitación. Le dio la sensación de que su cerebro se había encogido hasta transformarse en una mera lámina, y el aroma de las plantas medicinales se abría paso hasta esa lámina como a través de un tamiz. Ah, ese sabor dulce es del sujo, el sabor amargo es de la hierba que hace que el alma regrese, el sabor ácido es del trébol, el sabor salado es del diente de león, el sabor picante es del arrancamoños siberiano. Dulce, amargo, ácido, salado y picante, los cinco sabores; también hay algo de verdolaga, de pinelia, de lobelia china, de corteza de morera, piel de peonia y melocotón desecado. Aparentemente, Madre había conseguido casi todas las distintas plantas medicinales disponibles en Gaomi del Noreste y las estaba cociendo en una gran olla. La mezcla de aromas, que combinaban olor a vida y olor a tierra, fue penetrando en su cerebro como si fluyera por una poderosa cañería, limpiando la suciedad, arrastrándola y abriendo su mente. Jintong pensó en el exuberante y verde césped que había fuera, en los campos abiertos cubiertos de flores y en las grullas que surcaban los pantanos. Un grupo de dorados crisantemos silvestres atraía a las abejas, cargadas de polen. Oyó la pesada respiración de la tierra y el sonido de las semillas cayendo al suelo.

Madre entró en la habitación y lo bañó empleando algodón empapado en la mezcla de plantas medicinales. Se dio cuenta de que él estaba avergonzado.

—Hijo —le dijo—, aunque vivas hasta los cien años, para mí siempre serás un niño pequeño.

Lo limpió de la cabeza a los pies, incluyendo la suciedad que tenía entre los dedos de los pies. El viento del atardecer entraba en la habitación y el aroma del brebaje de hierbas se volvía cada vez más intenso. Jintong nunca se había sentido tan fresco ni tan limpio como en aquel momento. Entonces oyó a Madre sollozando y murmurando algo junto a la casa, al lado de un muro de botellas de licor vacías. Se puso a dormir y, por primera vez, no se despertó sobresaltado por una pesadilla. Durmió hasta el amanecer. Cuando abrió los ojos, por la mañana, la nariz se le llenó de olor a leche fresca. Era una leche distinta de la de Madre y de la de cabra, que él había probado, e intentó determinar cuál era su origen. Le vino a la cabeza la sensación que había tenido hacía muchos años, cuando, siendo el Príncipe de la Nieve, había tenido que bendecir a un montón de mujeres acariciándoles los pechos. Lo que más añoranza le produjo era el último pecho que había acariciado aquel día, el de la propietaria de la tienda de aceite de sésamo, Vieja Jin, la mujer con un solo pecho.

Madre se puso muy contenta cuando vio que se estaba recuperando.

—¿Qué te apetece comer, hijo? —le preguntó—. Te haré lo que quieras. He ido a la ciudad y le he pedido prestado algo de dinero a Vieja Jin. Un día de estos va a venir con un carrito y se va a llevar todas estas botellas, como pago.

—Vieja Jin... —El corazón de Jintong se puso a latir con fuerza—. ¿Qué tal está?

Con su único ojo bueno —aunque un tanto defectuoso— le echó una mirada a su hijo, sorprendida al ver lo nervioso que se había puesto, y soltó un suspiro, exasperada.

—Se ha convertido en la «reina de la basura» de toda la zona. Se ha comprado un coche y tiene cincuenta empleados que se dedican a fundir el plástico y la goma usados. Económicamente le va muy bien, pero su marido es un inútil. Jin tiene muy mala reputación, pero no me quedaba más remedio que ir a verla. Es tan generosa como siempre ha sido. Ya ha rebasado los cincuenta y, cosa bien rara, incluso ha tenido un hijo...

Como si le hubieran dado una bofetada en plena cara, Jintong se incorporó bruscamente, como alguien que hubiera visto el rostro piadoso, de color rojo brillante, de Dios. Se le ocurrió una idea que lo puso contento: Después de todo, mis sentimientos eran adecuados. Estaba seguro de que el pecho de un solo ojo de Vieja Jin apuntaba hacia su habitación y que los pechos lijados de Long Qingping se batían en retirada.

—Madre —le espetó, no sin algo de vergüenza—, ¿puedes salir un momento antes de que llegue?

Madre se quedó un momento en blanco, sin comprender nada, pero recuperó la compostura y le dijo:

—Hijo, has logrado ahuyentar al demonio de la muerte, así que haré cualquier cosa que me pidas. Me voy.

Jintong se tumbó boca arriba, muy excitado, y rápidamente quedó inmerso en aquel aroma que daba la vida, que provenía de su memoria, no del exterior, y le envolvía por completo. Cerró los ojos y vio el rostro redondeado y suave de ella. Tenía los ojos tan oscuros como siempre, húmedos y seductores, y cada uno de sus movimientos parecía destinado a robarles el alma a los hombres. Se movía con rapidez, como una cometa, y su pecho, que el tiempo no había arañado, se movía debajo de su camisa de algodón, como si estuviera intentando escapar. Muy lentamente, el aroma espiritual que brotaba de su corazón y el aroma material que brotaba del pecho de Vieja Jin se unieron, como una pareja de mariposas en celo. Se tocaron y se fundieron en uno rápidamente. Él abrió los ojos y ahí, de pie junto a su cama, estaba Vieja Jin, exactamente igual que él se la había imaginado.

—Pequeño hermano —le dijo ella muy emocionada, agachándose y cogiendo la crispada mano de él entre las suyas, con los oscuros ojos rebosantes de lágrimas—, mi querido pequeño hermano, ¿qué te pasa? La ternura femenina le derritió el corazón. Arqueando el cuello como un perrito recién nacido que todavía tiene que abrir los ojos, le mordisqueó el pecho con sus labios febriles. Sin dudar ni un instante, ella se levantó la camisa y acercó su pecho rebosante, redondo como un melón, hacia el rostro de él. Su boca buscó el pezón; el pezón buscó su boca. Cuando los labios de Jintong la envolvieron temblando y ella entró temblando en su boca, ambos estaban calientes, a punto de hervir, y gemían enloquecidos. Unos poderosos chorros de leche dulce y caliente impactaron contra las membranas de su boca y convergieron en la abertura de su garganta, por donde se dirigieron hacia abajo, hacia un estómago que últimamente había rechazado todo lo que había recibido. Al mismo tiempo, ella sintió que el morboso encaprichamiento por el que una vez había sido un precioso niño pequeño, y que había estado alimentando durante décadas, abandonaba su cuerpo junto a la leche...

Él mamó de su pecho hasta vaciárselo y después, como un bebé, se quedó dormido con el pezón en la boca. Ella le acarició el rostro tiernamente y, con mucha delicadeza, retiró el pezón. La boca de él tembló un instante y después ella vio cómo el color volvía a su cara cetrina. Madre estaba de pie, al lado de la puerta, contemplándolos con tristeza. Pero lo que Jin percibió en la cara ajada de la anciana no fue ni desaprobación ni celos; se parecía, más bien, a la auto-desaprobación y a la gratitud. Vieja Jin se volvió a meter el pecho debajo de la camisa y le dijo decididamente:

—Quería hacerlo, tía. Es algo que he querido hacer toda la vida. Él y yo tuvimos un vínculo en una vida anterior.

—Siendo así —le dijo Madre—, no te daré las gracias.

Vieja Jin sacó un fajo de billetes.

—Vieja tía, el otro día calculé mal. Esa pila de botellas que hay ahí atrás vale más de lo que te di.

—Cuñada —dijo Madre—, no creo que el Hermano Fang vaya a ponerse contento cuando se entere.

—Si tiene una botella cerca, está contento. Yo estoy horriblemente ocupada estos días, y sólo puedo venir una vez al día. Cuando yo no esté por aquí, dale algo ligero y acuoso.

Bajo los cuidados de Vieja Jin, Jintong recuperó la salud rápidamente. Como una serpiente durante la época de la muda, se despojó de una capa de piel muerta. Durante dos meses enteros, el único alimento que ingirió se lo dio Vieja Jin. En las frecuentes ocasiones en que le sonaban las tripas de hambre, bastaba con que pensara en la comida común y corriente para que los intestinos se le cerraran dolorosamente. El ceño de su madre, que se había relajado cuando él se había librado de la muerte, empezó a fruncirse de nuevo. Cada mañana, él se ponía frente al muro de botellas que había junto a la casa, mientras el viento soplaba en los cuellos de las botellas, como un niño que espera a su madre o una mujer que espera a su amante, con la mirada ansiosamente fija en la carretera que venía de la nueva y bulliciosa ciudad, atravesando el campo abierto, hacia donde estaba él, lleno de impaciencia.

Un día, Jintong estuvo esperando a Vieja Jin desde el amanecer hasta el crepúsculo, pero ella no apareció. Él se quedó de pie hasta que se le entumecieron las piernas y se le empezó a nublar la vista. Entonces se sentó, apoyado en el pequeño muro de botellas silbantes. Cuando el Sol se puso, esa música sonaba muy melancólica e hizo que su sensación de abandono se hiciera más profunda. Las lágrimas rodaron, inadvertidas, por sus mejillas.

Apoyándose en su bastón, Madre se quedó mirándolo burlonamente bajo un cielo cada vez más oscuro; en su expresión se combinaban la pena por las desgracias que le pasaban a su hijo y el enfado por su incapacidad para superarlas. Lo observó durante un rato, sin decir ni una palabra, y después se dio la vuelta y volvió a entrar en la casa, acompañada por el sonido que hacía el bastón contra el suelo.

A la mañana siguiente, Jintong cogió la hoz de la familia y una canasta y se fue andando hasta la zanja más cercana. De desayuno se había comido un par de batatas blandas, con los ojos muy abiertos, como si le estuvieran arrancando la piel a tiras. Ahora le dolía muchísimo el estómago y tenía un sabor ácido en la garganta. Mientras, guiándose por el olfato, se dirigió hacia el lugar del que provenía la delicada fragancia de la menta salvaje, y tuvo que hacer un esfuerzo para no vomitar. Se había acordado de que en la sección de adquisiciones de la cooperativa estaban dispuestos a comprar menta. Por supuesto, la única razón para recoger menta no era ganar algo de dinero extra. Mucho más importante era que pensaba que podría ayudarlo a combatir su adicción a la leche de Vieja Jin. Las plantas crecían desde la mitad de la ladera hasta el borde del agua, y su olor era revitalizante. Jintong se dio cuenta de que incluso veía mejor. Respiraba profundamente, con el deseo de llenarse los pulmones con el aroma de la menta. Después comenzó a cortar las plantas, empleando las técnicas que había ido perfeccionando a lo largo de los quince años que estuvo en el campo de reforma mediante el trabajo, y en poco tiempo había dejado un reguero de tallos cortados de menta, con su savia blanca y sus delgados filamentos.

Cuando bajaba por la ladera, descubrió un agujero del tamaño de un cuenco de arroz. Su terror inicial rápidamente se convirtió en excitación, puesto que se le ocurrió que debía ser la madriguera de un conejo. Regalarle a Madre un conejo silvestre serviría para alegrarle un poco la vida. Comenzó a meter en el agujero el mango de su hoz, y a agitarlo. Algo se movía ahí dentro, lo oyó, cosa que significaba que el agujero estaba habitado. Entonces se sentó, aferrando con fuerza su hoz, y se quedó esperando. El conejo asomó la cabeza por el agujero, poco a poco, hasta que mostró su aterciopelado morro. Jintong intentó darle con la hoz, pero el conejo escondió la cabeza justo a tiempo. La vez siguiente, en cambio, sintió cómo la hoz penetraba profundamente en la cabeza del conejo; tirando de ella hacia atrás, apareció el resto del animal, todavía agitándose, y cayó ante sus pies. La punta de la hoz se le había clavado al conejo en el ojo; de ahí salía un hilo de sangre que corría por la brillante hoja del arma. Los pequeños ojos del conejo, que parecían de marfil, apenas eran ahora unas minúsculas rendijas. De repente, Jintong sintió un escalofrío que le recorría todo el cuerpo. Entonces tiró la hoz al suelo, subió como pudo hasta lo alto de la ladera y se puso a mirar a su alrededor como un niño que tuviera serios problemas y necesitara ayuda.

Madre ya estaba ahí, justo a su lado.

—¿Qué estás haciendo, Jintong? —le preguntó con una voz quebrada por la edad.

—Madre —dijo él, desesperado—, he matado a un conejo... Ay, pobrecito... ¿Qué es lo que he hecho? ¿Por qué he tenido que matarlo?

—Jintong —le dijo Madre con una severidad en la voz que nunca había empleado con él—, tienes cuarenta y dos años ¡y te comportas como un mariquita! No te he querido decir nada estos últimos días, pero ya no puedo aguantarme más. Sabes que no voy a estar aquí contigo siempre. Cuando yo me haya ido, tendrás que cargar con las responsabilidades familiares y seguir adelante con tu vida. No puedes continuar así.

Mirándose las manos con asco, Jintong se limpió la sangre del conejo con un poco de tierra. La cara le ardía debido a las críticas de Madre; no estaba nada contento.

—Tendrás que salir al mundo y hacer algo. No tiene por qué ser nada grandioso.

—¿Y qué puedo hacer, Madre? —dijo él, desanimado.

—Esto es lo que puedes hacer. Sé un hombre y coge ese conejo y baja con él hasta el Río del Agua Negra. Desóllalo, quítale las entrañas, límpialo y después tráelo a casa y cocínalo para tu madre. No he probado la carne desde hace seis meses, por lo menos. A lo mejor te cuesta desollarlo y quitarle las entrañas al conejo, y te sientes cruel. Pero ¿no es igualmente cruel que un hombre adulto tenga que estar mamando del pecho de una mujer? Que nunca se te olvide que la leche de una mujer es su alma, y chuparla hasta secarla es diez veces más cruel que matar a un conejo. Si piensas esto, serás capaz de hacerlo y eso te proporcionará un sentimiento satisfactorio. Matar a un animal no debe traer remordimientos al cazador por acabar con una vida, sino darle placer. Y eso es porque sabe que los millones de animales y de pájaros que hay en el mundo fueron creados por Jehová para satisfacer las necesidades humanas. Los seres humanos son la cúspide de la vida; la gente representa el alma de la tierra.

Jintong asintió vigorosamente y sintió que algo duro se le instalaba poco a poco en el pecho. Le dio la sensación de que su corazón, que hasta entonces parecía haber estado flotando en agua, estaba empezando a hundirse.

—¿Sabes por qué Vieja Jin dejó de venir?

Jintong miró a Madre a la cara.

—Fuiste tú...

—¡Sí, fui yo! Fui a hablar con ella. No podía quedarme sin hacer nada mientras mi hijo se echaba a perder.

—Tú... ¿Cómo has podido hacer eso?

Ella continuó, sin hacerle caso:

—Le dije que si realmente ama a mi hijo, que se acueste con él, pero que yo no iba a permitir que siguieras mamando de su pecho.

—¡Su leche me salvó la vida! —gritó Jintong estridentemente—. ¡Si no hubiera sido por su leche, yo ahora estaría muerto, pudriéndome, sirviendo de alimento para los gusanos!

—Eso ya lo sé. ¿Te crees que me voy a olvidar alguna vez de que te ha salvado la vida? —dijo, dando un golpe en el suelo con su bastón—. Todos estos años he estado actuando como una idiota, pero al fin he comprendido que es mejor dejar que un niño muera que permitir que se convierta en una criatura inútil e incapaz de alejar la boca de un pezón de mujer.

—¿Y qué dijo ella? —preguntó él, lleno de ansiedad.

—Es una buena mujer. Me dijo que me fuera a casa y te dijera que siempre habrá una almohada para ti en la cama de Vieja Jin.

—Pero es una mujer casada... —Jintong se había puesto pálido.

Madre le lanzó un desafío con la voz temblorosa y a punto de enloquecer.

—Si no demuestras que tienes agallas, es que no eres hijo mío. Vete a verla. No necesito un hijo que se niega a crecer. Lo que quiero es a alguien como Sima Ku, o como Hombre-pájaro Han, un hijo que no tenga miedo de causarme problemas, si eso es lo que hay que hacer. ¡Quiero un hombre que orine de pie!

III

Armado de un recién descubierto coraje, cruzó el Río del Agua Negra, como Madre le había dicho que hiciera, y fue a ver a Vieja Jin. Con la ayuda de Madre, esto tenía que ser el comienzo de su nueva vida de hombre de verdad. Pero a medida que avanzaba por la carretera en dirección a la ciudad recientemente creada, su valor lo abandonó del mismo modo que va perdiendo aire una rueda con un pinchazo. Los altos edificios, con sus incrustaciones de mosaicos a los lados, resultaban impresionantes a la luz del sol. En varias obras, los brazos amarillos de las grúas levantaban inmensas piezas prefabricadas y las colocaban en su lugar. Los insistentes martillos neumáticos le castigaban los tímpanos y las soldadoras eléctricas, montadas en vigas metálicas, iluminaban el cielo con un brillo más fuerte que el del sol. Unas volutas de humo blanco dibujaban tirabuzones alrededor de una torre, y sus ojos comenzaron a vagar de un lado a otro. Madre le había dado instrucciones para llegar a la planta de reciclaje de Vieja Jin, que estaba cerca de la bahía donde había muerto Sima Ku hacía tantos años. Algunos de los edificios que había a los lados de la ancha calle asfaltada ya estaban terminados, y otros todavía estaban creciendo. No quedaba ni rastro del recinto de la familia Sima. La Gran Compañía Farmacéutica China había desaparecido. Varias excavadoras enormes estaban cavando unas profundas zanjas en el suelo. Donde en otro tiempo estuvo la iglesia, ahora un alto edificio de siete plantas, de color amarillo brillante, sobresalía por encima de todos los demás como un nuevo rico con un diente de oro. Unas letras rojas, cada una del tamaño de una oveja adulta, proclamaban del modo más reluciente posible el poder y el prestigio de la Oficina de Dalan del Banco Chino de la Industria y el Comercio.

La planta de reciclaje de Vieja Jin se extendía sobre una amplia zona, al otro lado de una valla hecha con planchas de yeso. La chatarra se separaba según la categoría a la que perteneciera: las botellas vacías formaban una enorme pared que deslumbraba a la vista, un prisma montañoso de cristales rotos; los viejos neumáticos se amontonaban en grandes pilas; el plástico viejo formaba un montículo más alto que los tejados de las casas; justo en medio de todo el metal desechado había un obús al que le faltaban las ruedas. Docenas de obreros, con toallas que les tapaban la mitad inferior de la cara, correteaban como hormigas por todas partes. Algunos se dedicaban a arrastrar ruedas de aquí para allá, mientras otros clasificaban los distintos materiales, y otros más cargaban o descargaban camiones. Un perro lobo negro estaba atado a la base de un muro con una cadena procedente de una vieja noria que todavía conservaba su envoltura de plástico rojo. Parecía mucho más feroz que los chuchos del campo de reforma mediante el trabajo. Tenía un pelaje que parecía haber sido encerado. Tirados en el suelo, enfrente del perro, había un pollo asado entero y una manita de cerdo medio comida. El guardián tenía el pelo largo y despeinado, los ojos llenos de legañas y la cara surcada por profundas arrugas; si se le observaba con atención, se parecía al jefe de la milicia de la Comuna de Dalan original. En el patio había un enorme horno para fundir el plástico. Una chimenea gorda y de poca altura, construida con láminas metálicas, vomitaba un humo negro que tenía un extraño olor. El polvo se desplazaba a ras de suelo. Un grupo de chatarreros se había congregado alrededor de una gigantesca balanza, discutiendo con el hombre encargado de ella. Jintong lo reconoció; era Luan Ping, que había trabajado de dependiente en la antigua cooperativa de Dalan. Un anciano de pelo canoso entró en la planta sobre un carro de tres ruedas; se trataba de Liu Daguan, que en tiempos había sido el director de la sucursal del Departamento de Correos y Telecomunicaciones. Era famoso por su manera de pavonearse, y ahora era el encargado del comedor de los obreros que trabajaban para Vieja Jin. Sintiendo que el coraje lo abandonaba poco a poco, Jintong se quedó de pie en el patio, con aspecto de desamparado. Pero entonces se abrió una ventana en el sencillo edificio de dos pisos que había enfrente de él, y allí estaba la capitalista Vieja Jin, con su único pecho, metida en un albornoz de color rosa, sujetándose el pelo con una mano y saludándolo con la otra.

—¡Hijo adoptivo! —la oyó gritar con absoluto descaro—. ¡Sube aquí!

A Jintong le dio la impresión de que toda la gente que había en el patio se dio la vuelta para observar cómo se dirigía hacia el edificio, con la cabeza gacha. Sentir sus miradas hacía que caminara con torpeza. ¿Qué hago con los brazos? ¿Debo cruzarlos? ¿O dejarlos colgando? ¿Me meto las manos en los bolsillos o las junto detrás de la espalda? Al final decidió dejar los brazos colgando a ambos lados de su cuerpo y seguir con los hombros encorvados, caminando como había caminado durante los quince años que había pasado en el campo, como un perro al que han azotado con un látigo y que se escabulle con el rabo entre las piernas y la cabeza gacha pero sin dejar de vigilar lo que pasa a su alrededor, desplazándose lo más rápidamente posible junto a un muro, como si fuera un ladrón. Cuando Jintong llegó al principio de las escaleras, Vieja Jin le gritó, desde el segundo piso:

—Liu Daguan, mi hijo adoptivo está aquí. Pon un par de platos más.

Fuera, en el patio, alguien —él no supo quién sería— cantó una asquerosa coplilla: *Si un niño quiere crecer y hacerse fuerte, necesita veinticuatro madres adoptivas, muy lascivas...*

Mientras iba subiendo por la escalera de madera, el intenso aroma del perfume bajaba hacia él flotando por el aire. Levantó la mirada tímidamente y vio a Vieja Jin, de pie, en lo alto de las escaleras, con las piernas abiertas y una mirada burlona dibujada en su rostro empolvado. Él se detuvo y se aferró al pasamanos de metal. Tenía las palmas de las manos completamente sudadas.

—Sube, hijo adoptivo —le dijo ella, a modo de bienvenida. Su mueca burlona había desaparecido.

Él se obligó a seguir subiendo hasta que una suave mano le cogió por la muñeca. En el oscuro pasillo, sintió como si el olor de su cuerpo le arrastrara hacia un cubil de seducción, una habitación brillantemente iluminada, con una buena moqueta y las paredes bien empapeladas. Unas bolas de colores hechas de papel colgaban del techo. En el centro de la habitación había un escritorio, y sobre él descansaba la funda de una pluma estilográfica.

—Eso es sólo por las apariencias. Yo apenas leo, y no escribo casi nada.

Jintong se quedó con la vista clavada al suelo. No tenía ninguna gana de mirarla a los ojos. De repente, ella se rió y dijo:

—No puedo creer que esto esté pasando. Ésta debe ser una primera vez sin precedentes.

Él levantó la vista y se encontró con su mirada seductora.

—Hijo adoptivo —le dijo—, no permitas que los ojos se te salgan de sus órbitas y se te caigan al suelo y te hagan daño en los pies. Mírame. Con la cabeza levantada, eres un lobo; con la cabeza agachada, eres un cordero. La cosa más infrecuente del mundo es que una madre le prepare un encuentro sexual a su propio hijo; tu madre me impresionaría aunque sólo lo hubiera pensado. ¿Sabes lo que me dijo? —Vieja Jin imitó la voz de Madre—: «Si vas a salvar a alguien, querida cuñada, tienes que ir hasta el final; si vas a despedirte de un invitado, acompáñalo hasta la puerta. Le has salvado con tu leche, pero no puedes alimentarlo durante todo lo que le queda de vida, ¿no es cierto?». Tenía razón, porque ya tengo más de cincuenta años. —Se dio unas palmaditas en el albornoz, sobre el pecho—. Este tesoro que tengo no se mantendrá erguido mucho tiempo más, lo use como lo use. Cuando tú lo acariciaste, hace treinta años, estaba, como se decía popularmente hace un tiempo, «rebosante de alegría y lleno de vida, combativo y siempre dispuesto a una buena lucha». Pero ahora habría que decir eso de «el fénix, después de su apogeo, no puede competir ni con un pollo». Tengo una deuda contigo, una deuda que contraje en una vida anterior. No quiero pensar por qué, y tampoco es importante que tú lo sepas. Lo único que es importante es que mi cuerpo ha hervido a fuego lento, durante treinta años, hasta estar completamente cocinado. Ahora eres tú el que tiene que decidir qué clase de banquete quieres darte.

Jintong se quedó mirando fijamente su único pecho, como si estuviera en trance, inspirando con avidez su perfume y el de la leche que contenía, sin prestar ninguna atención a los muslos que ella había dejado al descubierto para él. Fuera, en el patio, el encargado de la balanza gritó:

—Aquí hay un tipo que nos quiere vender esto, jefa —y levantó un grueso cable—. ¿Lo queremos?

Vieja Jin sacó la cabeza por la ventana.

—¿Por qué me molestas por algo así? —dijo, enfadada—. Adelante, cógelo. —Cerró la ventana de un golpe—. ¡Maldita sea! Compro cualquier cosa que me vendan. No deberías sorprendente tanto. Ocho de cada diez personas que tienen algo para vender son ladrones. Yo compro cualquier cosa que se use en la obra. Tengo barras para soldar, herramientas en sus envoltorios originales, varillas de acero. No rechazo nada. Lo compro toda al precio de chatarra y después me doy la vuelta y lo vendo como si fuera nuevo, y de ahí salen mis ganancias. Sé que todo esto desaparecerá en cualquier momento, y por eso empleo la mitad del dinero que gano en darles de comer a esos cabrones que hay ahí abajo y me gasto la otra mitad en lo que yo quiera. Te lo tengo que decir claramente: al menos la mitad de los hombres más listos y sofisticados de la zona han visitado mi cama. ¿Y sabes lo que significan para mí? —Jintong negó con la cabeza—. Durante toda mi vida —dijo ella, volviendo a darse unas palmaditas en el pecho—, esto ha sido lo que me ha proporcionado todo lo que yo quería. Todos esos estúpidos cuñados tuyos, desde Sima Ku hasta Sha Yueliang, alguna vez se quedaron dormidos con este pezón en la boca, pero ninguno de ellos ha significado nada para mí. ¡En toda mi vida el único que me ha hecho arder de pasión has sido tú, pequeño bastardo! Tu madre me contó que sólo has estado con una mujer una vez, y que se trataba de un cadáver, y que ella se imaginaba que eso era el origen de tus males. Entonces yo le dije que no se preocupara, que al menos para una cosa soy muy buena. «Dile a tu hijo que venga a verme —le dije—, y lo convertiré en un hombre de acero». Vieja Jin se abrió seductoramente el albornoz. Debajo no llevaba nada. Las partes blancas de su cuerpo eran blancas como la nieve, y las partes negras, negras como el carbón. Con el rostro bañado por el sudor, Jintong se sentó débilmente en la moqueta.

Ella soltó una risita.

—Tienes miedo, ¿verdad? No hay nada que temer, hijo adoptivo. Los pechos quizá sean el tesoro de una mujer, pero hay tesoros todavía mejores. Si vas con prisa, no puedes comer un tofu humeante. Ponte de pie y déjame que solucione tus problemas.

Le arrastró hasta su dormitorio como si fuera un perro muerto. Las paredes resplandecían, llenas de colores. La cama, cerca de la ventana, estaba apoyada sobre una alfombra bien gruesa. Ella lo desvistió como si él fuera un niño pequeño y travieso. Al otro lado de la ventana, que iluminaba la luz del sol, el patio estaba lleno de hombres yendo de un lado para otro. Acordándose de los movimientos de Hombre-pájaro Han, Jintong se cubrió la entrepierna con las manos y se puso de cuclillas. Entonces vio su propio reflejo en un espejo que había en el vestidor y que iba desde el suelo hasta el techo; era tan repugnante que estuvo a punto de vomitar. Vieja Jin empezó a desternillarse de risa; sonaba muy joven, muy lasciva, con esa risa que salía volando por encima del patio como una paloma.

—Dios mío, ¿dónde has aprendido eso? No soy un tigre, ¿sabes? ¡No pienso arrancártela de un mordisco! —Entonces le dio un suave empujoncito con el pie—. ¡Levántate, es la hora de bañarse!

Condujo a Jintong hasta el cuarto de baño, donde encendió la luz y le mostró una bañera rosa que había detrás de un panel de cristal esmerilado. Las paredes que la rodeaban estaban recubiertas de azulejos. También había una cómoda italiana de color café y un calentador de agua japonés.

—Todas estas cosas se las compré a chatarreros. En esta época, la mitad de los habitantes de Dalan se dedican a robar. Aquí no tengo agua corriente caliente, así que necesito calentar el agua para el baño. —Señaló a los cuatro calentadores de agua que había situados alrededor de la bañera—. Me paso la mitad del día en remojo, en la bañera. En la primera mitad de mi vida no me di ni un solo baño caliente, así que ahora me estoy poniendo al día. Pero tú lo has pasado peor que yo, hijo. No me imagino que en el campo de reforma mediante el trabajo os proporcionaran agua caliente para que os bañarais.

Mientras hablaba, fue encendiendo los cuatro calentadores, que comenzaron a verter agua caliente en la bañera. En muy poco tiempo la habitación estaba llena de vapor. Vieja Jin le empujó dentro de la bañera, pero él se estremeció y se salió de un salto. Ella lo volvió a empujar hasta dentro.

—Resiste un poco —dijo ella—. Se enfriará en un minuto.

Entonces él apretó los dientes mientras toda la sangre que tenía en el cuerpo pareció subírsele a la cabeza. Sintió un extraño picor por todas partes. No era realmente doloroso, y tampoco entumecedor; era algo a medio camino entre la ansiedad y la gloria. Se relajó y dejó que su cuerpo se deslizara débilmente debajo del agua mientras los cuatro chorros golpeaban su cuerpo con flechas de agua. A través del vapor vio cómo Vieja Jin se despojaba de su albornoz, entraba en la bañera como una gran cerda blanca y lo cubría con su cuerpo suave y reluciente. De repente el vapor olía a perfume. Cogiendo una pastilla de un aromático jabón de baño, ella le lavó la cabeza, la cara y el cuerpo, que quedó rápidamente cubierto de espuma. Él se rindió débilmente, y cuando el pezón de ella le rozó la piel, estuvo a punto de morir de éxtasis. La tierra y la mugre abandonaron su cuerpo mientras los dos se movían y se agitaban en la bañera. El pelo de Jintong y su corta barba quedaron limpios y bienolientes. Cualquier otro hombre se hubiera lanzado sobre ella, pero él se limitó a seguir ahí tumbado y a dejar que ella lo limpiara y pellizcara por todas partes.

Cuando salieron del baño, ella tiró por la ventana los harapos que él llevaba puestos desde el campo de reforma y le puso ropa interior limpia. Después lo ayudó a vestirse con un traje de Pierre Cardin que tenía guardado para la ocasión. Tras completar su atuendo con una corbata, con la que tuvo una momentánea lucha, le peinó el pelo, le puso un poco de gomina coreana, le recortó la barba y lo roció de colonia. Después lo condujo hasta el espejo del vestidor, donde un alto, guapo e imponente hombre chino vestido a la moda occidental le devolvió la mirada.

—¡Dios mío! —exclamó Vieja Jin—. ¡Pareces una estrella de cine!

Él se sonrojó y se dio la vuelta. Pero lo que había visto le había gustado. No era el Shangguan Jintong que había sobrevivido a base de huevos robados en la Granja del Río de los Dragones, y desde luego no era el Shangguan Jintong que había estado apacentando al ganado en el campo de reforma mediante el trabajo.

Vieja Jin lo condujo hasta un sofá que había al pie de la cama y le ofreció un cigarrillo, que él rechazó. Temerosamente, aceptó el té que ella le alcanzó. Ella se reclinó sobre el edredón doblado que había sobre el lecho, estiró las piernas con naturalidad y se tapó con el albornoz mientras fumaba ociosamente un cigarrillo que se había encendido, exhalando anillos de humo. Durante el baño se le habían ido los polvos del rostro, y se le veían algunas arrugas y unas pocas pecas oscuras, y cuando cerraba los ojos para que no le entrara el humo se le formaban patas de gallo.

—Nunca en mi vida he visto un hombre más inocente —dijo, mirándolo de reojo—. ¿Es que soy una bruja vieja y fea?

Incapaz de aguantar la mirada penetrante que le echaba ella con los ojos entrecerrados, Jintong bajó la cabeza y se apoyó las manos en las rodillas.

—No —le dijo—, no eres vieja y no eres fea. Eres la mujer más hermosa del mundo.

—Pensaba que tu madre me había mentido —dijo ella, y sonaba un tanto desmoralizada—. Pero ya veo que lo que me dijo era cierto, hasta el último detalle. —Apagó el cigarrillo en un cenicero y se incorporó—. El incidente con aquella mujer... ¿realmente pasó eso?

Él estiró el cuello; no estaba acostumbrado a llevar ni el cuello almidonado ni la corbata, y se sentía constreñido. Tenía la cara toda sudorosa. Se empezó a frotar las rodillas y se dio cuenta de que estaba a punto de ponerse a llorar.

—No te preocupes —le dijo ella—. Preguntaba por preguntar. Eres un pequeño idiota.

Al mediodía, una docena de hombres, más o menos, se les sumó para almorzar. Todos iban vestidos con trajes occidentales y zapatos de cuero. Cogiéndolo de la mano, ella les presentó a Jintong a sus invitados.

—Éste es mi hijo adoptivo. Parece una estrella de cine, ¿no creéis?

Los hombres le miraron con sus ojos inteligentes. Uno de ellos, un hombre que llevaba el pelo peinado hacia atrás y tenía un Rolex de oro en la muñeca con la correa intencionalmente suelta, dijo con un guiño lascivo:

—¡Vieja Jin, eres una vaca vieja dándose un banquete en unos pastos nuevos y tiernos!

Jintong se acordó de que Vieja Jin le había presentado a ese hombre de mediana edad diciéndole que era el presidente de alguna comisión.

—¡Que le den a tu madre! —dijo Vieja Jin—. Este hijo mío es el Niño de Oro sentado a los pies de la Reina Madre de Occidente, y es un caballero en todos los sentidos. No como vosotros, perros cachondos. A vosotros os atraen las mujeres como a los mosquitos les atrae la sangre. Os lanzáis a hincarles los dientes aunque os aplasten de un manotazo.

—Vieja Jin —saltó un hombre calvo—, tú eres la única a la que queremos hincarle el diente. —La parte inferior de los carrillos se le movía cuando hablaba, tanto que con mucha frecuencia tenía que ponerse las manos en las mejillas para evitar que la boca le temblara y se le deformara—. ¡Qué carne tan sabrosa!

—Vieja Jin, le estás copiando una página al libro de la Emperatriz Wu —dijo un fornido joven con el pelo ondulado y los ojos como un pececito de colores—. ¡Te has hecho con un niño bien guapo!

—Todos vosotros tenéis vuestras segundas y terceras esposas, pero yo no puedo... —Vieja Jin se detuvo—. Callaros esas bocazas sucias. Si no os andáis con cuidado, me encargaré de que todo el mundo se entere de todos vuestros secretos.

Un hombre con las cejas muy pobladas y las mejillas hundidas levantó su copa de vino y se acercó a Jintong.

—Hermano mayor Shangguan Jintong, por ti y por tu liberación del campo.

Ahora que su secreto había sido descubierto, Jintong tuvo ganas de meterse a cuatro patas debajo de la mesa.

—¡Le tendieron una trampa para incriminarle! —gritó Vieja Jin, muy indignada—. Jintong es un hombre honrado que nunca haría lo que le imputaron.

Los hombres empezaron a susurrar entre ellos. Después se levantaron y, uno tras otro, brindaron por Jintong. Como él nunca había bebido alcohol, no hizo falta mucho para que la cabeza le empezara a dar vueltas. Los rostros de los hombres adquirieron el aspecto de girasoles bamboleándose en el viento, y tuvo la desconcertante sensación de que tenía que aclarar algo con esta gente. Levantó su copa y dijo:

—Yo lo hice... con ella, pero su cuerpo todavía estaba caliente... sus ojos todavía estaban abiertos... y sonrió...

—¡Bueno, eso sí que es un hombre de verdad! —oyó decir a uno de los girasoles, cosa que le hizo sentirse mejor justo antes de caer boca abajo sobre la comida que había en la mesa.

Cuando despertó, se dio cuenta de que estaba completamente desnudo en la cama de Vieja Jin. Ella estaba ahí, a su lado, también desnuda, apoyada en el edredón, con un vaso de vino en la mano, viendo un vídeo. Era la primera vez en su vida que Jintong veía una televisión en color; en el campo había visto la tele un ratito en un aparato en blanco y negro, que ya era bastante sorprendente, pero las imágenes en color hacían que desconfiara de sus propios ojos. Sobre todo porque un hombre y una mujer desnudos estaban retozando ahí mismo, en la pantalla. Un sentimiento de culpa hizo que agachara la cabeza. Entonces oyó a Vieja Jin soltar una risita.

—Ya puedes dejar de disimular, hijo. Levanta la cabeza y mira bien. Te hace falta ver cómo lo hace la gente.

Jintong levantó la cabeza y echó un par de miradas furtivas. Un escalofrío le recorrió la médula.

Vieja Jin se inclinó y apagó el vídeo. Unos puntitos blancos aparecieron en la pantalla hasta que ella apagó la televisión. Cuando encendió la lámpara de la mesita de luz, las paredes se iluminaron en un tono amarillo suave. Las cortinas de color azul pálido caían desde la ventana hasta la cama como en una cascada. Vieja Jin sonrió y se puso a provocarlo con los pies.

Jintong tenía la garganta seca como un pozo abandonado; la mitad superior de su cuerpo estaba caliente como si estuviera en ascuas, y la mitad inferior era como un charco de agua estancada. Tenía la vista clavada en el redondeado pecho de ella, que le colgaba hasta el ombligo y se combaba ligeramente hacia la izquierda. Sus labios se entreabrieron y él se acercó a ella para metérselo en la boca, pero Vieja Jin lo apartó, haciendo que se moviera provocativamente. Irritado por su rechazo, él la cogió por los suaves hombros para intentar que se diera la vuelta. Ella se giró hacia él; su pecho apareció ante la vista como un cisne silvestre asustado, pero inmediatamente se movió y quedó oculto. No pasó mucho tiempo antes de que se vieran metidos en un combate, en el que uno luchaba por encontrar el pecho y la otra por apartarlo de él. Así estuvieron hasta quedar agotados. Finalmente, Vieja Jin, demasiado exhausta como para seguir impidiéndoselo, aceptó que él apoyara la cabeza en su seno y, sin pensar en otra cosa, se metiera el pezón en la boca con tanta fuerza que fue un milagro que no se tragara el pecho entero. Una vez se hubo rendido y hubo entregado el pezón, toda su voluntad de lucha desapareció. Gimiendo de placer, se puso a acariciarle el pelo con los dedos mientras él se dedicaba a mamarle el pecho hasta vaciárselo.

Después de hacerlo, Jintong se durmió como un bebé. Vieja Jin, ardiendo de pasión, probó todos los trucos que sabía para despertar al hombre-niño, pero él siguió roncando.

A la mañana siguiente, ella se despertó soltando un lánguido bostezo y miró a Jintong. La niñera le trajo a su hijo para que le diera de comer y entonces Jintong vio al bebé, que todavía no había cumplido ni un mes, mirándole con ojos rebosantes de odio.

—Ahora no —le dijo Vieja Jin a la niñera, frotándose el pecho—. Vete a comprarle una botella de leche en la lechería.

Cuando la niñera se hubo ido discretamente, Vieja Jin lo insultó:

—Jintong, bastardo, has chupado tan fuerte que me has hecho sangre.

Él sonrió como pidiendo disculpas y se quedó mirando la mano que tapaba su tesoro. El demonio del deseo volvió a aparecer, y él empezó a acercarse, pero esta vez ella se puso de pie y se llevó el pecho a la habitación de al lado.

Aquella noche, Vieja Jin se puso un grueso abrigo almohadillado sobre un sujetador de lona hecho especialmente para ella. Se ciñó la cintura con un ancho cinturón con tachuelas metálicas de los que usan los maestros de artes marciales. Se había abrochado los botones del abrigo hasta las caderas. Algunos trozos de algodón asomaban por la abertura. De cintura para abajo iba desnuda a excepción, curiosamente, de un par de zapatos rojos de tacón. En cuanto Jintong vio cómo iba vestida, sintió que se encendía un fuego en su interior. Se excitó de una manera inmediata e impresionante: tenía una erección tan grande que le golpeaba contra la panza. Ella se disponía a inclinarse como un animal en celo, pero Jintong, demasiado rebosante de deseo como para esperar, la tiró sobre la alfombra y, como un tigre que se abalanza sobre su presa, la tomó allí mismo y en aquel instante.

Dos días más tarde, Vieja Jin presentó a sus empleados al nuevo director general, Shangguan Jintong. Iba vestido con un traje italiano, hecho a mano, con una corbata de seda Lacrosse y un abrigo de sarga de color camello. Remataba su conjunto una boina francesa, que llevaba un poco ladeada. Estaba ahí de pie, con los brazos en jarras, como un gallo que acaba de bajarse de la espalda de una gallina: agotado pero altanero, dándole la cara al variopinto grupo de trabajadores de la empresa de Vieja Jin. Hizo un breve discurso, para el que se inspiró, tanto en lo que al lenguaje como en lo que a los gestos respecta, en la forma en que los guardianes del campo de reforma mediante el trabajo se dirigían a los reclusos, y vio, en los ojos de los empleados, una mezcla de envidia y odio.

Con Vieja Jin como guía, Jintong visitó todos y cada uno de los rincones de Dalan, donde le presentaron a gente que tenía relaciones comerciales —directas o indirectas— con la planta de reciclaje y con los diversos puntos de venta. Comenzó a fumar cigarrillos importados y a beber licores importados, aprendió todos los secretos del *mah-jongg* y se hizo un maestro en las artes de organizar recepciones, dar sobornos y evadir impuestos; en una ocasión, incluso cogió la delicada mano de una joven camarera en el restaurante de la Posada de los Dragones Reunidos; ella se aturulló y se le cayó el vaso que tenía en la mano, que se hizo añicos. Él sacó un fajo de billetes y se los metió en el bolsillo de su uniforme blanco.

—Aquí hay una cosita para ti —le dijo.

Ella le dio las gracias con voz insinuante y coqueta.

Noche tras noche, como un granjero que nunca se cansara, cultivaba las fértiles tierras de Vieja Jin. A ella su inexperiencia y su torpeza le proporcionaban un placer especial y una clase de excitación nueva; sus gritos despertaban frecuentemente a los exhaustos trabajadores que dormían en sus chozas.

Una noche, un hombre que sólo tenía un ojo entró en el dormitorio de Vieja Jin con la cabeza erguida. Al verlo, Jintong se estremeció y empujó a Vieja Jin hacia el costado de la cama antes de apresurarse a taparse con la manta. Había reconocido al hombre a la primera; se trataba de Fang Jin, quien en una época había estado a cargo de la brigada de producción de la Comuna Popular y era el marido legal de Vieja Jin.

Vieja Jin se sentó sobre la cama con las piernas cruzadas.

—¿No te acabo de dar mil yuan? —le preguntó, con un tono de voz que mostraba cierta irritación.

Fang Jin se sentó en el sofá de cuero italiano que había enfrente de la cama, donde tuvo un acceso de tos; entonces escupió un pegote de flema sobre la hermosa alfombra persa que había a sus pies. La mirada de odio que le echó con su ojo bueno era suficientemente ardiente como para encender un cigarrillo.

—Esta vez no he venido en busca de dinero —dijo él.

—¿Y entonces qué es lo que quieres? —le preguntó ella, airada.

—¡Vuestras vidas!

Fang sacó un cuchillo de debajo de su chaqueta y, con una agilidad sorprendente para su edad, se puso en pie de un salto sobre el sillón y se lanzó a la cama.

Con un chillido de terror, Jintong rodó hasta el extremo más alejado de la cama y se envolvió en la manta. Estaba tan petrificado que no podía ni moverse. Entonces vio, aterrorizado, el frío brillo del cuchillo que Fang Jin apretaba contra su pecho.

Como un pez que da coletazos en el suelo, Vieja Jin se situó entre Fang Jin y Jintong, de modo que la punta del cuchillo ahora apuntaba a su pecho.

—¡Si no eres el hijo ilegítimo de una primera esposa, me apuñalarás a mí primero! —dijo fríamente.

Apretando los dientes, Fang Jin le dijo:

—Puta, puta asquerosa...

A pesar de la violencia de sus palabras, la mano que sujetaba el cuchillo comenzó a temblar.

—No soy ninguna puta —dijo Vieja Jin—. El sexo es la forma en que una puta se gana la vida, pero yo en realidad pago por ello. ¡Soy una mujer rica que ha abierto un burdel para disfrutarlo ella misma!

El rostro desolado de Fang Jin se agitó como el océano cuando hay olas. Algunos mocos líquidos le colgaban de los finos bigotillos de rata que tenía, y le caían hasta la barbilla.

—¡Te voy a matar! —dijo con voz estridente y trató de clavarle el cuchillo a Vieja Jin en el pecho, pero ella esquivó el golpe rodando hacia un lado y el arma se clavó en la cama.

De una patada, logró echar a Fang Jin de la cama. Hizo restallar, como si fuera un látigo, su cinturón de artes marciales, se deshizo de su cortísima bata, se quitó el sujetador de lona y lanzó los zapatos por el aire, y después se dio unas lascivas palmadas en el vientre; el sonido a hueco asustó tanto a Jintong que casi se sale de su propia piel.

—A ver, viejo ataúd —le gritó—. ¿Puedes hacerlo? Sube aquí si puedes hacerlo. ¡Y si no, vete de una puta vez!

Para cuando logró levantarse, medio encorvado, Fang Jin estaba sollozando como un bebé. Con los ojos clavados en la pálida piel de

Vieja Jin, que no dejaba de moverse, se empezó a dar puñetazos en el pecho y a lamentarse, desesperado:

—Puta, eres una puta, un día de estos os voy a matar a los dos...

Después, salió corriendo.

La paz volvió a la habitación. El estruendo de una sierra eléctrica llegó desde el taller de carpintería, mezclándose con el silbido de un tren que entraba en la estación. En aquel momento, Jintong escuchó el lóbrego sonido del viento que silbaba a través de las botellas de licor vacías de su hogar. Vieja Jin se despatarró delante de él, y él se fijó en su único pecho, extendido en toda su fealdad sobre su cuerpo; el oscuro pezón parecía un cohombro de mar seco.

Ella lo miró con frialdad.

—¿Puedes hacerlo así? —le dijo—. No, no puedes, ya lo sé. Shangguan Jintong, eres una mierda de perro que no se queda pegada a la pared, eres un gato muerto que no puede subirse al árbol. ¡Quiero que te vayas de aquí cagando leches, como ha hecho Fang Jin!

IV

Excepto por el hecho de que su cabeza era más bien pequeña, la mujer de Papagayo Han, Geng Lianlian, era realmente una mujer despampanante, especialmente su tipo. Tenía las piernas largas, las caderas hermosas y redondeadas, la cintura estrecha y delicada, los hombros finos, los pechos bien formados y un cuello largo y recto. Del cuello para abajo, no había ningún motivo de queja, puesto que lo había heredado todo de su madre, la culebra de agua. Cuando pensaba en su madre, Jintong se acordaba de aquella noche tormentosa que había pasado en el molino, hacía muchos años, en la época de la guerra civil. Su cabeza, pequeña y plana como la hoja de una pala, se bamboleaba bajo la lluvia y entre la niebla de las primeras horas de la mañana, y realmente parecía ser tres partes mujer y siete partes culebra.

Después de que Vieja Jin lo despidiera, Jintong estuvo vagabundeando por las calles y las callejuelas de la cada vez más próspera ciudad de Dalan. No se atrevía a ir a casa a ver a su madre. Le había enviado el dinero que cobró como indemnización; a pesar de que para enviarle el giro había tenido que estar tanto tiempo haciendo cola en la oficina de correos como habría tardado en llevárselo hasta la pagoda, a pesar de que ella tendría que ir a la misma oficina de correos a recoger el dinero y a pesar de que el empleado de allí se quedaría muy sorprendido por su forma de actuar, eso era lo que había hecho.

Cuando sus pasos lo llevaron hasta el distrito de la Colina de Arena, descubrió que la oficina del Departamento de Cultura había erigido dos monumentos en la colina. Uno conmemoraba a los setenta y siete mártires que los Cuerpos de Restitución de la Tierra a sus Dueños habían enterrado vivos. El otro conmemoraba la valiente lucha contra los imperialistas alemanes llevada a cabo por Shangguan Dou y Sima Daya, que habían dado su vida por la causa hacía casi un siglo. El texto, escrito en una prosa clásica prácticamente incomprensible, hizo que a Jintong la cabeza se le pusiera a dar vueltas y que sus ojos casi se le salieran de las órbitas. Un grupo de chicos y chicas —estudiantes universitarios, a juzgar por su aspecto— se había reunido alrededor de los monumentos. Todos hablaron de ellos animadamente antes de juntarse para sacarse una foto de grupo. La chica de la cámara llevaba unos pantalones muy ajustados de color gris azulado cuyos extremos, acampanados, estaban todos cubiertos de arena blanca. A la altura de las rodillas estaban desgarrados de forma asimétrica. Encima llevaba un jersey amarillo de cuello vuelto increíblemente abultado que le colgaba desde los hombros como la papada de una vaca. En el pecho se había prendido una insignia del Presidente Mao y, sobre el jersey, todavía llevaba de manera informal un chaleco con bolsillos de todos los tamaños. Estaba agachada por la cintura, levantando la espalda al aire como un caballo que está haciendo sus cosas.

—¡Bueno! —dijo—. No os mováis. ¡He dicho que no os mováis!

Después empezó a buscar a alguien que les sacara la foto. Su mirada se posó en Jintong, que todavía llevaba el conjunto que le había regalado Vieja Jin. La chica dijo algo en un idioma extranjero que él no comprendió, aunque se dio cuenta de que ella le había tomado por un turista.

—¡Oye, chica, si me hablas en chino podré entender lo que dices!

Ella tragó saliva, probablemente sorprendida por su fuerte acento local. ¡Que alguien de una tierra lejana venga a China y realmente aprenda el dialecto de Gaomi del Noreste es algo impresionante!, supuso él que ella estaría pensando, e incluso él soltó un suspiro. Qué maravilloso sería que un extranjero de verdad pudiera hablar como alguien de Gaomi del Noreste. Pero, por supuesto, alguien así ya había existido: el sexto yerno de la familia Shangguan, Babbitt. Por no mencionar al Pastor Malory, que hablaba chino mejor que Babbitt.

—Señor —dijo la chica sonriendo—, ¿le importaría sacarnos una foto?

Contagiado por su vitalidad, Jintong se olvidó por un momento de su situación, se encogió de hombros y puso una cara que había visto que los extranjeros ponían en las películas. Resultó muy convincente. Cogió la cámara que ella le dio y la observó explicarle qué botón tenía que apretar; después dijo «*okay*» e hizo algunos comentarios en ruso. Eso produjo el efecto deseado: la chica lo miró con evidente interés antes de darse la vuelta y salir corriendo hacia los monumentos, donde se apoyó en los hombros de sus amigos. Él miró por el objetivo, como un verdugo, y la enfocó solamente a ella, dejando a todos sus amigos fuera de cuadro. *Clic*. Jintong apretó el botón. «*Okay*», dijo de nuevo. Unos instantes más tarde estaba solo delante de los monumentos, contemplando cómo se marchaban todos los jovenzuelos. Un aura de juventud quedó en el ambiente, y él le inspiró ávidamente. Tenía un sabor de boca amargo, como si se hubiera comido un caqui demasiado pasado. Tenía también la lengua de trapo y una desagradable sensación en el estómago.

Apoyó la mano en el monumento y se sumió irremediablemente en fantasiosos pensamientos, y si la mujer de su sobrino, Geng Lianlian, no hubiera acudido a su rescate, se podría haber quedado mustio ahí mismo, sobre el monumento de mármol, como un pájaro muerto. Ella llegaba desde la ciudad conduciendo una moto verde con sidecar. Jintong no tenía ni la menor idea de por qué se detuvo junto al monumento, pero se quedó contemplando admirativamente su encantadora figura.

—¿Eres tú Shangguan Jintong, mi tío?

Él, a modo de respuesta, se sonrojó.

—Soy Geng Lianlian, la mujer de Papagayo Han —dijo ella—. Ya sé que él sólo dice cosas terribles de mí, como si fuera una especie de tigresa.

Jintong asintió ambiguamente.

—Me he enterado de que Vieja Jin te ha puesto de patitas en la calle —dijo ella—. Pero bueno, no es ningún problema; he venido a contratarte para nuestra Reserva Ornitológica Oriental. Estoy convencida de que tus tareas, tu salario y tus beneficios te van a parecer satisfactorios, así que no hace falta ni que preguntes.

—Pero yo soy un inútil, no sé hacer nada.

Ella sonrió.

—Te vamos a proponer algo que sí que sabes hacer —dijo, cogiéndole de la mano antes de que pudiera responderle con algún otro comentario auto-despectivo—. Ven conmigo —añadió—. He dedicado la mayor parte del día a correr por toda la ciudad buscándote.

Le indicó a Jintong que se sentara en el sidecar junto a un guacamayo gigante atado con una cadena, que le miró con cara de pocos amigos y soltó un chillido. Lianlian extendió una mano y le dio unas palmaditas al ave antes de soltarle la cadena.

—Viejo Amarillo —le dijo—, vete volando a casa y notifícale al director que el tío ya está en camino.

El ave, dando un torpe saltito, se subió al borde del sidecar, y desde ahí bajó al arenoso suelo. Como un niño que está aprendiendo a andar, se tambaleó hacia adelante mientras dio unos cuantos pasos y después abrió las rígidas alas y se elevó por el aire. Después de subir unos cien o ciento veinte metros, se dio la vuelta y se lanzó en picado hacia la motocicleta.

—Viejo Amarillo —dijo Lianlian, levantando la vista hacia el ave, que volaba en círculos alrededor de ellos—, vete ya. Deja de hacerte el gracioso. Cuando llegue a casa te daré unos cuantos pistachos.

Emitiendo un chillido de satisfacción, el pájaro pasó rozando las copas de los árboles y se dirigió hacia el Sur.

Lianlian se apoyó en el motor de arranque y se subió a la motocicleta, giró el manillar y salió a toda velocidad calle abajo; el viento los despeinó a los dos. Avanzaron por una carretera recientemente pavimentada, y pronto llegaron a una zona pantanosa, donde la Reserva Ornitológica Oriental ocupaba una zona vallada de al menos cien hectáreas. La extravagante puerta de entrada al recinto, que se parecía a un arco conmemorativo, estaba protegida por dos vigilantes que llevaban unos cinturones de Sam Browne cruzándoles el pecho y unas pistolas de juguete apoyadas en la cadera. Cuando pasó Lianlian, la saludaron.

Inmediatamente después de la puerta había una montaña artificial de piedras de Taihu enfrente de un estanque con una fuente rodeada de grullas que parecían de verdad pero no lo eran. El guacamayo que había venido volando, precediéndolos, descansaba junto al estanque. Cuando vio a Lianlian se puso a seguirla, dando saltitos con torpeza.

Papagayo Han, maquillado como un payaso de circo y con unos guantes blancos en las manos, salió corriendo de una pequeña construcción de la que, sobre la puerta, colgaban unas cortinas bordadas con cuentas.

—Bueno, tío, por fin hemos logrado que vinieras. Siempre he dicho que en cuanto las cosas empezaran a funcionar bien por aquí, comenzaría a saldar mis deudas. —Mientras hablaba, agitaba un reluciente bastón de plata—. El cielo y la tierra son inmensos, pero no tanto como la bondad de la abuela. Por eso, la primera deuda que debo saldar es con ella. Mandarle un saco lleno de carne no la haría muy feliz, y tampoco regalarle un bastón de oro. Pero que le consigamos trabajo a su hijo, por el contrario, la hace infinitamente feliz.

—Bueno, ya es suficiente —dijo Lianlian, hablando como un superior le habla a un subordinado—. ¿Ya has entrenado al mainá? Juraste que serías capaz de hacerlo.

—¡No te preocupes por eso, querida esposa! —Papagayo representaba el papel de un payaso, haciendo profundas reverencias—. Será capaz de cantar diez canciones distintas, tienes mi palabra.

—Tío —dijo Lianlian, volviéndose hacia Jintong—, podemos hablar sobre tu nuevo trabajo dentro de un rato. Primero te voy a enseñar todo esto.

Como director de relaciones públicas de la Reserva Ornitológica Oriental, Jintong recibió instrucciones de Lianlian para que se fuera diez días a un balneario, donde se ocupó de él una masajista tailandesa. Después fue a un salón de belleza a que le hicieran diez limpiezas de cutis. Salió totalmente rejuvenecido, un hombre nuevo. Lianlian no reparaba en gastos para vestirlo a la última moda, rociarle abundantemente con colonia Chanel y asignarle una joven para que atendiera sus necesidades diarias. Todas estas extravagancias incomodaban a Jintong. En lugar de darle una ocupación concreta, Lianlian se dedicaba a llenarle la cabeza con diversos conocimientos sobre pájaros y a mostrarle proyectos de ampliación de la reserva. Para cuando terminaron, él estaba convencido de que el futuro de la Reserva Ornitológica Oriental era, de hecho, el futuro de la ciudad de Dalan.

Una noche, aunque todo estaba en calma, Jintong no pudo conciliar el sueño y estuvo dándose la vuelta una y otra vez en su mullido colchón Simmons. Cuando recapituló y meditó sobre lo que había sido su vida hasta aquel momento, se dio cuenta de que el estilo de vida del que disfrutaba en la reserva ornitológica era prácticamente un milagro. ¿Qué tiene pensado esta mujer de cabeza pequeña para mí? Acariciándose el pecho y los antebrazos, que ahora estaban más carnosos y bonitos, finalmente se quedó dormido, y casi de inmediato soñó que le habían crecido plumas de pavo real por todo el cuerpo. Abanicándose con las plumas de la cola, semejantes a una espléndida y hermosa pared, vio miles de puntitos danzando de un lado para otro. De repente Geng Lianlian y unas cuantas mujeres con pinta de malvadas aparecieron y se pusieron a arrancarle las plumas de la cola para regalárselas a sus amigos ricos y poderosos. Él se quejó en el lenguaje de los pavos reales. Tío, le dijo Lianlian, si no me dejas que te arranque las plumas, ¿para qué me sirves? Entonces agarró un puñado de sus coloridas plumas y tiró. Jintong se estremeció y se despertó. Tenía el rostro cubierto de un sudor frío y notó inmediatamente un dolor en el trasero. Aquella noche no pudo volver a dormirse. Mientras escuchaba a los pájaros que combatían en los pantanos, estuvo reflexionando sobre el sueño que había tenido, tratando de analizar lo que significaba exactamente; era algo que había aprendido en el campo de reforma mediante el trabajo.

A la mañana siguiente Lianlian lo invitó a desayunar en su oficina. También compartía este honor su marido, el maestro adiestrador de pájaros, Papagayo Han. En cuanto Jintong atravesó la puerta, un mainá negro posado en una percha de oro le dio la bienvenida diciéndole «buenos días». El ave erizó su plumaje al *hablar*, y él se preguntó si sus oídos no lo habrían engañado. Dio una vuelta alrededor del pájaro intentando encontrar de dónde salía ese sonido.

—Shangguan Jintong —dijo el mainá—. Shangguan Jintong.

El saludo del ave le sorprendió y le puso eufórico. Le miró, asintió y le dijo:

—Buenos días. ¿Cómo te llamas?

El pájaro volvió a erizar su plumaje y dijo:

—¡Bastardo! ¡Bastardo!

—¿Has oído eso, Papagayo? —dijo Lianlian—. ¿Eso es lo que le has estado enseñando a tu pequeña mascota?

Papagayo le dio una bofetada al mainá.

—¡Bastardo! —lo insultó.

—¡Bastardo! —le hizo eco el mainá, un tanto mareado.

Evidentemente avergonzado, Papagayo se volvió hacia Lianlian.

—Maldición —le dijo—, ¿has visto alguna vez algo parecido a este pájaro? Es como un niño pequeño. Puedes intentar enseñarle a hablar decentemente hasta el agotamiento, pero no sirve para nada. Después dices una palabrota y se la aprende a la primera.

Lianlian le ofreció a Jintong un poco de leche fresca y un huevo de avestruz pasado por agua. Ella comía como un pajarito, casi sin hambre, pero Jintong tenía tanta hambre como un cerdo. Lianlian se preparó una taza de café Nestlé, que tenía un aroma maravilloso.

—Tío —le dijo—. Los ejércitos se entrenan durante mil días para combatir uno. Ha llegado la hora de que demuestres tus habilidades.

Jintong tragó saliva, sorprendido; después sufrió un ataque de hipo.

—*Em* —dijo, tartamudeando—, ¿y qué... qué puedo hacer?

Obviamente molesta por su hipo, ella le clavó sus crueles ojos grises en la boca. Debido a ese matiz de crueldad, sus ojos, que habitualmente eran tiernos, de pronto se volvían increíblemente intimidatorios, y a Jintong le recordaban los de su madre y los de esas serpientes de los pantanos que son capaces de tragarse un ganso entero. Esa idea hizo que se le pasara el hipo.

—¡Hay un montón de cosas que puedes hacer!

De sus ojos grises salieron unos rayos de ternura, haciendo que recuperaran su mágica belleza.

—Tío —le dijo—, ¿sabes qué es lo único que necesitamos para llevar a cabo nuestros planes? Por supuesto que lo sabes. Es dinero. El balneario nos costó dinero. Esa masajista tailandesa de enormes pechos nos costó dinero. ¿Sabes cuánto costó ese huevo de avestruz que te acabas de comer? —Le mostró los cinco dedos—. ¿Cincuenta? ¿Quinientos? ¡No, cinco mil! Cada cosa que hacemos cuesta dinero, y para que la Reserva Ornitológica Oriental prospere necesitamos un montón. ¡No ochenta, ni cien mil, ni doscientos o trescientos mil, sino millones, decenas de millones! Y para conseguirlos necesitamos el apoyo del gobierno. Necesitamos préstamos bancarios, y los bancos son propiedad del gobierno. Los directores de los bancos hacen lo que se le antoja a la alcaldesa, y ¿a quién escucha la alcaldesa?

Lianlian sonrió, miró a Jintong y contestó la pregunta que ella misma había planteado:

—¡A ti! ¡A ti te escucha!

Volvió el hipo.

—Tranquilízate, tío. Escucha con atención. La nueva alcaldesa de Dalan no es cualquiera; es precisamente tu mentora, Ji Qiongzhi. Y la primera persona por la que preguntó cuando fue nombrada fuiste tú. Piénsalo un momento, tío. Después de tantos años, sigue acordándose de ti. No es posible que haya una emoción más profunda que ésa.

—O sea que debo ir a verla y decirle: mentora Ji, soy Shangguan Jintong y me gustaría que le concediera un préstamo de varios millones de yuan a mi sobrina para su reserva ornitológica. ¿Es eso? —dijo Jintong.

Lianlian se empezó a reír en voz alta. Dándole un delicado golpecito en el hombro, le dijo:

—Tío bobo, mi tío bobo, la verdad es que te mereces tu reputación de hombre inocente. Yo te explicaré cómo tienes que hacerlo.

Durante las dos semanas siguientes, Lianlian adiestró a Jintong del mismo modo en que Papagayo adiestraba a sus pájaros; día y noche, estuvo enseñándole lo que a una mujer importante le gusta que le digan. El día antes del cumpleaños de Ji Qiongzhi, Lianlian dirigió el ensayo general en su dormitorio. Vestida con un camisón blanco casi transparente, representó el papel de la Alcaldesa Ji con un cigarrillo en una mano y una copa de buen vino en la otra y unas pantuflas bordadas en los pies. Sobre la almohada había un filtro de amor. Jintong, que llevaba un traje hecho a mano y unas gotas de colonia francesa, empujó con suavidad la puerta con adornos de cuero; tenía unas cuantas plumas de pavo real apoyadas en un brazo y un loro adiestrado en el otro.

En cuanto entró en la habitación, el prestigio y la actitud de Ji Qiongzhi le dejaron petrificado. A diferencia de Lianlian, no iba vestida con un atrevido camisón; lo que llevaba era un viejo uniforme militar abotonado hasta el cuello. Y no se estaba fumando un cigarrillo ni tenía una copa de vino en la mano. No hace falta decir que tampoco había un filtro de amor sobre la almohada. De hecho, no le recibió en su dormitorio. Se estaba fumando una pipa de los tiempos de Stalin que echaba un olor apestoso a tabaco ordinario, y bebía té en una desmesurada taza de porcelana medio desconchada en la que se podían leer las palabras *Granja del Río de los Dragones*. Estaba sentada en una destartalada silla de ratán y tenía los pies, cubiertos con unos malolientes calcetines de nailon, apoyados sobre el escritorio que había delante de ella. Cuando él entró, se encontraba enfrascada en la lectura de un documento mimeografiado. Al verlo, lo arrojó a un lado.

—¡Bastardo! ¡Chinche asquerosa!

A Jintong casi se le doblan las piernas, y estuvo a punto de dejarse caer de rodillas frente a ella. Ella bajó los pies del escritorio y los metió en sus zapatos, apoyándose en los tacones. Entonces le dijo:

—Ven aquí, Shangguan Jintong. No tengas miedo, no lo decía en serio.

Si hubiera seguido las instrucciones de Lianlian, en aquel momento Jintong debería haberle hecho una profunda reverencia y después, con lágrimas en los ojos, tendría que haberla mirado fijamente a los pechos pero sólo durante unos diez segundos. Más que eso habría dado la impresión de que tenía intenciones inoportunas; menos que eso era una falta de respeto. Después, tendría que haberle dicho: «Ji Qiongzhi, mi querida profesora, ¿todavía te acuerdas de este alumno inútil que tuviste?».

Pero ella le había llamado por su nombre antes de que él pudiera abrir la boca y le había mirado analíticamente de la cabeza a los pies, con la misma vivacidad en los ojos que siempre había tenido. Él se sintió incómodo y deseó poder dejar caer lo que llevaba y salir corriendo todo lo rápido que le permitieran sus pies. Ella olisqueó el aire.

—¿Con cuánta colonia te ha rociado Geng Lianlian? —dijo con tono burlón.

Se levantó y abrió una ventana para que entrara el fresco aire de la noche. A lo lejos, las soldadoras eléctricas hacían saltar chispas en las vigas de acero, muy por encima del suelo, como si fueran fuegos artificiales en una noche de vacaciones.

—Toma asiento —le dijo—. No tengo nada que ofrecerte, sólo un vaso de agua. —Cogió del carrito del té una taza a la que le faltaba el asa y se fijó con detenimiento en la mugre que tenía en el fondo—: Mejor no. Está inmunda y me da pereza ir a lavarla. Me estoy haciendo mayor. El tiempo es implacable. Después de pasarme el día corriendo de un lado para otro, se me han hinchado las piernas como un pan con levadura.

«Cuando saque el tema de la edad que tiene y se queje de que se está haciendo mayor, tío, no debes darle la razón. Incluso aunque su rostro parezca una calabaza seca, lo que tienes que decirle es…». Entonces, él repitió una por una las palabras que Geng Lianlian le había hecho memorizar:

—Profesora, salvo por el hecho de que estás un poco más rellenita, tienes exactamente el mismo aspecto que tenías cuando nos enseñabas canciones, hace tantos años. ¡Pareces una mujer de veintisiete o veintiocho años, desde luego de no más de treinta!

Con una mueca burlona, Ji dijo:

—Geng Lianlian te ordenó que me dijeras eso, ¿verdad?

—Sí —dijo él, y se sonrojó.

—Jintong, no puedes cantar una canción sólo memorizando la letra. Te prometo que estás perdiendo el tiempo chupándome el culo de esa manera. ¡Menos de treinta años, sí! ¡Y una mierda! No hace falta que nadie me diga que me estoy haciendo mayor. El pelo se me ha vuelto gris, cada vez veo peor, mis dientes amenazan con caerse y la piel me cuelga hacia abajo. Hay más cosas, pero preferiría no tener que hablar de ellas. La gente me elogia cuando estoy delante, pero cuando me doy la vuelta me maldice, en silencio o en voz alta. «¡Vieja aprovechada!». «¡Vieja bruja!». Como lo has reconocido, no te lo tendré en cuenta. También podría haberte echado a la calle. Pero bueno, toma asiento. No te quedes ahí de pie.

Jintong le ofreció el puñado de plumas de pavo real.

—Profesora Ji, Geng Lianlian me pidió que te diera estas plumas y te dijera: «Profesora, estas cincuenta y cinco plumas son un regalo de cumpleaños que reflejan tu belleza».

—¡Más mentiras de mierda! —dijo Ji—. Un pavo real es bonito, pero no es tan bonito como un pollo posado en una percha. Llévate esas flores y devuélveselas. ¿Y eso que es, un loro de los que hablan? —Señaló a la jaula que él llevaba—. Descúbrela y déjame echar un vistazo.

Jintong quitó la cubierta de seda roja y dio unos golpecitos en la jaula. El loro somnoliento que había en su interior desplegó las alas y dijo: «¿Cómo está usted, cómo está usted, Profesora Ji?». Ji Qiongzhi le dio un puñetazo a la jaula, asustando tanto al pájaro que se puso a saltar de un lado para otro. Sus hermosas plumas hacían mucho ruido cuando se golpeaban contra las paredes de la caja. Soltando un suspiro, Ji dijo:

—¿Que cómo estoy? Hecha una mierda, así es como estoy. —Volvió a llenar su pipa y la chupó como un anciano desdentado—. Hombre-pájaro Han plantó una semilla de dragón —dijo—. ¡Pero lo que ha salido tras tanto esfuerzo no ha sido más que una pulga! ¿Para qué te dijo Geng Lianlian que vinieras a verme?

Jintong tartamudeó:

—Me dijo que te invitara a visitar la Reserva Ornitológica Oriental.

—Ése no es el verdadero motivo —dijo Ji, cogiendo su taza de té y dándole un trago. Después, golpeándola contra la mesa, dijo—: Lo que realmente quiere es un préstamo bancario.

V

Un magnífico día de primavera, Ji Qiongzhi elevó el estatus
de Jintong: iba a encabezar una
delegación formada por las personalidades más influyentes de Dalan
y por los directores del Banco de la Construcción, el Banco de la
Industria y del Comercio, el Banco Popular y el Banco de la Agricultura, a los que invitó especialmente, para hacer una visita a la Reserva
Ornitológica Oriental. Lu Shengli, una mujer de porte majestuoso,
aquel día se vistió de una forma muy sencilla, pero cualquier persona
que tuviera una mínima idea podía darse cuenta de que precisamente
esa sencillez era una declaración de elegancia, y que toda su ropa
sencilla estaba hecha por diseñadores extranjeros.

Unas cuarenta lujosas limusinas, o más, se detuvieron junto a la
puerta de la Reserva Ornitológica Oriental, de la que colgaban dos
faroles de color rojo de tres metros de diámetro que contenían más
de cien alondras de cuello plateado. Papagayo Han había adiestrado a
los pájaros para que comenzaran a cantar en cuanto oyeran el sonido
de los motores de los automóviles. Los faroles vibraban al son de las
canciones de las alondras, música natural de insuperada e inolvidable
belleza. El arco que techaba la puerta alojaba más de setenta nidos de
vencejos dorados, también adiestrados con mano mágica por Papagayo

Han. En una placa de madera que había junto a la puerta estaban escritos el nombre de los vencejos en inglés y una detallada descripción de las aves en chino y en inglés. Llamaba especialmente la atención el hecho de que los nidos casi transparentes tenían un alto valor nutricional. Cada uno de ellos costaba 3.000 yuan. Para la ocasión, Geng Lianlian había instalado en secreto varios cientos de altavoces en los árboles de los alrededores que llenaban la zona con los sonidos grabados de reclamos. Justo al otro lado de la puerta había una serie de carteles donde decía: *Los pájaros llaman, las flores cantan*. En cada cartel había una palabra a tamaño gigante. Al principio, los observadores supusieron que la palabra «cantan» era un error, pero pronto se dieron cuenta de que estaba perfectamente elegida, puesto que las flores de la Reserva Ornitológica Oriental de hecho parecían estar cantando mientras se bamboleaban al compás de los reclamos de los pájaros, que eran casi ensordecedores. Una bandada de pollos silvestres muy bien entrenados realizó un baile de bienvenida en el medio del patio, juntándose por parejas y dando vueltas por el aire alternativamente, en perfecta sincronía con la música. ¡No pueden ser pollos silvestres! Tenía que tratarse de una bandada de jóvenes caballeros (con vistas a la continuidad estética, Papagayo Han solamente había adiestrado a pájaros varones), una bandada de jóvenes dandis que han formado un coro multicolor que encandilaba a los observadores. Geng Lianlian y Jintong condujeron a los visitantes al salón de actos de la reserva, donde Papagayo Han, vestido con un traje ceremonial que tenía unas flores rojas bordadas, los estaba esperando con la batuta en la mano. Su aspecto era impresionante. Una vez que los visitantes estuvieron dentro, una joven asistente apretó un interruptor. El salón se llenó de luz y veinte papagayos atigrados que estaban posados en una percha horizontal, justo enfrente de la entrada, cantaron al unísono: «¡Bienvenidos, bienvenidos, bienvenidos de todo corazón; bienvenidos, bienvenidos, bienvenidos de todo corazón!». Los visitantes les respondieron con un aplauso clamoroso. Antes de que su eco se hubiera apagado, una bandada de pequeños lúganos salió volando. Cada uno de ellos llevaba un trozo de papel rosa doblado en el pico, que dejaron caer sobre las manos de los visitantes. Al desdoblarlos, leyeron lo siguiente: *¡Os saludamos, honorables personalidades!* Los receptores chasquearon la lengua, maravillados. Después aparecieron dos mainás vestidos con unas chaquetas rojas y unos pequeños sombreros verdes. Balanceándose, se acercaron hasta un micrófono que había en el medio del escenario, y uno de ellos anunció altaneramente: «Señoras y caballeros, ¿qué tal están?». El segundo mainá lo tradujo a un perfecto inglés. «Gracias por honrarnos con su presencia. Agradeceremos sus valiosos consejos» (otra vez traducido al inglés). El director del Departamento Municipal para el Comercio, que sabía mucho inglés, comentó: «Puro inglés de Oxford». «Ahora, para que disfruten, les ofreceremos una versión del *Himno de la liberación de las mujeres*, interpretado por Mainá de Montaña». Un mainá de montaña, vestido con un traje de color violeta, se acercó caminando hasta el micrófono y le hizo una reverencia al público, tan profunda que todos pudieron verle dos manchas amarillas que tenía en la parte de atrás de la cabeza. Después dijo: «Hoy voy a interpretar una canción histórica que le dedico respetuosamente a la Alcaldesa Ji. Espero que a todos les guste. Gracias». Otra profunda reverencia expuso ante la vista del público las dos manchas, mientras diez canarios subieron al escenario dando pequeños saltitos para cantar los primeros compases con sus encantadoras voces. El mainá de montaña comenzó a moverse y su voz se elevó por el aire, cantando:

En la sociedad antigua, las cosas eran así:
Un pozo, un pozo oscuro y seco, muy profundo, en el suelo.
La gente corriente aplastada y las mujeres en lo más bajo,
en lo más bajo de todo.
En la sociedad nueva, las cosas son así:
Un sol, un sol brillante y cálido, muy alto, sobre las cabezas
de los campesinos.
Las mujeres tienen la libertad de ponerse en pie en lo más alto,
en lo más alto de todo.

La canción concluyó en medio de un aplauso atronador. Lianlian y Jintong le echaron una mirada furtiva a Ji Qiongzhi para ver cuál era su reacción. Estaba sentada tranquilamente, sin aplaudir ni gritar ni exteriorizar ningún sentimiento de aprobación. Lianlian empezó a retorcerse.

—¿Qué es lo que le pasa? —le preguntó en voz baja a Jintong, dándole un ligero codazo. Él sacudió la cabeza.

Lianlian se aclaró la garganta para que todo el mundo le prestara atención.

—Ahora quiero invitar a nuestros honorables visitantes al comedor. Debido a que la Reserva Ornitológica Oriental es una empresa nueva y tiene unos fondos limitados, sólo les podemos ofrecer una cena modesta. Nuestro chef ha preparado un «banquete de cien pájaros» en su honor.

La aviaria pareja de maestros de ceremonias se acercaron a toda prisa al micrófono para anunciar al unísono:

—Banquete de cien pájaros, banquete de cien pájaros, abundantes delicias. Desde avestruces hasta colibríes. Desde patos reales hasta pollos de plumaje azul. Grullas de cresta roja y tórtolas de cola larga. Avutardas e ibis, picogordos y patos mandarines, pelícanos y periquitos. Aves roc amarillas, tordos y pájaros carpinteros. Cisnes, cormoranes, flamencos...

Ji Qiongzhi salió con una expresión muy seria en la cara antes de que los mainás terminaran la lista de todas las aves que había en el menú. Sus subordinados la siguieron a regañadientes. En cuanto hubo entrado en su coche, Lianlian dio una patada al suelo, enfadada, y gruñó:

—¡Qué bruja! ¡Una maldita aprovechada!

Al día siguiente, Geng Lianlian recibió una transcripción de las partes más relevantes de una reunión que se había celebrado en el Ayuntamiento. «¿Una reserva ornitológica? —había dicho Ji Qiongzhi—. ¿Quieren dinero del gobierno? ¡No recibirán ni un céntimo mientras yo sea la alcaldesa de esta ciudad!».

Lianlian soltó una risita cuando llegó la noticia.

—Vieja de mierda. Pero nosotros vamos a seguir sin bajarnos del burro, cantando nuestra canción, y ya veremos lo que sucede.

Después le dio instrucciones a Jintong para que enviara los regalos, que ya habían preparado, a los hogares de la gente que había ido a ver el espectáculo, excepto a Ji Qiongzhi. Entre los regalos se incluían medio kilo de nido de golondrina y un ramillete de plumas de pavo real. Los visitantes más importantes, es decir, los directores de bancos, recibirían medio kilo adicional de nido de golondrina.

Jintong dudó.

—Yo... no puedo hacer esa clase de cosas.

En menos de un segundo, los ojos grises de Lianlian se convirtieron en ojos de serpiente.

—No puedes hacerlo —dijo gélidamente—. Entonces me temo que tendré que pedirte que busques trabajo en otra parte, tío. Quién sabe, tal vez esa maravillosa profesora tuya te encuentre un puesto oficial en algún sitio.

—Podemos poner al tío de portero, o algo así —propuso Papagayo Han.

—¡Cállate! —le dijo entre dientes Lianlian—. Será tu tío, pero no es el mío. Esto no es una residencia de la tercera edad.

—Te recomiendo que no mates y te comas al burro cuando ha terminado de trabajar en la noria —masculló Papagayo.

Lianlian tiró la taza de café que tenía en la mano hacia la cabeza de Papagayo. De sus ojos surgieron unos rayos amarillos, su boca se abrió salvajemente y dijo:

—¡Salid de aquí, salid de aquí echando leches! ¡Los dos! ¡Si me hacéis enfadar, os voy a usar de alimento para las águilas!

Aterrorizado, Jintong se apoyó las dos manos sobre el pecho.

—Es todo culpa mía, sobrina. Debería morirme mil veces. No soy humano, soy la escoria de la sociedad. No la tomes con mi sobrino. Me iré de aquí. Me habéis alimentado, me habéis proporcionado ropa, y os devolveré todo lo que os debo, aunque tenga que dedicarme a recoger basura o botellas vacías.

—¡Qué buena idea! —se burló Lianlian—. Eres un maldito imbécil. Cualquiera que se haya pasado la vida colgando de la boca, aferrado a los pezones de las mujeres, es inferior a un perro. Si yo fuera tú, ya me habría colgado de un árbol hace mucho tiempo. El Pastor Malory plantó una semilla de dragón, pero lo único que cosechó fue una pulga. No, tú no eres una pulga. Una pulga puede, al menos, saltar por el aire, muy alto. En el mejor de los casos, eres una chinche apestosa, y tal vez ni siquiera llegues a eso. ¡Eres como un piojo que llevara tres años pasando hambre!

Tapándose las orejas, Jintong huyó de la Reserva Ornitológica Oriental, pero por muy rápido que corriera, las afiladas pullas de Lianlian le seguían hiriendo. Presa de la confusión, se dirigió a un campo de cañas que estaban todas amarillentas y marchitas debido a que no habían sido cortadas desde el año anterior. Las cañas nuevas ya habían crecido unos quince centímetros. Penetró hasta lo más profundo del campo y, momentáneamente, quedó incomunicado con el mundo exterior. El viento hacía susurrar las plantas secas; el olor amargo de las plantas nuevas se elevaba desde el suelo embarrado. El corazón estaba a punto de partírsele y, cayendo al suelo, comenzó a llorar lastimeramente, aporreándose su gran y torpe cabeza con las manos llenas de fango. Como si fuera una ancianita, se puso a gritar entre sollozos: «¿Por qué me dejaste nacer, Madre? ¿Cómo has podido criar un trozo de basura tan inútil como yo? Tendrías que haberme tirado al retrete justo después de nacer. ¡Madre, he vivido la vida como alguien que no es ni humano ni demonio! Los adultos se han metido conmigo, los niños se han metido conmigo, los hombres se han metido conmigo, las mujeres se han metido conmigo, los vivos se han metido conmigo, los muertos se han metido conmigo... Madre, ya no puedo más, ha llegado la hora de que abandone este mundo. ¡Señor del Cielo, abre los ojos, mátame lanzándome un rayo! Madre Tierra, ábrete y trágame. ¡Madre, ya no lo soporto más! Me ha insultado y me ha vilipendiado a la cara...».

Cuando se agotó de llorar y de gritar, se acostó en el suelo embarrado, pero estaba tan incómodo que tuvo que levantarse de inmediato. Se sonó la nariz, que se le había puesto roja de tanto llorar, y se secó las lágrimas de la cara. Había sido un buen llanto, y ahora se sentía mucho mejor. Entonces se fijó en un nido de alcaudón que había entre las cañas, y después en una serpiente deslizándose por el suelo. Se quedó petrificado durante unos instantes, pero después se alegró de no haberle dado a la serpiente la oportunidad de treparle por la pernera del pantalón. El nido del alcaudón hizo que se acordara otra vez de la Reserva Ornitológica Oriental. La serpiente hizo que pensara en Geng Lianlian, y entonces el corazón se le fue llenando lentamente de rabia. Le dio una fuerte patada al nido, pero como estaba atado a las cañas con tallos de cola de caballo, el nido se quedó donde estaba y además él estuvo a punto de perder el equilibrio. Entonces desató el nido, lo tiró al suelo y lo pisoteó hasta aplastarlo con los dos pies. «¡Maldita Reserva Ornitológica de porquería! ¡Hijo de perra! ¡Esto es lo que te mereces! ¡Te voy a aplastar y a borrar de la faz de la tierra! ¡Hijo de perra!». Dar tantos pisotones y patadas hizo que aumentaran su valor y su furia, así que se agachó y arrancó una caña, con tan mala suerte que se cortó la palma de la mano con su afilada hoja. Ignorando el dolor, levantó la caña por encima de su cabeza y se fue en busca de la serpiente. Se la encontró deslizándose entre los capullos morados de las cañas más jóvenes. Avanzaba a toda prisa por el suelo. «¡Geng Lianlian! —gritó, levantando de nuevo la caña sobre su cabeza—, ¡eres una serpiente venenosa! ¡Te equivocaste metiéndote conmigo, y ahora tu vida me pertenece!». Golpeó con la caña con todas sus fuerzas. No sabía si le había dado a la serpiente en la cabeza o en el cuerpo, pero estaba seguro de que le había dado porque se curvó inmediatamente, levantó la cabeza, que atravesaban unas cuantas rayas negras, y se puso a silbar, mirándole fijamente con sus maliciosos ojos grises. Jintong se estremeció y se le puso el vello de punta. Estaba a punto de golpearla otra vez con la caña cuando la serpiente comenzó a deslizarse hacia él. Llamando a su madre a gritos, tiró la caña al suelo y se alejó de allí lo más rápido que pudo, sin preocuparse por los cortes en la cara que se hacía con las afiladas hojas al correr. No se detuvo a recuperar el aliento hasta que estuvo seguro de que la serpiente no le había seguido. Ya no le quedaba nada de fuerza en los músculos, la cabeza le daba vueltas y se sintió, de repente, muy débil. Además, su estómago rugía de lo vacío que estaba. En la distancia, la puerta con forma de arco de la Reserva Ornitológica Oriental destellaba bajo la brillante luz del sol. El graznido de las grullas se elevaba hasta las nubes. En la época que acababa de dejar atrás era la hora del almuerzo. El dulce aroma de la leche fresca, el olor del pan y la fragancia de las codornices y los faisanes se le aparecieron súbitamente, todos a la vez, y comenzó a arrepentirse de haber sido tan impulsivo. ¿Por qué me fui? ¿Qué me hubiera costado entregar unos pocos regalos? Se dio una bofetada. No le dolió, así que volvió a hacerlo. Esta vez le picó un poco. Se armó de valor y se pegó un tortazo. Le dolió tanto que dio un salto en el aire. Tenía un dolor punzante en la mejilla. «¡Shangguan Jintong, eres un bastardo por haber permitido que tu obsesión por guardar las apariencias te cause tanto sufrimiento!», se insultó en voz alta. Sus pies le llevaron hacia la Reserva Ornitológica Oriental. Sigue. Un hombre de verdad sabe cómo ir con la cabeza bien alta cuando tiene que hacerlo, y cómo agacharse cuando es necesario agacharse. Pídele perdón a Geng Lianlian, admite que te equivocaste y suplícale que te deje volver. ¿Para qué sirven las apariencias cuando uno ha caído tan bajo? ¿Las apariencias? Eso es un lujo para la gente adinerada, no para la gente como tú. Que te haya llamado una chinche apestosa no te convierte en una. O, ya puestos, en un piojo. Se reprendió a sí mismo, se enrabietó consigo mismo, se compadeció y se perdonó a sí mismo, sintió su propio dolor, se explicó a sí mismo lo que estaba pasando, se descubrió a sí mismo dando vueltas alrededor del problema, se dio una lección a sí mismo y, antes de que pudiera darse cuenta, se encontró ante la puerta de la Reserva Ornitológica Oriental.

Estuvo un rato caminando de un lado para otro, sin decidirse a hacer nada. A veces reunía coraje y se disponía a entrar, pero se arrepentía justo cuando estaba a punto de hacerlo. Cuando un hombre de verdad dice que se larga, ni cuatro caballos pueden retenerlo. Si aquí no hay lugar para mí, lo habrá en otra parte. Un buen caballo no come la hierba que ha pisoteado. No pienso agachar la cabeza aunque me muera de hambre. Voy a mantenerme erguido en el viento aunque me muera de frío. Lucharé por hacer un buen papel, pero no por un poco de pan. Tal vez nos falte comida, pero nos sobra voluntad. Todo el mundo tiene que morir alguna vez, y tenemos que dejar un nombre para la historia. Se estuvo diciendo todas estas frases hechas, tratando de reforzar su decisión, pero en cuanto se alejaba unos cuantos pasos, daba media vuelta y regresaba frente a la puerta. Jintong se enfrentaba a un dilema. Esperaba, contra toda esperanza, encontrarse casualmente con Papagayo Han o con Lianlian ahí mismo, en la puerta. Pero luego escuchó que Papagayo Han gritaba algo y salió corriendo y se ocultó detrás de un árbol. Ahí se quedó, escondido, muy cerca de la puerta, hasta que se puso el Sol. Entonces le echó un vistazo a la casa y vio que la ventana de Lianlian estaba suavemente iluminada, y la melancolía se adueñó de su estado de ánimo. Continuó mirando pero no se le ocurrió nada, y al final se dio la vuelta y se forzó a ponerse en marcha en dirección a la ciudad.

Fue el olor a comida lo que lo llevó, instintivamente, hasta el mercado nocturno de tentempiés de la ciudad. Originalmente, ahí se había ubicado el centro de entrenamiento en artes marciales, pero ahora era el lugar donde se vendían sabrosos refrigerios. Cuando llegó, las tiendas todavía estaban abiertas. Sus brillantes luces de neón se encendían y se apagaban. Los tenderos holgazaneaban en la entrada de las tiendas, escupiendo cáscaras de pipas de sandía mientras esperaban en vano a algún cliente. La escena que se desarrollaba en la calle adoquinada era bastante más acogedora. El asfalto refulgía, mojado, y ambos lados de la calle estaban iluminados con lámparas eléctricas que daban una cálida luz roja. Los propietarios de los puestos callejeros iban vestidos con uniformes blancos y altos sombreros. En la entrada había un cartel que decía:

EL SILENCIO ES ORO
AQUÍ TU BOCA ES PARA COMER, NO PARA HABLAR
TU COLABORACIÓN SERÁ RECOMPENSADA

A Jintong jamás se le había ocurrido que las reglas del mercado de la nieve se abrirían paso hasta este pequeño mercado de tentempiés. Una neblina rosácea se elevaba por encima de la calle gracias a las lámparas rojas, enmarcando a los propietarios de las tiendas mientras estos hacían señas a la gente que pasaba con los ojos y con las manos, y proporcionándole un aura furtiva y misteriosa a la zona. Las pandillas de chicos y chicas, vestidos con ropas de colores brillantes y alegres, con los brazos entrelazados o pasándose la mano por encima del hombro, abrazados, echaban miradas al pasar pero observaban escrupulosamente la prohibición de hablar. Formaban parte de un majestuoso espectáculo y compartían el extraño y divertido estado de ánimo de lo que no era ni un juego ni una broma. Parecían pequeñas bandadas de pájaros que se tambaleaban hacia un lado y hacia el otro y picoteaban aquí y allá. Los compradores y los vendedores se veían igualmente atrapados en la seriedad del momento. Cuando Jintong puso un pie en esta calle silenciosa, tuvo la inmediata sensación de regresar a sus raíces y, por un momento, se olvidó de su hambre y de la humillación que había sufrido aquella mañana. Le dio la sensación de que el silencio había derribado todas las barreras que separan a la gente.

Un poco después de medianoche, un frío y húmedo viento del Sudeste lo cubrió como la piel de una serpiente. Había estado caminando de un lado para otro y finalmente había regresado al mercado nocturno, que ya había cerrado, para refugiarse allí. Las lámparas rojas ya estaban apagadas, con lo cual solamente unas pocas y tenues farolas iluminaban la calle, ahora llena de plumas y pieles de serpiente. Los trabajadores de la limpieza estaban barriendo los desperdicios. Algunos jóvenes gamberros estaban involucrados en una pelea a puñetazos en la que nadie decía ni una palabra. Cuando le vieron, dejaron de golpearse y se quedaron observándole. Intercambiaron unas miradas, uno de ellos dio una señal con los ojos y cayeron como un enjambre sobre Jintong. Antes de que se diera cuenta de lo que estaba pasando, se encontró en el suelo, despojado de su traje, sus zapatos y todas las demás cosas que llevaba salvo la ropa interior. Después, dando un fuerte silbido, sus torturadores desaparecieron como un cardumen de peces en medio del océano.

Jintong se lanzó en persecución de los gamberros ladrones, subiendo por una oscura calle, bajando por otra, medio desnudo y descalzo. Guardar silencio ya no le preocupaba en absoluto, y alternaba insultos con lamentos. Las plantas de sus pies, que habían quedado blandas y suaves tras su paso por el balneario, sufrían al contacto con los trozos de ladrillos y de baldosas que había por el suelo. Simultáneamente, el helador aire de la noche le cortaba la piel, que le había quedado más tierna que nunca gracias a la masajista tailandesa. En aquel momento, se dio cuenta de que la gente que ha pasado años en el Infierno no sufre especialmente sus suplicios, pero no les ocurre lo mismo a aquellos que han vivido en circunstancias más celestiales. Ahora le parecía que lo habían enviado al nivel más bajo del Infierno, y se sentía más desgraciado de lo que nunca se había sentido. Se acordó del agua hirviendo de las saunas del balneario, y eso hizo que le pareciera que el frío amargo le penetraba en los huesos hasta el tuétano. Cuando pensó en los días de pasión que había pasado junto a Vieja Jin, se recordó a sí mismo que entonces también había estado desnudo, pero entonces estar desnudo era placentero. ¿Y ahora? Recorriendo las calles, a altas horas de la noche, se sentía como un zombi.

Los perros habían sido prohibidos, en la ciudad, por orden municipal. Una docena, más o menos, de perros abandonados, había convertido unos montones de basura en su hogar. Había algunos pastores alemanes de aspecto fascista, mastines que se comportaban como leones, *shar-peis* a los que se les estaba cayendo la piel, y algunas otras razas. A veces comían tanto, quedaban tan llenos de alimentos, que envenenaban el aire con sus pedos. En otras ocasiones, por el contrario, pasaban tanta hambre que apenas eran capaces de arrastrarse. Los perreros del Departamento Municipal de Protección del Medio Ambiente eran sus enemigos mortales. Hacía no mucho tiempo, Jintong se había enterado de que el hijo de Zhang Huachang, el director de ese departamento, había sido escogido entre los cientos de niños de una guardería por una jauría de perros salvajes, que se lo habían llevado y lo habían devorado. El hijo de Zhang estaba montando en un tiovivo cuando un perro lobo negro cayó como un águila, planeando desde un puente colgante, y aterrizó precisamente en el asiento que ocupaba el pobre niño. Le cogió el cuello entre sus fauces mientras una variopinta jauría de chuchos salió de su escondrijo para escoltar al perro lobo y protegerlo. Pasaron, sin darse ninguna prisa, junto a los profesores de la guardería, que se habían quedado petrificados, y se llevaron al hijo del director del departamento. La famosa figura radiofónica, el Unicornio, dedicó unos cuantos programas a este atemorizador incidente que se emitieron por la emisora local y en los que se llegó a la sorprendente conclusión de que la jauría de perros se trataba, en realidad, de los miembros de una banda de delincuentes disfrazados. Cuando Jintong vestía ropas limpias y comía como un rey, esta noticia no le había causado ninguna impresión. Pero ahora no podía pensar en otra cosa. La ciudad, entonces, había acuñado el lema: «Ama a tu ciudad y mantenla bien limpia», y la recogida de basuras se había convertido en una de las prioridades, por lo que los perros habían quedado reducidos a piel y huesos. Los perreros iban armados con rifles automáticos importados y con rayos láser en la mirilla, cosa que obligaba a los perros a pasar el día escondidos en las alcantarillas, sin atreverse a salir. Sólo subían al suelo por la noche, para buscar comida. Ya habían matado al *shar-pei* que pertenecía a los dueños de una tienda de muebles, y se lo habían comido. Jintong, con sus carnes tentadoramente desnudas, corría el peligro de convertirse en el siguiente plato.

El mastín se acercó a él caminando sobre unas patas que eran tan grandes como los puños de una persona. Sus colmillos brillaban entre sus labios levantados hacia arriba. De lo más profundo de su garganta surgieron diversos gruñidos. Dos perros lobos que podrían ser gemelos estaban justo detrás de él, uno a cada lado, como si fueran su escolta. En sus largas y delgadas caras había una expresión siniestra. Varios otros chuchos venían detrás.

Estaban a punto de atacarlo. El pelaje del lomo se les había erizado. Lentamente, Jintong comenzó a retroceder tras agacharse y coger un par de piedras negras. Su primer impulso había sido darse la vuelta y salir corriendo, pero entonces se había acordado de un consejo que le había dado Hombre-pájaro Han en una ocasión: «Cuando estás cara a cara con un animal salvaje, lo peor que puedes hacer es correr. No hay ningún animal de dos patas que corra más que uno de cuatro. Tu única oportunidad es mirarlo fijamente hasta que baje la mirada».

Los perros siguieron avanzando, seguros de que ese gran trozo de carne tierna que había enfrente de ellos estaba a punto de sufrir un ataque de nervios, acercándose más y más a la parálisis absoluta. Le empezaron a fallar los pasos mientras sentía que sus piernas se le volvían de goma y su cuerpo se tambaleaba de un lado al otro. Las piedras estaban a punto de resbalársele de las manos y el fétido sudor característico del miedo rezumaba por todos sus poros.

A Jintong se le estaban poniendo los ojos vidriosos. Las piedras se le cayeron al suelo. Entonces supo que el momento de su liberación de las preocupaciones mundanas había llegado. Pero ¿cómo podía ser que su vida en la tierra terminara en los estómagos de unos perros callejeros? Exhausto, se acordó de su madre y se acordó de Vieja Jin, que con su único pecho, podía medirse a cualquier hombre vivo y nunca dejaría de ganarle. No tenía energía para seguir pensando esta clase de cosas. Se sentó en unos escalones y su único deseo fue que los perros acabaran con él rápidamente. Odiaba pensar que tal vez dejarían una pierna, o algo así. Zamparos hasta el último trozo, lamed hasta la última gota de sangre y dejad que la desaparición de Shangguan Jintong sea un misterio completo.

Un ternero díscolo vino a rescatar a Jintong. Fue un cabeza de turco milagroso. El ternero, gordo y grasiento, con un pelaje que parecía de fino satén, se había escapado de una carnicería cercana. Su carne era evidentemente más abundante que la de Jintong, por lo que los perros abandonaron su ataque a éste en cuanto posaron la mirada en el gordo ternerito. Jintong miró cómo el ternero, aterrorizado, salía corriendo para meterse justo en medio de la jauría. Dando un certero salto, el mastín hundió sus colmillos en el cuello del ternero. Con un gemido lastimero, éste cayó al suelo de lado, y los perros lobos se lanzaron a por su vientre, desgarrándolo y abriéndolo en un instante. El resto de los perros se unió a la matanza; prácticamente levantaban al ternero en el aire mientras lo despedazaban, miembro a miembro.

Jintong salió corriendo, evitando las calles oscuras. La próxima vez, Dios lo sabe, si vuelvo a encontrarme con esos perros, no habrá ningún ternero que venga a mi rescate. Ahora estoy al descubierto. Seguro que tendré más suerte si voy donde está la gente y trato de agenciarme unos harapos para cubrirme el cuerpo. Si todo lo demás falla, iré a casa de Madre. Si es necesario, seguiré sus pasos y me dedicaré a hurgar en la basura; ya he tenido una buena vida estos últimos años con Vieja Jin y Geng Lianlian. Y si me muero ahora, a los cuarenta y dos años, ¿qué más da?

No había ningún lugar que estuviera más al descubierto que la plaza del mercado de la ciudad, con su cine, que tenía un museo a un lado y una biblioteca al otro. En el frente de los tres edificios había unos altos escalones; todos tenían luces giratorias y paredes de cristal azul que se elevaban hacia el cielo. A menudo había pasado junto al cine en el coche de Lianlian, pero nunca se había dado cuenta de lo grande que era. Ahora, en su papel de Príncipe Jintong abandonado por la fortuna, vagabundeó solitario por la plaza y le pareció inmensa, vista al completo. La plaza estaba cubierta con unas baldosas octogonales de cemento. El dolor que sentía en los pies lo estaba matando. Se miró una de las plantas; tenía al menos diez ampollas del tamaño de uvas, algunas de las cuales ya habían reventado y rezumaban un líquido claro. Las que estaban llenas de sangre eran las que más dolían. Cuando vio unas cuantas deposiciones de animales, en el suelo de la plaza, se imaginó que eran mierdas de perro; esa idea le hizo sentir terror.

Una ráfaga de viento hizo que algunas bolsas de plástico pasaran agitándose por el aire, junto a él. Salió corriendo tras ellas a pesar del dolor que sentía en los pies. Cogía una y se ponía a perseguir a otra, dejando unas huellas ensangrentadas por toda la plaza. La segunda bolsa se quedó enganchada en las ramas de un acebo, así que la atrapó y se quedó sentado a pesar de que el viento helado y las baldosas frías le causaban un punzante dolor en el recto, envolviéndose los pies con las bolsas de plástico; entonces se dio cuenta de que había muchas otras atrapadas en las ramas del árbol, y con un frenesí loco pero lleno de felicidad, las cogió todas y se envolvió los pies con ellas. Después se levantó y comenzó a andar de nuevo, satisfecho al ver que las plantas de sus pies pisaban sobre algo más mullido y cómodo, y que los penetrantes dolores de antes apenas se notaban. El ruido que hacía al pisar con aquellos pies de plástico viajaba hasta muy lejos.

El retumbar de las máquinas pesadas llegaba hasta él desde la orilla del Río de los Dragones. Aquí, en el distrito rebautizado Osmanthus, la gente estaba en su casa durmiendo tranquilamente. Todas las luces de la zona estaban apagadas salvo unas pocas que iluminaban algunas ventanas de la Mansión Osmanthus, recientemente construidas, que se encontraban al sudeste de donde estaba él y era el edificio más lujoso de la ciudad. Finalmente decidió dirigirse hacia la pagoda y quedarse con su madre. Ahora ya no volvería a apartarse de su lado, pasara lo que pasara. Si por eso se le consideraba un caso irrecuperable, así sería. Tal vez no podría cenar huevos de avestruz, o bañarse en una sauna, pero no tendría que volver a preocuparse por caer tan bajo, por tener que caminar solo por la calle, medio desnudo, con bolsas de plástico en lugar de zapatos.

A lo largo del recorrido pasó junto a un montón de tiendas y le llamó la atención un brillante escaparate; se detuvo, aunque no habría debido hacerlo, frente a seis maniquíes vestidos a la moda que se encontraban frente a la ventana. Tres eran masculinos y tres femeninos. Lo que le llamó la atención, además de las cabelleras doradas o de color negro azabache, de sus elegantes e inteligentes frentes, de sus narices elevadas, de sus pestañas rizadas, de la expresión de ternura que tenían en los ojos y de los labios suaves y rojizos de los maniquíes femeninos fue, por supuesto, los pechos, altos y redondeados. Cuanto más los miraba, más le parecía que estaban a punto de cobrar vida. El dulce aroma de los pechos femeninos atravesaba el cristal del escaparate y le calentaba el corazón. No recuperó el buen juicio hasta que se golpeó la cabeza contra el frío cristal. Temiendo que su locura iba a apoderarse de él de nuevo, y que esta vez ya nunca lo abandonaría, se obligó a darse la vuelta y a marcharse mientras tuviera la cabeza despejada. Pero no había ido muy lejos cuando volvió sobre sus pasos y, levantando las manos al cielo en un gesto de súplica, dijo: «¡Por favor, Señor, déjame tocarlos! Necesito tocarlos. Nunca volveré a pedirte nada más en toda mi vida».

Se lanzó contra los maniquíes y sintió cómo se resquebrajaba el cristal, pero no oyó ningún ruido. Cuando extendió los brazos para tocarles los pechos, los maniquíes cayeron al suelo. Él se tiró sobre ellos, puso la mano sobre un pecho rígido y entonces se dio cuenta, horrorizado: «¡Dios mío, no tiene pezón!».

Los ojos y la boca se le llenaron de un líquido salado y agrio mientras caía a un abismo sin fondo.

VI

Hacia el final de la década de los ochenta, la Oficina de Actividades Culturales del Departamento Municipal de Cultura decidió construir un parque de atracciones en la zona elevada que hasta entonces ocupaba la pagoda. El director condujo a un *bulldozer* rojo, a una docena, más o menos, de policías reasignados armados con cachiporras, a un testigo oficial de la Notaría Municipal y a periodistas de la televisión y de la prensa escrita hasta el lugar, y allí rodearon la casa que había enfrente de la pagoda. Entonces les leyó en voz alta a Jintong y a su madre la proclamación del gobierno:

«Después de un minucioso estudio, se ha determinado que la casa que hay enfrente de la pagoda es de propiedad pública y pertenece al Concejo de Gaomi del Noreste; no es, por lo tanto, propiedad privada de la familia Shangguan. Su casa se ha vendido por un precio justo y el dinero se ha entregado a su pariente Papagayo Han. La familia Shangguan está cometiendo una violación de la ley al ocupar la casa, y debe desalojar el lugar en menos de seis horas. De lo contrario, serán culpables de ocupación de un inmueble público sin autorización».

—¿Comprendéis lo que he leído? —les preguntó el director, con un tono agresivo y malhumorado.

Sentada tranquilamente en su cama, Madre le respondió:

—Vuestros tractores tendrán que pasar por encima de mi cadáver.

—Shangguan Jintong —dijo el director—, tu anciana madre ha perdido la cabeza, me temo. Ve a hablar con ella. Las personas sabias se adaptan a las circunstancias. Estoy seguro de que no quieres que el gobierno te considere un enemigo.

Jintong, que había pasado tres años en un sanatorio mental por atravesar el escaparate de la tienda y destrozar un maniquí, negó con la cabeza, obstinado. Tenía una prominente cicatriz en la frente, y sus ojos vidriosos mostraban la profundidad de sus trastornos mentales. Cuando el director sacó su teléfono móvil, Jintong cayó de rodillas, cogiéndose la cabeza con las manos y suplicando:

—Por favor, electrochoques no... electrochoques no... soy un trastornado mental...

—La vieja está perdiendo el juicio —dijo el director—, y el joven ya lo ha perdido. ¿Y ahora qué?

—Tenemos esto grabado en una cinta —dijo el testigo del gobierno—, ¡así que si no se marchan por su propio pie, tendremos que llevárnoslos nosotros!

El director le hizo una señal a los policías, que sacaron a Jintong y a su madre a rastras fuera de la casa. Ella, con el pelo canoso ondeándole al viento, luchó como un viejo león, pero Jintong, en cambio, se limitaba a suplicar:

—Por favor, no me den más electrochoques... electrochoques no... soy un trastornado mental...

Cuando su madre les opuso resistencia e intentó abrirse paso hacia las cabañas de paja, la policía la ató de pies y manos. Tenía tanta rabia que empezó a echar espuma por la boca antes de desmayarse.

La policía tiró los pocos y destartalados muebles y la ropa de cama, toda hecha jirones, al patio. Después, el *bulldozer* rojo levantó su enorme pala con una fila de dientes de acero y avanzó haciendo un gran estruendo y vomitando humo por su chimenea hacia la pequeña casa. En la mente de Jintong, venía a por él, y por eso se quedó muy pegado a la húmeda base de la pagoda, esperando a la muerte.

En ese momento crítico, Sima Liang, a quien no se veía desde hacía años, cayó del cielo en medio de todos.

VII

De hecho, unos diez o quince minutos antes, me había fijado en el helicóptero de color verde aceituna que estaba dando vueltas en el aire por encima de Dalan. Como una libélula gigante, se deslizó por el cielo, volando cada vez más bajo. En algunos momentos parecía que estaba a punto de rozar la puntiaguda cúpula de la pagoda con su redondeado vientre. Las ráfagas de viento que soltaba su rotor hacían que me zumbaran los oídos, cada vez con más fuerza a medida que el helicóptero descendía con la cola bien levantada. Una gran cabeza se asomó a través de la ventana de la tenuemente iluminada cabina y miró hacia el suelo. Pero la persona se movió y quedó fuera del alcance de la vista antes de que yo pudiera fijarme bien en su cara. El *bulldozer* rugía y sus orugas traqueteaban mientras levantaba su pala dentada y se dirigía hacia la casa como un estrambótico dinosaurio. El viejo taoísta, Men Shengwu, vestido con su habitual túnica negra, surgió como una aparición enfrente de la pagoda y, con la misma rapidez, se esfumó. Lo único que yo podía pensar era: «No me den más electrochoques, soy un trastornado mental. ¿Es que eso no es suficiente?».

El helicóptero volvió, y esta vez se inclinó hacia un lado escupiendo un humo amarillo. La figura de una mujer se asomó desde la cabina y gritó, con una vez apenas audible sobre el ensordecedor sonido —*zum, zum, zum*— de los rotores:

—Parad... No podéis demoler eso... Edificios históricos... Qin Wujin...

Qin Wujin era el nieto del Señor Qin Er, que nos había dado clases a Sima Ku y a mí. Era el responsable de la Oficina de Reliquias Culturales, pero estaba más interesado en el desarrollo que en la conservación, y en aquel momento estaba examinando un gran cuenco de porcelana celadón que pertenecía a nuestra familia. Sus ojos brillaban muchísimo. Le temblaba la parte inferior de los carrillos; el grito proveniente del helicóptero, evidentemente, había hecho que se sobresaltara. Miró al cielo y el helicóptero dio otra vuelta y lo envolvió en un chorro de humo amarillo.

Al final aterrizó enfrente de la pagoda. Después de que se hubiera posado en el suelo, cuando ya estaba seguro, las hojas planas de su rotor continuaban dando vueltas tontamente —*zum, zum, zum*—. Cada vuelta que daban era un poco más lenta que la anterior, hasta que finalmente se detuvieron abruptamente. La bestia estaba ahí posada, mirando con los ojos abiertos como platos. En su vientre se abrió una trampilla, enmarcada en la luz de la cabina, y por la escalera bajó un hombre que llevaba un abrigo de cuero, seguido por una mujer que vestía una cazadora de color naranja brillante sobre una falda de lana de un naranja más apagado. Los músculos de sus pantorrillas se tensaban a cada paso que daba. Tenía un rostro digno, circunspecto y rectangular debajo de un denso remolino de pelo negro y brillante. La reconocí instantáneamente: era la hija de Lu Liren y mi hermana Pandi, Lu Shengli, la antigua directora de la sucursal del Banco de la Industria y el Comercio que había en la ciudad. Acababa de ser ascendida al cargo de alcaldesa tras la muerte de la alcaldesa titular, Ji Qiongzhi, que había fallecido debido a una hemorragia cerebral que, según alguna gente, había sido causada por un ataque de rabia. Shengli había heredado el aspecto físico de mi quinta hermana pero tenía una pinta más elegante, demostrando que cada generación supera a la anterior. Caminaba con la cabeza muy alta y con el pecho echado hacia adelante, como un caballo de carreras pura sangre. Un hombre de mediana edad, con la cabeza muy grande, bajó las escaleras detrás de ella. Llevaba un traje de diseño y una corbata muy ancha.

El hombre se estaba quedando calvo, pero su cara era la de un niño pequeño y travieso, con unos vivaces ojillos sumamente misteriosos. Una nariz bulbosa se cernía sobre una boca bonita y pequeña, de labios gruesos, y sus grandes, bellos y carnosos lóbulos de las orejas colgaban pesadamente hacia abajo semejantes a la papada de un pavo. Yo nunca había visto un hombre con una cara como ésa; ni una mujer, por supuesto. Las personas que tienen ese aspecto majestuoso parecen estar destinadas a ser emperadores, a tener suerte en el amor, a disfrutar de la compañía de tres esposas, seis consortes y setenta y dos concubinas. Podía ser Sima Liang, pero yo no me atrevía a creérmelo. Al principio, él no me vio, cosa que a mí no me pareció mal, puesto que seguramente no me reconocería. Shangguan Jintong era un antiguo paciente de un sanatorio mental, un hombre con un trauma sexual. Inmediatamente detrás de él venía una mujer mestiza que era más alta y más grande que Lu Shengli. Tenía los ojos hundidos y los labios de un color rojo sangre.

Lu Shengli siguió con la mirada clavada en el hombre. Una sonrisa cautivadora asomaba a su cara, que habitualmente tenía una expresión severa. Esa sonrisa era más valiosa que los diamantes y más atemorizadora que el veneno. El director de Actividades Culturales se acercó a ella, caminando torpemente con nuestro cuenco de porcelana celadón entre las manos.

—Alcaldesa Lu —le dijo—, qué bueno que haya venido a contemplar cómo trabajamos.

—¿Qué tenéis planeado hacer? —preguntó ella.

—Vamos a construir un parque temático en torno a esta antigua pagoda que funcionará como atracción turística para los chinos y los extranjeros.

—¿Por qué no me informaron?

—Es algo aprobado por su antecesora, la Alcaldesa Ji.

—Ya que fue una decisión suya, tendremos que volver a pensarlo. La pagoda está bajo la protección municipal, y no quiero que derribéis la casa de enfrente. Vamos a reinstaurar las actividades del mercado de la nieve. ¿Crees que será muy entretenido instalar unos pocos juegos electrónicos de pacotilla, unos horribles coches de choque y unos juegos de mesa ordinarios? ¿Qué tiene todo eso de entretenido? Camarada, si queremos atraer al turismo y hacernos con su dinero, necesitamos más visión. Les he propuesto a los vecinos de la ciudad que aprendan del espíritu innovador de la Reserva Ornitológica Oriental, que se atrevan a internarse en territorios que nadie ha hollado todavía y que se dediquen a crear algo nuevo y distinto. ¿Qué entendemos por «reformas»? ¿Qué significa «apertura»? Con estos términos, queremos decir que hay que pensar con audacia y actuar con atrevimiento. Tal vez haya cosas que no puedas pensar, pero no hay nada que no puedas hacer. La Reserva Ornitológica Oriental se halla en el proceso de implementación de su Plan Fénix. Cruzando avestruces, faisanes dorados y pavos reales, tienen el proyecto de crear un ave que, hasta ahora, sólo existe en la mitología: el fénix.

Se había vuelto adicta a la oratoria, por lo que cuanto más hablaba, más excitada se sentía, como los cascos de un caballo que no pueden dejar de correr. El testigo del gobierno y los policías se habían quedado completamente paralizados. El reportero de la emisora local de televisión, un hombre que se había ganado una buena reputación como subordinado del director del Departamento de Radio y Televisión, Unicornio, enfocaba con su cámara a la Alcaldesa Lu Shengli y a sus honorables invitados. Los reporteros de los periódicos locales salieron súbitamente de su apatía y se pusieron a correr por todos lados, arrodillándose y poniéndose de pie para sacarles fotos a los dignatarios.

Finalmente Sima Liang vio a Madre, que estaba tumbada enfrente de la pagoda, atada de pies y manos. Entonces se tambaleó hacia atrás, moviendo la cabeza de un lado a otro. Estuvo a punto de echarse a llorar. Después se puso de rodillas, primero lentamente, pero después se prosternó ante ella con rapidez en cuanto sus rótulas tocaron el suelo.

—¡Abuela! —dijo, con un fuerte gemido—. Abuela...

Ese gesto no fue nada artificioso, como su rostro surcado por las lágrimas se encargó de demostrar, por no hablar de los mocos que le caían de la nariz. A Madre le fallaba la vista, pero intentó enfocarlo. Sus labios temblaron.

—¿Eres tú, pequeño Liang?

—Abuela, abuela querida, soy yo, Sima Liang. Tú me criaste desde que era un bebé. —Madre intentó acercarse rodando—. Prima —dijo Sima Liang, poniéndose en pie—, ¿por qué has atado a mi abuela de ese modo?

—Es todo culpa mía, primo —dijo Lu Shengli, muy incómoda. Después se volvió hacia Qin Wujin y susurró, con los dientes apretados—. ¡Hijos de perra!

Las rodillas de Qin empezaron a temblar, pero él se las apañó para que no se le cayera nuestro cuenco de porcelana celadón.

—Espérate a que vuelva a mi oficina... no, no vamos a esperar. ¡Estás despedido! Ahora vete y redacta una autocrítica.

Entonces se agachó y se puso a liberar a Madre. Cuando se encontraba con un nudo con el que no podía, lo desataba con los dientes. Era una escena conmovedora. Después de ayudar a Madre a ponerse en pie, dijo:

—Siento mucho haber llegado tan tarde.

Madre tenía una expresión de desconcierto en el rostro.

—¿Tú quién eres?

—¿No me reconoces, abuela. Soy Lu Shengli.

Madre sacudió la cabeza.

—No te pareces a ella. —Entonces se volvió hacia Sima Liang—. Liang, déjame tocarte. Quiero ver si has engordado —dijo, y le acarició la cabeza—. Eres mi pequeño Liang, no hay duda —le dijo—. La gente cambia con los años, pero la forma de su cráneo no. Ahí es donde tu destino está escrito. Tienes mucha carne en los huesos, mi niño. Parece que te ha ido bien. Por lo menos, comes bien.

—Sí, abuela, como bien —sollozó Sima Liang—. Ya se han terminado nuestras penurias. De ahora en adelante, puedes relajarte y disfrutar de la buena vida. ¿Dónde está mi Pequeño Tío? ¿Cómo le va?

Sima Liang y yo estábamos prácticamente frente a frente. ¿Debía continuar actuando como si fuera un enfermo mental o debía presentarme ante él con la cabeza bien clara? Tras una separación de casi cuarenta años, si se encontrara conmigo y pensara que soy un enfermo mental, sería un golpe muy duro para él. Por eso decidí que mi amigo de la infancia merecía verme como a un ser humano normal e inteligente.

—¡Sima Liang!

—¡Pequeño Tío!

Nos abrazamos. Su colonia me embriagó. Tras dar un paso atrás, le miré a los furtivos ojos. Él suspiró, como si fuera un hombre profundamente sabio, y yo me di cuenta de que le había dejado un rastro de lágrimas y mocos en la chaqueta del traje, perfectamente planchado, que llevaba. Después vi que Lu Shengli extendía el brazo, como si quisiera estrecharme la mano, pero en cuanto le ofrecí la mía, ella retiró la suya, cosa que me dio vergüenza y rabia simultáneamente. ¡Mierda, Lu Shengli, has olvidado tu pasado, has olvidado la historia! Y olvidar la historia es una forma de traición. Has traicionado a la familia Shangguan, y a un representante de... ¿A quién puedo representar yo? A nadie, supongo, ni siquiera a mí mismo.

—¿Qué tal te va, Pequeño Tío? Lo primero que hice cuando llegué fue preguntar por ti y por la abuela.

¡Sucias mentiras! Lu Shengli, has heredado la salvaje imaginación de Shangguan Pandi, que hace mucho tiempo dirigió la sección del ganado de la Granja del Río de los Dragones, pero no heredaste su sinceridad ni su transparencia. La mujer eurasiática que había venido con Sima Liang se me acercó para estrecharme la mano. Tuve que sacarme el sombrero ante Sima Liang: la forma en que había regresado, con esta mujer mestiza, que se parecía a la actriz de la película que había proyectado Babbitt hacía tantos años, colgada del brazo, era una manera de glorificar a sus ancestros. Aparentemente, el frío no la afectaba, porque la mujer llevaba un vestido muy fino; sus protuberantes pechos apuntaban hacia mí.

—¿Cómo estás? —me dijo en un chino vacilante.

—Nunca me hubiera imaginado que nuestro Pequeño Tío acabaría así —dijo Lu Shengli tristemente.

Pero Sima Liang se rió.

—Dejadlo todo en mi mano —dijo—. Yo me encargaré de solucionar este problema. Señora Alcaldesa, voy a construir el hotel más impresionante de la ciudad, justo en el centro. Voy a invertir cien millones en él. También me encargaré de aportar el dinero que sea necesario para conservar la pagoda. En cuanto a la reserva ornitológica de Papagayo Han, estoy esperando un informe que he encargado para ver si también me conviene invertir ahí. Tú eres una auténtica descendiente de la familia Shangguan, y como alcaldesa tienes todo mi apoyo. Pero espero no volver a ver a la abuela atada de esa manera nunca más.

—Tienes mi palabra —dijo Lu Shengli—. Ella y el resto de la familia recibirán la mejor de las atenciones.

El Gobierno Municipal de Dalan y el magnate Sima Liang se pusieron de acuerdo en que la construcción del hotel sería una empresa conjunta. La ceremonia en la que se firmó el contrato tuvo lugar en la sala de reuniones de la Mansión Osmanthus. Después de la firma, lo seguí hasta la suite presidencial. Mientras caminaba, veía mi reflejo en el suelo, semejante a un espejo. Colgada de la pared había una lámpara que tenía la forma de una mujer desnuda que transportaba una jarra de agua sobre la cabeza; sus pezones parecían cerezas maduras.

—Pequeño Tío —me dijo Sima Liang, soltando una carcajada—, no te hace falta fijarte en eso. Te voy a enseñar algo mucho más real dentro de un momento.

Se dio la vuelta y gritó:

—¡Manli! —La mujer mestiza entró en la habitación—. Me gustaría que le dieras un baño a mi Pequeño Tío, y que lo vistieras con ropa nueva.

—No, Liang —me opuse yo—, no.

—Pequeño Tío —me dijo él—, tú y yo somos como hermanos. Venga lo que venga, sea bueno o malo, tú y yo lo compartiremos. Cualquier cosa que desees, alimentos, ropas, diversiones, lo único que tienes que hacer es pedírmela. Si te reprimes por un falso sentido de la educación es como si me dieras una bofetada en plena cara.

Manli me condujo al cuarto de baño. Llevaba un vestido corto con unas finas correas. Con una sonrisa seductora, me dijo, en un chino malísimo:

—Cualquier cosa que quieras, Pequeño Tío, yo estoy aquí para proporcionártela. Son órdenes del Señor Sima.

Dicho esto, comenzó a quitarme la ropa, de la misma manera que Vieja Jin, la mujer de un solo pecho, había hecho años atrás. Yo farfullé débilmente algunas objeciones, pero acabé dejándola hacer. Mis ropas, hechas jirones, acabaron en una bolsa de plástico negro. Una vez estuve desnudo, me tapé con las manos. Ella señaló la bañera.

—Por favor —me dijo.

Me senté en la bañera y ella abrió los grifos; varios chorros de agua caliente empezaron a salir de los orificios que había a lo largo de toda la bañera, dándome un delicado masaje y haciendo que las capas de mugre que tenía pegadas al cuerpo se fueran cayendo. Mientras tanto, Manli, que se había puesto un gorro de ducha y se había despojado del vestido, se quedó ahí de pie, desnuda, delante de mi vista, pero sólo por un momento; después se metió en la bañera y se sentó a horcajadas encima de mí. Comenzó a acariciarme y a masajearme por todas partes, haciendo que me diera la vuelta para un lado y para el otro, hasta que yo finalmente me armé de valor y me metí uno de sus pezones entre los labios. Ella chasqueó la lengua un poco y después paró. Poco después volvieron los chasquidos y paró de nuevo. Sonaba como un motor que no acaba de arrancar. Sólo había tardado un minuto en descubrir mi flaqueza, y sus pechos pronto se inclinaron hacia abajo, decepcionados. Pasada la excitación, me lavó por delante y por detrás, me peinó el cabello y me envolvió con un albornoz suave y esponjoso.

VIII

—Bueno, ¿qué me dices, Pequeño Tío? —Sima Liang estaba sentado en un sofá de cuero, con un puro de la isla filipina de Luzón en la mano y una sonrisa en los labios—. ¿Cómo te sientes?

—Me siento maravillosamente bien —le contesté, lleno de agradecimiento—. Mejor de lo que nunca me había sentido.

—El día de tu salvación ha llegado, gracias a mí —me dijo—. Ahora vete a vestirte. Hay algo que quiero enseñarte.

Fuimos hasta el centro comercial de Dalan en una limusina que se detuvo enfrente de una tienda de lencería recientemente decorada. Para cuando nos bajamos y anduvimos hasta el gigantesco escaparate lleno de maniquíes, un grupo de gente se había congregado alrededor del Cadillac, como si fuera una extraña embarcación con una cabeza de dragón tallada en la proa. Por encima de la puerta, el nombre de la tienda —*Lencería Ponte Guapa*— estaba escrito con una caligrafía muy florida. Y debajo del nombre, el lema de la tienda: *Moda Elegante en Prendas Íntimas para Damas.*

—¿Y bien? —me preguntó Sima Liang.

—¡Es estupendo! —dije yo, muy excitado.

—Me alegro de que te guste, porque esta tienda la vas a llevar tú.

¡Qué sorpresa!

—Yo no puedo manejar algo como esto —protesté.

Sima Liang sonrió.

—Tú eres un experto en pechos de mujeres, así que ¿quién mejor que tú para vender sujetadores?

Sima me condujo, atravesando la silenciosa puerta automática, al interior de la espaciosa tienda, donde los trabajos de decoración todavía continuaban. Las cuatro paredes eran cuatro espejos desde un extremo hasta el otro. El techo era de un material metálico que también reflejaba las imágenes. El supervisor del equipo de limpieza se acercó a toda prisa y nos hizo una reverencia.

—Éste es el momento de hacer cualquier cambio que se te ocurra, Pequeño Tío —me dijo Sima.

—No me acaba de gustar el nombre *Ponte Guapa* —dije yo.

—Tú eres el experto. ¿Cómo quieres llamarla?

—Unicornio —dije, sin dudar ni un instante—. *Unicornio: Todo un Mundo de Sujetadores.*

Después de un breve silencio, Sima se rió y dijo:

—¡Pero siempre vienen de a dos!

—Unicornio —repetí yo—. Me gusta.

—Tú eres el jefe —dijo Sima—, y se hace lo que tú decides. —Entonces se volvió hacia el supervisor—. Que hagan un cartel nuevo ahora mismo: *Ponte Guapa* se ha convertido en *Unicornio*. *Mmm, Unicornio, Unicornio*. No está nada mal. Es inconfundible. ¿Ves, Pequeño Tío? Ya te dije que eres la persona más adecuada para el puesto. Aunque me pusieras una pistola en la cabeza, yo no podría encontrar un nombre más estiloso que ése para esta tienda.

—Las mujeres no te van a dejar que les acaricies los pechos sólo porque a ti te apetezca —dijo el director del Departamento de Radio y Televisión mientras revolvía su Nescafé con una minúscula cucharita de plata.

Tenía el pelo canoso, cosa que demostraba que había tenido una vida larga y dura, y lo llevaba muy bien peinado hacia atrás. Su rostro era moreno, pero no sucio. Sus dientes estaban amarillos, pero estaban bien cepillados. Sus dedos tenían manchas amarillentas, pero la piel era suave. Se encendió un cigarrillo de una cara marca china y me miró por el rabillo del ojo antes de preguntarme:

—¿Crees acaso que puedes hacer lo que te venga en gana sólo porque tienes el apoyo de un hombre de negocios rico como Sima Liang?

—No, por supuesto que no. —De algún modo me las apañé para controlar mi enfado y parecer lo más respetuoso posible—. Director del Departamento —le dije a ese hombre que se había labrado una magnífica reputación durante la Revolución Cultural y que todavía conservaba todo su poder—, sea lo que sea lo que me quieres decir, por favor, dímelo claramente.

—*Je, je* —se rió, adoptando un aire despectivo—. Este hijo de Sima Ku, un contrarrevolucionario con las manos manchadas de sangre de los aldeanos de Gaomi del Noreste, se ha convertido en un invitado de honor en Dalan debido a unas pocas monedas miserables que ha logrado reunir. Como se suele decir: «¡Con dinero, puedes hacer que el mismo diablo haga girar el molino!». Shangguan Jintong, ¿qué eras tú antes de todo esto? Un necrófilo y un paciente de un sanatorio mental. ¡Y ahora eres un alto ejecutivo!

El odio de clase hizo que los ojos de este hombre que todo el mundo llamaba el Unicornio se volvieran de un color rojo brillante. Aplastó su cigarrillo con tanta fuerza que empezó a rezumar alquitrán licuado.

—Pero hoy yo no he venido aquí para hacer propaganda revolucionaria —dijo con tono grave—. He venido por la fama y la riqueza.

Yo estuve escuchando lo que decía sin interrumpirlo. ¿Qué le podía importar a Shangguan Jintong, que había estado sufriendo abusos toda la vida?

—Tú sabes —le dijo—, y nunca te olvidarás, que esa vez que tu madre y tú estuvisteis desfilando por todo el mercado de Dalan, yo sufría en nombre de la revolución. Sí, así es, todavía me acuerdo de lo que sentí cuando me diste una bofetada. Bueno, entonces creé el Equipo de Lucha del Unicornio y me puse a hacer mi propio programa, llamado *El Unicornio*, en la emisora pública del Comité Revolucionario, y lo utilicé para emitir una serie de educativos programas que trataban de la Revolución Cultural. Cualquiera que ronde los cincuenta años sabe quién era el Unicornio. En los treinta años que han pasado, he empleado el seudónimo de El Unicornio y he publicado ochenta y ocho artículos, que han sido muy celebrados, en diversos periódicos y revistas nacionales. La gente asocia el nombre Unicornio conmigo. Y ahora llegas tú y asocias mi nombre a la ropa interior femenina. Sima Liang y tú sois tan ambiciosos que no os importa nada si le hacéis daño a alguien. Lo que estáis haciendo no es ni más ni menos que una loca venganza de clase y una descarada difamación de mi buen nombre. Voy a desenmascararos en la prensa y os voy a llevar a juicio. Será un ataque a dos bandas, empleando las armas de la opinión pública y la ley. Será una lucha a muerte.

—Será un placer.

—Shangguan Jintong, no des por hecho que como Lu Shengli es la alcaldesa tú ya no tienes nada que temer. Mi cuñado es el vicesecretario del Comité Provincial del Partido, un cargo superior al de alcaldesa. Además, conozco todos los altibajos de su pasado, así que al Unicornio no le costaría demasiado bajarla de su pedestal.

—Pues adelante. Yo no tengo nada que ver con ella.

—Naturalmente —continuó—, el Unicornio tiene la mejor de las intenciones, y tú y yo, después de todo, somos conciudadanos de Dalan. Lo único que te pido es que me des un trato justo.

—Por favor, ve al grano, venerado Director del Departamento.

—Lo que estoy diciendo es que creo que podemos arreglar esto en privado.

—¿Cuánto?

Extendió tres dedos.

—No estoy interesado en conseguir dinero, así que dejémoslo en treinta mil. Eso es calderilla para alguien como Sima Liang. También me gustaría que consiguieras que la Alcaldesa Lu Shengli me nombrara vicepresidente de la Comisión Permanente de la Junta

Municipal. Si no, desataré el infierno sobre vosotros y os costará muy caro.

Sentí un escalofrío por todo el cuerpo.

—Director del Departamento —le dije, poniéndome en pie—, tendrás que hablar con Sima Liang sobre los arreglos económicos. La tienda de lencería acaba de abrir, y todavía no hemos ganado ni un céntimo. Y como lo ignoro absolutamente todo sobre cuestiones oficiales, no hay nada que pueda decirle a Lu Shengli.

—¡Mierda! O sea que ése es su juego, ¿verdad? —dijo Sima Liang, sonriendo—. ¡Pero si ni siquiera ha indagado un poco para averiguar cuáles son mis intenciones! Me ocuparé de ese cabrón, Pequeño Tío. Me encargaré de que acabe tragándose sus propios dientes. Se cree que, con un par de cosillas que sabe sobre el chantaje, va a poder desplumar a los pudientes, ¿no? ¡Bueno, pues nuestro Unicornio, por una vez, ha encontrado a su amo!

Unos días más tarde, Sima Liang vino a verme.

—Estás al mando, Pequeño Tío. Ahora vamos a ver qué eres capaz de hacer. Ya me he encargado de ese idiota del Unicornio. No me preguntes cómo. A partir de ahora ya no nos va a molestar más. Es la dictadura de las clases acaudaladas lo que a él le preocupa. Bueno, diviértete y siéntete orgulloso. No te preocupes por si pierdes o ganas dinero. A la familia Shangguan le ha llegado la hora de dar la nota. Mientras yo tenga dinero, tú tendrás dinero, así que ¡a por todas! ¡El dinero es un asco, no es más que mierda de perro! Ya he dado instrucciones para que a la abuela le lleven siempre todo lo que necesite. Yo ahora me tengo que ir, tengo un importante viaje de negocios y no volveré en menos de un año, más o menos. Te haré instalar un teléfono. Así podré llamarte si ocurre cualquier cosa. Y por favor, no me preguntes dónde voy o dónde he estado.

El negocio iba viento en popa en *Unicornio: Todo un Mundo de Sujetadores*. La ciudad estaba creciendo a gran velocidad, y se construyó otro puente sobre el Río de los Dragones. El lugar donde en otros tiempos estuviera la Granja del Río de los Dragones ahora era el emplazamiento de un par de enormes fábricas de tejidos de algodón, una fábrica de fibras químicas y una de fibras sintéticas. Toda esa zona era famosa por su industria textil.

IX

La noche del 7 de marzo de 1991, mientras en el exterior caía una débil llovizna, Shangguan Jintong, director ejecutivo de *Unicornio: Todo un Mundo de Sujetadores*, estaba muy emocionado. Tenía la cabeza llena de ideas mientras daba vueltas por la tienda, muy contento, después de que se apagaran las luces. En el piso de arriba, las dependientas se reían. El dinero entraba a carradas. Como necesitaba más personal, había puesto algunos anuncios en televisión. Al día siguiente más de doscientas jóvenes se presentaron para solicitar empleo. Todavía excitado, apoyó la cabeza contra el escaparate y se puso a observar lo que sucedía en la calle. También quería despejarse y calmarse un poco. Las tiendas a ambos lados de la calle ya habían concluido su jornada y estaban cerradas. Sus anuncios de neón relampagueaban bajo la lluvia. El autobús número 8, una línea que se había inaugurado hacía muy poco, iba y venía entre la Colina de Arena y el Pozo de Ocho Lados.

Mientras Jintong estaba ahí de pie, un autobús se detuvo debajo del árbol de parasol que había enfrente del Restaurante Cien Pájaros. Una mujer joven se bajó. Durante un momento pareció ligeramente perdida, pero después se dio cuenta de dónde estaba *Unicornio: Todo un Mundo de Sujetadores*, y cruzó la calle. Jintong esperaba en el interior, a oscuras. Ella tenía puesto un impermeable color huevo de pato, pero llevaba la cabeza descubierta. Se había peinado el pelo, que era casi azul, hacia atrás, mostrando una frente amplia y brillante. Su pálido rostro parecía envuelto por la lúgubre neblina, y Jintong llegó a la conclusión de que habría enviudado muy recientemente. Después se enteró de que había acertado de pleno. Por algún motivo, la llegada de la mujer le atemorizó; tenía la extraña sensación de que la melancolía que ella emanaba había atravesado el grueso escaparate y se estaba diseminando por toda la tienda. Incluso antes de llegar al lugar, ya lo había convertido en un velatorio. Jintong sintió ganas de esconderse, pero ya era demasiado tarde. Era como un insecto paralizado por la mirada de un sapo depredador. La mujer del impermeable tenía precisamente esa clase de mirada penetrante. No se podía negar que sus ojos eran hermosos, hermosos pero atemorizadores. Se detuvo justo enfrente de Jintong. Él estaba en una zona oscura y ella debajo de la luz, con lo cual no debería haber podido verlo ahí de pie, delante de un expositor de acero inoxidable; pero evidentemente le había visto, y evidentemente sabía quién era. Sus intenciones estaban claras. Esos gestos que había hecho hacía un momento debajo del árbol de parasol, mirando hacia todos lados, sólo habían formado parte de una representación para confundirlo. Más adelante le diría que Dios la había guiado directamente hacia él, pero él no se lo creyó, pues estaba convencido de que todo formaba parte de un plan premeditado, sobre todo cuando se enteró de que la mujer, que se había quedado viuda hacía muy poco tiempo, era la hija mayor del director del Departamento de Radio y Televisión, el Unicornio, quien, según pensaba Jintong, estaba detrás de todo.

Parecían amantes que se encuentran. Ella estaba delante de él, separada sólo por un panel de cristal manchado con unas gotas de lluvia semejantes a lágrimas que se deslizaban por uno solo de los lados. Ella sonrió, mostrando un par de hoyuelos que, con el paso del tiempo, se habían convertido en arrugas. Incluso a través del cristal, Jintong pudo oler su agrio aliento de viuda, que hacía que en su corazón se empezaran a agitar unas poderosas olas de compasión. Jintong miró a la mujer como si fuera una amiga a la que hacía mucho tiempo que no veía, y los ojos se le llenaron de lágrimas. Pero todavía más lágrimas brotaron de los de ella, empapándole completamente las pálidas mejillas. A él no se le ocurrió ningún motivo para no abrirle la puerta, así que se la abrió. Súbitamente, la lluvia comenzó a caer con más fuerza. Mientras el olor del aire frío y húmedo y el de la tierra embarrada entraban en la tienda, ella se lanzó a sus brazos como si fuera lo más natural. Sus labios buscaron los de Jintong. Las manos de él se deslizaron debajo del impermeable de ella y le agarró el sujetador, que parecía estar hecho de cartulina. El olor a tierra fría que salía de su pelo y de su cuello lo sacó de su trance, e inmediatamente le quitó las manos de encima, deseando no haberla tocado nunca. Pero del mismo modo que la tortuga que se ha tragado el anzuelo dorado, su deseo fue vano.

No se le ocurrió ningún motivo para no llevarla a su habitación privada.

Cerró con llave después de entrar, pero después le pareció que era inapropiado, por lo que se apresuró a abrir de nuevo antes de servirle un vaso de agua y ofrecerle asiento. Ella prefirió quedarse de pie y él se frotó las manos nerviosamente. Sentía desprecio por sí mismo, tanto por su acto provocativo como por su mal comportamiento. Si cortándose un dedo hubiera podido absolverse de sus propios pecados y retroceder media hora en el tiempo, lo habría hecho sin dudarlo ni un instante. Pero eso no era posible; ni siquiera cortándose un dedo lograría la absolución. La mujer a la que había besado y acariciado estaba de pie en su habitación privada tapándose la cara con las manos y gimoteando. Las lágrimas se le deslizaban entre los dedos y goteaban sobre su impermeable. No contenta con sus gemidos, empezó a berrear, mientras los hombros se le movían convulsivamente. Jintong se obligó a contener el asco que sentía por esta mujer, que olía como un animal que vive en una cueva, y la condujo a una silla giratoria italiana tapizada con cuero rojo. Pero en cuanto se hubo sentado, él la puso de nuevo de pie y le ayudó a quitarse el impermeable, que estaba empapado con una mezcla de lluvia, sudor, mocos y lágrimas. Fue entonces cuando Jintong se dio cuenta de que estaba ante una mujer verdaderamente fea: tenía la nariz aplastada, los labios protuberantes y la barbilla puntiaguda; su cara se parecía a la de una rata. ¿Cómo había logrado resultarle atractiva cuando estaba de pie frente al escaparate? Alguien me está tendiendo una trampa, sin embargo ¿quién? Pero todavía le esperaba una sorpresa más grande. En cuanto le quitó el abrigo, estuvo a punto de dar un grito de alarma. Lo único que llevaba esta mujer, cuya piel estaba cubierta de lunares oscuros, era un sujetador azul de *Unicornio: Todo un Mundo de Sujetadores* con la etiqueta con el precio todavía colgando. Con un gesto de vergüenza, se cubrió la cara con las manos. Poniéndose nervioso, Jintong se acercó corriendo a ella con el impermeable en las manos, para taparla, pero ella se lo quitó de encima. Entonces él cerró con llave, bajó las cortinas y le preparó una taza de café instantáneo.

—Jovencita —le dijo—, merezco la muerte, nada más y nada menos. Por favor, no llores. No hay nada que me moleste más que una mujer llorando. Si dejas de llorar, me puedes llevar a la policía mañana por la mañana, o puedes darme sesenta y tres bofetadas, o me arrodillaré y me golpearé la cabeza contra el suelo sesenta y tres veces... basta con que gimotees un poco para que yo me sienta desbordado por la culpa, así que te suplico... te suplico...

Sacó un pañuelo y le secó el rostro; ella se lo permitió, levantando la cara hacia él como un pajarito. Haz tu papel, Shangguan Jintong, pensaba él, hazlo pase lo que pase. Eres como un cerdo que recuerda la comida pero no los golpes, así que haz lo que sea necesario para sacarla de aquí. Después puedes ir al templo más cercano, encender un poco de incienso y dar gracias a Bodhisattva. Lo último que quieres es pasarte otros quince años en un campo de reforma mediante el trabajo.

Cuando hubo terminado de secarle la cara, cogió la taza de café con las dos manos.

—Toma, jovencita, bébete esto, por favor.

Ella le volvió a echar una mirada seductora. Él sintió como si diez mil flechas le atravesaran el corazón, abriéndole diez mil pequeños agujeros donde vivían diez mil serpenteantes gusanos. Con la expresión de alguien que está confuso de tanto llorar, ella se inclinó hacia Jintong y le dio un sorbo al café. Había dejado de llorar, pero seguía gimoteando como una niña pequeña, y Jintong, que había pasado quince años en un campo de reforma mediante el trabajo y otros tres en una institución para enfermos mentales, estaba empezando a enfadarse con ella por su actuación.

—Jovencita —le dijo, tratando de echarle el impermeable sobre los hombros—, se está haciendo tarde, ya es hora de que te vayas a casa.

Los labios de ella se separaron en una mueca y la taza de café que tenía en la mano siguió los contornos de su pecho y de su abdomen y se hizo añicos contra el suelo. *¡Crac!* Entonces empezó a llorar de nuevo, esta vez más fuerte que antes, como si quisiera que toda la ciudad fuera testigo de su sufrimiento. Unas llamas de rabia se encendieron en el corazón de Jintong, pero no se atrevió a dejar que asomara ni una pequeña chispa. Afortunadamente, sobre la mesa había un par de bombones de chocolate envueltos en un papel dorado, como un par de minúsculas bombas. Cogió uno, le quitó el papel y le metió la oscura golosina en la boca.

—Jovencita —le dijo, apretando los dientes para que la voz le saliera pasablemente suave—, no llores. Cómete este bombón...

Ella lo escupió. Aterrizó en el suelo, donde dio un par de vueltas como un pequeño zurullo, ensuciando la alfombra de lana. La chica seguía llorando. Jintong le quitó el papel al segundo bombón de chocolate y también se lo metió en la boca. Ella no estaba de humor para obedecer a nadie, por lo que se disponía a escupirlo cuando él le tapó la boca con la mano. Entonces ella cerró el puño e intentó darle un tortazo. Él lo esquivó, agachando la cabeza de forma que su rostro quedó justo a la altura del sujetador azul, bajo el cual los pechos de ella, de un blanco lechoso, saltaban. El enfado de Jintong se esfumó y fue reemplazado por un sentimiento de compasión. Ahora que su razón había desaparecido, abrazó los helados hombros de ella. Después llegaron los besos y las caricias. El bombón de chocolate, derretido, sirvió para que sus labios se fusionaran.

Pasó un rato muy, muy largo. Él sabía que no había ninguna manera de librarse de esta mujer antes del amanecer, sobre todo ahora que se habían besado y abrazado con tanta fuerza. Mientras crecían sus sentimientos mutuos, crecía su sentido de la responsabilidad.

—¿Qué es lo que he hecho para disgustarte tanto? —le preguntó ella, entre lágrimas.

—Nada —contestó Jintong—. Soy yo el que me disgusta. Tú no me conoces. He pasado mucho tiempo en la cárcel y en un sanatorio mental. A cualquier mujer que se me acerque le esperan cosas terribles. No quiero hacerte ningún daño, jovencita.

—No hace falta que me expliques nada —dijo ella, tapándose la cara con las manos y poniéndose a sollozar de nuevo—. Sé que no soy suficientemente buena para ti... pero te amo, te he amado en secreto durante mucho tiempo... lo único que quiero es que me dejes quedarme a tu lado un rato... y me hagas una mujer feliz.

Dicho esto, se dio la vuelta, cruzó la habitación, se quedó quieta durante unos instantes y abrió la puerta.

Profundamente conmovido, Jintong se maldijo por su pequeñez de espíritu y por haber pensado tan mal de aquella mujer. ¿Cómo puedes dejar que alguien con un corazón tan puro, una viuda que ha sufrido tanto, se marche llena de tristeza? ¿Por qué eres tú mejor que ella? ¿Crees que un viejo verde como tú se merece el amor de una mujer? ¿De verdad vas a dejar que se marche en medio de la noche, bajo la lluvia? ¿Y qué pasará si se muere de frío, o si se encuentra con una de esas pandillas de gamberros?

Salió a toda prisa al pasillo y la alcanzó. Con los ojos todavía llenos de lágrimas, ella le echó los brazos al cuello y dejó que él la llevara de vuelta a su habitación. El olor de su pelo grasiento hizo que deseara haberla dejado marchar, después de todo, pero se obligó a acostarla en su cama.

Poniendo ojos de corderito, ella le dijo:

—Soy tuya. Todo lo que tengo es tuyo.

X

En el momento de poner su huella dactilar en el certificado de matrimonio, Jintong no podía haberse sentido peor, pero lo hizo de todos modos. Sabía que no amaba a aquella mujer; de hecho, la odiaba. En primer lugar, no tenía ni idea de la edad que tenía. En segundo lugar, no sabía cómo se llamaba. Y en tercer lugar, su origen era un absoluto misterio. Cuando salieron del registro civil, le preguntó:

—¿Cómo te llamas?

Ella hizo una mueca, enfadada, y abrió la carpeta roja donde llevaba el certificado de matrimonio.

—Mira bien —le dijo—. Está ahí escrito.

Y ahí estaba, negro sobre blanco: Wang Yinzhi, habiendo expresado su deseo de casarse y habiendo cumplido todos los requisitos de las Leyes de Matrimonio de la República Popular China...

—¿Eres pariente de Wang Jinzhi? —preguntó él.

—Es mi padre.

Todo se oscureció. Jintong se había desmayado.

Soy un idiota. Me he subido a bordo de un barco lleno de ladrones. ¿Y qué puedo hacer ahora? Casarse es fácil; divorciarse no lo es. Ahora estoy más convencido que nunca de que Wang Jinzhi está detrás de todo esto. Maldito Unicornio. Sólo porque Sima Liang le hizo sufrir, ha pergeñado este siniestro plan para castigarme a mí. ¿Dónde estás, Sima Liang?

Con lágrimas en los ojos, ella le dijo:

—Jintong, sé lo que estás pensando y te equivocas. Yo te quiero. Esto no tiene nada que ver con mi padre. De hecho, me amenazó con desheredarme si me casaba contigo. Me preguntó qué veía en ti, y me recordó que era de conocimiento público que tú estuviste en la cárcel por necrofilia y que pasaste unos cuantos años en una institución para enfermos mentales. «¿Qué importa si tienes un cuñado forrado de dinero o una sobrina alcaldesa?», me preguntó. Somos pobres, pero no de espíritu ni en valores morales... Todo está bien, Jintong —continuó ella, mirándolo fijamente a través de la neblina que tenía en los ojos—, podemos presentar una demanda de divorcio, si quieres, y yo seguiré con mi vida...

Las lágrimas de ella caían sobre el corazón de él. Tal vez estaba permitiendo que sus sospechas le dominaran. ¿Qué tiene de malo aceptar que alguien te ama?

Wang Yinzhi era un genio para cuestiones de dirección de empresa. Se puso a trabajar y revisó minuciosamente la estrategia comercial de Jintong. Se le ocurrió construir una fábrica justo detrás de la tienda para producir sus propios sujetadores Unicornio, de la mejor calidad. De repente, Jintong se había convertido en poco más que una figura decorativa, y pasaba la mayor parte de su tiempo frente a la televisión, donde emitían constantemente anuncios de los sujetadores Unicornio:

Ponte un Unicornio y sentirás que tu vida comienza de nuevo.
Cuando llevas un Unicornio, la fortuna te sonríe.

Un actor de tercera fila agitaba un sujetador frente a la cámara:

Ponte un Unicornio y tu maridito se volverá loco.
Quítatelo y la suerte te abandonará.

Asqueado con lo que estaba viendo, Jintong apagó la televisión y se puso a dar vueltas sobre la exuberante alfombra de lana de su habitación, en la que ya había creado un sendero de tanto pasearse de un lado para otro. El ritmo de sus pasos se aceleraba, su excitación crecía, su mente estaba cada vez más confusa, como una cabra muerta de hambre y encerrada. Pero se cansó pronto. Entonces se sentó y volvió a encender la televisión con el mando a distancia. Estaban poniendo *La hora del Unicornio*. El programa, que consistía en entrevistas y documentales biográficos, trataba de las mujeres más influyentes de Dalan. Lu Shengli y Geng Lianlian ya habían aparecido.

La conocida sintonía del programa, el agradable son de la Fortuna llamando a la puerta, precedió a la voz del locutor: «Este programa está patrocinado por Lencería Unicornio. Ponte un Unicornio y sentirás que tu vida comienza de nuevo. El unicornio es el animal del amor. Me calienta el corazón día y noche». El logotipo del Unicornio apareció llenando toda la pantalla. La imagen: una mezcla entre un rinoceronte y un pecho con su pezón.

«Nuestra invitada de hoy es Wang Yinzhi. Gracias a la dinámica estrategia comercial de la Señora Wang, los hombres y las mujeres jóvenes de Dalan pueden llevar con orgullo productos de la marca Unicornio. Ya no se limitan a la lencería; ahora la firma también hace gorras y calcetines y muchas otras cosas». En ese momento, el micrófono se desplazó hasta la boca de la directora general de Unicornio, Wang Yinzhi, que estaba cubierta de abundante pintalabios.

«Señora Directora General, la primera pregunta que me gustaría hacerle es: ¿Cómo se le ocurrió un nombre tan extraño como "Unicornio" para su tienda, su fábrica y su línea de ropa?». La sonrisa de ella rebosaba confianza. Mirándola un instante uno se daba cuenta de que era una mujer educada, inteligente, rica y poderosa, una mujer a tener en cuenta. «Es una historia más bien larga —contestó ella—. Hace más de tres décadas, mi padre adoptó el pseudónimo de El Unicornio. Según él, el unicornio es un animal mágico que se parece, al menos hasta cierto punto, al rinoceronte. Es el "cuerno mágico del corazón" que simboliza un encuentro en los antiguos textos. Amantes, cónyuges, amigos, ¿no son un cuerno mágico del corazón? Por eso lo escogí como nombre para nuestra tienda. El siguiente paso lógico era convertirlo en una marca. Cuerno mágico del corazón, sí, cuerno mágico del corazón, ¿no te parece que solamente el sonido te transporta a un mundo emocionante y dichoso? Pero me temo que me estoy dejando llevar, y que todos los amigos que nos están viendo, esos cuernos mágicos del corazón, no necesitan que yo les explique nada».

¡Cállate de una vez! —farfulló Jintong, indignado—. ¿Cómo te atreves a atribuirte eso? ¡Un día de estos te voy a *unicornear*!

Sentada frente a la presentadora del programa, una mujer con los dientes delanteros muy salidos, Wang Yinzhi hablaba y hablaba sin parar. «Por supuesto, mi marido jugó un papel importante en la primera época de la tienda, pero después cayó enfermo y ahora está convaleciente y me ha dejado sola ante la lucha. El unicornio es un auténtico luchador, y considero que es mi deber preservar su espíritu de lucha». «¿Y cuál es su objetivo, si me permite la pregunta?», inquirió la presentadora de dientes de conejo. «Convertir al Unicornio en una firma conocida a nivel nacional en un plazo de tres años; a nivel internacional, en uno de diez; y, finalmente, llegar a ser la primera marca del mundo de artículos de lencería».

Jintong le lanzó el mando a distancia a la imagen televisada de Wang Yinzhi. ¿Es que no tienes ninguna vergüenza? El mando a distancia rebotó en la televisión y cayó al suelo. Mientras tanto, en la pantalla, Wang Yinzhi seguía hablando interminablemente. Los rellenos prominentes que llevaba bajo el sostén, semejantes a dos pequeños paraguas que levantaban su fina blusa, cautivaban a una inmensa cantidad de espectadores jóvenes. «Señora Directora General, no hace muchos años que las jóvenes occidentales se implicaron en un movimiento de liberación de los pechos, diciendo que los sujetadores no son muy distintos de los dañinos corsés que llevaban las mujeres en el siglo XVII. ¿Cuál es su opinión al respecto?». «¡Se trata de pura y simple ignorancia! —dijo Wang Yinzhi categóricamente—. Esos corsés estaban hechos de lona y de tablillas de bambú, como si fueran armaduras, así que claro que eran dañinos. Yo diría que se puede comparar la historia de amor de las mujeres europeas con el corsé con la forma en que las mujeres chinas se vendaban los pies. Pero ni el corsé ni los pies vendados son comparables con los sujetadores modernos, especialmente con los productos Unicornio. Nuestros sujetadores satisfacen tanto las necesidades de la belleza como las de la salud. En Unicornio tenemos en cuenta estos dos aspectos, y hacemos todo lo posible para cumplir con las exigencias estéticas y biológicas».

Jintong cogió una taza de té para lanzársela al televisor, pero en el último momento apuntó a la pared, que estaba toda recubierta de un papel almohadillado. Sin hacer apenas ruido, rebotó en el suelo alfombrado. Algunas hojas mohosas y un poco de té rojo salpicaron contra la pared y la televisión.

Una mustia hoja de té quedó pegada contra la pantalla de 29 pulgadas de la televisión, semejante a una barba debajo de su boca. «¿Puedo preguntarle, Señora Directora General, si usted lleva puesto un sujetador Unicornio?», preguntó la presentadora de los dientes de conejo, intentando ser aguda. «Por supuesto que sí», dijo ella, levantando las manos y moviéndose un poco los falsos pechos, de un modo que parecía inconsciente pero que en realidad era totalmente intencionado: un poco de publicidad gratuita. «¿Y qué nos puede contar de su vida familiar, Señora Directora General? ¿Diría usted que es feliz?». «La verdad es que no mucho —contestó con franqueza—. Mi marido sufre de psicosis. Pero es un hombre bueno y decente».

—¡Eso es una gilipollez! —Jintong pegó un respingo en el sillón—. Todo esto es un complot contra mí. Me dices cosas dulces a la cara y luego me apuñalas por la espalda. Me tienes en arresto domiciliario.

La cámara enfocó a Wang Yinzhi desde un ángulo que mostraba su siniestra sonrisa, como si supiera que Jintong estaba en casa viéndola en televisión.

Se levantó, apagó la tele y empezó a dar vueltas por la habitación ansiosamente, como un simio enjaulado, con las manos aferradas detrás de la espalda. Su enfado aumentaba por momentos.

—¿Psicosis? ¡Eres tú la que sufre una maldita psicosis! ¿Dices que no puedo ocuparme del negocio? ¡Yo digo que sí que puedo! Lo que pasa, hija de puta, es que no me dejas. No eres una mujer real, eres una mujer de piedra. ¡Un espíritu de un sapo hermafrodita! —Un maremágnum de diferentes sentimientos se apoderó de Shangguan Jintong. Aquella tarde de primavera de 1993, exhausto, se acostó boca abajo en la alfombra, que aparentaba ser antigua pero no lo era, y se puso a sollozar incontrolablemente.

Para cuando sus lágrimas habían empapado un trozo de alfombra del tamaño de un cuenco, su sirvienta filipina entró en la habitación.

—La cena está lista, señor —le dijo, colocando una cesta llena de comida sobre la mesa.

Después sacó un cuenco de arroz glutinoso, un plato de cordero asado con nabos, otro de pequeñas gambas con apio y un cuenco de sopa agridulce con trozos de pez cabeza de serpiente. Entonces le ofreció un par de palillos que aparentaban ser de marfil y lo instó a que comiera.

Jintong no tenía ninguna gana de comerse los humeantes alimentos que había desplegados frente a él. Volviéndose hacia la sirvienta, con los ojos hinchados de llorar, le gritó:

—¿Qué soy yo? ¡Dime qué soy!

La pobre chica estaba tan asustada que se quedó petrificada donde estaba, con los brazos colgando a ambos lados de su cuerpo.

—No lo sé, señor...

—¡Eres una maldita espía! —Jintong tiró los palillos sobre la mesa—. ¡Estás trabajando en la sombra para Wang Yinzhi, maldita espía!

—No entiendo, señor, no sé qué es lo que quiere decir...

—Has puesto en mi comida un veneno de los que actúan lentamente. ¡Quieres verme muerto! —Cogiendo los platos, vació su contenido sobre la mesa. Después le lanzó el cuenco de sopa a la sirvienta—. ¡Fuera de mi vista, perra espía!

Ella salió aullando de la habitación, con toda la ropa húmeda y pegajosa.

Wang Yinzhi, contrarrevolucionaria, enemiga del pueblo, insecto chupasangre, maldita derechista, esbirra del capitalismo, capitalista reaccionaria, degenerada, traidora de clase, parásita, miserable sinvergüenza atada al poste de la ignominia histórica, bandida, chaquetera, gamberra, delincuente, enemiga de clase encubierta, monárquica, hija filial y virtuosa nieta del viejo Confucio, apologista del feudalismo, defensora de la restauración del sistema esclavista, portavoz de la declinante clase terrateniente... Se puso a llamarla con todos los términos políticos insultantes que había aprendido durante las turbulentas décadas precedentes; en eso consistió el ataque verbal que emprendió contra Wang Yinzhi. Esta noche tú y yo la vamos a tener, y va a ser la última vez. O muere el pez o se rompe la red. Sólo uno de nosotros quedará en pie. ¡Cuando chocan dos ejércitos, la victoria es para los más valientes!

Wang Yinzhi abrió la puerta, con un llavero de oro en la mano, y se quedó de pie en el umbral.

—Aquí estoy —le dijo con una sonrisa desdeñosa—. Veamos de qué estás hecho.

Armándose de valor, Jintong dijo:

—¡Te voy a matar!

—Bueno —dijo ella soltando una carcajada—, una chispa de vida, al fin. Si realmente tienes las agallas para matar a alguien, te habrás ganado mi respeto.

Entró despreocupadamente en la habitación, esquivando la comida que había por el suelo, y se detuvo enfrente de Jintong y le dio un golpe en la cabeza con su llavero.

—¡Bastardo desagradecido! —lo insultó—. Me gustaría saber de qué te quejas tanto. Vives en el mejor hotel de la ciudad y tienes una sirvienta que te prepara la comida. Estiras los brazos y te visten, abres la boca y te alimentan. Vives como un emperador. ¿Qué demonios quieres?

—Quiero... quiero mi libertad —masculló Jintong.

Ella se quedó de piedra durante unos instantes antes de estallar en una sonora carcajada.

—Yo no restrinjo tu libertad —le dijo, tras reírse un buen rato—. De hecho, puedes irte ahora mismo. ¡Vete!

—¿Quién eres tú para decirme que me vaya? Ésta es mi tienda, y si alguien se va a ir de aquí, eres tú, no yo.

—¡Ni lo sueñes! —dijo Wang Yinzhi—. Si yo no me hubiera hecho cargo del negocio, te habrías hundido aunque tuvieras cien tiendas. ¡Y tienes el valor de decir que la tienda es tuya! Ya llevas un año viviendo a mi costa; nadie puede pedir más. Ahora ha llegado el momento de que recuperes tu preciosa libertad. Ahí está la puerta. Esta habitación, esta noche, está reservada para otra persona.

—Soy tu legítimo esposo y no me iré si no me da la gana.

—Legítimo esposo —repitió Wang Yinzhi empalagosamente—. Esposo. ¿Crees que mereces ese nombre? ¿Has cumplido con tus obligaciones como esposo? ¿Estás dispuesto a hacerlo?

—Sí, si tú haces lo que yo te diga.

—¿Cómo te atreves? —explotó Wang Yinzhi—. ¿Me tomas por una puta? ¿Te crees que puedes darme órdenes cuando tú quieras?

Se le puso la cara de un color rojo brillante y sus horribles labios comenzaron a temblar. Entonces le tiró las llaves que tenía en la mano contra la frente. Un dolor agudo se abrió paso hasta su cerebro mientras un líquido caliente y pegajoso le empapaba las cejas. Levantó la mano para tocarse la frente y cuando la retiró vio un dedo ensangrentado, justo en el momento en el que irrumpía en la habitación una pareja de hombres que él conocía. Uno de ellos llevaba un uniforme de la policía; el otro iba con una túnica de juez. El policía era Wang Tiezhi, el hermano menor de Wang Yinzhi; el juez era su cuñado, Huang Xiao-jun. Se fueron directos a por Jintong.

—¿Qué te parece, cuñado? —dijo el policía, empujándolo con el hombro—. Si alguien se aprovecha de una mujer, no es un verdadero hombre, ¿no crees?

El juez le dio un rodillazo en la espalda.

—Mi hermana ha sido muy buena contigo. ¿Es que tu conciencia no te dice nada?

Cuando Jintong estaba a punto de decir algo en su defensa, un puñetazo en el estómago lo hizo caer de rodillas. Un líquido agrio le salió de la boca. Después el policía lo remató con un fuerte golpe de karate en el cuello. El cuñado juez había servido en el ejército como oficial explorador durante diez años, y tenía una mano tan poderosa que podía romper tres ladrillos de un solo golpe. Jintong se sintió aliviado de que se mantuviera a cierta distancia; en caso contrario, le habría hecho falta mucha suerte para conservar la cabeza sobre los hombros. Llora, se dijo a sí mismo. No van a pegarle a un hombre que está llorando. Llorar es lo que hace la gente débil. Llorar es suplicar compasión, y los hombres de verdad nunca suplican compasión. Pero siguieron pegándole aunque se quedó de rodillas en el suelo, llorando y gimoteando.

Wang Yinzhi también lloraba, lloraba de verdad, como una mujer de la que han abusado.

—No llores, hermanita —dijo el juez—. No vale la pena. Divórciate. No tienes por qué desperdiciar tu juventud.

—Oye, tú —dijo el policía—. Supongo que piensas que la familia Wang es un blanco fácil para ti. Bueno, pues tu sobrina la alcaldesa ha sido suspendida temporalmente de sus funciones y está siendo investigada. Ya no podrás seguir acosando a la gente impunemente gracias a tus contactos. Todo eso está a punto de acabarse.

El policía y el juez levantaron a Jintong y lo sacaron a rastras de la habitación, atravesando el oscuro pasillo y la tienda brillantemente iluminada hasta llegar a la calle, donde lo dejaron caer al lado de un montón de basura. Como se decía durante la Revolución Cultural, lo barrieron hasta la pila de basura de la historia. Dos gatos enfermos que había entre los desperdicios maullaron lastimeramente. Él asintió con la cabeza, como pidiéndoles perdón. Estamos en el mismo barco, gatos, a punto de naufragar, así que no puedo ayudaros.

Jintong llevaba por lo menos seis meses sin ver a su madre, desde que Wang Yinzhi le había impuesto un régimen de arresto domiciliario, y anhelaba ver la luz brillando en su ventana y oler el encantador aroma de las lilas que había debajo. El año pasado, en esta época, Wang Yinzhi era una mujer sombría que daba vueltas debajo de la ventana de Jintong. Ahora el sombrío era él, y escuchaba las estentóreas carcajadas de los dos cuñados que salían por aquella misma ventana. Ella tenía muy buenos contactos en Dalan; por todos lados había gente dispuesta a protegerla, por lo que él no era rival para ella. Es otra noche lluviosa, pero hace más frío. Las lágrimas se deslizan por el cristal del escaparate, pero esta vez son mías, no suyas. ¿Cuántas noches puede encontrarse una persona, a lo largo de su vida, sin un hogar al que regresar? En esta época, el año pasado, me dio miedo dejarla vagabundeando sola por la noche; hoy, eso es exactamente lo que estoy haciendo yo.

Antes de que pudiera darse cuenta, tenía el pelo empapado por la lluvia y la nariz totalmente tapada, señal inequívoca de que se había acatarrado. También tenía hambre y se arrepentía de haberle tirado aquella maravillosa sopa a la sirvienta en lugar de habérsela comido. Pero ahora que lo pensaba mejor, el enfado de Wang Yinzhi no le parecía del todo injustificado. A cualquier mujer que tenga un inútil por marido no le queda más remedio que hacerse cargo de las cosas. Tal vez, se le ocurrió, todavía le quede una oportunidad. Ella me ha pegado, pero yo no le devolví el golpe. Estuve mal al tirar la sopa, pero me puse a cuatro patas y lamí un poco de ella como parte del castigo que me infligieron los dos hombres. Mañana, a primera hora de la mañana, volveré y me disculparé ante ella y ante la sirvienta filipina. Ahora debería estar roncando sobre mi colchón, en casa. Quizá me venga bien sufrir un poco.

Entonces se acordó del alero que había enfrente del Cine Popular, que era un lugar tan bueno como cualquier otro para refugiarse de la lluvia, y se dirigió hacia allí. Su decisión de pedirle disculpas a Wang Yinzhi a la mañana siguiente le sirvió para tranquilizarse bastante. Entonces se fijó en los extremos del cielo lleno de niebla, que estaban iluminados por la luz de las estrellas. Ya tienes cincuenta y cuatro años. La mierda te llega casi hasta el cuello, así que ha llegado la hora de que dejes de meterte en problemas. ¿A ti qué te importa si Wang Yinzhi ha dormido con un hombre o con cien? Un cornudo es un cornudo.

Las lágrimas me bañaban las mejillas, que se me habían hinchado de tanto abofetearme a mí mismo, pero la única reacción que logré de Wang Yinzhi fue un gesto de desdén. Esta mujer de sangre fría no dio ninguna señal de que tuviera la intención de perdonarme; lo que hizo fue juguetear con su llavero mientras contemplaba mi actuación.

—Yinzhi, como dice el refrán, un día de vida matrimonial significa cien días de sentimientos confusos. Te suplico que me des otra oportunidad.

—El problema es que nosotros no hemos tenido ni un día de vida matrimonial.

—¿Y qué me dices de aquella noche de marzo de 1991? Eso debería contar.

La observé mientras ella recordaba la noche del 7 de marzo de 1991. De repente su rostro se sonrojó, como si la hubiera humillado.

—¡No! —dijo indignada—. ¡Eso no cuenta! ¡Fue un acto indecente, un intento de violación!

Su caracterización me sorprendió y me indignó. Me pregunté cómo podía haberme preocupado por perder una mujer que era capaz de tratarme de esa manera. Shangguan Jintong, después de toda una vida de llantos y gimoteos, ¿no crees que ya es hora de que intentes cambiar? Que se quede con la tienda, que se quede con todo, pero yo quiero mi libertad.

—De acuerdo, entonces. ¿Cuándo presentamos la demanda de divorcio?

Ella sacó un trozo de papel.

—Firma esto y está hecho. Por supuesto —añadió—, como soy una persona decente y justa, te voy a dar treinta mil yuan. Firma aquí.

Firmé. Mientras me entregaba una libreta de ahorros a mi nombre, le pregunté:

—¿No es necesario que comparezca ante los tribunales?

—Ya me he ocupado de todo —dijo ella, tirándome los formularios de la solicitud de divorcio, que ya estaban completamente rellenos—. Eres libre —me dijo.

Ahora que había caído el telón de este drama, me sentí verdaderamente más libre y despreocupado de lo que nunca me había sentido. Antes de que llegara la noche, ya había vuelto a casa, con Madre.

Unos días antes de que muriera Madre, la alcaldesa de Dalan, Lu Shengli, fue hallada culpable de aceptar sobornos y condenada a muerte con un año de gracia. Geng Lianlian y Papagayo Han, que fueron hallados culpables de pagar sobornos, fueron encadenados y encerrados en una prisión. Su Plan Fénix había resultado ser una gigantesca patraña, y se concluyó que los préstamos millonarios que Lu Shengli, como alcaldesa, había concedido a la Reserva Ornitológica Oriental, se habían empleado, en su mayor parte, como sobornos. El resto lo habían despilfarrado. Los intereses de los préstamos nunca se recuperaron y, por supuesto, el dinero de los préstamos tampoco, pero los bancos no hicieron nada por miedo a que la reserva quedaría patas arriba. De hecho, ese miedo era compartido por toda la Municipalidad de Dalan. Con el tiempo, la fraudulenta reserva acabó cerrando sus puertas y perdió a todos los pájaros, la hierba silvestre cubrió las plumas y las deposiciones de pájaros que había por todo el recinto, y sus trabajadores tuvieron que buscarse otro empleo. Pero siguió existiendo en los libros de contabilidad de todos los bancos de la localidad, y los intereses siguieron creciendo.

Sha Zaohua, que estaba desaparecida desde hacía años, regresó de dondequiera que estuviese. Se había cuidado bien, y parecía una mujer de treinta y tantos años. Pero cuando fue a la pagoda a visitar a Madre, ésta le dio la bienvenida con frialdad. Durante los días que siguieron a su llegada, estaba encaprichada con Sima Liang, que también había vuelto a la ciudad. Mostró una canica de cristal, que según ella representaba el amor que él sentía por ella, y un espejo, que pensaba regalarle. Dijo que se había reservado para él todos esos años. Pero en su ático de la Mansión Osmanthus, Sima Liang tenía demasiadas cosas en la cabeza como para que volviera a despertar su historia de amor con Zaohua. A pesar de todo, ella lo seguía a todas partes, cosa que a él le resultaba irritante.

—Querida prima —le bramó un día—, ¿qué te crees que estás haciendo? Te he ofrecido dinero, vestidos, joyas, pero no quieres nada de eso. ¿Qué es lo que quieres?

Sacó la mano del dobladillo de la chaqueta y se sentó con fuerza en el sofá, enfadado y frustrado. Entonces, sin darse cuenta, le dio un golpe con el pie a un florero que contenía una docena de rosas rojas y violáceas, más o menos, que quedaron acostadas sobre la mesa, que ahora estaba completamente empapada. Zaohua, que llevaba puesto un vestido negro casi transparente, se puso de rodillas sobre la alfombra mojada y miró fijamente a Sima Liang a la cara. Él no pudo evitar echarle una mirada con el rabillo del ojo. La cabeza de ella era pequeña y en su larguísimo cuello solamente unas pocas líneas estropeaban la perfecta textura de la piel. Debido a su vasta experiencia con mujeres, él sabía que el cuello era el único sitio que siempre, indefectiblemente, delataba la edad de una mujer. ¿Cómo podía ser que Zaohua, que ya había rebasado los cincuenta, hubiera conseguido evitar que su cuello se pareciera a un trozo de salchicha o a un pedazo de madera seca? Desde ahí, su mirada se desplazó a los huecos de debajo de los hombros y al escote que dejaba a la vista el cuello redondeado de su vestido, y se dio cuenta de que ninguna parte del cuerpo de ella parecía pertenecer a una mujer de cincuenta y tantos años. Más bien parecía una flor que se hubiera conservado en frío durante medio siglo, o una botella de algún magnífico licor que hubiera estado cincuenta años enterrado al pie de un granado. Una flor congelada está esperando que la cojan; una antigua botella de licor exige que se la beban. Sima Liang extendió un brazo y le tocó delicadamente la rodilla. Ella gimió y su rostro adoptó un color rojo brillante, como una radiante puesta de sol. Lanzándose sobre él, le pasó los brazos por alrededor del cuello y le metió la cara en su ardiente seno, frotándose los pechos contra él una y otra vez hasta que una sustancia aceitosa empezó a salirle de la nariz y las lágrimas asomaron a sus ojos.

—Sima Liang, te he esperado durante más de treinta años.

—No me digas eso —dijo él—. Treinta años. ¿Sabes que eso me convierte en culpable de un montón de cosas?

—Soy virgen.

—¿Ladrona y virgen? ¡Si eso es verdad, me voy a tirar por la ventana!

Zaohua empezó a llorar, dolida por su comentario. Pero entonces, cuando la rabia se apoderó de ella, se lanzó a sus pies de un salto, se quitó el vestido y se tumbó en la alfombra delante de él.

—Sima Liang, ven, haz tú de juez. ¡Si no soy virgen, seré yo la que se tire por la ventana!

Antes de salir de la habitación, Sima Liang miró a la madura virgen y le dijo con mucha labia:

—En fin, que me lleven los demonios. Eres virgen.

Más allá del sarcasmo, dos lágrimas brotaron de sus ojos. Por su parte, Zaohua, que seguía tumbada sobre la alfombra, levantaba la vista para mirarlo y tenía los ojos húmedos por la alegría y el enamoramiento.

Cuando Sima Liang regresó a la habitación, Zaohua estaba sentada en el alféizar de la ventana, completamente desnuda. Era evidente que lo estaba esperando.

—Bueno, ¿soy o no soy virgen? —dijo con frialdad.

—Prima —le contestó Sima Liang—, olvídate del acto. Piensa que me he pasado casi toda la vida rodeado de mujeres. Además, si yo me quisiera casar contigo, ¿que me importaría que fueras virgen o no?

Zaohua contestó con un chillido que hizo que Sima Liang comenzara a notar un sudor frío. Una mirada azul, semejante a un gas venenoso, surgió de sus ojos. Él saltó hacia ella en el mismo momento en que ella se echaba hacia atrás. Lo último que él vio fueron los talones enrojecidos de los desnudos pies de ella dirigiéndose hacia abajo.

Soltando un suspiro, Sima Liang se volvió hacia mí, que entraba a toda prisa en la habitación para ver qué pasaba; ese chillido me había helado la sangre.

—¿Has visto eso, Pequeño Tío? Si me tiro por la ventana tras ella, no seré un digno hijo de Sima Ku. Pero lo mismo pasará si no me tiro. ¿Qué debo hacer?

Yo abrí la boca para decir algo, pero no pude articular ni una palabra.

Cogiendo un paraguas que alguna mujer se había olvidado en su ático, me dijo:

—Pequeño Tío, si me muero, ocúpate de mi cuerpo. Y si no, viviré para siempre.

Abrió el paraguas y gritando «¡mierda!» a pleno pulmón se lanzó por la ventana y cayó como una fruta madura.

Prácticamente cegado por el pánico, asomé la mitad superior de mi cuerpo por la ventana y aullé:

—Sima Liang... Sima Liang...

Pero él estaba demasiado ocupado cayendo como para prestarme atención. La gente que había abajo estiraba el cuello para presenciar el espectáculo, sin hacerle caso al cuerpo de Sha Zaohua, que estaba espachurrada como un perro muerto sobre el cemento, enfrente de ellos. Todos vieron cómo Sima Liang bajaba en paracaídas, atravesaba la copa de un plátano y caía sobre un grupo de acebos, tan bien podados como el bigote de Stalin. El impacto hizo que salieran unas oleadas de algo que parecía fango verde. La gente se empezaba a amontonar alrededor de los árboles cuando apareció Sima Liang como si nada hubiera sucedido, dándose unas palmaditas en el trasero para quitarse la suciedad de los pantalones y saludando al gentío. Tenía la cara de todos los colores, como las vidrieras de la iglesia a la que íbamos cuando éramos niños. «Sima Liang», le grité yo, lloriqueando. Él se abrió paso a empujones entre la gente, fue andando hasta la entrada del edificio y llamó a un taxi amarillo. Abrió la puerta y se metió dentro de un salto antes de que el portero, vestido con un uniforme violeta, pudiera reaccionar. El taxi aceleró y se alejó dejando atrás una estela de humo negro. Después dio la vuelta a una esquina y se metió entre el tráfico. Se había ido.

Yo solté un gran suspiro, como si me estuviera despertando de una pesadilla. Era un día radiante, soleado, embriagador y perezoso, de esos que parecen estar cargados de esperanza pero en realidad ocultan un montón de trampas. La luz del sol refulgía en la pagoda de siete pisos, en las afueras de la ciudad, donde vivía Madre.

—Hijo —dijo Madre débilmente—, llévame a la iglesia. Será la última vez...

Con mi madre, casi ciega, cargada a la espalda, caminé durante cinco horas por la calle que pasaba por detrás de la residencia de la Ópera de Pekín y llegaba más allá del arroyo contaminado que fluía junto a la planta de tintes químicos. Finalmente encontré la iglesia, que había sido restaurada recientemente. Enclavada en medio de un fila de casas achaparradas, era una construcción sencilla y tenía aspecto de estar ligeramente abandonada; ya no tenía nada que ver con el lugar imponente que había sido en tiempos. El frente de la iglesia y los dos lados del camino estaban atestados de bicicletas adornadas con lazos de todos los colores. Sentada en la entrada había una anciana cuyo aspecto era una mezcla de taquillera y espía de las actividades secretas que podían estar teniendo lugar en el interior. Nos hizo un gesto amistoso con la cabeza y nos dejó pasar. El patio estaba completamente lleno de gente, y dentro de la iglesia había incluso más. Todos ellos escuchaban con atención el sermón que les estaba soltando un anciano pastor lleno de arrugas, que tendía a arrastrar las palabras. Tenía las arrugadas manos juntas sobre el púlpito, iluminadas por un rayo de sol. Entre los parroquianos había personas mayores y niños pequeños, pero la gran mayoría consistía en niñas y mujeres jóvenes, todas sentadas en los bancos, tomando notas en las biblias abiertas que tenían apoyadas en las rodillas. Una anciana que reconoció a Madre nos dejó un lugar contra la pared, debajo de una vieja acacia llena de flores blancas semejantes a gigantescos copos de nieve. La atmósfera era sofocante. Un altavoz pegado al tronco del árbol hacía llegar las palabras del pastor a todos los que estaban ahí congregados. Era difícil decir si los crujidos y las interferencias eran producto de la antigüedad del altavoz o de la del pastor. Nos sentamos en silencio y lo escuchamos hablar monótona e interminablemente, exhortando a los parroquianos a llevar una vida pura y a transitar el camino del bien.

Cuando concluyó el sermón, la multitud, con lágrimas en los ojos, cantó Amén a coro. Después se escucharon los sones de un órgano de tubos que había a un lado y que tocaba un himno final que conocían todos los fieles. Los que eran capaces de cantar, lo hicieron, y en voz alta. Los que no lo eran, tararearon la melodía lo mejor que pudieron. Así concluyó el servicio. Algunos de los parroquianos se pusieron de pie y se estiraron, y otros se quedaron sentados, hablando en voz baja entre ellos.

Madre se sentó en el banco con las manos apoyadas en las rodillas y los ojos cerrados, como si se hubiera quedado dormida. No corría ni un soplo de aire, pero de repente las flores blancas cayeron del árbol encima de nosotros, como si alguien hubiera desconectado la corriente de fuerza magnética que las mantenía unidas a las ramas. Su aroma se expandió por el patio mientras un montón de ellas le caía a Madre en el pelo, en el cuello, en los lóbulos de las orejas, en las manos, en los hombros y a su alrededor, en el suelo.

¡Amén!

El viejo pastor, habiendo concluido su sermón, se dirigió a la puerta de la iglesia y, apoyándose en el marco de la puerta, contempló el maravilloso espectáculo floral que había ante sus ojos. Tenía un mechón de pelo rojo y despeinado, los ojos de un color azul profundo, la nariz rojiza y una fuerte barba amarillenta. Unas fundas de metal le cubrían algunos dientes. Sorprendido por la visión, me puse en pie. ¿Sería éste el padre legendario que nunca conocí? La anciana que conocía a Madre se acercó cojeando, con sus pies vendados, para presentarnos.

—Éste es el Pastor Malory, el hijo mayor de nuestro antiguo pastor. Ha venido desde Lanzhou para hacerse cargo de la iglesia. Éste es Shangguan Jintong, el hijo de Shangguan Lu, que es parroquiana desde hace mucho tiempo.

En realidad sus presentaciones eran innecesarias, porque antes de que pronunciara nuestros nombres, Dios ya nos había revelado a cada uno el origen del otro. Este hombre, el hijo bastardo del Pastor Malory y de una mujer musulmana, que era medio hermano mío, me estrechó con firmeza entre sus brazos peludos y, con los ojos llenos de lágrimas, me dijo:

—¡Te he estado esperando desde hace mucho tiempo, hermano!

Este libro utiliza la fuente Adobe Caslon, creada en 1772
por William Caslon, quien se basó para su elaboración en el antiguo
diseño holandés del siglo XVII. La primera edición de la Declaración
de Independencia de Estados Unidos y su Constitución fueron
editadas con esta misma tipografía.